ANDRÉ LAGARDE

Agrégé des Lettres
Inspecteur général
de l'Instruction Publique

LAURENT MICHARD

Ancien élève
de l'École Normale Supérieure
Inspecteur général de l'Instruction Publique

XXᵉ SIÈCLE

LES
GRANDS AUTEURS FRANÇAIS
Anthologie
et histoire littéraire

avec la collaboration de

RAOUL AUDIBERT

Inspecteur général
de l'Instruction Publique

HENRI LEMAITRE

Professeur de Première Supérieure
au Lycée Fénelon

THÉRÈSE VAN DER ELST

Professeur de Première Supérieure
au Lycée Fénelon

Édition mise à jour et augmentée

1900-1999

BORDAS

Couverture : Max Ernst, *Le Soleil rouge*, 1957.
Collection Thyssen Bornemisza, Lugano. Ph. © de
la collection © by SPADEM, 1988.
Maquette de couverture : P. Verbruggen.

Iconographie : M. de Mlodzianowski.

© Bordas, Paris 1962
© Bordas, Paris 1973
© Bordas, Paris 1988
© Larousse-Bordas, 1997

ISBN 2-04-018000-1
Nouvelle édition mise à jour et augmentée
ISBN 2-04-000060-7 – 1re édition

AVANT-PROPOS

Ce livre est le sixième et dernier volume de la Collection Lagarde et Michard (ANTHOLOGIE ET HISTOIRE LITTÉRAIRE). Le lecteur y retrouvera à peu près la même méthode de présentation que dans les recueils précédents : les vues d'ensemble de l'*histoire littéraire* s'éclairent par le contact direct avec des *pages représentatives* qui permettent à chacun de fonder son appréciation personnelle.

Tant qu'il s'agissait des siècles passés, la sélection opérée par le temps avait facilité notre choix. Mais à mesure qu'on se rapproche de l'époque contemporaine, cette tâche devient plus délicate. Aussi avons-nous dû adapter notre méthode à cette situation nouvelle. Certains auteurs *dominent* évidemment le *siècle* : il était donc normal de les présenter avec autant d'ampleur qu'un Montaigne, un Racine, un Voltaire, un Victor Hugo ou un Balzac. D'autres paraissent d'ores et déjà assurés d'occuper à l'avenir une *place de choix* : nous leur avons réservé des analyses approfondies, illustrées par de larges extraits qui donnent de leur œuvre un reflet assez fidèle et invitent à examiner de plus près telle page célèbre. Restaient tous les écrivains *dignes d'attention,* sur lesquels il est plus difficile de se prononcer. Nous avons pris le parti d'ouvrir notre recueil à un très grand nombre d'entre eux, en regrettant de ne pouvoir en accueillir davantage : nous avons consacré à leurs œuvres majeures des études brèves mais précises, accompagnées de quelques pages caractéristiques qui présenteront toujours en elles-mêmes un intérêt réel. Pour *la période la plus récente,* afin d'éviter la dispersion, nous avons dû nous borner à dégager quelques tendances, en citant les noms qui paraissent actuellement les plus représentatifs ; mais l'avenir peut réserver des surprises. L'essentiel reste, à nos yeux, que le lecteur intéressé par nos extraits et guidé par nos informations soit incité à élargir le champ de ses lectures et de sa culture littéraire.

Comme pour les autres siècles, on trouvera à la fin du volume un **index des groupements thématiques.** Il permettra d'intégrer librement le texte examiné dans des **groupements choisis et étudiés selon une cohérence thématique ou problématique** (cf. p. 885). On connaît l'intérêt de ces confrontations, du point de vue pédagogique, et, dans une perspective élargie, pour alimenter la réflexion et enrichir la culture générale.

Quant à l'*illustration,* en relation avec les textes choisis ou les courants littéraires et artistiques, elle mettra sous les yeux quelques œuvres d'artistes célèbres, tout en soulignant la parenté et les « correspondances » entre la littérature et les beaux-arts. Elle pourra jouer modestement le rôle d'une sorte de *musée imaginaire.*

Qu'il nous soit permis, en terminant, de rendre hommage à nos collègues Thérèse VAN DER ELST, Raoul AUDIBERT et Henri LEMAITRE qui, se joignant à nous, ont contribué à la composition de l'ouvrage, dans le meilleur esprit d'équipe. Avant de disparaître, Henri LEMAITRE a eu la satisfaction de conduire à son terme sa contribution au remaniement de ce *XXᵉ Siècle* entièrement mis à jour, qui a été parachevé avec l'aide précieuse de Danièle BESSON-LÉAUD.

RAPPROCHEMENTS THÉMATIQUES

Comme dans les volumes précédents de la **Collection Lagarde et Michard**, des dispositions permettent de procéder à des *rapprochements thématiques* (comparaison, opposition, complémentarité, etc.).

• Pour intégrer librement un texte dans des « **groupements choisis et étudiés selon une cohérence thématique ou problématique** », il suffit, à partir de chacune des rubriques signalées à la fin de l'introduction qui le précède, de se reporter à la rubrique correspondante de l'**Index thématique** (p. 885-888).

• A partir de l'**Index thématique**, on pourra aussi grouper des textes choisis parmi ceux dont les titres figurent aux pages indiquées sous une même rubrique, et élargir l'enquête en consultant les index des autres « Siècles ».

LITTÉRATURES FRANCOPHONES

Dans le cadre limité de cette anthologie, il nous est impossible de donner un panorama et des extraits significatifs des **littératures francophones.** Nous renvoyons donc aux ouvrages sur la question publiés aux éditions BORDAS.

• Henri Lemaitre : *Dictionnaire Bordas de littérature française et francophone.*

• Jean-Pierre de Beaumarchais, Daniel Couty, Alain Rey : *Dictionnaire des littératures de langue française* (4 vol.).

• Pierre Brunel, Yvonne Bellenger, Daniel Couty, Philippe Sellier, Michel Truffet, Jean-Pierre Gourdeau : *Histoire de la littérature française. XIXᵉ et XXᵉ siècle.*

• Jean-Louis Joubert, Jacques Lecarme, Éliane Tabone, Bruno Vercier : *Les Littératures francophones depuis 1945.*

• Alain Rouch, Gérard Clavreuil : *Littératures nationales d'écriture française – Afrique noire, Caraïbes, Océan Indien.*

INTRODUCTION

Aperçu d'ensemble   Ce siècle est le nôtre. À mesure que l'esprit remonte du présent vers le passé, la perspective devient plus nette, les grandes lignes se dégagent et les valeurs sûres s'affirment tandis que s'estompent les modes passagères. Ainsi la période antérieure à la guerre de 1914 peut être analysée avec quelque assurance : l'importance des maîtres qui la dominent ou se formèrent alors ne peut plus être contestée. Dans « l'entre-deux-guerres » — car les étapes du demi-siècle sont marquées, hélas ! par deux conflits mondiaux —, les principaux mouvements se dessinent assez nettement. Mais à partir de la guerre de 1939-1945, et surtout après la crise de 1968, le critique doit procéder avec une extrême prudence, tant paraît fluctuante, d'une année à l'autre, la cote des valeurs littéraires et artistiques.

Avant 1914, — de 1919 à 1939, — depuis 1940 : si ces cadres sont commodes, ils ne doivent pas nous faire illusion. La continuité du XXᵉ siècle littéraire apparaît en effet sous sa diversité, et l'on est frappé de constater que certains des courants les plus audacieux, en art comme en littérature, ont pris naissance dès avant 14 (autour d'Apollinaire) ou dans les années 20 (ainsi *l'antiroman*, avec André Gide).

Notre siècle a vu naître un septième art, le cinéma. Il a ébranlé les structures fondamentales des genres, des arts traditionnels, du langage et même de la pensée. Il a vu s'affirmer, de Bergson à Sartre ou Camus, l'influence de la philosophie sur les lettres françaises, et la peinture ou la sculpture elles-mêmes assumer des ambitions métaphysiques. Parmi ses traits dominants figurent l'exigence d'approfondissement, la quête des essences (poésie *pure*, roman *pur*, peinture *pure*), la *remise en question* de toutes les valeurs léguées à notre pays par des siècles de christianisme, par l'humanisme de la Renaissance et par Descartes, enfin *l'angoisse* qui étreint l'homme devant les menaces pesant sur la civilisation occidentale et, depuis l'ère atomique, sur l'humanité tout entière. Tandis que certains créateurs perpétuent, en les vivifiant de leur génie personnel, les traditions ancestrales, d'autres, entraînés par l'accélération de l'histoire, tendent à opérer dans la littérature et les arts une révolution perpétuelle ; ainsi s'établit une coexistence, instable peut-être mais féconde, entre *tradition* et *révolution*, ou encore entre un *individualisme* parfois exacerbé et la « recherche d'une Église », *l'engagement* dans telle ou telle idéologie.

I.   HISTOIRE ET CIVILISATION

Guerres mondiales   Avant la guerre de 1914, la France fut secouée par
et décolonisation   des crises, telles que l'affaire Dreyfus, la séparation des
                          Églises et de l'État ou les conflits sociaux, qui divisèrent les esprits et eurent donc des répercussions sur la pensée et la littérature. Puis est venue la terrible épreuve de 1914-1918. Notre pays, qui en avait supporté le poids le plus lourd, en sortit victorieux mais épuisé par une affreuse hécatombe, et soucieux avant tout d'assurer à l'avenir sa sécurité ; vainement d'ailleurs, puisque la Société

des Nations, les plans de sécurité collective et de désarmement échouèrent, et que la France, mal préparée matériellement et moralement, fut submergée en mai-juin 1940 par l'invasion hitlérienne.

De 1914 à 1939, le conflit avait changé de nature : à la guerre des patries succédait la *guerre idéologique*, l'origine de cette transformation remontant à la révolution russe de 1917. L'existence d'un ennemi commun assura sans doute, à partir de l'attaque allemande vers l'est (1941), l'alliance des démocraties occidentales avec la Russie soviétique, mais à peine le totalitarisme hitlérien était-il abattu que la menace d'un nouveau conflit, entre l'Occident et les démocraties populaires, vint planer sur le monde.

Depuis 1945, l'énormité du risque atomique a empêché le pire, mais on a vu alterner des périodes de tension et de détente ; on a vu s'allumer ou s'éteindre des conflits sanglants, surtout en Afrique, au Moyen-Orient ou en Asie du Sud-Est. Pour sa part, au terme de luttes aboutissant à l'indépendance du Viêt-nam et de l'Algérie, à la décolonisation générale, au retour massif des Français de l'extérieur, la France s'est repliée sur l'Hexagone complété par quelques départements et territoires d'outre-mer.

L'instabilité politique

La IIIe République n'a pas survécu au désastre de 1940. Elle fut remplacée, pendant la durée de l'occupation allemande, par l'État Français du maréchal Pétain, tandis que le général de Gaulle appelait les Français à continuer la lutte en restant fidèles à la République. L'action des Forces Françaises Libres et des Forces Françaises de l'Intérieur permit à la nation de rester présente dans le conflit jusqu'à son terme, mais cette victoire n'était plus, comme en 1918, *notre* victoire, et la défaite de 1940, l'Occupation, la division des Français devaient avoir des conséquences graves et durables. Après la Libération naquit une IVe République dont la Constitution n'assurait au pouvoir exécutif ni stabilité ni efficacité. Elle fut emportée à son tour par les événements (1958), faute d'avoir pu résoudre un nouveau drame sanglant, celui de l'Algérie. Une Ve République s'est donc édifiée, sous l'égide du général de Gaulle. Son action s'est prolongée, avec des styles différents, sous l'impulsion de Georges Pompidou, puis de Valéry Giscard d'Estaing. Après la victoire de la gauche en 1981, la France a connu, sous la présidence de François Mitterrand, des modifications profondes marquées par une vague de nationalisations. Puis est venue la période incertaine de la « cohabitation » entre un président issu de la gauche et un Premier ministre choisi dans la majorité de droite de l'Assemblée.

La France et le monde

La victoire de 1918 avait permis à notre pays de recouvrer, par le traité de Versailles, l'Alsace-Lorraine perdue en 1871 et de tenir une place importante à la Société des Nations ; mais le désastre de 1940 et la dissolution de l'Empire colonial, précipitée sans doute par la chute de prestige qu'entraînait la défaite, ont diminué le rôle politique de la France dans le monde. Souhaitons que son rayonnement intellectuel et artistique n'en soit pas affecté à son tour.

ATTRACTION ET RAYONNEMENT. Son pouvoir d'attraction et d'expansion est resté grand pendant le premier demi-siècle, comme l'attestent de nombreux signes : la carrière d'un Picasso, d'un Chagall, ou la composition de « l'École de Paris » groupant des peintres de toute nationalité ; la renommée des mathématiciens français ; l'attribution du prix Nobel de littérature à Sully Prudhomme, Frédéric Mistral, Romain Rolland, Anatole France, Henri Bergson, Roger Martin du Gard, André Gide, François Mauriac, Albert Camus, Saint-John Perse, Samuel Beckett, Claude Simon ; enfin le « nouveau théâtre » représenté surtout par des dramaturges d'origine étrangère : Beckett, Ionesco, Adamov.

Avec les progrès de la *francophonie*, il se constitue dans le monde des littératures originales d'expression française en pleine expansion.

LES INFLUENCES ÉTRANGÈRES. Inversement, la France a subi, dans tous les domaines, des influences parfois essentielles. Sans parler du marxisme-léninisme, source doctrinale du communisme international, nos vues sur l'univers ont été transformées par la théorie de la *relativité*, due à Einstein, né Allemand et mort citoyen américain. L'exploration de l'inconscient par l'Autrichien Sigmund Freud, fondateur de la *psychanalyse*, a bouleversé la psychologie, la littérature, et remis en question la morale. Nos philosophes se sont recommandés du Danois Kierkegaard, des *phénoménologistes* allemands et de Heidegger ; enfin l'*absurde* du Tchèque Kafka, le *monologue intérieur* de l'Irlandais Joyce, l'influence des romanciers et des dramaturges américains ont marqué profondément la pensée, le théâtre et le roman français.

L'art abstrait doit beaucoup à Kandinsky (né à Moscou en 1866, devenu Français et mort à Neuilly en 1944), au Suisse Paul Klee, à l'Américain Calder ; en musique, l'intérêt s'est porté sur les œuvres d'Igor Stravinsky (né Russe et devenu citoyen américain) et de compositeurs germaniques comme Schönberg, Mahler, Berg ou Hindemith.

Notons aussi le goût des Occidentaux pour la musique nègre, l'art nègre, et en général pour le *primitif*, pour tout ce qui suscite, dans notre inconscient, des réminiscences lointaines, remontant peut-être aux premiers âges de l'humanité.

Civilisation ou barbarie ?

Depuis 1900, découvertes et inventions se succèdent à une allure prodigieusement accélérée : il en résulte un progrès matériel étonnant, mais aussi un contraste brutal, car la majeure partie de la population du globe reste sous-développée, sinon sous-alimentée. En outre, le vieux mythe de l'apprenti-sorcier revêt une actualité tragique : par la fission de l'atome, l'homme assure son pouvoir sur la structure même de la matière, mais risque du même coup de provoquer son propre anéantissement. Ainsi s'explique un *désarroi* profond : nos conceptions psychologiques, morales et métaphysiques s'essoufflent à rattraper la science et la technique qui les remettent sans cesse en question. Plus de stabilité ; mais sans stabilité, comment fonder une sagesse et perpétuer une civilisation ?

Dès 1919, Valéry lançait le cri d'alarme : « Nous autres civilisations, nous savons maintenant que nous sommes mortelles. » Consciemment ou non, nous sommes plongés dans cette *angoisse*. Les horreurs de la Seconde Guerre mondiale : déportations massives, tortures, génocide, et leurs séquelles qui se prolongent ont réveillé la *barbarie* en pleine « civilisation ». L'âge atomique sera-t-il un nouvel âge des cavernes ? Nous vivons dans une atmosphère d'*Apocalypse*, au double sens du terme : révélation des arcanes et annonce de la fin des temps. Il faut en prendre conscience pour tenter d'éviter la catastrophe, et aussi pour comprendre la nature même de l'art et de la littérature d'aujourd'hui, qui descendent aux abîmes sans savoir toujours s'ils y cherchent *l'être* ou *le néant*.

II. LA LITTÉRATURE, LES ARTS

Jamais on n'avait fait une telle consommation de mots en *-isme*, et vu naître autant d'écoles avec leurs manifestes et leurs revues souvent éphémères. Jamais, non plus, les rapports d'influence réciproque entre la littérature et les beaux-arts n'avaient été si serrés, si vivants et si complexes. Pourtant le rôle des personnalités fortes ne s'en est pas trouvé amoindri. Des créateurs comme Péguy, Claudel, Proust, Gide et Valéry sont proprement inclassables, et chacun d'eux nous a vraiment révélé un *univers ;* le nom d'Apollinaire résume tout un ensemble d'expériences audacieuses ; le seul surréaliste orthodoxe est peut-être André Breton ; Jean-Paul Sartre demeure le chef de file de l'existentialisme français, sans se limiter à des caractères existentialistes ; le nouvel humanisme d'Albert Camus répondait à une attente diffuse, mais son accent irremplaçable est celui d'une conscience individuelle, noble, lucide et exigeante.

A. LA LITTÉRATURE

Avant 1914   La littérature d'avant 1914 nous semble, comme le « modern style », périmée ou tributaire du XIXe siècle. Un reclassement parfois brutal a plongé dans l'oubli ou réduit à un intérêt documentaire une grande partie des œuvres qui occupaient alors le devant de la scène, dans cette « foire sur la place » dont parlait Romain Rolland.

Mais l'ironie d'Anatole France n'est point périmée, et les méditations de Barrès nous concernent encore, que nous soyons plus sensibles au culte du moi ou à l'enracinement dans la terre ancestrale. Cette courte période nous a légué l'admirable message de Péguy, couronné par sa mort au champ d'honneur, la révolution poétique amorcée par Apollinaire, une grande partie de l'œuvre de Claudel — dont le souffle puissant vivifiait le drame et le lyrisme — et de l'œuvre de Gide, des *Nourritures Terrestres* aux *Caves du Vatican.* En Valéry mûrissaient l'analyste de l'intellect et le poète de *La Jeune Parque,* tandis que Marcel Proust découvrait le secret du *temps retrouvé* et dessinait les méandres de sa phrase inimitable. La « belle époque » fut aussi une *grande* époque.

De 1919 à 1939   Après la mort de Proust (1922), *À la recherche du temps perdu* achève de paraître ; Claudel poursuit son œuvre cosmique ; Gide, toujours en quête de lui-même, affirme la maîtrise de son art ; revenu à la poésie, Valéry connaît la gloire. Proust, qui lègue à ses successeurs une psychologie enrichie d'une quatrième dimension, celle du *temps,* reproduit par la création littéraire l'expérience fortuite par laquelle il a pu accéder, hors du temps, à « l'essence des choses ». De leur côté Gide et Valéry, si différents l'un de l'autre, ne sont pas rapprochés seulement par l'amitié : tous deux se consacrent à une minutieuse *analyse de la démarche créatrice,* l'un dans *Les Faux-Monnayeurs* et le *Journal des Faux-Monnayeurs,* l'autre dans toute son œuvre. Ainsi la création se double d'une *réflexion sur elle-même,* d'une prise de conscience de ses propres conditions, de ses lois et de ses hasards : on reconnaîtra dans ce dédoublement l'influence de Mallarmé, et l'un des traits majeurs de la littérature et de l'art modernes.

Cependant une nouvelle génération s'apprête à prendre la relève. Il lui faudra d'abord dépasser, ou repousser, les tentations des « années folles » qui suivent la guerre et ses horreurs : fantaisie désinvolte, cosmopolitisme facile, goût du bizarre et de l'inédit. Mais bientôt le mouvement *surréaliste* laisse paraître, parmi des provocations déplaisantes, une inquiétude profonde et de hautes ambitions. La recherche de *l'insolite* n'est plus un jeu mais une méthode et peut-être une métaphysique ; les structures du langage et de la pensée sont soumises à une sorte de désintégration tendant à saisir, sous les conventions et les mécanismes, une réalité *authentique*.

Le surréalisme est typique et spectaculaire, mais il ne saurait à lui seul caractériser l'entre-deux-guerres. De 1920 à 1940, notre théâtre connaît de belles réussites dans la comédie de mœurs, et une renaissance de la tragédie avec Giraudoux ; aux confins du comique et du tragique, Salacrou scrute l'énigme de la condition humaine ; Anouilh révèle, dès ses débuts, une vigoureuse originalité. De Radiguet à Malraux, le roman est particulièrement riche et divers. Après Radiguet, un Chardonne, un Arland s'inscrivent dans la tradition des moralistes ; des chrétiens comme Mauriac et Bernanos peignent des créatures engagées sur les voies mystérieuses de la damnation ou du salut. Sous la forme du roman-fleuve, Roger Martin du Gard et Duhamel esquissent un humanisme moderne, ainsi que Jules Romains dont *l'unanimisme*, né avant 1914, trouve ainsi une large audience. Colette, parvenue au plein épanouissement de son talent, charme d'innombrables lecteurs par la fraîcheur de ses sensations et la qualité de son humour. Giono rajeunit le grand thème de la nature, tandis que Montherlant, Saint-Exupéry, Malraux édifient un roman de la grandeur. Avec sa virulence et son style populaire, Céline ouvre des possibilités nouvelles à la littérature romanesque.

Depuis 1940 La Seconde Guerre mondiale donne une extrême urgence au problème de la condition humaine et contribue à répandre d'une part la philosophie de *l'absurde*, d'autre part la littérature *engagée*. Aragon ou Éluard, hier surréalistes, chantent la Résistance et retrouvent les voies ancestrales du lyrisme. Les années 40 sont marquées aussi par une large diffusion des thèses *existentialistes,* en particulier dans le théâtre, les romans et les essais de Jean-Paul Sartre. Albert Camus dépasse l'absurde par la *révolte* et défend la personne humaine contre tout ce qui menace de l'écraser. Le surréalisme, une fois décanté, influence de nombreux poètes et romanciers. Montherlant accède à la scène, où se confirme le succès d'Anouilh.

Des courants nouveaux apparaissent, au théâtre avec Beckett, Ionesco et Genet, dans le *nouveau roman* avec Robbe-Grillet, Butor, Claude Simon, Nathalie Sarraute. Leur tendance dominante est peut-être de pousser à l'extrême *la critique de toutes les structures :* le créateur en vient à poser, par son œuvre même, la question du sens et de la possibilité de l'acte créateur.

Après 1968, on voit se confirmer le talent de grands auteurs qui terminent leur carrière, comme Marguerite Yourcenar, Paul Morand ou Romain Gary. D'autres s'imposent déjà à l'attention ; on note la place croissante de la littérature féminine et de la revendication féministe. A côté des voies, dites traditionnelles, de l'analyse, du réalisme, de la peinture des mœurs, on observe la persistance des « expérimentateurs », la vogue de la littérature autobiographique, le « dialogue du réel et du légendaire », la tendance à puiser dans l'histoire et la biographie de nouvelles sources d'intérêt romanesque.

B. LA LITTÉRATURE ET LES ARTS

L'art abstrait   L'histoire de l'art au XXe siècle est marquée par la naissance de l'art abstrait, qui cesse de reproduire, même en les interprétant, les êtres ou objets réels, et entend se créer ses propres objets. L'art ainsi conçu n'est plus représentation, mais présentation, ou création au sens strict de ce terme. Peintres et sculpteurs doivent donc opter désormais entre la tradition *figurative* et l'aventure *non-figurative*. Sans doute ne peut-on concevoir une rupture analogue en architecture, puisque cet art est non-figuratif par nature ; mais le *fonctionnalisme* d'un Le Corbusier n'est pas sans parenté, dans sa hardiesse, avec l'art abstrait.

En musique, l'écriture *atonale*, qui rejette les fonctions tonales traditionnelles, fondement de l'harmonie classique, s'est organisée en *dodécaphonisme* par la libre exploitation des douze sons de la gamme chromatique ; en s'imposant ces « gênes exquises » sans lesquelles, selon Valéry, il n'est pas d'art véritable, le dodécaphonisme est devenu *musique sérielle*. Mais, depuis 1948, une autre révolution, beaucoup plus radicale, bouleverse l'art des sons : cette musique « *concrète* », en dépit de son nom, semble bien être la sœur de la peinture et de la sculpture abstraites. Elle obtient en laboratoire des sons et des rythmes « inouïs », par la manipulation de bandes d'enregistrement sonore.

Beaux-arts   En **peinture,** le nouveau siècle est d'abord *fauviste*
et littérature   (Salon d'automne de 1905). Exaltant la sensation, les
« fauves » réagissent à la fois contre les taches de couleur juxtaposées des impressionnistes et contre le dessin fignolé des académistes ; ils négligent le détail et appuient les contours. Certains d'entre eux compteront parmi les plus grands peintres de notre temps : Matisse, coloriste admirable ; Dufy, qui concilie avec esprit l'audace et la sagesse ; citons encore Vlaminck, Marquet, Derain.

Vers le même temps commence, avec la célébrité du « douanier » Rousseau, la vogue de l'art *naïf* et du *primitivisme*. Rousseau est vraiment un peintre « naïf », qui compense par la spontanéité et l'imagination les lacunes de sa technique ; mais Utrillo connaît les secrets de l'art et n'est primitif que par la fraîcheur de sa vision.

Pour l'*expressionniste* Rouault, « l'art est une confession ». Il traite des sujets réalistes ou religieux avec un sens profond du *tragique ;* son style rappelle l'art du vitrail, comme il est naturel chez un ancien apprenti verrier. Sans se dire « expressionniste », Gromaire est un peu de la même race, par sa vigueur et sa sincérité bouleversante. C'est sous le signe de l'*expressionnisme* que l'on place aussi, généralement, deux des artistes étrangers de « l'École de Paris », ces deux peintres « maudits » que furent Soutine et Modigliani.

A partir de 1907, une tendance nouvelle s'oppose au fauvisme et à l'expressionnisme : c'est le *cubisme* qui, privilégiant l'imagination et la vertu créatrice de l'esprit, inscrit les objets dans des volumes géométriques, et applique ainsi à la réalité des cadres intellectuels. On assiste alors aux recherches de Picasso, de Braque, de Léger, puis à celles de La Fresnaye. Apollinaire, ami de ces artistes, leur a consacré son essai sur *Les Peintres cubistes.* La poésie elle-même veut, un moment, être « cubiste » (cf. p. 43) ; mais Vlaminck dénonce l'invasion de l'art par les spéculations abstraites.

La géométrie cubiste ne satisfait pas les *futuristes*, qui veulent peindre le devenir et donner l'illusion du mouvement par la juxtaposition d'images successives dans la durée. Le *simultanéisme*, frappant dans une nouvelle manière de Picasso, est surtout illustré par Robert Delaunay, qu'Apollinaire rangeait parmi les cubistes « orphiques ». C'est une des voies qui conduisent à l'art abstrait.

Après la guerre de 1914, Marquet, Derain s'orientent vers un classicisme auquel Dunoyer de Segonzac accède d'emblée. Matisse, Dufy, Picasso évoluent selon leur génie personnel. Mais une génération nouvelle est *surréaliste* en peinture comme en poésie. Picasso, Picabia, Chagall, Tanguy, Lurçat, des étrangers comme Chirico, avec sa peinture « métaphysique », Man Ray, Dali, Miro, Ernst, Magritte partagent les ambitions d'André Breton et vont à la découverte de l'univers onirique. S'ils se bornent parfois à faire naître l'impression d'insolite par l'assemblage bizarre d'objets hétéroclites, ils parviennent aussi à créer un *dépaysement total* par la transposition picturale de l'atmosphère inexprimable du *cauchemar*. Les formes impensables, les monstres fixés sur la toile traduisent en outre le *désarroi* de l'homme dans un univers « absurde ». Parfois d'ailleurs, sans la moindre transcendance, la peinture abstraite inaugure un nouvel art *décoratif*, par exemple chez Vasarely.

Après 1940, de même qu'auprès d'une littérature « expérimentale » en quête de voies nouvelles (ce que traduisent des termes comme *apoèmes, antithéâtre, antiroman*), s'est poursuivie *parallèlement*, et sans complexe, une grande littérature demeurée fidèle aux voies traditionnelles, de même auprès des tendances non-figuratives qui l'emportent chez Dubuffet, Estève, de Staël, Manessier, Soulages, la tendance à interpréter plus ou moins librement la réalité selon le tempérament de l'artiste n'a cessé, *parallèlement*, de s'exprimer chez des peintres célèbres comme Buffet, Brayer, Balthus, Pignon, Lapicque, Carzou, Montané. Ils ne se montrent pas moins « authentiques » que leurs rivaux « abstraits ».

Quant à la **sculpture**, après la mort de Rodin (1917), tout en s'affranchissant de son influence, Bourdelle et Maillol l'égalent en grandeur et en puissance. Ces deux Méridionaux ont le culte des formes pleines et de la plastique méditerranéenne. Le premier, dans ses bustes et ses sujets antiques, se montre peut-être plus varié ; l'œuvre du second est un hymne grandiose au corps féminin.

A l'opposé de ce classicisme se situent les *constructions abstraites* d'Antoine Pevsner, auteur, avec son frère Naum, dit Gabo, d'un *Manifeste constructiviste* (1920). Influencés par Dada et le surréalisme, Germaine Richier, Couturier, Giacometti procèdent soit à une distorsion hallucinante des formes naturelles, soit à l'élaboration de volumes autonomes suggérant une poésie pure des rapports entre le plein et le vide, entre l'immobilité et le mouvement. D'ordinaire, la sculpture abstraite refuse toute « superstition » du matériau « noble » (marbre ou bronze) et pense étendre ainsi le champ de ses possibilités.

Musique et littérature　Après Debussy et Fauré, disparus en 1918 et 1924, Ravel devient le représentant le plus typique du génie musical français ; il avait donné en 1906 une spirituelle illustration des *Histoires naturelles* de Jules Renard ; puis c'est, en 1925, sa fantaisie sur un livret de Colette, *L'Enfant et les sortilèges*. A sa génération appartiennent Paul Dukas, Albert Roussel, Erik Satie dont l'humour et le style dépouillé vont séduire le jeune « Groupe des Six » qui se placera sous son patronage.

Les « Six » composent collectivement la musique d'un ballet conçu par Cocteau, *Les Mariés de la tour Eiffel* (1921), puis chacun suit sa voie et quatre d'entre eux surtout deviennent célèbres : Georges Auric ; Darius Milhaud, auteur de *Bolivar*, opéra sur un livret de Supervielle ; Arthur Honegger, de nationalité helvétique, à qui l'on doit *Pacific 231* et deux admirables oratorios : *Le Roi David* (1921), puis *Jeanne au bûcher*, sur un texte de Paul Claudel (1939) ; enfin Francis Poulenc, qui a composé des mélodies sur des poèmes d'Apollinaire, Cocteau, Max Jacob, Éluard, Aragon, Louise de Vilmorin, et l'opéra *Dialogues des carmélites*, d'après Bernanos (1957). — Citons encore Henri Sauguet, qui excelle dans la musique de ballet, Olivier Messiaen, remarquable par ses audaces et par son inspiration mystique, André Jolivet, Jean Françaix, Pierre Boulez, Marcel Landowski.

Cinéma et littérature

À partir des premiers films de Méliès (1897), le cinéma muet s'est progressivement affiné jusqu'à devenir un langage et un art. Avec Buñuel et Dali, ou Cocteau, il a participé au mouvement *surréaliste*. Alors que la sonorisation menaçait d'en faire un théâtre filmé, il a su surmonter cette crise et tirer d'heureux effets de la correspondance entre la musique et les images.

Depuis, si l'on remonte à la veille de la Seconde Guerre mondiale, il est devenu le *septième art*, pleinement autonome avec ses créateurs et ses chefs-d'œuvre originaux. Il entretient toutefois des relations privilégiées avec la littérature : beaucoup de films et de téléfilms sont des adaptations plus ou moins fidèles de romans, de pièces de théâtre, d'ouvrages historiques. Pour ne parler que du XXᵉ siècle, il suffit de consulter nos extraits et l'illustration qui les accompagne pour découvrir le nombre considérable d'œuvres littéraires de ce temps qui ont inspiré les metteurs en scène, qu'il s'agisse de films ou de feuilletons télévisés. A l'époque actuelle, à peine un roman a-t-il vu le jour — surtout s'il a du succès — qu'on entreprend de le porter à l'écran. L'originalité du metteur en scène n'en est pas altérée et il mérite d'être appelé créateur au même titre que Molière ou Racine lorsqu'ils s'inspirent de pièces antiques. A supposer — ce qui n'est pas toujours le cas — qu'il veuille rester fidèle à l'esprit de l'œuvre littéraire, c'est avec sa sensibilité, son talent, ses moyens propres qu'il doit lui trouver des équivalents dans le langage cinématographique. Le cinéma peut être bénéfique pour la littérature s'il incite à lire les œuvres portées à l'écran ; il peut lui être fatal si le spectateur croit qu'il connaît le roman quand il a vu le film.

Inversement, la technique et l'art cinématographiques influencent les romanciers contemporains. Le lecteur doit s'en aviser pour entrer dans leurs œuvres : s'il s'agit, par exemple, du « nouveau roman », il y discernera, plutôt que des chapitres, des séquences ; il y découvrira des équivalents littéraires du gros plan, du fondu enchaîné, de la surimpression, du travelling, de la voix off. D'ailleurs il est des écrivains, comme Pagnol, qui ont abordé la mise en scène ; et certains, comme Marguerite Duras ou Robbe-Grillet, s'expriment indifféremment par le livre et par le film.

LA POÉSIE AVANT 1914

Avant 1914, Paul VALÉRY, s'imposant presque le silence, médite encore et commence à rédiger *La Jeune Parque*. CLAUDEL, souvent éloigné de France, n'a ni l'audience ni l'action qui seront les siennes. PÉGUY, jusqu'aux *Mystères*, apparaît surtout comme un polémiste en croisade : ces poètes seront étudiés à leur place (cf. p. 323, 197, 145). Les poètes les plus influents ou, simplement, les plus connus sont alors, d'une part les anciens débutants des années 1880-1890 qui exploitent et diversifient le double héritage *symboliste* et *roman* (cf. *XIXᵉ Siècle*, p. 540), de l'autre les nouveaux venus qui, à travers ces courants mêlés, poussent plus loin *le jeu* ou *l'investigation poétique*. Sans offrir de date comparable, dans l'histoire de l'imagination et de la sensibilité littéraire, à celle de 1802 avec *Le Génie du christianisme*, ce début de siècle a donc tous les caractères d'une période d'*évolution* dans une intense activité poétique.

Un genre en honneur   La poésie garde beaucoup de prestige ; il est presque de règle que le futur « homme de lettres » débute par un volume de poèmes : Jules ROMAINS en 1904, Georges DUHAMEL en 1907, François MAURIAC et Jean COCTEAU en 1909, Francis CARCO en 1910.

Le titre de Prince des poètes (Léon DIERX, puis Paul FORT) a tout son éclat. Les manifestations poétiques sont nombreuses : banquets, soirées, conférences et même un tumultueux *Congrès des poètes* (1901). La vogue des cafés littéraires demeure. Deux pointes hors du quartier Latin, vers Montmartre puis vers Montparnasse, opèrent l'alliance de la poésie avec la peinture moderne.

Revues, manifestes, écoles   Si les quotidiens eux-mêmes publient souvent, en première page, des vers de poètes célèbres, les *revues* se multiplient. De 1900 à 1914, et à Paris seulement, on a pu en compter plus de deux cents. Beaucoup sont éphémères mais d'autres font figure d'institutions : d'abord, celles qui datent de la fin du siècle précédent (cf. *XIXᵉ Siècle*, p. 540) ; puis, à partir de 1900, *Vers et Prose* (1905), *La Phalange* (1906), dernier refuge, avec Jean ROYÈRE, du symbolisme mallarméen, et *Le Divan* (1908). Leur esprit, en dépit d'interférences et d'hospitalités diverses, s'oppose, en général, à celui de *L'Occident* (1901), *La Renaissance latine* (1902), *Les Marges* (1903), qui défendent plutôt des valeurs classiques et réputées « françaises », en accord avec le nationalisme politique commandé par la pensée de Charles Maurras, poète de l'École romane (*Pour Psyché*, 1891). La *Nouvelle Revue française* (1909) doit être considérée à part (cf. p. 861).

Une tendance assez nette à la décentralisation a pour conséquence de donner un rôle non négligeable à certaines revues de province comme, par exemple, *Le Feu*, à Aix, *L'Effort*, organe de « l'École de Toulouse », et, d'abord à Valence, *Les Guêpes*, l'un des asiles du groupe « fantaisiste ». Écoles, groupes, manifestes n'ont jamais été si nombreux.

L'instrument poétique   Sauf pour les stricts observants de la régularité, qui comptent surtout les poètes dits « méridionaux » (François-Paul ALIBERT, Joachim GASQUET, Fernand MAZADE), l'instrument poétique et la notion même de poème sont sortis modifiés de l'époque symboliste et des tentatives du *vers-librisme*. La plupart des poètes font désormais une part au vers libéré par des licences raisonnables ; sans retenir toutes les affectations de l'hermétisme et seulement en donnant le pas à l'intensité poétique sur le simple discours organique et orné, ils pratiquent ou bien des formes plus resserrées ou bien de larges mouvements délivrés de la nette division strophique : la poésie est encore un chant dominé, mais où mètres, coupes et rimes traditionnels trouvent nombre d'équivalents.

Retour aux **apparences**   Depuis Gérard de Nerval s'était sans cesse affirmée une vocation de la poésie à interpréter ou dépasser les apparences, l'acte poétique constituant, à l'extrême, *l'hyperbole* mallarméenne (cf. *XIXe Siècle*, p. 530) qui devait permettre une approximation de l'Être. La conception tout égoïste, sinon aristocratique, du « bibelot d'inanité sonore » avait de plus contribué à isoler la poésie de la vie réelle. Mais, déjà, la palinodie de Moréas avait ramené bien des poètes au spectacle concret du monde et à l'expression plus directe des sentiments. Cette tendance s'affirme aux approches de 1900.

Dans le cas de VERHAEREN, on pourrait ainsi parler d'un véritable « symbolisme humanitaire » puisque, sa manière demeurant nettement marquée par les habitudes d'expression récemment acquises, il n'en retrouve pas moins une mission de la poésie oubliée depuis Hugo. Plus encore, il est significatif que l'*Essai sur le naturisme* de Maurice LE BLOND (1896) et le *Manifeste naturiste* de SAINT-GEORGES DE BOUHELIER (dont les effets directs concerneront surtout le théâtre) suscitent de nombreux échos à la formule fameuse : « En voilà assez. Il y a assez longtemps qu'on admire Baudelaire et Mallarmé. » Le groupe « humaniste » de Fernand GREGH (1902), où beaucoup se sont comptés, en est une preuve entre d'autres. Partout, les thèmes préférés, la manière plus directe de les traiter, le ton adopté marquent diversement l'abandon d'un univers cérébral et seulement rêvé.

Bientôt, avec des intentions plus nettes et accompagné par la poésie cordiale du « groupe de l'Abbaye », *l'unanimisme* (cf. p. 31) tentera de rejoindre, derrière le spectacle fragmentaire et dispersé de la vie quotidienne, non plus des Essences mystérieuses, mais la présence ressentie d'une *âme collective*. A la même date, le *futurisme* de F. A. MARINETTI, faisant appel au tumulte mécanique et à la violence matérielle, n'est sans doute qu'une manifestation tapageuse, mais en fait il confirme un recours plus général à la vision du monde moderne modifiée par la vitesse, le don d'ubiquité du cinéma naissant et l'interprétation simultanée des formes concrètes où tendait la peinture. A la veille de la Première Guerre mondiale, on peut ainsi parler de « *poésie cubiste* ».

« Les poètes **massacrés »**   En 1913, par un trait de grâce poétique, GUILLAUME APOLLINAIRE avait, dans *Alcools* (cf. p. 37), marqué le point atteint par ces tendances diverses et ménagé une étape vers les tentatives futures. Blessé au combat, il mourut à l'instant même de l'armistice de 1918. PÉGUY, tué en 1914, l'avait précédé dans l'absence. D'autres poètes encore, qui s'étaient déjà fait un nom, furent pris par la mort sous les armes. Jean-Marc BERNARD, Émile DESPAX, Paul DROUOT, Louis DE LA SALLE, Jean DE LA VILLE DE MIRMONT semblent avoir été les plus chargés de promesses. Sans vouloir distinguer dans la foule indéterminée des disparus de la poésie, on peut cependant considérer que le vide laissé par eux explique en partie, avec l'ébranlement causé par la guerre, la violence et le manque d'équilibre qui caractérisent les manifestations apparues autour de 1920.

L'HÉRITAGE SYMBOLISTE

Dans la durable querelle des littératures du Nord et du Midi ouverte par Mme DE STAEL (cf. *XIXe Siècle*, p. 14), la période du *symbolisme* avait été marquée d'un fait nouveau : l'apport d'une importante « brigade » d'écrivains *belges* à la poésie française. Avant 1914, les noms de Maurice MAETERLINCK et d'Émile VERHAEREN s'imposent au premier plan tandis que, parmi les autres poètes d'expression française, le Lituanien O.V. de L. MILOSZ (cf. p. 628) n'est connu que de petits cercles et que, vivant déjà à Paris, l'Autrichien Rainer Maria RILKE (1875-1926) est encore simple secrétaire de Rodin.

Émile Verhaeren
(1855-1916)

Né près d'Anvers, Émile VERHAEREN, après des études à l'université de Louvain, débuta par deux recueils où il chantait le présent et le passé de ses plaines natales : *Les Flamandes* (1884), *Les Moines* (1886). Des séjours dans les capitales nordiques et notamment à Londres, une grave crise religieuse et morale, l'emprise sur son imagination d'une certaine atmosphère de la poésie symboliste trouvèrent leur écho dans une trilogie sombre, chaotique et de forme brumeuse : *Les Soirs* (1887), *Les Débâcles* (1888), *Les Flambeaux noirs* (1891).

Mais VERHAEREN intéresse au premier chef la poésie des débuts du XXᵉ siècle à partir du moment où, dans *Les Campagnes hallucinées* (1893) et *Les Villes tentaculaires* (1895), il prouve, contre Ruskin et son esthétisme, que le monde moderne, sans cesse animé par les transformations humaines et sociales qui conduisent au spectacle des villes « myriadaires », peut devenir matière poétique. Au même moment, son adhésion à un socialisme plus généreux et idéaliste que doctrinal renforce chez lui un large don de sympathie. Après le temps de l'impassibilité parnassienne et de la gratuité symboliste, le lyrisme retrouve avec lui certains thèmes délaissés. *Les Visages de la vie* (1899), *Les Forces tumultueuses* (1902), *La Multiple splendeur* (1906), *Les Rythmes souverains* (1910) sont un hymne continu à la présence humaine dans un monde tendu vers l'avenir. Mais, de même qu'il n'a jamais oublié de chanter les tendresses intimes depuis *Les Heures claires* (1896), le poète n'abandonne pas l'évocation des Flandres (cf. p. 18). Partageant son temps entre Paris, sa retraite du Hainaut et les voyages, il est devenu une figure rayonnante lorsqu'il meurt accidentellement en gare de Rouen au retour d'une visite sur le front de la Belgique envahie où il a vu passer les *Ailes rouges de la guerre* (1916).

Par tous ces caractères, VERHAEREN se distingue de ses contemporains Georges RODENBACH *(Le Règne du silence ; Le Voyage dans les Yeux)* et VAN LERBERGHE *(La Chanson d'Ève)* comme de ses proches cadets, Max ELSKAMP, André FONTAINAS, Albert MOCKEL, tous plus durablement soumis aux modes symbolistes. Seuls ses drames *(Les Aubes,* 1898 ; *Le Cloître,* 1900) satisfont sans difficulté à l'esthétique de l'École.

Les Villes

Placé en tête des *Campagnes hallucinées,* ce poème annonce, pour lier le diptyque, l'appel tout-puissant des *Villes tentaculaires.* Si le début du XIXᵉ siècle avait rouvert au lyrisme « la grande nature fermée », il est significatif qu'aux approches de 1900 la poésie se voue plutôt au *décor urbain,* déjà imposé par le roman (les Goncourt, Zola) et la peinture impressionniste (Manet). Vigny il est vrai avait dès 1831 évoqué, dans une *Élévation,* Paris « fournaise » où bouillonne l'avenir. Baudelaire, théoricien de la « modernité », avait plus tard cherché un lourd enchantement « dans les plis sinueux des vieilles capitales ». Mais VERHAEREN, qui est surtout hanté par l'aspect nouveau du travail des hommes *(Les Usines)* ou par ce que recèle leur entassement *(L'Âme de la ville),* crée un *fantastique moderne et social* à partir de notations très réalistes. Les nombreux effets de sa versification « libérée » sont, avant tout, au service d'un ample mouvement qui ne peut se soumettre à la rigidité des strophes traditionnelles.

THÈMES : *Société. Peuple. Réel et irréel. Symboles.*

Tous les chemins vont vers la ville.

Du fond des brumes
Là-bas, avec tous ses étages
Et ses grands escaliers, et leurs voyages
Jusques au ciel, vers de plus hauts étages
Comme d'un rêve, elle s'exhume.

Là-bas,
Ce sont des ponts tressés en fer
Jetés, par bonds, à travers l'air ;
10 Ce sont des blocs et des colonnes
Que dominent des faces de gorgonnes [1] ;
Ce sont des tours sur des faubourgs
Ce sont des toits et des pignons,
En vols pliés, sur les maisons ;
C'est la ville tentaculaire
Debout
Au bout des plaines et des domaines.
Des clartés rouges
Qui bougent
20 Sur des poteaux et des grands mâts
Même à midi, brûlent encor
Comme des yeux monstrueux d'or,
Le soleil clair ne se voit pas :
Bouche qu'il est de lumière, fermée
Par le charbon et la fumée,
Un fleuve de naphte et de poix
Bat les môles de pierre et les pontons de bois.
Les sifflets crus des navires qui passent
Hurlent la peur dans le brouillard :
30 Un fanal vert est leur regard
Vers l'océan et les espaces.

Des quais sonnent aux entrechocs de leurs fourgons
Des tombereaux grincent comme des gonds
Des balances de fer font choir des cubes d'ombre
Et les glissent soudain en des sous-sols de feu ;
Des ponts s'ouvrant par le milieu
Entre les mâts touffus dressent un gibet sombre
Et des lettres de cuivre inscrivent l'univers,
Immensément, par à travers [2]
40 Les toits, les corniches et les murailles
Face à face, comme en bataille.

Par au-dessus, passent les cabs [3], filent les roues
Roulent les trains, vole l'effort
Jusqu'aux gares, dressant, telles des proues
Immobiles, de mille en mille, un fronton d'or.
Les rails ramifiés rampent sous terre
En des tunnels et des cratères
Pour reparaître en réseaux clairs d'éclairs
Dans le vacarme et la poussière.

— 1 Pour *Gorgones :* orthographe du *Mercure de France* dont nous respectons aussi la ponctuation. — 2 Renforcement archaïque (plus loin : *par au-dessus*), un des « tics » du poète comme l'emploi de certains pluriels (cf. v. 92). — 3 Le décor est celui de Londres. À partir du v. 92, le poète évoquera les plaines flamandes. Il procède par visions composites.

50 C'est la ville tentaculaire.

La rue — et ses remous comme des câbles
Noués autour des monuments —
Fuit et revient en longs enlacements
Et ses foules inextricables
Les mains folles, les pas fiévreux,
La haine aux yeux
Happent des dents le temps qui les devance.
A l'aube, au soir, la nuit,
Dans le tumulte et la querelle, ou dans l'ennui
60 Elles jettent vers le hasard l'âpre semence
De leur labeur que l'heure emporte :
Et les comptoirs mornes et noirs
Et les bureaux louches et faux
Et les banques battent des portes
Aux coups de vent de leur démence.
Dehors, une lumière ouatée
Trouble et rouge comme un haillon qui brûle
De réverbère en réverbère se recule.
La vie, avec des flots d'alcools est fermentée.
70 Les bars ouvrent sur les trottoirs
Leurs tabernacles de miroirs
Où se mirent l'ivresse et la bataille ;
Une aveugle s'appuie à la muraille
Et vend de la lumière, en des boîtes d'un sou ;
La débauche et la faim s'accouplent en leur trou
Et le choc noir des détresses charnelles
Danse et bondit à mort dans les ruelles.

Et coup sur coup, le rut grandit encore
Et la rage devient tempête :
80 On s'écrase sans plus se voir, en quête
Du plaisir d'or et de phosphore ;
Des femmes s'avancent, pâles idoles
Avec, en leurs cheveux, les sexuels symboles.
L'atmosphère fuligineuse et rousse
Parfois loin du soleil recule et se retrousse
Et c'est alors comme un grand cri jeté
Du tumulte total vers la clarté :
Places, hôtels, maisons, marchés
Ronflent et s'enflamment si fort de violence
90 Que les mourants cherchent en vain le moment de silence
Qu'il faut aux yeux pour se fermer.

Telle, le jour — pourtant lorsque les soirs
Sculptent le firmament de leurs marteaux d'ébène,
La ville au loin s'étale et domine la plaine
Comme un nocturne et colossal espoir.

Elle surgit : désir, splendeur, hantise ;
Sa clarté se projette en lueurs jusqu'aux cieux,
Son gaz myriadaire en buissons d'or s'attise
Ses rails sont des chemins audacieux
100 Vers le bonheur fallacieux
Que la fortune et la force accompagnent ;
Ses murs se dessinent pareils à une armée
Et ce qui vient d'elle encor de brume et de fumée
Arrive en appels clairs vers les campagnes.

C'est la ville tentaculaire
La pieuvre ardente et l'ossuaire
Et la carcasse solennelle.

Et les chemins d'ici s'en vont à l'infini.
Vers elle.

Les Campagnes hallucinées (Mercure de France, éditeur).

L'EFFORT

La *Multiple Splendeur* est celle du *Corps humain,* de l'*Arbre,* de la *Joie,* des *Idées* qui règnent « plus haut que la douleur et plus haut que la joie ». L'alexandrin régulier reprend ici ses droits, mais aucune de ces strophes n'est soumise à un même système.
THÈMES : *Société. Peuple. Progrès.*

Groupes de travailleurs, fiévreux et haletants,
Qui vous dressez et qui passez au long des temps
Avec le rêve au front des utiles victoires,
Torses carrés et durs, gestes précis et forts,
Marches, courses, arrêts, violences, efforts,
Quelles lignes fières de vaillance et de gloire
Vous inscrivez tragiquement dans ma mémoire !

Je vous aime, gars des pays blonds, beaux conducteurs
De hennissants et clairs et pesants attelages,
10 Et vous, bûcherons roux des bois pleins de senteurs,
Et toi, paysan fruste et vieux des blancs villages,
Qui n'aimes que les champs et leurs humbles chemins
Et qui jettes la semence d'une ample main
D'abord en l'air, droit devant toi, vers la lumière,
Pour qu'elle en vive un peu avant de choir en terre ;

Et vous aussi, marins, qui partez sur la mer
Avec un simple chant, la nuit, sous les étoiles,
Quand se gonflent, aux vents atlantiques, les voiles
Et que vibrent les mâts et les cordages clairs ;
20 Et vous, lourds débardeurs dont les larges épaules
Chargent ou déchargent, au long des quais vermeils,
Les navires qui vont et vont sous les soleils
S'assujettir les flots jusqu'aux confins des pôles ;

Et vous encor, chercheurs d'hallucinants métaux,
En des plaines de gel, sur des grèves de neige,
Au fond de pays blancs où le froid vous assiège
Et brusquement vous serre en son immense étau ;
Et vous encor, mineurs qui cheminez sous terre,
Le corps rampant, avec la lampe entre vos dents
30 Jusqu'à la veine étroite où le charbon branlant
Cède sous votre effort obscur et solitaire ;

Et vous enfin, batteurs de fer, forgeurs d'airain,
Visage d'encre et d'or trouant l'ombre et la brume,
Dos musculeux tendus ou ramassés, soudain,
Autour de grands brasiers et d'énormes enclumes,
Lamineurs noirs bâtis pour un œuvre éternel
Qui s'étend de siècle en siècle toujours plus vaste,
Sur des villes d'effroi, de misère et de faste,
Je vous sens en mon cœur, puissants et fraternels !

40 O ce travail farouche, âpre, tenace, austère,
Sur les plaines, parmi les mers, au cœur des monts,
Serrant ses nœuds partout et rivant ses chaînons
De l'un à l'autre bout des pays de la terre !
O ces gestes hardis, dans l'ombre ou la clarté,
Ces bras toujours ardents et ces mains jamais lasses,
Ces bras, ces mains unis à travers les espaces
Pour imprimer quand même à l'univers dompté
La marque de l'étreinte et de la force humaines
Et recréer les monts et les mers et les plaines
D'après une autre volonté.

La Multiple Splendeur (Mercure de France, éditeur).

Maeterlinck   Dans la première partie de sa longue carrière, Maurice
(1862-1949) MAETERLINCK a surtout fourni les seules vraies réussites
du théâtre symboliste dans *Pelléas et Mélisande* (cf. *XIX*^e
Siècle, p. 557) et la féerie de *L'Oiseau bleu* (1908), universellement connue, qui illustre
au plus haut point son aptitude à transformer toute chose par une vision poétique. Il
continuera à le faire dans la série des essais en prose où il évoque, en images sensibles,
les mystères de la vie et de la destinée. Partout poète, il compte cependant peu au chapitre
des genres poétiques, sauf à ses débuts, avec *Serres chaudes* (1889). Par la suite, prouvant
l'unité de son œuvre et appelant la musique de Gabriel Fauré, *Douze Chansons* (1896)
peuvent apparaître comme des intermèdes lyriques de certains de ses drames :

Les sept filles d'Orlamonde   Ont allumé leurs sept lampes
Quand la fée fut morte   Ont ouvert les tours,
Les sept filles d'Orlamonde   Ont ouvert quatre cents salles
Ont cherché les portes   Sans trouver le jour...

Henri de Régnier   La facile et discrète existence d'HENRI DE RÉGNIER n'a
(1864-1936)   d'autre histoire que celle de son œuvre, partagée entre la
poésie et le roman « artiste » — chez lui, toujours délicat
et mélancolique *(Les Vacances d'un jeune homme sage)* mais surtout paré des grâces
élégantes et voluptueuses du XVIIᵉ ou du XVIIIᵉ siècle *(Le Bon Plaisir, La Double
Maîtresse)*. Après des débuts presque parnassiens *(Les Lendemains, 1885)* et une longue
imprégnation symboliste, il exprime, à la fin du siècle, un art poétique très personnel.

Un petit roseau m'a suffi
Pour faire frémir l'herbe haute
    Et tout le pré
    Et les doux saules
Et le ruisseau qui chante aussi ;
Un petit roseau m'a suffi
A faire chanter la forêt...

    Les Jeux rustiques et divins (1897)

J'ai feint que les Dieux m'aient parlé ;
Celui-là ruisselant d'algues et d'eau,
Cet autre lourd de grappes et de blé,
Cet autre ailé,
Farouche et beau
En sa stature de chair nue,
Et celui-ci toujours voilé...

    Les Médailles d'argile (1900)

C'est là sa façon de revenir à des thèmes « naturels ». *La Cité des eaux* (1902), *La
Sandale ailée* (1906), *Le Miroir des heures* (1910) s'enrichissent aussi de confidences
réduites à un chant modéré ou de l'incantation des grands paysages tantôt empruntés
à la France royale, tantôt contemplés au cours de voyages rituels aux villes d'art. *Flamma
tenax* (1928) sera le dernier recueil de cette noble carrière.

L'ALLUSION À NARCISSE

Le *titre* à lui seul est significatif. Gendre, depuis 1896, de J. M. DE HEREDIA à qui
il dédie — comme d'ailleurs à Mallarmé — de longues suites de poèmes, RÉGNIER ne
traite plus la scène mythologique à la façon parnassienne. Qui est ici NARCISSE ? Le héros
de la Fable ? Le poète lui-même ? Tout se confond comme sur le miroir d'eau touché
par le geste dont le secret hantera VALÉRY (cf. p. 344). Les quatorze vers du poème ne
sont pas non plus ceux d'un sonnet. – THÈMES : *Nature. Réel et irréel.*

Un enfant vint mourir, les lèvres sur tes eaux,
Fontaine ! de s'y voir au visage trop beau
Du transparent portrait auquel il fut crédule [1]...
Les flûtes des bergers chantaient au crépuscule ;
Une fille cueillait des roses et pleura ;
Un homme qui marchait au loin se sentit las.
L'ombre vint. Les oiseaux volaient sur la prairie ;
Dans les vergers, les fruits d'une branche mûrie
Tombèrent, un à un, dans l'herbe déjà noire,
10 Et, dans la source claire où j'avais voulu boire,
Je m'entrevis comme quelqu'un qui s'apparaît.
Était-ce qu'à cette heure, en toi-même, mourait
D'avoir voulu poser ses lèvres sur les siennes
L'adolescent aimé des miroirs, ô Fontaine ?

    Les Jeux rustiques et divins (Mercure de France, éditeur).

―――――――――
— 1 Vers 1-3 : permanence des habitudes
de la syntaxe symboliste, « indécise » mais
suggestivement sinueuse. *De s'y voir* (v. 2) dépend
de : *mourir ; du* détermine *visage*. Comprendre :
que présentait le transparent portrait.

L'ONDE NE CHANTE PLUS...

La *Cité des Eaux* n'est pas Venise, que RÉGNIER a aussi évoquée, mais Versailles où il relaie Albert Samain (cf. *XIXᵉ Siècle,* p. 543), son égal en mélancolie, devant le Parc bien plus abandonné que de nos jours pendant tout un siècle et particulièrement après 1871. Si, dans ce recueil *(Le Sang de Marsyas),* le poète déploie encore parfois toutes les ressources d'une libre versification, la facture classique des pièces les plus réussies s'accorde au cadre lui-même et à l'ampleur d'une noble tristesse.
THÈMES : *Moi. Souvenir. Nature. Temps.*

L'onde ne chante plus en tes mille fontaines,
O Versailles, Cité des Eaux, Jardin des Rois !
Ta couronne ne porte plus, ô souveraine,
Les clairs lys de cristal qui l'ornaient autrefois !

La nymphe qui parlait par ta bouche s'est tue
Et le temps a terni sous le souffle des jours
Les fluides miroirs où tu t'es jadis vue
Royale et souriante en tes jeunes atours.

Tes bassins, endormis à l'ombre des grands arbres,
10 Verdissent en silence au milieu de l'oubli,
Et leur tain, qui s'encadre aux bordures de marbre,
Ne reconnaîtrait plus ta face d'aujourd'hui.

Qu'importe ! ce n'est pas ta splendeur et ta gloire
Que visitent mes pas et que veulent mes yeux ;
Et je ne monte pas les marches de l'histoire
Au-devant du Héros qui survit en tes Dieux.

Il suffit que tes eaux égales et sans fête
Reposent dans leur ordre et leur tranquillité,
Sans que demeure rien en leur noble défaite
20 De ce qui fut jadis un spectacle enchanté.

Que m'importent le jet, la gerbe et la cascade
Et que Neptune à sec ait brisé son trident,
Ni qu'en son bronze aride un farouche Encelade
Se soulève, une feuille morte entre les dents,

Pourvu que, faible, basse, et dans l'ombre incertaine,
Du fond d'un vert bosquet qu'elle a pris pour tombeau,
J'entende longuement ta dernière fontaine,
O Versailles, pleurer sur toi, Cité des Eaux !

La Cité des eaux (Mercure de France, éditeur).

Vœu

Outre la discrétion et la ferveur du chant, on trouvera ici l'exemple de ce que le vers français a pu gagner en *possibilités musicales*. Le système de rimes régulières s'y dilue au bénéfice de certaines dominantes pour laisser le pas aux *effets de rythme*.
THÈMES : *Amour. Nature.*

Je voudrais pour tes yeux la plaine
Et une forêt verte et rousse,
Lointaine
Et douce
A l'horizon sous un ciel clair,
Ou des collines aux belles lignes
Flexibles et lentes et vaporeuses
Et qui sembleraient fondre en la douceur de l'air,
Ou des collines
10 Ou la forêt...

Je voudrais
Que tu entendes
Forte, vaste, profonde et tendre,
La grande voix sourde de la mer
Qui se lamente
Comme l'amour ;
Et, par instant, tout près de toi,
Dans l'intervalle,
Que tu entendes,
20 Tout près de toi,
Une colombe
Dans le silence,
Et faible et douce
Comme l'amour,

Un peu dans l'ombre,
Que tu entendes
Sourdre une source.

Je voudrais des fleurs pour tes mains,
Et pour tes pas
Un petit sentier d'herbe et de sable, 30
Qui monte un peu et qui descende
Et tourne et semble
S'en aller au fond du silence,
Un tout petit sentier de sable
Où marqueraient un peu tes pas,
Nos pas
Ensemble !

Les Médailles d'argile (Mercure de France, éditeur).

Francis Jammes
(1868-1938)

Jusqu'à l'âge de trente ans, Francis JAMMES eut une vie provinciale, en apparence « très douce, continue, simple ».
Fils du Béarn, il y était revenu après ses études à Bordeaux, pour vivre en « propriétaire », à Orthez, près de sa mère. Mais une âme ardente et rêveuse, les désirs et les découvertes de la jeunesse et toutes les impatiences d'une vocation poétique volontairement assumée loin de Paris composaient, sous un tel calme, le levain d'une œuvre très personnelle. Par bonheur Mallarmé, Gide, Henri de Régnier ne se trompèrent pas à l'accent de la première plaquette partie d'Orthez (1894).

Le « jammisme » décrété par bravade au *Mercure de France* en 1897 ne fut qu'une affirmation particulière du naturisme (cf. p. 14) : « Il n'y a qu'une école : celle où, comme des enfants qui imitent aussi exactement que possible un beau modèle d'écriture, les poètes copient avec conscience un joli oiseau, une fleur, ou une jeune fille. » *De l'Angélus de l'aube à l'Angélus du soir* (1898) illustre cet art poétique de la simplicité qui constitue, à elle seule, un « effet ». Si quelques nouvelles *(Clara d'Ellébeuse, Almaïde d'Étremont)* laissent place aux joliesses d'un romanesque subtil, cette simplicité s'accentue encore dans *Le Deuil des primevères* (1901) et surtout *Clairières dans le ciel* (1906) qui chante l'éclaircie de la foi chrétienne pleinement acceptée en 1905 sous la « direction » de Paul CLAUDEL.

Toujours en rapport avec le monde littéraire parisien mais préservant son originalité par son éloignement provincial, heureusement marié dans son âge mûr, père ébloui *(Ma fille Bernadette)*, grand ami des bêtes libres *(Le Roman du lièvre)*, le poète compose les sept chants des *Géorgiques chrétiennes* (1911-1912) où la geste d'une famille paysanne lui permet de soutenir son « système : la Vérité qui est la louange de Dieu ». Signe suprême de simplicité, il s'y soumet à la loi du « pur alexandrin », après le « grand combat » du vers-librisme où il avait pris parti.

Présentant de tels caractères, le constant *anticonformisme* de JAMMES explique sa place et son influence dans l'ensemble des recherches qui marquent l'avant-guerre de 1914. Transplanté à partir de 1921 à Hasparren, le « Cygne d'Orthez » devint au contraire une figure de *patriarche*, sévère pour les nouveaux aspects de la poésie. Néanmoins, apaisé dans son déclin par d'illustres fidélités qui remontaient à sa jeunesse, il poursuivit son œuvre sans disparate *(Les Quatrains,* 1923-1926 ; *De tout temps à jamais,* 1935).

La salle à manger

Francis JAMMES a traité, selon sa poétique, tous les thèmes du *lyrisme intime*. Voici sa façon très caractéristique de redire, à son tour : « Objets inanimés, avez-vous donc une âme ?... » *Le Buffet* de RIMBAUD peut marquer une étape entre la manière romantique et celle de JAMMES. – THÈMES : *Moi. Réel et irréel.*

> Il y a une armoire à peine luisante
> qui a entendu les voix de mes grand-tantes,
> qui a entendu la voix de mon grand-père,
> qui a entendu la voix de mon père.
> À ces souvenirs l'armoire est fidèle.
> On a tort de croire qu'elle ne sait que se taire,
> car je cause avec elle.
>
> Il y a aussi un coucou en bois.
> Je ne sais pourquoi il n'a plus de voix.
> 10 Je ne veux pas le lui demander.
> Peut-être bien qu'elle est cassée,
> la voix qui était dans son ressort,
> tout bonnement comme celle des morts.
>
> Il y a aussi un vieux buffet
> qui sent la cire, la confiture,
> la viande, le pain et les poires mûres.
> C'est un serviteur fidèle qui sait
> qu'il ne doit rien nous voler.
>
> Il est venu chez moi bien des hommes et des femmes
> 20 qui n'ont pas cru à ces petites âmes.
> Et je souris que l'on me pense seul vivant
> quand un visiteur me dit en entrant :
> Comment allez-vous, Monsieur Jammes ?

De l'Angélus de l'aube à l'Angélus du soir (Mercure de France, éditeur).

Quand verrai-je les îles...

Francis JAMMES se définit lui-même « une âme très simple et très compliquée ». Aussi devine-t-on chez lui, sous l'acceptation de la vie quotidienne, un *goût du départ*, une hantise de paysages caressés *en songe*. Son grand-père « docteur médecin » avait vécu longtemps à la Guadeloupe. Un de ses oncles était allé aux Indes. Des souvenirs retrouvés déterminèrent chez lui dès l'enfance un *rêve d'exotisme* et d'heures jamais connues.

Quand verrai-je les îles où furent des parents ?
Le soir, devant la porte et devant l'océan
on fumait des cigares en habit bleu barbeau.
Une guitare de nègre ronflait, et l'eau
de la pluie dormait dans les cuves de la cour.
L'océan était comme des bouquets en tulle
et le soir triste comme l'Été et une flûte.
On fumait des cigares noirs et leurs points rouges
s'allumaient comme ces oiseaux aux nids de mousse
10 dont parlent certains poètes de grand talent.
O Père de mon Père, tu étais là, devant
mon âme qui n'était pas née, et sous le vent
les avisos glissaient dans la nuit coloniale.
Quand tu pensais en fumant un cigare
et qu'un nègre jouait d'une triste guitare,
mon âme qui n'était pas née existait-elle ?
Était-elle la guitare ou l'aile de l'aviso ?
Était-elle le mouvement d'une tête d'oiseau
caché lors au fond des plantations
ou le vol d'un insecte lourd dans la maison ?

De l'Angélus de l'aube à l'Angélus du soir (Mercure de France, éditeur).

L'enfant lit l'almanach...

Les premiers poèmes strictement catholiques de JAMMES datent de 1905 *(En Dieu)*. Pour *Clairières dans le ciel*, il sait aussi bien égrener le plus simple rosaire poétique *(L'Église habillée en feuilles)* que jouer délicatement avec l'imagination chrétienne.

L'enfant lit l'almanach près de son panier d'œufs.
Et, en dehors des Saints et du temps qu'il fera,
elle peut contempler les beaux signes des cieux ;
Chèvre, Taureau, Bélier, Poissons, et cætera.

Ainsi peut-elle croire, petite paysanne,
qu'au-dessus d'elle, dans les constellations,
il y a des marchés pareils avec des ânes,
des taureaux, des béliers, des chèvres, des poissons.

C'est le marché du ciel sans doute qu'elle lit.
Et, quand la page tourne au signe des *Balances*,
elle se dit qu'au ciel comme à l'épicerie
on pèse le café, le sel et les consciences.

Clairières dans le ciel (Mercure de France, éditeur).

PRIÈRE POUR ALLER AU PARADIS AVEC LES ÂNES

En réponse à dix-sept élégies assez tourmentées qui révèlent chez JAMMES un drame sentimental, *Le Deuil des primevères* rassemble l'appel de quatorze prières *(Pour demander une étoile ; Pour être simple ; Pour avoir une femme simple...)*. Voici la plus célèbre. Le poète n'y parle pas encore en catholique exact (cf. v. 9). Déiste enchanté par Rousseau, chrétien « de désir » et d'imagination, il se souvient surtout de la douceur franciscaine des *Fioretti*. On est loin ici des conséquences philosophiques que Victor Hugo tirait de sa sympathie pour l'animal *(Le Crapaud)* et pour l'Âne Patience *(L'Âne,* 1880). – THÈME : *Religion.*

Lorsqu'il faudra aller vers vous, ô mon Dieu, faites
que ce soit par un jour où la campagne en fête
poudroiera. Je désire, ainsi que je fis ici-bas,
choisir un chemin pour aller, comme il me plaira,
au Paradis, où sont en plein jour les étoiles.
Je prendrai mon bâton et sur la grande route
j'irai et je dirai aux ânes, mes amis :
Je suis Francis Jammes et je vais au Paradis,
car il n'y a pas d'enfer au pays du Bon Dieu.
10 Je leur dirai : Venez, doux amis du ciel bleu,
pauvres bêtes chéries qui, d'un brusque mouvement d'oreille,
chassez les mouches plates, les coups et les abeilles...

Que je vous apparaisse au milieu de ces bêtes
que j'aime tant parce qu'elles baissent la tête
doucement, et s'arrêtent en joignant leurs petits pieds
d'une façon bien douce et qui vous fait pitié.
J'arriverai suivi de leurs milliers d'oreilles,
suivi de ceux qui portèrent au flanc des corbeilles,
de ceux traînant des voitures de saltimbanques
20 ou des voitures de plumeaux et de fer-blanc,
de ceux qui ont au dos des bidons bossués,
des ânesses pleines comme des outres, aux pas cassés,
de ceux à qui on met de petits pantalons
à cause des plaies bleues et suintantes que font
les mouches entêtées qui s'y groupent en ronds.
Mon Dieu, faites qu'avec ces ânes je vous vienne.
Faites que, dans la paix, des anges nous conduisent
vers des ruisseaux touffus où tremblent des cerises
lisses comme la chair qui rit des jeunes filles,
30 et faites que, penché dans ce séjour des âmes,
sur vos divines eaux, je sois pareil aux ânes
qui mireront leur humble et douce pauvreté
à la limpidité de l'amour éternel.

Le Deuil des primevères (Mercure de France, éditeur).

Paul Fort   Le dévouement de Paul FORT au symbolisme militant
(1872-1960)   fut marqué, dès sa prime jeunesse, par la création du
Théâtre d'art (1890) qui permit les premières représenta-
tions de Maeterlinck et la « lecture-mise-en-scène » de grands textes poétiques (*Le
Corbeau* d'Edgar Poe). Fondateur de la revue *Vers et Prose*, son « service » à la Poésie
fut constant. Avec le titre, aujourd'hui suranné, de *Prince des poètes* qu'il portait depuis
1912, il a perpétué au XXe siècle l'image et l'allure de l'époque littéraire où il avait brillé.
Son œuvre presque unique, la longue suite des *Ballades françaises* (une quarantaine de
volumes), lui valut succès et influence. Elle contribua, à ses débuts, à modifier la *notion*
même de *poème*.

BALLADES FRANÇAISES

Usant de tous les vocabulaires, jusqu'au plus familier, et prenant tous les tons, les
Ballades françaises, dans leur inépuisable revue des provinces, des villes — où Paris a
sa place — et des belles images historiques, sont d'abord un constant exemple de *lyrisme
sans armature oratoire*. Ensuite, en dépit de leur nom, loin de s'astreindre au système
le plus formel qui soit, elles illustrent un effort délibéré pour soumettre la primauté du
vers organique à celle du *mouvement* et du *rythme*. Le lecteur est en effet surpris d'y
rencontrer sans cesse, non seulement des *vers blancs* mais même des *alexandrins rimés*,
volontairement dissimulés sous une *prose apparente*. C'est là l'application d'un principe
très conscient : « La prose, la prose rythmée, le vers ne sont plus qu'un seul instrument
gradué. » On trouvera ici des aspects caractéristiques de ce monument au plus heureux
vers-librisme. La seconde *Ballade* est adressée à Francis JAMMES. Illustrant particulièrement la *technique* du poète, elle aurait pu être invoquée par l'abbé Bremond dans le débat
sur la « *Poésie pure* » aux environs de 1925 (cf. p. 330).

Les Baleines

Du temps qu'on allait encore aux baleines, si loin
qu'ça faisait, mat'lot, pleurer nos belles, y avait sur
chaque route un Jésus en croix, y avait des marquis couverts de dentelles, y
avait la Sainte Vierge et y avait le Roi !
Du temps qu'on allait encore aux baleines, si loin qu'ça faisait, mat'lot,
pleurer nos belles, y avait des marins qui avaient la foi, et des grands seigneurs
qui crachaient sur elle, y avait la Sainte Vierge et y avait le Roi !
Eh bien ! à présent, tout le monde est content, c'est pas pour dire, mat'lot,
mais on est content !... y a plus d'grands seigneurs ni d'Jésus qui tiennent, y
a la république et y a l'président, et y a plus d'baleines ! (1897).

Les Beaux Noms

Vous le savez, Francis, aimant l'Ile-de-France,
qu'une ville, un pays, décoré d'un beau nom, bien
mieux que ses voisins nous fait des confidences, et que ce beau nom-là doit
se joindre à ses dons.
La forêt de Crécy que je vais traverser pour me rendre à Mortcerf — son doux
nom prononcé me flatte l'ouïe ainsi qu'un vol de fées qui glisse de saule en saule
et puis autour d'un chevalier dormant près d'une source aux bleus myosotis.
Tout d'abord un pays doit charmer par son nom. Sans quoi vous ne serez
jamais d'intelligence avec lui. Vous, Francis, aimez l'Ile-de-France. A votre
joli nom son beau nom se fiance et votre art et vous-même ajoutez à ses dons.
Qu'il bat, mon cœur, aux noms de Nemours, de Senlis, quand je les murmure,
oh ! quel noble plaisir ! Senlis, Nemours, tenez... je m'agenouille presque. O
Nemours tout douleur, ô Senlis tout sourire, tourterelles et lys, adieu, beaux
noms chantants ! Je me donne à présent, j'appartiens à Mortcerf.

Mortcerf, le son du cor et tout l'automne en fresque.

— Mais, ce n'est pas l'automne encor ? — Haut le bâton, j'ai pris le blanc chemin de Mortcerf au beau nom (1909). *Ballades françaises* (Flammarion, éditeur).

Saint-Pol Roux
(1861-1940)

La vie du Marseillais Paul Roux, devenu Saint-Pol-Roux-le-Magnifique, est, non sans attitude, celle d'un des derniers Poètes-Mages. D'abord retiré dans les Ardennes, puis retranché à partir de 1898 dans l'étrange château de Coecilian, qu'il s'était fait construire devant l'horizon de Camaret, c'est là que, vieilli et presque oublié dans la solitude qu'il partageait avec sa fille, Divine, il fut tragiquement victime de violences lors de l'invasion allemande. Coecilian, pillé et brûlé, dressa des ruines sur sa mort.

De tels signes sont en accord avec son œuvre qui connut la notoriété avant 1914. Rallié au catholicisme comme Jammes, mais d'esprit moins humble, il prétendit « corriger Dieu » par une « surcréation » poétique. En fait, s'il est vrai qu'indépendamment des temps et des genres l'art baroque est, à chaque résurgence, surcharge, excès, fuite du « goût », profusion dans le mouvement et l'expression, Saint-Pol Roux est le parfait *baroque* du symbolisme. Ainsi apparaît-il dans *La Dame à la faulx* (1899), drame où il dépasse fumeusement Maeterlinck sur le thème de la Mort. Ou bien lorsque, des pages durant, son *Œil goinfre* convertit en nourritures et en boissons tous les éléments des paysages contemplés d'un wagon-restaurant : « *Apéritif glauque de la Méditerranée — Huîtres, palourdes, praires que sont les vieilles monnaies de pluie au gousset du sol — Hors-d'œuvre : ces crevettes des champs, les sauterelles ; ces bigorneaux des buissons, les escargots... — En guise de rissoles, les tas de foin — Pâtés de foie gras, les moulins à vent...* » Enfin, lorsqu'en application de son « idéoréalisme » qui confère aux images une véritable autonomie créatrice, il exprime, dans une suite roulante de *quarante* formules inégales en valeur et en goût, la réalité « surcréée » d'un *Ruisselet qui coule dans la luzerne* :

« *...Onde baudrier de la prairie,*   *Onde bébé des pluies d'avril,*
Onde innocence qui passe,   *Onde petite fille à la poupée,*
Onde lingot du firmament,...   *Onde fiancée perlant sa missive,...*
Onde pipi de la lune-aux-mousselines...
Onde jouissance du soleil-en-roue-de-paon... »

C'est en raison de telles *recherches* et de son *étrangeté agressive* que Saint-Pol Roux a pu être réclamé par les surréalistes.

Soir de brebis

Les trois recueils parus entre 1893 et 1907 sous le titre général *Les Reposoirs de la Procession* contiennent nombre de poèmes dépouillés d'étrangetés superflues et qui montrent pourquoi, en définitive, cette œuvre doit être considérée comme un chaînon significatif. Égale à une autre réussite, *Alouettes,* la pièce qu'on va lire illustre à l'extrême, dans son parallélisme minutieux, le procédé de la *transposition symboliste* plus que symbolique de la réalité. Dès la première partie, en effet, grâce à un système d'images hardies, le berger, le troupeau et la colline ont été déjà spiritualisés. Le passage à la seconde partie devient ainsi comme nécessaire ; la fin, revenant aux êtres réels du tableau initial, dégage *l'unité profonde* du poème : l'élan, admirablement suggéré, d'une *aspiration spirituelle déçue*. – THÈMES : Moi. Religion. Bonheur. Nature. Symboles.

La tache de sang dépoint [1] à l'horizon de ci.
La goutte de lait point à l'horizon de là.
Homme simple qui s'éparpille dans la flûte et dont la prudence a la forme

---

— 1 Néologisme qui permet de mieux opposer le coucher du soleil au lever de la lune.

d'un chien noir, le pâtre descend l'adolescence [2] du coteau.

Le suivent ses brebis, avec deux pampres pour oreilles et deux grappes pour mamelles, le suivent ses brebis : ambulantes vignes.

Si pur le troupeau ! que ce soir estival il semble neiger sur la plaine enfantinement.

Ces menus écrins de vie ont, là-haut, brouté les cassolettes et redescendent
10 pleines.

Mes Désirs aussi, stimulés par la flûte de l'Espoir et le chien de la Foi, montèrent ce matin le coteau du Mystère et s'en furent plus haut que les brebis de mon hameau, les brebis de mon âme.

Mais, parmi la prairie de jacinthes, l'odorante étoile incendia les dents avides qui voulaient dégrafer son corsage fertile.

C'est pourquoi mon troupeau subtil [3], à l'heure d'angélus, rentre en moi-même, les flancs désespérés.

Les brebis sont au bercail, et l'homme simple va dormir entre sa flûte et son chien noir.   *De la colombe au corbeau par le paon* (Mercure de France, éditeur).

LA POÉSIE FÉMININE

Le symbolisme, préférant l'effet médité au pur élan lyrique, n'avait guère suscité de participation féminine. Au contraire, dès 1900, plusieurs jeunes femmes contribuent à la revanche poétique de la vie et du sentiment. On a pu, en effet, parler de simple « romantisme » à propos de Gérard d'HOUVILLE (1875-1963), fille de J.M. de Heredia et mariée à Henri de Régnier, Anna de NOAILLES, Renée VIVIEN (1877-1909), Lucie DELARUE-MARDRUS (1880-1945), Cécile SAUVAGE (1883-1927), revenues d'instinct à l'effusion directe et au commentaire personnel de l'existence. Chacune, certes, a sa vision et son « chant » propres : il y a loin des amours « damnées » et de la ferveur sombrement modulée qui les proclame chez Renée VIVIEN (*Les Évocations,* 1903) à la santé lyrique de Cécile SAUVAGE ou à la spiritualité de Marie NOEL (cf. p. 626) dont l'œuvre discrète s'ouvre avec *Les Heures* dès 1908. Mais partout, dans ce groupe féminin, dominent l'épanchement et la libre vibration au contact du monde sensible. Il faudra attendre qu'une influence valéryenne marque l'œuvre, tard connue, de Catherine POZZI (1882-1927) pour que la poésie féminine retrouve quelque chose des ambitions « viriles ».

Anna de Noailles   La plus significative de toutes ces poétesses a été Anna
(1876-1933)   de NOAILLES, célèbre dès *Le Cœur innombrable* (1901). Les
          honneurs auxquels on a songé pour elle, mais vainement (Académie française), et ceux, moins exclusifs, qu'elle a reçus (Académie royale de Belgique) révèlent la place qu'elle a réellement occupée. BRANCOVAN par la naissance, portant en elle la somptuosité orientale, mais française d'âme et de culture, riche, parée de grandes passions et de grandes amitiés, elle a sans cesse repris l'affirmation de son *Offrande à la Nature :*

> *Je me suis appuyée à la beauté du Monde*
> *Et j'ai tenu l'odeur des saisons dans mes mains.*

Son lyrisme charnel a chanté dans *L'Ombre des jours* (1902), ou *Les Éblouissements* (1907), les jardins, les beaux paysages, l'appétit de toute saveur, et toujours elle-même. La conscience d'un deuil tragique et un vain appel à la foi (*Les Vivants et les Morts,* 1913) ont ensuite rendu plus grave son lyrisme jusqu'en 1927 (*L'Honneur de souffrir*).

— 2 La pente montante. — 3 Spirituel.

L'Empreinte

Je m'appuierai si bien et si fort à la vie,
D'une si rude étreinte et d'un tel serrement
Qu'avant que la douceur du jour me soit ravie
Elle s'échauffera de mon enlacement.

La mer, abondamment sur le monde étalée,
Gardera dans la route errante de son eau
Le goût de ma douleur qui est âcre et salée
Et sur les jours mouvants roule comme un bateau.

Je laisserai de moi dans le pli des collines
10 La chaleur de mes yeux qui les ont vu fleurir
Et la cigale assise aux branches de l'épine
Fera crier le cri strident de mon désir.

Dans les champs printaniers la verdure nouvelle
Et le gazon touffu sur les bords des fossés
Sentiront palpiter et fuir comme des ailes
Les ombres de mes mains qui les ont tant pressés.

La nature qui fut ma joie et mon domaine
Respirera dans l'air ma persistante odeur
Et sur l'abattement de la tristesse humaine
Je laisserai la forme unique de mon cœur.

Le Cœur innombrable (Calmann-Lévy, éditeurs).

LA POÉSIE DES FANTAISISTES

Grâce à quelques publications communes, d'authentiques poètes, continuant une longue tradition française qui remonte à MAROT, ont formé, à partir de 1912, un groupe assez apparent aux yeux du public. C'est à cette date qu'ils ont trouvé leur étiquette de « Fantaisistes ». Ils doivent être distingués des simples chansonniers et même des chroniqueurs en vers comme Fernand Fleuret, Franc-Nohain ou Raoul Ponchon. Les limites du groupe sont insaisissables comme la fantaisie elle-même, qui peut être partout (cf. Apollinaire). Mais il est certain que Jean-Marc BERNARD, Francis CARCO, Tristan DERÊME, Jean PELLERIN, Léon VÉRANE et, dès cette époque, Léon-Paul FARGUE, témoignent tous « d'un souci agréable de liberté spirituelle et sentimentale qui permette de donner au monde des aspects imprévus ». A l'examen, il apparaît que Francis CARCO (1886-1959) a été l'élément de liaison entre ces divers poètes. Dans *La Bohème et mon cœur* (1912) il fait monter la Muse tendre et ironique jusqu'à Montmartre et aux faubourgs qui seront plus tard le décor de ses romans (cf. p. 569). Ailleurs (*Chansons aigres-douces*, 1913), il chante :

Figaro joue de la guitare.
Ma bien-aimée, comme il joue faux !
La pluie d'été mouille les coteaux
Gris, verts et bleuissants du soir...
Oh ! la guitare et ce bruit d'eau !

Entends-tu ? Maintenant qu'il chante
Comme tu es troublée, tout à coup !
Or, ce Figaro, coiffeur dans un trou
De province déjà pourrissante,
N'est qu'un vieillard à moitié fou...

Les Contrerimes

Tous les fantaisistes ont reconnu pour leur maître Paul-Jean TOULET (1867-1920). Entre une jeunesse béarnaise et une retraite au Pays basque, quatorze ans de vie « boulevardière » (1898-1912) ont permis à TOULET de renouveler l'éternel « poème de circonstance » dans les nombreux textes que, de *La Vie parisienne* au *Divan*, accueillirent maintes revues. Rassemblées et augmentées, *Les Contrerimes* publiées après sa mort (1921) sont accompagnées de *Chansons* et de *Coples*. On verra quelle est la variété de leurs occasions et de leur registre. Leur brièveté, qui n'est parfois obtenue qu'au prix d'une syntaxe elliptique (cf. *Le temps d'Adonis*), en fait les *Émaux et Camées* de la Fantaisie. La recherche de la *perfection formelle* dans un cadre exigu, qui caractérise les poètes de ce groupe, ne les met-elle pas en effet dans la lignée de Théophile GAUTIER ? (cf. *XIXᵉ Siècle*, p. 264). Le nom de *Contrerimes* s'explique par une subtilité de versification : le renversement dans l'alternance des rimes masculines et féminines, recherche qui révèle l'intérêt porté par TOULET à une *technique minutieuse*.

Fô a dit...

« Ce tapis que nous tissons comme
    Le ver dans son linceul
Dont on ne voit que l'envers seul :
    C'est le destin de l'homme.

Mais peut-être qu'à d'autres yeux
    L'autre côté déploie
Le rêve et les fleurs et la joie
    D'un destin merveilleux. »

Tel Fô, que l'or noir des tisanes
    Enivre, ou bien ses vers,
Chante et s'en va tout de travers
    Entre deux courtisanes.

* * *

Dans la rue-des-Deux-Décadis
    Brillait en devanture
Un citron plus beau que nature
    Ou même au Paradis ;

Et tel qu'en mûrissait la terre
    Où mes premiers printemps
Ombrageaient leurs jours inconstants
    Sous ton arbre, ô Cythère.

Dans la rue-des-Deux-Décadis
    Passa dans sa voiture
Une dame aux yeux d'aventure
    Le long des murs verdis.

En Arle

Dans Arle, où sont les Aliscamps
Quand l'ombre est rouge sous les roses
    Et clair le temps,

Prends garde à la douceur des choses
Lorsque tu sens battre sans cause
    Ton cœur trop lourd

Et que se taisent les colombes :
Parle tout bas si c'est d'amour
    Au bord des tombes.

Le temps d'Adonis

Dans la saison qu'Adonis fut blessé
Mon cœur aussi de l'atteinte soudaine
    D'un regard lancé.

Hors de l'abyme où le temps nous entraîne,
T'évoquerai-je, ô belle en vain — ô vaines
    Ombres, souvenirs.

Ah ! dans mes bras qui pleurais demi-nue
Certes serais encore, à revenir,
    Ah ! la bienvenue.

Cople XXXI

Je me rappelle un jour de l'été blanc et l'heure
Muette et les cyprès... Mais tu parles : soudain
Je rêve, les yeux clos, à travers le jardin,
D'une source un peu rauque et qu'on entend qui pleure.

Les Contrerimes (Émile Paul, éditeur).

L'UNANIMISME

Trois poètes qui, en 1906, comptèrent dans le « groupe fraternel d'artistes » réunis pour œuvrer en commun à l'abbaye de Créteil (cf. p. 468), ont donné des recueils respirant un même esprit de solidarité avec le monde des hommes : René ARCOS ((*L'Âme essentielle*, 1902 ; *Ce qui naît*, 1910), Georges DUHAMEL (*L'Homme en tête*, 1909), Charles VILDRAC (*Le Livre d'amour*, 1910). Mais il revint à Jules ROMAINS, simple visiteur de l'Abbaye, de transformer en vue générale ces aspirations qui n'étaient pas sans parenté avec le lyrisme social de Walt Whitman (1819-1892), chantre de la « camaraderie » américaine.

Un Dieu nouveau   Dès 1903, le « khâgneux », Louis FARIGOULE, qui sous le nom de Jules ROMAINS allait devenir important à plusieurs titres (cf. p. 478) avait eu, comme une « donnée immédiate », la révélation de la *vie unanime*. Jeune normalien puis agrégé de philosophie, il précisa bientôt la vision poétique qui allait commander son œuvre entière. Pour cet incroyant spiritualiste qui veut « se consoler de la vie éternelle », ce qu'il nomme « dieu » est confondu avec un « être vaste et élémentaire » : l'âme inconsciente et irrévélée des groupes qui — effet et principe à la fois — leur confère la nature divine d'« unanimes » dans l'instant qu'elle existe pour la conscience du poète. Celui-ci, intercesseur obligé pour la naissance et la révélation confondues d'un nouveau dieu caché, est à son tour submergé par l'*âme collective*. Sa vocation est d'éveiller à la même communion les « archipels de solitudes » épars dans le monde. L'art volontaire et subtil de Jules ROMAINS a soutenu la gageure de rendre sensible sa quête soumise à tous les hasards de la ferveur, de la sécheresse et de l'illumination. *L'Âme des hommes* (1904), *La Vie unanime* (1908), *Odes et Prières* (1909-1913), *Un être en marche* (1910) font oublier, par leurs meilleures réussites, l'armature philosophique de l'*unanimisme* et ses mystères plus intellectuels que les grandes visions de Hugo. Jusqu'à *Pierres levées* (1948), Jules ROMAINS a continué à jalonner son œuvre de recueils poétiques (*Amour couleur de Paris*, 1921 ; *L'Homme blanc*, 1937).

Qu'est-ce qui transfigure ?...

Bourgs rencontrés dans la campagne, petites cités, vaste capitale surtout, sont les lieux privilégiés de la *communion* avec l'*âme collective*. Une des divisions de *La Vie unanime* annonce : « Dieu le long des maisons ». Comme la rue calme où quelques boutiquiers sont assis devant leur porte, comme la caserne ou le théâtre, le boulevard peut être brusquement transfiguré. On remarquera que, dans sept vers sur dix, la vie se trouve allégée de ses espèces matérielles. Seul le neuvième vers maintient le contact *physique* qui donne sa chaleur au mystère.

> Qu'est-ce qui transfigure ainsi le boulevard ?
> L'allure des passants n'est presque pas physique ;
> Ce ne sont plus des mouvements, ce sont des rythmes
> Et je n'ai plus besoin de mes yeux pour les voir.
> L'air qu'on respire a comme un goût mental.
> Les hommes
> Ressemblent aux idées qui longent un esprit.
> D'eux à moi rien ne cesse d'être intérieur ;
> Rien ne m'est étranger de leur joue à ma joue.
> Et l'espace nous lie en pensant avec nous.

La Vie unanime (Librairie Gallimard, éditeur).

Un être en marche...

La première partie du recueil *Un être en marche* est un poème « épique » racontant la sortie en banlieue d'un pensionnat de jeunes filles. La réussite du tableau tient à l'évocation « de toutes ces jeunes vies qui se meuvent en un flot doux, unique, entre des murs anciennement assis. » (H. Legrand). Dans un *Petit traité de versification* (1923), J. Romains se montrera hostile au vers libre : il prônera la métrique classique assouplie par quelques licences, mais cherchera à la rime, en dehors de la simple assonance, des équivalents subtils. Ici, d'instinct, il adopte une versification *presque* régulière pour évoquer avec plus de « charme » ce gracieux « unanime ».

Il fait soleil. Elle s'en va, la pension
    De jeunes filles.
Elle repousse les murailles, comme l'on
    Se déshabille.

Elle glisse, en longeant la cour, vers le perron
    Et vers la grille ;
Le gravier du chemin fait un bruit de garçons
    Qui jouent aux billes.

Les corps, en descendant les marches, deux à deux
10   S'élèvent et s'abaissent
Comme les flammes qui défaillent sous les nœuds
    Des souches trop épaisses.

Les plus petites filles marchent en avant
    Pour attendrir l'espace ;
La pension caresse, avec leurs pieds d'enfants,
    La rue où elle passe.

Elle grandit, d'un rang à l'autre, sans surprise
    Comme une rive en fleurs ;
Elle est comme un théâtre où se seraient assises
20   Des couleurs.

Elle est pareille aux toits qui rapprochent du ciel
    Leurs tuiles alignées
Et qui aiment mêler des ailes d'hirondelles
    Au vol de leurs fumées.

Les bras aux poignets nus qui tiennent des ombrelles
    Et rament en cadence,
Font rêver aux maisons que de l'eau coule entre elles
    Et qu'une barque s'y avance.

Un être en marche, I (Mercure de France, éditeur).

POÉSIE DU MONDE ET DE L'AVENTURE

Paul CLAUDEL mis à part, seuls quelques poètes font appel à l'exotisme traditionnel : J.-A. NAU (*Hiers bleus,* 1904), A. DROIN (*La Jonque victorieuse,* 1906 ; *Du Sang sur la mosquée,* 1914) ou Victor SÉGALEN (*Stèles,* 1917) dont l'importance s'affirme.

Romancier et traducteur influent dans le groupe de la N.R.F. (cf. p. 141), Valery LARBAUD enrichit le lyrisme moderne dans les *Poésies de A. O. Barnabooth* (1908), où il accorde au réalisme et au rythme de son temps le rite du *dépaysement* romantique et cosmopolite. A une époque où les « grands express » sont les seuls moyens d'évasion, il donne à l'Europe qu'il parcourt passionnément une présence toute nouvelle :

J'ai senti pour la première fois toute la douceur de vivre
Dans une cabine du Nord-Express entre Wirballen et Pskow...
Et vous, grandes glaces à travers lesquelles j'ai vu passer la Sibérie et les Monts du Samnium,
La Castille âpre et sans fleurs, la mer de Marmara sous la pluie tiède !
Prêtez-moi, ô Orient-Express, Sud-Brenner-Bahn, prêtez-moi
Vos miraculeux bruits sourds... (Ode)

Ce voyageur voluptueux reste ainsi en retrait de Blaise CENDRARS qui promouvra la *véritable aventure* au rang d'acte poétique. Un nouveau pas sera franchi lorsqu'en 1919 André SALMON, qui a aussi chanté les cargos d'émigrants et les bouges d'Anvers (*Le Calumet, Le Livre et la Bouteille*), donnera *Prikaz,* rapide et brutale épopée de la Révolution russe : à l'aventure personnelle se substitueront alors les bouleversements de l'Histoire.

Blaise Cendrars   Suisse de naissance, Frédéric SAUSER est devenu
(1887-1961)   Français d'âme et de corps en perdant un bras dans les
rangs de la Légion étrangère où il s'est engagé en 1914.
Déjà, sous le pseudonyme de BLAISE CENDRARS, sa « boulimie de voyages », attestée dès son extrême jeunesse, lui avait valu une légende toujours entretenue. Peu importe si quelques témoins de sa vie suggèrent qu'à des *errances certaines* une « illumination lyrique » (A. t'Serstevens) a pu ajouter certaines circonstances, cette expérience vagabonde a très tôt donné naissance à l'étrange magie des *Pâques à New York* (1912, cf. p. 43) et de la *Prose du Transsibérien* (cf. p. 34), qui inaugure le « simultanéisme » poétique.

Ainsi, dès le début et en *initiateur,* Cendrars apparaît à l'opposé de Rimbaud qui n'avait présenté que des fugues et des « départs » limités (cf. *XIXe Siècle,* p. 517) avant d'ensevelir le poète sous l'aventure réelle et le silence. Au contraire, pour lui, l'aventure devient *vocation* et *quête* aboutissant à un *mode privilégié de découverte poétique.* Comme il utilise aussi des *procédés tout nouveaux,* la surprise violente qu'il a apportée en a fait à bon droit « le chef masqué de la poésie contemporaine » (A. Rousseaux) dont l'œuvre *prendra tout son sens dans la perspective de l'âge surréaliste* (cf. p. 398).

En effet, recommençant après la Grande Guerre à « tourner dans la cage des méridiens », il poursuit dans le même sens son œuvre novatrice. Poète, il donne des recueils aux titres évocateurs (*Du monde entier, Dix-neuf poèmes élastiques, Kodak, Feuilles de route, Au cœur du monde*), réunis dans ses *Poésies complètes* (1944).

En pointe dans les curiosités de l'époque, il rassemble son *Anthologie nègre* dès 1921 ; attiré par toutes les étrangetés, il publie *L'Eubage* (1923), aussi frappant par une évasion dans « l'hinterland du ciel » que le seront, bien plus tard, les préoccupations mystiques dans *Le Lotissement du ciel* (1948). Évocateur ou témoin, il a aussi raconté des aventures mémorables (*L'Or,* 1925 ; *Rhum,* 1930). Enfin, romancier de sa propre vie, il a donné deux romans illustrant la complexité de son personnage (*Moravagine,* 1926 ; *Dan Yack,* 1929), mais surtout une célèbre trilogie (*L'Homme foudroyé,* 1945 ; *La Main coupée,* 1946 ; *Bourlinguer,* 1948) où la prose virile est toujours soulevée d'un puissant ferment poétique.

La Prose du Transsibérien

La Prose du Transsibérien et de la Petite Jehanne de France (1913) — quatre cents *formules* inégalement rimées et rythmées — est la version poétique de premières errances où, adaptant tour à tour le ton *épique* ou *lyrique* à la nature du sujet, CENDRARS revit un hallucinant voyage de Mandchourie, en compagnie de la petite *Jehanne de France* qui est, selon la tradition tolstoïenne, une fille perdue de Montmartre dont le cœur est resté pur. La technique de l'écrivain se fonde sur une sorte d'*impressionnisme brut* : enregistrant simultanéités et coïncidences, le *Transsibérien* est bien un *poème ferroviaire* où le chemin de fer devient — comme la caméra du cinéaste — le *point de vue mobile* qui entraîne dans son rythme haletant le flot des images, des souvenirs et des sentiments. La *présentation* de l'édition originale est, à sa date, significative : sous la forme d'un dépliant long de deux mètres, elle offre une bande de « *couleurs simultanées* » dues à Sonia Delaunay, la femme du peintre ami également d'Apollinaire (cf. p. 45). Ces couleurs débordent sur le texte formé de groupements typographiques divers. L'ensemble, qui tend à la *Symphonie,* semble appeler la musique d'Honegger dans *Pacific 231.*

En ce temps-là j'étais dans mon adolescence
J'avais à peine seize ans et je ne me souvenais déjà plus de mon enfance
J'étais à seize mille lieues du lieu de ma naissance
J'étais à Moscou, dans la ville des mille et trois clochers et des sept gares
Et je n'avais pas assez des sept gares et des mille et trois tours. [...]
J'ai passé mon enfance dans les jardins suspendus de Babylone
Et l'école buissonnière, dans les gares devant les trains en partance
Maintenant, j'ai fait courir tous les trains derrière moi
Bâle-Tombouctou
10   J'ai aussi joué aux courses à Auteuil et à Longchamp
Paris-New York
Maintenant, j'ai fait courir tous les trains tout le long de ma vie
Madrid-Stockholm
Et j'ai perdu tous mes paris
Il n'y a plus que la Patagonie, la Patagonie qui convienne à mon immense
        tristesse, la Patagonie, et un voyage dans les mers du Sud
Je suis en route
J'ai toujours été en route
Je suis en route avec la petite Jehanne de France
20   Le train fait un saut périlleux et retombe sur toutes ses roues
Le train retombe sur ses roues
Le train retombe toujours sur toutes ses roues [...]
« Dis, Blaise, sommes-nous bien loin de Montmartre ? »
Les inquiétudes
Oublie les inquiétudes
Toutes les gares lézardées obliques sur la route
Les fils téléphoniques auxquels elles pendent
Les poteaux grimaçants qui gesticulent et les étranglent
Le monde s'étire s'allonge et se retire comme un harmonica qu'une main
30   sadique tourmente
Dans les déchirures du ciel, les locomotives en furie
S'enfuient
Et dans les trous
Les roues vertigineuses les bouches les voix

Et les chiens du malheur qui aboient à nos trousses
Les démons sont déchaînés
Ferrailles
Tout est un faux accord
Le *broun-roun-roun* des roues
40 Chocs
Rebondissements
Nous sommes un orage sous le crâne d'un sourd.
« Dis, Blaise, sommes-nous bien loin de Montmartre ? »
Oui, nous le sommes nous le sommes
Tous les boucs émissaires ont crevé dans ce désert
Entends les mauvaises cloches de ce troupeau galeux
Tomsk Tchéliabinsk Kainsk Obi Taichet Verkné-Oudinsk
Kourgane Samara Pensa-Touloune
La mort en Mandchourie
50 Est notre débarcadère. [...]
J'ai vu les trains silencieux les trains noirs qui revenaient
De l'Extrême-Orient et qui passaient en fantômes. [...]
J'ai vu des trains de soixante locomotives qui s'enfuyaient à toute
   vapeur pourchassées par les horizons...
Je reconnais tous les pays les yeux fermés à leur odeur
Et je reconnais tous les trains au bruit qu'ils font
Les trains d'Europe sont à quatre temps tandis que ceux d'Asie
   sont à cinq ou sept temps
D'autres vont en sourdine sont des berceuses
60 Et il y en a qui dans le bruit monotone des roues me rappellent
   la prose lourde de Maeterlinck
J'ai déchiffré tous les textes confus des roues et j'ai rassemblé
   les éléments d'une violente beauté
Que je possède...   *La Prose du Transsibérien...* (Denoël, éditeur).

« *Le Ravissement*   CENDRARS, qui s'est passionné pour les formes de *l'ima-*
    d'amour »   *gination mystique* (cf. p. 42), intériorise l'aventure qui
                          s'identifie avec ses propres images. Sa méditation étrange a
de beaux mouvements dans un texte au titre significatif, *Le Lotissement du ciel* (1948).

Mort au monde, n'avoir pour se diriger qu'un consolateur de Job ou un ouvrier
de Babel, quoi de plus décevant, d'hallucinant, d'inquiétant, de stupéfiant, quand
Dieu mène l'âme par le très ardu chemin de l'obscure contemplation et que la
vie spirituelle se dessèche et meurt de la soif de la connaissance intime et
d'impatience et se languit, le doute dans la prière, la langue démangée par
l'imprononçable et paralysée et brûlée à vif par l'innommable, l'attention
désorientée par sa propre émanation qui l'enfièvre et la foudroie de chimères,
d'imaginations, de visions, l'illusion dépassée, l'idée fixe, le corps se refusant de
suivre, se cabrant, se rebiffant, suant, écumant, pour se rendre enfin et se laisser
aller épuisé, tomber, se coucher raide comme mort, mort au monde, absent,
vertigineusement absent, enfoui dans son fumier, exposé sur la table du sacrifice,
hostie cachée ou en croix au carrefour des chemins, poussière qui cimente les
dalles foulées, usées, effacées, fendues, porche, et tout craque et tout s'effondre
lors de la résurrection des os et de la chair.   (Denoël, éditeur).

GUILLAUME APOLLINAIRE

Wilhelm
Apollinaris
Guillelmus-Apollinaris-Albertus, enfant naturel né à Rome en 1880, était fils d'un officier italien maintenant identifié, Francesco Flugi d'Aspermont, et d'une aventureuse jeune fille de la société romaine, Angelica de KOSTROWITZKY, dont il porta le nom. Fille d'un noble balte exilé et marié en Italie, Angelica, abandonnée dès 1885, entraîna le futur poète et son jeune frère parmi les équivoques et les fantaisies de sa vie agitée.

Porteur de sa double ascendance méditerranéenne et « scythe », Wilhelm, comme elle l'appela toujours, vécut donc une adolescence accrochée au rocher et à la roulette de Monaco. Ses études inégales au célèbre collège Saint-Charles de la ville, puis à Cannes et au lycée de Nice, lui laissèrent, outre des camaraderies cosmopolites, le bénéfice et le goût d'immenses lectures, source d'une érudition étonnante mais dispersée. Dès l'âge de dix-huit ans il était féru d'anarchisme, écrivait, rimait et trouvait son pseudonyme.

Transplanté par étapes à Paris, il connut, en 1891, la dernière aventure due à l'existence désargentée de sa mère : un départ clandestin d'une auberge de Wallonie où il venait de passer, sur ordre, des vacances faites d'excursions et de marivaudages agrestes. Au retour, il entendit sans doute ce qui devint un des vers de *La Porte :*

Enfant je t'ai donné ce que j'avais travaille...

« Kostro »
Il est alors « nègre » d'un feuilletoniste, employé de bureau, répétiteur puis, pendant un an (1901-1902), précepteur de la fille d'une vicomtesse franco-allemande au château de Neu-Glück en Rhénanie. Son congé d'hiver lui permet un voyage qui, par Berlin, Munich, Prague, Vienne, le ramène sur les bords du Rhin (cf. p. 39) ; mais surtout, il connaît sa première grande aventure sentimentale avec la jeune Anglaise Annie PLAYDEN, gouvernante au château.

Revenu « mal-aimé » à Paris, il recommence sa vie besogneuse. Mais il est, aux yeux de tous, le joyeux « Kostro », le léger « flâneur des deux Rives ». Devenu dès 1904 l'ami de PICASSO, DERAIN, VLAMINCK, il participe, avec d'autres poètes (Salmon, Max Jacob), aux discussions du « Bateau-Lavoir », sur le cubisme en gestation (cf. p. 43). Il contribue à l'« invention » du Douanier Rousseau. Surtout, il rencontre Marie LAURENCIN avec qui, dans le décor d'Auteuil, il poursuivra une liaison jusqu'en 1912. Victime de son insouciance, il est, en 1911, inquiété en même temps par une affaire de larcin au musée du Louvre et il peut, pendant quelques jours, murmurer comme Verlaine (cf. *XIXe Siècle,* p. 516) : *« Guillaume qu'es-tu devenu... » (A la Santé).* Libéré, l'honneur sauf, il retrouve sa place en dirigeant une nouvelle revue : *Les Soirées de Paris* (février 1912).

Il en avait déjà animé une, *Le Festin d'Ésope,* en 1903. C'est qu'en effet, dès son séjour rhénan, il avait commencé à publier, ici et là, des contes et des poèmes. Outre quelques romans historiques et des curiosités scabreuses, il avait donné ensuite *L'Enchanteur pourrissant* illustré par Derain (1909) et *L'Hérésiarque et Cie* (1910 : trois voix au prix Goncourt), recueils de nouvelles utilisant ses souvenirs d'enfance et de voyages. Puis il avait composé, en 1911, l'album poétique du *Bestiaire* illustré par Dufy, et poursuivait les articles de critique qui devaient former, en 1913, le volume des *Peintres cubistes.*

Guillaume
Apollinaire
A partir d'avril 1913, il est le poète d'*Alcools.* Délaissé par Marie LAURENCIN, il participe à toutes les nouveautés, fait écho à Marinetti (cf. p. 14) en rédigeant le manifeste de *L'Antitradition futuriste,* et aborde seulement alors la technique des « poèmes-conversations », qui figureront dans *Calligrammes* (1918 ; cf. p. 45).

Engagé volontaire en décembre 1914, il « fait la guerre » avec le courage d'une bonne race et la fantaisie d'un poète apte à transfigurer tous les spectacles (cf. p. 45-48). Le souvenir de MARIE mêlé, dans ses rêves, à celui plus lointain d'ANNIE ou celui de nouvelles amours (Lou, Madeleine) agrémente rêveusement sa vie de guerrier naïf. Il est blessé à la tempe, le 17 mars 1916, et son « étoile de sang » le conduit jusqu'à la trépanation.

Employé sous l'uniforme dans divers services, il publie une mélodieuse plaquette : *Vitam impendere amori* (1917). Reconnu désormais comme précurseur et guide au milieu de la curieuse fermentation intellectuelle qui prélude, à Paris, aux manifestations artistiques des années 1919-1920, il prononce une conférence sur « l'esprit nouveau » (novembre 1917), multiplie les projets hardis et fait jouer *Les Mamelles de Tirésias* (cf. p. 48). Après quelques mois à peine d'un mariage heureux, affaibli depuis sa blessure, il succombe lors de l'épidémie de « grippe espagnole », le 9 novembre 1918.

Situation d'Apollinaire

Après un temps de légende enthousiaste, de dénigrements et de confusions, le poète a trouvé progressivement, surtout après 1945, sa place dans le demi-siècle.

Simple élégiaque parfois *(Le Pont Mirabeau)*, non sans fidélité au symbolisme *(Signe, Cors de chasse)*, « naturiste » d'esprit par son attachement aux réalités diverses qui s'offrent à lui, « fantaisiste » par son ironie et son intelligence en éveil *(Annie ; Calligrammes)*, il pratique par surcroît, jusqu'en 1912, une versification en général régulière ou à peine libérée. Rien ne le distingue donc d'abord, pour l'essentiel, de la plupart des aspects reconnus de la poésie de son temps. Mais il demeure *entièrement original* par le jeu de son imagination et par les nuances de sa sensibilité ou de son incomparable modulation.

Au contraire, à partir de la publication d'*Alcools*, il est incontestable que, « las d'un monde ancien » (cf. p. 43), il aspire à toutes les *innovations poétiques* liées à la représentation des choses et de la vie modifiée par la *peinture* improprement entendue comme *« cubiste » ;* sa technique du vers est, en même temps, bouleversée (cf. *Zone*). Dès lors se pose la question — secondaire, il faut le souligner — de la priorité qui peut lui revenir (cf. p. 43, *Zone*). On se méprend aussi sur certains termes qu'il a avancés (cf. p. 48, *Mamelles de Tirésias*).

Mieux vaut constater que, dans *Alcools* déjà, les hardiesses thématiques et syntaxiques de *La Chanson du mal-aimé* (dès 1903, cf. p. 40) ou de *L'Émigrant de Landor Road*, comme, sur un autre plan, les simples pages d'*Onirocritique* (dès 1908) qui paraissent anticiper sur « l'écriture automatique » (cf. p. 377-378) lui assurent une bonne part d'invention.

Son tort et son mérite confondus ont été, en fait, de n'avoir rien formulé dogmatiquement, ni rien choisi. Apte à s'émerveiller de tout, il a tantôt pressenti, tantôt capté les aspirations poétiques en voie d'affirmation. Son importance est de les avoir, à leur date, fixées par quelques parfaites réussites. Son originalité réelle réside dans le caractère irréductible de sa vision du monde et dans la résonance unique de son chant.

ALCOOLS

Alcools, dont le titre primitif était *Eau de Vie*, a paru en avril 1913 au *Mercure de France*. Le recueil est composé de textes pour la plupart éparpillés dans diverses revues et qui offrent le reflet mêlé de la poésie d'APOLLINAIRE entre 1898 et 1912.

Au cours de la correction des épreuves le poète a systématiquement supprimé toute ponctuation : ce fait est considéré comme une innovation importante. Par sa généralisation, il marque, en effet, une date. Mais déjà MALLARMÉ avait utilisé le procédé (cf. *XIXᵉ Siècle*, p. 538). APOLLINAIRE lui-même avait toujours eu une ponctuation pauvre et errante. En 1913, il n'a fait que pousser à l'extrême un principe : *« le rythme même et la coupe des vers voilà la véritable ponctuation »*. Trois disques, enregistrés au musée de la Parole en 1914, montrent qu'il modulait plutôt qu'il ne récitait ses textes.

L'ordre adopté dans le recueil ne répond vraisemblablement qu'à des raisons de variété et de surprise. Un seul fait pose problème : le dernier en date des poèmes, *Zone*, a été introduit après coup et placé en tête, comme pour donner une brusque enseigne révolutionnaire à un ensemble qui ne répond pas absolument à cette annonce (cf. introduction à *Zone*, p. 43). Compte tenu de cet arbitraire et sans prétention à l'exacte chronologie, une présentation fragmentaire peut donc ordonner les textes d'APOLLINAIRE de façon à faire sentir à la fois la *variété* et l'*évolution* de sa poétique.

LE PONT MIRABEAU

Dans toute l'œuvre d'APOLLINAIRE, *Le Pont Mirabeau* est son *Lac,* son *Souvenir,* sa *Tristesse d'Olympio.* C'est le regret *élégiaque* non pas du temps, mais de l'amour lui-même qui s'enfuit. C'est le rappel « *romantique* » d'une souffrance personnelle (le poème date de 1912, époque de la rupture progressive avec Marie Laurencin) et, dans l'image de l'eau qui passe, le symbole d'un évanouissement nécessaire.

Mais ici, pas de « méditation ». Un seul vers suffit à l'évocation du décor qui est celui d'Auteuil, familier au poète ; une admirable confusion s'établit entre la présence humaine et l'image matérielle d'un pont (vers 9) ; l'ample rhétorique romantique fait place à une *expression rapide et discrète* qui conduit naturellement à un refrain.

On remarquera l'usage habile d'une forme et d'une versification quasi régulières comme aussi l'heureux effet de la ponctuation supprimée dans ce poème de la *fluidité.* Seul, le second vers de chaque strophe, laissant en suspens une terminaison masculine, détermine une pause très heureuse : preuve d'un *travail conscient* et d'une grande *recherche rythmique,* cette disposition n'a été adoptée qu'après coup ; la strophe était initialement composée de trois décasyllabes à rimes féminines.

THÈMES : *Amour. Souvenir. Temps. Nature. Symboles.*

Sous le pont Mirabeau coule la Seine
      Et nos amours
      Faut-il qu'il m'en souvienne
La joie venait toujours après la peine

    Vienne la nuit sonne l'heure
    Les jours s'en vont je demeure

Les mains dans les mains restons face à face
      Tandis que sous
      Le pont de nos bras passe
10 Des éternels regards l'onde si lasse

    Vienne la nuit sonne l'heure
    Les jours s'en vont je demeure

L'amour s'en va comme cette eau courante
      L'amour s'en va
      Comme la vie est lente
Et comme l'Espérance est violente

    Vienne la nuit sonne l'heure
    Les jours s'en vont je demeure

Passent les jours et passent les semaines
20   Ni temps passé
      Ni les amours reviennent
Sous le pont Mirabeau coule la Seine

    Vienne la nuit sonne l'heure
    Les jours s'en vont je demeure

(Librairie Gallimard, éditeur).

SIGNE

Isolées pour *Alcools* d'un long poème conservé dans les papiers d'Apollinaire, ces deux strophes rapides sont le *Desdichado* du poète (cf. *XIXᵉ Siècle*, p. 274). Il y dit sa malédiction d'être destiné à voir surtout mourir les choses. La manière est ici toute *symboliste* par une succession de formules simplement allusives dans un vocabulaire indécis.

Je suis soumis au Chef [1] du Signe de l'Automne
Partant j'aime les fruits je déteste les fleurs
Je regrette [2] chacun des baisers que je donne
Tel un noyer gaulé dit au vent ses douleurs

Mon Automne éternelle ô ma saison mentale
Les mains des amantes d'antan jonchent ton sol
Une épouse me suit [3] c'est mon ombre fatale
Les colombes ce soir prennent leur dernier vol

NUIT RHÉNANE

Apollinaire songea longtemps à un recueil de poèmes intitulé *Vent du Rhin*. Il n'en a retenu qu'une quinzaine pour *Alcools*, dont neuf sont groupés sous le titre de *Rhénanes* : l'ensemble ne sera connu qu'après sa mort. Les *Rhénanes* évoquent tantôt les légendes *(La Loreley)*, tantôt les tableaux de genre *(Schinderhannes)*, tantôt les scènes de la vie réelle *(La Synagogue, Rhénane d'Automne)*. Celle-ci combine magiquement les trois éléments : l'admirable premier vers qui communique sa vibration à tout le poème suggère l'*ivresse* où le poète est assailli par une évocation fantastique (strophe I) ; il voudrait s'en délivrer par la réalité d'une ronde et la présence rassurante de conventionnelles « Gretchen » (strophe II) ; mais le maléfice du Rhin et du chant mystérieux demeure le plus fort.
Thèmes : *Mythes. Réel et irréel. Exotisme. Nature.*

Mon verre est plein d'un vin trembleur comme une flamme
Écoutez la chanson lente d'un batelier
Qui raconte avoir vu sous la lune sept femmes
Tordre leurs cheveux verts et longs jusqu'à leurs pieds

Debout chantez plus haut en dansant une ronde
Que je n'entende plus le chant du batelier
Et mettez près de moi toutes les filles blondes
Au regard immobile aux nattes repliées

Le Rhin le Rhin est ivre où les vignes se mirent
10 Tout l'or des nuits tombe en tremblant s'y refléter
La voix chante toujours à en râle-mourir [1]
Ces fées aux cheveux verts qui incantent [2] l'été

Mon verre s'est brisé comme un éclat de rire

(Librairie Gallimard, éditeur).

— 1 Signe noble du blason : *Mon blason porte en chef...* — 2 Je déplore. — 3 Allusion à Eurydice, symbole de l'amour impossible. — 1 Expression évoquant des accents rauques et funestes. — 2 Douent d'un *charme* magique.

LA CHANSON DU MAL-AIMÉ

La dédicace à Paul Léautaud assure que le poème, achevé en 1903, a attendu six ans sa publication parmi les manuscrits du *Mercure de France*. Complainte de la *mauvaise chance*, il trouve son émouvant contraste dans les derniers vers publiés de l'aveu du poète : *La Jolie Rousse*, chant d'espoir qui termine les *Calligrammes*.

En réalité, APOLLINAIRE revit ici et confond les deux voyages qu'il a faits à Londres pour reconquérir Annie PLAYDEN, mais en vain. Cinquante-neuf quintils composent sa « Chanson » qui comporte des *disparates* surprenantes et même choquantes entre les deux sommets de l'ouverture et du finale. Mais l'analyse révèle un *enchaînement subtil des thèmes* qui traduisent les étapes diverses et les mouvements incontrôlables d'un *désespoir* de plusieurs mois dans une âme capable d'éprouver toutes les nuances et de rendre tous les accents d'une seule douleur.

THÈMES : *Amour. Femme. Souvenir. Mort. Temps. Réel et irréel. Poète.*

« Un soir de demi-brume à Londres », le Poète a rencontré dans les rues le « faux amour ». Puis, hanté sans le dire ici (mais cf. v. 6-7 de Cors de chasse) par l'ombre de Thomas de Quincey à la recherche d'Ann, il croit reconnaître Annie dans une femme qui sort d'un bouge et le fuit (cf. v. 37 ; 56-57). Il rêve alors à de belles fidélités...

Lorsqu'il fut de retour enfin
Dans sa patrie le sage Ulysse
Son vieux chien de lui se souvint
Près d'un tapis de haute lisse
30 Sa femme attendait qu'il revînt

L'époux royal de Sacontale [1]
Las de vaincre se réjouit
Quand il la retrouva plus pâle
D'attente et d'amour yeux pâlis
Caressant sa gazelle mâle

J'ai pensé à ces rois heureux
Lorsque le faux amour et celle
Dont je suis encore amoureux
Heurtant leurs ombres infidèles
40 Me rendirent si malheureux

Regrets sur quoi l'enfer se fonde
Qu'un ciel d'oubli s'ouvre à mes yeux
Pour son baiser les rois du monde
Seraient morts les pauvres fameux
Pour elle eussent vendu leur ombre

J'ai hiverné dans mon passé
Revienne le soleil de Pâques
Pour chauffer un cœur plus glacé
Que les quarante de Sébaste [2]
Moins que ma vie martyrisés   50

Mon beau navire ô ma mémoire
Avons-nous assez navigué
Dans une onde mauvaise à boire
Avons-nous assez divagué
De la belle aube au triste soir

Adieu faux amour confondu
Avec la femme qui s'éloigne
Avec celle que j'ai perdue
L'année dernière en Allemagne [3]
Et que je ne reverrai plus   60

Voie lactée ô sœur lumineuse
Des blancs ruisseaux de Chanaan
Et des corps blancs des amoureuses
Nageurs morts suivrons-nous d'ahan
Ton cours vers d'autres nébuleuses [4]...

— 1 Çakountalâ, épouse du roi Douch-manta dans la littérature hindoue. — 2 Allusion aux soldats romains martyrisés par le froid à Sébaste pour leur foi chrétienne. — 3 Vers qui date exactement le poème. — 4 Cette admirable strophe constitue ce que l'abbé Bremond nomme dans son *Racine et Valéry* un « talisman », c'est-à-dire une formule poétique irradiant magiquement, toute question de sens logique mise à part.

*Par contraste, le poète songeant au printemps précédent se rappelle le beau « Laetare »
païen qu'il y chantait : « C'est le printemps, viens-t'en Pâquette... » en évoquant, dans
la nature énamourée, Vénus et Pan (v. 70-85). Mais tous les dieux meurent, et parmi eux
l'Amour. Seul peut se targuer d'être fidèle celui « qui sait des lais pour les reines » : ainsi
est introduit le second « talisman » du poème (cf. la strophe finale). La fidélité du poète est
aussi inébranlable que celle des Cosaques Zaporogues (v. 85-115) : au Sultan qui leur demandait
de renier la foi chrétienne ceux-ci ont fait une « Réponse » grossière mais catégorique
(v. 115-130). La reprise de la célèbre strophe « Voie lactée ô sœur lumineuse » entraîne
à nouveau le poète dans ses regrets et ses rêves impossibles (v. 131-205). Mais jamais il ne
peut oublier, car il a le cœur percé de « Sept épées de mélancolie » dont il énumère les
vertus (v. 205-240). Une dernière fois apparue, la constante mélodique « Voie lactée... »
ouvre enfin le finale qui, après cette strophe (v. 240-245), chante la mélancolie du « mal-aimé »
revenu à Paris et errant dans le brûlant été de la Ville.*

Les démons du hasard selon
Le chant du firmament [5] nous mènent
A sons perdus leurs violons
Font danser notre race humaine
250 Sur la descente à reculons

Destins destins impénétrables
Rois secoués par la folie
Et ces grelottantes étoiles
De fausses femmes dans vos lits
Aux déserts que l'histoire accable

Luitpold [6] le vieux prince régent
Tuteur de deux royautés folles
Sanglote-t-il en y songeant
Quand vacillent les lucioles
260 Mouches dorées de la Saint-Jean [7]

Près d'un château sans châtelaine
La barque aux barcarols chantants
Sur un lac blanc et sous l'haleine
Des vents qui tremblent au printemps
Voguait cygne mourant sirène [8]

Un jour le roi dans l'eau d'argent
Se noya puis la bouche ouverte
Il s'en revint en surnageant
Sur la rive dormir inerte
270 Face tournée au ciel changeant [9]

Juin ton soleil ardente lyre
Brûle mes doigts endoloris
Triste et mélodieux délire
J'erre à travers mon beau Paris
Sans avoir le cœur d'y mourir

Les dimanches s'y éternisent
Et les orgues de Barbarie
Y sanglotent dans les cours grises
Les fleurs aux balcons de Paris
Penchent comme la tour de Pise   280

Soirs de Paris ivres du gin
Flambant de l'électricité
Les tramways feux verts sur l'échine
Musiquent au long des portées
De rails leur folie de machines [10]

Les cafés gonflés de fumée
Crient tout l'amour de leurs tziganes
De tous leurs siphons enrhumés
De leurs garçons vêtus d'un pagne [11]
Vers toi toi que j'ai tant aimée   290

Moi [12] qui sais des lais pour les reines
Les complaintes de mes années
Des hymnes d'esclave aux murènes
La romance du mal-aimé
Et des chansons pour les sirènes

(Librairie Gallimard, éditeur).

— 5 Cette strophe annonce l'apostrophe au
Destin (v. 251). — 6 Pour illustrer son appel
aux destins le poète évoque la tragédie de la
Cour de Bavière où le régent Luitpold veilla
sur le trône de deux rois fous, Louis II et
Othon. — 7 Annonce de « Juin ton soleil... ».
— 8 Blancheur de la barque ; accents mourants
des « barcarols ». — 9 Louis II s'est noyé : cette
vision éclaire peut-être le sens des « nageurs
morts » du v. 64. — 10 Ainsi, bien avant *Zone*,
on trouve ici un appel à la féerie moderne. — 11 Le tablier blanc, serré à la taille,
des serveurs « 1900 ». — 12 *Toi... Moi :* éternelle
union avec Annie maintenant perdue.

La Tzigane

Même époque de composition que la *Nuit rhénane* et même atmosphère pour cette évocation fugitive des amours, condamnées d'avance, avec Annie Playden. La strophe 2 suggère le heurt de l'amour avec la réalité. L'expression elliptique des sentiments est très remarquable dans son « symbolisme ».

La tzigane savait d'avance
Nos deux vies barrées par les nuits
Nous lui dîmes adieu et puis
De ce puits sortit l'Espérance

L'amour lourd comme un ours privé
Dansa debout quand nous voulûmes
Et l'oiseau bleu perdit ses plumes
Et les mendiants leurs *Ave*

On sait très bien que l'on se damne
10 Mais l'espoir d'aimer en chemin
Nous fait penser main dans la main
A ce qu'a prédit la tzigane

Cors de chasse

La manière reste la même que dans *La Tzigane* pour ce poème bien postérieur (1912). La strophe 1 insiste sur la qualité éminente de l'amour que la vie doit emporter. La strophe 2 suppose une comparaison implicite de l'auteur avec Quincey. La comparaison finale est d'une rare puissance de suggestion.

Notre histoire est noble et tragique
Comme le masque d'un tyran
Nul drame hasardeux ou magique
Aucun détail indifférent
Ne rend notre amour pathétique

Et Thomas de Quincey buvant
L'opium poison doux et chaste
A sa pauvre Anne allait rêvant
Passons passons puisque tout passe
Je me retournerai souvent   10

Les souvenirs sont cors de chasse
Dont meurt le bruit parmi le vent

Annie

Depuis 1904, APOLLINAIRE n'avait plus rien su d'ANNIE expatriée en Amérique. Dès 1906, il avait publié un curieux poème, plein d'inventions hardies et de cocasserie triste : *L'Émigrant de Landor Road,* où il se voyait partant rejoindre la jeune fille. Pour l'impossible rencontre d'ANNIE dans une Amérique imaginaire, son instinct l'a peu trompé. Quarante ans plus tard, la fugitive d'autrefois vivait encore, non au Texas mais en Californie.

Le poète, qui a toujours refusé l'étiquette de simple « fantaisiste », l'est pourtant ici. L'émotion et le regret sont voilés de « blague » : les deux amants, ombres muettes, restent *liés l'un à l'autre,* mais ce n'est plus que par un baroque détail vestimentaire...

Sur la côte du Texas
Entre Mobile et Galveston il y a
Un grand jardin tout plein de roses
Il contient aussi une villa
Qui est une grande rose

Une femme se promène souvent
Dans le jardin toute seule
Et quand je passe sur la route bordée de tilleuls
Nous nous regardons

10 Comme cette femme est mennonite [1]
Ses rosiers et ses vêtements n'ont pas de boutons
Il en manque deux à mon veston
La dame et moi suivons presque le même rite

(Librairie Gallimard, éditeur).

— 1 Secte puritaine dont la sévérité proscrit tout ornement.

MODERNISME : « ZONE »   Sous le titre de *Cri*, APOLLINAIRE a lu à des amis, dès septembre 1912, le texte qui, sous le nouveau titre de *Zone*, a remplacé au dernier moment *La Chanson du mal-aimé* en tête d'*Alcools*. Or Blaise CENDRARS avait, en avril de la même année, écrit *Les Pâques à New York*, long poème déambulatoire traduisant la nostalgie de Dieu dans une confusion d'images présentes et de souvenirs. CENDRARS s'adressait, un Vendredi saint, au Crucifié :

> *Je descends à grands pas vers le bas de la ville*
> *Votre flanc est ouvert comme un grand soleil...*
> *Je suis assis au bord de l'Océan...*
> *Dans une église, à Sienne, dans un caveau*
> *J'ai vu la même Face, au mur, sous un rideau*
> *Et dans un ermitage à Bourrié Wadislasz...*
> *Seigneur, je suis dans le quartier des bons voleurs...*
> *J'aurais voulu, Seigneur, entrer dans une église...*

De nombreux autres rapprochements sont possibles entre *Zone* et ce texte qui avait surpris les groupes littéraires. Incontestablement, APOLLINAIRE le connaissait. « Fondé en poésie » comme il le proclamait dès 1909 (*Poème lu au mariage d'André Salmon*), conscient au surplus des innovations que présentaient certains poèmes du volume comme *L'Émigrant de Landor Road* ou *Le Voyageur*, peut-être a-t-il voulu, pour ne pas paraître dépassé en « modernisme » par les *Pâques*, faire de *Zone* une sorte d'affirmation liminaire ? Tel est le problème posé et jusqu'ici sans solution. Quant à la valeur des deux textes, on peut dire que celui d'APOLLINAIRE est plus hardi dans les ruptures de ton et la technique du vers, mais aussi d'une plus grande intensité et d'une grâce plus constante.

Il n'en reste pas moins qu'en combinant les caractères communs aux *Pâques à New York* et à *Zone* avec les effets recherchés dans la présentation de *La Prose du Transsibérien* (cf. p. 34), on obtient une image assez fidèle de la poésie *« cubiste »* correspondant à l'esthétique élaborée par des peintres que l'amitié réunissait, soit au fameux Bateau-Lavoir (cf. p. 36) soit à Montparnasse.

ZONE

Outre la condamnation initiale et hyperbolique de tout « passéisme » (v. 1-6 ; c'est aussi le but de l'*Antitradition futuriste*, cf. p. 36), on trouvera ici une poétique de l'*actualité* la plus « triviale » (v. 11-12), de la *surprise* et de l'*étrangeté saugrenue* (passim), de l'*ubiquité* et de la *simultanéité*. Un seul mouvement unifie cependant heurts et disparates : celui d'une âme à nouveau désespérée d'amour, aspirant à un secours de Dieu (v. 10) et emportée à la fois dans Paris et dans un passé retrouvé par bribes. La comparaison s'impose avec *La Chanson du mal-aimé* qui traduit dans un désordre d'une autre nature le même état d'ébriété sentimentale (cf. le titre du volume : « *Alcools* »).
THÈMES : *Moi. Enfance. Religion. Souvenir. Autobiographie.*

A la fin tu [1] es las de ce monde ancien

Bergère ô tour Eiffel [2] le troupeau des ponts bêle ce matin

Tu en as assez de vivre dans l'antiquité grecque et romaine

Ici même les automobiles ont l'air d'être anciennes
La religion seule est restée toute neuve la religion
Est restée simple comme les hangars de Port-Aviation

Seul en Europe tu n'es pas antique ô Christianisme
L'Européen le plus moderne c'est vous Pape Pie X

— 1 Il s'adresse à lui-même. — 2 Le *surgissement* de la Tour est cher aux peintres cubistes.

Et toi que les fenêtres observent la honte te retient
10 D'entrer dans une église et de t'y confesser ce matin
Tu lis les prospectus les catalogues les affiches qui chantent tout haut
Voilà la poésie ce matin [3] et pour la prose il y a les journaux
Il y a les livraisons à 25 centimes pleines d'aventures policières [4]
Portraits des grands hommes et mille titres divers

J'ai [5] vu ce matin une jolie rue dont j'ai oublié le nom
Neuve et propre du soleil elle était le clairon [6]
Les directeurs les ouvriers et les belles sténo-dactylographes
Du lundi matin au samedi soir quatre fois par jour y passent
Le matin par trois fois la sirène y gémit
20 Une cloche rageuse y aboie vers midi
Les inscriptions des enseignes et des murailles
Les plaques les avis à la façon des perroquets criaillent
J'aime la grâce de cette rue industrielle
Située à Paris entre la rue Aumont-Thiéville et l'avenue des Ternes

Voilà la jeune rue [7] tu n'es encore qu'un petit enfant
Ta mère ne t'habille que de bleu et de blanc [8]
Tu es très pieux et avec le plus ancien de tes camarades René Dalize [9]
Vous n'aimiez rien tant que les pompes de l'Église
Il est neuf heures le gaz est baissé tout bleu vous sortez du dortoir en cachette
Vous priez toute la nuit dans la chapelle du collège...

Féru d'aviation — *il a chanté « Ader l'aérien » * — *le poète évoque alors une Ascension*
toute moderne :   *C'est le Christ qui monte au ciel mieux que les aviateurs*
            Il détient le record du monde pour la hauteur... (40-41)
            Icare Enoch Elie Apollonius de Thyane
            Flottent autour du premier aéroplane... (49-50)

Puis brusquement :
            Maintenant tu marches dans Paris tout seul parmi la foule
            Des troupeaux d'autobus mugissants près de toi roulent
            L'angoisse de l'amour te serre le gosier
            Comme si tu ne devais jamais plus être aimé [10] (71-74)

Ainsi erre l'éternel mal-aimé parmi la réalité et les phantasmes du passé. Tandis que Paris
s'écoule près de lui, des éclairs d'existence enfuie l'illuminent, qui le ramènent toujours à la
« complainte » de Rutebeuf et de Villon irisée de sourires et de larmes.

Te voici à Coblence à l'hôtel du Géant

Te voici à Rome assis sous un néflier du Japon

Te voici à Amsterdam avec une jeune fille que tu trouves belle et qui est laide
110 Elle doit se marier avec un étudiant de Leyde
On y loue des chambres en latin Cubicula locanda
Je m'en souviens j'y ai passé trois jours et autant à Gouda

— 3 Songer à l'utilisation des journaux, des affiches dans les « papiers peints » de Juan Gris, Picasso, etc. — 4 Aucune ironie : Apollinaire exalte ailleurs le célèbre « Fantômas ». — 5 Passage à la première personne ; l'alternance se poursuit et se précipite aux vers 117-119.

— 6 « Correspondance » baudelairienne (cf. v. 22). — 7 La rue de ta jeunesse. — 8 Comme les enfants voués à la Vierge Marie. — 9 Tué en 1917. Les *Calligrammes* lui sont dédiés. — 10 Le poète vient d'être repoussé par Marie Laurencin, comme dix ans auparavant par Annie (cf. v. 117). *Zone* est un poème « de fin d'amour ».

Tu es à Paris chez le juge d'instruction
Comme un criminel on te met en état d'arrestation [11]

Tu as fait de douloureux et de joyeux voyages
Avant de t'apercevoir du mensonge et de l'âge
Tu as souffert de l'amour à vingt et à trente ans
J'ai vécu comme un fou et j'ai perdu mon temps
Tu n'oses plus regarder tes mains et à tout moment je voudrais sangloter

L'âme douloureuse du poète sympathise avec les « Misérables » du monde moderne : émigrants de la gare Saint-Lazare, Juifs de la Rue des Rosiers, filles de la nuit rencontrées pendant qu'il regagne son logis, plus loin que le Pont Mirabeau...

Et tu bois cet alcool brûlant comme ta vie
Ta vie que tu bois comme une eau-de-vie [12]

150 Tu marches vers Auteuil tu veux aller chez toi à pied
Dormir parmi tes fétiches d'Océanie et de Guinée [13]
Ils sont des Christ d'une autre forme et d'une autre croyance
Ce sont les Christ inférieurs des obscures espérances [14]

Adieu Adieu

Soleil cou coupé [15]   (Librairie Gallimard, éditeur).

Calligrammes

« *Poèmes de la Paix et de la Guerre* » dit le sous-titre du volume publié en 1918. Après *Zone*, APOLLINAIRE y confirme le goût pour les innovations hardies qui l'anime depuis 1913.

Ondes groupe les textes des années 1913-1914. On y trouve les premiers « poèmes-conversations » qui, à l'époque, ont aggravé la légende d'un Apollinaire mystificateur. Par exemple, *Lundi Rue Christine,* fait de bribes de dialogue saisies dans la rumeur d'un café. Plus riches en conséquences sont les poèmes comme *Les Fenêtres,* préface au catalogue d'une exposition du peintre Robert DELAUNAY dont une toile, *Fenêtres, simultanées prismatiques,* marque une étape importante dans le glissement vers la peinture non-figurative. APOLLINAIRE avait appelé « orphique » la technique de son ami qui voulait de simples « phrases coloriées... la couleur agissant cette fois en fonction d'elle-même ». A son tour, le poète agite un kaléidoscope de simples notations :

Du rouge au vert tout le jaune se meurt
Quand chantent les aras dans les forêts natales...
La fenêtre s'ouvre comme une orange
Le beau fruit de la lumière

Enfin on y trouve les « idéogrammes lyriques » dont le premier, *Lettre-Océan,* avait été publié en mai 1914. Ils justifient le titre du volume : APOLLINAIRE a voulu user, dans un sens pictural et moderniste, des *possibilités figuratives du vers,* en accord avec la peinture de son temps (caractères typographiques utilisés par Braque). « *Et moi aussi je suis peintre* », dit-il dans le projet d'une plaquette.

Les meilleurs *Calligrammes* sont ceux où la facilité de la lecture, la présence d'une expression vraiment poétique et la grâce symbolique du dessin se trouvent réunis. Les plus précieux demeurent ceux qui chantent *la vie du poète-combattant.* A eux seuls, grâce à l'art d'APOLLINAIRE, ils sont l'image complète d'une floraison innombrable et émouvante recueillie dans les *Anthologies* consacrées aux poètes de la Grande Guerre.

— 11   Cf. biographie (p. 36). — 12   Rappel du titre du recueil. – 13   Comme Picasso, Apollinaire était féru d'art nègre. — 14   Malgré son appel à l'Église de son enfance, la foi du poète reste indécise. — 15   Premier état du vers : *Soleil levant cou tranché.* « Le soleil du monde est tranché, non pas le soleil païen, mais le Soleil-Christ, le soleil spirituel » (M.-J. Durry).

Exercice

Bref, discret, sans effet, le poème chante pourtant le simple courage de millions de combattants. Ces quatre adolescents pratiquent, sans le savoir, un « *exercice* » spirituel au sens *religieux* du mot. Sans avenir devant la mort toujours présente, ils se séparent du monde des vivants — c'est leur *ascèse* — en ne parlant que de leur jeune passé.

Vers un village de l'arrière   Ils regardaient la vaste plaine
S'en allaient quatre bombardiers   En parlant entre eux du passé
Ils étaient couverts de poussière   Et ne se retournaient qu'à peine
Depuis la tête jusqu'aux pieds   Quand un obus avait toussé

Tous quatre de la classe seize
Parlaient d'antan non d'avenir
Ainsi se prolongeait l'ascèse
Qui les exerçait à mourir

(Librairie Gallimard, éditeur).

Ombre

Le souvenir de ses compagnons morts à la guerre qui ne quitte jamais le poète s'identifie, par la vertu de l'image, avec l'ombre inséparable de son être. Et cette image lui permet d'approfondir de façon originale les rapports entre le souvenir, celui qui se souvient et les disparus dont il se souvient. – THÈMES : *Guerre. Souvenir. Symboles. Autobiographie.*

Quelques formules hardies ouvrent ici le champ à la poésie moderne, et, en tout cas, semblent illustrer le projet affirmé dans *La Jolie Rousse*, dernier poème de *Calligrammes* et testament poétique d'Apollinaire ; il combat, dit-il, « aux frontières de l'illimité et de l'avenir » : « *Nous voulons vous donner de vastes et d'étranges domaines — Où le mystère en fleurs s'offre à qui veut le cueillir... »*

Vous voilà de nouveau près de moi
Souvenirs de mes compagnons morts à la guerre
L'olive du temps
Souvenirs qui n'en faites plus qu'un
Comme cent fourrures ne font qu'un manteau
Comme ces milliers de blessures ne font qu'un article de journal
Apparence impalpable et sombre qui avez pris
La forme changeante de mon ombre
Un Indien à l'affût pendant l'éternité
10   Ombre vous rampez près de moi
Mais vous ne m'entendez plus
Vous ne connaîtrez plus les poèmes divins que je chante
Tandis que moi je vous entends je vous vois encore
Destinées
Ombre multiple que le soleil vous garde
Vous qui m'aimez assez pour ne jamais me quitter
Et qui dansez au soleil sans faire de poussière
Ombre encre du soleil
Écriture de ma lumière
Caisson de regrets
Un dieu qui s'humilie

(Librairie Gallimard, éditeur).

Un calligramme d'Apollinaire

LA COLOMBE POIGNARDÉE ET LE JET D'EAU

Douces figures poignardée Chères lèvres fleuries
MIA MAREYE
YETTE LORIE
ANNIE et toi MARIE
où êtes
vous ô
jeunes filles
MAIS
près d'un
jet d'eau qui
pleure et qui prie
cette colombe s'extasie

Tous les souvenirs de naguère
O mes amis partis en guerre
Où sont Raynal Billy Dalize
Dont les noms se mélancolisent
Jaillissent vers le firmament
Comme des pas dans une église
Et vos regards en l'eau dormant
Où est Cremnitz qui s'engagea
Meurent mélancoliquement
Peut-être sont-ils mort déjà
Où sont-ils Braque et Max Jacob
De souvenirs mon âme est pleine
Derain aux yeux gris comme l'aube
le jet d'eau pleure sur ma peine

CEUX QUI SONT PARTIS A LA GUERRE AU NORD SE BATTENT MAINTENANT
Le soir tombe O sanglante mer
Jardins où saigne abondamment le laurier rose fleur guerrière

« *Calligrammes* ». (Éd. Gallimard, 1930. Bibliothèque Nationale, Paris. Ph. © Bibl. Nat. – Photeb
© by Éd. Gallimard)

Il y a

Pratiquant le procédé de l'*énumération à surprise,* le poète compose l'image complète d'un *instant vécu* : visions de combats, souvenir d'une femme aimée repartie pour l'Algérie sur la mer menacée, conscience du monde entier qui vit à la même heure. Cette *litanie* a une réelle puissance d'évocation avant sa pirouette finale.
THÈMES : *Histoire. Guerre. Amour. Femme. Autobiographie.*

Il y a un vaisseau qui a emporté ma bien-aimée
Il y a dans le ciel six saucisses [1] et la nuit venue on dirait des asticots
dont naîtraient les étoiles
Il y a un sous-marin ennemi qui en voulait à mon amour
Il y a mille petits sapins brisés par les éclats d'obus autour de moi
Il y a un fantassin qui passe aveuglé par les gaz asphyxiants
Il y a que nous avons tout haché dans les boyaux [2] de Nietzsche de Goethe
et de Cologne
Il y a que je languis après une lettre qui tarde
10   Il y a dans mon porte-cartes plusieurs photos de mon amour
Il y a les prisonniers qui passent la mine inquiète
Il y a une batterie dont les servants s'agitent autour des pièces
Il y a le vaguemestre qui arrive au trot par le chemin de l'Arbre isolé
Il y a dit-on un espion qui rôde par ici invisible comme l'horizon dont il
s'est indignement revêtu et avec quoi il se confond
Il y a dressé comme un lys le buste de mon amour
Il y a un capitaine qui attend avec anxiété les communications de la TSF
sur l'Atlantique
Il y a à minuit des soldats qui scient des planches pour les cercueils
20   Il y a des femmes qui demandent du maïs à grands cris devant un Christ
sanglant à Mexico
Il y a le Gulf Stream qui est si tiède et si bienfaisant
Il y a un cimetière plein de croix à 5 kilomètres
Il y a des croix partout de ci de là
Il y a des figues de Barbarie sur ces cactus en Algérie
Il y a les longues mains souples de mon amour [...]
Il y a des hommes dans le monde qui n'ont jamais été à la guerre
Il y a des Hindous qui regardent avec étonnement les campagnes occidentales
Ils pensent avec mélancolie à ceux dont ils se demandent s'ils les reverront
Car on a poussé très loin durant cette guerre l'art de l'invisibilité

(Librairie Gallimard, éditeur).

Les Mamelles de Tirésias (1917)

Ce drame d'abord conçu comme « surnaturaliste », puis improprement et prématurément qualifié de « surréaliste », est une simple farce d'actualité. L'*absurdité* et les *effets trop gros* y demeurent dans la tradition de Jarry. Mais le *prologue* a paru annoncer un *art novateur,* en particulier celui de CLAUDEL : un art mariant « les sons les gestes les couleurs les cris les bruits la musique la danse l'acrobatie la peinture les chœurs les actions et les décors multiples » ; des changements de ton « du pathétique au burlesque » ; « des acteurs collectifs ou non qui ne sont pas forcément extraits de l'humanité mais de l'univers entier » ; et même « un théâtre en rond... »

— 1 Ballons captifs pour l'observation. — 2 Cheminements réunissant les tranchées.

Apollinaire et les peintres

Marie Laurencin, « Groupe d'artistes », 1908 : Picasso, Marie Laurencin, Apollinaire, Fernande Olivier. (Cone Collection, The Baltimore Museum of Art. Ph. © du Musée – Arch. Photeb © by ADAGP 1988)

La courte carrière d'Apollinaire est marquée par son aspiration à la « **modernité** » en peinture comme en littérature. Entre 1904 et 1907 il rencontre à Montmartre Picasso (cf. **p. 51**) qui accueille ses amis au célèbre Bateau-Lavoir, foyer de discussions sur la rénovation picturale. Il se lie avec Delaunay (cf. **p. 52**), Van Dongen, Henri Rousseau (cf. **p. 50**), Léger, Braque (cf. **p. 619**) dont l'action conjuguée avec celle de Picasso est à l'origine de l'esthétique cubiste. Apollinaire apprécie aussi le « fauvisme » de Vlaminck et de quelques toiles de Bonnard. Sa liaison avec Marie Laurencin, artiste du groupe des novateurs, l'associe intimement à ce milieu où s'élaborent, dans des débats assez fumeux, des théories qui ont pour dénominateur commun la rupture avec la fidélité dans la représentation visuelle du monde, pour lui substituer un univers entièrement imaginé ou pensé, un univers, selon le mot de Jarry, « supplémentaire de celui-ci ». Apollinaire soutient ces artistes dans ses écrits, et, de leur côté, ils illustrent ses œuvres : bois gravés de Derain pour *L'Enchanteur pourrissant,* et de Dufy pour *Le Bestiaire* (1909). Allant toujours de l'avant, Apollinaire s'est intéressé au « futurisme » italien défini par le *Manifeste* de Marinetti (1909) et a aidé Chagall (cf. **p. 53**) dès sa venue à Paris en 1914. Enfin, alors qu'il est mobilisé, il préface en 1917 le catalogue d'une exposition de sculptures nègres et collabore à la revue *Nord-Sud* avec des poètes unis par un « esprit nouveau », Reverdy, Aragon, Breton, Soupault, Max Jacob. C'est lui qui lancera le terme de « **surréalisme** ».

Henri Rousseau, « La Muse inspirant le Poète », 1909.
(Kunstmuseum, Bâle. Ph. © Colorphoto Hinz)

« Fraîcheur et ingénuité »

Apollinaire rencontra le « douanier » Rousseau en 1906. Celui qu'il appelait le « gentil Rousseau » le recevait dans son intérieur modeste, en compagnie de Marie Laurencin, Picasso, Delaunay et sa femme Sonia, Fernand Léger. Il leur donnait des « soirées artistiques et musicales ». Apollinaire a contribué à faire connaître cet artiste « naïf » qui, dans une sorte d'état de grâce, inventait un univers étrange, avec « la fraîcheur de l'ingénuité populaire à l'état pur » (M. Raynal). C'est Marie Laurencin et Apollinaire qu'il a représentés ici. – Voir aussi : *La Guerre* (**p. 391**).

Picasso, « La Reine Isabeau », 1909. (Musée Pouchkine, Moscou.
Ph. © Varga-Artephot © by SPADEM 1988)

Cubisme

En 1905, Apollinaire rencontre Picasso qui s'est installé au fameux « Bateau-Lavoir », fréquenté par un groupe de peintres et d'écrivains ; il lui consacre aussitôt un article illustré. En 1907, il présente Braque à Picasso qui est en train d'achever *Les Demoiselles d'Avignon,* et c'est l'amorce du mouvement cubiste qui s'épanouira entre 1907 et 1914. « Picasso imagine un espace nouveau où des éléments peints, situés sur le même plan, animent la surface de la toile au lieu de se développer en lignes de fuite. A l'encontre de la perspective classique qui part du cadre pour se diriger vers le fond, grâce aux procédés bien connus du trompe-l'œil, du clair-obscur ou des raccourcis, la perspective cubiste part de la surface de la toile pour aboutir aux yeux du spectateur ». (M. Raynal)

51

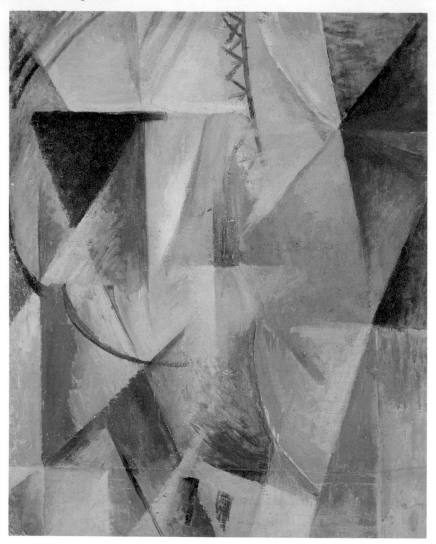

Robert Delaunay, « La Fenêtre », 1912-1913. (Musée National d'Art moderne, Centre Georges-Pompidou, Paris. Ph. Guiley-Lagache © Arch. Photeb © by ADAGP 1988)

« Orphisme »

Au Salon des Indépendants de 1911, Robert Delaunay expose *Les Fenêtres simultanées.* Les titres de ses toiles, *Fenêtres, Prismes,* traduisent son culte de la lumière et de la couleur. Assez réservé à l'égard du cubisme (cf. **p. 51**), il abandonne la représentation de la réalité, et son lyrisme est un premier pas vers la peinture abstraite. Apollinaire qui s'est inspiré de ses *Fenêtres* (cf. **p. 45**) a baptisé *Orphisme, poésie dynamique nouvelle* « la tendance pour ainsi dire musicale où Delaunay découvrira une atmosphère plastique d'ambiance encore impressionniste » (Maurice Raynal).

Marc Chagall, « Paris par la fenêtre », 1913. (Guggenheim Solomon R. Museum, New York. Ph. © Ed. Hazan © by ADAGP 1988)

« Bergère, ô tour Eiffel... »

Envoyé à Paris par un mécène, le Russe Marc Chagall se lie avec les peintres Delaunay, La Fresnaye, Modigliani, et avec les poètes Blaise Cendrars, Guillaume Apollinaire, Max Jacob, André Salmon. C'est Apollinaire qui l'aide à obtenir une exposition particulière à Berlin : 200 tableaux que la guerre retiendra en Allemagne.

On notera dans cette toile des points de rencontre avec le « modernisme » de *Zone* (cf. **p. 43**). La tour Eiffel a aussi inspiré d'autres amis d'Apollinaire, les peintres Delaunay et La Fresnaye.

Albert Gleizes, « Dans le port », 1917. (Collection Thyssen Bornemisza, Lugano. Ph. Luc Joubert © Arch. Photeb © by ADAGP 1988)

« Cubisme français »

Albert Gleizes a participé à la première exposition du cubisme au Salon des Indépendants, en 1911, année où il fut présenté à Picasso par Apollinaire. Son livre *Du cubisme* (1912), écrit en collaboration avec le peintre Metzinger, fut le premier sur la question, bientôt suivi par *Les Peintres cubistes* (1913) d'Apollinaire. Il est, avec Lhote et La Fresnaye, le représentant du « cubisme français » qui, se distinguant des théories du cubisme orthodoxe, s'inspire de la nature et accorde une grande importance à la couleur.

LE THÉÂTRE AVANT 1914

LE NÉO-ROMANTISME : EDMOND ROSTAND

Depuis l'échec des *Burgraves* de Hugo en 1843, le romantisme au théâtre semblait condamné : il connut pourtant, dans les dernières années du XIXe siècle et au début du XXe, une étonnante résurrection, marquée par l'enthousiasme du public, lorsqu'en 1897 EDMOND ROSTAND (1868-1918) fit représenter *Cyrano de Bergerac*, que devaient suivre *L'Aiglon* (1900) et *Chantecler* (1910).

Dans l'œuvre de ROSTAND, qui représente une des dernières réussites du théâtre en vers, la *manière romantique* retrouve une nouvelle jeunesse, avec ses défauts et ses qualités. Certes il y a là de la facilité, de la banalité même, et parfois une certaine tendance à la virtuosité précieuse (veine déjà exploitée par Rostand dans *Les Romanesques*, 1894) ; mais la fougue du lyrisme verbal, l'intensité, sinon l'originalité des images, et un sens très efficace de l'effet dramatique, expliquent le triomphe de *Cyrano :* le public et la critique découvraient un chef-d'œuvre inattendu et l'on alla jusqu'à évoquer le triomphe du *Cid*.

Le second drame romantique de Rostand, *L'Aiglon*, inspiré par la vie du duc de Reichstadt et par la légende napoléonienne, introduit sur le théâtre une sorte d'*épopée sentimentale*, qui vient confirmer la popularité de l'auteur : il sera élu à l'Académie française, l'année suivante, en 1901. Il entreprend alors, dans sa retraite basque de Cambo, une vaste fresque symbolique mettant en scène des animaux et destinée à « dramatiser » un sentiment de la nature à la fois riche et confus ; mais *Chantecler*, représenté en 1910, fut un échec définitif, tandis que *Cyrano* et *L'Aiglon* n'ont rien perdu de leur popularité. A sa mort, EDMOND ROSTAND n'avait pu achever un autre grand dessein, l'interprétation fantastique et lyrique d'un grand thème traditionnel : *La Dernière Nuit de Don Juan*.

Mais, malgré le succès de *Cyrano* et de *L'Aiglon*, le néo-romantisme au théâtre ne connut guère de prolongements notables et, après les tentatives analogues, à la fin du XIXe siècle, de François Coppée, Henri de Bornier et Jean Richepin, l'œuvre de Rostand apparaît comme le chant du cygne du romantisme dramatique.

« Généreuse imposture »

Sans se soucier de l'identité historique du vrai Cyrano de Bergerac (cf. *XVIIe Siècle*, p. 79), ROSTAND en fait un *mythe*, qui n'est pas sans rappeler celui de Ruy Blas. Cadet de Gascogne, affligé d'un trop long nez qui l'enlaidit, CYRANO aime en secret sa cousine ROXANE ; mais celle-ci le prie d'aider Christian de Neuvillette dont la beauté l'a conquise. Par amour pour Roxane, Cyrano se fait l'ami le plus fidèle de Christian dont l'amour s'exprime auprès de Roxane dans le langage que lui dicte Cyrano. Tout le drame est fondé sur ce *quiproquo romantique* jusqu'à ce qu'enfin elle reconnaisse l'amour de Cyrano. THÈMES : *Amour. Femme.*

Après la mort de Christian, que CYRANO *lui a fait épouser secrètement,* ROXANE, *désespérée, s'est retirée dans un couvent. Quatorze ans plus tard, Cyrano, attaqué dans la rue et mortellement blessé, lui fait une ultime visite. Sans se douter que son ami est mourant, Roxane lui remet, sur sa demande, la dernière lettre de Christian : elle la porte toujours dans un sachet pendu à son cou. Or c'est Cyrano qui avait rédigé cette lettre.*

CYRANO, *lisant :* « Roxane, adieu, je vais mourir !... »
ROXANE, *s'arrêtant, étonnée :* Tout haut ?
CYRANO, *lisant:*   « C'est pour ce soir, je crois ma bien-aimée !
    J'ai l'âme lourde encor d'amour inexprimée,
    Et je meurs ! Jamais plus, jamais mes yeux grisés,
    Mes regards dont c'était... »

ROXANE :   Comme vous la lisez,
       Sa lettre !

CYRANO, *continuant :* « ... dont c'était les frémissantes fêtes,
       Ne baiseront au vol les gestes que vous faites ;
       J'en revois un petit qui vous est familier
       Pour toucher votre front et je voudrais crier... »

ROXANE : Comme vous la lisez, cette lettre !

                         La nuit vient insensiblement [1].

10 CYRANO :   « Et je crie :
       Adieu !... »

ROXANE :   Vous la lisez...

CYRANO :   « Ma chère, ma chérie,
       Mon trésor... »

ROXANE :   D'une voix...

CYRANO :   « Mon amour !... »

ROXANE :   D'une voix...
       Mais... que je n'entends pas pour la première fois !

Elle s'approche tout doucement, sans qu'il s'en aperçoive, passe derrière le fauteuil, se penche sans bruit, regarde la lettre. L'ombre augmente.

CYRANO : « Mon cœur ne vous quitta jamais une seconde,
       Et je suis et serai jusque dans l'autre monde
       Celui qui vous aima sans mesure, celui... »

ROXANE, *lui posant la main sur l'épaule :*
       Comment pouvez-vous lire à présent ? Il fait nuit.

Il tressaille, se retourne, la voit là tout près, fait un geste d'effroi, baisse la tête. Un long silence. Puis, dans l'ombre complètement venue, elle dit avec lenteur, joignant les mains.
       Et pendant quatorze ans, il a joué ce rôle
       D'être le vieil ami qui vient pour être drôle !

CYRANO : Roxane !

ROXANE :   C'était vous.

20 CYRANO :   Non, non, Roxane, non !

ROXANE : J'aurais dû deviner quand il disait mon nom !

CYRANO : Non ! ce n'était pas moi !

ROXANE :   C'était vous !

CYRANO :   Je vous jure...

ROXANE : J'aperçois toute la généreuse imposture :
       Les lettres, c'était vous...

CYRANO :   Non !

ROXANE :   Les mots chers et fous,
       C'était vous [2].

CYRANO :   Non !

ROXANE :   La voix dans la nuit, c'était vous !

CYRANO : Je vous jure que non !

ROXANE :   L'âme, c'était la vôtre !

CYRANO : Je ne vous aimais pas.

ROXANE :   Vous m'aimiez !

CYRANO :   C'était l'autre.

— 1 C'est cette circonstance qui va permettre à Roxane de deviner la vérité. — 2 A l'acte III, c'était Cyrano qui, à voix basse, dictait à Christian les mots d'amour qu'il répétait à Roxane (« *Scène du balcon* », inspirée de *Roméo et Juliette*, comme *Les Romanesques*).

ROXANE : Vous m'aimiez !
CYRANO :   Non !
ROXANE :   Déjà vous le dites plus bas !
CYRANO : Non, non, mon cher amour, je ne vous aimais pas !
30 ROXANE : Ah ! que de choses qui sont mortes... qui sont nées !
— Pourquoi vous être tu pendant quatorze années,
Puisque, sur cette lettre où lui n'était pour rien,
Ces pleurs étaient de vous [3] ?
CYRANO, *lui tendant la lettre :*   Ce sang était le sien.

Cyrano de Bergerac, V, 5 (Fasquelle, éditeur).

Le grognard

L'Aiglon, c'est le fils de Napoléon, le roi de Rome, devenu DUC DE REICHSTADT, que tourmente, malgré la pression de son entourage autrichien, la *nostalgie de l'épopée paternelle.* Mais le drame est dominé par le personnage de FLAMBEAU, ancien soldat de la Garde, une des plus brillantes créations de Rostand : la scène où le DUC l'écoute avec exaltation évoquer son passé est un des sommets de *L'Aiglon.* Voici le moment où, emporté par sa ferveur napoléonienne, FLAMBEAU laisse percer le grognard sous la livrée de laquais qui lui sert de masque, car il a été envoyé à Schœnbrunn par les bonapartistes français pour contrecarrer l'influence autrichienne. L'ex-maréchal Marmont, duc de Raguse, autrefois traître à son maître, vient d'invoquer, pour sa défense, la *fatigue* des officiers de Napoléon et ce qu'il appelle la *démence* de l'Empereur. C'est alors qu'éclate le *lyrisme épique* de Flambeau. – THÈMES : *Histoire. Guerre. Peuple. Moi.*

LE LAQUAIS, *descendant peu à peu vers Marmont :*
Et nous, les petits, les obscurs, les sans-grades,
Nous qui marchions fourbus, blessés, crottés, malades,
Sans espoir de duchés ni de dotations ;
Nous qui marchions toujours et jamais n'avancions ;
Trop simples et trop gueux pour que l'espoir nous berne
De ce fameux bâton qu'on a dans sa giberne [1] ;
Nous qui, par tous les temps, n'avons cessé d'aller,
Suant sans avoir peur, grelottant sans trembler,
Ne nous soutenant plus qu'à force de trompette,
10   De fièvre et de chansons qu'en marchant on répète ;
Nous sur lesquels pendant dix-sept ans, songez-y,
Sac, sabre, tourne-vis, pierres à feu, fusil,
— Ne parlons pas du poids toujours absent des vivres ! —
Ont fait le doux total de cinquante-huit livres ;
Nous qui, coiffés d'oursons sous les ciels tropicaux,
Sous les neiges n'avions même plus de shakos [2] ;
Qui d'Espagne en Autriche exécutions des trottes ;

— 3 Roxane avait tout à l'heure parlé de cette *lettre au papier jaunissant — Où l'on peut voir encor des larmes et du sang !* Cyrano écrivait en pleurant les lettres que Christian adressait à Roxane. Celle-ci est *la dernière,* trouvée sur Christian alors qu'il venait d'être mortellement blessé au siège d'Arras.

— 1 Cf. le dicton selon lequel tout soldat a dans sa giberne le *bâton de maréchal.* La *giberne* est le nom ancien de la cartouchière. — 2 Allusions à la campagne d'Égypte et à la retraite de Russie.

Nous qui pour arracher ainsi que des carottes
Nos jambes à la boue énorme des chemins,
20   Devions les empoigner quelquefois à deux mains ;
Nous qui pour notre toux n'ayant pas de jujube,
Prenions des bains de pied d'un jour dans le Danube ;
Nous qui n'avions le temps quand un bel officier
Arrivait, au galop de chasse, nous crier :
« L'ennemi nous attaque, il faut qu'on le repousse ! »
Que de manger un blanc de corbeau sur le pouce,
Ou vivement, avec un peu de neige, encor,
De nous faire un sorbet au sang de cheval mort ;
Nous...

LE DUC, *les mains crispées aux bras de son fauteuil, penché en avant, les yeux ardents :*
    Enfin !

LE LAQUAIS :   ... qui, marchant et nous battant à jeun,
Ne cessions de marcher...

30 LE DUC, *transfiguré de joie :*   Enfin ! j'en vois donc un !

LE LAQUAIS : ... Que pour nous battre, — et de nous battre un contre quatre,
Que pour marcher, — et de marcher que pour nous battre,
Marchant et nous battant, maigres, nus, noirs et gais...
Nous, nous ne l'étions pas, peut-être, fatigués ?

L'Aiglon, II, 9 (Fasquelle, éditeur).

Malgré ses rêves de gloire et le dévouement de Flambeau, l'Aiglon ira vers le désespoir et la mort, sans avoir pu s'évader de sa « cage » autrichienne.

Le naturalisme

A la fin du XIXᵉ siècle, le naturalisme avait étendu son influence au théâtre (cf. *XIXᵉ Siècle*, p. 555). Au même moment, le *Théâtre libre* d'ANTOINE l'introduisait aussi dans la mise en scène. De bonnes conditions semblaient donc réunies pour le développement d'une littérature dramatique inspirée des principes et des techniques du naturalisme. En fait, ce mouvement se trouva contrecarré par d'autres tendances, et bientôt d'ailleurs le naturalisme proprement dit évoluait chez certains auteurs (Brieux ou Hervieu par exemple) vers un *théâtre à thèse*, lui-même conforme à la tendance illustrée plus tôt par Alexandre Dumas fils (cf. *XIXᵉ Siècle*, p. 555).

Néanmoins, le théâtre naturaliste tient son rang dans la production dramatique d'avant 1914. Le réalisme social, nuancé à la fois de cynisme et de moralisme, caractérise l'œuvre d'OCTAVE MIRBEAU (1850-1917). Celui-ci décrit, dans *Les Mauvais Bergers*, l'antagonisme des classes, et, dans *Les affaires sont les affaires* (1903), il développe une description impitoyable des formes modernes du pouvoir de l'argent ; il reste ainsi fidèle à une tradition qui remonte, par-delà *Le Faiseur* de Balzac, jusqu'au *Turcaret* de Lesage (cf. *XVIIIᵉ Siècle*, p. 39).

C'est d'autre part un naturalisme psychologique plutôt que social qui inspire l'œuvre dramatique de JULES RENARD, plus célèbre par ses autres œuvres (cf. p. 133). Il se spécialise dans des pièces courtes et vives, où il transpose, sous la forme dramatique, son habituelle manière incisive : le pessimisme et l'amertume se résolvent en humour et en cruauté dans *Le Plaisir de rompre* (1897), *Le Pain de ménage* (1898), *Monsieur Vernet* (1903) et plus encore dans l'adaptation dramatique du célèbre *Poil de Carotte* (1900).

Plus proche enfin de Mirbeau, ÉMILE FABRE schématise les thèmes naturalistes, et en fait la matière d'un théâtre à l'emporte-pièce, qui connut à l'époque un assez large succès. Efficace sur la scène, sa manière manque de force proprement littéraire, mais le succès d'Émile Fabre auprès du public témoigne de l'intérêt que l'on portait avant 1914 au théâtre naturaliste (*L'Argent*, 1895 ; *Les Ventres dorés*, 1905).

LE « THÉÂTRE D'IDÉES »

La question sociale qui, au début du XXᵉ siècle, inspire tant d'œuvres littéraires, fournissait quelques-uns des principaux thèmes du théâtre naturaliste ; mais celui-ci ne prétendait pas transformer la scène en tribune. Néanmoins, le *glissement du naturalisme aux « idées »* caractérise l'œuvre de certains dramaturges, qui font alors figure de maîtres à penser et dont l'influence, inégale en valeur, fut loin d'être négligeable.

EUGÈNE BRIEUX (1858-1922) est sans doute celui qui se rattache le plus directement à la tradition de Dumas fils et d'Émile Augier (cf. *XIXᵉ Siècle*, p. 555). Il fonde son entreprise de moralisation dramatique sur une véritable propagande en faveur de la réforme des mœurs : *La Robe rouge* (1900) pose, en termes assez énergiques, le problème de l'administration de la justice et montre comment l'égoïsme et l'intérêt corrompent la fonction judiciaire ; dans *Les Remplaçantes* (1901), l'auteur traite les thèmes de la propagande familiale, en montrant que le devoir de la mère est d'élever personnellement ses enfants. Le théâtre devient alors une simple et parfois sommaire illustration des thèses de l'auteur.

Plus profond et plus authentiquement dramaturge est PAUL HERVIEU (1857-1915), qui a le sens du tragique, mais que son moralisme poussa à pratiquer une rhétorique parfois abusive. Il s'attache courageusement à diffuser quelques grandes idées qu'il dramatise en les rapportant au conflit fondamental de la nature et de la civilisation : problèmes du mariage *(Les Tenailles,* 1895) et du divorce (*Le Dédale,* 1903) ; question du féminisme (*La Loi de l'Homme,* 1897) et de l'amour maternel (*La Course du flambeau,* 1901).

Mais le représentant sans doute le plus notable de cette tendance est FRANÇOIS DE CUREL (1854-1929), industriel lorrain et gentilhomme campagnard : il possède en effet l'art de concevoir des situations exceptionnelles et d'en tirer un *drame psychologique* qui sert de support solide au développement des idées. Le style, austère, résiste à la tentation rhétorique et compense l'abstraction des idées par la puissance suggestive des images ; c'est par son art que CUREL fait vivre sur la scène des personnages qui, cependant, incarnent des abstractions. Nourrie d'expérience personnelle et animée par ses propres drames de conscience, l'une de ses premières pièces, *Le Repas du lion* (1897), porte sur le problème des rapports entre patrons et ouvriers ; *La Nouvelle Idole* (1899), qui est sans doute son chef-d'œuvre, soulève celui des limites morales du pouvoir scientifique ; *Terre inhumaine* enfin aborde pour la première fois, en 1922, un sujet que traiteront abondamment, après la Seconde Guerre mondiale, le roman et le cinéma : le thème de l'amour entre un homme et une femme appartenant à des nations ennemies.

La course du flambeau

Dans *La Course du flambeau,* si l'on en croit la dédicace à Réjane qui créa le rôle de Sabine Revel au théâtre du Vaudeville en 1901, PAUL HERVIEU s'est proposé une *« incarnation tendre et farouche de la passion maternelle »*. Il nous présente, dans une intrigue solide mais assez compliquée, où interviennent aussi les questions d'argent et de mariage, différents types de mères et d'enfants et diverses manifestations et conséquences de la passion maternelle. C'est la mise en œuvre dramatique d'une *discussion d'idées* sur les différentes manières de concevoir le sentiment maternel, en particulier dans son conflit souvent tragique avec l'autonomie des enfants. Ainsi MARAVON aborde ce problème avec SABINE, à propos de Mme Gribert et de sa fille Béatrice, dans une scène typique de Paul Hervieu. – THÈMES : *Femme. Famille. Antiquité.*

MARAVON : Vous n'avez, sans doute, jamais entendu parler des « lampadophories »[1] ? Voici ce que c'était : pour cette solennité, des citoyens s'espaçaient, formant une sorte de chaîne, dans Athènes. Le premier allumait un flambeau

---

— 1 Maravon est un universitaire : il vient de s'excuser par avance de son « pédantisme ».

à l'autel, courait le transmettre à un second, qui le transmettait à un troisième, et ainsi, de main en main. Chaque concurrent courait, sans un regard en arrière, n'ayant pour but que de préserver la flamme qu'il allait pourtant remettre aussitôt à un autre. Et alors, dessaisi, arrêté, ne voyant plus qu'au loin la fuite de l'étoilement sacré, il l'escortait, du moins, par les yeux, de toute son anxiété impuissante, de tous ses vœux superflus. On a reconnu dans cette Course du
10 flambeau [1] l'image même des générations de la vie ; ce n'est pas moi, ce sont mes très anciens amis Platon et le bon poète Lucrèce.

SABINE : Je ne conçois pas de la sorte les relations de famille. A mon point de vue recevoir la vie engage autant que la donner. Il y a quelque chose d'analogue, de simultané, un lien unique qui fait se contre-balancer les obligations. Puisque la nature n'a pas permis aux enfants de se fabriquer tout seuls, je dis, moi, qu'elle a donc eu l'intention de leur imposer une dette envers ceux qui les mettent au monde.

MARAVON : Les enfants s'acquittent en faisant, à leur tour, des enfants.

SABINE : Ils s'acquittent en pratiquant la piété filiale, dont vous semblez
20 oublier tant d'actes héroïques !

MARAVON : Peuh !... Énée, à l'incendie de Troie, emportant son père sur les épaules ? Mais à chaque occasion nos pompiers en font autant pour des gens qu'ils n'ont jamais vus... La gravure a popularisé encore le dévouement d'une femme dont le vieux père mourait de faim en prison : elle s'y introduisit et lui donna son sein à téter. Quelle est la nourrice qui ne voudrait soulager, par une offrande semblable, la captivité de tout un escadron ?

SABINE : Il est toujours facile de plaisanter.

MARAVON : Citez-moi des traits vraiment sublimes.

SABINE : Je n'ai pas votre érudition.
30 MARAVON : Non, voyez-vous, l'humanité se bat les flancs pour se persuader à elle-même qu'elle n'est pas mauvaise fille. Or, elle l'est, de naissance, comme, de naissance aussi, elle est bonne mère. Relisez les commandements du mont Sinaï : pas un mot sur les devoirs envers la progéniture ! Pourquoi donc ? Parce que c'était inutile. Parce que toutes les créatures s'étaient mises d'instinct à soigner leurs petits. Mais les devoirs envers les parents, voilà ce qui n'a pas été sous-entendu ; voilà ce qui n'allait pas de soi-même ! « Honore tes père et mère, afin de vivre longuement sur la terre. » Il n'y a pas que l'injonction, il y a, pour allécher, la promesse d'une prime à réaliser, dès ce bas monde... Croyez-moi, la reconnaissance filiale n'est pas spontanée ; elle est un effort
40 de civilisation, un fragile essai de vertu !

SABINE : Vous me permettrez bien de vous opposer mon propre cas, à moi qui vis entre une mère et une fille... Je crois pouvoir dire que je sais ce que c'est que d'aimer son enfant.

MARAVON : Dites même que vous atteignez à la perfection de la sollicitude.

La Course du flambeau, I, 2 (Arthème Fayard, éditeur).

Mais, par une tragique ironie, SABINE, *à la fin du drame, voit sa fille la quitter pour aller avec son mari faire fortune en Amérique du Sud, et, dans l'éclat de sa douleur, elle provoque chez sa mère une crise cardiaque qui entraîne la mort. Les derniers mots de la pièce seront, dans la bouche de Sabine :* « Pour ma fille, j'ai tué ma mère ! »

— 1 Ainsi s'explique le titre symbolique de la pièce.

La nouvelle idole

Dans la *Préface* de 1918 à l'édition de son *Théâtre complet,* FRANÇOIS DE CUREL écrivait : « Depuis l'âge de trente ans, mon existence a été une longue rêverie, laquelle, de temps en temps, prenait pour confidents les personnages d'un drame. » Et c'est bien ainsi qu'il faut comprendre une œuvre qui reste souvent d'actualité. *La Nouvelle Idole* reflète particulièrement la qualité de sa pensée et de ce qu'il appelle lui-même son *austère psychologie.* Le docteur DONNAT est en effet un idolâtre de la Science ; face à une jeune tuberculeuse qu'il croit condamnée à coup sûr, il n'hésite pas à lui inoculer le cancer, pour mener à bien un progrès médical qui sauvera d'autres vies. Mais la jeune fille guérit de la tuberculose, et, soulevée de charité par sa foi religieuse, elle apaise les remords du médecin, qui, pour se punir, s'était à lui-même inoculé le mal mortel. Devant le spectacle de grandeur que lui offre sa victime, il met en question son idolâtrie de savant et « meurt comme s'il croyait en Dieu ». Au cours d'une conversation avec la jeune fille se prépare le revirement du docteur ALBERT DONNAT. – THÈMES : *Science. Société. Morale. Religion.*

ANTOINETTE : Un jour... j'étais si faible... comme morte... Vous avez dit aux internes : « Pauvre petite Antoinette ! avant la fin de la semaine, elle aura vu les splendeurs de son Paradis. » Après la visite, vous êtes revenu seul, et vous m'avez fait une piqûre là où j'ai mal maintenant...

ALBERT : Alors, vous...

ANTOINETTE : J'avais ma connaissance, mais je ne bougeais pas... J'ai eu l'idée, tout de suite, que vous tentiez quelque chose de hardi... A présent que la mère supérieure[1] a prononcé le mot, je me rends bien compte de ce que vous avez essayé... Nous avions une sœur qui est morte de cela vers Noël... Il fallait, pendant
10 les derniers jours, beaucoup prendre sur soi pour l'approcher... *(Un silence).*

ALBERT : Comment appelle-t-on les gens qui font ce que j'ai fait ?

ANTOINETTE : Comment ?

ALBERT : Assassins, n'est-ce pas ?

ANTOINETTE : Je savais bien que vous aviez du chagrin ! Il ne faut pas !... Vous m'auriez proposé ce qui est arrivé, j'aurais consenti tout de suite... Me croyez-vous donc trop sotte pour comprendre que mon mal peut amener à guérir une foule de gens ? Je voulais être sœur de charité et consacrer ma vie aux malades... Eh bien ! je livre ma vie en gros, au lieu de la donner en détail [2]...

ALBERT : Il n'y a pas que les sœurs de charité qui savent mourir proprement !
20 ANTOINETTE : Les savants aussi !... *(Elle se jette aux genoux d'Albert).* Quand j'ai appris que l'on vous accusait, je me suis dit aussitôt : « Si on l'empêche de continuer ses expériences, il les achèvera sur lui-même !... » Ne faites pas cela, monsieur le docteur !... Vous m'avez pour vos observations...

ALBERT : Tu t'es dit cela, toi ?... Tu n'as pas pensé : « Il se tuera pour se punir » ?

ANTOINETTE, *avec effroi :* Oh !... se suicider !... Enlever du monde quelqu'un comme vous, à cause d'une pauvre fille qui sait à peine lire !

ALBERT : J'en ai eu envie, pourtant !... Si tu me vois encore vivant, c'est que je me suis accordé quelques jours de répit pour connaître la fin de mes travaux.
30 En somme une curiosité comme celle-là est pardonnable !

— 1 Antoinette, orpheline, désirait être religieuse. Malade, elle a été recueillie dans un couvent. — 2 « *Comme s'il s'agissait d'un sou jeté* à un pauvre. Ces expressions plus commerciales que tragiques lui [au personnage d'Antoinette] commandent une naïve inconscience » (F. de Curel).

ANTOINETTE : Ah ! Monsieur, je crois bien, puisqu'elle sauve des gens !... Vous parlez comme un criminel : c'est seulement si vous n'achevez pas vos travaux que vous le serez !... Vous êtes fait pour étudier... Vous n'avez malheureusement pas de religion, c'est ce qui vous oblige à tant réfléchir pour être bon... Moi, si je n'étais pas pieuse, qu'est-ce que je vaudrais ?... Vous avez l'air étonné que je sois prête à mourir... Je le suis parce que Jésus-Christ a été crucifié pour le genre humain et que je regarde comme un honneur d'être traitée un peu comme lui...

ALBERT : Ah ! quel bien tu me fais !... Avec toi, je n'ai pas à renier mon idole !...
40 Tu ne me la montres pas ridicule et pédante !... Antoinette, tu ne seras ni timide ni gauche, si je t'annonce la résolution que j'ai prise... Nous pourrons en parler à l'aise, puisque tu viens de l'indiquer de toi-même... Ce matin, je me suis inoculé le mal dont tu mourras... Désormais, je vais vivre double... vivre triple !... Jusqu'à ma convulsion suprême, j'épierai nos deux agonies... Tes yeux brillent !... Ah ! tu es bien de ma race, toi !... D'où vient ce quelque chose qui élève le plus humble au niveau du plus savant ?

ANTOINETTE : Du bon Dieu, Monsieur !

La Nouvelle Idole, III, 5 (Crès, éditeur).

LE « THÉÂTRE D'IDÉES » qui satisfaisait certaines aspirations du public, déjà manifestées par le succès des œuvres d'IBSEN[1], reste représentatif d'une époque, et l'on en trouvera la preuve dans le fait que ses trois principaux représentants firent partie de l'Académie française (BRIEUX élu en 1909, HERVIEU en 1900, CUREL en 1912).

LE « THÉÂTRE D'AMOUR »

Séduit par la représentation de la réalité sociale ou par la mise en scène de grandes idées, le théâtre ne cesse pas pour autant d'être le lieu privilégié de la *peinture des passions*. La psychologie amoureuse reste le thème de prédilection de nombre d'auteurs à la mode ; ainsi se fixent quelques-unes des traditions qui alimenteront, pendant de longues années encore, le « *théâtre du boulevard* » (cf. p. 64). C'est HENRY BATAILLE (1872-1922) qui représente le mieux le caractère déjà conventionnel de ce théâtre, où le conflit entre la passion et les obstacles qu'elle rencontre est le sujet de pièces à succès (*Maman Colibri*, 1904 ; *La Marche nuptiale*, 1905 ; *La Vierge folle*, 1910 ; *L'Homme à la rose*, 1920).

HENRY BERNSTEIN (1876-1953) resserre l'étude psychologique, transforme la scène en un champ clos où se heurtent passions, intérêts et valeurs morales. C'est un des maîtres de ce qu'on appellera plus tard le « suspens » dramatique, mais sa psychologie reste conventionnelle et n'échappe pas au risque de la vulgarité (*La Griffe*, 1906 ; *Le Voleur*, 1906 ; *Le Secret*, 1913 ; *Félix*, 1936 ; *Mélo*, 1929).

GEORGES DE PORTO-RICHE (1849-1930), quoique plus âgé que les précédents, connaît le succès au cours de la même période : son œuvre marque un retour aux traditions de la psychologie classique. Il conçoit en effet le théâtre comme *une anatomie sentimentale* dont il dresse les résultats dans les huit pièces qui constituent ce qu'il a lui-même appelé son « *Théâtre d'amour* » (en particulier : *Amoureuse*, 1891 ; *Le Passé*, 1897 ; *Le Vieil Homme*, 1911 ; *Le Marchand d'estampes*, 1917).

— 1 Dramaturge norvégien (1828-1906), de tendances symbolistes, dont l'influence explique en partie l'évolution du naturalisme français (représentations au *Théâtre libre* d'Antoine, à partir de 1897, de *Maison de poupée* et du *Canard sauvage*).

« *Condamnés l'un à l'autre...* »

GEORGES DE PORTO-RICHE, qui semble avoir voulu être une sorte de Racine bourgeois, consacre exclusivement ses pièces à la peinture de l'amour-passion, de sa tyrannie, de sa violence, de son égoïsme. *Amoureuse* peut se résumer dans les deux répliques qu'échangent à la fin de l'acte II le mari et la femme, ÉTIENNE et GERMAINE : « *Ah ! quelle misère d'aimer !* — *Ah ! quel supplice d'être aimé !* ». – THÈMES : *Amour. Femme. Moi.*

Dans cette scène on verra éclater la crise qui couvait entre ÉTIENNE *et* GERMAINE, *trop amoureuse de son mari et jalouse de son travail autant que des femmes qu'il a aimées avant elle.*

ÉTIENNE : Quand je pense que j'en suis réduit à écrire mes lettres dans un café pour ne pas être questionné ; que j'en arrive à descendre dans la rue sans motif, sans but, pour me soustraire à ta tyrannie, par instinct de conservation ! Dieu me préserve de tomber malade, je serais ton prisonnier ! Jamais je n'ai vu une liaison pareille. Ma vie se passe à vouloir t'échapper, la tienne à vouloir me prendre. Que t'importent mes ambitions et mes rêves, tu n'y comprends rien. Quand puis-je travailler ici ? Toutes nos heures sont dévorées par des disputes et des réconciliations. Et pourtant mes mensonges écartent bien des tempêtes.

GERMAINE : Tes mensonges ?

10   ÉTIENNE : Oui, je mens souvent, je dissimule, j'altère un tas de choses.

GERMAINE : Pour avoir la paix ?

ÉTIENNE : C'est ta faute. Grâce à ta nature soupçonneuse, le mensonge est maintenant installé dans mon existence, et cela de telle façon que, si demain je prenais une maîtresse, je n'aurais rien à changer à mes habitudes.

GERMAINE : Ah ! Tu es le plus malheureux des hommes, je le reconnais, mais quand on est aussi lâche, on n'est pas à plaindre.

ÉTIENNE : Insulte-moi, si tu veux. Cette fois, tu n'exploiteras pas ma colère, je t'en préviens ; tu ne réussiras pas à en tirer un repentir caressant, une heure de lâcheté amoureuse. Au surplus mon emportement est un détail et toutes

20   tes larmes ne changeront pas les choses ; ce qui est grave, ce n'est pas ce que je dis, c'est ce qui est. [...]

GERMAINE, *éclatant* : Mais, misérable ! tu savais que je t'aimais, il ne fallait pas m'épouser.   ÉTIENNE : J'ai eu tort.

GERMAINE, *avec douleur, avec indignation :* Tu avais plus de trente ans, j'en avais vingt. On réfléchit, surtout quand on doit être aussi implacable. Je t'ai dit que je t'adorais ; pourquoi m'as-tu prise ? Pourquoi as-tu été bon et faible ? Pourquoi m'as-tu laissée croire à ton amour ? Pourquoi m'as-tu menti, trompée ? Pourquoi n'as-tu pas été cruel tout de suite ? Pourquoi as-tu si longtemps attendu pour m'apprendre la vérité ?   ÉTIENNE : J'ai eu tort.

30   GERMAINE : Mais voilà. Tu n'es qu'un vaniteux au fond, un homme à femmes. Tu voulais être aimé.   ÉTIENNE : Oui, mais pas tant que ça !

GERMAINE : Je t'ai donné plus que tu ne demandais !

ÉTIENNE : Justement.

GERMAINE : Pauvre homme ! Je t'aime trop et tu ne m'aimes pas assez, voilà mon crime.

ÉTIENNE : Voilà notre misère.

Après avoir tenté de tromper son mari, sans cesser de l'aimer, GERMAINE *le verra revenir à elle.* Tu seras malheureux, *lui dit-elle ; à quoi il répond :* Qu'est-ce que ça fait ?

Amoureuse, II, 6 (Albin Michel, éditeur).

LE THÉÂTRE DU BOULEVARD

Phénomène durable dont la tradition s'est perpétuée grâce à des auteurs comme Sacha Guitry, Édouard Bourdet, André Roussin, le « théâtre du Boulevard » n'a jamais brillé d'un éclat aussi vif qu'avant 1914. Cependant, la presque totalité de cette production est aujourd'hui périmée dans sa substance et négligeable du point de vue de la forme. Ainsi se trouve confirmée, pour l'œuvre dramatique, la nécessité d'être autre chose que le reflet superficiel d'une époque et de rechercher un « style » qui la sauve du simple dialogue. On ne peut revenir au *théâtre du Boulevard* qu'avec un plaisir nostalgique, un sentiment de vanité aimable et une réelle insatisfaction littéraire.

Une définition difficile

Ce théâtre ne peut être défini par sa seule distribution entre les salles qui jalonnent ou avoisinent les boulevards parisiens puisque la jeune Comédie des Champs-Élysées (1912) et la Comédie Marigny (1913) l'accueillirent aussi bien ; certains auteurs du Boulevard, sans modifier essentiellement leur ton ni leur manière, reçurent même la consécration de la Comédie-Française.

On ne saurait non plus le définir par la soumission à un genre déterminé puisqu'il a pris tous les visages de la comédie ou *sentimentale* ou *dramatique* ou *légère* ou « *rosse* ». Il faudrait plutôt, pour saisir sa véritable nature, invoquer un certain esprit « moyen » propre à procurer au public qui ne fréquentait pas l'*Œuvre*, le *Théâtre des Arts* ou le *Vieux-Colombier*, alors bastions de l'avant-garde, l'éternel « plaisir du théâtre », aujourd'hui compensé ou combattu par le cinéma. Au Boulevard, ce plaisir était composé d'émotion facile ou de sourire complice au spectacle des passions communes, d'une indulgente censure devant le tableau de mœurs et, plus encore, d'évasion dans le mirage d'une vie inconnue à la majorité des spectateurs.

On doit enfin tenir compte d'un fait que le « culte des vedettes » permet encore de comprendre : un tel théâtre a été servi par des « monstres » vraiment *sacrés* pour le public du temps. Le talent et le prestige des Jeanne Granier, Marcelle Linder, Réjane, Ève Lavallière chez les actrices et, chez les comédiens, des Lucien Guitry, Baron, Signoret, Le Bargy ont souvent suffi à faire vivre et briller des textes « dont si peu de bribes méritent d'être ramassées » (Robert Kemp).

Quelques auteurs

Parmi les nombreux auteurs du Boulevard se détachent quatre écrivains de talent qui ont rencontré le plus manifeste assentiment du public. Chacun d'eux, entre 1895 et 1914, a produit une vingtaine de pièces. On peut, à des titres divers, retenir de MAURICE DONNAY (1859-1945) : *Amants, La Douloureuse, Le Torrent, Le Retour de Jérusalem, Paraître, Les Éclaireuses ;* d'ALFRED CAPUS (1858-1922) : *Les Petites Folles, La Veine, La Petite Fonctionnaire, Notre jeunesse, Un ange ;* d'HENRI LAVEDAN (1858-1940) : *Viveurs, Le Marquis de Priola, Le Duel, Servir ;* d'ABEL HERMANT (1862-1940) ; *Monsieur de Courpière, Rue de la Paix, La Belle Madame Hébert, Trains de luxe, Les Transatlantiques,* pièce qui rejoint même l'opérette par des couplets dus à la collaboration de Franc-Nohain.

Or deux remarques s'imposent à propos de ces auteurs exactement contemporains. D'abord, ils ont, avant ou pendant leur carrière dramatique, également écrit des romans et des romans de mœurs. Abel Hermant, par exemple, est surtout connu par la longue suite des *Mémoires pour servir à l'histoire de la société* d'où il a tiré quelques-unes de ses pièces. Ensuite lorsque, après 1920, ils se sont à nouveau manifestés au théâtre, ils ont soudain paru comme anachroniques et n'ont jamais plus reçu le « certificat de ressemblance » dont Fernand Baldensperger fait le gage du succès. C'est dire qu'ils ont essentiellement évoqué l'image fugitive et relative de leur temps en choisissant la curieuse unité d'atmosphère, sinon de lieu, qui est celle de la « Belle Époque ».

VAUDEVILLE ET COMÉDIE LÉGÈRE

**Feydeau
et le vaudeville**   Fils d'un romancier de talent, GEORGES FEYDEAU (1862-1921) fut, après Labiche, *le maître du* VAUDEVILLE. Il porta ce genre mineur à son point de perfection, avec une maîtrise technique qui n'eut d'égale que sa fécondité : son *Théâtre complet* compte 39 pièces, comédies en trois actes dont les plus célèbres sont *Monsieur chasse !* (1892), *L'Hôtel du Libre Échange* (1894), *Le Dindon* (1896), *La Dame de chez Maxim* (1899) et *Occupe-toi d'Amélie* (1908) — ou pochades en un acte comme *On purge Bébé* (1910) et *Mais ne te promène donc pas toute nue* (1912). Après avoir longtemps fait rire les Français de la « Belle Époque », Feydeau a connu un regain de succès — posthume — depuis que les scènes parisiennes (la Comédie-Française en tête) ont repris ses principaux vaudevilles.

Si ce théâtre supporte assez mal la lecture, il tentera toujours acteurs et metteurs en scène : tout y est *rythme endiablé,* jeux de scène, coïncidences saugrenues, effets fort gros et souvent éculés, mais qui *passent la rampe.* C'est le triomphe d'un *mécanisme* comique minutieusement réglé, qui se répète avec de menues variantes d'une pièce à l'autre. Tout tourne autour de l'adultère, ou d'une simple « coucherie ». Tout le monde se rencontre, par une convergence de hasards complaisants — se rencontre et se fuit, en un ballet vertigineux — autour d'un lit, dans une chambre d'hôtel. Un bègue, un prince slave, une Anglaise ou un Belge apportent le grain de sel de leur jargon... et tout se termine le mieux du monde, parmi les éclats de rire.

**Un humoriste :
Tristan Bernard**   Avocat, journaliste, industriel, poète, romancier, auteur dramatique, TRISTAN BERNARD (1866-1947) fut surtout un *humoriste.* On cite de lui une foule de bons mots, et c'est l'HUMOUR qui fait le charme de ses romans *(Mémoires d'un jeune homme rangé, Amants et Voleurs, Le mari pacifique)* comme de ses pièces en un, trois ou cinq actes, depuis *Les Pieds nickelés* (1895) jusqu'à *Jules, Juliette et Julien* (1929).

Aucune monotonie d'ailleurs dans ce théâtre qui compte parmi ses réussites un court vaudeville resté au répertoire, *L'anglais tel qu'on le parle* (1899) ; une parodie « tragi-comique », *L'Étrangleuse* (1908) ; une amusante reprise du thème éternel des Ménechmes, *Les Jumeaux de Brighton* (1908) ; ou une comédie de caractère comme *Monsieur Codomat* (1907). Ce dernier aspect apparaissait déjà, en 1905, dans *Triplepatte* (en collaboration avec André Godfernaux) ; cette comédie de l'indécision unit sans disparate l'*esprit,* la *fantaisie* et la *satire légère* à une *sympathie* compréhensive, presque attendrie.

**L'esprit parisien :
Flers et Caillavet**   Deux hommes du monde, Robert DE FLERS (1872-1927) et Gaston Arman DE CAILLAVET (1869-1915) inaugurent avec le siècle une collaboration féconde. Les salons, les coulisses des lettres et de la politique n'ont pas de secrets pour eux, et ils goûtent vivement les potins « bien parisiens ». Aussi, parmi quelques incursions dans le domaine de la parodie ou de la comédie sentimentale, trouvent-ils leur voie dans la *satire des mœurs.* Mais cette satire n'est jamais virulente : même lorsqu'ils raillent (dans *L'Habit vert*) l'étrange coutume d'apporter des condoléances presque officielles à une femme mariée que son amant vient de quitter, les auteurs gardent un ton de bonne compagnie. Lucides, amusés, ils demeurent *indulgents* et l'amabilité mondaine émousse les traits de la « rosserie ».

Les deux grands succès de ce théâtre gai sont *Le Roi* (1908) et surtout *L'Habit vert* (1912). Quelque peu malmenée dans cette pièce (cf. p. 66), l'Académie française n'en tint pas rigueur à Robert de Flers, puisqu'elle l'accueillit dans son sein. Après la mort prématurée de Caillavet, c'est Francis DE CROISSET (pseudonyme de l'écrivain belge Franz Wiéner) qui le remplaça auprès de Robert de Flers.

Comment on entre à l'Académie...

Le duc de Maulévrier, de l'Académie française, a surpris le comte Hubert de Latour-Latour aux genoux de la duchesse. Mais celle-ci a une inspiration géniale : le comte la suppliait d'intervenir auprès de son mari pour que celui-ci appuie *sa candidature à l'Académie !* Voilà les deux amants sauvés, mais HUBERT, qui n'a rien ou presque rien écrit, ne saurait prendre au sérieux cette prétendue candidature. Tel n'est pas l'avis de LA DUCHESSE. Or, si son langage *savoureux* demeure *approximatif* (elle est américaine), sa force de persuasion est grande ; elle ne tardera donc pas à *convaincre Hubert.* THÈMES : *Société. Littérature (Satire).*

HUBERT : Moi, à l'Académie ! Cette candidature qui tombe du ciel, à laquelle personne ne pouvait s'attendre, moi surtout ! C'est une affaire à me faire fiche de moi par tout Paris. Et, au Jockey, je n'oserai pas y reparaître. Ils vont me prendre pour un homme de lettres. C'est extrêmement désagréable. Ah ! je suis joli... je suis joli...

LA DUCHESSE : Ne soyez pas énervé.

HUBERT : Je serai blackboulé comme à mon baccalauréat !

LA DUCHESSE : Que dites-vous ? Ce n'est pas pareil. Pour le baccalauréat, on demande de savoir certaines choses...

10 HUBERT : Voyons, je n'ai pas l'ombre d'une chance.

LA DUCHESSE : Vous avez. Je connais cette commerce. Je sais si bien comment se dévideront les choses...

HUBERT : Vous savez ?...

LA DUCHESSE : Sitôt votre nom jeté, les gens s'habitueront très vite, et vous encore plus vite... Alors, vous mettrez vos gants, et vous commencerez les courses... je veux dire les visites. Partout, vous serez accueilli très bien.

HUBERT, *s'adoucissant :* Vous croyez ?...

LA DUCHESSE : Oui, parce que vous avez une bon figure. Cela est très rare, un candidat qui a une bon figure... Vous, vous sourirez dès le concierge... dès 20 le valet qui ouvrira la porte... Vous aurez tout de suite les domestiques dans votre parti, cela est important.

HUBERT : Et après... après ?

LA DUCHESSE : Hubert, je sens : vous êtes mordu !

HUBERT : Je ne suis pas mordu, mais, enfin... continuez, continuez.

LA DUCHESSE : Après, on vous fera entrer dans le cabinet de l'académicien...

HUBERT : Et qu'est-ce que je lui dirai, à l'académicien ?...

LA DUCHESSE : Rien du tout... Je vous connais, Hubert ! Vous ne lui direz aucune chose... aucun mot... Alors, il parlera constamment de lui, et, quand vous quitterez, il pensera : « Quel charmant causeur ! »

30 HUBERT, *modestement :* Oh ! Il est trop gentil !

LA DUCHESSE : Ainsi, à force de visites, de bonnes figures et de silence, vos chances feront des petits. Le soir, nous marquerons des pointages et, alors, vous commencerez de penser à votre bel habit vert.

HUBERT : L'habit ?

LA DUCHESSE : Au chapeau avec ses petites plumes frisées.

HUBERT : Le chapeau !

LA DUCHESSE : Et à la poignée de l'épée !

HUBERT : L'épée !

LA DUCHESSE : Enfin, un jeudi, vers une heure, vous serez dans un coin d'un
40 petit café sur la rive gauche, blotti dans l'anxiété, attendant les résultats... A
la table, à côté, je suis sûre, il y aura des petits bourgeois du quartier qui joueront
les dominos et vous les regarderez stupéfait... que des gens puissent jouer les
dominos dans un tel jour... Des amis feront la navette pour vous... Ils porteront
les nouvelles. Premier tour : huit voix. Deuxième tour : dix voix...

HUBERT, *qui prend part :* Oui...

LA DUCHESSE : Troisième tour : neuf voix.

HUBERT : Pourquoi ?

LA DUCHESSE : Parce que toujours il y a un ami qui vous lâche.

HUBERT, *indigné :* Je saurai qui c'est !...

50 LA DUCHESSE : Quatrième tour : treize voix. Cinquième tour : dix-sept. Élu...

HUBERT : Élu !...

LA DUCHESSE : Tout bêtement... Et, en cette moment-là, vous aurez beau faire
le superbe, vous ne sourirez plus et vous penserez tout d'un coup à des choses
très simples, très touchantes, un peu rococo, à votre enfance, à votre vieux
maison... à votre vieux maman... et vous serez très émute ; moi, je suis déjà !

L'Habit vert, II, 9 (Billaudot, éditeur).

*Effectivement, Hubert endossera l'habit vert. Mais le jour de sa réception, une de ses lettres
d'amour à la duchesse se glisse parmi les feuillets du discours que le duc doit prononcer pour
l'accueillir sous la coupole : on imagine le scandale ! Pourtant tout s'arrange grâce à la
mansuétude de l'offensé et aux bons offices... du président de la République. Hubert épousera
sa secrétaire, filleule du président, tandis que la duchesse s'éprend... de son mari.*

GEORGES COURTELINE

Aucun auteur gai n'a été plus généralement lu et applaudi que GEORGES COURTELINE
entre 1890 et 1914. Il n'en est pas non plus de cette génération qui, aujourd'hui encore,
déclenche mieux le rire chaque fois qu'une de ses pièces est offerte au public. S'il a
donc atteint aux sources vives du comique, il le doit d'abord à une longue observation
de la vie quotidienne qui fut peut-être suscitée, à l'origine, par l'exemple paternel.

Un modeste   Né à Tours en 1858, il était fils de Jules MOINEAUX qui,
   contemplateur   très longtemps collaborateur de la *Gazette des tribunaux,*
                      fit métier de recueillir débats curieux, silhouettes de
plaideurs et mots authentiques pour en tirer les cinq amusants volumes de ses *Tribunaux
comiques.* Écolier museur sur les pentes de Montmartre, collégien en apparence médiocre,
cavalier au 13e régiment de chasseurs à Bar-le-Duc, petit employé, finalement
expéditionnaire nonchalant au ministère des Cultes jusqu'en 1894, Courteline observa
sans cesse les petites comédies humaines que lui offraient ces expériences. Sous son
pseudonyme, il avait cependant commencé par des vers et des contes très conventionnels.
Mais à partir de 1884, sa manière changea. Sous forme de récits drolatiques il tira, des
souvenirs de sa vie militaire, *Les Gaietés de l'escadron* (1886) et *Le Train de 8 h 47* (1891),

qui lui assurèrent la notoriété et lui permirent de quitter l'Administration. A ce moment, Antoine lui demanda *Lidoire* pour son Théâtre libre : c'était sa vraie voie.

Il partagea désormais sa vie entre le café — lieu d'observation éminent à l'époque —, les promenades dans Paris en quête de tout spectacle, les démarches cocasses où il se complaisait pour éprouver la bêtise humaine, et son métier d'écrivain. Comme il avait peu d'imagination, celui-ci consista essentiellement à mettre en forme, à force de travail et de scrupules, les souvenirs qu'il avait amassés et l'apport de son inlassable baguenaudage. Il en résulta, jusqu'en 1897, nombre de récits et quelques courtes comédies tirées des mêmes sujets. Après quoi, continuant à puiser dans son fonds et dans ses trouvailles, il compléta la vingtaine de pièces qui firent son succès et assurent sa survie. « Un acte, un seul acte, disait-il, voilà ma mesure au théâtre. » En effet, de tant de titres célèbres, un seul, *Boubouroche*, annonce une comédie allant jusqu'à deux actes, du moins sous la plume de Courteline lui-même ; pour les autres il eut des collaborateurs ou même des adaptateurs. Sa vraie carrière s'acheva sur la curieuse *Conversion d'Alceste* (1905).

Après être revenu une fois au roman avec *Les Linottes* (1912), considérant qu'il avait assez travaillé et « qu'il n'avait plus rien à dire », il commença très volontairement une quasi-retraite de dix-sept ans sans plus rien publier qu'un recueil de pensées et de boutades : *La Philosophie de Georges Courteline* (1917). Indifférent aux honneurs, riche d'amitiés, il vieillit ainsi en sage célèbre mais silencieux. L'Académie Goncourt l'appela enfin, peu avant sa mort qui fut discrète et stoïque (1929).

Sur les traces de Molière

Ce n'est pas sans raison que des écrivains aussi différents de Courteline que Mallarmé, Gide, Donnay reconnurent très tôt sa grande race comique et que la Comédie-Française consacra cet auteur populaire en inscrivant *Boubouroche* à son répertoire (1910). Quitte à respecter la hiérarchie nécessaire, on a bien le sentiment, en effet, que le personnage ou la scène courtelinesque ont directement hérité de la simple et puissante nature moliéresque.

Sans doute manque-t-il à Courteline l'imagination, la puissance et l'inégalable profondeur de Molière, mais, comme son vrai maître, il ne s'est jamais écarté de la *réalité quotidienne* dans le détail des faits et des paroles ; sans prétendre aborder dans leur ensemble le monde moral ou la société il a surtout choisi, pour ses meilleures pièces, certaines des contraintes, privées ou publiques, qui pèsent sur l'humanité moyenne et il a dégagé les attitudes de défense qui devraient logiquement y répondre. Il a créé quelques héros en qui s'incarne la protestation que répriment les règles de la vie réelle ; il les a offerts à nos regards dans l'étrange gesticulation physique ou morale dont l'invraisemblable vraisemblance crée justement le phénomène comique ; il a fait rire d'eux — et ce rire n'est pas toujours gai — mais il a aussi éveillé la sympathie pour leur vaine croisade ; il a quelquefois rétabli les droits de la justice. Sa langue étant au surplus saine et drue, son style simple et direct, il a ainsi retrouvé une bonne part du *secret de la farce* perdu depuis Molière.

L'homme et le bureau

Dès son roman *Messieurs les Ronds-de-cuir* (1893), dont Dieudonné et Aubry ont tiré une comédie (1911), Courteline était sûr de flatter l'instinct du public par la satire des petits fonctionnaires considérés comme les inutiles et paresseux maniaques d'un règlement absurde. Une de ses saynètes, *La Lettre chargée* (1897), exploite la même veine avec un succès certain.

La vie de bureau lui a donné l'occasion de faire appel à un autre sentiment instinctif. Quatorze ans employé dans un ministère — et employé peu assidu d'ailleurs —, l'« homme libre » qu'il était s'est appliqué à considérer les choses du côté des ronds-de-cuir eux-mêmes, soumis à leur horaire et à leur besogne routinière : il en a fait les esclaves d'un travail médiocre. Certes, on peut de nos jours, après Kafka ou Duhamel, considérer avec nostalgie le temps où le « bureau » constituait la servitude majeure. Mais, au-delà du prétexte, il faut comprendre que la protestation de Courteline est symbolique et qu'elle traduit une des aspirations inavouées de l'âme commune : l'impossible liberté dans la bienheureuse paresse.

Le martyre de M. Badin

Monsieur Badin (1897) met en scène un employé riche en inventions pour excuser ses perpétuelles absences. Depuis quinze jours il n'a pas paru au bureau. Le Directeur vient de lui reprocher de passer sa vie à « marier les uns et enterrer les autres ». Le comique naît ici de la façon paradoxale dont l'accusé transforme sa défaillance en un véritable martyre, jusqu'à la réplique finale qui éclate avec une irrésistible logique.
THÈMES : *Société. Moi. Littérature (Satire).*

M. BADIN : Tous les matins, je me raisonne, je me dis : « Va au bureau, Badin ; voilà plus de huit jours que tu n'y es allé ! » Je m'habille, alors, et je pars ; je me dirige vers le bureau. Mais, ouitche ! j'entre à la brasserie ; je prends un bock..., deux bocks..., trois bocks ! Je regarde marcher l'horloge, pensant : « Quand elle marquera l'heure, je me rendrai à mon ministère. » Malheureusement, quand elle a marqué l'heure, j'attends qu'elle marque le quart ; quand elle a marqué le quart, j'attends qu'elle marque la demie !...

LE DIRECTEUR : Quand elle a marqué la demie, vous vous donnez le quart d'heure de grâce...

10 M. BADIN : Parfaitement ! Après quoi je me dis : « Il est trop tard. J'aurais l'air de me moquer du monde. Ce sera pour une autre fois ! » Quelle existence ! Quelle existence ! Moi qui avais un si bon estomac, un si bon sommeil, une si belle gaieté, je ne prends plus plaisir à rien, tout ce que je mange me semble amer comme du fiel ! Si je sors, je longe les murs comme un voleur, l'œil aux aguets, avec la peur incessante de rencontrer un de mes chefs ! Si je rentre, c'est avec l'idée que je vais trouver chez le concierge mon arrêté de révocation ! Je vis sous la crainte du renvoi comme un patient sous le couperet !... Ah ! Dieu !...

LE DIRECTEUR : Une question, monsieur Badin. Est-ce que vous parlez sérieusement ?

20 M. BADIN : J'ai bien le cœur à la plaisanterie !... Mais réfléchissez donc, monsieur le directeur. Les deux cents francs qu'on me donne ici, je n'ai que cela pour vivre, moi ! que deviendrai-je, le jour, inévitable, hélas ! où on ne me les donnera plus ? Car, enfin, je ne me fais aucune illusion : j'ai trente-cinq ans, âge terrible où le malheureux qui a laissé échapper son pain doit renoncer à l'espoir de le retrouver jamais !... Oui, ah ! ce n'est pas gai, tout cela ! Aussi, je me fais un sang !... — Monsieur, j'ai maigri de vingt livres, depuis *que je ne suis jamais* au ministère ! *(Il relève son pantalon).* Regardez plutôt mes mollets, si on ne dirait pas des bougies. Et si vous pouviez voir mes reins ! des vrais reins de chat écorché ; c'est lamentable. Tenez, monsieur (nous sommes entre 30 hommes, nous pouvons bien nous dire cela), ce matin, j'ai eu la curiosité de regarder mon derrière dans la glace. Eh bien ! j'en suis encore malade, rien que d'y penser. Quel spectacle ! Un pauvre petit derrière de rien du tout, gros à peine comme les deux poings !... Je n'ai plus de fesses ; elles ont fondu ! Le chagrin, naturellement ; les angoisses continuelles, les affres !... Avec ça, je tousse la nuit, j'ai des transpirations ; je me lève dès cinq et six fois pour aller boire au pot à eau !... *(Hochant la tête.)* Ah ! ça finira mal, tout cela ; ça me jouera un mauvais tour.

LE DIRECTEUR, *ému :* Eh bien ! mais, venez au bureau, monsieur Badin.

M. BADIN : Impossible, monsieur le directeur.

40 LE DIRECTEUR : Pourquoi ?

M. BADIN : Je ne peux pas... Ça m'embête.

LE DIRECTEUR : Si tous vos collègues tenaient ce langage...

M. BADIN, *un peu sec :* Je vous ferai remarquer, monsieur le directeur, avec tout le respect que je vous dois, qu'il n'y a pas de comparaison à établir entre moi et mes collègues. Mes collègues ne donnent au bureau que leur zèle, leur activité, leur intelligence et leur temps : moi, c'est ma vie que je lui sacrifie ! *(Désespéré.)* Ah ! tenez, monsieur, ce n'est plus tenable !

LE DIRECTEUR, *se levant :* C'est assez mon avis.

M. BADIN, *se levant également :* N'est-ce pas ?

50   LE DIRECTEUR : Absolument. Remettez-moi votre démission ; je la transmettrai au ministre.

M. BADIN, *étonné :* Ma démission ? Mais, monsieur, je ne songe pas à démissionner, je demande seulement une augmentation.

LE DIRECTEUR : Comment, une augmentation !

M. BADIN, *sur le seuil de la porte :* Dame, monsieur, il faut être juste. Je ne peux pourtant pas me tuer pour deux cents francs par mois.

Monsieur Badin (Flammarion, éditeur).

L'homme et la loi

Courteline a connu d'autres dépositaires du règlement, aussi redoutables que le rond-de-cuir mais plus colorés. Dès 1891, lorsqu'Antoine lui demande *Lidoire, tableau militaire,* pour égayer le répertoire du *Théâtre libre* (Cf. *XIXᵉ Siècle,* p. 555), il se plut à mettre en scène les troupiers aux prises avec le « sous-off », avant d'immortaliser l'adjudant Flick dans *Les Gaietés de l'escadron* (1895).

Hors de la caserne, il a saisi dans son petit despotisme le commissaire de quartier (*Le Commissaire est bon enfant,* 1899) ; ou bien, parcourant les rues en quête de procès-verbaux, le caricatural gendarme Labourbourax (cf. p. 71), à jamais célèbre pour s'être cru injurieusement traité de « Visu » faute d'avoir compris qu'on lui demandait de constater « de visu ».

Quant à la justice, elle est pour Courteline la plus sûre machine à nous convaincre... de l'injustice. Selon l'expression populaire, elle a toujours « deux poids et deux mesures » (*Les Balances,* 1901) et, reposant sur le droit, elle refuse à l'individu l'usage des droits les plus naturels (*L'Article 330*). Courteline a mis beaucoup de sa propre expérience de plaideur malheureux et de son indignation chez le héros de ces deux comédies, l'éternel condamné La Brige. Celui-ci réussit toujours à démontrer parfaitement son bon droit d'individu mais, nonobstant et derechef, citoyen soumis à la lettre de la Loi, il n'en est pas moins frappé. Retrouvant, sur ce thème qu'au XVIIᵉ siècle Molière n'avait évidemment pu qu'effleurer dans *Le Misanthrope* (acte V, scène 1), la manière parodique de Beaumarchais (Cf. *XVIIIᵉ Siècle,* p. 399), il a su composer des arrêtés bouffons dont il souligne à plaisir les irritantes contradictions : ainsi, aux dépens du pauvre La Brige, le tribunal qui a longuement reconnu son bon droit,

> *Pour ces motifs :*
>
> *Déclare La Brige bien fondé dans son système de défense... L'en déboute cependant et lui faisant application de l'article 330 et du principe « que tout cela durera bien autant que nous » le condamne à treize mois d'emprisonnement et à 25 fr. d'amende* (L'Article 330).

Toujours selon le procédé du brusque *renversement comique,* l'avocat Barbemolle qu'un hasard place soudain au siège de l'accusateur public reprend et détruit point par point la magnifique plaidoirie qu'il vient de prononcer en faveur de Lagoupille et lance un furieux réquisitoire contre le même Lagoupille devenu, en un instant, le simple client de son « honorable contradicteur » (*Un client sérieux,* 1896).

« *GENDARME, VOUS ÊTES UNE MOULE !* »

Dans *Le gendarme est sans pitié* (1899), le respectable baron Larade a été conduit à se rendre coupable « d'outrage à agent de la force publique » en la personne du rigoureux Labourbourax. Affolé, il vient se confier au substitut Boissonnade. On notera, dans cette évocation qui mêle la poésie des champs à l'incident grotesque, le dépouillement et la plénitude d'une langue toute « classique » : l'auteur de tant de dialogues familiers était aussi un écrivain scrupuleux. – THÈMES : *Providence. Justice. Société. Burlesque.*

LE BARON : Il était huit heures environ, il faisait un temps magnifique. J'allais au hasard de la marche, buvant à pleins poumons l'air pur de la campagne, bénissant le Seigneur notre Dieu d'avoir fait la nature si belle, et moi si digne de la comprendre. Dans mon dos, Venceslas trottait, goûtant, lui aussi, la douceur de cette ineffable matinée. J'entendais derrière moi le tintin du grelot pendu à son collier, un tintin qui s'accélérait et se ralentissait alternativement, selon que moi-même, plus ou moins, je hâtais le pas ou le modérais. De temps en temps, pour souffler, je prenais une seconde de repos ; alors je n'entendais plus rien que le chant des alouettes invisibles,
10 car Venceslas, dans le même instant, avait fait halte sur mes pas.

BOISSONNADE : Une églogue, quoi !

LE BARON : Soudain, au loin, par-dessus l'océan de blé mûr qui moutonnait à l'infini, je distinguai le bicorne en bataille du gendarme Labourbourax ; je devinai que le hasard allait nous mettre face à face, et je me félicitai de cette bonne fortune. Je suis un homme simple, monsieur le substitut, je suis un homme sans méchanceté : l'uniforme n'a rien qui m'effraye, et la vue des gens de bien me fait toujours plaisir. Je me préparais donc à jeter au gendarme un souhait affectueux de bonne santé, quand, jugez de mon étonnement ! ce militaire, qui m'avait joint,
20 rectifia la position, et, tirant un calepin de sa poche : « Ordonnance de police, dit-il, les chiens doivent être tenus en laisse. Le vôtre étant en liberté, je vous dresse procès-verbal. »

BOISSONNADE : Procès-verbal !

LE BARON : Je vous demande un peu !... Un petit chien gros comme le poing ! et gentil et doux, et sociable, victime d'une mesure...

BOISSONNADE, *achevant la phrase :* ... une mesure de sécurité générale, sans doute, mais qui demandait à être appliquée avec quelque discernement. Il est clair qu'un chien comme le vôtre, bien tenu, bien portant, gras à souhait, ne saurait être assimilé aux chiens malheureux
30 et errants que vise l'ordonnance de police.

LE BARON : C'est mot pour mot le discours que me tint le maire, homme charmant, à qui je m'empressai d'aller conter ma mésaventure, et qui s'en montra fort marri. Il reconnut que le gendarme avait, dans la circonstance, manqué du tact le plus élémentaire, et me renvoya rassuré, m'engageant cependant, pour éviter de nouveaux ennuis, à tenir Venceslas en laisse jusqu'à plus ample informé : l'affaire de deux jours tout au plus, le temps, pour lui, de mander le gendarme et de lui glisser à l'oreille quelques mots touchant mon affaire.

BOISSONNADE : Et vous vous conformâtes, je pense, à cet avis plein
40 de sagesse ?

LE BARON : N'en doutez pas.   BOISSONNADE : A la bonne heure.

LE BARON : J'achetai donc une laisse de vingt sous et j'y attachai Venceslas. Il en parut surpris, disons plus... *(Il hésite.)*

BOISSONNADE : Mortifié ?

LE BARON : Je cherchais le mot ! Mortifié. — Comme j'ai l'honneur de vous l'exposer, il n'est plus jeune, à beaucoup près. Il jouit, le ciel en soit loué ! d'une santé de tous points florissante, mais enfin, il a atteint l'âge où l'on supporte malaisément un changement dans les habitudes et c'était, cette laisse, tout un bouleversement dans sa petite existence
50 de chien. De l'instant, oui, de l'instant où il cessa de se sentir libre, il se refusa systématiquement à me suivre, rivé des quatre pattes au sol. En vain je tâchai de le raisonner, m'excusant, invoquant le cas de force majeure, en appelant à son bon cœur et faisant surgir à ses yeux l'inquiétante silhouette du gendarme : peine perdue ! il demeurait sourd, il secouait furieusement la tête, voulant dire par là, sans doute, qu'il était de mœurs insoupçonnables et n'avait rien à démêler avec la gendarmerie.

BOISSONNADE : O candeur ineffable des consciences tranquilles !

LE BARON : Ainsi, deux jours, nous nous promenâmes par les champs et par les bois, moi à l'avant, lui à l'arrière, tirant chacun sur une
60 extrémité de la laisse, à ce point qu'on n'eût pu savoir lequel de nous deux tenait l'autre ; et cette vie en vérité devenait insoutenable et odieuse quand brusquement, à un détour de sentier, je me retrouvai en présence du gendarme Labourbourax. « Le maire m'a parlé, m'a dit cet homme. Votre chien a le droit d'être libre. — Bon ! » m'écriai-je. Et je me baissais pour détacher le mousqueton fixé au collier de Venceslas lorsque le gendarme reprit : « Vous le tenez en laisse cependant. Pourquoi le tenez-vous en laisse ? Je vous dresse procès-verbal. »

BOISSONNADE, *les bras croisés :* Non ! ! !

LE BARON, *après avoir, d'un mouvement de tête, confirmé l'authenticité de son récit :*
70 A cette déclaration inattendue une douce gaieté s'empara de moi. Le gendarme, fronçant le sourcil, dit que je raillais l'autorité.

BOISSONNADE : Hé ! Hé !

LE BARON : Je haussai les épaules.

BOISSONNADE : Oh ! oh !

LE BARON : Le gendarme s'emporta.

BOISSONNADE : Ah ! ah !

LE BARON : Je répliquai. Il m'imposa silence d'un ton que je jugeai inconvenant. C'est alors que, perdant la mesure, je tournai le dos à ce militaire en lui jetant de biais cette parole qui m'amène aujourd'hui
80 devant vous et qui demeurera à jamais le remords de mon existence : « Gendarme, vous êtes une moule ! » *Le gendarme est sans pitié* (Flammarion, éd.).

Convoqué, le gendarme maintient son procès-verbal. Mais il se trouve lui-même en faute : à « midi, seize minutes » il devrait être « en tunique et baudrier ». Il lui faudra donc transiger et « abdiquer ses revendications par égard pour une tête chenue ».

L'homme et la femme

S'il a négligé la satire des médecins, Courteline a souvent satisfait à la tradition de l'esprit gaulois, par mainte attaque contre la femme. Mais, sa verve changeant singulièrement de ton sur ce sujet, c'est en réalité toute une petite « Colère de Samson » qu'il a composée en plusieurs tableaux. A ses yeux, l'« éternelle enfant », frivole, exigeante et fâcheuse, trouble sans cesse ou travail ou repos (*La Paix chez soi*, 1903) ; seule la pleutrerie de l'homme l'excuse (*La Peur des coups*, 1894), mais elle reste sans scrupules (*La Voiture versée*, 1897) ; et surtout, incapable de comprendre la vraie tendresse qu'on lui voue, elle est, par essence, infidèle et rusée. Cependant, la « *bonté d'homme* » lui reste pitoyablement soumise comme le montre la plus célèbre et sans doute la plus humaine des comédies de Courteline : *Boubouroche* (1893), dont le héros est devenu un véritable type et où l'on retrouve vraiment les accents d'une « mâle gaieté, si triste et si profonde... »

BOUBOUROCHE

Dans le cadre familier d'un café, tout un acte a été employé à éveiller la sympathie pour Boubouroche, homme sincère, incapable de songer à mal, généreux, serviable, naïvement convaincu de la fidélité d'Adèle. Hélas ! surgi comme un démon du doute, un trop obligeant voisin vient révéler, avec preuves, que depuis sept ans Adèle reçoit une visite coupable à chacune des absences de Boubouroche. Celui-ci a bondi vers sa demeure ; il a vu, de ses yeux vu, deux ombres derrière le rideau. A son furieux coup de sonnette, Adèle a dissimulé le visiteur dans un bahut où une bougie et de la lecture sont prévus en cas de retour inopiné. Il sera facile de reconnaître ici la tactique de Célimène devant Alceste jaloux. Mais, alors que Boubouroche s'excuse déjà, voici qu'apparaît la lumière révélatrice : la scène tourne ainsi à la farce, ce qui eût été inconcevable dans *Le Misanthrope*. – THÈMES : *Amour. Femme. Baroque et burlesque.*

ADÈLE : Assez !

BOUBOUROCHE, *abasourdi :* Tu m'imposes le silence, je crois ?

ADÈLE : Tu peux même en être certain !... *(Hors d'elle.)* En voilà un énergumène, qui entre ici comme un boulet ! pousse les portes ! tire les rideaux ! emplit la maison de ses cris ! me traite comme la dernière des filles, va jusqu'à lever la main sur moi !....

BOUBOUROCHE : Adèle...

ADÈLE : Tout cela parce que, soi-disant, il aurait vu passer deux ombres sur la transparence d'un rideau ! D'abord tu es ivre.

10   BOUBOUROCHE : Ce n'est pas vrai.

ADÈLE : Alors tu mens.

BOUBOUROCHE : Je ne mens pas.

ADÈLE : Donc, tu es gris ; c'est bien ce que je disais !... *(Effarement ahuri de Boubouroche.)* De deux choses l'une : tu as vu double ou tu me cherches querelle.

BOUBOUROCHE, *troublé et qui commence à perdre sa belle assurance :* Enfin, ma chère amie, voilà ! Moi..., on m'a raconté des choses.

ADÈLE, *ironique :* Et tu les as tenues pour paroles d'Évangile ? Et l'idée

ne t'est pas venue un seul instant d'en appeler à la vraisemblance ? aux
20 huit années de liaison que nous avons derrière nous ? *(Silence embarrassé
de Boubouroche.)* C'est délicieux ! En sorte que je suis à la merci du
premier chien coiffé [1] venu... Un monsieur passera, qui dira : « Votre
femme vous est infidèle », moi je paierai les pots cassés ; je tiendrai
la queue de la poêle ?

BOUBOUROCHE : Mais...

ADÈLE : Détrompe-toi.

BOUBOUROCHE, *à part :* J'ai fait une gaffe.

ADÈLE, *pâle d'indignation :* Celle-là est trop forte, par exemple. *(Tout
en parlant, elle est revenue au guéridon et elle a pris la lampe qu'elle apporte à
Boubouroche.)* Voici de la lumière.

BOUBOUROCHE : Pourquoi faire ?

30 ADÈLE : Pour que tu ailles voir toi-même. Ne fais donc pas l'étonné.

BOUBOUROCHE, *se dérobant :* Tu n'empêcheras jamais les gens qui aiment
d'être jaloux.

ADÈLE : Tu l'as déjà dit.

BOUBOUROCHE : Moi ?... Quand ça [2] ?

ADÈLE, *à part :* Oh ! *(Haut.)* Tu m'ennuies ! !... Je te dis de prendre
cette lampe... *(Boubouroche prend la lampe.)*... et d'aller voir. Tu connais
l'appartement, hein ? Je n'ai pas besoin de t'accompagner ?

BOUBOUROCHE, *convaincu :* Ne sois donc pas méchante, Adèle. Est-ce
que c'est ma faute à moi, si on m'a collé une blague ? Pardonne-moi,
40 et n'en parlons plus.

ADÈLE, *moqueuse :* Tu sollicites mon pardon ?... C'est bizarre !... Ce
n'est donc plus à moi de mériter le tien par mon repentir et par ma
bonne conduite ?... *(Changement de ton.)* Va toujours, nous verrons plus
tard. Comme, au fond, tu es plus naïf que méchant il est possible —
pas sûr, pourtant — que je perde, — moi — un jour, le souvenir de
l'odieuse injure que tu m'as faite. Mais j'exige... — tu entends ? j'exige !
que tu ne quittes cet appartement qu'après en avoir scruté, fouillé l'une
après l'autre chaque pièce. — Il y a un homme ici, c'est vrai.

BOUBOUROCHE, *goguenard :* Mais non.

50 ADÈLE : Ma parole d'honneur. *(Indiquant de son doigt le bahut où est
renfermé André.)* Tiens, il est là-dedans ! *(Boubouroche rigole.)* Viens donc
voir.

BOUBOUROCHE, *au comble de la joie :* Tu me prendrais pour une poire !...

ADÈLE : Voici la clé de la cave.

BOUBOUROCHE, *les yeux au ciel :* La cave !...

ADÈLE : Tu me feras le plaisir d'y descendre...

BOUBOUROCHE : Tu es dure avec moi, tu sais.

ADÈLE : ... et de regarder entre les tonneaux et les murs. Ah ! je te fais

---

— 1 Personnage désagréable, de mine et │ avant l'arrivée de Boubouroche, prononcé une
d'esprit. — 2 C'est l'amant d'Adèle qui a, peu │ première fois ces paroles.

60 des infidélités ?... Ah ! je cache des amants chez moi ?... Eh bien cherche, mon cher ; et trouve !

BOUBOUROCHE : Allons ! Je n'ai que ce que je mérite.

La lampe au poing, il va lentement, non sans se retourner de temps en temps pour diriger vers Adèle, qui demeure impitoyable et muette, des regards suppliants de phoque, jusqu'à la petite porte de droite qu'il atteint enfin et qu'il pousse. — Coup d'air. La lampe s'éteint.

BOUBOUROCHE : Bon !

Mais à la seconde précise où l'ombre a envahi le théâtre, la lumière de la bougie qui éclaire la cachette d'André est apparue, très visible.

ADÈLE, *étouffant un cri :* Ah !

BOUBOUROCHE, *à* tâtons : Voilà une autre histoire. — Tu as des allumettes, Adèle ? *(Brusquement.)* Tiens !... Qu'est-ce que c'est que ça... De la lumière !

Précipitamment, il dépose sa lampe, court au bahut, l'ouvre tout grand et se recule en poussant un cri terrible.   Boubouroche (Flammarion, éditeur).

La découverte d'André n'a pas désarmé la ruse d'Adèle. Cet homme était là, dit-elle, en raison d'un secret qui ne lui appartient pas... Dans une scène vraiment pénible, Boubouroche qui va jusqu'aux larmes est complètement berné. Les droits de la farce sont rétablis lorsqu'il s'élance pour rosser le délateur.

JARRY ET LA FARCE ÉNORME

Lorsque sa bouffonnerie transgresse à plaisir tous les « contrôles » de la pure vérité humaine et de la vision banale des choses, la farce ne *grossit* plus seulement les traits et les gestes : elle les *grandit* démesurément comme le fait, mais dans un autre dessein, l'épopée. Elle trouve, en conséquence, une sorte de merveilleux dans le fantastique de l'invraisemblance : elle devient *épique*. Selon les goûts, on la déclare alors ou *grandiose* ou simplement *énorme*. Ce sont bien là les deux épithètes qu'appelle d'ordinaire *Ubu Roi*, œuvre peu lue à l'origine et peu représentée mais qui, justement, a trouvé dans la tradition orale une nouvelle occasion de déformation légendaire.

Jarry (1873-1907)   Né robuste mais mal équilibré, mort tuberculeux à l'hôpital, ALFRED JARRY a vite usé son existence dans une extraordinaire dépense physique, l'abus de l'absinthe — son « herbe sainte » — et la tension qu'exigeait son attitude de défi universel. Mais s'il a souvent revêtu (à partir de 1896) le personnage d'Ubu, il a été tout autre chose qu'un simple grotesque.

Brillant et turbulent élève du lycée de Rennes, tenté un instant par l'École normale qu'il prépara dans la « khâgne » d'Henri IV où il put confirmer son esprit de canular, il fut, avec une nuance agressive, un authentique poète symboliste (*Les Minutes de sable mémorial*, 1894 ; *César Antéchrist*, 1895) et un romancier d'une rare hardiesse dans les sujets et la technique (*Les Jours et les Nuits*, 1897 ; *Le Surmâle*, 1902). Il fut aussi le théoricien de la « Pataphysique », trop souvent invoquée à tort et qui est en réalité un système médité de désintégration totale et de reconstruction dans l'insolite.

En fait, Jarry offre, avant l'heure, un exemple d'« engagement » de l'être entier dans tous ses gestes, littéraires ou non. Il entre dans la lignée qui, des Bousingots d'après 1830 (Pétrus Borel le « Lycanthrope », par exemple) jusqu'aux surréalistes (cf. p. 371), comprend des génies curieux (Lautréamont), des génies véritables (Rimbaud) et même des ratés : leur trait commun est de considérer la littérature comme un acte de négation libératrice, trop facilement qualifié, d'ailleurs, de « prométhéen ». C'est dans cette optique qu'il faut aborder les outrances, les grossièretés, la médiocrité littéraire mais aussi le sens profond de la geste d'Ubu.

La geste d'Ubu   Il y a, en effet, trois Ubu. D'abord celui qui, né de l'imagination collective d'une classe en réaction contre un professeur prétendu odieux, est devenu, grâce à Jarry, *Ubu Roi*, incarné par Gémier lui-même au Théâtre de l'Œuvre, en 1896. Mais aussi *Ubu enchaîné* (1900) et un *Ubu sur la Butte* (1906), qui tourne plutôt à la revue satirique. Dans les trois textes, aujourd'hui confondus dans la version globale d'*Ubu* adoptée en 1960 par le T.N.P. (Théâtre National Populaire), le personnage, qui ne manque pas de bon sens lorsqu'il condamne lui-même certaines contraintes de l'existence, rassemble surtout dans une image vengeresse tous les traits de la vulgarité, de la bassesse et de l'absurdité triomphantes.

Ubu, maître d'absurdité

« Ancien roi d'Aragon, officier de confiance du roi Venceslas », le masque fantastique a d'abord, pour première parole, lancé « LE » mot célèbre (cf. l. 54). Puis, il a lâchement renversé le roi de Pologne, son bienfaiteur, et fait massacrer presque toute la famille royale. Avant d'étaler sa couardise dans une guerre grotesque contre Bougrelas, héritier du trône, il s'affirme ici dans le déploiement de l'arbitraire qui est une forme de l'absurde. Pour estimer à leur valeur le ton et les procédés de Jarry, toujours un peu gros, on comparera ce passage à la scène où Camus fait donner par son Caligula une leçon d'absurdité d'une tout autre portée (cf. p. 729). – THÈMES : *Despotisme. Justice.*

PÈRE UBU : Apportez la caisse à Nobles et le crochet à Nobles et le couteau à Nobles et le bouquin à Nobles ! Ensuite, faites avancer les Nobles. *(On pousse brutalement les Nobles.)*

MÈRE UBU : De grâce, modère-toi, Père Ubu.

PÈRE UBU : J'ai l'honneur de vous annoncer que pour enrichir le royaume je vais faire périr tous les Nobles et prendre leurs biens.

NOBLES : Horreur ! A nous peuple et soldats !

PÈRE UBU : Amenez le premier Noble et passez-moi le crochet à Nobles. Ceux qui seront condamnés à mort, je les passerai dans la trappe, ils passeront dans les sous-sols du Pince-Porc et de la Chambre-à-sous, où on les
10 décervélera [1]. *(Au Noble.)* Qui es-tu, bouffre ?

LE NOBLE : Comte de Vitepsk.

PÈRE UBU : De combien sont tes revenus ?

LE NOBLE : Trois millions de rixdales.

PÈRE UBU : Condamné ! *(Il le prend avec un crochet et le passe dans le trou.)*

MÈRE UBU : Quelle basse férocité !

PÈRE UBU : Second Noble, qui es-tu ? *(Le Noble ne répond rien.)* Répondras-tu, bouffre ?

LE NOBLE : Grand-duc de Posen.

PÈRE UBU : Excellent ! Excellent ! Je n'en demande pas plus long. Dans la
20 trappe. Troisième Noble, qui es-tu ? Tu as une sale tête.

— 1 A partir de 1900, en guise de « remercie-ment aux spectateurs », a été introduite la chanson du décervelage : « Voyez, voyez la machin' tourner — Voyez, voyez la cervell' sauter — Voyez, voyez les Rentiers trembler. » (cf. p. 90, note 3).

Le Père Ubu

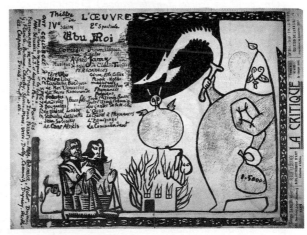

Ubu vu par Jarry

Les dessins de Jarry nous confirment sa conception du personnage, celle de la bêtise cruelle et triomphante au service d'une avidité sans scrupule : il ne s'agit pas uniquement d'un pantin mais d'un type humain qu'on peut rencontrer en société, ce qui élargit la portée de l'œuvre.

LE NOBLE : Duc de Courlande, des villes de Riga, de Revel et de Mitau.

PÈRE UBU : Très bien ! très bien ! Tu n'as rien autre chose ?

LE NOBLE : Rien.

PÈRE UBU : Dans la trappe, alors. Quatrième Noble, qui es-tu ?

LE NOBLE : Prince de Podolie.

PÈRE UBU : Quels sont tes revenus.

LE NOBLE : Je suis ruiné !

PÈRE UBU : Pour cette mauvaise parole, passe dans la trappe. Cinquième Noble, qui es-tu ?

30   LE NOBLE : Margrave de Thorn, palatin de Polock.

PÈRE UBU : Ça n'est pas lourd. Tu n'as rien autre chose ?

LE NOBLE : Cela me suffisait.

PÈRE UBU : Eh bien ! mieux vaut peu que rien. Dans la trappe. Qu'as-tu à pigner ², Mère Ubu ?

MÈRE UBU : Tu es trop féroce, Père Ubu.

PÈRE UBU : Eh ! je m'enrichis. Je vais me faire lire MA liste de MES biens. Greffier, lisez MA liste de MES biens.

LE GREFFIER : Comté de Sandomir.

PÈRE UBU : Commence par les principautés, stupide bougre !

40   LE GREFFIER : Principauté de Podolie, grand-duché de Posen, duché de Courlande, comté de Sandomir, comté de Vitepsk, palatinat de Polock, margraviat de Thorn.

PÈRE UBU : Et puis après ?

LE GREFFIER : C'est tout.

PÈRE UBU : Comment, c'est tout ! Oh ! bien alors, en avant les Nobles, et comme je ne finirai pas de m'enrichir, je vais faire exécuter tous les Nobles et ainsi j'aurai tous les biens vacants. Allez, passez les Nobles dans la trappe. *(On empile les Nobles dans la trappe.)* Dépêchez-vous, plus vite, je veux faire des lois maintenant.

50   PLUSIEURS : On va voir ça.

PÈRE UBU : Je vais d'abord réformer la justice, après quoi nous procéderons aux finances.

PLUSIEURS MAGISTRATS : Nous nous opposons à tout changement.

PÈRE UBU : Merdre ! D'abord les magistrats ne seront plus payés.

MAGISTRATS : Et de quoi vivrons-nous ? Nous sommes pauvres.

PÈRE UBU : Vous aurez les amendes que vous prononcerez et les biens des condamnés à mort.

UN MAGISTRAT : Horreur !

DEUXIÈME : Infamie !

60   TROISIÈME : Indignité !

TOUS : Nous nous refusons à juger dans des conditions pareilles.

PÈRE UBU : A la trappe les magistrats ! *(Ils se débattent en vain.)*

Ubu Roi, III, 2 (Fasquelle, éditeur).

Magistrats et financiers passent eux aussi à la trappe. Par la suite on voit Père Ubu, accompagné des « salopins » de finance — ses gabelous — et précédé du voiturin à phynances (la célèbre orthographe apparaît ici), venir lui-même percevoir les impôts dans les chaumières. Le premier paysan menacé de « décollation du cou et de la tête » se nomme Stanislas Leczinski... « Avec ce système, dit Ubu, j'aurai vite fait fortune, alors je tuerai tout le monde et je m'en irai ».

— 2 *Pleurnicher* : terme encore en usage dans l'Ouest.

IDÉES ET DOCTRINES

Les années qui ont précédé la guerre de 1914 furent des années de *révolution intellectuelle ;* ainsi s'explique l'importance prise alors par la *littérature philosophique, idéologique* ou *politique :* la philosophie, en effet, et la politique, sous la forme doctrinaire ou oratoire, attirent des écrivains authentiques qui mettent tout leur talent au service de leur pensée ou de leurs convictions.

LA PHILOSOPHIE. La pensée philosophique est dominée par le *spiritualisme psychologique* d'HENRI BERGSON ; mais auprès de lui, et selon d'autres voies, la réaction contre le positivisme et le scientisme se manifeste aussi dans l'œuvre d'ÉMILE BOUTROUX (1845-1921 ; *Science et Religion,* 1908) et de LÉON BRUNSCHVICG (1869-1944 ; *L'Idéalisme contemporain,* 1905).

LA POLITIQUE. La vie politique, de son côté, est bouleversée par l'affaire Dreyfus et ses suites ; elle attire les intellectuels qu'elle engage dans l'action (cf. p. 87, 119, 140) et qui s'efforcent de lui fournir *un fondement doctrinal et idéologique.* Le socialisme trouve dans JEAN JAURÈS à la fois son maître à penser, son plus prestigieux orateur parlementaire, et son plus influent tribun populaire ; en effet, le Parlement accueille alors de grands orateurs, parmi lesquels JEAN JAURÈS et le catholique social ALBERT DE MUN (1841-1914).

Naturellement, la littérature politique inclut aussi le *journalisme :* les grands écrivains politiques sont les éditorialistes des journaux d'opinion les plus influents ; ce fut le cas de MAURICE BARRÈS (cf. p. 119) comme de JEAN JAURÈS, fondateur de *L'Humanité.* Et de même, CHARLES MAURRAS ne se contente pas d'être un doctrinaire, il écrit chaque jour dans *L'Action française.*

LES GRANDS COURANTS. De ce mouvement d'idées, trois grandes orientations peuvent être schématiquement retenues : une vigoureuse *renaissance spiritualiste* (cf. auprès des noms déjà cités, et auprès de PÉGUY et de CLAUDEL, l'œuvre du philosophe MAURICE BLONDEL, 1861-1949, et celle du polémiste LÉON BLOY, 1846-1917) ; une puissante affirmation du *traditionalisme* sous des formes très diverses et parfois opposées ; et enfin le développement d'une *pensée socialiste,* partagée, sans toujours pouvoir les concilier, entre le *matérialisme marxiste,* l'attachement aux *valeurs humanistes* et l'influence du *positivisme sociologique* (ÉMILE DURCKHEIM, CÉLESTIN BOUGLÉ).

Henri Bergson (1859-1941)

L'œuvre et la pensée d'HENRI BERGSON agissent profondément sur la littérature de la première moitié du XXᵉ siècle : à cet égard on pourrait presque dire qu'il y eut alors un *bergsonisme littéraire* comme il y avait eu, au XVIIᵉ siècle, un cartésianisme littéraire. D'ailleurs, la philosophie bergsonienne et ses prolongements esthétiques furent le sujet de nombreuses et ardentes polémiques : qu'il suffise de rappeler ici les noms de deux grands écrivains dont l'œuvre ne saurait s'expliquer sans l'influence directe ou indirecte de Bergson : CHARLES PÉGUY (cf. p. 145) et MARCEL PROUST (cf. p. 233).

Cette influence s'explique principalement par la réaction de BERGSON contre le scientisme et le positivisme, et par le développement dans son œuvre d'une *philosophie expérimentale de la durée :* dans une époque où l'expérience du temps concret allait devenir l'une des principales sources de renouvellement de la poésie et du roman, la philosophie bergsonienne, qui avait devancé la plupart de ces nouveautés littéraires, apparut à beaucoup d'esprits comme la *philosophie des temps nouveaux.*

Son rayonnement fut encore accru par le talent d'écrivain d'HENRI BERGSON, qui appartient ainsi directement à la littérature : certaines pages de son œuvre s'élèvent même jusqu'à *une poésie philosophique en prose* qui était, en France, quelque chose d'assez nouveau.

Élève de l'École normale supérieure dans la même promotion que Jaurès, HENRI BERGSON révéla son originalité, dès 1888, dans sa thèse intitulée *Essai sur les données immédiates de la conscience,* qui amorçait l'ample développement de sa pensée telle qu'elle s'exprima ensuite dans *Matière et Mémoire* (1896), *L'Évolution créatrice* (1907), *L'Énergie spirituelle* (1919), *Les Deux Sources de la morale et de la religion* (1932). Il faut enfin mentionner l'importance de l'essai sur *Le Rire* (1900) : l'auteur y étudie les sources du comique, qu'il définit comme « *du mécanique plaqué sur du vivant* » ; et à l'occasion de cette étude, il rassemble dans son essai quelques thèmes majeurs de sa pensée esthétique.

Durée et création

Dans *L'Évolution créatrice,* BERGSON développe la distinction entre le *temps abstrait,* que mesurent les horloges et qui contredit l'idée de création, puisque, selon le principe du déterminisme, il ne saurait rien apporter de nouveau, et la *durée concrète et vécue,* qui relève d'une expérience irréductible et constitue au contraire, par excellence, *une force créatrice.* Grâce à quoi le temps retrouve une signification et un contenu, qui concernent *la part d'invention* de l'Univers et de l'Homme, alors que le déterminisme ne concerne que leur *part de répétition.* Ainsi se trouve légitimé l'effort *créateur* de l'artiste. THÈMES : *Art. Beaux-arts. Temps. Liberté (et déterminisme). Science.*

Quand l'enfant s'amuse à reconstituer une image en assemblant les pièces d'un jeu de patience, il y réussit de plus en plus vite à mesure qu'il s'exerce davantage. La reconstitution était d'ailleurs instantanée, l'enfant la trouvait toute faite, quand il ouvrait la boîte au sortir du magasin. L'opération n'exige donc pas un temps déterminé, et même, théoriquement, elle n'exige aucun temps. C'est que le résultat en est donné. C'est que l'image est créée déjà et que, pour l'obtenir, il suffit d'un travail de recomposition et de réarrangement. [...] Mais pour l'artiste qui crée une image en la tirant du fond de son âme, le temps n'est plus un accessoire. Ce n'est pas un intervalle qu'on
10　puisse allonger ou raccourcir sans en modifier le contenu. La durée de son travail fait partie intégrante de son travail. La contracter ou la dilater serait modifier à la fois l'évolution psychologique qui la remplit et l'invention qui en est le terme. Le temps d'invention ne fait qu'un ici avec l'invention même. C'est le progrès d'une pensée qui change au fur et à mesure qu'elle prend corps. Enfin, c'est un processus vital [1], quelque chose comme la maturation d'une idée.

Le peintre est devant sa toile, les couleurs sont sur la palette, le modèle pose : nous voyons tout cela, et nous connaissons aussi la manière du peintre ; prévoyons-nous ce qui apparaîtra sur la toile ? Nous possédons les éléments du problème, nous savons, d'une connaissance abstraite, comment il sera résolu,
20　car le portrait ressemblera sûrement au modèle et sûrement aussi à l'artiste ; mais la solution concrète apporte avec elle cet imprévisible rien qui est le tout de l'œuvre d'art [2]. Et c'est ce rien qui prend du temps. Néant de matière, il se crée lui-même comme forme. La germination et la floraison de cette forme s'allongent en une irrétrécissable durée, qui fait corps avec elle. De même pour les œuvres de la nature. [...] C'est pourquoi l'idée de lire dans un état présent de l'univers matériel l'avenir des formes vivantes, et de déplier tout d'un coup leur histoire future, doit renfermer une véritable absurdité. Mais cette absurdité est difficile à dégager, parce que notre mémoire a coutume d'aligner dans un espace idéal les termes qu'elle perçoit tour à tour, parce qu'elle se représente
30　toujours la succession *passée* sous forme de juxtaposition. Elle peut d'ailleurs le faire, précisément parce que le passé est du déjà inventé, du mort, et non

---

— 1 Cf. la formule de l'*élan vital* qui symbolise le dynamisme essentiel de la philosophie bergsonienne : l'art témoin de l'*énergie spirituelle.*

— 2 Différence *de nature* entre l'art et la science, qui est déterminisme et prévision. Bergson dément ainsi les thèses scientistes de Renan (cf. *XIXᵉ Siècle,* p. 394-395).

plus de la création et de la vie. Alors, comme la succession à venir finira par être une succession passée, nous nous persuadons que la durée à venir comporte le même traitement que la durée passée, qu'elle serait dès maintenant déroulable, que l'avenir est là, enroulé, déjà peint sur la toile [3]. Illusion sans doute, mais illusion naturelle, indéracinable, qui durera autant que l'esprit humain.

Le temps est invention ou il n'est rien du tout. [4]

L'*Évolution créatrice,* chap. IV (Presses Universitaires de France, éditeur).

NATURE ET FONCTION DE L'ART

L'Art, parce qu'il est un des témoins les plus féconds du pouvoir créateur de la durée, occupe donc, dans la philosophie bergsonienne, une place privilégiée. Aussi BERGSON abordant le problème du comique, élargit-il son sujet pour y rattacher des *réflexions sur la nature et la fonction de l'art* dans son rapport avec la « réalité ». Au début d'un siècle qui allait se passionner pour le débat entre *réalisme* et *idéalisme* et prendre parti pour l'idéalisme, ces pages du *Rire,* publiées en 1900, ont un caractère *prophétique,* raison pour laquelle elles sont d'ailleurs devenues classiques. – THÈMES : *Art. Beaux-arts.*

Nous nous mouvons parmi des généralités et des symboles, comme en un champ clos où notre force se mesure utilement avec d'autres forces ; et fascinés par l'action, attirés par elle, pour notre plus grand bien, sur le terrain qu'elle s'est choisi, nous vivons dans une zone mitoyenne entre les choses et nous, extérieurement aux choses, extérieurement aussi à nous-mêmes. Mais de loin en loin, par distraction, la nature suscite des âmes plus détachées de la vie. Je ne parle pas de ce détachement voulu, raisonné, systématique, qui est œuvre de réflexion et de philosophie. Je parle d'un détachement naturel, inné à la structure
10 du sens ou de la conscience, et qui se manifeste tout de suite par une manière virginale, en quelque sorte, de voir, d'entendre ou de penser. Si ce détachement était complet, si l'âme n'adhérait plus à l'action par aucune de ses perceptions, elle serait l'âme d'un artiste comme le monde n'en a point vu encore. Elle excellerait dans tous les arts à la fois, ou plutôt elle les fondrait tous en un seul. Elle apercevrait toutes choses dans leur pureté originelle, aussi bien les formes, les couleurs et les sons du monde matériel que les plus subtils mouvements de la vie intérieure. Mais c'est trop demander à la nature. Pour ceux-mêmes d'entre nous qu'elle a faits artistes, c'est accidentellement, et d'un seul côté, qu'elle a soulevé le voile, c'est dans une direction seulement qu'elle
20 a oublié d'attacher la perception au besoin. Et comme chaque direction correspond à ce que nous appelons un sens, c'est par un de ces sens, et par ce sens seulement, que l'artiste est ordinairement voué à l'art. De là, à l'origine, la diversité des arts. De là aussi la spécialité des prédispositions. [...]

— 3 Explication de « l'illusion scientiste ». — 4 Formule soulignée par l'auteur.

Ainsi, qu'il soit peinture, sculpture, poésie ou musique, l'art n'a d'autre objet que d'écarter les symboles pratiquement utiles, les généralités conventionnellement et socialement acceptées, enfin tout ce qui nous masque la réalité, pour nous mettre face à face avec la réalité même. C'est d'un malentendu sur ce point qu'est né le débat entre le réalisme et l'idéalisme dans l'art [2]. L'art n'est sûrement qu'une vision plus directe de la réalité. Mais cette pureté de perception implique une rupture avec la convention utile, un désintéressement inné et spécialement localisé du sens ou de la conscience, enfin une certaine immatérialité de vie, qui est ce qu'on a toujours appelé de l'idéalisme. De sorte qu'on pourrait dire, sans jouer aucunement sur le sens des mots, que le réalisme est dans l'œuvre quand l'idéalisme est dans l'âme, et que c'est à force d'idéalité seulement qu'on reprend contact avec la réalité.   *Le Rire* (Presses Universitaires de France, éditeur).

La libération mystique

La philosophie bergsonienne de la *durée* devient progressivement une philosophie de la *liberté créatrice :* l'art est un premier témoin de ce progrès exceptionnellement accompli. Poursuivant son examen de ces exceptions révélatrices, BERGSON rencontre l'*expérience mystique* et lui consacre quelques-unes des pages maîtresses de son dernier livre, *Les Deux Sources de la morale et de la religion* (1932). – THÈMES : *Mysticisme. Métaphysique. Religion.*

Ébranlée dans ses profondeurs par le courant qui l'entraînera, l'âme cesse de tourner sur elle-même, échappant un instant à la loi qui veut que l'espèce et l'individu se conditionnent l'un l'autre, circulairement. Elle s'arrête, comme si elle écoutait une voix qui l'appelle. Puis elle se laisse porter, droit en avant. Elle ne perçoit pas directement la force qui la meut, mais elle en sent l'indéfinissable présence, ou la devine à travers une vision symbolique. Vient alors une immensité de joie, extase où elle s'absorbe au ravissement qu'elle subit : Dieu est là, et elle est en lui. Plus de mystère. Les problèmes s'évanouissent, les obscurités se dissipent ; c'est une illumination. Mais pour
10   combien de temps ? Une imperceptible inquiétude, qui planait sur l'extase, descend et s'attache à elle comme son ombre. Elle suffirait déjà, même dans les états qui vont suivre, à distinguer le mysticisme vrai, complet, de ce qui en fut jadis l'imitation anticipée ou la préparation [1]. Elle montre en effet que l'âme du grand mystique ne s'arrête pas à l'extase comme au terme d'un voyage. C'est bien le repos si l'on veut, mais comme à une station où la machine resterait sous pression [2], le mouvement se continuant en ébranlement sur place dans l'attente d'un nouveau bond en avant. Disons plus précisément : l'union avec Dieu a beau être étroite, elle ne serait définitive que si elle était totale. Plus de distance, sans doute, entre la pensée et l'objet de la pensée, puisque les
20   problèmes sont tombés qui mesuraient et même constituaient l'écart. Plus de séparation radicale entre ce qui aime et ce qui est aimé : Dieu est présent et la joie est sans bornes. Mais si l'âme s'absorbe en Dieu par la pensée et par

---

— 2 Débat qui commençait en 1900 à être d'une brûlante actualité : cf. la révolution picturale qui était alors en cours.

— 1 Bergson distingue des degrés dans le mysticisme, et c'est chez les chrétiens qu'il rencontre le plus haut degré. — 2 Noter le caractère concret et moderne de la comparaison.

le sentiment, quelque chose d'elle reste en dehors ; c'est la volonté : son action, si elle agissait, procéderait simplement d'elle. Sa vie n'est donc pas divine. Elle le sait ; vaguement elle s'en inquiète, et cette agitation dans le repos est caractéristique de ce que nous appelons le mysticisme complet : elle exprime que l'élan avait été pris pour aller plus loin, que l'extase intéresse bien la faculté de voir et de s'émouvoir, mais qu'il y a aussi le vouloir, et qu'il faudrait le replacer lui-même en Dieu. Quand ce sentiment a grandi au point d'occuper toute la place, l'extase est 30 tombée, l'âme se retrouve seule et parfois se désole. Habituée pour un temps à l'éblouissante lumière, elle ne distingue plus rien dans l'ombre. Elle ne se rend pas compte du travail profond qui s'accomplit obscurément en elle. Elle sent qu'elle a beaucoup perdu ; elle ne sait pas encore que c'est pour tout gagner.

Les Deux Sources de la morale et de la religion, chap. III (Presses Universitaires de France, éditeur).

Alors, à travers ce que les mystiques appellent « la nuit obscure » [3], *la libération spirituelle s'accomplit, qui est la perfection de cette* ouverture *de l'âme, en quoi consiste la vraie religion comme aussi la vraie morale. Le terme de la philosophie bergsonienne est en effet, en morale comme en religion, ce passage du clos à l'ouvert, dont le point de départ est dans l'expérience concrète de la durée créatrice, et qui explique également la formule célèbre du* supplément d'âme *nécessaire à un monde gouverné par le déterminisme technique et le mécanisme social. Dans les dernières années de sa vie,* HENRI BERGSON *s'orienta de plus en plus vers le christianisme, mais sans aller jusqu'à une conversion formelle, car, étant israélite, il ne voulait pas paraître se désolidariser ainsi de ses frères de race, alors persécutés à travers l'Europe.*

Jean Jaurès
(1859-1914)

Normalien et agrégé de philosophie, JEAN JAURÈS fut un orateur de grande classe et un animateur politique ; il fonda, avec Jules Guesde, le Parti socialiste unifié (1906). Héritier du « socialisme humaniste » du XIXe siècle, il rêve de concilier cette tradition avec le réalisme historique et économique de Marx et de Engels, ce qui le conduit à être plutôt un « réformiste » qu'un révolutionnaire : il pense en effet que l'idée de *justice,* incarnée selon lui dans les progrès de la démocratie politique et sociale, est capable de fonder un *humanisme universel* et un idéal social commun à l'humanité tout entière, au-delà des antagonismes de classes et de nations. Il rejoint ainsi une pensée généreuse qui était déjà celle de MICHELET, dont il rappelle la fougue (cf. *XIXe Siècle,* p. 361) et dont le rapproche une certaine parenté littéraire. Son *éloquence* lui assura une grande influence au Parlement et dans la nation. Sa personnalité a profondément marqué le socialisme français, et le rayonnement de sa pensée n'a pas cessé de se manifester dans la vie politique de notre pays. Pacifiste convaincu, JAURÈS, dans les années qui précèdent la Grande Guerre, se consacre à la défense de la paix en travaillant à un rapprochement avec les socialistes allemands ; mais il meurt assassiné en juillet 1914.

Socialisme et humanisme

Dans son Introduction à l'*Histoire socialiste,* JAURÈS développe l'essentiel de la pensée qui s'exprime ailleurs dans ses discours politiques. Et c'est au nom d'un *humanisme universel* qu'il propose un *dépassement* du déterminisme historique et du réalisme économique. THÈMES : *Liberté. Histoire. Psychologie. Société. Morale. Déterminisme. Humanisme.*

Quel que soit le rapport de l'âme humaine, en ses rêves même les plus audacieux ou les plus subtils, avec le système économique et social, elle va au-delà du milieu humain, dans l'immense milieu cosmique. Et le contact de

---

— 3 Célèbre formule de saint Jean de la Croix.

l'univers fait vibrer en elle des forces mystérieuses et profondes, forces de l'éternelle vie mouvante qui précéda les sociétés humaines et les dépassera. Donc, autant il serait vain et faux de nier la dépendance de la pensée et du rêve à l'égard du système économique et des formes précises de la production, autant il serait puéril et grossier d'expliquer sommairement le mouvement de la pensée humaine par la seule évolution des formes
10 économiques [1]. Très souvent l'esprit de l'homme s'appuie sur le système social pour le dépasser et lui résister ; entre l'esprit individuel et le pouvoir social il y a ainsi tout à la fois solidarité et conflit. [...]

Il nous plaira, à travers l'évolution à demi mécanique des formes économiques et sociales, de faire sentir toujours cette haute dignité de l'esprit libre, affranchi de l'humanité elle-même par l'éternel univers. Les plus intransigeants des théoriciens marxistes ne sauraient nous le reprocher. Marx, en une page admirable, a déclaré que jusqu'ici les sociétés humaines n'avaient été gouvernées que par la fatalité, par l'aveugle mouvement des formes économiques ; les institutions, les idées n'ont pas été l'œuvre consciente de l'homme libre, mais
20 le reflet de l'inconsciente vie sociale dans le cerveau humain. Nous ne sommes encore, selon Marx, que dans la préhistoire. L'histoire humaine ne commencera véritablement que lorsque l'homme, échappant enfin à la tyrannie des forces inconscientes, gouvernera par sa raison et sa volonté la production elle-même. Alors son esprit ne subira plus le despotisme des formes économiques créées et dirigées par lui, et c'est d'un regard libre et immédiat qu'il contemplera l'univers. Marx entrevoit donc une période de pleine liberté intellectuelle où la pensée humaine, n'étant plus déformée par les servitudes économiques, ne déformera pas le monde. Mais, à coup sûr, Marx ne conteste pas que déjà, dans les ténèbres de la période inconsciente, de hauts esprits se soient élevés
30 à la liberté ; par eux l'humanité se prépare et s'annonce. C'est à nous de recueillir ces premières manifestations de la vie de l'esprit : elles nous permettent de pressentir la grande vie ardente et libre de l'humanité communiste [2], qui, affranchie de tout servage, s'appropriera l'univers par la science, l'action et le rêve [3]. C'est comme le premier frisson qui dans la forêt humaine n'émeut encore que quelques feuilles mais qui annonce les grands souffles prochains et les vastes ébranlements.

Aussi notre interprétation de l'histoire sera-t-elle à la fois matérialiste avec Marx et mystique avec Michelet. [...]

Ce n'est pas seulement par la force des choses que s'accomplira la Révolution
40 sociale. C'est par la force des hommes, par l'énergie des consciences et des volontés ; l'histoire ne dispensera jamais les hommes de la vaillance et de la noblesse individuelles... Nous ne saurions pas des hommes de la Révolution qui lisaient les *Vies* de Plutarque ; à coup sûr, les beaux élans d'énergie intérieure qu'ils suscitaient ainsi en eux changeaient peu de chose à la marche des événements. Mais, du moins, ils restaient debout dans la tempête, ils ne montraient pas, sous l'éclair des grands orages, des figures décomposées par la peur. Et si la passion de la gloire animait en eux la passion de la liberté, ou le courage du combat, nul n'osera leur en faire grief.

Histoire socialiste (Éditions sociales).

— 1 Allusions aux interprétations étroites du marxisme qui commençaient alors à se répandre dans certains milieux intellectuels socialistes ; d'où le débat qui provoquera, un peu plus tard, la *scission* entre le parti socialiste et le parti communiste. — 2 Adjectif à prendre au sens large et non exclusivement marxiste. — 3 Noter la réunion significative de ces trois termes.

Charles Maurras   Provençal et disciple de Mistral, CHARLES MAURRAS veut
(1868-1952)   être le restaurateur de l'*hellénisme ;* intellectualiste doctri-
                            naire, et en cela l'opposé de Bergson, il déduit de cette
restauration, composée avec l'influence d'Auguste Comte et de Renan, un *néoclassicisme
littéraire* et un *positivisme politique,* qui forment les deux thèmes essentiels de sa pensée
et de son œuvre. A la suite de Jean Moréas, et en réaction contre le symbolisme, MAURRAS
fut un des principaux chefs de file de l'*École romane* (cf. *XIXᵉ Siècle,* p. 545). Mais surtout
sa pensée s'oriente de plus en plus vers une opposition militante à l'esprit moderne,
considéré comme une recrudescence de l'esprit barbare, toujours en éveil et lancé à
l'assaut des valeurs de raison, qu'incarnent la Grèce et la civilisation méditerranéenne.
Ainsi se forme et s'affirme le *maurrassisme,* dont l'influence intellectuelle et politique fut
considérable, tandis que la diffusion en était assurée par le groupe de *L'Action française*
(fondé par Maurras en 1899) et le journal du même nom : pensée essentiellement
antirépublicaine, et politique fondée sur l'idéal de la restauration monarchique et
l'affirmation du « *nationalisme intégral* ». Les poèmes néo-classiques de MAURRAS sont
réunis dans *La Musique intérieure* (1925) et l'essentiel de sa doctrine est exposé dans
Mes idées politiques (1937). Mais, dès 1901, dans *Anthinéa,* qui est peut-être son livre
majeur, il avait souligné le lien qu'il établissait entre son néo-hellénisme et sa pensée
politique et sociale, tandis qu'il exposait dans *Enquête sur la monarchie* (1901) l'orientation
concrète de sa politique ; et en 1905 déjà, il exprimait, dans *L'Avenir de l'intelligence,*
toute l'intransigeance de son intellectualisme.
   Pendant la période de l'occupation allemande (1940-1944), CHARLES MAURRAS prit
parti pour le gouvernement de Vichy. Après la Libération, il fut condamné à la détention
perpétuelle ; gracié au printemps de 1952, il mourut quelques mois plus tard.

Naissance de la Raison

   Anthinéa, dont le titre est emprunté à une étymologie symbolique du nom d'Athènes,
est un livre composé de notes et de « méditations » inspirées par des voyages en Grèce,
en Corse, en Toscane et en Provence. CHARLES MAURRAS justifie à cette occasion le lien
qu'il établit entre sa *ferveur hellénique* et sa *passion antimoderne et antidémocratique.* Il écrit
en effet dans sa préface : « *Mon ami Maurice Barrès s'est publiquement étonné que j'eusse
rapporté d'Attique une haine aussi vive de la démocratie. Si la France moderne ne m'avait
persuadé de ce sentiment, je l'aurais reçu de l'Athènes antique. La brève destinée de ce que l'on
appelle la démocratie dans l'antiquité m'a fait sentir que le propre de ce régime n'est que de
consommer ce que les périodes d'aristocratie ont produit. La production, l'action demandait un
ordre puissant. La consommation est moins exigeante : ni le tumulte, ni la routine ne l'entrave
beaucoup.* » C'est dans une « méditation », qui n'est pas sans rappeler la *Prière sur l'Acropole*
de Renan (cf. *XIXᵉ Siècle,* p. 396), que MAURRAS expose ici la genèse de sa pensée.
THÈMES : *Antiquité. Hellénisme. Morale. Civilisation.*

Si de longues stations, des rêveries plus longues, et surtout la langueur
et la plénitude voluptueuse du beau corps étendu de la dernière Parque
ne m'ont pas fait perdre l'esprit [1], on voit que les Athéniens du IVᵉ siècle
d'avant notre ère avaient peut-être dédié à la déesse poliade [2] une manière

---

— 1 Maurras vient de visiter, à Londres, le │ groupe de trois figures où « languit le corps couché
British Museum : il vient d'y contempler un │ de la troisième Parque ». — 2 La déesse de la
                                            │ Cité (du grec : *polis*).

de Noël rationaliste et païen. Fille de la plus haute puissance élémentaire, Pallas d'Athènes se fait homme toutes les fois que l'homme fait usage de la raison.

Sans se piquer d'allégorie, Athènes avait un sens trop délicat pour se méprendre sur un épisode central de sa religion politique. Elle se reconnaissait
10 dans cette déesse et patronne, image vive de ses forces élevées à leur type héroïque et abstrait. Je ne sais si les hommes d'aujourd'hui saisiraient cette opération très fine de l'esprit religieux. Ce n'était pas un simple culte rendu par la ville d'Athènes au *moi* athénien. L'adoration un peu brutale des Romains pour la déesse Rome eut peut-être ce caractère d'égoïsme : hommes d'État par-dessus tout, ils mettaient sur l'autel leur œuvre envisagée comme volonté créatrice et comme objet créé. Athènes ne s'adorait point sans la mâle pudeur et l'humilité que prescrit une intelligence profonde.

La piété d'Athènes apportait le tempérament naturel à cet orgueil humain, qui est la dernière folie. Morale, religion ou politique, ce qui ne fonde que
20 sur la volonté des mortels n'est guère plus certain que ce que l'on construit sur leurs bons sentiments. La piété des Attiques a été plus parfaite, parce qu'elle repose sur un fondement moins fragile : elle prend conscience des auxiliaires secrets qui, en nombre infini, fertilisent notre labeur ; elle conçoit que la part de notre mérite, dans nos victoires les plus belles, est presque nulle, que tout, en dernière analyse, dépend d'une faveur anonyme des circonstances, et, si l'on aime mieux, d'une grâce mystérieuse. Ainsi les Athéniens, quand ils priaient Pallas, invoquaient le meilleur d'eux-mêmes et en même temps ils invoquaient autre chose qu'eux. La déesse à laquelle ils faisaient abandon, honneur et hommage d'Athènes, était bien leur propre sagesse, mais fécondée et couronnée
30 des approbations du destin.

Qu'un tel peuple, le plus sensible, le plus léger, le plus inquiet, le plus vivant, le plus misérable de tous, ait été justement celui qui vit naître Pallas et opéra l'antique découverte de la Raison, cela est naturel, mais n'en est pas moins admirable. On comprend comme, à force d'éprouver toute vie et toute passion, les Athéniens ont dû en chercher la mesure autre part que dans la vie et dans la passion [3]. Le sentiment agitait toute leur conduite, et c'est la Raison qu'ils mirent sur leur autel. L'événement est le plus grand de l'histoire du monde.
[...]

L'influence de la raison athénienne créa et peut sans doute recréer l'ordre
40 de la civilisation véritable partout où l'on voudra comprendre que la quantité des choses produites et la force des activités productrices s'accroîtraient jusqu'à l'infini sans rien nous procurer qui fût vraiment nouveau pour nous. [...]

— « Jusques à quand serons-nous dupes du nombre et de ce qu'il a de plus vil ? Reverrons-nous la grâce et les mesures demi-divines de la Raison ? » Je me le demandais comme je quittais à grands pas le rude bâtiment du musée britannique où la force barbare mène des triomphes si vains.

Anthinéa, livre I, chap. 3 (Flammarion, éditeur).

— 3 Athènes ignore donc, selon Maurras, ce vitalisme, signe incontestable de « barbarie », qui caractérise à ses yeux « l'esprit moderne » : l'hellénisme de Maurras est ainsi la justification de sa réaction antimoderne.

LE ROMAN AVANT 1914

ANATOLE FRANCE

Humanisme   Né à Paris en 1844, Anatole Thibault, qui prendra le
et scepticisme   pseudonyme d'ANATOLE FRANCE, est le fils d'un libraire
du quai Malaquais : dès l'enfance, il a le culte des livres
et des documents ; il deviendra un fervent de l'antiquité classique. Il est d'abord chargé
de travaux d'érudition aux éditions Lemerre et publie des vers parnassiens (*Poèmes dorés,*
1873), puis un poème dramatique (*Les Noces corinthiennes,* 1876). Nommé bibliothécaire
du Sénat comme Leconte de Lisle, il découvre, avec *Le Crime de Sylvestre Bonnard* (1881),
sa vraie voie, celle du roman ironique, teinté d'humanisme et de philosophie sceptique
(cf. *XIXᵉ Siècle,* p. 560). Il évoque ensuite ses souvenirs d'enfance dans *Le Livre de mon
ami* (1885), et aborde le roman historique dans *Thaïs* (1889) ; puis il revient au conte
philosophique avec *La Rôtisserie de la reine Pédauque* (1892) et *Les Opinions de Jérôme
Coignard* (1893 ; cf. *XIXᵉ Siècle,* p. 561). A la même époque, ses tendances classiques
s'affirment dans les fines chroniques de *La Vie littéraire* au journal *Le Temps* (1887-1893).
Après un roman d'amour assez désabusé, inspiré par sa liaison avec Mme de Caillavet
(*Le Lys rouge,* 1894), puis un recueil de réflexions et de maximes sceptiques (*Le Jardin
d'Épicure,* 1894), il retourne à son inspiration favorite : *L'Orme du Mail* (1897) et *Le
Mannequin d'osier* (1897), qui forment les deux premiers volumes de l'*Histoire
contemporaine,* sont une satire amusée, mais implacable, des intrigues religieuses et des
ridicules d'une petite ville provinciale.

« Le bon maître »   L'année 1897 marque un tournant décisif dans sa
carrière. Depuis quelque temps, son scepticisme aimable
cédait le pas à la critique acerbe des abus et des préjugés (cf. *XIXᵉ Siècle,* p. 561-565).
Les événements contemporains vont précipiter cette évolution.

I. LE DREYFUSARD. Dès le début de l'affaire Dreyfus, poussé par la passion de la
justice et de la vérité qui se voilait sous son ironie, il s'associe à la campagne de ZOLA pour
la révision du procès. Désormais, il se mêlera de plus en plus aux *luttes politiques,* prêtant
son appui aux socialistes (et sur la fin de sa vie au communisme naissant), et soutenant de
son éloquence l'action républicaine et la séparation des Églises et de l'État. Aussi la satire
se fait-elle plus âpre dans les deux derniers volumes de l'*Histoire contemporaine : L'Anneau
d'améthyste* (1899) et *M. Bergeret à Paris* (1901) ; et les aspirations sociales deviennent
manifestes dans *Crainquebille* (1902) et *Sur la pierre blanche* (1905).

II. DÉCEPTIONS ET PESSIMISME. Après une *Vie de Jeanne d'Arc* (1908), l'écrivain
revient à la littérature de combat ; mais ces œuvres, plus mordantes, sont assombries
par un pessimisme qu'aggrave la perte de son amie Mme de Caillavet. Son activité
militante redouble à l'occasion de la révolution russe de 1905 et à l'approche de la guerre
de 1914 ; mais il est profondément *déçu* par l'échec des révolutionnaires russes et par
l'action antisyndicaliste des ministères républicains après la réhabilitation de Dreyfus.
Ce *pessimisme* trouve son écho dans *L'Île des pingouins* (1908) et *La Révolte des anges*
(1914), et même dans *Les Dieux ont soif* (1912).

III. LA RETRAITE A LA BÉCHELLERIE. En 1914, le « bon maître », qui accueillait
si aimablement ses disciples au milieu de ses collections de la Villa Saïd, se réfugie en
Touraine, dans sa propriété de La Béchellerie. Pacifiste, il n'avait pas voulu croire au
danger de guerre et se montra très affecté de son erreur, plein d'angoisse et de

découragement devant l'imbécillité sanguinaire des hommes. Et, comme pour oublier ces horreurs, il consacra ses dernières années à revivre ses souvenirs d'enfance dans *Le Petit Pierre* (1918) et *La Vie en fleur* (1922). C'est en pleine gloire qu'il mourut en 1924 ; il avait reçu le prix Nobel en 1921, et on lui fit des funérailles nationales.

Sa pensée   Le scepticisme souriant d'ANATOLE FRANCE nous le présente, surtout dans la première moitié de sa vie, sous les traits d'un *dilettante* qui se plaît à broder sur ses lectures, à jongler avec les idées. Pourtant, de son œuvre comme de celle de Voltaire à qui il ressemble par bien des traits, se dégagent les grandes lignes d'une doctrine cohérente.

I. SCEPTICISME RATIONALISTE. S'il éprouve un plaisir d'artiste à évoquer les mythes et les croyances, il se montre particulièrement *sceptique* en matière religieuse. A l'austérité chrétienne, il oppose les jouissances d'un *épicurien délicat*. Il s'attaque souvent à l'Église, coupable à ses yeux de fanatisme et d'hostilité à la démocratie.

II. IDÉES POLITIQUES ET SOCIALES. ANATOLE FRANCE ne croit pas à la bonté naturelle de l'homme et s'efforce d'anéantir les *préjugés* qui retardent la lente évolution par laquelle les humains « sortent peu à peu de la barbarie originelle » (cf. *XIXᵉ Siècle*, p. 561-562). Il n'est guère de livre où il ne place quelque satire acerbe de la guerre ou de la justice humaine, « consécration de toutes les injustices » (cf. p. 93-95 et 96-97).

En politique, il est épris de *liberté* et donne sa préférence à la république, parce que, plus qu'aucun autre régime, elle respecte l'individu (cf. *XIXᵉ Siècle*, p. 564). Poussant plus loin encore ses aspirations humanitaires, il a rêvé d'un régime *socialiste* qui laisserait les hommes libres, tout en assurant leur bien-être. Ainsi dans *M. Bergeret à Paris* :

> « *Je crois... que longtemps les citoyens d'une même nation s'arracheront furieusement les uns aux autres les biens nécessaires à la vie, au lieu d'en faire un partage équitable. Mais je crois aussi que les hommes sont moins féroces quand ils sont moins misérables, que les progrès de l'industrie détermineront à la longue quelque adoucissement dans les mœurs... Cette délivrance, je l'attends de la machine elle-même. La machine qui a broyé tant d'hommes viendra en aide doucement, généreusement, à la tendre chair humaine... Mais ce n'est rien, non, ce n'est rien que les poulies, les engrenages, les bielles, les manivelles, les glissières, les volets s'humanisent, si les hommes gardent un cœur de fer.*
> *Nous attendons, nous appelons un changement plus merveilleux encore. Un jour viendra où le patron, s'élevant en beauté morale, deviendra un ouvrier parmi les ouvriers affranchis, où il n'y aura plus de salaire, mais échange de biens. La haute industrie, comme la vieille noblesse qu'elle remplace et qu'elle imite, fera sa nuit du 4 Août...*
> *Si même cette république ne devait jamais exister, je me féliciterais d'en avoir caressé l'idée. Il est permis de bâtir en Utopie... Les rêves des philosophes ont de tout temps suscité les hommes d'action qui se sont mis à l'œuvre pour les réaliser. Notre pensée crée l'avenir.* » (cf. p. 91-92).

Mais, à l'approche de la guerre, sa vision du monde s'assombrit et lui inspire des pamphlets plus âpres, à la manière de SWIFT, *L'Île des pingouins* (1908) et *La Révolte des anges* (1914). Satire de la religion, de l'intolérance, de la tyrannie, de l'injustice, transposition burlesque de l'affaire Dreyfus, ces thèmes chers à l'auteur y sont repris, mais avec une note plus désespérée. Témoin le monologue de l'astronome Bidault-Coquille qui s'est démené en faveur de Dreyfus, persuadé que le triomphe du droit entraînerait l'abolition de toutes les injustices, et qui retourne mélancoliquement à ses astéroïdes, découvrant « qu'il est dur de redresser les torts et que c'est toujours à recommencer ». C'est ce thème de l'éternel retour qui traduit le mieux le *pessimisme* d'Anatole FRANCE dans ses vieux jours. *L'Île des pingouins* se termine sur « *l'histoire sans fin* » des temps futurs : à de monstrueuses civilisations détruites par des anarchistes succéderont à la longue d'autres civilisations aussi monstrueuses, jusqu'au jour où « le sage amassera assez de dynamite pour faire sauter cette planète ».

Son art   Le penseur a été discuté, mais *l'écrivain* rallie tous les suffrages. Fidèle au *goût classique,* épris de pureté et de clarté, il réagit contre la vulgarité des naturalistes et l'obscurité des symbolistes. Son *style limpide,* aisé et élégant, est le plus merveilleux instrument dont ait disposé une intelligence pour exprimer, sans vaine subtilité, les nuances les plus fines. Il se reconnaît lui-même « *le don de voir le comique des choses* » et use de *l'ironie* avec une souplesse de ton et une variété infinies.

Mais son œuvre est aussi pleine de *sensibilité,* de tendresse, parfois de sensualité, et son ironie est souvent tempérée par la *pitié* que lui inspirent ses semblables : « Plus je songe à la vie humaine, plus je crois qu'il faut lui donner pour témoins et pour juges *l'Ironie* et la *Pitié...* L'Ironie et la Pitié sont deux bonnes conseillères ; l'une, en souriant, nous rend la vie aimable ; l'autre, qui pleure, nous la rend sacrée. L'Ironie que j'invoque n'est point cruelle. Elle ne raille ni l'amour ni la beauté. Elle est douce et bienveillante. Son rire calme la colère, et c'est elle qui nous enseigne à nous moquer des méchants et des sots que nous pourrions, sans elle, avoir la faiblesse de haïr » *(Le Jardin d'Épicure).*

*

M. Bergeret à Paris   *L'Anneau d'améthyste* (1899), troisième volume de *l'Histoire contemporaine,* surtout consacré aux intrigues qui aboutissent à la nomination d'un évêque, nous faisait déjà entendre les échos de l'affaire Dreyfus. Elle va occuper la première place dans *M. Bergeret à Paris* (1901). Nous y retrouvons, enrichi de quelques savoureuses individualités parisiennes, l'univers de marionnettes et de types provinciaux dont la caricature égayait les ouvrages antérieurs. Mais le ton est devenu *plus acerbe.* Le sage professeur se lance dans la campagne révisionniste. Il prend nettement la défense de la République, mal protégée par des politiciens sans honneur et livrée aux hommes d'affaires. Il affirme vigoureusement son aspiration à un ordre plus humain et des convictions socialistes qui sont celles d'ANATOLE FRANCE.

ÉCHOS DE L'AFFAIRE DREYFUS

L'*affaire Dreyfus* a bouleversé les comportements. Par ambition, le préfet WORMS-CLAVELIN manifeste un zèle antisémite inattendu ; par patriotisme, le républicain MAZURE se range aux côtés des nationalistes monarchistes ; d'autre part, le culte de la vérité a rapproché le matérialiste BERGERET, le philosophe spiritualiste Leterrier et le menuisier socialiste Roupart. L'*Affaire* est maintenant passée sur le plan des principes : faut-il, par raison d'État, s'en tenir — même au prix d'une iniquité — au respect de la chose jugée ? ou doit-on placer au-dessus de tout la vérité et la justice ? Comme l'auteur, M. BERGERET prend nettement parti, ce qui ne l'empêche pas de s'exprimer sans illusion à propos de la République. – THÈMES : *Justice. Morale. Littérature (Satire). Société.*

Nommé professeur à la Sorbonne, M. BERGERET *se mêle à la société parisienne, mise en effervescence par l'affaire Dreyfus. Avec sa verve caustique habituelle, l'auteur ridiculise les intrigues et les complots des nationalistes et affairistes ennemis de la République. Au chapitre IX,* M. BERGERET *s'entretient à dîner avec l'architecte Mazure venu lui apporter des nouvelles de la ville de province où il résidait naguère.*

Le département était d'autant mieux gardé contre toute divulgation des faits les plus avérés [1] qu'il était administré par un préfet israélite. M. Worms-Clavelin se croyait tenu, par cela seul qu'il était juif, à servir les intérêts des antisémites de son administration avec plus de zèle que n'en eût déployé à sa place un préfet catholique. D'une main prompte et sûre, il étouffa dans le département le parti naissant de la révision [2]. Il y

—— 1 Les preuves de l'innocence de Dreyfus. —— 2 Du procès : Dreyfus sera réhabilité en 1906.

favorisa les ligues des pieux décerveleurs [3], et les fit prospérer si merveilleusement que les citoyens Francis de Pressensé, Jean Psichari, Octave Mirbeau et Pierre Quillard, venus au chef-lieu pour y parler
10 en hommes libres, crurent entrer dans une ville du XVIe siècle. Ils n'y trouvèrent que des papistes idolâtres qui poussaient des cris de mort et les voulaient massacrer. Et comme M. Worms-Clavelin, convaincu, dès le jugement de 1894, que Dreyfus était innocent, ne faisait pas mystère de cette conviction, après dîner, en fumant son cigare, les nationalistes, dont il servait la cause, avaient lieu de compter sur un appui loyal, qui ne dépendait point d'un sentiment personnel.

Cette ferme tenue du département dont il gardait les archives imposait grandement à M. Mazure, qui était un jacobin ardent et capable d'héroïsme, mais qui, comme la troupe des héros, ne marchait qu'au
20 tambour. M. Mazure n'était pas une brute. Il croyait devoir aux autres et à lui-même d'expliquer sa pensée.

Après le potage, en attendant la truite, il dit, accoudé à la table :
— Mon cher Bergeret, je suis patriote et républicain. Que Dreyfus soit innocent ou coupable, je n'en sais rien. Je ne veux pas le savoir, ce n'est pas mon affaire. Mais certainement les dreyfusistes sont coupables. En substituant leur opinion personnelle à une décision de la justice républicaine, ils ont commis une énorme impertinence [4]. De plus, ils ont agité le pays républicain. Le commerce en souffre... Ce que je reproche surtout aux dreyfusards, c'est d'avoir affaibli, énervé
30 la défense nationale et diminué notre prestige au dehors.

Le soleil jetait ses derniers rayons de pourpre entre les troncs noirs des arbres. M. Bergeret crut honnête de répondre :
— Considérez, mon cher Mazure, que si la cause d'un obscur capitaine est devenue une affaire nationale, la faute en est non point à nous, mais aux ministres qui firent du maintien d'une condamnation erronée et illégale un système de gouvernement. Si le garde des sceaux avait fait son devoir en procédant à la révision dès qu'il lui fut démontré qu'elle était nécessaire, les particuliers auraient gardé le silence. C'est dans la vacance lamentable de la justice que leurs voix se sont élevées.
40 Ce qui a troublé le pays, c'était que le pouvoir s'obstinât dans une iniquité monstrueuse qui, de jour en jour, grossissait sous les mensonges dont on s'efforçait de la couvrir [5].

— 3 Plusieurs chapitres du livre sont consacrés aux « trublions », militants cléricaux, nationalistes et monarchistes qui se flattent de maltraiter les juifs et de « décerveler » dreyfusards et républicains au cours des bagarres qui les opposent fréquemment (cf. p. 76). — 4 Dans *L'Anneau d'améthyste*, le jacobin Mazure s'accordait avec l'aristocrate M. de Terremondre pour déclarer qu'un tribunal de « quatorze officiers français » n'a pu se tromper (chap. 5). — 5 Allusion aux fraudes qui avaient permis de faire condamner Dreyfus. Dans *L'Ile des pingouins* (1908), A. France raillera l'ardeur maladroite des antisémites à multiplier ces « preuves » de culpabilité. L'un d'eux s'écrie avec un enthousiasme burlesque : « J'en attends des ballots de Brême et une cargaison de Melbourne... Comme preuve, les pièces *fausses*, en général, valent mieux que les vraies, d'abord parce qu'elles ont été faites exprès, pour les besoins de la cause, sur commande et sur mesure, et qu'elles sont enfin exactes et justes... »

— Qu'est-ce que vous voulez ?... répliqua M. Mazure, je suis patriote et républicain.

— Puisque vous êtes républicain, dit M. Bergeret, vous devez vous sentir étranger et solitaire parmi vos concitoyens. Il n'y a plus beaucoup de républicains en France. La République n'en a pas formé. C'est le gouvernement absolu qui forme les républicains [6]. Sur la meule de la royauté ou du césarisme s'aiguise l'amour de la liberté, qui s'émousse
50 dans un pays libre, ou qui se croit libre. Ce n'est guère l'usage d'aimer ce qu'on a. Aussi bien la réalité n'est pas bien aimable. Il faut de la sagesse pour s'en contenter.

On peut dire qu'aujourd'hui les Français âgés de moins de cinquante ans ne sont pas républicains.

— Ils ne sont pas monarchistes.

— Non, ils ne sont pas monarchistes, car, si les hommes n'aiment pas souvent ce qu'ils ont, parce que ce qu'ils ont n'est pas souvent aimable, ils craignent le changement pour ce qu'il contient d'inconnu. L'inconnu est ce qui leur fait le plus de peur. Il est le réservoir et la
60 source de toute épouvante. Cela est sensible dans le suffrage universel, qui produirait des effets incalculables sans cette terreur de l'inconnu qui l'anéantit. Il y a en lui une force qui devrait opérer des prodiges de bien ou de mal. Mais la peur de ce que les changements contiennent d'inconnu l'arrête, et le monstre tend le col au licou.

M. Bergeret à Paris, IX (Calmann-Lévy, éditeurs).

L'aumône : justice et charité

De temps à autre, rompant avec la satire de l'actualité, M. Bergeret exprime plus directement la pensée politique et sociale de l'auteur, témoin cet entretien entre le sage professeur et sa fille Pauline. Il était tentant — et, à vrai dire, peu objectif — de ridiculiser l'aumône en s'en tenant à la caricature qu'en donnent les « pharisiens » dont la prétendue charité, n'étant dictée ni par l'amour du prochain ni par l'amour de Dieu, trahit l'esprit même du christianisme. Mais selon une démarche familière à l'auteur, l'incident n'est ici qu'un prétexte : le virtuose du style se plaît à parcourir toute la gamme des expressions savoureuses, du persiflage, de l'humour ; et ce jeu est lui-même le point de départ d'une méditation plus poussée : il s'agit de nous faire réfléchir sur les conditions pratiques de la bienfaisance et de la justice, et, à travers ces réflexions, de nous conduire à une série de maximes d'inspiration socialiste. – THÈMES : Argent. Pauvreté. Justice. Société. Morale.

M. Bergeret dit à sa fille : « Je viens de commettre une mauvaise action : je viens de faire l'aumône. En donnant deux sous à Clopinel, j'ai goûté la joie honteuse d'humilier mon semblable, j'ai consenti le pacte odieux qui assure au fort sa puissance et au faible sa faiblesse, j'ai scellé de mon sceau

— 6 Sur les faiblesses et les avantages de la République, cf. XIXᵉ Siècle, p. 564.

l'antique iniquité, j'ai contribué à ce que cet homme n'eût qu'une moitié d'âme.
— Tu as fait tout cela, papa ? demanda Pauline incrédule.
— Presque tout cela, répondit M. Bergeret. J'ai vendu à mon frère Clopinel
de la fraternité à faux poids. Je me suis humilié en l'humiliant. Car l'aumône
avilit également celui qui la reçoit et celui qui la fait. J'ai mal agi.
10   — Je ne crois pas, dit Pauline.
— Tu ne le crois pas, répondit M. Bergeret, parce que tu n'as pas de
philosophie et que tu ne sais pas tirer d'une action innocente en apparence
les conséquences infinies qu'elle porte en elle. Ce Clopinel m'a induit en
aumône. Je n'ai pu résister à l'importunité de sa voix de complainte. J'ai plaint
son maigre cou sans linge, ses genoux que le pantalon, tendu par un trop long
usage, rend tristement pareils aux genoux d'un chameau, ses pieds au bout
desquels les souliers vont le bec ouvert comme un couple de canards.
Séducteur ! O dangereux Clopinel ! Clopinel délicieux ! Par toi, mon sou
produit un peu de bassesse, un peu de honte. Par toi, j'ai constitué avec un
20   sou une parcelle de mal et de laideur. En te communiquant ce petit signe de
la richesse et de la puissance je t'ai fait capitaliste avec ironie et convié sans
honneur au banquet de la société, aux fêtes de la civilisation. Et aussitôt j'ai
senti que j'étais un puissant de ce monde, au regard de toi, un riche près de
toi, doux Clopinel, mendigot exquis, flatteur ! Je me suis réjoui, je me suis
enorgueilli, je me suis complu dans mon opulence et ma grandeur. Vis, ô
Clopinel : *Pulcher hymnus divitiarum pauper immortalis* [1].
     Exécrable pratique de l'aumône ! Pitié barbare de l'élémosyne [2] ! Antique
erreur du bourgeois qui donne un sou et qui pense faire le bien, et qui se croit
quitte envers tous ses frères, par le plus misérable, le plus gauche, le plus
30   ridicule, le plus sot, le plus pauvre acte de tous ceux qui peuvent être accomplis
en vue d'une meilleure répartition des richesses. Cette coutume de faire
l'aumône est contraire à la bienfaisance et en horreur à la charité.
— C'est vrai ? demanda Pauline avec bonne volonté.
— L'aumône, poursuivit M. Bergeret, n'est pas plus comparable à la
bienfaisance que la grimace d'un singe ne ressemble au sourire de la Joconde.
La bienfaisance est ingénieuse autant que l'aumône est inepte. Elle est vigilante,
elle proportionne son effort au besoin. C'est précisément ce que je n'ai point
fait à l'endroit de mon frère Clopinel. Le nom seul de bienfaisance éveillait
les plus douces idées dans les âmes sensibles, au siècle des philosophes... J'avoue
40   que je ne retrouve pas à ce mot de bienfaisance sa beauté première ; il m'a
été gâté par les pharisiens qui l'ont trop employé. Nous avons dans notre société
beaucoup d'établissements de bienfaisance, monts-de-piété, sociétés de
prévoyance, d'assurance mutuelle. Quelques-uns sont utiles et rendent des
services. Leur vice commun est de procéder de l'iniquité sociale qu'ils sont
destinés à corriger, et d'être des médecines contaminées. La bienfaisance
universelle, c'est que chacun vive de son travail et non du travail d'autrui.
Hors l'échange et la solidarité tout est vil, honteux, infécond. La charité
humaine, c'est le concours de tous dans la production et le partage des fruits. »

M. Bergeret à Paris, XVII (Calmann-Lévy, éditeurs).

— 1 « *C'est un bel hymne aux richesses que* | giquement, le mot *aumône* remonte au grec
l'éternelle condition du pauvre. » — 2 Étymolo- | *éléémosunè* qui signifie *pitié.*

Crainquebille

Le petit conte de *Crainquebille* est justement célèbre. A première vue, c'est un de ces épisodes anodins des « tribunaux comiques » où les personnages ne sont que marionnettes dont l'auteur s'amuse à tirer les fils. En réalité, tout *le problème de la justice* se trouve posé par le cas de ce malheureux, incapable de se défendre devant des juges peu soucieux de vérité et plus attentifs à un témoignage absurde qu'à une déposition sensée mais défavorable à l'autorité. On a même pu dire que ce procès était « une affaire Dreyfus en petit ». Cet art de glisser les idées graves sous un récit amusant fait songer au VOLTAIRE des *contes* et des pamphlets les plus réussis. – THÈMES : *Justice. Société. Peuple.*

CRAINQUEBILLE, *marchand des quatre-saisons, attendait le retour de sa cliente, Mme Bayard, qui était allée chercher de l'argent ; un agent l'ayant invité à circuler, le vieil homme a discuté pour gagner du temps : l'autre s'est cru insulté et l'a arrêté. Voici Crainquebille devant les juges.*

Le président Bourriche consacra six minutes pleines à l'interrogatoire de Crainquebille. Cet interrogatoire aurait apporté plus de lumière si l'accusé avait répondu aux questions qui lui étaient posées. Mais Crainquebille n'avait pas l'habitude de la discussion, et dans une telle compagnie le respect et l'effroi lui fermaient la bouche. Aussi gardait-il le silence, et le président faisait lui-même les réponses ; elles étaient accablantes [1]. Il conclut :

— Enfin vous reconnaissez avoir dit : « Mort aux vaches ! »

— J'ai dit : « Mort aux vaches ! » parce que monsieur l'agent a dit : « Mort aux vaches ! » Alors j'ai dit : « Mort aux vaches ! »

10   Il voulait faire entendre qu'étonné par l'imputation la plus imprévue il avait, dans sa stupeur, répété les paroles étranges qu'on lui prêtait faussement et qu'il n'avait certes point prononcées. Il avait dit : « Mort aux vaches ! » comme il eût dit : « Moi ! tenir des propos injurieux, l'avez-vous pu croire ? »

M. le président Bourriche ne le prit pas ainsi.

— Prétendez-vous, dit-il, que l'agent a proféré ce cri le premier ?

Crainquebille renonça à s'expliquer. C'était trop difficile.

— Vous n'insistez pas. Vous avez raison, dit le président.

Et il fit appeler les témoins.

L'agent 64, de son nom Bastien Matra, jura de dire la vérité et de

20   ne rien dire que la vérité. Puis il déposa en ces termes :

— Étant de service le 20 octobre, à l'heure de midi, je remarquai, dans la rue Montmartre, un individu qui me sembla être un vendeur ambulant et qui tenait sa charrette indûment arrêtée à la hauteur du numéro 328, ce qui occasionnait un encombrement de voitures. Je lui intimai par trois fois l'ordre de circuler, auquel il refusa d'obtempérer [2]. Et sur ce que je l'avertis que j'allais verbaliser, il me répondit en criant : « Mort aux vaches ! » ce qui me sembla être injurieux.

— 1 Dans *Monsieur Thomas,* l'auteur dénonce le procédé « qui consiste à préciser la pensée flottante des témoins », et qui aboutit à fausser la vérité. — 2 *Obéir.* Ce rapport est inexact. En réalité, Crainquebille s'est contenté de répondre qu'il *attendait* son argent. L'agent a considéré ce refus de circuler comme une insulte. Or, pour lui, « toute insulte revêtait nécessairement la forme traditionnelle, régulière, consacrée, rituelle et pour ainsi dire liturgique de "Mort aux vaches !" ».

Cette déposition, ferme et mesurée, fut écoutée avec une évidente faveur
par le Tribunal. La défense avait cité madame Bayard, cordonnière, et M. David
30 Matthieu, médecin en chef de l'hôpital Ambroise-Paré, officier de la Légion
d'honneur. Madame Bayard n'avait rien vu ni entendu. Le docteur Matthieu
se trouvait dans la foule assemblée autour de l'agent qui sommait le marchand
de circuler. Sa déposition amena un incident.

— J'ai été témoin de la scène, dit-il. J'ai remarqué que l'agent s'était mépris :
il n'avait pas été insulté. Je m'approchai et lui en fis l'observation. L'agent
maintint le marchand en état d'arrestation et m'invita à le suivre au
commissariat. Ce que je fis. Je réitérai ma déclaration devant le commissaire.

— Vous pouvez vous asseoir, dit le président. Huissier, rappelez le témoin
Matra. — Matra, quand vous avez procédé à l'arrestation de l'accusé, monsieur
40 le docteur Matthieu ne vous a-t-il pas fait observer que vous vous mépreniez ?

— C'est-à-dire, monsieur le président, qu'il m'a insulté.

— Que vous a-t-il dit ?

— Il m'a dit : « Mort aux vaches ! »
Une rumeur et des rires s'élevèrent dans l'auditoire.

— Vous pouvez vous retirer, dit le président avec précipitation.
Et il avertit le public que si ces manifestations indécentes se reproduisaient,
il ferait évacuer la salle. Cependant la défense agitait triomphalement les
manches de sa robe, et l'on pensait en ce moment que Crainquebille serait
acquitté.

50 Le calme s'étant rétabli, maître Lemerle se leva. Il commença sa plaidoirie
par l'éloge des agents de la Préfecture, « ces modestes serviteurs de la société,
qui, moyennant un salaire dérisoire, endurent des fatigues et affrontent des
périls incessants, et qui pratiquent l'héroïsme quotidien. Ce sont d'anciens
soldats, et qui restent soldats. Soldats, ce mot dit tout... ».
Et maître Lemerle s'éleva, sans effort, à des considérations très hautes sur
les vertus militaires. Il était de ceux, dit-il, « qui ne permettent pas qu'on touche
à l'armée, à cette armée nationale à laquelle il était fier d'appartenir ».
La président inclina la tête.
Maître Lemerle, en effet, était lieutenant dans la réserve. Il était aussi
60 candidat nationaliste dans le quartier des Vieilles-Haudriettes [3].
Il poursuivit : — Non certes, je ne méconnais pas les services modestes et
précieux que rendent journellement les gardiens de la paix à la vaillante
population de Paris. Et je n'aurais pas consenti à vous présenter, Messieurs,
la défense de Crainquebille si j'avais vu en lui l'insulteur d'un ancien soldat.
On accuse mon client d'avoir dit : « Mort aux vaches ! » Le sens de cette phrase
n'est pas douteux. Si vous feuilletez le *Dictionnaire de la langue verte*, vous
y lirez : « *Vachard*, paresseux, fainéant ; qui s'étend paresseusement comme
une vache, au lieu de travailler. — *Vache*, qui se vend à la police ; mouchard. »
Mort aux vaches ! se dit dans un certain monde. Mais toute la question est
70 celle-ci : Comment Crainquebille l'a-t-il dit ? Et même, l'a-t-il dit ? Permettez-
moi, messieurs, d'en douter. Je ne soupçonne l'agent Matra d'aucune mauvaise
pensée. Mais il accomplit, comme nous l'avons dit, une tâche pénible. Il est
parfois fatigué, excédé, surmené. Dans ces conditions il peut avoir été la victime
d'une sorte d'hallucination de l'ouïe. Et quand il vient vous dire, Messieurs,

---

— 3 Me Lemerle défendra assez adroitement | de railler au passage les nationalistes cocardiers,
son client. L'auteur n'en saisit pas moins l'occasion | admirateurs fanatiques de l'armée.

que le docteur David Matthieu, officier de la Légion d'honneur, médecin en chef de l'hôpital Ambroise-Paré, un prince de la science et un homme du monde, a crié : « Mort aux vaches ! », nous sommes bien forcés de reconnaître que Matra est en proie à la maladie de l'obsession, et, si le mot n'est pas trop fort, au délire de la persécution.

80   Et alors même que Crainquebille aurait crié : « Mort aux vaches ! » il resterait à savoir si ce mot a, dans sa bouche, le caractère d'un délit. Crainquebille est l'enfant naturel d'une marchande ambulante, perdue d'inconduite et de boisson, il est né alcoolique. Vous le voyez ici abruti par soixante ans de misère. Messieurs, vous direz qu'il est irresponsable. »

Maître Lemerle s'assit, et M. le président Bourriche lut entre ses dents un jugement qui condamnait Jérôme Crainquebille à quinze jours de prison et cinquante francs d'amende. Le tribunal avait fondé sa conviction sur le témoignage de l'agent Matra.

Crainquebille, chap. III (Calmann-Lévy, éditeurs).

Désormais les malheurs vont s'abattre sur CRAINQUEBILLE. *Sorti de prison, il voit la clientèle se détourner de lui, et, pour oublier son infortune, il sombre dans la boisson. Enfin, accablé de misère, il en vient à souhaiter de revenir en prison où il trouverait « le vivre et le couvert ». Pour y parvenir, il insulte un agent,* volontairement *cette fois ; mais celui-ci ne veut même pas le prendre au sérieux et l'invite à passer son chemin...*

Les Dieux ont soif

Ce roman, l'un des chefs-d'œuvre d'ANATOLE FRANCE, serait une banale histoire d'amour si l'aventure ne se déroulait *sous la Terreur,* en un temps où — selon le mot de Camille Desmoulins — les fanatiques d'un nouveau culte exigeaient des monceaux de victimes, comme ces prêtresses du Mexique qui répétaient à Montezuma : *les dieux ont soif !*

Dès la librairie paternelle, riche en documents sur la période révolutionnaire, cette époque avait passionné ANATOLE FRANCE. On peut reprocher à son livre de négliger la grandeur épique des événements, l'élan national, les victoires aux frontières ; mais nous y trouvons de remarquables *portraits de personnages historiques :* Marat, Robespierre, ou *symboliques :* le juré Gamelin, le patriote Trubert, l'aristocrate sceptique Brotteaux des Ilettes, l'opportuniste Henry, l'intrigante citoyenne Rochemaure. Nous revivons les séances du Tribunal révolutionnaire (cf. p. 96 et 97), les mouvements populaires, les arrestations, la vie des prisons ; nous faisons la queue avec des affamés devant une boulangerie ; nous suivons jusqu'à la guillotine une charrette de condamnés (cf. p. 97). Dans cette action dont le support est *historique,* l'arrière-scène est occupée par l'existence médiocre et inquiète des *gens du peuple.*

Au premier plan, enfin, le jeune peintre ÉVARISTE GAMELIN, juré au tribunal révolutionnaire, naturellement sensible et généreux, mais pris dans l'engrenage de la Terreur. Le vertueux jacobin proclame que « la Révolution fera pour des siècles le bonheur du genre humain », mais que ce but ne peut être atteint avant l'exécution du dernier ennemi de la République. Gardant l'illusion de son incorruptible pureté, il en vient à accepter les iniquités de la justice expéditive, à condamner ses anciens amis, à confondre ses ennemis personnels avec ceux de la patrie.

Ces peintures sont *pathétiques* dans leur *sobriété.* Elles respirent *l'horreur de l'intolérance et du fanatisme.* L'auteur, qui avait d'abord songé à dépeindre un Inquisiteur, semble avoir voulu faire de son héros le vivant commentaire de cette formule qu'il avait jadis prêtée à JÉRÔME COIGNARD : « Quand on veut rendre les hommes bons et sages, libres, modérés, généreux, on est amené fatalement à vouloir les tuer tous. » Engagé par sa générosité à prêter son nom aux partis avancés, mais gagné par le pessimisme, le « bon maître » soulignait ainsi *l'écueil des attitudes extrêmes.* Il continuait à railler la médiocrité des hommes et le caractère relatif de leur justice, mais plus qu'autrefois l'ironie du philosophe se nuançait maintenant de *sympathie* et de *pitié.*

AU TRIBUNAL RÉVOLUTIONNAIRE

Dans sa *sobriété évocatrice*, cette page nous donne l'impression d'assister réellement à une de ces terribles séances du Tribunal révolutionnaire. Elle est surtout remarquable par la reconstitution de *l'état d'esprit des jurés* : ardemment dévoués à l'intérêt de « la nation », obsédés par l'invasion et par la subversion intérieure, soumis à la pression de la foule et écrasés par leur propre responsabilité, toute ombre de clémence leur semble une faiblesse coupable. Pourtant, si l'auteur s'efforce d'*expliquer* ainsi leurs atroces sentences, il refuse de faire de ces juges des héros à l'antique : il ne nous dissimule ni la confusion des débats, ni la médiocrité des esprits, ni le fanatisme aveugle du public. L'*ironie* est ici une des formes de l'*objectivité*. – THÈMES : *Histoire. Justice. Société.*

Évariste Gamelin siégeait au Tribunal pour la deuxième fois. Avant l'ouverture de l'audience il s'entretenait, avec ses collègues du jury, des nouvelles arrivées le matin. Il y en avait d'incertaines et de fausses ; mais ce qu'on pouvait retenir était terrible. Les armées coalisées, maîtresses de toutes les routes, marchant d'ensemble, la Vendée victorieuse, Lyon insurgé, Toulon livré aux Anglais, qui y débarquaient quatorze mille hommes.

C'était autant pour ces magistrats des faits domestiques que des événements intéressant le monde entier. Sûrs de périr si la patrie périssait, ils
10 faisaient du salut public leur affaire propre. Et l'intérêt de la nation, confondu avec le leur, dictait leurs sentiments, leurs passions, leur conduite.

Gamelin reçut à son banc une lettre de Trubert, secrétaire du Comité de défense ; c'était l'avis de sa nomination de commissaire des poudres et des salpêtres.

Tu fouilleras toutes les caves de la section pour en extraire les substances nécessaires à la fabrication de la poudre. L'ennemi sera peut-être demain devant Paris : il faut que le sol de la patrie nous fournisse la foudre que nous lancerons à ses agresseurs. Je t'envoie ci-contre une instruction de la Convention relative au traitement des salpêtres. Salut et fraternité.

A ce moment, l'accusé fut introduit. C'était un des derniers de ces
20 généraux vaincus que la Convention livrait au Tribunal, et le plus obscur. A sa vue, Gamelin frissonna : il croyait revoir ce militaire que, mêlé au public, il avait vu, trois semaines auparavant, juger et envoyer à la guillotine. C'était le même homme, l'air têtu, borné : ce fut le même procès. Il répondait d'une façon sournoise et brutale qui gâtait ses meilleures réponses. Ses chicanes, ses arguties, les accusations dont il chargeait ses subordonnés, faisaient oublier qu'il accomplissait la tâche respectable de défendre son honneur et sa vie. Dans cette affaire, tout était incertain, contesté, position des armées, nombre des effectifs, munitions, ordres donnés, ordres reçus, mouvements des troupes : on ne savait rien.
30 Personne ne comprenait rien à ces opérations confuses, absurdes, sans but, qui avaient abouti à un désastre, personne, pas plus le défenseur et l'accusé lui-même que l'accusateur, les juges et les jurés, et, chose étrange, personne n'avouait à autrui ni à soi-même qu'il ne comprenait pas. Les juges se plaisaient à faire des plans, à disserter sur la tactique et sur la stratégie ; l'accusé trahissait ses dispositions naturelles pour la chicane.

On disputait sans fin. Et Gamelin, durant ces débats, voyait sur les âpres routes du Nord les caissons embourbés et les canons renversés dans les ornières, et, par tous les chemins, défiler en désordre les colonnes vaincues, tandis que la cavalerie ennemie débouchait de toutes parts par
40 les défilés abandonnés. Et il entendait de cette armée trahie monter une immense clameur qui accusait le général. A la clôture des débats, l'ombre emplissait la salle et la figure indiscrète de Marat apparaissait comme un fantôme sur la tête du président. Le jury appelé à se prononcer était partagé. Gamelin d'une voix sourde, qui s'étranglait dans sa gorge, mais d'un ton résolu, déclara l'accusé coupable de trahison envers la République et un murmure approbateur, qui s'éleva dans la foule, vint caresser sa jeune vertu. L'arrêt fut lu aux flambeaux, dont la lueur livide tremblait sur les tempes creuses du condamné où l'on voyait perler la sueur. A la sortie, sur les degrés où grouillait la foule des commères encocardées,
50 tandis qu'il entendait murmurer son nom, que les habitués du Tribunal commençaient à connaître, Gamelin fut assailli par les tricoteuses qui, lui montrant le poing, réclamaient la tête de l'Autrichienne.

Les Dieux ont soif, chap. XIII (Calmann-Lévy, éditeurs).

Mort d'Évariste Gamelin

Après Thermidor, *les rôles sont renversés.* Mais ici encore ANATOLE FRANCE promène un regard sceptique sur la tragédie révolutionnaire. Si les juges impitoyables sont maintenant au banc des accusés, la justice reste toujours aussi boiteuse, avec son formalisme dérisoire, ses témoins sans scrupules, ses « spectateurs » sanguinaires. Et GAMELIN, prisonnier jusqu'au bout de son fanatisme, se reproche de n'avoir pas versé assez de sang : c'est le terrible dilemme de ces périodes d'exception où il faut consentir à être bourreau ou victime. Seul l'amour semble jeter ici quelques notes d'une douceur navrante ; mais l'auteur reste *sans illusion :* la maîtresse de GAMELIN s'empressera de profaner les pauvres vestiges de leur amour. – THÈMES : *Justice. Société. Mort.*

É variste, qui avait repris quelque force [1] et pouvait presque se tenir sur ses jambes, fut tiré de son cachot, amené au Tribunal et placé sur l'estrade qu'il avait tant de fois vue chargée d'accusés, où s'étaient assises tour à tour tant de victimes illustres ou obscures. Elle gémissait maintenant sous le poids de soixante-dix individus, la plupart membres de la Commune, et quelques-uns jurés comme Gamelin, mis comme lui hors la loi. Il revit son banc, le dossier sur lequel il avait coutume de s'appuyer, la place d'où il lui avait fallu subir le regard de Jacques Maubel [2], de Fortuné Chassagne [3], de Maurice Brotteaux [4], les yeux suppliants de la citoyenne Rochemaure, qui
10 l'avait fait nommer juré et qu'il en avait récompensée par un verdict de mort. Il revit, dominant l'estrade où les juges siégeaient sur trois fauteuils d'acajou garnis de velours d'Utrecht rouge, les bustes de Chalier et de Marat, et ce buste de Brutus qu'il avait un jour attesté [5]. Rien n'était changé, ni les haches, les faisceaux, les bonnets rouges du papier de tenture, ni les outrages jetés

---

— 1 Il avait tenté de se poignarder. — 2 Gamelin le prenait à tort pour son rival. — 3 Un « aristocrate », amant de la sœur d'Évariste. | — 4 *Brotteaux des Ilettes,* aristocrate ruiné, est un épicurien dont les jugements sceptiques expriment souvent la pensée de l'auteur. — 5 En condamnant Chassagne.

par les tricoteuses des tribunes à ceux qui allaient mourir, ni l'âme de Fouquier-Tinville [6], têtu, laborieux, remuant avec zèle ses papiers homicides, et envoyant, magistrat accompli, ses amis de la veille à l'échafaud.

Les citoyens Remacle, portier tailleur, et Dupont aîné, menuisier place de Thionville, membre du comité de surveillance de la section du Pont-Neuf, 20 reconnurent Gamelin (Évariste), artiste peintre, ex-juré au Tribunal révolutionnaire, ex-membre du conseil général de la Commune. Ils témoignaient pour un assignat de cent sols, aux frais de la section ; mais, parce qu'ils avaient eu des rapports de voisinage et d'amitié avec le proscrit, ils éprouvaient de la gêne à rencontrer son regard. Au reste, il faisait chaud : ils avaient soif et étaient pressés d'aller boire un verre de vin.

Gamelin fit effort pour monter dans la charrette : il avait perdu beaucoup de sang, et sa blessure le faisait cruellement souffrir. Le cocher fouetta sa haridelle, et le cortège se mit en marche au milieu des huées.

Des femmes qui reconnaissaient Gamelin lui criaient : « Va donc ! buveur 30 de sang ! Assassin à dix-huit francs par jour !... Il ne rit plus : voyez comme il est pâle, le lâche ! » C'étaient les mêmes femmes qui insultaient naguère les conspirateurs et les aristocrates, les exagérés et les indulgents envoyés par Gamelin et ses collègues à la guillotine.

La charrette tourna sur le quai des Morfondus, gagna lentement le Pont-Neuf et la rue de la Monnaie ; on allait à la place de la Révolution, à l'échafaud de Robespierre. Le cheval boitait ; à tout moment, le cocher lui effleurait du fouet les oreilles. La foule des spectateurs, joyeuse, animée, retardait la marche de l'escorte. Le public félicitait les gendarmes, qui retenaient leurs chevaux. Au coin de la rue Honoré, les insultes redoublèrent. Des jeunes gens, attablés 40 à l'entresol, dans les salons des traiteurs à la mode, se mirent aux fenêtres, leur serviette à la main, et crièrent : « Cannibales, anthropophages, vampires ! »

La charrette ayant buté dans un tas d'ordures qu'on n'avait pas enlevées en ces deux jours de troubles, la jeunesse dorée éclata de joie :

« Le char embourbé !... Dans la gadoue, les jacobins ! »

Gamelin songeait, et il crut comprendre. « Je meurs justement, pensa-t-il. Il est juste que nous recevions ces outrages jetés à la République et dont nous aurions dû la défendre. Nous avons été faibles ; nous nous sommes rendus coupables d'indulgence. Nous avons trahi la République. Nous avons mérité notre sort. Robespierre lui-même, le pur, le saint, a péché par douceur, par 50 mansuétude ; ses fautes sont effacées par son martyre. À son exemple, j'ai trahi la République ; elle périt ; il est juste que je meure avec elle. J'ai épargné le sang : que mon sang coule ! Que je périsse ! je l'ai mérité... »

Tandis qu'il songeait ainsi, il aperçut l'enseigne de l'*Amour peintre* [7], et des torrents d'amertume et de douceur roulèrent en tumulte dans son cœur.

Le magasin était fermé, les jalousies des trois fenêtres de l'entresol entièrement rabattues. Quand la charrette passa devant la fenêtre de gauche, la fenêtre de la chambre bleue, une main de femme, qui portait à l'annulaire une bague d'argent [8], écarta le bord de la jalousie et lança vers Gamelin un œillet rouge que ses mains liées ne purent saisir, mais qu'il adora comme le symbole et l'image 60 de ces lèvres rouges et parfumées dont s'était rafraîchie sa bouche. Ses yeux se gonflèrent de larmes et ce fut tout pénétré du charme de cet adieu qu'il vit se lever sur la place de la Révolution le couteau ensanglanté.

Les Dieux ont soif, chap. XXVIII (Calmann-Lévy, éditeurs).

———————————

— 6 *Accusateur public.* — 7 Où demeure sa maîtresse. — 8 Bague de fiançailles, offerte par Gamelin.

PAUL BOURGET

Sa vie, son œuvre   Paul BOURGET (1852-1935) avait reçu de son père, professeur à la Faculté des sciences de Clermont, le sens de la logique et de la précision scientifique, qui s'affirmera sous l'influence de TAINE. Lui-même professeur dans une institution privée, il s'imposa d'abord comme critique par ses *Essais de psychologie contemporaine* (1883-1886). Ses premiers romans sont consacrés à l'analyse psychologique : *Cruelle Énigme* (1885), *André Cornélis* (1887). Mais, estimant qu'après avoir étudié les maladies de l'âme, il a le *devoir* d'en indiquer « le remède », il entre dans la voie du roman moral avec *Le Disciple* (1889) et *Cosmopolis* (1893). Après 1901, date de son retour au catholicisme qu'il avait abandonné vers 1867, cette tendance va s'accentuer dans *L'Étape* (1902), *Un divorce* (1904), *L'Émigré* (1907), *Le Démon de midi* (1914), *Le Sens de la mort* (1916), *Nos actes nous suivent* (1927).

Il était devenu le romancier des milieux catholiques et traditionalistes, chef de file d'une tendance représentée par René BAZIN (*La terre qui meurt,* 1899 ; *Le blé qui lève,* 1907) et Henry BORDEAUX (*Les Roquevillard,* 1906 ; *La Neige sur les pas,* 1911).

« Le roman à idées »   1. LES IDÉES. Moraliste, BOURGET veut *« du pathétique qui fasse penser »* : son œuvre est un plaidoyer pour la tradition et l'ordre social. Il s'élève contre le divorce (*Un divorce*), souligne la permanence des caractères raciaux *(Cosmopolis)*, admire la vieille noblesse (*L'Émigré*), n'admet l'ascension des individus qu'à condition de ne pas brûler les étapes (*L'Étape*). Hostile au scientisme et à l'incroyance, il prône le retour au spiritualisme (*Le Disciple*) et au catholicisme (*Le Sens de la mort*). Aussi s'en prend-il à la démocratie, qu'il accuse de niveler élites et fortunes, d'opposer les classes, de former des individualistes ambitieux et aigris.

S'agit-il de romans à thèse ? BOURGET n'accepte pas ce reproche. Loin de subordonner à une thèse préconçue la vérité de la peinture, le *roman à idées,* tel qu'il le définit, repose sur une observation impartiale : la leçon qui s'en dégage est celle qu'on tirerait de la vie elle-même. A l'en croire, d'ailleurs, il n'a rien de dogmatique : il se contente de suggérer une hypothèse, et même si cette dernière était fausse, ses analyses psychologiques garderaient toute leur valeur.

2. L'ANALYSE PSYCHOLOGIQUE. Sa faculté maîtresse était, disait-il, *« l'imagination des sentiments »,* l'aptitude à revivre ses émotions et à imaginer celles d'autrui. Il rejette le déterminisme physiologique de ZOLA et explique les individus par leur *vie intérieure* : tout un réseau de sentiments dont chacun a sa cause et ses conséquences. Disciple de TAINE, Bourget conduit ces analyses avec une *rigoureuse méthode* (cf. p. 102). Il a l'art de discerner les enchaînements complexes qui aboutissent à dégager *l'unité du monde moral :* selon lui, « la vie n'est incohérente que pour les intelligences incapables de démêler les causes ». Cette *« anatomie morale »* réduit à peu de chose le rôle de la liberté et de la volonté : dans sa passion de tout expliquer, BOURGET échappe difficilement à ce *déterminisme* qu'il condamne comme un danger social.

3. L'ART DU ROMANCIER. Psychologue avant tout, BOURGET est un médiocre observateur du monde matériel et subordonne ses descriptions à l'*étude morale*. Ses analyses valent par la minutie, la clarté, la vigueur de l'enchaînement *logique* ; mais son style est abstrait et pesant, ses personnages sont parfois trop bien construits. Ce qu'on peut toujours admirer, c'est son *« métier »* de romancier : art de susciter la crise qui déchaîne les passions et dévoile les caractères, sens de l'intensité dramatique (cf. p. 104), peinture de la souffrance et des troubles de l'âme (cf. p. 102). Toutefois son *parti pris* est trop visible et on se lasse de ce ton *didactique* et *oratoire* (cf. p. 100-101).

Le Disciple   Lecteur passionné, BOURGET fut hanté de bonne heure
par la responsabilité morale de l'écrivain. Il en avait pris
conscience en consacrant ses *Essais de psychologie contemporaine* aux auteurs qui l'avaient
le plus influencé : Renan, Baudelaire, Flaubert, Stendhal, Taine. Dans *Le Disciple* (1889),
il compose en partie à l'image de TAINE, le maître qu'il admirait, le personnage de SIXTE,
sorte de saint laïque, dont pourtant les doctrines ont les pires conséquences morales et
sociales. Quant au « disciple », s'il ressemble à Julien Sorel, il doit beaucoup à la
pénétration psychologique et à la sensibilité de l'auteur lui-même.

*Professeur « le déterminisme le plus complet », le philosophe ADRIEN SIXTE est interrogé
sur ROBERT GRESLOU, qui se dit son disciple et qui est accusé d'avoir empoisonné une jeune
fille. Il se souvient de l'avoir reçu deux fois seulement. Pourtant la mère de l'accusé vient
supplier le philosophe, tant admiré par son fils, de l'aider. Elle lui remet les* Mémoires *de
Robert, qui devraient s'intituler* Confessions d'un jeune homme d'aujourd'hui. *Appliquant
à son propre cas la méthode de Taine,* GRESLOU *commence par exposer ses « hérédités » qui
ont fait de lui un logicien peu doué pour l'action, et un nerveux incapable de résister à ses
désirs. Il étudie ensuite son « milieu d'idées » : lectures romantiques, puis enthousiasme pour
la philosophie d'Adrien* SIXTE *qui l'a détaché de la foi et persuadé que, la vie de l'âme elle-même
étant soumise au déterminisme, les notions de bien et de mal sont purement conventionnelles.
Pour gagner sa vie,* ROBERT GRESLOU *devient précepteur chez M. de Jussat-Randon, en
Auvergne. Dès son arrivée au château, il se trouve en présence du comte* ANDRÉ, *brillant
officier, et de la jeune* CHARLOTTE.

UNE FROIDE ENTREPRISE DE SÉDUCTION

« Il y a toujours eu en moi deux personnes distinctes, une qui allait, venait, agissait, sentait,
et une autre qui regardait la première aller, venir, agir, sentir, avec une impassible curiosité »
(IV, 1). En prêtant au jeune philosophe ROBERT GRESLOU cette faculté de dédoublement,
l'auteur justifiait la *lucidité* de cette confession, précise comme une dissection. Paul BOURGET
a le secret de ces *analyses fouillées*, rendues trop parfaites peut-être par le *déterminisme
rigoureux* qui préside, dans sa sécheresse, à cette algèbre de l'âme.
THÈMES : *Amour. Psychologie. Morale. Liberté (et déterminisme).*

L̲e travail par lequel une émotion s'élabore en nous et finit par se
résoudre dans une idée reste si obscur que cette idée est parfois
précisément le contraire de ce que le raisonnement simple aurait prévu.
N'eût-il pas été naturel, par exemple, que l'antipathie admirative
soulevée en moi par la rencontre du comte André [1] aboutît soit à une
répulsion déclarée, soit à une admiration définitive ? Dans le premier cas,
j'eusse dû me rejeter davantage vers la Science, et, dans l'autre, souhaiter
une moralité plus active, une virilité plus pratique dans mes actes ? Oui,
j'eusse dû. Mais le naturel de chacun, c'est sa nature. La mienne voulait
10 que, par une métamorphose dont je vous ai marqué de mon mieux les
degrés, l'antipathie admirative pour le comte devînt chez moi un principe
de critique à mon propre égard [2], que cette critique enfantât une théorie

---

— 1 Frère aîné de Charlotte de Jussat. —
2 Cf. « Il n'y a rien de bien original, je crois,
dans cet état d'âme d'un homme qui, ayant
cultivé à l'excès en lui-même la faculté de penser,
rencontre un autre homme ayant cultivé au même
degré la faculté d'agir, et qui se sent tourmenté
de nostalgie devant cette action pourtant
méprisée. »

un peu nouvelle de la vie [3], que cette théorie réveillât ma disposition native aux curiosités passionnelles, que le tout se fondît en une nostalgie des expériences sentimentales et que, juste à ce moment, une jeune fille se rencontrât dans mon intimité, dont la seule présence aurait suffi pour provoquer le désir de lui plaire chez tout jeune homme de mon âge. Mais j'étais trop intellectuel pour que ce désir naquît dans mon cœur sans avoir traversé ma tête. Du moins, si j'ai subi le charme de grâce et de délicatesse
20 qui émanait de cette enfant de vingt ans, je l'ai subi en croyant que je raisonnais. Il y a des heures où je me demande s'il en a été ainsi, où toute mon histoire m'apparaît comme plus simple, où je me dis : « J'ai tout bonnement été amoureux de Charlotte, parce qu'elle était jolie, fine, tendre, et que j'étais jeune ; puis je me suis donné des prétextes de cerveau parce que j'étais un orgueilleux d'idées qui ne voulait pas avoir aimé comme un autre. » Quel soulagement quand je parviens à me parler de la sorte ! Je peux me plaindre moi-même, au lieu de me faire horreur, comme cela m'arrive lorsque je me rappelle ce que j'ai pensé alors, cette froide résolution caressée dans mon esprit, consignée dans mes cahiers,
30 vérifiée, hélas ! dans les événements, la résolution de séduire cette enfant sans l'aimer, par pure curiosité de psychologue, pour le plaisir d'agir, de manier une âme vivante, moi aussi, d'y contempler à même et directement ce mécanisme des passions jusque-là étudié dans les livres, pour la vanité d'enrichir mon intelligence d'une expérience nouvelle [4]. Mais oui, c'est bien ce que j'ai voulu, et je ne pouvais pas ne pas le vouloir [5], dressé comme j'étais par ces hérédités, par cette éducation que je vous ai dites, transplanté dans le milieu nouveau où me jetait le hasard, et mordu, comme je le fus, par ce féroce esprit de rivalité envers cet insolent jeune homme, mon contraire.
40 Et pourtant, qu'elle était digne de rencontrer un autre que moi, qu'une froide et meurtrière machine à calcul mental, cette fille si pure et si vraie ! Rien que d'y songer me fend soudain le cœur et me déchire, moi qui me voudrais sec et précis comme un diagnostic de médecin [...]. Je ne me lassais pas, dès ce début de notre connaissance, de constater le contraste entre l'animal de combat qu'était le comte et cette créature de grâce et de douceur qui descendait les escaliers de pierre du château d'un pas si léger, posé à peine, et dont le sourire était si accueillant à la fois et si timide ! J'oserai tout dire, puisque encore une fois je n'écris pas ceci pour me peindre en beau, mais pour me montrer. Je n'affirmerais pas que le désir
50 de me faire aimer par cette adorable enfant, dans l'atmosphère de laquelle je commençais de tant me plaire, n'ait pas eu aussi pour cause ce contraste entre elle et son frère. Peut-être l'âme de cette jeune fille, que je voyais

---

— 3 Cf. « Je songeais : Un homme qui vaudrait celui-ci par l'action et qui me vaudrait par la pensée, celui-là serait vraiment l'homme supérieur que j'ai souhaité d'être. » — 4 Sixte déplore que « *d'insolubles difficultés de code et de mœurs* » contraignent le psychologue à s'en tenir « *aux expériences instituées par la nature et le hasard* », au lieu de pratiquer l'expérimentation comme dans les sciences de la nature. — 5 Écho du déterminisme de Taine : influence de la race, du milieu et du moment.

toute pleine de ce frère si différent, devint-elle comme un champ de
bataille pour la secrète, pour l'obscure antipathie que deux semaines de
séjour commun transformèrent aussitôt en haine. Oui, peut-être se
cachait-il, dans mon désir de séduction, la cruelle volupté d'humilier ce
soldat, ce gentilhomme, ce croyant, en l'outrageant dans ce qu'il avait
au monde de plus précieux. Je sais que c'est horrible, mon cher maître,
ce que je dis là, mais je ne serais pas digne d'être votre élève, si je ne
vous donnais ce document aussi sur l'arrière-fond de mon cœur. Et, après
tout, ce ne serait, cette nuance odieuse de sensations, qu'un phénomène
nécessaire [6], comme les autres, comme la grâce romanesque de Charlotte,
comme l'énergie simple de son frère et comme mes complications à moi,
— si obscures à moi-même !   *Le Disciple*, IV, 3 (Arthème Fayard, éd.).

Robert GRESLOU *entreprend donc de séduire* CHARLOTTE *par l'application « scientifique »
des principes de Sixte dans sa* Théorie des Passions. *Il apitoie la jeune fille par une feinte
mélancolie, il la rend jalouse, il choisit les lectures qui doivent l'émouvoir... Au moment où
il comprend qu'il est aimé, elle s'enfuit à Paris pour échapper à la tentation et accepte pour
fiancé un ami de son frère.* GRESLOU *découvre alors qu'il s'est pris à son propre piège : il
est éperdument amoureux à son tour. Mais voici que* CHARLOTTE *est rappelée brusquement
au château, au chevet de son jeune frère. Dès le premier regard,* ROBERT *reconnaît qu'elle
l'aime encore et qu'elle est à la torture. Il décide alors de se suicider. Mais le désir de la
revoir* sera le plus fort.

Entre deux tentations

Rien de plus saisissant que cette évocation : V. Hugo l'eût intitulée *« une tempête sous
un crâne ».* L'objectivité scientifique interdisait cette fois au psychologue de tout expliquer
avec sa lucidité habituelle. S'il subsiste des mobiles parfaitement clairs, il était impossible
de rendre compte, pas à pas, du cheminement de la pensée jusqu'à l'idée du suicide.
Devant *le mystère de l'inconscient,* l'analyste a dû abdiquer et se contenter de noter, en
« spectateur », les manifestations du désordre intérieur. L'écrivain, parfois inégal, se
heurtait ici à des difficultés peut-être insurmontables : à travers la *netteté de l'observation,*
suggérer le *trouble de l'âme* et faire sentir que le froid calculateur s'était mis à aimer
vraiment. En revanche, la peinture de *la tentation* est digne des analyses raciniennes et,
par son *art de nous tenir en suspens,* le romancier nous rappelle STENDHAL dont il s'est
sans doute inspiré. – THÈMES : *Psychologie. Amour. Mort. Morale. Littérature.*

J e ne me rappelle pas une réflexion, pas une combinaison. Je me rappelle
des sensations tourbillonnantes, quelque chose de brûlant, de frénétique,
d'intolérable, une terrassante névralgie de tout mon être intime, une lancination
continue, et, — grandissant, grandissant toujours, le rêve d'en finir, un projet
de suicide... Commencé où, quand, à propos de quelle souffrance particulière ?
Je ne peux pas le dire... Vous le voyez bien, que j'ai aimé vraiment, dans ces
instants-là, puisque toutes mes subtilités s'étaient fondues à la flamme de cette
passion, comme du plomb dans un brasier ; puisque je ne trouve pas matière
à une analyse dans ce qui fut une réelle aliénation, une abdication de tout
10   mon Moi ancien dans le martyre.
Cette idée de la mort sortie des profondeurs intimes de ma personne, cet
obscur appétit du tombeau dont je me sentis possédé comme d'une soif et d'une

---

— 6 Greslou parle en disciple de Sixte, qui | ni vertu. Nos volitions sont des faits d'un certain
déclarait : « Pour le philosophe il n'y a ni crime | ordre régis par certaines lois, voilà tout. »

faim physiques, vous y reconnaîtriez, mon cher maître, une conséquence
nécessaire de cette maladie de l'Amour, si admirablement étudiée par vous.
Ce fut, retourné contre moi-même, cet instinct de destruction dont vous signalez
le mystérieux éveil dans l'homme en même temps que l'instinct du sexe. Cela
s'annonça d'abord par une lassitude infinie, lassitude de tant sentir sans rien
exprimer jamais. Car, je vous le répète, l'angoisse des yeux de Charlotte, quand
ces yeux rencontraient les miens, la défendait plus que n'auraient fait toutes
20   les paroles. D'ailleurs, nous n'étions jamais seuls, sinon parfois quelques minutes
au salon, par hasard, et ces quelques minutes se passaient dans un de ces silences
imbrisables qui vous prennent à la gorge comme avec une main. Parler alors
est aussi impossible que pour un paralytique de remuer ses pieds. Un effort
surhumain n'y suffirait pas. On éprouve combien l'émotion, à un certain degré
d'intensité, devient incommunicable. On se sent emprisonné, muré dans son
Moi, et l'on voudrait s'en aller de ce Moi malheureux, se plonger, se rouler,
s'abîmer dans la fraîcheur de la mort où tout s'abolit. Cela continua par une
délirante envie de marquer sur le cœur de Charlotte une empreinte qui ne pût
s'effacer, par un désir insensé de lui donner une preuve d'amour contre laquelle
30   ne pussent jamais prévaloir ni la tendresse de son futur mari, ni l'opulence du
décor social où elle allait vivre. « Si je meurs du désespoir d'être séparé d'elle
pour toujours, il faudra bien qu'elle se souvienne longtemps, longtemps, du
simple précepteur, du petit provincial capable de cette énergie dans ses
sentiments !... » Il me semble que je me suis formulé ces réflexions-là. Vous voyez,
je dis : « Il me semble. » Car, en vérité, je ne me suis pas compris durant toute
cette période. Je ne me suis pas reconnu dans cette fièvre de violence et de
tragédie dont je fus consumé. A peine si je démêle sous ce va-et-vient effréné
de mes pensées une autosuggestion, comme vous dites. Je me suis hypnotisé
moi-même, et c'est comme un somnambule que j'ai arrêté de me tuer à tel jour,
40   à telle heure, que je suis allé chez le pharmacien me procurer la fatale bouteille
de noix vomique. Au cours de ces préparatifs et sous l'influence de cette
résolution, je n'espérais rien, je ne calculais rien. Une force vraiment étrangère
à ma propre conscience agissait en moi. Non. A aucun moment je n'ai été, comme
à celui-là, le spectateur, j'allais dire désintéressé, de mes gestes, de mes pensées
et de mes actions, avec une extériorité presque absolue de la personne agissante
par rapport à la personne pensante. — Mais j'ai rédigé une note sur ce point,
vous la trouverez sur la feuille de garde, dans mon exemplaire du livre de Brierre
de Boismont consacré au suicide. — J'éprouvais à ces préparatifs une sensation
indéfinissable de rêve éveillé, d'automatisme lucide. J'attribue ces phénomènes
50   étranges à un désordre nerveux voisin de la folie et causé par les ravages de
l'idée fixe. Ce fut seulement le matin du jour choisi pour exécuter mon projet
que je pensai à une dernière tentative auprès de Charlotte. Je m'étais mis à
ma table pour lui écrire une lettre d'adieu. Je la vis lisant cette lettre et cette
question se posa soudain à moi : « Que fera-t-elle ? » Était-il possible qu'elle
ne fût pas remuée par cette annonce de mon suicide possible ? N'allait-elle
pas se précipiter pour l'empêcher ? Oui, elle courrait à ma chambre. Elle me
trouverait mort... A moins que je n'attendisse, pour me tuer, l'effet de cette
dernière épreuve ?... — Là, je suis bien sûr d'y voir clair en moi. Je sais que
cette espérance naquit exactement ainsi et précisément à ce point de mon projet.
60   « Hé bien ! me dis-je, essayons. » J'arrêtai que si, à minuit, elle n'était pas venue
chez moi, je boirais le poison. J'en avais étudié les effets. Je le savais quasi
foudroyant, et j'espérais souffrir très peu de temps. Il est étrange que toute

cette journée se soit passée pour moi dans une sérénité singulière. Je dois noter cela encore. J'étais comme allégé d'un poids, comme réellement détaché de moi-même, et mon anxiété ne commença que vers dix heures, quand, m'étant retiré le premier, j'eus placé la lettre sur la table dans la chambre de la jeune fille. A dix heures et demie, j'entendis par ma porte entr'ouverte le marquis, la marquise et elle qui montaient. Ils s'arrêtèrent pour causer une dernière minute dans les couloirs, puis ce furent les bonsoirs habituels et l'entrée de chacun dans
70 sa chambre... Onze heures. Onze heures un quart. Rien encore. Je regardais ma montre posée devant moi, auprès de trois lettres préparées, pour M. de Jussat, pour ma mère et pour vous, mon cher maître. Mon cœur battait à me rompre la poitrine, mais la volonté était ferme et froide. J'avais annoncé à Mlle de Jussat qu'elle ne me reverrait pas le lendemain. J'étais sûr de ne pas manquer à ma parole si... Je n'osais creuser ce que ce si enveloppait d'espérance. Je regardais marcher l'aiguille des secondes et je faisais un calcul machinal, une multiplication exacte : « A soixante secondes par minute, je dois voir l'aiguille tourner encore tant de fois, car à minuit je me tuerai... ». Un bruit de pas dans l'escalier, et que je perçus tout furtif, tout léger, avec une émotion suprême, me fit interrompre
80 mon calcul. Ces pas s'approchaient. Ils s'arrêtèrent devant ma porte. Brusquement cette porte s'ouvrit. Charlotte était devant moi.

Le Disciple, IV, 6 (Arthème Fayard, éditeur).

Après s'être juré de mourir ensemble, les deux jeunes gens cèdent à leur passion ; mais le lendemain matin, GRESLOU *n'a pas le courage de sacrifier leurs deux existences. Sur le point de quitter le château, il a un dernier entretien avec* CHARLOTTE *qui le traite avec mépris. Elle lui révèle qu'après s'être donnée à lui, elle a forcé la serrure de son* Journal, *surprenant ainsi le secret de son odieuse entreprise de séduction, et qu'elle a écrit à son frère, le comte* ANDRÉ, *pour lui avouer son déshonneur. Sur l'ordre de Charlotte,* GRESLOU *s'enfuit le lendemain ; mais à peine arrivé à Clermont, il se voit accusé d'empoisonnement. Il a, depuis, reconstitué les faits : après son départ,* CHARLOTTE *a dû absorber la noix vomique qu'il avait achetée pour son propre suicide. La fuite, l'achat du poison, tout accusait le jeune homme. Il aurait pu se disculper en produisant son* Journal ; *mais il a préféré le brûler et se taire, pour sauver l'honneur de celle qu'il aimait. Il s'assure ainsi l'avantage sur le comte* ANDRÉ *qui est au courant du suicide de sa sœur, mais garde le silence, immolant un* innocent *à son honneur.*

La responsabilité de l'écrivain

« *J'ai vécu avec votre pensée et de votre pensée...* A rencontrer la phrase où Robert Greslou se déclarait lié à lui par un lien aussi étroit qu'imbrisable, le grand psychologue avait tressailli, et il avait tressailli de même à chaque rappel nouveau de son nom dans cette singulière analyse, à chaque citation d'un de ses ouvrages qui lui prouvait le droit de cet abominable jeune homme à se dire son élève. Une fascination faite d'horreur et de curiosité l'avait contraint d'aller d'un trait jusqu'au bout de ce fragment de biographie dans lequel ses idées, ses chères idées, sa Science, sa chère Science, apparaissaient unies à des actes honteux. Ah ! si elles y avaient été seulement unies ! mais non, ces idées, cette Science, l'accusé de Riom les revendiquait comme l'excuse, comme la cause de la plus monstrueuse, de la plus complaisante dépravation ! Cette sinistre histoire d'une séduction si bassement poussée, d'une trahison si noire, d'un suicide si mélancolique, le mettait face à face avec la plus affreuse vision : celle de sa pensée agissante et corruptrice, lui qui avait vécu dans le plus entier renoncement et avec un idéal quotidien de pureté. »

Adrien SIXTE *se décide à écrire au comte* ANDRÉ. *Tourmenté de remords et sachant qu'un autre connaît le secret, le comte finit par révéler au jury que sa sœur s'est suicidée.* GRESLOU *est libéré ; mais le comte* ANDRÉ *le tue d'un coup de revolver. La* scène finale *nous montre Adrien* SIXTE *en pleurs au chevet de son « disciple », sentant monter à son cœur « la seule oraison qu'il se rappelât de sa lointaine enfance :* Notre Père qui êtes aux cieux... ».

ROMAIN ROLLAND

Sa vie (1866-1944) Fils de notaire, ROMAIN ROLLAND est né à Clamecy (Nièvre) où il commence ses études. Il les poursuit au lycée Louis-le-Grand, puis entre à l'École normale supérieure (1886).

I. LE NORMALIEN ÉCLECTIQUE. Il se destinait à la philosophie, mais, rebuté par les doctrines officielles et refusant de « mentir » au concours, il opte pour l'agrégation d'histoire (1889). Il est envoyé à l'École française de Rome et il retournera en Italie pour y rassembler les éléments d'une thèse. Philosophe, historien, correspondant de Tolstoï, il témoigne d'un bel éclectisme, car ses thèses portent sur les *Origines du théâtre lyrique moderne* et les *Causes du déclin de la peinture italienne au XVIᵉ siècle* (1895).

II. DU DRAME AU ROMAN (1895-1914). A l'École normale d'abord, puis, de 1904 à 1912, à la Sorbonne, il enseigne l'histoire de l'art et publie des *Vies des hommes illustres : Beethoven* (1903), *Michel-Ange* (1906), *Haendel* (1910), *Tolstoï* (1911).

Le THÉÂTRE fut sa première vocation. Après avoir esquissé un cycle de *Tragédies de la Foi (Saint Louis),* il se consacre à son *Théâtre de la Révolution : Les Loups* (1898), *Le Triomphe de la Raison* (1899), *Danton* (1900), *Le 14 Juillet* (1902) — vaste ensemble qu'il complétera, plus de vingt ans après, avec *Le Jeu de l'amour et de la mort* (1925), *Pâques fleuries* (1926), *Les Léonides* (1928), *Robespierre* (1939). Son ambition est de renouveler le genre tragique par ces *« épopées dramatiques »* où s'affrontent des tempéraments animés par de grandes idées. Mais il ne parvient pas à s'imposer comme dramaturge.

Le ROMAN absorbe alors son activité créatrice : de 1903 à 1912 paraissent les dix volumes de *Jean-Christophe*, qui obtient le Grand Prix de l'Académie française (1913). Puis, dans une langue rythmée et savoureuse, il rédige l'amusant *Colas Breugnon* (publié en 1919).

III. « AU-DESSUS DE LA MÊLÉE ». En août 1914, ROMAIN ROLLAND se trouve en Suisse : n'ayant plus l'âge d'être mobilisé, ni l'aptitude physique, il y restera jusqu'en 1919, au service de l'Agence des Prisonniers de guerre. Après avoir protesté contre les atrocités allemandes *(Lettre ouverte à Gerhardt Hauptmann),* il donne dans *Au-dessus de la mêlée* une série d'articles qui lui furent reprochés comme une trahison. Son *Journal* de guerre, publié en 1953, a permis de dégager sa vraie pensée : déplorant le choc des peuples les plus civilisés, il voulait *« au-dessus de la haine »* (c'était le titre primitif) rappeler à ceux qui restaient de sang-froid, dans les deux camps, les valeurs qui auraient dû unir les belligérants : la fraternité d'une même civilisation, menacée de sombrer, comme le monde antique, dans une immense catastrophe. Ces articles étaient certainement dictés par une conscience honnête, courageuse, parfois prophétique : mais ROMAIN ROLLAND eut beau obtenir en 1916 le *prix Nobel de littérature*, ces écrits ne pouvaient être admis, ni même compris, de ses compatriotes, engagés corps et âme *« dans la mêlée »* et conscients de défendre l'existence même de leur patrie.

IV. « L'INTELLECTUEL DE GAUCHE ». Rentré en France à la mort de sa mère (1919), ROMAIN ROLLAND reviendra bientôt séjourner en Suisse, de 1921 à 1937. Il publiera encore bien des ouvrages : des œuvres pacifistes, comme *Liluli*, farce allégorique (1919), et *Clérambault*, « histoire d'une conscience libre pendant la guerre » (1920) ; le cycle romanesque et révolutionnaire de *L'Âme enchantée* (1922-1933) ; la suite du *Théâtre de la Révolution* ; une vaste étude en 4 volumes sur *Beethoven* (1928-1943), des essais sur *Gandhi* (1923) et sur *L'Inde* (1929-1930), etc. Mais aux yeux des contemporains il est surtout le type de *« l'intellectuel de gauche »*. Bien qu'il se défende d'être l'homme d'un parti et qu'il réserve jalousement sa liberté d'appréciation, il est devenu la figure de proue des mouvements « humanitaires ». Il est en correspondance avec le monde entier, reçoit d'illustres visiteurs (et notamment Gandhi), rend visite lui-même à Gorki en U.R.S.S., préside des manifestations internationales (Congrès d'Amsterdam contre la guerre, 1932), refuse la médaille Goethe décernée par le gouvernement de Hitler (1933).

En 1937, ROMAIN ROLLAND se retire au pays natal, à Vézelay : il y passera ses dernières années, les heures tristes de l'Occupation, se penchant sur son passé (*Le Voyage intérieur,* autobiographie poétique, 1942), rassemblant ses souvenirs sur *Péguy* (1944) et renouant avec CLAUDEL, en qui il reconnaissait une âme « religieuse » comme la sienne.

L'homme et l'œuvre

Peu d'écrivains engagés dans l'action ont vu leur pensée aussi gravement altérée : il s'en plaignait aussi bien auprès de ses amis que de ses adversaires. Peu à peu ses *Mémoires,* sa correspondance dégagent son vrai visage. Sans que son Dieu soit bien défini, il se disait essentiellement *« religieux » ;* et, convaincu d'avoir reçu un don de voir exceptionnel, il se croyait tenu de répandre sa pensée. *Penseur aristocratique et solitaire* à la VIGNY, il s'est comparé, lui aussi, à l'homme de vigie : « Si le vaisseau sombre, il sait qu'il sombrera. Mais son devoir n'est pas de se mêler à la cohue de l'abordage, en bas. Il veille. Il épie ce qui vient, les épaves, les récifs cachés... ». Rien de sec, toutefois, chez cet intellectuel. Contemporain de Bergson, il voulait chercher « la vérité vivante » avec tout son être : *l'instinct* comme *l'intelligence.* « Il y a la vie, disait-il, il y a l'instinct puissant de vie, il y a l'amour. Ce ne sont pas des rêves, des suggestions, c'est la réalité la plus vigoureuse et la plus profonde. On ne peut les renier sans se mutiler soi-même » (1909). De là son *besoin de sympathie,* ses aspirations *généreuses,* toujours plus largement *humaines ;* de là, en dépit de sa pudeur naturelle, le *lyrisme* de l'expression, jailli du cœur : « Saint est le feu — qui brûle ! ». Tout révèle en lui une exigence de *sincérité absolue* envers soi et envers autrui, une volonté de conserver « *l'indépendance de l'esprit,* d'abord, et avant tout, et contre tout, coûte que coûte » (1929). Il a horreur de s'embrigader ; il déteste les doctrines figées que leur rigidité met en contradiction avec la vie. L'élan du cœur, la sincérité le portent à collaborer aux entreprises *« de gauche », mais sans engagement définitif,* récusant la dictature et la raison d'État. Il se réserve de dire à ses amis communistes : « Avec le prolétariat toutes les fois qu'il respectera la vérité et l'humanité. Contre le prolétariat, toutes les fois qu'il violera la vérité et l'humanité » (Réponse à *L'Humanité,* 1922), ou encore : « L'esprit vraiment révolutionnaire est armé aussi bien contre les préjugés nouveaux de la Révolution prolétarienne que contre les préjugés anciens de la monarchie bourgeoise... Rien, pour lui, n'est intangible » (*A l'Académie de Moscou,* 1925). Loin d'être sectaire, il veut *« tout comprendre pour tout aimer »,* car il admet que nul n'a le monopole de la vérité.

Au lieu de mutiler la vie, la morale consiste, selon lui, à assurer *l'harmonie des contraires* et à « tacher de refaire en tous l'équilibre humain ». C'est encore mutiler la vie que de la figer : elle se manifeste dans le *devenir* des êtres et des civilisations ; et ce devenir, il le constatait dans *l'évolution* de sa propre pensée et la *diversité de son œuvre :* « J'ai été forcé par une nécessité intérieure à écrire *Colas Breugnon* et *Liluli.* Aux alentours de la cinquantaine, l'hérédité paternelle — rieuse, frondeuse, gauloise — est venue réclamer sa part, à côté de l'hérédité maternelle qui a inspiré *Jean-Christophe* (en partie), et les *Vies des Hommes Illustres.* — Mais ne vous y trompez pas : c'est toujours le même être, sous ses aspects divers. » C'est par *Jean-Christophe* que la postérité le connaîtra surtout.

Jean-Christophe

Jean-Christophe inaugure au XXᵉ siècle le genre du *roman-fleuve* — le mot est de ROMAIN ROLLAND — ou même du *roman musical,* sorte de symphonie héroïque. L'ensemble compte 10 volumes : *L'Aube* (1904), *Le Matin* (1904), *L'Adolescent* (1905), *La Révolte* (1907), *La Foire sur la place* (1908), *Antoinette* (1908), *Dans la maison* (1909), *Les Amies* (1910), *Le Buisson ardent* (1911), *La Nouvelle Journée* (1912). C'est « le souffle des héros » que l'auteur veut nous faire respirer en imaginant sa vie, chargée d'épreuves mais pleine d'énergie, d'un grand musicien allemand, et en animant autour de lui toute une époque : c'est « Beethoven dans le monde d'aujourd'hui ». L'œuvre est un monument à la *« divine musique »,* mais nous touche aussi par ce qu'elle recèle *d'expérience humaine :* ce sont les pages sur l'enfance, l'adolescence, l'amour, l'amitié. A ce titre, elle constituait un *acte de foi :* à ses contemporains tentés par le mirage des richesses matérielles, l'auteur voulait rendre le goût de l'énergie morale, de la générosité, de l'amour fraternel et surtout de la *Vie* assumée dans sa diversité. Mais certains aspects de l'œuvre ont vieilli : le lyrisme relève d'un romantisme attardé, et l'idéalisme spontané ôte de son relief à la réalité.

« *Le Fleuve... Les Cloches...* »

Dans cette page, célèbre pour sa *magie poétique,* l'auteur évoque l'éveil de l'enfant au *monde des sensations :* à l'aube d'une vie qui sera placée sous le signe de la musique, ce royaume est avant tout celui des *sons.* Souvenirs personnels et intuitions du romancier rejoignent ici les curiosités de la psychologie contemporaine orientée vers l'étude du *subconscient* (cf. p. 114). On notera les harmonies qui s'établissent, dès cet instant, entre les êtres et les choses : dans la suite du roman, le cours du fleuve suggère les étapes d'une vie ou la succession des générations ; et l'écoulement continu des eaux « correspond » à celui du *fleuve intérieur.* Heureuse convergence de l'art et de l'observation, ce *motif* du Fleuve et des Cloches reviendra à maintes reprises, comme dans une symphonie, et c'est lui qui accompagnera de ses accords les derniers moments de JEAN-CHRISTOPHE (cf. p. 115). THÈMES : *Enfance. Psychologie. Déterminisme. Musique. Nature. Symboles.*

Les mois passent... Des îles de mémoire commencent à surgir du fleuve de la vie [1]. D'abord, d'étroits îlots perdus, des rochers qui affleurent à la surface des eaux. Autour d'eux, dans le demi-jour qui point, la grande nappe tranquille continue de s'étendre. Puis, de nouveaux îlots, que dore le soleil.

De l'abîme de l'âme émergent quelques formes, d'une étrange netteté. Dans le jour sans bornes, qui recommence, éternellement le même, avec son balancement monotone et puissant, commence à se dessiner la ronde des jours qui se donnent la main ; leurs profils sont, les uns riants, les autres tristes.
10 Mais les anneaux de la chaîne se rompent constamment, et les souvenirs se rejoignent par-dessus la tête des semaines et des mois...

Le Fleuve... Les Cloches... Si loin qu'il se souvienne, — dans les lointains du temps, à quelque heure de sa vie que ce soit, — toujours leurs voix profondes et familières chantent...

La nuit — à demi endormi... Une pâle lueur blanchit la vitre... Le fleuve gronde [2]. Dans le silence, sa voix monte toute-puissante ; elle règne sur les êtres. Tantôt elle caresse leur sommeil et semble près de s'assoupir elle-même, au bruissement de ses flots. Tantôt elle s'irrite, elle hurle, comme une bête enragée qui veut mordre. La vocifération s'apaise : c'est maintenant un murmure d'une infinie douceur, des timbres argentins, de claires clochettes, des rires
20 d'enfants, de tendres voix qui chantent, une musique qui danse [3]. Grande voix maternelle, qui ne s'endort jamais ! Elle berce l'enfant, ainsi qu'elle berça pendant des siècles, de la naissance à la mort, les générations qui furent avant lui ; elle pénètre sa pensée, elle imprègne ses rêves, elle l'entoure du manteau de ses fluides harmonies, qui l'envelopperont encore, quand il sera couché dans le petit cimetière qui dort au bord de l'eau et que baigne le Rhin...

Les cloches... Voici l'aube ! Elles se répondent, dolentes, un peu tristes, amicales, tranquilles. Au son de leurs voix lentes, montent des essaims de rêves, rêves du passé, désirs, espoirs, regrets des êtres disparus, que l'enfant ne connut point, et que pourtant il fut, puisqu'il fut en eux, puisqu'ils revivent en lui [4].

— 1 Cf. « *Mon Jean-Christophe est le fleuve Rhin qui s'achemine vers la mer. Ce ne sont pas pour moi des métaphores. Ce sont les voix du Fleuve intérieur* » (1933). — 2 Cf. « *Le Rhin coulait en bas, au pied de la maison. De la fenêtre de l'escalier, on était suspendu au-dessus du fleuve comme dans un jardin mouvant* » *(L'Aube).* —

3 Cf. « *Mon sens de la musique, cette passion qui a rempli ma vie, ce n'est pas dans les musiciens, c'est dans la nature d'abord et par-dessus tout que je les ai nourris. Cette musique des bois, des monts, des plaines, je l'inscrivais sur mes carnets de jeunesse* » *(Mémoires intérieurs,* 1938). — 4 Cf. p. 114, § 2.

30 Des siècles de souvenirs vibrent dans cette musique. Tant de deuils, tant de
fêtes ! — Et, du fond de la chambre, il semble, en les entendant, qu'on voie
passer les belles ondes sonores qui coulent dans l'air léger, les libres oiseaux,
et le tiède souffle du vent. Un coin de ciel bleu sourit à la fenêtre. Un rayon
de soleil se glisse sur le lit, à travers les rideaux. Le petit monde familier aux
regards de l'enfant, tout ce qu'il aperçoit de son lit, chaque matin, en s'éveillant,
tout ce qu'il commence, au prix de tant d'efforts, à reconnaître et à nommer,
afin de s'en faire le maître, — son royaume s'illumine.

Jean-Christophe. L'Aube (Albin Michel, éditeur).

« *Dans la forêt des sons* »

Né dans une petite ville rhénane, fils et petit-fils de musiciens, *Jean-Christophe* KRAFFT
révélera de bonne heure son tempérament d'artiste. D'une *sensibilité exceptionnelle*, il
souffre plus qu'un autre de la misère et de l'injustice ; en revanche, un spectacle de la
nature, un chant qui s'élève dans la nuit, un sentiment délicat lui procurent de *délicieuses
émotions*. Le voici devant le vieux piano, comme *enchanté* de cet univers de sons et de
sensations qu'il a le pouvoir d'éveiller. « La musique m'a tenu par la main dès mes premiers
pas dans la vie. Elle a été mon premier amour, elle sera probablement le dernier », avouait
ROMAIN ROLLAND. N'est-il pas émouvant de le voir ici mettre tout son art à exprimer,
sans doute d'après ses souvenirs, cette *magie élémentaire* dont s'émerveille une âme
prédestinée quand elle commence à s'aventurer « dans la forêt des sons » ?
THÈMES : *Enfance. Musique. Réel et irréel. Symboles.*

Il est seul. Il ouvre le piano, il approche une chaise, il se juche dessus ;
ses épaules arrivent à hauteur du clavier : c'est assez pour ce qu'il veut. Pourquoi
attend-il d'être seul ? Personne ne l'empêcherait de jouer, pourvu qu'il ne fît
pas trop de bruit. Mais il a honte devant les autres, il n'ose pas. Et puis, on
cause, on se remue : cela gâte le plaisir. C'est tellement plus beau, quand on
est seul !... Christophe retient son souffle pour que ce soit plus silencieux encore,
et aussi parce qu'il est un peu ému, comme s'il allait tirer un coup de canon.
Le cœur lui bat, en appuyant le doigt sur la touche ; quelquefois, il le relève,
après l'avoir enfoncé à moitié, pour le poser sur une autre. Sait-on ce qui va
10 sortir de celle-ci, plutôt que de celle-là ?... Tout à coup, le son monte : il y
en a de profonds, il y en a d'aigus, il y en a qui tintent, il y en a d'autres
qui grondent. L'enfant les écoute longuement, un à un, diminuer et s'éteindre ;
ils se balancent comme les cloches, lorsque l'on est dans les champs, et que
le vent les apporte et les éloigne tour à tour ; puis, quand on prête l'oreille,
on entend dans le lointain d'autres voix différentes qui se mêlent et tournent,
ainsi que des vols d'insectes ; elles ont l'air de vous appeler, de vous attirer
loin... loin... de plus en plus loin, dans les retraites mystérieuses, où elles
plongent et s'enfoncent... Les voilà disparues !... Non ! elles murmurent encore...
Un petit battement d'ailes... Que tout cela est étrange ! Ce sont comme des
esprits. Qu'ils obéissent ainsi, qu'ils soient tenus dans cette vieille caisse, voilà
20 qui ne s'explique point !
Mais le plus beau de tout, c'est quand on met deux doigts sur deux touches
à la fois. Jamais on ne sait au juste ce qui va se passer. Quelquefois, les deux
esprits sont ennemis ; ils s'irritent, ils se frappent, ils se haïssent, ils bourdonnent
d'un air vexé ; leur voix s'enfle ; elle crie, tantôt avec colère, tantôt avec douceur.
Christophe adore ce jeu : on dirait des monstres enchaînés, qui mordent leurs
liens, qui heurtent les murs de leur prison ; il semble qu'ils vont les rompre

et faire irruption au dehors, comme ceux dont parle le livre des contes, les génies emprisonnés dans des coffrets arabes sous le sceau de Salomon. D'autres vous flattent : ils tâchent de vous enjôler ; mais ils ne demandent qu'à mordre
30 et ils ont la fièvre. Christophe ne sait pas ce qu'ils veulent : ils l'attirent et le troublent ; ils le font presque rougir. Et d'autres fois encore, il y a des notes qui s'aiment : les sons s'enlacent, comme on fait avec les bras, quand on se baise ; ils sont gracieux et doux. Ce sont les bons esprits ; ils ont des figures souriantes et sans rides ; ils aiment le petit Christophe, et le petit Christophe les aime ; il a les larmes aux yeux de les entendre, et il ne se lasse pas de les rappeler. Ils sont ses amis, ses chers, ses tendres amis...

Ainsi l'enfant se promène dans la forêt des sons, et il sent autour de lui des milliers de forces inconnues, qui le guettent et l'appellent, pour le caresser, ou pour le dévorer. *Jean-Christophe. L'Aube* (Albin Michel, éditeur).

Le premier amour

Présenté dès l'âge de sept ans comme un jeune prodige, Jean-Christophe, maintenant âgé d'une quinzaine d'années, est devenu musicien officiel de la petite cour princière. Nous suivons les étapes de son ascension et, parallèlement, de son expérience humaine : misère, humiliations ; amitiés et déceptions ; premières amours... Son talent de *compositeur* attire l'attention de la riche et bonne Mme de Kerich qui s'efforce, avec une délicatesse maternelle, d'enrichir sa culture et de parfaire son éducation. Elle lui demande d'enseigner la musique à sa fille Minna. Entre les deux jeunes cœurs, au « *matin* » de la vie, l'idylle était presque inévitable, et Romain Rolland a voulu rendre *la fraîcheur, l'absolue pureté du premier amour*. — Hélas ! le fossé des conditions sépare la noble Minna du petit musicien sans fortune : ces *instants de bonheur* resteront inoubliables, mais sans lendemain. THÈMES : *Adolescence. Amour. Bonheur. Nature.*

Un jour vint. — Il avait plu toute la matinée et une partie de l'après-midi. Ils étaient restés enfermés dans la maison, sans se parler, à lire, bâiller, regarder par la fenêtre ; ils étaient ennuyés et maussades. Vers quatre heures, le ciel s'éclaircit. Ils coururent au jardin. Ils s'accoudèrent sur la terrasse, contemplant au-dessous d'eux les pentes de gazon qui descendaient vers le fleuve. La terre fumait, une tiède vapeur montait au soleil ; des gouttelettes de pluie étincelaient sur l'herbe ; l'odeur de la terre mouillée et le parfum des fleurs se mêlaient ; autour d'eux bruissait le vol doré des abeilles. Ils étaient côte à côte, et ne se regardaient pas ; ils ne pouvaient se décider à rompre le silence. Une abeille
10 vint gauchement s'accrocher à une grappe de glycine, lourde de pluie, et fit basculer sur elle une cataracte d'eau. Ils rirent en même temps ; et aussitôt, ils sentirent qu'ils ne se boudaient plus [1], qu'ils étaient bons amis. Pourtant ils continuaient à ne pas se regarder.

Brusquement, sans tourner la tête, elle lui prit la main, et elle lui dit : « Venez ! »

Elle l'entraîna en courant vers le petit labyrinthe boisé, aux sentiers bordés de buis, qui s'élevait au centre du bosquet. Ils escaladèrent la pente, ils glissaient sur le sol détrempé ; et les arbres mouillés secouaient sur eux leurs branches. Près d'arriver au faîte, elle s'arrêta, pour respirer.

« Attendez... attendez... » dit-elle tout bas, tâchant de reprendre haleine.
20 Il la regarda. Elle regardait d'un autre côté : elle souriait, haletante, la bouche entr'ouverte ; sa main était crispée dans la main de Christophe. Ils sentaient leur sang battre dans leurs paumes pressées et leurs doigts qui tremblaient.

— 1 Depuis quelque temps, ils éprouvaient une sorte de gêne, comme s'ils « se boudaient ».

Autour d'eux, le silence. Les pousses blondes des arbres frissonnaient au soleil ; une petite pluie s'égouttait des feuilles, avec un bruit argentin ; et dans le ciel passaient les cris aigus des hirondelles.

Elle retourna la tête vers lui : ce fut un éclair. Elle se jeta à son cou, il se jeta dans ses bras.

— « Minna ! Minna ! chérie !... — Je t'aime, Christophe ! Je t'aime ! »

Ils s'assirent sur un banc de bois mouillé. Ils étaient pénétrés d'amour, un 30 amour doux, profond, absurde. Tout le reste avait disparu. Plus d'égoïsme, plus de vanité, plus d'arrière-pensées. Toutes les ombres de l'âme étaient balayées par ce souffle d'amour. « Aimer, aimer » —, disaient leurs yeux riants et humides de larmes. Cette froide et coquette petite fille, ce garçon orgueilleux, étaient dévorés du besoin de se donner, de souffrir, de mourir l'un pour l'autre. Ils ne se reconnaissaient plus, ils n'étaient plus eux-mêmes ; tout était transformé : leur cœur, leurs traits, leurs yeux rayonnaient d'une bonté et d'une tendresse touchantes. Minutes de pureté, d'abnégation, de don absolu de soi, qui ne reviendront plus dans la vie !

Jean-Christophe. Le Matin (Albin Michel, éditeur).

JEAN-CHRISTOPHE VISITÉ PAR SON DIEU

Les épisodes les plus saisissants de *Jean-Christophe* doivent leur accent de vérité à l'expérience intime de ROMAIN ROLLAND ; c'est peut-être aussi le point faible : on le sent trop présent, d'une manière trop naïve, trop passionnée. A peine adolescent, plongé brusquement dans l'atmosphère « déicide » qui régnait à Paris vers 1880, il a souffert comme son héros d'une *crise de scepticisme* qui lui était intolérable, car, dit-il, l'essence de son être « était – fut toujours – religieuse, fille de Dieu » *(Le Voyage intérieur)*. Le salut lui vint sous la forme d'*illuminations,* qu'il a appelées ses « éclairs » : *l'éclair de Ferney* (1882) où, « possédé » par la Nature, il eut l'impression de communiquer avec la Vie universelle ; puis, à l'École normale, *l'éclair de Spinoza* (cf. n. 3) et *l'éclair de Tolstoï* : rien ne peut emprisonner l'âme immortelle. C'est, transposée par le romancier, la révélation que nous retrouvons ici, et qui reparaîtra dans *Le Buisson ardent* (1911) : l'âme, assoiffée d'absolu, retrouve dans une extase la communication perdue entre son Être, la Nature et Dieu. – THÈMES : *Adolescence. Métaphysique. Religion. Mysticisme.*

Il était seul, dans sa chambre, une nuit, accoudé devant sa table, à la lueur d'une bougie. Il tournait le dos à la fenêtre. Il ne travaillait pas. Depuis des semaines il ne pouvait travailler. Tout tourbillonnait dans sa tête. Il avait tout remis en question à la fois : religion, morale, art, toute la vie. Et dans cette dissolution universelle de sa pensée, nul ordre, nulle méthode ; il s'était jeté sur un amas de lectures puisées au hasard dans la bibliothèque hétéroclite de grand-père, ou dans celle de Vogel [1] : livres de théologie, de sciences, de philosophie, souvent dépareillés, où il ne comprenait rien, ayant tout à apprendre ; il n'en 10 pouvait finir aucun, et se perdait en des divagations, des flâneries sans fin, qui laissaient une lassitude, une tristesse mortelle.

Il s'absorbait, ce soir-là, dans une torpeur épuisante. Tout dormait dans la maison. Sa fenêtre était ouverte. Pas un souffle ne venait de la

---

— 1 Chez qui, après la mort de son père, Jean-Christophe a trouvé l'hospitalité.

cour. D'épais nuages étouffaient le ciel. Christophe regardait, comme
un hébété, la bougie se consumer au fond du chandelier. Il ne pouvait
se coucher. Il ne pensait à rien. Il sentait ce néant se creuser d'instant
en instant. Il s'efforçait de ne pas voir l'abîme qui l'aspirait ; et, malgré
lui, il se penchait au bord. Dans le vide, le chaos se mouvait, les ténèbres
grouillaient. Une angoisse le pénétrait, son dos frissonnait, sa peau se
20 hérissait, il se cramponnait à la table, afin de ne pas tomber. Il était
dans l'attente convulsive de choses indicibles, d'un miracle, d'un Dieu...

Soudain, comme une écluse qui s'ouvre, dans la cour, derrière lui, un
déluge d'eau, une pluie lourde, large, droite, croula. L'air immobile
tressaillit. Le sol sec et durci sonna comme une cloche. Et l'énorme parfum
de la terre brûlante et chaude ainsi qu'une bête, l'odeur de fleurs, de fruits
et de chair amoureuse, monta dans un spasme de fureur et de plaisir.
Christophe, halluciné, tendu de tout son être, frémit dans ses entrailles...
Le voile se déchira [2]. Ce fut un éblouissement. A la lueur de l'éclair, il vit,
au fond de la nuit, il vit — il fut le Dieu. Le Dieu était en lui : Il brisait
30 le plafond de la chambre, les murs de la maison ; Il faisait craquer les
limites de l'être ; Il remplissait le ciel, l'univers, le néant. Le monde se ruait
en Lui, comme une cataracte. Dans l'horreur et l'extase de cet effondrement, Christophe tombait aussi, emporté par le tourbillon qui broyait
comme des pailles les lois de la nature. Il avait perdu le souffle, il était ivre
de cette chute en Dieu [3]... Dieu-abîme ! Dieu-gouffre, Brasier de l'Être !
Ouragan de la vie ! Folie de vivre — sans but, sans frein, sans raison —,
pour la fureur de vivre !

Jean-Christophe. L'Adolescent (Albin Michel, éditeur).

« *Joie divine de créer !* »

Ulcéré par la mesquinerie de la petite ville, par l'incompréhension du prince qui le
chasse, JEAN-CHRISTOPHE est soutenu par la *joie divine de créer*. « Ma vraie langue est
la musique », écrivait R. ROLLAND en 1906 : c'était, selon Claudel, l'expression la plus
directe de son *aspiration au divin*. Il est curieux, en effet, de noter, dans ces chapitres
où CHRISTOPHE sent naître en lui le grand artiste, la parenté entre l'inspiration musicale
— qui s'imposait, dit l'auteur, à coups de tonnerre — et *l'éclair* de la révélation religieuse
(cf. p. 112). De là, en dépit des préoccupations sociales de l'auteur, l'idée du caractère
sacré de l'art – au-delà de toute morale –, et le vœu exprimé, une nuit de 1926, d'être
par son œuvre l'instrument du Seigneur : « L'œuvre m'importe plus que moi. L'œuvre,
non parce qu'elle est moi. — Parce qu'elle n'est pas moi, parce qu'elle vient de Lui. »
THÈMES : *Art. Beaux-arts. Musique. Bonheur. Morale. Providence.*

Joie, fureur de joie, soleil qui illumine tout ce qui est et sera, joie divine
de créer ! Il n'y a de joie que de créer. Il n'y a d'êtres que ceux qui créent.
Tous les autres sont des ombres, qui flottent sur la terre, étrangers à la vie.

— 2 Cf. *Éclair de Ferney :*« Ce fut un voile qui
se déchire. L'esprit... sentit se ruer en lui la mâle
ivresse de la nature. » — 3 Cf. *Éclair de Spinoza :*
« Tout ce qui est, est en Dieu. Et moi aussi je

suis en Dieu ! De ma chambre glacée, où tombe
la nuit d'hiver, je m'évade au gouffre de *la
Substance*, dans le soleil blanc de l'Être » (*Le
Voyage intérieur*).

Toutes les joies de la vie sont des joies de créer : amour, génie, action —
flambées de force sorties de l'unique brasier. Ceux mêmes qui ne peuvent
trouver place autour du grand foyer : — ambitieux, égoïstes et débauchés
stériles — tâchent de se réchauffer à ses reflets décolorés [1].

Créer, dans l'ordre de la chair, ou dans l'ordre de l'esprit, c'est sortir de
la prison du corps, c'est se ruer dans l'ouragan de la vie, c'est être Celui qui
10 Est. Créer, c'est tuer la mort [2].

Quand Christophe était frappé par le jet de lumière, une décharge électrique
lui parcourait le corps ; il tremblait de saisissement. C'était comme si, en pleine
mer, en pleine nuit, la terre apparaissait. Ou comme si, passant au milieu d'une
foule, il recevait le choc de deux profonds yeux. Souvent, cela survenait après
des heures de prostration où son esprit s'agitait dans le vide. Plus souvent
encore, à des moments où il pensait à autre chose, causant ou se promenant.
S'il était dans la rue, un respect humain l'empêchait de manifester trop
bruyamment sa joie. Mais, à la maison, rien ne le retenait plus. Il trépignait ;
il sonnait une fanfare de triomphe. Sa mère le connaissait bien, et elle avait
20 fini par savoir ce que cela signifiait. Elle disait à Christophe qu'il était comme
une poule qui vient de pondre.

Il était transpercé par l'idée musicale. Tantôt, elle avait la forme d'une phrase
isolée et complète ; plus fréquemment, d'une grande nébuleuse [3] enveloppant
toute une œuvre : la structure du morceau, ses lignes générales se laissaient
deviner au travers d'un voile, que lacéraient par places des phrases
éblouissantes, se détachant de l'ombre avec une netteté sculpturale. Ce n'était
qu'un éclair ; parfois, il en venait d'autres, coup sur coup : chacun illuminait
d'autres coins de la nuit. Mais d'ordinaire, la force capricieuse, après s'être
manifestée une fois, à l'improviste, disparaissait pour plusieurs jours dans ses
30 retraites mystérieuses, en laissant derrière elle un sillon lumineux.

Cette jouissance de l'inspiration était si vive que Christophe prit le dégoût
du reste. L'artiste d'expérience sait bien que l'inspiration est rare, et que c'est
à l'intelligence d'achever l'œuvre de l'intuition ; il met ses idées sous le pressoir ;
il leur fait rendre jusqu'à la dernière goutte du suc divin qui les gonfle ; —
(et même, trop souvent, il les trempe d'eau claire). — Christophe était trop
jeune et trop sûr de lui pour ne pas mépriser ces moyens. Il faisait le rêve
impossible de ne rien produire qui ne fût entièrement spontané. S'il ne s'était
aveuglé à plaisir, il n'aurait pas eu de peine à reconnaître l'absurdité de son
dessein. Sans doute, il était alors dans une période d'abondance intérieure où
40 il n'y avait nul interstice par où le néant pût se glisser. Tout lui était un prétexte
à cette fécondité intarissable : tout ce que voyaient ses yeux, tout ce qu'il
entendait, tout ce que heurtait son être dans la vie quotidienne, chaque regard,
chaque mot, faisait lever dans l'âme des moissons de rêves. Dans le ciel sans
bornes de sa pensée, coulaient des millions d'étoiles[4].

Jean-Christophe. La Révolte (Albin Michel, éditeur).

— 1 Cf. « Être Dieu à son tour, être un foyer de joie, être un soleil de vie ! » *(Jean-Christophe).*
— 2 Cf. « Que cette force soit utile, ou qu'elle semble inutile, même dangereuse, dans l'ordre pratique, elle est la force, elle est le feu ; elle est l'éclair jailli du ciel : par là, elle est sacrée, par là, elle est bienfaisante... Elle est pareille au soleil, dont elle est issue. Le soleil n'est ni moral, ni immoral. *Il est Celui qui Est.* Il vainc la nuit. Ainsi l'art. » *(Le Buisson ardent).* — 3 Cf. « Je conçois d'abord comme une *nébuleuse* l'impression musicale de l'ensemble de l'œuvre ; puis les motifs principaux » (1895). — 4 Cf. p. 193-197 ; 332.

L'univers de Jean-Christophe

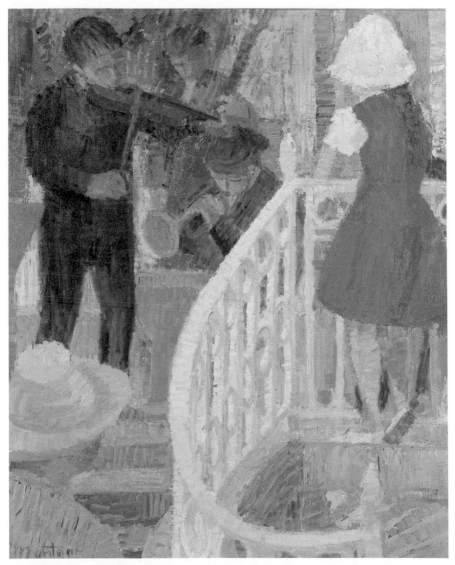

Roger Montané, « Le kiosque à musique », 1961. (Coll. part. Ph. J.J. Hautefeuille
© Photeb © by ADAGP 1988)

La « divine musique »

Comme le *Jean-Christophe* de Romain Rolland, cette toile de Roger Montané évoque la rencontre de deux mondes enchantés : l'enfance et la musique.

ADIEU A LA PATRIE

Pour défendre une jeune fille, JEAN-CHRISTOPHE a assommé, au cours d'une rixe, un sous-officier. Il se voit obligé de passer la frontière ; il ne reverra plus son pays que lors de brefs séjours clandestins. Sans doute il appartient à cette race des *artistes*, des « esprits fils du soleil » qui vivent à l'étroit dans une patrie ; sans doute, en lui, le *musicien* déjà « se tournait vers Paris ». Pourtant, quelle émotion au moment de quitter la « terre maternelle » ! Dès cette époque (1907), ROMAIN ROLLAND semble pressentir le débat intérieur entre son internationalisme et son attachement à la patrie, deux sentiments qu'il tentera d'associer, sans peut-être y parvenir toujours. – THÈMES : *Psychologie. Nature.*

Christophe s'arrêta à quelques pas de la frontière, dans la campagne déserte. Devant lui, une toute petite mare, une flaque d'eau très claire, où se reflétait le ciel mélancolique. Elle était close d'une palissade, et bordée de deux arbres. A droite, un peuplier, à la cime dépouillée, qui tremblait. Derrière, un grand noyer, aux branches noires et nues, comme un polype monstrueux. Des grappes de corbeaux s'y balançaient lourdement. Les dernières feuilles exsangues se détachaient d'elles-mêmes, et tombaient une à une sur l'étang immobile...

Il lui semblait qu'il avait déjà vu cela : ces deux arbres, cet étang...

10   — Et brusquement, il eut une de ces minutes de vertige, qui s'ouvrent de loin en loin dans la plaine de la vie. Une trouée dans le Temps. On ne sait plus où on est, qui on est, dans quel siècle l'on vit, depuis combien de siècles on est ainsi. Christophe avait le sentiment que cela avait déjà été, que ce qui était maintenant n'était pas maintenant, mais dans un autre temps. Il n'était plus lui-même. Il se voyait du dehors, de très loin, comme un autre qui déjà s'était tenu debout, ici, à cette place [1]. Il entendait une ruche de souvenirs inconnus ; ses artères bruissaient :

« Ainsi... Ainsi... Ainsi... »

Le grondement des siècles...

20   Bien d'autres Krafft avant lui avaient subi les épreuves qu'il subissait aujourd'hui, et goûté la détresse de cette dernière heure sur la terre natale [2]. Race toujours errante, et de partout bannie par son indépendance et son inquiétude. Race toujours en proie à un démon intérieur, qui ne lui permettait de se fixer nulle part. Race attachée pourtant au sol d'où on l'arrachait, et ne pouvant s'en déprendre...

Christophe repassait à son tour par les mêmes étapes ; et ses pas retrouvaient sur le chemin les traces de ceux qui l'avaient précédé. Il regardait, les yeux pleins de larmes, se perdre dans la brume la terre de la patrie, à laquelle il fallait dire adieu... N'avait-il pas désiré ardemment

30   la quitter ? — Oui ; mais à présent qu'il la quittait vraiment, il se sentait étreint d'angoisse. Il n'y a qu'un cœur de bête qui puisse se séparer sans émotion de la terre maternelle. Heureux ou malheureux, on a vécu ensemble ; elle a été la compagne et la mère : on a dormi en elle, on a

---

— 1 cf. p. 107, l. 27-29. — 2 Les Krafft sont | d'origine flamande ; le grand-père avait dû, lui aussi, quitter la Hollande à la suite d'une rixe.

dormi sur elle, on en est imprégné ; elle garde dans son sein le trésor de nos rêves, de notre vie passée, et la poussière sacrée de ceux que nous avons aimés. Christophe revoyait la suite de ses jours et les chères images qu'il laissait sur cette terre, ou dessous... Il ne pouvait s'arracher à ses morts... L'idée de sa mère, qu'il laissait, seule vivante de tous ceux qu'il aimait, au milieu de ces fantômes, lui était intolérable. Il fut sur le point de repasser la frontière, tant il se trouvait lâche d'avoir cherché la fuite.

Jean-Christophe. La Révolte (Albin Michel, éditeur).

JEAN-CHRISTOPHE *est maintenant à Paris. C'est pour* ROMAIN ROLLAND *l'occasion de dire ce qu'il pense des fausses élites, du monde corrompu des arts et de la politique, et de la musique médiocre qu'il dénonce dans* La Foire sur la place *(1908). S'inspirant des conteurs du XVIIIe siècle, il prête ses indignations à « Jean-Christophe l'Iroquois », étranger mal dégrossi et « injuste pour une civilisation que, du premier mouvement, il méconnaît »* (Mémoires). *Mais le héros découvrira dans sa maison des locataires de toutes les « familles spirituelles » de notre pays, et, surtout, il aura la chance de rencontrer* OLIVIER JEANNIN *qui deviendra pour lui plus qu'un ami, un frère. Avec un brin d'optimisme juvénile — mais, hélas, sur un ton doctoral que ne relève aucune pointe d'humour —,* OLIVIER *lui révélera ce qui est, pour Romain Rolland, le vrai visage de la France : l'élite,* animée par un idéal ou par une foi, *et le peuple* laborieux *où se conservent les saines vertus.*

Peu à peu, le compositeur devient célèbre. *Il connaîtra maintes aventures amoureuses ; il se trouvera mêlé à l'agitation sociale et aura la douleur de perdre* OLIVIER, *tué au cours d'une émeute. Au terme d'une vie enchantée par la « divine musique », ayant conquis la sérénité, il séjourne en Suisse, en Italie, et s'éteint dans une* dernière exaltation musicale.

« *Le jour qui va naître...* »

D'une réelle *originalité littéraire,* bien que le symbolisme en paraisse parfois un peu flou, les dernières pages reprennent, en même temps que certains *motifs* artistiques, les *thèmes majeurs* de la vaste *symphonie.* Au terme d'une existence si pleine, les *images du passé* reviennent en foule, images de l'enfance, images de l'amour et de l'amitié surtout, qui, avec la musique, ont tenu tant de place dans la vie de JEAN-CHRISTOPHE. Sur le rivage de la mort, ce qui jaillit tout naturellement des lèvres du grand musicien, c'est un *« cantique à la vie »* — à la vie avec toutes ses contradictions, extase et agonie, nuit et jour, amour et haine —, riche complexité dont *l'harmonie* constituait, selon l'auteur, l'objet même de la *morale* (cf. note 7). Et pour son héros, dont la personnalité, toute en *devenir,* est comme l'illustration de la parole de Goethe : *« Meurs et deviens ! »,* il n'était pas de plus grand réconfort — après avoir porté sur cette terre son lourd message, après avoir été l'instrument de son Dieu — que d'aborder l'autre rive où *« tout n'est plus qu'un seul cœur »,* avec la certitude de renaître un jour « pour de nouveaux combats ». THÈMES : *Mort. Morale. Religion. Providence. Musique. Nature. Symboles.*

Christophe s'absorbait dans la vue passionnée d'une branche d'arbre qui passait devant les carreaux. La branche se gonflait, les bourgeons humides éclataient, les petites fleurs blanches s'épanouissaient ; il y avait, dans ces fleurs, dans ces feuilles, dans tout cet être qui ressuscitait, un tel abandon extasié à la force renaissante que Christophe ne sentait plus son oppression, son misérable corps qui mourait, pour revivre en la branche d'arbre. Le doux rayonnement de cette vie le baignait. C'était comme un baiser. Son cœur trop plein d'amour se donnait au bel arbre, qui souriait à ses derniers instants. Il songeait qu'à cette minute, des milliers d'êtres s'aimaient, que cette heure

10 d'agonie pour lui pour d'autres était une heure d'extase, qu'il en est toujours ainsi, que jamais ne tarit la joie puissante de vivre [1]. Et, suffoquant d'une voix qui n'obéissait plus à sa pensée, — (peut-être même aucun son ne sortait de sa gorge ; mais il ne s'en apercevait pas) — il entonna un cantique à la vie.
Un orchestre invisible lui répondit. Christophe se disait : « Comment font-ils, pour savoir ? Nous n'avons pas répété. Pourvu qu'ils aillent jusqu'au bout, sans se tromper ! »
Il tâcha de se mettre sur son séant, afin qu'on le vît bien de tout l'orchestre, marquant la mesure, avec ses grands bras. Mais l'orchestre ne se trompait pas ; ils étaient sûrs d'eux-mêmes. Quelle merveilleuse musique !

20 Voici qu'ils improvisaient maintenant les réponses ! Christophe s'amusait : « Attends un peu, mon gaillard ! Je vais bien t'attraper. » Et, donnant un coup de barre, il lançait capricieusement la barque, à droite, à gauche, dans des passes dangereuses. — « Comment te tireras-tu de celle-ci ?... Et de celle-là ? Attrape !... Et encore de cette autre ? » Ils s'en tiraient toujours ; ils répondaient aux audaces par d'autres encore plus risquées. — « Qu'est-ce qu'ils vont inventer ? Sacrés malins !... » Christophe criait bravo, et riait aux éclats. — « Diable ! C'est qu'il devient difficile de les suivre ! Est-ce que je vais me laisser battre ?... Vous savez, ce n'est pas de jeu ! Je suis fourbu, aujourd'hui... N'importe ! Il ne sera pas dit qu'ils auront le dernier mot... »

30 Mais l'orchestre déployait une fantaisie d'une telle abondance, d'une telle nouveauté, qu'il n'y avait plus moyen de faire autre chose que de rester, à l'entendre, bouche bée.
« Est-ce beau ! Est-ce beau ! Encore ! Hardi, mes gars... Mais de qui cela peut-il être ?... Vous dites ? Vous dites que cette musique est de Jean-Christophe Krafft ? Allons donc ! Quelle sottise ! Je l'ai connu, peut-être ! Jamais il n'eût été capable d'en écrire dix mesures... Qui est-ce qui tousse encore ? Ne faites pas de bruit ! Quel est cet accord-là ?... et cet autre ?... Pas si vite ! Attendez !... »
Christophe poussait des cris inarticulés ; sa main, sur le drap qu'elle serrait, faisait le geste d'écrire ; et son cerveau épuisé, machinalement continuait à
40 chercher de quels éléments étaient faits ces accords et ce qu'ils annonçaient. Il n'y parvenait point : l'émotion faisait lâcher prise. Il recommençait... Ah ! cette fois, c'était trop... « Arrêtez, arrêtez, je n'en puis plus... »
Sa volonté se desserra tout à fait. De douceur, Christophe ferma les yeux. Des larmes de bonheur coulaient de ses paupières closes. La petite fille qui le gardait, sans qu'il s'en aperçût, pieusement les essuya. Il ne sentait plus rien de ce qui se passait ici-bas. L'orchestre s'était tu, le laissant sur une harmonie vertigineuse, dont l'énigme n'était pas résolue.
Trois cloches tranquilles sonnèrent. Les moineaux, à la fenêtre, pépiaient pour lui rappeler l'heure où il leur donnait les miettes du déjeuner... Christophe revit
50 en rêve sa petite chambre d'enfant... Les cloches, voici l'aube [2] ! Les belles ondes sonores coulent dans l'air léger. Elles viennent de très loin, des villages là-bas... Le grondement du fleuve monte derrière la maison [3]... Christophe se retrouve accoudé, à la fenêtre de l'escalier. Toute sa vie coulait sous ses yeux, comme le Rhin. Toute sa vie... toutes ses vies, Louisa, Gottfried, Olivier, Sabine [4]...
« Mère, amantes, amis... Comment est-ce qu'ils se nomment ?... Amour, où êtes-vous ? Où êtes-vous, mes âmes ? Je sais que vous êtes là, et je ne puis vous saisir.

— 1 Cf. p. 110-111 et p. 112 — 2 Cf. p. 107, | Jean-Christophe, son oncle, son ami le plus cher
l. 26. — 3. Cf. p. 107, n. 2 — 4 La mère de | (cf. p. 115), une veuve qu'il a aimée.

L'univers de Jean-Christophe

Giovanni Bellini,
« Saint Christophe ».
(Polyptyque de Saint Vincent Ferrier,
1464-1468. Eglise des S.S. Giovanni e
Paolo, Venise. Ph. © Scala)

« Le jour qui va naître »

Les symboles sont nombreux dans *Jean-Christophe*. L'image qui reste inoubliable, c'est la dernière, celle de saint Christophe traversant le fleuve avec, sur son épaule, l'Enfant si lourd à porter : symbole de la vie terrestre et du passage vers l'autre vie où va commencer la *Nouvelle Journée* (cf. **p. 118**).

— Nous sommes avec toi. Paix, notre bien-aimé ! — Je ne veux plus vous perdre. Je vous ai tant cherchés ! — *Ne te tourmente pas. Nous ne te quitterons plus.* — Hélas ! le flot m'emporte. — *Le fleuve qui t'emporte, nous emporte avec toi.* —
60　Où allons-nous ? — *Au lieu où nous serons réunis.* — Sera-ce bientôt ? — *Regarde !* »
Et Christophe, faisant un suprême effort pour soulever la tête, — (Dieu ! qu'elle était pesante !) — vit le fleuve débordé, couvrant les champs, roulant auguste, lent, presque immobile. Et, comme une lueur d'acier, au bord de l'horizon, semblait courir vers lui une ligne de flots d'argent, qui tremblaient au soleil. Le bruit de l'Océan [5]... Et son cœur, défaillant, demanda : « Est-ce Lui ? » La voix de ses aimés lui répondit : *« C'est Lui. »* Tandis que le cerveau, qui mourait, se disait : « La porte s'ouvre... *Voici l'accord que je cherchais !*... mais ce n'est pas la fin ? Quels espaces nouveaux !... Nous continuerons demain. »
O joie, joie de se voir disparaître dans la paix souveraine du Dieu, qu'on s'est
70　efforcé de servir, toute sa vie !...
« Seigneur, n'es-tu pas pas trop mécontent de ton serviteur ? J'ai fait si peu ! Je ne pouvais davantage... J'ai lutté, j'ai souffert, j'ai erré, j'ai créé [6]. Laisse-moi prendre haleine dans tes bras paternels. Un jour, je renaîtrai, pour de nouveaux combats ».
Et le grondement du fleuve, et la mer bruissante chantèrent avec lui : *« Tu renaîtras. Repose ! Tout n'est plus qu'un seul cœur. Sourire de la nuit et du jour enlacés. Harmonie [7], couple auguste de l'amour et de la haine ! Je chanterai le Dieu aux deux puissantes ailes. Hosanna à la vie ! Hosanna à la mort ! »*

*

Saint Christophe [8] a traversé le fleuve. Toute la nuit, il a marché contre le courant. Comme un rocher, son corps aux membres athlétiques émerge
80　au-dessus des eaux. Sur son épaule gauche est l'Enfant, frêle et lourd. Saint Christophe s'appuie sur un pin arraché, qui ploie. Son échine aussi ploie. Ceux qui l'ont vu partir ont dit qu'il n'arriverait point. Et l'ont suivi longtemps leurs railleries et leurs rires. Puis, la nuit est tombée, et ils se sont lassés. A présent, Christophe est trop loin pour que les cris l'atteignent de ceux restés là-bas. Dans le bruit du torrent, il n'entend que la voix tranquille de l'Enfant, qui tient de son petit poing une mèche crépue sur le front du géant, et qui répète : « Marche ! » — Il marche, le dos courbé, les yeux, droit devant lui, fixés sur la rive obscure, dont les escarpements commencent à blanchir.
Soudain, l'angélus tinte, et le troupeau des cloches s'éveille en bondissant.
90　Voici l'aurore nouvelle ! Derrière la falaise, qui dresse sa noire façade, le soleil invisible monte dans un ciel d'or. Christophe, près de tomber, touche enfin à la rive. Et il dit à l'Enfant : « Nous voici arrivés ! Comme tu étais lourd ! Enfant, qui donc es-tu ? »
Et l'Enfant dit : « *Je suis le jour qui va naître* [9]. »

Jean-Christophe. La Nouvelle Journée (Albin Michel, éditeur).

— 5 Symbolique : le fleuve de la vie, arrivé à son estuaire, va se perdre dans l'Océan, c'est-à-dire dans la Divinité. — 6 Cf. « L'important est... de faire flamber l'éternité dans nos actes à tous » (*Note pour Jean-Christophe*) — et p. 111, *Introduction*. — 7 Cf. « Cherchez la plus belle harmonie, celle qui est le miel noir des dissonances » *(L'Âme enchantée)*. Pour R. Rolland, qui est loin d'être un doctrinaire, l'art de vivre consiste, non à réduire par élimination les antinomies, mais à composer les contraires. — 8 Christophe signifie Porte-Christ (grec *Christophoros*) : la légende en a fait un géant qui porta un jour sur ses épaules, pour lui faire traverser un fleuve, un enfant qui n'était autre que l'Enfant Jésus. — 9 L'Enfant symbolise le message de vie énergique et d'amour universel que portait Jean-Christophe. Ce message trouvera sa consécration dans cette *Nouvelle Journée* vers laquelle tendait son existence terrestre : d'où le titre du dernier livre.

MAURICE BARRÈS

Prélude
au culte du moi « D'UN SANG LORRAIN ». MAURICE BARRÈS est né, en août 1862, à Charmes (Vosges). Sa famille paternelle était d'origine auvergnate mais celle de sa mère avait pris racine en Lorraine depuis plusieurs générations. L'enfant, qui avait vu en 1870 le triste flot de la défaite, allait vivre trois années dans une ville occupée par l'ennemi, et en garder un souvenir ineffaçable. En 1873, il entre au collège : « Le *culte du moi*, dira-t-il dans les *Cahiers*, je m'y acheminai le jour où mes parents me laissèrent... près des cygnes, au milieu des enfants méchants dans la cour d'honneur de La Malgrange ». S'il eut à souffrir parfois de la solitude, l'adolescent acquit, dans cette discipline traditionnelle, le *sens de la vie intérieure* et une ombrageuse *fierté*.

« LE SECRET DES FORTS ». « Rien de mes émotions de jadis ne me paraîtrait léger aujourd'hui », écrira BARRÈS dans son *Oraison (Sous l'œil des Barbares)*. En évoquant « ce gamin trop sensible et trop raisonneur » qui déjà aimait mieux être seul que « jouer avec ceux qu'[il] n'avait pas choisis », il dessine les *traits essentiels et permanents de sa personnalité*, à la fois très vulnérable et très volontaire. « Le secret des forts est de se contraindre sans répit. »

LE LYCÉEN. De 1877 à 1880, MAURICE BARRÈS est élève du lycée de Nancy, où il aura comme professeur de philosophie Auguste Burdeau (le Paul Bouteiller des *Déracinés*). Quelque peu réfractaire à cet enseignement, selon lui trop kantien, il se réfugiait dans des lectures librement choisies : Rousseau, Gautier, Baudelaire.

A PARIS. En 1883, l'étudiant qui a commencé son droit à Nancy débarque à Paris, attiré par le prestige des milieux littéraires, en particulier ceux du Parnasse où, dit-il, « personne ne pense bassement ». Introduit auprès de Leconte de Lisle, il rencontrera chez lui des écrivains illustres, et même un jour Victor Hugo.

En 1884, il fonde une revue éphémère, *Les Taches d'encre*, dont il remplira, presque seul, les quatre numéros. Les maîtres de la jeunesse sont alors Taine et Renan, et le très jeune Barrès ne craint pas de railler ces pontifes *(Huit Jours chez M. Renan ; M. Taine en voyage)*. Plus tard, tout en ayant regret de ses persiflages sur Taine, il ne renoncera pas toutefois à conserver les quelques lignes pleines d'humour où, fervent des grands lacs lombards, il s'amusait du vieil intellectuel égaré sur leurs bords (Cf. *Du sang, de la volupté et de la mort*).

Face aux « Barbares » L'INDIVIDUALISTE. C'est sous le titre collectif de *Culte du Moi* que parut la trilogie qui comprend *Sous l'œil des Barbares* (1888), *Un homme libre* (1889) et *Le Jardin de Bérénice* (1891). Déçu par l'ironique scepticisme de Renan comme par les théories trop systématiques de Taine, BARRÈS veut assurer la *culture de son âme* selon des idéaux personnels où la seule valeur indiscutable et immédiatement perceptible est le *moi*. Pour que l'âme ne reste pas « un passage où se pressent les sentiments et les idées », il faut poser quelques principes d'un *individualisme conscient et concerté* :

— Notre moi n'est pas immuable : il faut le défendre chaque jour et, chaque jour, le créer. — Le culte du moi n'est pas de s'accepter tout entier : cette *éthique* réclame de ses *servants* un constant *effort ;* c'est une culture qui se fait par *élaguements* et par *accroissements*.

— Notre premier devoir est de *défendre* notre moi contre tout ce qui risque de le contrarier ou de l'affaiblir dans l'épanouissement de sa propre sensibilité, contre les *Barbares*.

Seule, la solitude n'est jamais avilissante. C'est elle qui permet à la pensée d'aller plus haut et plus profond. Grand lecteur de Dante, de sainte Thérèse et de Pascal (cf. *Les Maîtres*), BARRÈS, lui aussi, « aspire à entendre ses voix ». Dans la solitude, ou dans l'intimité intellectuelle de son ami Simon, le Barrès d'*Un homme libre* établit donc ces trois maximes souveraines :

« *Premier Principe* : Nous ne sommes jamais si heureux que dans l'exaltation.

Deuxième Principe : Ce qui augmente beaucoup le plaisir de l'exaltation, c'est de l'analyser.

Conséquence : Il faut sentir le plus possible en analysant le plus possible. »

LES INTERCESSEURS. Mais *Le Jardin de Bérénice* dénoncera « cette griserie de la solitude où risque de se déformer l'univers ». L'individu devra se choisir, selon ses affinités, des amis dans tous les temps, et d'abord des *intercesseurs* qui l'aident et l'initient. Un Benjamin Constant, un Sainte-Beuve seront ainsi élus ; mais l'*histoire* offre aussi des figures exemplaires, René II de Lorraine, Jeanne d'Arc « à l'aise avec les grands, et la sœur en franchise des petits », ou Drouot quittant la gloire de la Grande Armée pour achever sa vie « en brave homme parmi ses concitoyens ». De tous ces héros, « c'est mal dire qu'ils aiment le peuple, ils ne s'en distinguent pas : *leur race se confond avec eux-mêmes.* » (*Un homme libre*, première partie).

« *Simon et moi, nous comprîmes alors notre haine des étrangers, des* barbares, *et notre égotisme où nous enfermons* avec nous-mêmes *toute notre petite famille morale. Le premier soin de celui qui veut vivre, c'est de s'entourer de hautes murailles. Mais, dans son* jardin fermé, *il introduit avec lui ceux que guident des façons analogues de sentir et des intérêts communs.* »

La voix   Une *nouvelle étape spirituelle* va conduire l'individualiste
   de la Lorraine   vers sa terre *ancestrale*. Un soir, seul dans la petite ville
                        mélancolique d'Haroué, il sent planer sur les fossés du château en ruines « l'âme ancienne de la Lorraine ». Dans la solitude glacée d'une chambre quasi monacale, il médite longuement sur cette unité profonde de son moi et de sa province natale, « rebelle à certaines cultures, stérile sur certains points ». « Je mesurai, dit-il, de grands travaux accomplis par des générations d'inconnus et je reconnus que c'était le labeur de mes ancêtres lorrains. » Tous ces morts qui ont « *bâti sa sensibilité* » soudain rompent le silence ; « *ce fut alors comme une conversation intérieure que j'avais avec moi-même ; les vertus diverses dont je suis le son total me donnaient le conseil de chacun de ceux qui m'ont créé à travers les âges* ».

Dès lors, lassé de ses premiers intercesseurs dont il ne recueillait que des *notions* sur sa *sensibilité*, l'écrivain va rechercher en Lorraine la *loi de son développement*. Mais à mesure qu'il se reconnaît davantage fils de cette terre attristée par tant de combats et peut-être découragée par la défaite, il entend s'élever *la voix même de son pays*. « Alors la Lorraine me répondit : Il est un instinct en moi qui a abouti... c'est le sentiment du devoir, que les circonstances m'ont fait témoigner sous la forme de bravoure militaire. Et, si découragée que puisse être ta race, cette *vertu doit subsister en toi... Tu es la conscience de notre race.* C'est peut-être en ton âme que *moi, Lorraine,* je me serai connue le plus complètement » (*Un homme libre*).

Ainsi, *du culte du moi* au *nationalisme*, il n'y aura pas *rupture* mais *approfondissement*. Dans cette affirmation d'une originalité irréductible de la personne, ne peut-on reconnaître en effet, avec Ramon Fernandez, un « *nationalisme du moi* » ? En prenant conscience des éléments qui constituent son être et lui créent des devoirs, MAURICE BARRÈS *enracine* l'individu dans la terre où il est né. Par là se précise et s'élargit la notion de *Barbares :* « Les Grecs ne voyaient que Barbares hors de la patrie grecque. » Désormais Barrès retrouvera en son âme toute sa patrie et dans la patrie une personne.

« *Et puis ce fut la vie* »   « Et puis ce fut la vie, car il fallut agir », s'écrie le Barrès d'*Un homme libre*. Déjà, par la bouche de son héros, Philippe (*Sous l'œil des Barbares*), il s'interrogeait sur l'avenir, sur la destinée, sur l'action : « Le problème de la vie, écrivait-il, se présente à moi avec une grande clarté. »

Sa *carrière politique* allait naître, brillante, et parfois éclairée d'orages. L'année même où, dans *Un homme libre,* Barrès avait célébré « *la conscience lorraine englobée dans la conscience française* », on l'avait élu député de Nancy, à vingt-sept ans, parmi les adeptes du mouvement *boulangiste.*

Au retour d'un voyage en Espagne (1892) d'où il rapportait, de Cordoue et de Tolède, tant d'images fascinantes, il méritait vraiment son titre de « prince de la jeunesse » ; mais, en 1893, peut-être *L'Ennemi des lois* effraya-t-il un public plus épris de traditions que d'originalité : le jeune député ne fut pas réélu et il s'en consola dans les délices des souvenirs espagnols (*Du sang, de la volupté et de la mort*). Cependant, cette année-là, le 15 octobre 1894, on arrêtait Alfred Dreyfus.

L'ÉNERGIE NATIONALE. Une époque s'ouvrait qui devait être dominée par les remous de « l'Affaire ». En face de Zola, BARRÈS prend parti contre Dreyfus dont le second procès se déroulera en 1900, dans une atmosphère de fiévreuse agitation. En janvier 1899 s'était fondée la *Ligue de la patrie française* où Maurice Barrès militera aux côtés de Déroulède (sans atteindre d'ailleurs aux violences de Drumont dans *La Libre Parole*). Mais il n'est pas facile d'imposer au public un nouvel aspect de soi-même. Dans les milieux intellectuels « de gauche », on considérait encore BARRÈS comme un dilettante impénitent ; ainsi *La Revue blanche* publie, sous la plume de Lucien Herr, une remontrance sévère : « La vie est là, pressante, sérieuse, et nous n'avons le loisir ni de jouer, ni de nous complaire à vos jeux. »

Ce n'étaient plus des jeux, pourtant, que ces articles publiés dans *La Cocarde* en 1894 et 1895, par un écrivain désormais engagé dans la voie du *nationalisme.*

« LA TERRE ET LES MORTS ». Avant même de prononcer, en 1899, sa célèbre conférence sur *La Terre et les Morts,* MAURICE BARRÈS s'est fait l'apôtre du « racinement » (le mot est de lui). Peut-être la naissance de son fils Philippe (1896) et la mort de son père (1898) ont-elles enrichi pour lui de nuances plus sensibles ces notions, en partie héritées de Taine.

« LES DÉRACINÉS ». Nouvelle trilogie dans son œuvre, *Les Déracinés* (1897), *L'Appel au soldat* (1900), *Leurs Figures* (1902) affirmeront ses principes jusqu'au durcissement. Œuvre d'un *doctrinaire* plus que d'un romancier, *Les Déracinés* poussent à l'extrême les théories barrésiennes sur la fidélité au sol natal. En voici le thème.

Gagnés à une vision trop abstraite de la vie par l'enseignement de leur maître, le philosophe Bouteiller, sept jeunes gens du lycée de Nancy abandonnent la Lorraine pour Paris. Après toutes sortes de déboires et de désillusions, deux d'entre eux, Racadot et Mouchefrin, iront jusqu'au *crime.* Si l'un évite la guillotine grâce à la complicité d'un ami, Racadot « *déraciné* » sera « *décapité* ». Tous les défauts de l'œuvre à thèse viennent alourdir ce livre, riche par ailleurs d'idées et d'observations. C'est sans doute l'ouvrage de Barrès qui lui suscita le plus de contradicteurs. Ainsi, André Gide s'écriait en 1897 : « Né à Paris, d'un père Uzétien et d'une mère Normande, où voulez-vous, Monsieur Barrès, que je m'enracine ? » Cependant, en 1902, les *Scènes et Doctrines du nationalisme* montreront l'auteur toujours ferme sur ses positions.

« JE N'AI PAS L'ÂME GRECQUE ». Tandis qu'il joue ce rôle actif dans la vie politique française et qu'il ne cesse de retourner dans sa Lorraine pour garder le contact avec la terre natale, BARRÈS, « amateur d'âmes » et de paysages, cherche encore des émotions sous le ciel de l'Espagne, de l'Italie et de la Grèce. En 1903, il consacre à Venise *Amori et Dolori sacrum.* En 1906, dans *Le Voyage de Sparte* il s'en prend aux archéologues qui, pour dégager l'œuvre de Phidias sur l'Acropole, ont abattu une vieille tour franque : « Je n'ai pas l'âme grecque ; j'ai une âme composite et par là fort capable de comprendre la signification de l'Acropole que vous avez détruite. [...]. Où est-elle, Athéna ? Cette déesse s'est-elle réfugiée dans vos âmes ? Elle fut un instant du divin dans le monde. Eh bien, pour nous, aujourd'hui, le divin gît dans un sentiment très fort et très clair de l'évolution et de l'écoulement des choses. »

ACADÉMICIEN ET DÉPUTÉ. Cette même année 1906 devait marquer le confluent de ses deux carrières en ouvrant à BARRÈS l'Académie française et, de nouveau, la Chambre des députés où, représentant de Paris, il allait multiplier à la tribune des interventions toujours plus vibrantes. Défenseur des édifices religieux (mis en danger par la loi de Séparation des Églises et de l'État), il associa continûment à son nationalisme le catholicisme en qui il voyait une partie intégrante de l'héritage national. *Colette Baudoche* en 1909, puis (après son essai sur le Greco, 1911) l'ample message de *La Colline inspirée* (1913) témoignent hautement de cette cohésion spirituelle qui, en 1914, s'exprimera avec générosité dans *La Grande Pitié des églises de France.*

A la veille de la guerre, il ira respirer encore le vieil enchantement oriental et ne reviendra de ce voyage que pour s'incliner devant la mort de Jaurès (31 juillet 1914), car il voyait dans cet « inspiré » un adversaire mais non un ennemi.

« *Dans une*　　　　On ne peut séparer les noms de BARRÈS et de PÉGUY
　　juste guerre »　au moment où éclate cette guerre à laquelle ils préparaient
　　　　　　　　　depuis si longtemps l'âme française. L'hécatombe, qui
priva le pays de tant d'écrivains, va inspirer à BARRÈS l'émouvant martyrologe de 1916 où il fait l'appel de « ces jeunes âmes pleines de divinité », puis un livre de réconciliation nationale : *Les Diverses Familles spirituelles de la France* (1917). Au long des quatre années de lutte il multiplie ses *Chroniques*, témoignages d'une sorte d'*enrôlement* dans ces armées où il ne pouvait plus servir. Aussi sa place était-elle bien à Metz, en novembre 1918, lorsque les troupes françaises entrèrent dans la ville.

« *Aux grandes*　　　　Au treizième volume de ses *Cahiers* (dont l'ensemble,
　　profondeurs »　posthume, comprend quatorze tomes), BARRÈS avait noté
　　　　　　　　　une de ces rêveries nocturnes qui le menaient sur un océan
de pensées graves ou funèbres : « Et je songe qu'un de ces jours le bateau va s'ouvrir et lâcher aux grandes profondeurs mon cadavre tournoyant. » Mais ses dernières années devaient lui permettre encore de tourner les yeux vers la Germanie et vers l'Orient, pôles constants de ses méditations. En 1921 paraît *Le Génie du Rhin ;* en 1922 *Un jardin sur l'Oronte.* Et BARRÈS relisait quelques pages du *Mystère en pleine lumière* (posthume, 1926) le jour même où il fut emporté par la mort, le 4 décembre 1923.

*

« *Une certaine*　　　　Par la richesse et la diversité de ses dons, par la présence
　　note juste »　simultanée en lui d'un *individualiste* et d'un *politique*,
　　　　　　　　　MAURICE BARRÈS devait ressentir des appels *contradictoires*,
peut-être jusqu'au déchirement. Aussi a-t-il cherché toute sa vie l'*unité spirituelle*. Dans des *Mémoires*, entrepris en 1907, il se disait « à la poursuite d'une certaine note juste », qu'il s'agit de dégager en soi, de composer et d'exprimer ». Mais comme il ne voulait rien renier de son héritage, il a été, en fait, *fidèle* à lui-même en restant *multiple*. C'est pourquoi sa musique intérieure, loin de se limiter à la monotonie, évoquerait plutôt les résonances d'un *accord*, grave et passionné.

L'INSTANT ET L'ÉTERNITÉ

Ce passage d'*Un homme libre* exprime de façon significative quelques constantes barrésiennes dans la trilogie intitulée *Le Culte du moi* : d'abord ce que l'auteur appelle, aux premières pages du livre, « une hygiène de l'âme », et qui est, en fait, une *ascèse* par l'intensité de la réflexion et le choix très volontaire des valeurs ; puis les *affinités électives* entre une âme et un paysage peuplé d'âmes ; enfin, l'intuition d'une sorte d'enracinement dans la *durée* qui éternise l'instant ou, du moins, l'insère dans une immense perspective d'histoire, de culture et d'émotions. – THÈMES : *Moi. Mort. Temps.*

Je le dis, un instant des choses, si beau qu'on l'imagine, ne saurait guère m'intéresser. Mon orgueil, ma plénitude, c'est de les concevoir sous la forme d'éternité. Mon être m'enchante, quand je l'entrevois échelonné sur les siècles, se développant à travers une longue suite de corps. Mais dans mes jours de sécheresse [1] si je crois qu'il naquit, il y a vingt-cinq ans, avec ce corps que je suis et qui mourra dans trente ans, je n'en ai que du dégoût.

Oui, une partie de mon âme, toute celle qui n'est pas attachée au monde extérieur, a vécu de longs siècles avant de s'établir en moi. Autrement,
10 serait-il possible qu'elle fût ornée comme je la vois ! Elle a si peu progressé depuis vingt-cinq ans que je peine à l'embellir ! J'en conclus que, pour l'amener au degré où je la trouvai dès ma naissance, il a fallu une infinité de vies d'hommes. L'âme qui habite aujourd'hui en moi est faite des parcelles qui survécurent à des milliers de morts ; et cette somme, grossie du meilleur de moi-même, me survivra en perdant mon souvenir [2].

Je ne suis qu'un instant d'un long développement de mon Être ; de même la Venise de cette époque n'est qu'un instant de l'Ame vénitienne. Mon Être et l'Être vénitien sont illimités. [...]

Cette émotion particulière qui est la partie essentielle de Venise, cette
20 sensibilité qui forme l'atmosphère de cette ville et dont chacun des détails de cette race porte l'empreinte, seules la perçoivent pleinement les âmes marquées d'une sensibilité parente. Ce caractère mystérieux, que je nomme l'âme de tout groupe d'humanité et qui varie avec chacun d'eux, on l'obtient en éliminant mille traits mesquins, où s'embarrasse le vulgaire. [...]

Ainsi durant quelques semaines, couché sur mon vaste lit des Fondamenta Bragadin [3], ou, plus réellement, vivant dans l'éternel, je fus ravi

---

— 1 Terme employé souvent par les mystiques, dont les œuvres sont familières à l'auteur ; on notera la fréquence dans ce texte des mots à résonance religieuse (cf. *ravi*, et les trois adjectifs marquant les étapes du combat spirituel : *souffrant,* *militant, triomphant*). — 2 Cf. Péguy, p. 180. — 3 Barrès avait choisi ce quartier de Venise, proche de l'Accademia, pour son *nom* : « Bragadin est un doge qui, par grandeur d'âme, consentit à être écorché vif », et « parfois, dit-il, je songe que je me suis fait un sort analogue. »

à tout ce qu'il y a de bas en moi et autour de moi ; je fus soustrait
aux Barbares. Même je ne les connaissais plus ; ayant été au milieu
30 d'eux l'esprit souffrant, puis à l'écart l'esprit militant, par ma méthode
je devenais l'esprit triomphant.

Ici se réfugièrent des rois dans l'abandon [4], et des princes de l'esprit
dans le marasme. Venise est douce à toutes les impériosités abattues.
Par ce sentiment spécial qui fait que nous portons plus haut la tête
sous un ciel pur et devant des chefs-d'œuvre élancés, elle console nos
chagrins et relève notre jugement sur nous-mêmes. J'ai apporté à Venise
tous les dieux trouvés un à un dans les couches diverses de ma
conscience. Ils étaient épars en moi, tels qu'au soir de mon abattement
d'Haroué [5] ; je l'ai priée de les assimiler et de leur donner du style.
40 Et tandis que je contemplais sa beauté, j'ai senti ma force qui, sans
s'accroître d'éléments nouveaux, prenait une merveilleuse intensité.

Un homme libre (Librairie Plon, éditeur).

Un peintre de l'âme

MAURICE BARRÈS apparaîtra ici non comme un doctrinaire mais comme un excellent
critique d'art. Lorsque parut, en 1911, *Greco ou le Secret de Tolède,* celui que l'on considère
aujourd'hui comme l'un des plus grands peintres de tous les temps était loin d'être aussi
connu et Barrès a certainement beaucoup contribué à le rendre célèbre. Ce fut pourtant
un « déraciné » que ce Domenikos Theotokopoulos, dit LE GRECO, né en Crète, italianisé
par Tintoret, puis fixé dans cette Espagne dont il a su, comme nul autre, rendre les
paysages, les grandes figures et la mystique passionnée (1540 ?-1614).
THÈMES : *Art. Beaux-arts. Psychologie.*

La Castille étonna, domina le Greco. Il arrive souvent qu'un étranger surpris
par un milieu nouveau en saisit les nuances et saura le peindre mieux que
ne feraient les indigènes de talent. Philippe de Champaigne vint des Flandres
à Paris pour être le portraitiste de Port-Royal. Le Greco, débarqué d'Italie,
s'est trouvé, en un rien de temps, le peintre le plus profond des âmes castillanes.
C'est lui, c'est ce Crétois qui nous fait le mieux comprendre les contemporains
de Cervantès et de Sainte Thérèse.

Quelque première éducation byzantine, ou bien la nostalgie de son milieu
oriental lui servirent-elles pour qu'il aimât cette population catholique et
10 moresque ? Nous sommes libres de l'imaginer comme un héritier de la vieille
civilisation hellénique, ou d'admettre que, grandi au milieu des spectacles de
l'Islam, il était prédestiné pour interpréter la part sémitique qu'il y a dans
Tolède. Le certain, c'est qu'on le voit, dès son premier pas dans cette ville, se
soumettre d'enthousiasme aux influences du lieu, s'envelopper de l'atmosphère,
la simplifier et la dramatiser. Il traduit le paysage où il vient de tomber. Au
milieu des collines grises et des tristes hidalgos, il abandonne les intonations
chaudes, familières à l'opulente Venise et à la Rome des Papes, pour se plaire
aux lumières pâles et froides. Est-ce lui-même qu'il a représenté dans cet artiste

---

— 4 Voltaire en a témoigné dans *Candide,* chap. XXVI. — 5 Cf. p. 120, *La voix de la Lorraine.*

« *Enracinement* » et ouverture au monde

Ignacio Zuloaga y Zabaleta, « Maurice Barrès devant Tolède », 1913.
(Musée historique lorrain, Nancy. Ph. Gilbert Mangin © Arch. Photeb © by SPADEM 1988)

L'envoûtement de Tolède

En dépit de ses théories sur « l'enracinement » (cf. **p. 121**), l'auteur des *Déracinés* aspirait, dans son « culte du **moi** », à connaître « toutes les saveurs de la vie ». Grand voyageur, il a voulu « se faire une âme avec des beautés étrangères ». Il a séjourné maintes fois en Italie, goûtant le charme de Venise (cf. **p. 123**) et déplorant la « mort » de la ville (*Amori et dolori sacrum,* 1903). Il a visité la Grèce (*Le Voyage de Sparte,* 1906) et subi la fascination de l'Orient (*Un Jardin sur l'Oronte,* 1922 ; *Enquête aux pays du Levant,* 1923). Mais c'est en Espagne (*Du sang, de la volupté et de la mort,* 1894), et surtout à Tolède, où il est revenu à maintes reprises, qu'il a découvert des correspondances avec sa propre nature, partagée entre la fougue et la rigueur ascétique.

en train de peindre, que j'ai vu, il y a quelques années, au palais de San Telmo [1]
20 à Séville ? Tout au moins, c'est sa propre palette qu'il lui a mise à la main. Elle
ne se compose plus que de cinq couleurs : du blanc, du noir, du vermillon, de
l'ocre jaune et de la laque de garance. Délaissant la série des teintes rousses et
dorées, il adopte celle des bleus et du carmin. Il aime créer de violents contrastes
en posant de grandes masses de couleurs, vives jusqu'à la crudité, cependant qu'il
inonde ses œuvres de gris cendré.

Ce singulier mélange d'harmonie et de déséquilibre, cette intensité froide et
lumineuse lui servent à exprimer une certaine moralité. Que valent désormais
pour cet étrange converti le pittoresque et le paganisme chers à la magnifique
Venise ! A Tolède on ignore la beauté aimée pour elle-même, comme l'aime
30 l'Italie. Maintenant sa peinture présente les brusques alternatives saisissantes,
un peu barbares, de cette âme espagnole tout entière résumée par le prosaïque
Sancho et le visionnaire Don Quichotte. Le visionnaire toutefois domine. Greco
allonge les corps divins ; il les voit pareils à des flammes que les ténèbres semblent
grandir. Il enveloppe toutes ses visions d'une clarté stellaire.

Ce n'est pas que ce lunatique [2] perde le bénéfice de ses sérieuses études
italiennes. Il se souvient d'elles pour les employer dans un esprit nouveau. Tel
grand tableau du Tintoret, au musée du Prado, montre les teintes, les lignes, voire
l'émaciement du Greco, mais celui-ci est moins encombré, d'une plus aiguë
sobriété, j'oserai dire plus arabe.

40 Le voilà parti pour être un peintre de l'âme, et de l'âme la plus passionnée :
l'espagnole du temps de Philippe II. Il laisse à d'autres [3] de représenter les
martyrs affreux, les gesticulations violentes, toutes ces inventions bizarres ou
cruelles qui plaisaient à un peuple de mœurs dures, mais il gardera ce qui vit
de fierté et de feu au fond de ces excès. Ils valent pour ramener toujours les
esprits au point d'honneur et aux vénérations religieuses. Et, dans son œuvre,
Greco manifestera ce qui est le propre de l'Espagne, la tendance à l'exaltation
des sentiments.

Greco ou le Secret de Tolède (Plon, éditeur).

LA COLLINE   *Ce livre, où l'on s'accorde généralement à voir le chef-*
INSPIRÉE   *d'œuvre de Barrès, est né d'une terre déchirée, la* LORRAINE,
                     présente à l'écrivain dès ses premiers ouvrages et qu'il a toujours
évoquée comme un bastion du patriotisme, et un temple des dieux anciens confusément mêlés
aux cérémonies chrétiennes. Sur la colline de Sion-Vaudémont il a fait revivre la dramatique
histoire des frères BAILLARD *, trois prêtres qui s'étaient donné pour tâche « de relever la vieille*
Lorraine mystique et de ranimer les flammes qui brûlent sur ses sommets ».

L'œuvre est dominée par la figure de l'aîné, LÉOPOLD, *qui, avec le zèle d'un fondateur d'ordre,*
rénove sur la colline le culte abandonné depuis la Révolution. Grâce à lui, la « sainte montagne »
devient un lieu de pèlerinage ; avec ses frères François et Quirin, il parcourt la France et les
pays voisins, s'allie à un illuminé, Vintras, et se croit favorisé d'un miracle en la personne d'une
de ses religieuses.

Mais une coalition de ses supérieurs hiérarchiques avec la libre-pensée se forme contre Léopold.
La rumeur publique dénonce dans les frères Baillard des hérétiques et ils sont excommuniés.
François meurt sans sacrements. Des pratiques superstitieuses se substituent à la piété
chrétienne parmi la petite communauté irréductible. Des chansons et des pamphlets circulent
où tout n'est pas calomnie. Bientôt Léopold fait l'unanimité contre lui. Il est tragiquement

---

— 1 Vaste édifice proche du Guadalquivir, | la tradition, le Greco était d'une nervosité
construit à la fin du XVIIe siècle et où l'on a réuni | presque morbide. — 3 Tel Ribera, qui se complaît
des œuvres d'art de la grande époque. — 2 D'après | aux scènes de martyre (cf. *XIXe Siècle*, p. 266).

« *Enracinement* » *et ouverture au monde*

Le Greco, « Le Couronnement de la Vierge », vers 1591.
(Museo de Santa Cruz, Tolède. Ph. © Oroñoz-Artephot)

Les découvertes du voyageur

A Tolède, plein d'enthousiasme pour les toiles du Greco, Barrès médite sur le cas de ce « déraciné » qui, sans renoncer à lui-même, devient l'interprète le plus sensible de l'âme d'un peuple qui lui est étranger (cf. **p. 124-126**). On verra dans ce tableau la justesse de l'observation de Barrès, lorsqu'il note que, pour traduire l'exaltation mystique, « Greco allonge les corps divins », et même les visages émaciés des fidèles en adoration.

seul et, métamorphosé par sa passion, il entre vraiment « dans le cercle du noir enchanteur ». Un soir d'hiver, après la mort de Quirin et de Vintras, on le trouve errant dans la neige, misérablement, mais le Père Aubry, curé de Sion, qui représente l'orthodoxie, va sauver cette âme perdue. « Ai-je su comprendre Léopold ? se demande-t-il. Il y avait en lui quelque chose qui l'empêchait de trouver la paix. Mais dans notre paix à nous, n'y a-t-il pas une atonie de l'âme ? Il s'appuyait sur la colline ; il l'aimait comme aucun de nous ne l'a fait ; il voulait y puiser sans mesure. Ce n'est pas le crime d'une âme vile. Nous ne devons pas le laisser à Satan ; il faut le rendre au Christ qui m'en a donné la charge. » Il offre donc sa propre vie pour le salut de l'égaré. Après la mort du saint prêtre et grâce à son intercession, Léopold se rétractera et, rétabli dans sa dignité sacerdotale, il entendra les paroles de paix : « Fleuve troublé par les orages, va t'engloutir dans l'océan divin. »

L'ensemble de l'œuvre et, en particulier, de tels accents ne devaient-ils pas avoir une influence profonde sur l'inspiration d'un François Mauriac ou d'un Georges Bernanos ?

LIEUX OÙ SOUFFLE L'ESPRIT

Dans ce prologue, véritable *prélude musical* où chantent les grands thèmes de l'œuvre, le pèlerin passionné qu'est MAURICE BARRÈS évoque les hauts lieux de la légende celtique. Avant d'y insérer la colline de Sion, acropole spirituelle de la Lorraine, il célèbre les puissances irrationnelles et le mystérieuse « vertu » qui font accéder l'âme aux domaines privilégiés où se révèlent les voix divines de la *poésie* et de la *prière*. Il ne saurait en dissocier les accords, car pour lui ce qui demeure essentiel c'est de pouvoir, en ces lieux magiques, entendre, au même titre et en même temps, la *double incantation* qui s'élevait déjà du syncrétisme nervalien : « Les soupirs de la sainte et les cris de la fée. »
THÈMES : *Nature. Religion. Providence. Mythes. Métaphysique. Symboles.*

Il est des lieux qui tirent l'âme de sa léthargie, des lieux enveloppés, baignés de mystère, élus de toute éternité pour être le siège de l'émotion religieuse. L'étroite prairie de Lourdes, entre un rocher et son gave rapide ; la plage mélancolique d'où les Saintes-Maries [1] nous orientent vers la Sainte-Baume ; l'abrupt rocher de la Sainte-Victoire [2] tout baigné d'horreur dantesque, quand on l'aborde par le vallon aux terres sanglantes ; l'héroïque Vézelay, en Bourgogne ; le Puy de Dôme [3], les grottes des Eyzies [4], où l'on révère les premières traces de l'humanité ; la lande de Carnac [5], qui parmi les bruyères et les ajoncs dresse des pierres inexpli-
10 quées ; la forêt de Brocéliande [6] pleine de rumeur et de feux-follets, où Merlin par les jours d'orage gémit encore dans sa fontaine ; Alise-Sainte-Reine [7] et le mont Auxois, promontoire sous une pluie presque constante, autel où les Gaulois moururent aux pieds de leurs dieux ; le mont Saint-

— 1 Célèbre lieu de pèlerinage, à l'extrémité sud-ouest du delta du Rhône, où l'on célèbre le souvenir des « saintes femmes » : Marie, mère de Jacques, et Marie-Salomé. La grotte de la Sainte-Baume, où sainte Marie-Madeleine se serait retirée dans la pénitence, est située dans un massif montagneux des Bouches-du-Rhône et du Var. — 2 La Sainte-Victoire s'élève entre la vallée de l'Arc et celle de la Durance. — 3 Symbole et haut lieu de l'Auvergne ; Barrès songe à Pascal et à sa propre ascendance paternelle. — 4 En Dordogne ; on y a fait d'importantes découvertes préhistoriques. — 5 Célèbre par ses alignements « druidiques ». — 6 Forêt qui s'étend entre Rennes et Brest, cadre légendaire des romans de chevalerie, des fées et des enchanteurs, tel *Merlin*. — 7 Petite ville de la Côte-d'Or, d'ordinaire identifiée à la citadelle gauloise d'*Alésia* qui s'élevait, sans doute, sur le *mont Auxois*.

Michel, qui surgit comme un miracle des sables mouvants ; la noire forêt des Ardennes [8], tout inquiétude et mystère, d'où le génie tira, du milieu des bêtes et des fées, ses fictions les plus aériennes ; Domremy enfin, qui porte encore sur sa colline son Bois Chenu, ses trois fontaines, sa chapelle de Bermont, et près de l'église la maison de Jeanne. Ce sont les temples du plein air. Ici nous éprouvons soudain le besoin de briser
20 de chétives entraves pour nous épanouir à plus de lumière. Une émotion nous soulève ; notre énergie se déploie toute, et sur deux ailes de prière et de poésie s'élance à de grandes affirmations.

Tout l'être s'émeut, depuis ses racines les plus profondes jusqu'à ses sommets les plus hauts. C'est le sentiment religieux qui nous envahit. Il ébranle toutes nos forces. Mais craignons qu'une discipline lui manque, car la superstition, la mystagogie [9], la sorcellerie apparaissent aussitôt, et des places désignées pour être des lieux de perfectionnement par la prière deviennent des lieux de sabbat. C'est ce qu'indique le profond Goethe, lorsque son Méphistophélès entraîne Faust sur la
30 montagne du Hartz [10], sacrée par le génie germanique, pour y instaurer la liturgie sacrilège du *Walpurgisnachtstraum* [11].

D'où vient la puissance de ces lieux ? La doivent-ils au souvenir de quelque grand fait historique, à la beauté d'un site exceptionnel, à l'émotion des foules qui du fond des âges y vinrent s'émouvoir ? Leur vertu [12] est plus mystérieuse. Elle précéda leur gloire et saurait y survivre. Que les chênes fatidiques soient coupés, la fontaine remplie de sable et les sentiers recouverts, ces solitudes ne sont pas déchues de pouvoir. La vapeur de leurs oracles s'exhale, même s'il n'est plus de prophétesse pour la respirer. Et n'en doutons pas, il est de par le
40 monde infiniment de ces points spirituels qui ne sont pas encore révélés, pareils à ces âmes voilées dont nul n'a reconnu la grandeur. Combien de fois, au hasard d'une heureuse et profonde journée, n'avons-nous pas rencontré la lisière d'un bois, un sommet, une source, une simple prairie, qui nous commandaient de faire taire nos pensées et d'écouter plus profond que notre cœur ! Silence ! les dieux sont ici.

Illustres ou inconnus, oubliés ou à naître, de tels lieux nous entraînent, nous font admettre insensiblement un ordre de faits supérieurs à ceux où tourne à l'ordinaire notre vie. Ils nous disposent à connaître un sens de l'existence plus secret que celui qui nous est familier, et, sans rien
50 nous expliquer, ils nous communiquent une interprétation religieuse de notre destinée. Ces influences longuement soutenues produiraient d'elles-mêmes des vies rythmées et vigoureuses, franches et nobles comme des poèmes. Il semble que, chargées d'une mission spéciale, ces terres doivent intervenir, d'une manière irrégulière et selon les cir-

---

— 8 Où Shakespeare a situé une scène poétique de *Comme il vous plaira*. — 9 Initiation aux cérémonies païennes. — 10 Chaîne montagneuse de l'Allemagne du Nord. — 11 « Songe d'une nuit de Walpurgis », sorte de fête diabolique où les sorcières se donnent rendez-vous ; épisode du *Faust* de Goethe. — 12 Pouvoir, puissance magique, comme celle d'un philtre.

constances, pour former des êtres supérieurs et favoriser les hautes idées morales. C'est là que notre nature produit avec aisance sa meilleure poésie, la poésie des grandes croyances. Un rationalisme indigne de son nom veut ignorer ces endroits souverains. Comme si la raison pouvait mépriser aucun fait d'expérience ! Seuls des yeux distraits ou trop faibles
60 ne distinguent pas les feux de ces éternels buissons ardents. Pour l'âme, de tels espaces sont des puissances comme la beauté ou le génie. Elle ne peut les approcher sans les reconnaître. Il y a des lieux où souffle l'esprit.

La Colline inspirée (Plon, éditeur).

La prairie et la chapelle

Ce LÉOPOLD BAILLARD, vieux prophète foudroyé, n'était-il qu'un mauvais génie et faut-il rejeter absolument tout ce qu'avant de faire sa soumission il a prédit, prêché, crié ? Non, son enthousiasme anarchique n'était pas sans grandeur : il incarnait la confuse lumière de la *prairie* que domine Sion. Mais sur une des pointes de la colline, entre les quatre murs d'une petite construction, l'esprit de la *chapelle* qui est celui de l'ordre, d'une discipline acceptée, entretient avec la voix de la prairie un dialogue éternel.
THÈMES : *Religion. Métaphysique. Nature. Symboles.*

Nous sommes-nous égarés ? L'esprit de la colline serait-il un esprit de perdition ? Faut-il demander à la raison d'exorciser cette lande ? Faut-il laisser en jachère les parties de notre âme qu'elle est capable d'exciter ? Faut-il se détourner de Léopold, quand il se laisse soulever par le souffle de Sion ?
Non pas ! C'est un juste mouvement de la part la plus mystérieuse de notre âme qui nous entraînait avec sympathie derrière Léopold sur les sommets sacrés. Nous sentons justement quelque similitude entre ces hauts domaines et les parties desséchées de notre âme. Dans notre âme, comme sur la terre, il existe des points nobles que le siècle laisse en léthargie. Ayons le courage de marcher
10 à nouveau, hardiment, sur cette terre primitive et de cultiver, par-dessous les froides apparences, le royaume ténébreux de l'enthousiasme. Rien ne rend inutile, rien ne supplée l'esprit qui palpite sur les cimes. Mais prenons garde que cet esprit émeut toutes nos puissances et qu'un tel ébranlement, précisément parce qu'il est de tout l'être, exige la discipline la plus sévère. Qu'elle vienne à manquer ou se fausse, aussitôt apparaissent tous les délires. Il s'est toujours joué un drame autour des lieux inspirés. Ils nous perdent ou nous sauvent, selon qu'ayant écouté leur appel nous le traduisons par un conseil de révolte ou d'acceptation. Allons sur l'antique montagne, mais laissons sa pensée dérouler jusqu'au bout ses anneaux, écoutons une expérience si vaste et
20 sachons suivre tous les incidents d'une longue phrase de vérité.
Un beau fruit s'est levé du sein de la colline. Dans ce vaste ensemble de pierrailles, d'herbages maigres, de boqueteaux, de halliers toujours balayés du vent, tapis barbare où depuis des siècles les songeries viennent danser, il est un coin où l'esprit a posé son signe. C'est la petite construction qu'on voit là-haut, quatre murailles de pierres sur une des pointes de la colline. L'éternel souffle qui tournoie de Vaudémont à Sion jette les rumeurs de la prairie contre cette maison de solidité, et remporte un message aux friches qu'il dévaste.

— Je suis, dit la prairie, l'esprit de la terre et des ancêtres les plus lointains, la liberté, l'inspiration.

30   Et la chapelle répond :
— Je suis la règle, l'autorité, le lien ; je suis un corps de pensées fixes et la cité ordonnée des âmes.

— J'agiterai ton âme, continue la prairie. Ceux qui viennent me respirer se mettent à poser des questions. Le laboureur monte ici de la plaine le jour qu'il est de loisir et qu'il désire contempler. Un instinct me l'amène. Je suis un lieu primitif, une source éternelle.

Mais la chapelle nous dit :
— Visiteurs de la prairie, apportez-moi vos rêves pour que je les épure, vos élans pour que je les oriente. C'est moi que vous cherchez, que vous voulez à 40   votre insu. Qu'éprouvez-vous ? Le désir, la nostalgie de mon abri. Je prolonge la prairie, même quand elle me nie. J'ai été construite, à force d'y avoir été rêvée. Qui que tu sois, il n'est en toi rien d'excellent qui t'empêche d'accepter mon secours. Je t'accorderai avec la vie. Ta liberté, dis-tu ? Mais comment ma direction pourrait-elle ne pas te satisfaire ? Nous avons été préparés, toi et moi, par tes pères. Comme toi, je les incarne. Je suis la pierre qui dure, l'expérience des siècles, le dépôt du trésor de ta race. Maison de ton enfance et de tes parents, je suis conforme à tes tendances profondes, à celles-là même que tu ignores, et c'est ici que tu trouveras, pour chacune des circonstances de ta vie, le verbe mystérieux, élaboré pour toi quand tu n'étais pas. Viens à moi si tu veux trouver 50   la pierre de solidité, la dalle où asseoir tes jours et inscrire ton épitaphe.

Éternel dialogue de ces deux puissances ! A laquelle obéir ? Et faut-il donc choisir entre elles ? Ah ! plutôt qu'elles puissent, ces deux forces antagonistes, s'éprouver éternellement, ne jamais se vaincre et s'amplifier par leur lutte même ! Elles ne sauraient se passer l'une de l'autre. Qu'est-ce qu'un enthousiasme qui demeure une fantaisie individuelle ? Qu'est-ce qu'un ordre qu'aucun enthousiasme ne vient plus animer ? L'église est née de la prairie, et s'en nourrit perpétuellement, — pour nous en sauver.   *La Colline inspirée* (Plon, éditeur).

La Sibylle d'Auxerre

MAURICE BARRÈS n'a cessé de défendre en l'Église catholique la puissance qui, depuis des siècles, accueille et maintient tous les aspects de la *spiritualité*. Fervent de l'Espagne, il n'ignore pas cette cathédrale de Zamora où (dans les stalles du chœur), parmi les grands prophètes de la Rédemption, figure Virgile en tant qu'auteur de la IVe Bucolique. A Sienne aussi, dans la mosaïque du « pavimento », la cathédrale perpétue la prédiction de la vieille Sibylle cuméenne. Ici, dans une page très spontanée d'accent et volontairement familière, l'auteur s'enchante de cette continuité d'une présence antique si riche de symboles, au cœur même d'une église chrétienne : subtile alliance de mystère et de clarté, essentielle, selon lui, à la civilisation française. – THÈMES : *Providence. Beaux-arts.*

Voici plusieurs mois qu'en feuilletant une brochure chez le libraire, j'ai appris par hasard qu'il existe dans la cathédrale d'Auxerre une image de la Sibylle. Il paraît même que jadis on en voyait deux autres sous le porche. Un vrai nid de Sibylles, cette cathédrale ! Cela m'a tout de suite enchanté d'une manière qu'il m'est assez difficile de rendre claire, fût-ce à moi-même. Ce que j'éprouve, c'est un sentiment profond d'approbation. J'approuve que dans un lieu saint quelque chose de charmant et de mystérieux, que le malheur avait

découronné, ait été recueilli avec honneur. La dernière des Sibylles errait
silencieusement sans abri. Ses temples d'Europe et d'Asie s'étaient écroulés,
10 et les dieux païens couchés dans le sable ne pouvaient plus la protéger. Le
Christ les supplée et reçoit leur fille chérie dans l'ombre de son autel. Quelle
émouvante courtoisie de la divinité !

Depuis que j'ai fait cette belle découverte, mon imagination excitée se nourrit
de cette aventure comme d'une musique. La nuit, si je ne dors pas, et le jour
dans l'intervalle de mes occupations, je me transporte en esprit auprès de cette
réfugiée. Qu'est-ce que Thémistocle assis en suppliant au foyer de son ennemi ?
Qu'est-ce que Mlle de La Vallière repentie chez les Carmélites ? Il est d'un
sens autrement riche, le roman de cette survivante des idoles admise chez le
vrai Dieu ! Ce matin, n'y tenant plus, j'ai pris le train pour Auxerre.

20 Quand j'entrai dans la cathédrale, vers la fin de la journée, un vicaire y faisait
la leçon à une trentaine de petites filles, dont les regards perçants me prirent
dès le seuil et ne me lâchèrent plus, étonnés que j'allasse de droite et de gauche,
le nez en l'air, à la recherche de ma merveille, tant et si bien qu'à la fin, contrarié
d'être un prétexte à leur dissipation, je pris le parti de m'adresser au prêtre.

— Où diable, monsieur l'abbé, — excusez mon indiscrétion, — pourrais-je
trouver cette fameuse figure de la Sibylle ?

— Ah ! me dit-il, en m'exprimant d'un coup d'œil cette sorte de sympathie
qu'un homme bienveillant éprouve pour un excentrique innocent, ah ! vous
venez pour notre Sibylle ! Je vais vous la montrer.

30 Il me conduisit derrière l'autel, et les petites filles, malgré ses gestes répétés
qui auraient voulu les fixer sur leurs bancs, nous suivirent, rendues fort hilares
par ce mot singulier de sibylle.

— Tenez, me dit-il, la voilà justement en conversation avec le Saint-Esprit.

Je vis, sculptée dans le pourtour du chœur, une image poussiéreuse, dont
par miracle à cette minute un gros pigeon, tout vivant et roucoulant, piétinait
sans aucune retenue l'épaule.

Ce soir-là, à l'hôtel, le voyageur va, dans une calme solitude, méditer sur le symbole de
cette présence païenne dans la cathédrale.

Quel plaisir de demeurer toute une soirée seul entre quatre murs, sans
qu'aucun fâcheux nous y puisse rejoindre, et d'échauffer en nous des pensées
qui tendent toutes à une même fin ! J'ai passé des heures parfaites dans cet
40 hôtel d'Auxerre, à méditer la question si claire de la Sibylle. Je m'étais couché
pour mieux raisonner, et, les yeux fermés, je contemplais sympathiquement
l'antique prophétesse, toujours jeune, avec son fardeau de problèmes, telle que
je venais de la voir dans son ombre séculaire.

Il faut avouer que cette hétérodoxe fait une extraordinaire figure dans le lieu
des grandes révélations sur les énigmes de l'univers. Sa seule présence
aiderait-elle à résoudre le mystérieux problème de l'inspiration, le problème des
rapports de certains êtres avec l'Esprit ? Jadis, elle se tenait sous le chêne de
Dodone chargé de colombes noires et ses oracles, qu'elle écrivait sur les feuilles
de l'arbre prophétique, elle les jetait aux quatre vents du ciel. O suspecte !
50 Fut-elle l'instrument des démons ou des anges ? En accueillant cette sorcière
des païens, l'Église reconnaît, semble-t-il, et proclame que dans tous les temps
quelques êtres privilégiés ont possédé la puissance d'entrer en contact avec Dieu.

Le Mystère en pleine lumière (Plon, éditeur).

JULES RENARD

**Naturalisme
et impressionnisme**
JULES RENARD (1864-1910) est généralement classé parmi les *naturalistes;* il serait peut-être plus juste de parler d'*impressionnisme,* du moins si l'on songe surtout à son *art.* Or, si dans ses romans (*L'Écornifleur,* 1893 ; *Poil de Carotte,* 1894) et dans son théâtre (cf. p. 58) il choisit ses sujets dans la vie réelle et cultive même parfois leur banalité, c'est lui aussi qui écrit, dans son *Journal,* véritable mine d'observations incisives et pénétrantes : *« Un petit particulier humain m'intéresse plus que l'humain général. »* Il procède plus par *touches* minces et caustiques que par ensembles composés ; il tend à ramener l'élaboration littéraire à une *collection concertée d'instantanés,* comme il fait dans *Histoires naturelles* (1896), sans doute son chef-d'œuvre. Aussi est-il d'abord un *maître-styliste,* mais qui se sert du style pour mêler le tragique et le cocasse, l'ironie et la lucidité, la tendresse et le pessimisme. A ce titre, son œuvre frappe par son *originalité ;* et Jules Renard doit à cette originalité son *influence posthume,* qui fut, et reste, considérable : aussi, bien que ses œuvres principales soient antérieures à 1900, appartient-il, de plein droit, au XXᵉ siècle.

LE « CAUCHEMAR » DE POIL DE CAROTTE

Poil de Carotte est un « roman » écrit sous forme d'épisodes, dont la succession dessine une histoire à la fois comique et douloureuse. Ainsi nommé à cause de la couleur de ses cheveux, le troisième enfant de M. et Mme Lepic vit, entre Grand Frère Félix et Sœur Ernestine, l'aventure d'une *enfance privée d'amour.* Le roman a certainement des origines autobiographiques, mais son originalité réside dans l'*esprit* même de l'auteur, qui se situe délibérément sur la frontière de l'ironie et de l'indignation comme de la tragédie et de la comédie. Et il n'arrive à maintenir ce *difficile équilibre* que par le *miracle du style.*
THÈMES : *Enfance. Famille.*

POIL DE CAROTTE, *qui, un jour, énonce cette réflexion terrible :* « Tout le monde ne peut pas être orphelin », *est le souffre-douleur de sa mère, Mme Lepic, dont* J. RENARD *a su faire le type éternel de la mère-marâtre. Voici un des épisodes de la vie douloureuse de l'enfant.*

Poil de Carotte n'aime pas les amis de la maison. Ils le dérangent, lui prennent son lit et l'obligent à coucher avec sa mère. Or, si le jour il possède tous les défauts, la nuit il a principalement celui de ronfler. Il ronfle exprès, sans aucun doute [1].

La grande chambre, glaciale même en août, contient deux lits. L'un est celui de M. Lepic, et dans l'autre Poil de Carotte va reposer, à côté de sa mère, au fond.

Avant de s'endormir, il toussote sous le drap, pour déblayer sa gorge. Mais peut-être ronfle-t-il du nez ? Il fait souffler en douceur ses narines 10 afin de s'assurer qu'elles ne sont pas bouchées. Il s'exerce à ne point respirer trop fort.

Mais dès qu'il dort, il ronfle. C'est comme une passion.

Aussitôt, Madame Lepic lui entre deux ongles, jusqu'au sang, dans le plus gras d'une fesse. Elle a fait choix de ce moyen.

Le cri de Poil de Carotte réveille brusquement M. Lepic, qui demande :

— Qu'est-ce que tu as ?

— 1 C'est l'opinion de Mme Lepic, devenue une sorte de vérité *objective !*

— Il a le cauchemar, dit Madame Lepic.

Et elle chantonne, à la manière des nourrices, un air berceur qui semble indien.

20   Du front, des genoux poussant le mur, comme s'il voulait l'abattre, les mains plaquées sur ses fesses pour parer le pinçon qui va venir au premier appel des vibrations sonores, Poil de Carotte se rendort dans le grand lit où il repose, à côté de sa mère, au fond [2].

Poil de Carotte (Flammarion, éditeur).

Échantillons d'un bestiaire

Histoires naturelles parut d'abord en 1896, puis en 1899 dans une édition illustrée par Toulouse-Lautrec, qui avait en commun avec l'auteur le goût du trait bref, incisif et suggestif. Le genre du *bestiaire*, d'ailleurs, avait occupé dans l'art une place importante, et, bientôt, Apollinaire (cf. p. 36) le réintroduira dans la poésie. Le bestiaire de J. Renard est fait d'*instantanés*, tantôt composant, par touches juxtaposées, une véritable mosaïque cocasse et poétique, tantôt fixant dans la brièveté d'une formule inattendue la « vérité » d'un animal. A cette catégorie appartiennent ses trouvailles les plus proches de la perfection, du moins quant au style. – THÈMES : *Animaux. Humour.*

Le cafard

Noir et collé comme un trou de serrure.

La dinde

Sur la route, voici encore le pensionnat des dindes.

Chaque jour, quelque temps qu'il fasse, elles se promènent.

Elles ne craignent ni la pluie, personne ne se retrousse mieux qu'une dinde, ni le soleil, une dinde ne sort jamais sans son ombrelle.

Le chat

Le mien ne mange pas les souris ; il n'aime pas ça. Il n'en attrape une que pour jouer avec.

Quand il a bien joué, il lui fait grâce de la vie, et il va rêver ailleurs, l'innocent, assis dans la boucle de sa queue, la tête bien fermée comme un poing.

Mais, à cause des griffes, la souris est morte.

Le ver luisant

Que se passe-t-il ? Neuf heures du soir et il y a encore de la lumière chez lui.

L'escargot

Casanier dans la saison des rhumes, son cou de girafe rentré, l'escargot bout comme un nez plein.

Il se promène dès les beaux jours, mais il ne sait marcher que sur sa langue.

Le papillon

Ce billet doux plié en deux cherche une adresse de fleur.

L'araignée

Une petite main noire et poilue crispée sur des cheveux.

Toute la nuit, au nom de la lune, elle appose ses scellés.

Histoires naturelles (Flammarion, éditeur).

—————————

— 2 Noter l'effet ironique et cruel de ce refrain (cf. 1.7).

ÉDOUARD ESTAUNIÉ

Sa génération   Parmi les romanciers qui atteignirent leur quarantième année aux environs de 1900, certains, par leur talent très accessible et l'intérêt, déjà documentaire, de leurs études sociales, restent les témoins d'une époque dite « facile » peut-être parce que certains en éludaient les difficultés. Tels sont PAUL HERVIEU (1857-1915 ; cf. p. 59), auteur de *Peints par eux-mêmes* et de *L'Armature* (1893) ; MARCEL PRÉVOST (1862-1941), spécialiste du mariage et de l'adultère mondains ; ABEL HERMANT (1862-1950), ironiste indulgent du *Cavalier Miserey* (1887) et des *Transatlantiques* (1897) ; LOUIS BERTRAND (1866-1941), qui laisse des œuvres historiques et critiques, et aussi des romans (*L'Infante*, 1920). D'inspiration plus idéaliste et plus poétique, ÉLÉMIR BOURGES (1852-1925), avec *Les oiseaux s'envolent et les fleurs tombent,* et RENÉ BOYLESVE, avec *Le Parfum des îles Borromées,* reflètent également une société que deux grandes guerres et beaucoup de nouveaux problèmes semblent avoir éloignée dans le temps. Analyste délicat, EDMOND JALOUX (1878-1949), romancier (*Le reste est silence,* 1909 ; *L'Escalier d'or,* 1922) et critique (*L'esprit des livres* ; *D'Eschyle à Giraudoux*) occupe une place à part, ainsi qu'Édouard Estaunié.

Sa personnalité   Ingénieur, ancien polytechnicien, ÉDOUARD ESTAUNIÉ (1862-1942) a mis une pensée grave, attentive et inquiète au service d'*études psychologiques et morales.* Dès 1896, il se classait comme romancier avec *L'Empreinte,* dont le cadre est celui d'un collège religieux. Peu après la guerre paraîtront deux livres d'une inspiration élevée, *L'Ascension de M. Baslèvre* (1921) et *L'Infirme aux mains de lumière* (1923).

Romancier de l'immobile dans *Les choses voient* (1914), puis dans *Tels qu'ils furent* (1927, évocation frappante de la vie en province au temps de sa jeunesse), Édouard Estaunié a peut-être réalisé ses œuvres les plus attachantes avec *L'Appel de la route* (1922) et les trois nouvelles de *Solitudes* (1922). Dans le premier de ces deux livres apparaît la douloureuse figure de Mlle Lormier, étrange fille, laide et solitaire, qui, à l'ombre des remparts de sa petite ville (Semur-en-Auxois), médite sur Pascal et le *Discours des passions de l'amour.* « Il y a toutes sortes de chagrin, écrit à son propos le narrateur, et les silencieuses ne sont pas les moins vives. » Et c'est à la fin du prologue de *Solitudes* qu'on trouve ces lignes, très significatives du climat romanesque d'Édouard Estaunié :

« A l'heure où j'écris ces lignes, j'aperçois depuis ma fenêtre un alpiniste et des guides qui s'apprêtent à escalader la Meije... A ceux qui prétendraient pénétrer complètement le secret d'un cœur humain, fût-il le plus proche, je dirais volontiers qu'autant vaut, comme ces grimpeurs, partir pour une Meije. A l'arrivée, l'unique récompense qui les attend est aussi la découverte de la ceinture d'abîmes les isolant de l'univers, cependant qu'au-delà le mystère des âmes peuple l'espace sans l'éclairer. »

Mademoiselle Gauche

Voici la première de ces douloureuses *solitudes,* les deux autres nouvelles du livre (*Monsieur Champel* et *Les Jauffrelin*) évoquant des solitudes à deux, des malentendus irréversibles. ÉDOUARD ESTAUNIÉ se montre ici un excellent *peintre de la province* où, dit-il, « même les pierres nous surveillent », et un psychologue mélancolique, parfois discrètement ému. – THÈMES : *Solitude. Pauvreté. Psychologie. Religion. Providence.*

Ceci remonte au temps de ma jeunesse, quand je passais encore les vacances à Vézelay, chez mes grands-parents.

Tout le monde connaît, au moins de nom, ce village de Bourgogne, célèbre par son église. Ceint de vieux murs, il semble une frégate échouée sur un récif. Le toit colossal de la basilique dessine le pont ; à l'avant, des châtaigniers centenaires dressent leurs mâts armés de voiles vertes ; enfin, accrochées aux flancs, les petites fenêtres des maisons ouvrent, sur la campagne et par-dessus la bande noire des remparts, des milliers de sabords d'où l'on s'attend à voir jaillir l'éclair d'un coup de canon. L'ensemble est archaïque, grandiose et 10 délicieux.

Chaque été nous revenions dans la maison familiale. Celle-ci existe encore, avec sa tourelle et sa porte en ogive. Elle continue de faire, comme autrefois, l'angle d'une petite place, à deux cents mètres de la basilique. Mlle Gauche dont je désire raconter l'histoire, demeurait en face.

Âgé alors d'une trentaine d'années, le narrateur est venu, après la mort de sa grand'mère, fermer la maison : il aperçoit par la fenêtre une voisine qui, infirme depuis sa jeunesse, ne quitte pas son fauteuil. C'est maintenant une vieille fille « aux joues blanches, brodant des choses blanches ». Un dimanche par mois, on la porte jusqu'à la Basilique.

Par quelle négligence coupable avais-je toujours dédaigné de rendre visite à Mlle Gauche et délaissé cette délaissée ?

Aujourd'hui même, n'avais-je pas le plus naturel des prétextes pour revenir sur une conduite aussi absurde et ne devais-je pas lui annoncer la fermeture de ma maison ?

20 Que ce fussent là mes raisons véritables, ou que, plus simplement, j'aie obéi au désir impérieux d'échapper à l'angoisse qui m'oppressait, toujours est-il que, sans hésiter plus, je me levai, pris mon chapeau et, traversant la rue, allai frapper à sa porte...

J'arrivais, on l'a vu [1], bouleversé à la pensée d'une solitude exceptionnelle, désireux de témoigner d'un seul coup et en bloc tout l'arriéré d'intérêt que j'avais eu le tort de ne pas montrer auparavant. Je trouvai une femme d'une politesse parfaite qui, s'oubliant elle-même, affectait de ne s'enquérir que de moi et de mes projets. Il y avait, en vérité, un contraste choquant entre une telle sérénité, fruit de tant d'années solitaires, et mon émoi dû, tout compte 30 fait, au seul trouble d'une soirée unique passée dans une maison déserte ; enfin, étant parvenu à exprimer de mon mieux la sympathie que je souhaitais, j'eus la stupeur de m'entendre répondre :

— On n'est pas seul quand on a, comme moi, la prière et des souvenirs. Je ne cesse de prier ou de songer au passé. Cela suffit à me distraire.

Et ce fut Mlle Gauche, positivement, qui eut l'air de m'offrir sa compassion ! J'entends encore les phrases qui suivirent, je vois le sourire combien apaisé qui les ponctua :

— Quoi, m'écriai-je, le temps vous paraît court et vous n'êtes jamais triste ?

— Jamais triste, ni gaie...

40 — Ignorant tout ce qui se passe au-delà de votre croisée, et aussi ce qui émeut le cœur de la plupart des femmes, vous n'avez jamais été tentée de vous plaindre ?

— Non... un ciel gris est encore du ciel... Et puis, ne raffinons pas tant sur des choses qui, m'étant imposées, doivent avoir leur raison d'être. N'imaginez pas surtout que je n'éprouve aucun regret ! Par exemple, hier, j'ai rêvé que j'étais emportée dans une calèche. Nous descendions, bride abattue, la côte [2]

— 1 L'auteur a précédemment exprimé sa | contrebas de Vézelay, le village de Saint-Père compassion pour la pauvre fille. — 2 Situé en | possède une église célèbre.

de Saint-Père ; l'air me fouettait la figure et j'en étais grisée. Ce n'était, hélas,
qu'un rêve...

Elle poursuivit, baissant la voix :
50 — Je n'ai jamais pu, non plus, me commander un chapeau chez une modiste
convenable. J'aurais bien aimé pourtant avoir sur la tête quelque chose qui
fût à la mode, quand je sors, le dimanche... Vous le voyez, on n'est jamais
tout à fait content, le sort m'a interdit la coquetterie et mes chevaux emballés
appartiendront toujours à la chimère.

Mais, déjà, sa mélancolie s'envolait : elle reprit son sourire et conclut :
— Qui ne pardonnerait à pareille compagne ? S'il est vrai que la chimère
donne rarement ce qu'elle a promis, c'est qu'elle est trop fidèle et, ne nous
quittant jamais, manque du loisir nécessaire pour l'aller chercher...

Tels furent, très exactement, les propos de cette femme, toute sa vie murée
60 dans sa maison comme dans un caveau, sans autre distraction que d'attendre
la mort.

Solitudes (Librairie Académique Perrin, éditeur).

*En fait, la vieille fille sera victime d'un escroc qui, arguant d'une parenté problématique,
viendra passer quelques jours auprès d'elle et se fera léguer la maison. « Il fallut guider la
main de Mlle Gauche pour faire apposer la signature. Quand elle eut achevé le dernier paraphe,
elle ferma les yeux : Maintenant, soupira-t-elle épuisée, je serai satisfaite d'aller ailleurs.
Espérons que j'y serai moins seule. — Cinq jours après, le délire l'emportait. »*

ALAIN-FOURNIER

La vie et le rêve   Tombé aux Éparges le 22 septembre 1914, Henri
FOURNIER était né en 1886 à La Chapelle-d'Angillon, dans
le Cher. Fils d'instituteurs, il passa ses vacances, et aussi toutes ses premières années,
en milieu rural : Berry, Sologne. Au lycée Lakanal, où il prépara l'École normale
supérieure, il acquit une culture étendue mais toujours choisie. Ses dons, sa sensibilité
délicate et accueillante éclairent sa *Correspondance* avec Jacques Rivière (qui épousera
Isabelle, sœur d'Henri, son condisciple et son ami), mais il disparut trop tôt pour leur
donner un large épanouissement.

Du moins laisse-t-il une sorte de chef-d'œuvre, *Le Grand Meaulnes* (1913) dont le
style, d'une exquise simplicité, ressuscite le monde même de l'enfance, ce temps de la
vie où pénètre si naturellement le *rêve*. Dans ce livre unique, l'auteur a mêlé aux souvenirs
d'un *amour entrevu*, qu'il fait revivre avec le personnage d'Yvonne de Galais, les images
de l'école, des jeux et des saisons, sous une lumière douce, favorable à tous les songes
et à l'expression pudique et secrète de la *quête nostalgique d'un absolu*.

LE GRAND   AUGUSTIN MEAULNES, *que ses camarades appellent « le
MEAULNES   grand Meaulnes », est interne, au bourg solognot de
Sainte-Agathe, chez un directeur d'école, M. Seurel, père de
son condisciple* FRANÇOIS, *le narrateur, et sa venue a transformé l'atmosphère de la classe.
Peu avant les vacances de Noël, Meaulnes disparaît mystérieusement pendant trois jours
et ne fera qu'à son ami le récit de son étrange aventure : en allant chercher des voyageurs*

à Vierzon, il s'est égaré « dans l'endroit le plus désolé de la Sologne ». Il a passé la nuit dans une bergerie abandonnée ; jument et voiture ont disparu. Il se met en marche et aperçoit « au-dessus d'un bois de sapins la flèche d'une tourelle grise. Quelque vieux manoir abandonné, se dit-il, quelque pigeonnier désert ». Or, dans l'allée où il s'engage, il est saisi d'une tranquillité parfaite, avec le sentiment « que son but était atteint et qu'il n'y avait plus maintenant que du bonheur à espérer ». En approchant du domaine, il voit de charmantes petites filles en costumes de jadis : « Y aurait-il une fête en cette solitude ? » C'est ce que semble présager l'affluence des voitures de tout genre. Pour ne pas effrayer les enfants, l'adolescent pénètre dans une chambre abandonnée où il ne tardera pas à s'endormir, non sans avoir cru entendre que « le vent lui portait le son d'une musique perdue : c'était comme un souvenir, *plein de charme et de regret ».*

Au matin, il découvre, autour de lui, dans la pénombre, des vêtements d'autrefois qui semblent placés là, à son intention.

« LA FÊTE ÉTRANGE »

Gérard de Nerval évoquait l'apparition d'une dame « en ses habits anciens », entrevue « dans un château du temps de Louis XIII » (cf. *XIXᵉ Siècle*, p. 273, *Fantaisie*). Il semble bien que, sensible à travers tout l'épisode, l'influence du poète apparaisse plus frappante encore ici. En effet, si l'on retrouve dans cette page quelques souvenirs de Charles Nodier et de ses contes fantastiques (*cf. Le Pays du rêve* et *La Neuvaine de la Chandeleur*), c'est essentiellement l'univers de Nerval qui s'impose à nous par la magie de ces déguisements, peut-être inspirés de *Sylvie*, et par une dimension nouvelle du récit comme dans *Aurélia*. Ici, grâce au rythme, à l'éclairage, et à de mystérieux silences, les êtres semblent glisser dans la demi-obscurité du rêve, *délivrés de la pesanteur et du temps*.
THÈMES : *Adolescence. Réel et irréel.*

C'étaient des costumes de jeunes gens d'il y a longtemps, des redingotes à hauts cols de velours, de fins gilets très ouverts, d'interminables cravates blanches et des souliers vernis du début de ce siècle. Il n'osait rien toucher du bout du doigt, mais après s'être nettoyé en frissonnant, il endossa sur sa blouse d'écolier un des grands manteaux dont il releva le collet plissé, remplaça ses souliers ferrés par de fins escarpins vernis et se prépara à descendre nu-tête.

Il arriva, sans rencontrer personne, au bas d'un escalier de bois, dans un recoin de cour obscur. L'haleine glacée de la nuit vint lui souffler
10 au visage et soulever un pan de son manteau.

Il fit quelques pas et, grâce à la vague clarté du ciel, il put se rendre compte aussitôt de la configuration des lieux. Il était dans une petite cour formée par des bâtiments des dépendances. Tout y paraissait vieux et ruiné. Les ouvertures au bas des escaliers étaient béantes car les portes depuis longtemps avaient été enlevées ; on n'avait pas non plus remplacé les carreaux des fenêtres qui faisaient des trous noirs dans les murs. Et pourtant toutes ces bâtisses avaient un mystérieux air de fête. Une sorte de reflet coloré flottait dans les chambres basses où l'on avait dû allumer aussi, du côté de la campagne, des lanternes. La terre était
20 balayée ; on avait arraché l'herbe envahissante. Enfin, en prêtant l'oreille, Meaulnes crut entendre comme un chant, comme des voix d'enfants et de jeunes filles, là-bas, vers les bâtiments confus où le vent secouait des branches devant les ouvertures roses, vertes et bleues des fenêtres.

Réalité
et
mystère

*André Thébault,
illustration pour
« Le Grand Meaulnes ».*
(Coll. part. Ph. Jeanbor
© Photeb-DR)

« Le domaine mystérieux »

« Au coin du bois débouchait, entre deux poteaux blancs, une allée où Meaulnes s'engagea. Il y fit quelques pas et s'arrêta, plein de surprise, troublé d'une émotion inexplicable. Il marchait pourtant du même pas fatigué, le vent glacé lui gerçait les lèvres, le suffoquait par instants ; et pourtant un contentement extraordinaire le soulevait, une tranquillité parfaite et presque enivrante, la certitude que le but était atteint et qu'il n'y avait plus maintenant que du bonheur à espérer » (*Le Grand Meaulnes,* XI).

Cette magie opère d'autant plus sûrement, dans le roman, qu'elle contraste avec la peinture fidèle de la vie des écoliers et des habitants de Sainte-Agathe.

Il était là, dans son grand manteau, comme un chasseur, à demi penché, prêtant l'oreille, lorsqu'un extraordinaire petit jeune homme sortit du bâtiment voisin, qu'on aurait cru désert.

Il avait un chapeau haut de forme très cintré qui brillait dans la nuit comme s'il eût été d'argent ; un habit dont le col lui montait dans les cheveux, un gilet très ouvert, un pantalon à sous-pieds... Cet élégant,
30 qui pouvait avoir quinze ans, marchait sur la pointe des pieds comme s'il eût été soulevé par les élastiques de son pantalon, mais avec une rapidité extraordinaire. Il salua Meaulnes au passage sans s'arrêter, profondément, automatiquement, et disparut dans l'obscurité, vers le bâtiment central, ferme, château ou abbaye, dont la tourelle avait guidé l'écolier au début de l'après-midi.

Après un instant d'hésitation, notre héros emboîta le pas au curieux petit personnage. Ils traversèrent une sorte de grande cour-jardin, passèrent entre des massifs, contournèrent un vivier enclos de palissades, un puits, et se trouvèrent enfin au seuil de la demeure centrale.
40 Une lourde porte de bois, arrondie dans le haut et cloutée comme une porte de presbytère, était à demi ouverte. L'élégant s'y engouffra. Meaulnes le suivit, et, dès ses premiers pas dans le corridor, il se trouva, sans voir personne, entouré de rires, de chants, d'appels et de poursuites.

Tout au bout de celui-ci passait un couloir transversal. Meaulnes hésitait s'il allait pousser jusqu'au fond ou bien ouvrir une des portes derrières lesquelles il entendait un bruit de voix, lorsqu'il vit passer dans le fond deux fillettes qui se poursuivaient. Il courut pour les voir et les rattraper, à pas de loup, sur ses escarpins. Un bruit de portes qui s'ouvrent, deux visages de quinze ans que la fraîcheur du soir et
50 la poursuite ont rendus tout roses, sous de grands cabriolets à brides, et tout va disparaître dans un brusque éclat de lumière.

Une seconde, elles tournent sur elles-mêmes, par jeu ; leurs amples jupes légères se soulèvent et se gonflent ; on aperçoit la dentelle de leurs longs, amusants pantalons ; puis, ensemble, après cette pirouette, elles bondissent dans la pièce et referment la porte. Meaulnes reste un moment ébloui et titubant dans ce corridor noir.

Le Grand Meaulnes, I, XIII, *La Fête étrange* (Émile-Paul Frères, éditeur).

Le soir, « un peu angoissé à la longue par tout ce plaisir qui s'offrait à lui », MEAULNES *se réfugie dans un petit salon où il va goûter « le bonheur le plus calme du monde », en écoutant une jeune fille jouer « des airs de rondes ou de chansonnettes » devant des enfants extasiés. « Alors ce fut un rêve comme son rêve de jadis. Il put imaginer longuement qu'il était dans sa propre maison, marié, un beau soir, et que cet être charmant et inconnu qui jouait du piano, près de lui, c'était sa femme... » Le jour suivant, au cours d'une promenade en bateau,* AUGUSTIN MEAULNES *voit apparaître cette jeune fille, qui est* YVONNE DE GALAIS : « A terre, tout s'arrangea comme dans un rêve... Il se trouva près d'elle sans avoir eu le temps de réfléchir : Vous êtes belle, dit-il simplement. » Mais la jeune fille a éludé une vraie réponse, et Augustin se reproche sa témérité. Il restera bien longtemps sans revoir Yvonne de Galais qu'il retrouvera cependant, grâce à François, et qu'il épousera. Mais, le lendemain de son mariage, appelé par l'énigmatique* FRANTZ, *frère d'Yvonne, il part pour un long voyage dont il ne reviendra qu'après la mort de la jeune femme.*

VALERY LARBAUD

Né à Vichy en 1881, VALERY LARBAUD devait y mourir en 1957, mais jusqu'en 1935, année où il fut frappé d'une congestion cérébrale, le cours de sa vie ne fut guère qu'un *long voyage*. Une grande fortune lui permit de n'écouter que ses goûts personnels pour l'amitié, la culture et presque tous les ciels de l'Europe, en particulier ceux d'Angleterre, d'Italie et d'Espagne.

C'est en 1908 que se place la première apparition d'*A.O. Barnabooth*, poète et milliardaire (cf. p. 33). En 1911, Valery Larbaud rencontre à Londres André Gide qui restera son ami et qui contribue cette année-là au succès de *Fermina Márquez*, roman de l'adolescence. Après la guerre où il voulut, étant réformé, servir quand même, comme infirmier, Larbaud publie ses *Enfantines* (1918), très admirées par Marcel Proust. Viennent ensuite *Beauté, mon beau souci* (1920-1923), *Amants, heureux amants* (1921), *Mon plus secret conseil* (1922), *Ce vice impuni, la lecture* (1925) et en 1927 *Allen*, petit ouvrage dédié au pays bourbonnais.

Grand traducteur (d'espagnol et d'anglais), Valery Larbaud travaille à partir de 1930 « sous l'invocation de saint Jérôme », patron des adaptateurs. En 1938, le millésime est marqué... *Aux couleurs de Rome ;* puis viennent les années noires, une nouvelle guerre, la solitude et une paralysie presque totale. Mais l'œuvre n'a cessé d'intéresser un public sensible aux qualités *poétiques* d'un style accordé à un *romanesque moderne* relevant de ce que Cocteau appellera plus tard « poésie de roman ».

Enfantines

LARBAUD est le poète du souvenir et du « temps perdu », le temps de l'enfance et de l'adolescence. Quatre de ses amis ont publié en 1941 ce texte, prévu pour être l'épilogue d'*Enfantines* et qu'en 1918 LARBAUD avait écarté pour des raisons évidentes. La mélancolie des évocations, le charme des noms aux résonances littéraires ou musicales, une impression de fuite irrémédiable du temps et une profonde aspiration à la stabilité rendent cette page tout à fait significative du romancier-poète d'*Enfantines*, qui retrouve ici ses souvenirs du Danemark. – THÈMES : *Adolescence. Nature. Temps. Souvenir. Exotisme.*

Et vous bonté, et vous tendresse ! que sais-je de votre enfance, ô vous, qu'ai-je de votre enfance, sinon ces deux images de la petite fille en béret rouge aux deux nattes claires, qu'on envoyait chercher la bière du dimanche, toute tiède encore, dans un broc ; et la grande écolière que les étudiants avaient surnommée « le cygne ». Et dès lors, dans la petite ville, à tous les tournants des rues, vous saluaient les notes qui veulent dire « mon cygne aimé... [1] ». O vous si loin déjà... Mais cette ville que vous ne connaissez pas s'ouvre au soleil du jour le plus long de l'année, et secoue ses tentures et ses stores rayés au vent de sa baie ; et du haut des terrasses on voit les petits tas d'ombre noire
10 au pied des arbres, et le jardin où l'eau tremble sous les feuillages. Et c'est votre anniversaire.

C'est l'anniversaire du jour où nous étions sur la plage, près de la ville nommée « Plaisir de Marie [2] ». Un calme jour. Sous les yeux gris du Sund [3] entre les sapins, au bout de toutes les pelouses du monde, là où commencent ces vagues chemins pâles et tournants qui mènent à de lointains villages de voiliers... L'orchestre joue des valses et, au fond du ciel, les paquebots tirent

---

— 1 Air célèbre du *Lohengrin* de Wagner.

— 2 Marienlyst, près d'Elseneur. — 3 Détroit sur lequel s'ouvre le port d'Elseneur.

avec ennui de longues draperies grises au long de l'horizon. Les rires des
baigneuses, le cri de l'enfant nu assis dans l'écume, les valses de l'orchestre,
tout bruit, toute voix, sont absorbés par l'infini de voiles et de gazes, par
20   l'immense gris lumineux, et toute la vie du monde se tisse et se déroule dans
le solennel silence des jours sans nom de la mer. Un autre siècle commence.
Le règne de la sagesse s'ouvre. Cent mille familles s'établissent dans la paix.
Et l'Europe est assise en silence, avec tous ses enfants autour d'elle.

Ailleurs. Dans la petite maison triste et sombre, tout près des rues de foule
épaisse et de cette lumière qui se colle aux faces. [...] Loin de vous, « mon
cygne aimé », loin du Sund aux yeux gris et de la ville nommée « Plaisir de
Marie » ; séparé de tous les hommes et de tous les souvenirs, au seuil des jours
sans fin de l'éternité, me voici un d'une petite foule obscure et muette. On
allume les bougies, une à une. On prépare la table avec des fleurs et sa nappe
30   de dentelle. C'est la fin du jour et chacun écoute ses pensées calmées. Un signal.
La musique entre en nous comme un ange. Et tout à l'heure le Père viendra
s'asseoir parmi ses enfants.

Enfantines (Librairie Gallimard, éditeur).

Monologue intérieur

Le thème dominant de l'œuvre de LARBAUD est la
modernité. Cette modernité n'est pas seulement géographi-
que, culturelle et linguistique (il mêle le français, l'anglais et l'italien), elle affecte aussi
l'esthétique et la technique de la narration. C'est ainsi que Larbaud est l'instaurateur, dans
la littérature française, du *monologue intérieur* sur le modèle proposé par son ami l'Irlandais
James Joyce, auteur d'*Ulysse* (1922), à qui il dédiera, en anglais, *Amants, heureux amants...*
Joyce a lui-même reconnu sa dette à l'égard d'un roman français, *Les lauriers sont
coupés* (1887), dont l'auteur, Édouard Dujardin, devait analyser dans *Le Monologue
intérieur* (1931) la différence entre cette technique moderne et le monologue de roman
pratiqué par exemple par Stendhal. Le « narrateur » traditionnel cède la place au
« monologueur » et la cohérence chronologique et psychologique de la structure
romanesque cède la place au déroulement, à la manière d'un film, d'un flux de conscience
constitué par les associations d'images et d'impressions qui peuplent *le romanesque intérieur*
du personnage.
Dans *Amants, heureux amants...*, le lecteur entre d'emblée dans le monologue intérieur
d'un personnage, qui durera jusqu'à la fin. Viendra même un moment où, à l'intérieur
de son propre monologue, celui-ci enregistrera le monologue intérieur d'une femme qu'il
a aimée, Inga, et cela *à la troisième personne,* comme s'il superposait le souvenir qu'il
conserve d'Inga et l'image qu'elle contemple d'elle-même lorsqu'elle se regarde sur son
écran intérieur : exemple de subtiles innovations techniques à la manière de Joyce.

Une « espèce de partie de cartes »

A partir de l'image initiale de deux femmes endormies dans une chambre de
Palavas-les-Flots, apparaissent dans le monologue intérieur des images de paysages et
de villes, et d'autres femmes aussi parmi lesquelles INGA, la favorite, une actrice experte
en séduction et modèle de la « femme moderne ». Le monologue intérieur devient une
sorte de jeu que le monologueur joue avec lui-même, mais aussi une manière de faire
revivre plus intensément le passé en le remettant au présent et en lui restituant par là
toute sa saveur. C'est ce que ressent le monologueur d'*Amants, heureux amants...* au terme
de son monologue : alors seulement s'éclaire pour nous le titre emprunté à La Fontaine.
THÈMES : *Amour. Bonheur. Souvenir. Littérature (Monologue intérieur).*

D ans cette espèce de partie de cartes que je joue tous les jours avec
moi-même et dont l'enjeu est ma satisfaction personnelle, cette vague

approbation, ce contentement qu'on éprouve à la fin d'une journée bien remplie, elles [1] ne sont pas atout : tout au plus des figures, qui comptent pour quelques points, mais qui ne me feront pas gagner. Je peux les jouer. Et en restant seul ici, je les joue. Et ce sera une impression curieuse et assez agréable quand, reprenant des cartes au talon [2], un jour ou l'autre, je les relèverai, — pour les rejouer aussitôt. Peut-être surtout à cause des souvenirs qu'elles feront reparaître : le pays où cela se passait, le temps qu'il faisait, ce qui m'occupait,
10   ce que j'avais en train, les vers ou la musique qui chantaient dans ma tête, tout le mouvement de ma vie, auquel elles étaient mêlées, étant les seules personnes, alors, que j'aimais regarder vivre, les seules assez agréablement indifférentes, après tout (oui, ce n'est que cela), pour faire partie de ma solitude, le seul, et léger, lien qui me rattachait aux gens. Et c'est probablement à Inga que je penserai avec le plus de plaisir. A cause de Finja, d'abord. Je me rappelle, quand nous étions à Elseneur, regardant la côte suédoise, en face, un peu avant le départ pour Finja, je lui ai récité la fin des « Deux Pigeons » : *Amants, heureux amants, voulez-vous voyager ? Que ce soit aux rives prochaines...* Oui, pendant une semaine nous avons été amants ; nous ne l'avions pas été avant,
20   et ne l'avons jamais été depuis ; c'était comme si, malgré nous-mêmes, en dehors de nous-mêmes, sa vie et la mienne s'aimaient. Et ensuite, à cause de l'absence complète de souffrance, dans le temps passé ensemble depuis. La bonne camarade qui ne disait jamais non ; la compagne, et parfois le compagnon (« Ces deux types ») des promenades aventureuses : découverte des villes, jeux sur les plages, fêtes populaires, visites aux quartiers dangereux. Et quelquefois le partage et l'échange de notre butin. Inga et ma jeunesse, ces années de ma jeunesse, ce qu'il y aura eu de meilleur dans ces années-là.

Amants, heureux amants... (Librairie Gallimard éditeur).

A la suite de ces expériences il y aura, dans les années 20, à la fois une mode et une querelle du monologue intérieur : Giraudoux y fait malicieusement allusion (cf. p. 499). Ce débat passionna la critique, mais les écrivains ne devaient généralement considérer cette technique que comme un moyen, parmi d'autres, de conférer plus de fluidité à l'expression des états intérieurs des personnages.

Louis Hémon

LOUIS HÉMON (1880-1913) naquit à Brest d'une famille d'universitaires bretons. Après une enfance assez solitaire, nourrie de multiples lectures, et des études à Paris, il prépara sa licence en droit et devint chroniqueur sportif. Reçu en 1901 à l'École Coloniale, il se refusa à « devenir fonctionnaire » et partagea dès lors sa vie entre les *voyages* et ses activités *littéraires*. Il séjourna longtemps à Londres et partit, en 1911, pour le Canada où il fut bûcheron. Cordialement reçu aux bords du lac Saint-Jean, il composera là-bas, en hommage à la présence française, le livre auquel il devra la célébrité, la touchante histoire de cette *Maria Chapdelaine* qui, après avoir perdu son François Paradis, accepte, par fidélité au terroir, un mariage de raison. Paru en 1921, ce roman connut, au lendemain de la première guerre mondiale, un succès considérable, dû à la fraîcheur de l'intrigue et à d'admirables descriptions du décor canadien, en *un style simple et sobre* que « le vent du norouâ » vient parfois animer d'un *grand souffle*. Il fut traduit en plusieurs langues, et le pays de Québec donna à l'un de ses lacs le nom de Hémon. Mais l'écrivain, blessé dans un accident, avait succombé en 1913, à Chapleau (Ontario). Toutes ses œuvres sont posthumes, tels *Colin Maillard* (1924), *Battling Malone, pugiliste* (1925), et les nouvelles réunies dans *La Belle que voilà* (1926).

— 1 Les femmes : « Ni l'une ni les autres ne | sont atout dans mon jeu. » — 2 Cartes qui restent après la distribution.

Péguy le combattant

Péguy dans la boutique des « Cahiers de la Quinzaine ». (Ph. © Dornac – Coll. René Jacques – Arch. Photeb – DR)

Le lieutenant Péguy.
(Ph. © Claude Casimir-Périer – Coll. René Jacques – Photeb – DR)

Un homme, deux luttes

• Le polémiste intransigeant, fondateur et animateur des *Cahiers* (cf. **p. 146** et **178**).
• Le soldat mort au combat « dans une juste guerre » (cf. **p. 177**), sous l'uniforme qu'il portait au moment où il fut tué.

144

CHARLES PÉGUY

PÉGUY est mort comme il avait vécu, en combattant. Poète, penseur, publiciste et polémiste, il se dévoua de tout son être aux causes qu'il avait embrassées, que ce fût la défense de la justice et de la vérité en la personne de Dreyfus, le socialisme humanitaire, le patriotisme ou la foi catholique. Aucune considération ne pouvait le détourner de son idéal ni l'empêcher de proclamer ce qu'il jugeait, dans la sincérité de sa conscience, être la vérité. La mort l'a frappé en pleine maturité, en pleine période d'activité créatrice ; aussi pouvons-nous rêver tristement aux œuvres à naître dont sa fin prématurée nous prive à jamais. Pourtant cette mort ne fut pas un événement absurde ; elle vint couronner son destin comme un accomplissement. Prévoyant la guerre inévitable, PÉGUY avait dès longtemps pressenti et accepté son sort : il était prêt au sacrifice dont il mesurait et le poids et le prix.

Sa vie, son œuvre et sa mort sont inséparables ; elles prennent leur sens l'une par rapport à l'autre et constituent les aspects complémentaires d'un seul et même *témoignage*. Il avait médité la parole du Christ : « Il n'est pas de plus grande preuve d'amour que de donner sa vie pour ceux qu'on aime » et il écrivait lui-même : « La seule force, la seule valeur, la seule dignité de tout, c'est d'être aimé » *(Notre Jeunesse)*. Ainsi son œuvre et son art échappent aux critères littéraires habituels. A lui plus qu'à tout autre s'appliquerait la célèbre remarque de Pascal, car lire un texte de PÉGUY, *ce n'est pas rencontrer un auteur, mais un homme*.

Presque ignoré de son vivant, méconnu et parfois détesté, car il était intransigeant, et terrible dans l'invective, PÉGUY devait accéder à une très large renommée posthume. Quand les susceptibilités se furent tues, on découvrit son originalité et sa grandeur. Les circonstances mêmes devinrent favorables à son rayonnement : renouveau de la foi dans les milieux intellectuels, épreuves de la patrie durant la Seconde Guerre mondiale ; nous nous redisions alors les vers de sa *Jeanne d'Arc* : « Car il ne se peut pas que les Français soient lâches, – Mais ils ont oublié qu'ils étaient courageux. » Accessible et populaire autant qu'inspiré, à la fois clair et profond, PÉGUY a maintenant trouvé sa place parmi les plus grands poètes français.

D'Orléans à Paris

L'ENFANCE. CHARLES PÉGUY est né à Orléans, dans le faubourg Bourgogne, en janvier 1873. Fils d'un ouvrier menuisier et d'une rempailleuse de chaises, c'est un authentique enfant du peuple. Il n'a pas encore un an quand son père meurt ; il sera donc élevé par sa mère et sa grand-mère maternelle, qui toutes deux travaillent dur pour gagner leur vie. Avant même d'aller en classe, le petit Charles apprend au foyer le culte du travail bien fait : « J'aimais travailler ; j'aimais travailler bien ; j'aimais travailler vite, j'aimais travailler beaucoup » *(Pierre, commencement d'une vie bourgeoise)*. Enfant sérieux et ardent, il s'imprègne profondément des divers enseignements qu'il reçoit, et y adhère avec une foi solide, qu'il s'agisse de l'instruction primaire, du catéchisme ou des leçons du milieu où il grandit : sentiments démocratiques et aussi désir de s'élever par le labeur et l'instruction (sa grand-mère ne savait pas lire), honneur populaire, patriotisme des années qui ont suivi la défaite de 1870 (son père, comme mobile du Loiret, avait participé à la défense de Paris). Dès l'enfance s'esquissent ainsi les traits qui domineront sa pensée, son action et son œuvre.

L'ORIENTATION. En 1880, il entre à l'école annexe de l'École normale du Loiret (cf. p. 179) ; puis, grâce au directeur de l'École normale, M. Naudy, qui a discerné ses dons, il peut poursuivre ses études, avec une bourse, au lycée d'Orléans : tournant décisif dans sa vie, il le soulignera lui-même. C'est un excellent élève, qui s'émerveille de découvrir le latin et remporte tous les prix. Il gardera toujours un profond respect pour les humanités et la vocation universitaire, une véritable vénération pour ses maîtres de l'enseignement primaire et secondaire.

LE CAGNEUX. Bachelier, PÉGUY va préparer l'École normale supérieure au lycée Lakanal (octobre 1891). C'est vers ce temps, pendant son année de Philosophie ou « en *cagne* » à Lakanal, qu'il perd la foi ou, en tout cas, abandonne la pratique religieuse. Il s'intéresse aux questions sociales, et plus précisément s'oriente vers le socialisme. Ayant échoué au concours de la rue d'Ulm, il devance l'appel et fait son service militaire à Orléans (1892-1893). Puis il reprend ses études, cette fois comme interne à Sainte-Barbe, suivant les cours de Louis-le-Grand ; il est reçu à l'École normale en 1894. Dans la « cour rose » de Sainte-Barbe, il s'est lié avec les frères Tharaud (cf. p. 493), avec Joseph Lotte qui fondera le *Bulletin des professeurs catholiques de l'Université*, et surtout avec Marcel Baudouin.

Le normalien   LE MILITANT. Rue d'Ulm, ses convictions socialistes
       socialiste   s'affirment, au contact de son camarade de promotion
       Albert Mathiez, le futur historien, et sous l'influence du bibliothécaire de l'École normale, Lucien Herr. En 1896, pendant une année de congé, PÉGUY crée à Orléans un « groupe d'études sociales ». Il collabore à la *Revue socialiste* à partir de février 1897, publie deux manifestes, *De la cité socialiste* (1897) puis *Marcel, premier dialogue de la cité harmonieuse* (1898), et participe à la fondation d'une Librairie socialiste (la Société nouvelle de librairie et d'édition, 1898).

C'est l'époque de l'AFFAIRE DREYFUS : Péguy ne doute pas de l'innocence du condamné ; avec son ami Daniel Halévy, il s'engage passionnément dans la campagne révisionniste aux côtés de Joseph Reinach, Zola, Jaurès. Il ne transige pas sur ces *absolus* que sont la justice et la vérité, fondements de sa mystique socialiste et dreyfusiste : exigeant que toute la lumière soit faite, il s'indigne lorsque certains de ses compagnons de lutte acceptent une *amnistie* qui confondrait innocents et coupables. A ses adversaires il réplique que ce sont eux qui portent atteinte à l'honneur de la France et de l'armée.

NAISSANCE D'UN POÈTE. Dans le même temps, PÉGUY découvre sa vocation de poète, sous le signe de JEANNE D'ARC, libératrice d'Orléans et de la France. C'est une « rencontre » essentielle que celle de PÉGUY avec Jeanne d'Arc : l'héroïne de la foi et de la patrie ne cessera de l'inspirer. Le « drame en trois pièces » que le normalien lui consacre en 1897 est une œuvre touffue, complexe, point de convergence des diverses tendances de son auteur. La dédicace (cf. p. 150) place le poème au cœur de la mystique socialiste ; mais le choix du sujet et les accents du drame révèlent une mystique de la patrie française et une mystique proprement dite, toute proche du catholicisme en dépit d'un obstacle majeur : l'idée de la damnation éternelle, insupportable au poète (cf. p. 151). Malgré cet obstacle, la *Jeanne d'Arc* de 1897 montre clairement en lui les germes de ses deux engagements futurs, *l'engagement patriotique* et *l'engagement catholique*.

Cette œuvre est aussi un émouvant hommage d'amitié ; PÉGUY la signe : *Marcel et Pierre Baudouin* (*Pierre* était son second prénom), par piété pour la mémoire de son ami Marcel Baudouin, trop tôt disparu (1896) et qui avait collaboré à la rédaction d'une partie du drame. A l'automne de 1897, PÉGUY épouse la sœur de Marcel, qui lui donnera quatre enfants.

Les Cahiers   FONDATION DES « CAHIERS ». Refusé à l'agréga-
    de la Quinzaine   tion de philosophie en 1898, le jeune homme renonce à
      l'Université et s'engage dans la carrière de *publiciste ;* il donne de nombreux articles à la *Revue blanche* (1899). Mais, la Société nouvelle de librairie et d'édition ayant fait de mauvaises affaires, PÉGUY doit en céder la direction à un groupe d'amis socialistes (dont Lucien Herr, Léon Blum et Mario Roques) avec lesquels de graves dissentiments l'amènent à rompre. Il fonde alors, en janvier 1900, les *Cahiers de la quinzaine*, périodique où il pourra continuer librement son combat personnel. De ces

Cahiers, installés rue Cujas puis rue de la Sorbonne, Péguy sera pendant près de quinze ans le gérant, le principal rédacteur, l'infatigable animateur. Parmi les pires difficultés financières, il maintiendra jusqu'au bout son entreprise, à force de foi et d'énergie. Publiant des textes de Daniel Halévy, des Tharaud, de François Porché, le *Jean-Christophe* de Romain Rolland et surtout les œuvres de Péguy lui-même, les *Cahiers de la Quinzaine*, quoiqu'ils aient peu d'abonnés, joueront un rôle considérable dans la vie littéraire, intellectuelle et spirituelle de la France, de 1900 à 1914.

UN SOCIALISTE CONTRE LE PARTI SOCIALISTE. Les *Cahiers* des premières « séries » conservent une orientation nettement socialiste : campagnes contre l'oppression, quelque forme qu'elle prenne, à travers le monde ; mise en évidence du drame de la misère (*De Jean Coste*, 1902). Pourtant, dès février 1900, Péguy annonce qu'il traitera un jour « la décomposition du dreyfusisme en France » (*De la grippe*). A l'égard de Jaurès, il passe des réserves de la *Réponse brève* (juillet 1900) aux graves critiques de *Casse-cou* (mars 1901). Il prend position contre la confusion du socialisme avec le matérialisme et l'athéisme, contre la collectivisation de l'art et de la pensée. Pour lui, l'esprit révolutionnaire consiste à tout remettre en cause, dans une pleine liberté : il est donc l'opposé de tout conformisme. Péguy dénonce surtout la démagogie et un anticléricalisme sans scrupules, incompatible avec les valeurs défendues dans la campagne dreyfusiste. Le fossé ira s'élargissant et les attaques de Péguy se feront de plus en plus violentes. En 1910, *Notre Jeunesse* apportera une mise au point définitive sur les notions de *mystique* et de *politique* et la dégradation de l'une à l'autre, déjà dénoncée en 1903 (*Débats parlementaires*).

Péguy a-t-il évolué ? aurait-il même « trahi » le socialisme (cf. p. 181) ? Il affirme au contraire être resté fidèle — l'un des rares fidèles — à l'idéal socialiste de sa jeunesse. C'est le socialisme qui aurait dévié vers l'anticléricalisme, alors que la misère du peuple aurait dû retenir toute son attention (*De Jean Coste*), et il se dégraderait en accordant son soutien à un gouvernement qui tolère ou organise la délation (le système des « fiches » ; cf. *La Délation aux Droits de l'homme*, 1905). En fait, Péguy n'a jamais été un socialiste comme les autres : sa *Jeanne d'Arc* le montre bien. Avec le recul du temps, son offensive contre le socialisme officiel, puis ses deux conversions, patriotique et religieuse, n'apparaissent nullement comme des coups de théâtre.

La patrie en danger   « NOTRE PATRIE ». En 1905, l'incident de Tanger lui fait mesurer la menace qui pèse sur la France et réveille son patriotisme. Il lance le cri d'alarme dans *Notre Patrie* : « Ce fut une révélation », et, après de longues pages, la révélation éclate à la fin du texte : « Tout le monde en même temps connut que la menace d'une invasion allemande est présente, qu'elle était là, que l'imminence était réelle. » Désormais, sans discontinuer, Péguy va se préparer et tenter de préparer la France à la guerre dont il voit monter les périls. Le militant qu'il a toujours été sera d'abord un militant de la patrie. Ce qui achève de le séparer de la politique socialiste, orientée vers le pacifisme et l'internationalisme.

CONTRE LE « PARTI INTELLECTUEL ». Sa ferveur patriotique l'amène à retrouver les sources de la *tradition nationale*, et à critiquer *l'esprit et le monde modernes*. Il publie en 1907-1908 les trois « Situations » : *De la situation faite à l'histoire et à la sociologie dans les temps modernes*, *De la situation faite au parti intellectuel dans le monde moderne* et *De la situation faite au parti intellectuel dans le monde moderne devant les accidents de la gloire temporelle*. Puis il rédige sur le même sujet, à partir de 1909, *Clio, dialogue de l'histoire et de l'âme païenne* (cf. p. 178 et 180). C'est la lutte ouverte contre la Sorbonne, contre la conception de l'histoire qui y règne alors et contre la « tyrannie » du « parti intellectuel ».

Retour à la foi   LA CONVERSION. Parallèlement, Péguy accomplit un retour à la foi de son enfance. En 1908, il confie à Joseph Lotte : « Je ne t'ai pas tout dit... J'ai retrouvé la foi... Je suis catholique. » Là comme ailleurs, ce combattant sera un isolé, un franc-tireur ; car Péguy n'approche pas des sacrements, et ses enfants ne sont pas baptisés. Sans aucun doute c'est un supplice pour lui, mais l'authenticité de sa foi n'en est pas altérée. Bientôt il affirmera hautement, et à juste titre, l'entière orthodoxie de sa pensée (*Un nouveau théologien, M. Fernand Laudet*, 1911). D'ailleurs, s'il reste séparé du *corps* de l'Église, PÉGUY vit sa foi plus intensément que bien des fidèles. Il confie à la Vierge ses enfants malades (cf. p. 156), puis se rend, à plusieurs reprises, en pèlerinage à Chartres (cf. p. 169-173).

Dans les années 1910-1912, sa piété l'aide à résister à la douloureuse tentation d'un amour interdit. Le cœur déchiré, il élève lui-même de nouveaux obstacles pour mieux séparer de lui celle qu'il ne se reconnaît pas le droit d'aimer. La plaie est longue à se cicatriser, mais il ne succombe point ; son admiration pour Corneille n'était pas seulement littéraire : comme les héros cornéliens, il parvient à sacrifier son *bonheur* humain à *l'honneur* et à la fidélité (cf. p. 163 et 185).

DES « MYSTÈRES » AUX « TAPISSERIES ». Parmi les tourments intimes, l'âme de PÉGUY est vivifiée par sa conversion ; celle-ci oriente également sa carrière littéraire. En effet, sous l'inspiration de la foi, PÉGUY revient à la POÉSIE, qu'il avait pratiquement abandonnée depuis la première *Jeanne d'Arc*. Et il revient aussi à sa sainte de prédilection, « la fille la plus sainte après la sainte Vierge » : c'est *Le Mystère de la charité de Jeanne d'Arc* qui ouvre, en 1911, la série des *Mystères* (cf. p. 151). Viendront ensuite *Le Porche du Mystère de la deuxième vertu* (l'Espérance) en 1911 et *Le Mystère des Saints Innocents* (mars 1912). La forme adoptée, le *verset*, rappelle la Bible. Jeanne d'Arc et Saint Louis (dans les *Saints Innocents*) assurent la fusion entre le patriotisme et la foi religieuse, selon l'antique tradition de la France « fille aînée de l'Église » ; Dieu lui-même, selon PÉGUY, affirme sa prédilection pour le peuple français. Quant à l'Espérance, vertu théologale, elle est célébrée non seulement comme la vertu suprême, mais comme le principe même de toute vie (cf. p. 160).

En 1912, PÉGUY passe du verset au vers régulier et il inaugure une nouvelle série d'œuvres poétiques, les *Tapisseries* (cf. p. 162). C'est d'abord *La Tapisserie de sainte Geneviève et de Jeanne d'Arc* (décembre 1912), puis *La Tapisserie de Notre-Dame* (mai 1913), enfin l'immense « Tapisserie » d'*Ève* (décembre 1913).

DE VICTOR-MARIE, COMTE HUGO A LA NOTE CONJOINTE. Cependant, avec une activité inlassable, PÉGUY continue à faire vivre les *Cahiers* et poursuit son œuvre en PROSE. *Victor-Marie, comte Hugo* (1910), *L'Argent* et *L'Argent, suite* (1913) font pendant aux « Situations » de 1907-1908. PÉGUY s'y retrempe dans sa longue lignée paysanne et dans ses souvenirs d'enfance (cf. p. 179) ; il y exalte les deux grands poètes français que sont Hugo et Corneille (cf. p. 183), la culture française *(L'Argent)* et la vocation de la France *(L'Argent, suite)*. Telles sont, avec la foi catholique, les valeurs qu'il oppose aux tendances du monde moderne et du « parti intellectuel ». En 1914, il publie une *Note sur M. Bergson et la philosophie bergsonienne* et rédige une *Note conjointe sur M. Descartes et la philosophie cartésienne*. Unissant ses deux maîtres à penser, il accorde à la « révolution bergsonienne » une importance comparable à celle de la « révolution cartésienne » ; il renouvelle, en lui appliquant l'analyse bergsonienne, le problème de la *grâce* (cf. p. 185) et découvre ainsi, peut-être avant Bergson lui-même, l'ouverture de cette philosophie sur la foi chrétienne. Il reprend enfin et développe, sous le signe de l'héroïsme et de la mystique, son hommage au grand Corneille (cf. p. 183).

Villeroy,
5 septembre 1914   La *Note conjointe* reste inachevée, le 1er août 1914. C'est la mobilisation. Lieutenant de réserve, PÉGUY rejoint son unité, qui est engagée dans l'Est, puis dans la Somme. Le 15 août, jour de l'Assomption, il assiste à la messe. Il connaît ensuite l'amertume et les fatigues de la retraite. Mais le redressement français s'amorce : c'est alors, au début de la bataille de la Marne, que le lieutenant PÉGUY tombe, frappé d'une balle au front, à Villeroy.

L'homme   Péguy fut un *passionné*. Portraits et photographies nous révèlent, dans son visage charnel, le regard intérieur de la méditation, de la contemplation. A la fois sanguin, colérique même, et réfléchi, concentré, il ne prenait rien à la légère. Aussi avait-il horreur de l'ironie, « le plus bel ornement du frivole », tandis que « le comique et le tragique, la comédie et la tragédie sont étroitement liées dans le sérieux » *(Un nouveau théologien)*. Il use lui-même, dans la polémique, de l'invective, du sarcasme, mais non point de l'ironie. Il aime surtout un humour un peu paysan, un bon grand comique naïf, épanoui, familier. C'est *l'amour* qui l'inspire dans son socialisme, dans son patriotisme et dans sa foi ; mais il est *intraitable* sur l'honneur, la justice et la vérité. Il ne passe rien à personne, dénonçant implacablement faiblesses et compromissions ; adversaire redoutable, il ne fut pas un ami « facile ». Aussi, épris de communion, fut-il un *solitaire*, en dépit de quelques amitiés indéfectibles.

La pensée de Péguy   Ces traits de son tempérament et de son âme marquent sa pensée. Elle est généreuse, vigoureuse, profondément méditée et toujours *ardente*. Ici encore apparaît son horreur de l'ironie et du détachement. Premier intellectuel de sa race, *il croit aux idées* de tout son être, ne joue jamais, ne jongle jamais avec elles. C'est pourquoi il s'attaque au « parti intellectuel », qui lui semble avoir coupé ses racines charnelles et nationales pour tomber dans une sorte de formalisme. Sa pensée est toujours éminemment sérieuse ; non pas dogmatique malgré certaines apparences, car il retrouve les dogmes par une méditation personnelle, il les recrée et les vit, loin de s'y soumettre passivement. Jamais d'idées toutes faites : l'efficacité de cette pensée vient de ce que nous en saisissons le jaillissement et le dynamisme.

Péguy a eu des MAÎTRES — des intercesseurs, parallèlement à « ses » saintes : Jeanne d'Arc, sainte Geneviève, la Vierge Marie — : ce sont Homère et Sophocle, Corneille, Hugo, Descartes, Pascal, Georges Sorel, et Bergson dont il avait suivi les conférences à l'École normale ; l'Évangile surtout lui est une constante nourriture. Ses lectures paraissent assez peu étendues, mais il sait lire admirablement ; il lit, relit, cite, commente, paraphrase les grands textes qui l'inspirent. Par cette *innutrition*, tout en renouvelant la critique littéraire, il approfondit sa propre pensée.

Un grand thème la domine, à la fois psychologique, moral et mystique : c'est *l'insertion* de l'éternel dans le temporel, *du spirituel dans le charnel* (ce qui est « intellectuel » manquant, selon lui, et le charnel et le spirituel). Par là, Péguy se place au cœur même de la foi catholique : les rapports entre l'âme et le corps prennent leur sens par rapport au mystère de Dieu fait homme ; l'Incarnation donne à la chair une éminente dignité, à la chair même coupable et souillée, mais rachetée par la Rédemption (cf. p. 168). Le *Credo* promet la résurrection de la chair ; ce sera sans doute une autre chair, transfigurée, mais non point « l'esprit pur ». Ainsi la pensée de Péguy, comme sa mystique, n'est jamais abstraite. Toute chargée de spiritualité, elle reste familière, à la mesure de l'homme ; elle parle aux sens comme à l'âme. Elle *s'incarne* elle-même, spontanément, dans le verbe et les images poétiques, comme la parole de Dieu dans les paraboles et les versets de l'Évangile.

Son art   « Qui ne sut se borner... » : si l'on s'en tenait, pour le juger, à la sentence de Boileau, il faudrait dire que Péguy « ne sut jamais écrire ». De fait, que ce soit en vers ou en prose, sa marque même est une sorte de piétinement, une progression extrêmement lente, le déploiement d'accumulations, d'amplifications indéfinies ; et certains trouvent ce cheminement interminable, sinon insupportable. En outre, Péguy procède par « farcissures », par immenses digressions. En cela — et en cela seulement — il rappelle Montaigne. Comme dans maint chapitre des *Essais*, on risque de perdre le fil, on ne voit plus la raison d'être du titre : l'Espérance n'est pas moins chantée dans *Le Mystère des Saints Innocents* que dans *Le Porche du Mystère de la deuxième vertu* ; dans *Victor-Marie, comte Hugo*, Péguy parle de tout et même de Victor Hugo ! mais surtout de Racine et de Corneille ; il est beaucoup question de Descartes dans la *Note sur M. Bergson*, et de Bergson dans la *Note conjointe sur M. Descartes...*

Mais à quoi bon multiplier les exemples ? Ces critiques demeurent vaines, car elles supposent que PÉGUY nous resterait *étranger*. Si nous nous plaçons *à l'intérieur* de l'œuvre, dans un mouvement de *sympathie* (cf. p. 180), tout change d'aspect. Les digressions ne sont qu'apparentes ; PÉGUY procède par rayonnement et les sujets les plus divers révèlent leur parenté dès que nous avons trouvé le « point d'optique » : salut et damnation, morale et grâce, « racination » du spirituel dans le charnel. C'est la pensée à l'état naissant et non point un exposé pédagogique ou doctoral. De même le cheminement lent, pesant, a un sens et une valeur. La chair est lourde et lente, mais elle a de la consistance, et, tout en restant chair, elle est transfigurée par l'esprit. Quand, d'une strophe à l'autre, apparaissent seulement un ou deux mots nouveaux, ces mots se chargent d'une sorte de *grâce* : ils prennent toute leur efficace, tout leur poids ; à sa manière, qui n'a rien de mallarméen, PÉGUY lui aussi a su « donner un sens plus pur aux mots de la tribu ». Ce cheminement, c'est *le pas du paysan* — laboureur, fantassin, pèlerin (cf. p. 170) ; c'est *le travail patient* de l'artisan dont la *tapisserie* progresse point par point ; c'est *la litanie* avec ses répétitions incantatoires. Tel est le rythme de PÉGUY, scandé comme la marche, le labeur et la prière.

LA POÉSIE DE CHARLES PÉGUY

Poésie et prière

Selon l'abbé Bremond, toute poésie authentique tendrait, au moins inconsciemment, à rejoindre la prière (cf. p. 330). Il parlait à vrai dire d'une « poésie pure » tout à fait étrangère à PÉGUY ; et pourtant, s'il est une œuvre où poésie et prière se confondent absolument, c'est bien celle de PÉGUY. Cela est vrai non seulement des poèmes postérieurs à 1908, mais même de la première *Jeanne d'Arc*, composée à une époque où l'auteur croyait avoir perdu la foi ; le drame se termine en effet par cette supplication : « Jésus, sauvez-nous tous à la vie éternelle. »

La poésie de PÉGUY est de l'ordre du *rituel*, de la *commémoration* : ainsi *La Tapisserie de sainte Geneviève et de Jeanne d'Arc* forme un « cahier pour le jour de Noël et pour la neuvaine de sainte Geneviève », et le premier sonnet (cf. p. 166) est précédé de cette indication : « Premier jour Pour le vendredi 3 janvier 1913 Fête de sainte Geneviève Quatorze cent unième anniversaire De sa mort. » Méditation de la vie des saints ou des mystères de la foi, cette poésie est toujours prière latente, souvent oraison explicite : la *Présentation de la Beauce à Notre Dame de Chartres* est couronnée par cinq *Prières* (cf. p. 162) ; la montée vers la prière anime tout le début de *La Tapisserie de sainte Geneviève* (cf. p. 166). Des emprunts constants à l'Évangile ou à la liturgie de la Vierge s'insèrent dans la trame, elle-même religieuse, du verset ou de la litanie.

La paternité est placée sous le signe de Dieu le Père, la maternité sous le signe d'Ève et de la Vierge Marie (cf. p. 174), l'enfance sous le signe de la deuxième vertu théologale (cf. p. 160). Quand PÉGUY évoque la grâce du monde naissant, et même la grâce animale, il chante conjointement la *grâce de Dieu* (cf. p. 173). De cette constante confrontation, notre monde visible sort plus riche et non point humilié ou appauvri ; comme il le disait lui-même : « Dieu s'élèvera de toute sa hauteur au-dessus du monde et ce n'est pas le monde qui aura baissé » (cf. p. 184). Pour PÉGUY tout est sacré, c'est-à-dire que tout est poésie en puissance.

JEANNE D'ARC

Œuvre d'un poète, la *Jeanne d'Arc* de 1897 repose sur le travail d'un historien. PÉGUY a dépouillé les pièces des deux procès (de condamnation et de réhabilitation) publiées par Quicherat. Puis il a animé de son lyrisme personnel le drame de Jeanne d'Arc, qu'il revivait dans ses propres tourments et dans l'ardeur de sa *charité* (cf. p. 151). L'ouvrage est dédié « A toutes celles et à tous ceux qui auront vécu, A toutes celles et à tous ceux qui seront morts pour tâcher de porter remède au mal universel » et plus spécialement « pour l'établissement de la République socialiste universelle » : ainsi se rejoignent la mystique de Jeanne et le fervent humanitarisme de l'auteur.

Ce « drame en trois pièces » *(A Domremy, Les Batailles, Rouen)*, injouable dans son intégralité, entrelace les vers (très librement rimés), les versets et la prose ordinaire ou rythmique. On songe aux stances de la tragédie classique, aux monodies et dialogues lyriques des tragédies grecques (elles aussi organisées en trilogies), qui s'élèvent lorsque l'émotion ne peut plus se contenir. L'œuvre porte également la marque du symbolisme, qui tendait à effacer les frontières entre la prose poétique et le vers. Mais elle frappe surtout par son unité d'inspiration ; des répliques familières aux accents lyriques les plus soutenus, le ton général est d'une *simplicité solennelle :* c'est déjà l'intuition des rapports entre le spirituel et le charnel.

LES MYSTÈRES

Lors de son retour à la poésie (1911), PÉGUY choisit la forme du *verset,* que déborde parfois l'épanchement de la prose lyrique (dans la *Charité de Jeanne d'Arc* et aussi au début des *Saints Innocents :* cf. p. 161). Il innove surtout avec le genre du *Mystère.* Ce terme comporte une double acception ; c'est d'abord une méditation sur les mystères de l'Incarnation et de la Rédemption, et sur le mystère des vertus théologales ; mais c'est aussi un retour aux *Mystères* du Moyen Age, dont PÉGUY retrouve l'esprit et même les accents (cf. p. 158).

Le *Mystère de la charité de Jeanne d'Arc,* issu de la première pièce de la trilogie, est constitué par un dialogue entre Jeanne et Mme Gervaise (repris dans un passage des *Saints Innocents).* Dans Le *Porche du Mystère de la deuxième vertu* et la majeure partie du *Mystère des Saints Innocents,* c'est Dieu qui parle, par la bouche de Mme Gervaise ou plutôt de PÉGUY. Singulier « coup d'audace » d'avoir fait parler Dieu de la sorte, familièrement, humainement ! mais la bonhomie que PÉGUY prête à Dieu ne diminue en rien sa souveraine grandeur. Ce monologue de Dieu est en fait un *dialogue mystique* entre la créature et son créateur ; la naïveté du ton traduit l'abandon du croyant entre les mains de Dieu, la *vertu d'innocence* incarnée par les Saints Innocents et requise par la parole du Christ : « Laissez venir à moi les petits enfants ».

« Je suis, dit Dieu, Maître des Trois Vertus ». L'ensemble des trois *Mystères* nous engage à méditer sur *la Foi ;* le premier est consacré au mystère de *l'Amour* (« la *charité* de Jeanne d'Arc » ; voir la présentation ci-dessous) ; le deuxième et le troisième célèbrent *l'Espérance,* qui étonne Dieu lui-même (cf. p. 160), comme étant l'animatrice universelle : « Elle seule conduira les Vertus et les Mondes ».

« L'ABSENCE ÉTERNELLE »

« La fille à Jacques d'Arc » n'est encore qu'une enfant de treize ans, que l'on nomme Jeannette. Mais cette enfant ressent dans sa chair et dans son âme la douleur universelle, elle voudrait pouvoir *assumer toute la souffrance humaine.* C'est là ce que PÉGUY appellera plus tard « le mystère de la *charité* de Jeanne d'Arc ». Ainsi, non contente de réaliser le *salut temporel* de la France, elle tentera d'obtenir le *salut spirituel* de tous les hommes. PÉGUY lui-même sera longtemps séparé de l'Église par l'horreur insurmontable que lui inspire l'idée d'une *damnation éternelle,* et, quand il se sera rallié, cette question continuera encore à le tourmenter (cf. p. 166). – THÈMES : *Adolescence. Religion. Christianisme.*

Dans son inquiétude, Jeannette consulte une religieuse, Mme Gervaise. Celle-ci répond au nom de l'orthodoxie à une angoisse qui serait de la révolte si elle n'était un signe de sainteté.

JEANNETTE

Il est vrai que mon âme est douloureuse à mort [1] ; je n'aurais jamais cru que la mort de mon âme fût si douloureuse.

Tous ceux-là que j'aimais sont absents de moi-même : c'est ce qui m'a tuée sans remède ; et je sens pour bientôt venir ma mort humaine.

— 1 Cf. Jésus au Jardin des Oliviers : « Mon âme est triste jusqu'à la mort. »

O que vienne au plus tôt, mon Dieu, ma mort humaine.
O mon Dieu j'ai pitié de notre vie humaine où ceux que nous aimons
sont à jamais absents.

MADAME GERVAISE

— Enfant ! ayez pitié de la vie infernale, où les damnés maudits ont
la pire souffrance : que Dieu même est absent de leur éternité [2].

JEANNETTE

10   — O s'il faut, pour sauver de la flamme éternelle
Les corps des morts damnés s'affolant de souffrance,
Abandonner mon corps à la flamme éternelle,
Mon Dieu, donnez mon corps à la flamme éternelle ;

Un silence

Et s'il faut, pour sauver de l'Absence [3] éternelle
Les âmes des damnés s'affolant de l'Absence,
Abandonner mon âme à l'Absence éternelle,
Que mon âme s'en aille en l'Absence éternelle.

MADAME GERVAISE

— Taisez-vous, ma sœur : vous avez blasphémé : Dieu, dans sa
miséricorde infinie, a bien voulu que la souffrance humaine servît à
20 sauver les âmes ; il veut bien accepter nos souffrances d'ici-bas pour
sauver les âmes en danger. Mais il n'a pas voulu que la souffrance
infernale servît à sauver les âmes ; il n'accepterait pas, pour sauver les
âmes en danger, nos souffrances de là-bas. C'est pour cela que notre
maître à tous, le fils de l'homme savant à donner sa souffrance, a bien
voulu donner pour sauver nos âmes la valable souffrance de la tentation,
mais qu'il n'est jamais allé jusqu'à donner la vaine souffrance du péché ;
le Sauveur a bien voulu donner toute la souffrance humaine ; mais il
n'a pas voulu se damner, car il savait que sa souffrance infernale, même
à lui, ne pourrait pas servir à nous sauver [4].

JEANNETTE

30   — S'il faut, pour tirer saufs de la flamme éternelle
Les corps des morts damnés s'affolant de souffrance,
Laisser longtemps mon corps à la souffrance humaine,
Mon Dieu, gardez mon corps à la souffrance humaine ;

— 2 Noter, dès ces *versets*, le rythme dominant | *l'Absence* de Dieu qui torture l'*âme*. — 4 A la
de *l'alexandrin*. — 3 Apprécier la progression : | « folie » sublime de l'amour répond la voix calme,
de la *flamme* de l'Enfer qui torture le *corps* à | inflexible, de la théologie.

Et s'il faut, pour sauver de l'Absence éternelle
Les âmes des damnés s'affolant de l'Absence,
Laisser longtemps mon âme à la souffrance humaine,
Qu'elle reste vivante en la souffrance humaine.

Madame Gervaise

— Taisez-vous, ma sœur : vous avez blasphémé :
Car si le fils de l'homme, à son heure suprême,
40 Clama plus qu'un damné l'épouvantable angoisse,
Clameur qui sonna faux comme un divin blasphème,
C'est que le Fils de Dieu [5] savait.

C'est que le Fils de Dieu savait que la souffrance
Du fils de l'homme est vaine à sauver les damnés,
Et s'affolant plus qu'eux de la désespérance [6],
Jésus mourant pleura sur les abandonnés.

Comme il sentait monter à lui sa mort humaine,
Sans voir sa mère en pleur et douloureuse en bas,
Droite au pied de la croix, ni Jean, ni Madeleine,
50 Jésus mourant pleura sur la mort de Judas.

Car il avait connu [7] que le damné suprême
Jetait l'argent du sang qu'il s'était fait payer,
Que se pendait là-bas l'abandonné suprême,
Et que l'argent servait pour le champ du potier [8].

Étant le Fils de Dieu, Jésus connaissait tout,
Et le Sauveur savait que ce Judas, qu'il aime,
Il ne le sauvait pas, se donnant tout entier.

Et c'est alors qu'il sut la souffrance infinie,
C'est alors qu'il sentit l'infinie agonie [9],
60 Et clama comme un fou [10] l'épouvantable angoisse,
Clameur dont chancela Marie encor debout,

Et par pitié du Père il eut sa mort humaine [11].

Pourquoi vouloir, ma sœur, sauver les morts damnés de l'enfer éternel,
et vouloir sauver mieux que Jésus le Sauveur ?

Jeanne d'Arc, A Domremy, Ire partie, acte II (Librairie Gallimard, éditeur).

— 5 Double nature du Christ. — 6 Cf. p. 154, v. 3. — 7 Archaïsme expressif (acception courante jusqu'au XVIIe siècle). — 8 Cf. Mat. XXVII, 3-10. — 9 Le son *i*, très insistant, a quelque chose de déchirant. — 10 L'expression, familière sans le moindre irrespect, nous rend intensément présente l'agonie morale du Christ. Cf. Mat. XXVII, 46 et 50 : « Vers la neuvième heure, Jésus clama en un grand cri : *Mon Dieu, mon Dieu, pourquoi m'as-tu abandonné ?* », puis « Jésus, poussant de nouveau un grand cri, rendit l'esprit. » — 11 Ce passage sera repris textuellement, mais élargi par une ample paraphrase, dans *Le Mystère de la Charité de Jeanne d'Arc* (1910).

ADIEUX A LA MEUSE

Répondant à l'appel de ses voix, JEANNE va quitter son village, sa maison, ses parents, pour tenter la grande aventure — l'aventure humaine des combats, l'aventure mystique de la sainteté et du martyre. Il n'est pas de *vocation* sans déchirement du cœur et même de la conscience (cf. v. 26 et 41) ; plus la mission est haute et impérieuse, plus grand est le déchirement. Le jeune Péguy pressentait-il qu'il aurait, lui aussi, plus d'une fois, des liens à rompre et de cruels adieux à prononcer, pour rester jusqu'au bout fidèle à lui-même ? On le croirait, à le voir communier de la sorte avec Jeanne d'Arc ; et sa poésie se fait *incantation douce*, pour bercer cette pénétrante douleur.

THÈMES : *Adolescence. Enfance. Famille. Nature. Souvenir.*

Adieu, Meuse endormeuse et douce à mon enfance,
Qui demeures aux prés, où tu coules tout bas [1].
Meuse, adieu : j'ai déjà commencé ma partance [2]
En des pays nouveaux où tu ne coules pas.

Voici que je m'en vais en des pays nouveaux :
Je ferai la bataille et passerai les fleuves ;
Je m'en vais m'essayer à de nouveaux travaux,
Je m'en vais commencer là-bas les tâches neuves.

Et pendant ce temps-là, Meuse ignorante et douce,
10 Tu couleras toujours, passante accoutumée,
Dans la vallée heureuse où l'herbe vive pousse,

O Meuse inépuisable et que j'avais aimée.

Un silence.

Tu couleras toujours dans l'heureuse vallée ;
Où tu coulais hier, tu couleras demain.
Tu ne sauras jamais la bergère en allée [3],
Qui s'amusait, enfant, à creuser de sa main
Des canaux dans la terre, — à jamais écroulés.

La bergère s'en va, délaissant les moutons,
Et la fileuse va, délaissant les fuseaux.
20 Voici que je m'en vais loin de tes bonnes eaux,
Voici que je m'en vais bien loin de nos maisons [4].

— 1 L'adieu de Jeanne mime, pour ainsi dire, le chuchotement apaisant et comme confidentiel de l'eau qui coule. — 2 Péguy aimait ces mots en — *ance* pour leur saveur médiévale et leur tonalité nostalgique (cf. *Moyen Age,* p. 207) ; comparer *désespérance,* p. 153, l. 45. — 3 Cf. Verlaine, *XIXe Siècle,* p. 511, v. 31. — 4 Première note du thème de la 2e partie (v. 32-50).

Meuse qui ne sais rien de la souffrance humaine,
O Meuse inaltérable et douce à toute enfance,
O toi qui ne sais pas l'émoi de la partance,
Toi qui passes toujours et qui ne pars jamais
O toi qui ne sais rien de nos mensonges faux [5],

O Meuse inaltérable, ô Meuse que j'aimais,

Un silence.

Quand reviendrai-je ici filer encor la laine ?
Quand verrai-je tes flots qui passent par chez nous ?
30 Quand nous reverrons-nous ? et nous reverrons-nous ?

Meuse que j'aime encore, ô ma Meuse que j'aime [6].

Un assez long silence.
Elle va voir si son oncle revient.

O maison de mon père où j'ai filé la laine,
Où, les longs soirs d'hiver, assise au coin du feu,
J'écoutais les chansons de la vieille Lorraine,
Le temps est arrivé que je vous dise adieu.

Tous les soirs passagère en des maisons nouvelles,
J'entendrai des chansons que je ne saurai pas ;
Tous les soirs, au sortir des batailles nouvelles,
J'irai dans des maisons que je ne saurai pas.

Un silence.

40   Maison de pierre forte où bientôt ceux que j'aime,
Ayant su ma partance, — et mon mensonge aussi [7], —
Vont désespérément, éplorés de moi-même,
Autour du foyer mort prier à deux genoux,
Autour du foyer mort et trop vite élargi [8],

Quand pourrai-je le soir filer encor la laine ?
Assise au coin du feu pour les vieilles chansons ;
Quand pourrai-je dormir après avoir prié ?
Dans la maison fidèle et calme à la prière ;

Quand nous reverrons-nous ? et nous reverrons-nous ?
O maison de mon père, ô ma maison que j'aime.

Jeanne d'Arc, A Domremy, IIe partie, acte III (Librairie Gallimard, éditeur).

— 5 Ce vers rime avec les v. 19-20 ; mais nous attendions une rime à *jamais,* si bien qu'il nous semble *entendre* la dissonance qu'est un mensonge. — 6 Cf. v. 12 et 27. — 7 Pour aller accomplir sa mission, Jeanne a dû mentir à ses parents : son oncle Durand Lassois est censé l'emmener chez lui pour quelques jours. — 8 Le départ de Jeanne va briser le cercle de famille.

« *Un coup d'audace* »

Dans *Le Porche du Mystère de la deuxième vertu*, l'enfance et l'amour paternel occupent tout naturellement une large place. C'est que le père aime en ses enfants des êtres issus de lui qui lui survivront et poursuivront sa tâche, comme « l'Espérance aime ce qui sera Dans le temps et pour l'éternité ». Entre l'enfance et la petite fille Espérance il s'établit même une véritable identification. D'autre part, l'acte d'espérance devient vertu d'enfance dans cet *abandon mystique* à Dieu, par *l'intercession de la Vierge Marie*. En confiant à la Vierge le douloureux fardeau de ses enfants malades, le père pratique ce « déraidissement » si difficile à obtenir de l'homme, selon Péguy. Ce « coup d'audace », cet émerveillement sont, bien sûr, ceux de l'auteur lui-même, et l'on sent chez lui la sécurité, l'allégresse de la *foi retrouvée ;* mais, en empruntant l'humble visage d'un *paysan lorrain*, il donne plus de naturel à sa bonhomie, et à sa piété des résonances universelles.
THÈMES : *Enfance. Famille. Christianisme. Bible. Providence. Moi.*

Il pense à ses trois enfants [1], qui en ce moment-ci même jouent au coin du feu.
Jouent-ils, travaillent-ils, on n'en sait rien.
Avec les enfants.
Travaillent-ils avec leur mère.
On n'en sait jamais rien.
Les enfants ne sont pas comme les hommes.
Pour les enfants jouer, travailler, se reposer, s'arrêter, courir, c'est tout un.
Ensemble.
C'est le même. Ils ne font pas seulement la différence.
10 Ils sont heureux.
Aussi leur commandement est le commandement même de Jésus.
De Jésus enfant.
L'espérance aussi est celle qui s'amuse tout le temps [2].

Il pense à ses trois enfants qui jouent à c't'heure au coin du feu.
Pourvu seulement qu'ils soient heureux.
N'est-ce pas tout ce qu'un père demande.
On vit pour eux, on demande seulement que ses enfants soient heureux.

Il pense à ses enfants qu'il a mis particulièrement sous la protection de la
Sainte Vierge.
20 Un jour qu'ils étaient malades.
Et qu'il avait eu grand peur.
Il pense encore en frémissant à ce jour-là.
Qu'il avait eu si peur.
Pour eux et pour lui.
Parce qu'ils étaient malades.
Il en avait tremblé dans sa peau.
A l'idée seulement qu'ils étaient malades.
Il avait bien compris qu'il ne pouvait pas vivre comme cela.
Avec des enfants malades.

— 1 Péguy avait alors deux garçons et une | naîtra en février 1915. — 2 Sur la petite enfant fille ; son quatrième enfant, un fils posthume, | Espérance, cf. p. 160.

30 Et sa femme qui avait tellement peur.
Si affreusement.
Qu'elle avait le regard fixe en dedans et le front barré et qu'elle ne
  disait plus un mot.
Comme une bête qui a mal.
Qui se tait.
Car elle avait le cœur serré.
La gorge étranglée comme une femme qu'on étrangle.
Le cœur dans un étau.
La gorge dans des doigts ; dans les mâchoires d'un étau.
40 Sa femme qui serrait les dents, qui serrait les lèvres.
Et qui parlait rarement et d'une autre voix.
D'une voix qui n'était pas la sienne.
Tant elle avait affreusement peur.
Et ne voulait pas le dire.
Mais lui, par Dieu, c'était un homme. Il n'avait pas peur de parler.
Il avait parfaitement compris que ça ne pouvait pas se passer comme ça.
Ça ne pouvait pas durer.
Comme ça.
Il ne pouvait pas vivre avec des enfants malades.

50 Alors il avait fait un coup (un coup d'audace), il en riait encore quand il y pensait.
Il s'en admirait même un peu. Et il y avait bien un peu de quoi. Et
  il en frémissait encore.
Il faut dire qu'il avait été joliment hardi et que c'était un coup hardi.
Et pourtant tous les chrétiens peuvent en faire autant.
On se demande même pourquoi ils ne le font pas.
Comme on prend trois enfants par terre et comme on les met tous les
  trois.
Ensemble. A la fois.
Par amusement. Par manière de jeu.
Dans les bras de leur mère et de leur nourrice qui rit.
60 Et se récrie.
Parce qu'on lui en met trop.
Et qu'elle n'aura pas la force de les porter.
Lui, hardi comme un homme.
Il avait pris, par la prière il avait pris.
(Il faut que France, il faut que chrétienté continue.)
Ses trois enfants dans la maladie, dans la misère où ils gisaient.
Et tranquillement il vous les avait mis.
Par la prière il vous les avait mis.
Tout tranquillement dans les bras de celle qui est chargée de toutes
70   les douleurs du monde.
Et qui a déjà les bras si chargés.
Car le Fils a pris tous les péchés.
Mais la Mère a pris toutes les douleurs.

Le Porche du Mystère de la deuxième vertu (Librairie Gallimard, éditeur).

NUIT SUR LE GOLGOTHA

L'admirable hymne à la Nuit, qui termine *Le Porche du Mystère de la deuxième vertu,* se couronne par cette évocation de la mort du Christ en croix et de la nuit s'étendant sur le Golgotha. PÉGUY paraphrase le récit de saint Matthieu (XXVII, 45-60 : la forme même du *verset* rappelle l'Évangile). Mais sa marque propre apparaît dans les accents étonnamment *familiers* qui, loin de détonner, restituent toute sa signification à la tragédie sacrée du Calvaire. Ce drame *mystique* de la croix, perpétué par le sacrifice de la messe, Péguy le saisit aussi dans toutes ses résonances *humaines,* et en particulier dans son historicité, comme un *événement* (pour les soldats romains indifférents, c'est un simple fait divers qui leur a valu une corvée). Ainsi se trouve soulignée l'insertion du surnaturel dans le quotidien, *la « racination »,* chère au poète, *du spirituel dans le temporel :* c'est le sens même du *mystère de l'Incarnation.*
THÈMES : *Christianisme. Bible. Mysticisme. Providence. Famille. Réel et irréel.*

Mais surtout, Nuit, tu me rappelles cette nuit [1].
Et je me la rappellerai éternellement.
La neuvième heure avait sonné. C'était dans le pays de mon peuple
     d'Israël.
Tout était consommé [2]. Cette énorme aventure.
Depuis la sixième heure il y avait eu des ténèbres sur tout le pays, jusqu'à
     la neuvième heure.
Tout était consommé. Ne parlons plus de cela. Ça me fait mal.
Cette incroyable descente de mon fils parmi les hommes.
10 Chez les hommes.
Pour ce qu'ils en ont fait [3].
Ces trente ans qu'il fut charpentier chez les hommes.
Ces trois ans qu'il fut une sorte de prédicateur chez les hommes.
Un prêtre.
Ces trois jours où il fut victime chez les hommes.
Parmi les hommes.
Ces trois nuits où il fut un mort chez les hommes.
Parmi les hommes morts.
Ces siècles et ces siècles où il est une hostie [4] chez les hommes.
20 Tout était consommé, cette incroyable aventure
Par laquelle, moi, Dieu, j'ai les bras liés pour mon éternité.
Cette aventure par laquelle mon Fils m'a lié les bras.
Pour éternellement liant les bras de ma justice, pour éternellement déliant
     les bras de ma miséricorde [5].
Et contre ma justice inventant une justice même.

— 1 C'est Dieu lui-même qui parle. — 2 C'est le cri de Jésus expirant : *Consummatum est* (Jean, XIX, 30), « tout est achevé », mais aussi « tout est accompli » (conformément aux prophéties, cf. 1. 26-28). — 3 Cf. Jean, I, 11 : « Il est venu dans son héritage, et les siens ne l'ont point reçu. » — 4 Penser au sens primitif : *victime* (cf. l. 15). — 5 Comparer, dans le *Mystère de la Passion* de Gréban, le débat entre la Justice de Dieu et sa Miséricorde (*Moyen Age,* p. 165) ; Péguy a d'ailleurs repris ce titre de *Mystère.*

Une justice d'amour. Une justice d'Espérance [6]. Tout était consommé.
Ce qu'il fallait. Comme il avait fallu. Comme mes prophètes l'avaient
⁓ annoncé. Le voile du temple s'était déchiré en deux, depuis le haut
jusqu'en bas.
30 La terre avait tremblé ; des rochers s'étaient fendus.
Des sépulcres s'étaient ouverts, et plusieurs corps des saints qui étaient
morts étaient ressuscités.
Et environ la neuvième heure mon Fils avait poussé
Le cri qui ne s'effacera point [7]. Tout était consommé. Les soldats s'en
étaient retournés dans leurs casernes.
Riant et plaisantant parce que c'était un service de fini.
Un tour de garde qu'ils ne prendraient plus.
Seul un centenier [8] demeurait, et quelques hommes.
Un tout petit poste pour garder ce gibet sans importance.
40 La potence où mon Fils pendait [9].
Seules quelques femmes étaient demeurées.
La Mère était là.
Et peut-être aussi quelques disciples, et encore on n'en est pas bien sûr [10].
Or tout homme a le droit d'ensevelir son fils.
Tout homme sur terre, s'il a ce grand malheur
De ne pas être mort avant son fils. Et moi seul, moi Dieu,
Les bras liés par cette aventure,
Moi seul à cette minute père après tant de pères,
Moi seul je ne pouvais pas ensevelir mon fils.
C'est alors, ô nuit, que tu vins.
O ma fille chère entre toutes et je le vois encore et je verrai cela dans
mon éternité
C'est alors ô Nuit que tu vins et dans un grand linceul tu ensevelis
Le Centenier et ses hommes romains,
La Vierge et les saintes femmes,
Et cette montagne et cette vallée, sur qui le soir descendait,
Et mon peuple d'Israël et les pécheurs et ensemble celui qui mourait,
qui était mort pour eux

Et les hommes de Joseph d'Arimathée qui déjà s'approchaient

Portant le linceul blanc [11].

Le Porche du Mystère de la deuxième vertu (Librairie Gallimard, éditeur).

— 6 La plus grande des trois vertus théologales, selon Péguy (cf. p. 160-162). — 7 Cf. p. 153, l. 39-41, 58-61 et n. 10. — 8 Ou *centurion*. — 9 Noter le ton, le réalisme de l'expression et l'effet de l'allitération. — 10 Matthieu ne mentionne pas leur présence ; mais le Quatrième Évangile nous montre Jésus confiant l'un à l'autre sa mère et le disciple bien-aimé (Jean, XIX, 26-27). — 11 Admirable note impressionniste (le *linceul blanc* se détachant sur le *grand linceul* sombre de la nuit, qui pourtant l'*ensevelit* avec toute la scène), mais il ne s'agit pas d'art pour l'art.

La deuxième vertu

Entre les trois vertus théologales, PÉGUY accorde la primauté à *l'Espérance*, et il prête à Dieu la même prédilection. Dans ses variations lyriques sur l'espérance, il est intarissable. Les images se multiplient : la vertu préférée est une fontaine éternellement jaillissante ; elle est la fillette qui « sauterait à la corde dans une procession » ; « elle va vingt fois devant, comme un petit chien, elle revient, elle repart, elle fait vingt fois le chemin », et « elle n'est jamais fatiguée. » Mais une convergence des images se dessine, comme on le verra dans les fragments groupés ci-dessous : l'espérance c'est le *jaillissement*, la *spontanéité créatrice*, la *jeunesse toujours nouvelle* de l'homme et du monde ; sans elle, l'univers sombrerait dans la décrépitude, dans la plus aride répétition, dans le néant.
THÈMES : *Christianisme. Providence. Bible. Nature. Psychologie. Symboles.*

    « *La foi que j'aime le mieux, dit Dieu, c'est l'espérance. La foi ça ne m'étonne pas.* [...] *La charité, dit Dieu, ça ne m'étonne pas.* »

Ce qui m'étonne, dit Dieu, c'est l'espérance
Et je n'en reviens pas.
Cette petite espérance qui n'a l'air de rien du tout.
Cette petite fille espérance.
Immortelle.

Car mes trois vertus, dit Dieu.
Les trois vertus mes créatures.
Mes filles mes enfants.
Sont elles-mêmes comme mes autres créatures.
10 De la race des hommes.
La Foi est une Épouse fidèle.
La Charité est une Mère.
Une mère ardente, pleine de cœur.
Ou une sœur aînée qui est comme une mère.
L'Espérance est une petite fille de rien du tout.
Qui est venue au monde le jour de Noël de l'année dernière.
Qui joue encore avec le bonhomme Janvier.
Avec ses petits sapins en bois d'Allemagne. Peints.
Et avec sa crèche pleine de paille que les bêtes ne mangent pas.
20 Puisqu'elles sont en bois.
C'est cette petite fille pourtant qui traversera les mondes.
C'est cette petite fille de rien du tout.
Elle seule, portant les autres, qui traversera les mondes révolus.

*

La petite espérance s'avance entre ses deux grandes sœurs et on ne prend
    seulement pas garde à elle.
Sur le chemin du salut, sur le chemin charnel, sur le chemin raboteux du salut,
    sur la route interminable, sur la route entre ses deux sœurs la petite espérance
S'avance.
Entre ses deux grandes sœurs.
30 Celle qui est mariée.
Et celle qui est mère.

Et l'on n'a d'attention, le peuple chrétien n'a d'attention que pour les deux
    grandes sœurs.
La première et la dernière.
Qui vont au plus pressé.
Au temps présent.
A l'instant momentané qui passe.
Le peuple chrétien ne voit que les deux grandes sœurs, n'a de regard que pour
    les deux grandes sœurs.
40 Celle qui est à droite et celle qui est à gauche.
Et il ne voit quasiment pas celle qui est au milieu.
La petite, celle qui va encore à l'école.
Et qui marche.
Perdue dans les jupes de ses sœurs.
Et il croit volontiers que ce sont les deux grandes qui traînent la petite par
    la main.
Au milieu.
Entre elles deux.
Pour lui faire faire ce chemin raboteux du salut.
50 Les aveugles qui ne voient pas au contraire.
Que c'est elle au milieu qui entraîne ses grandes sœurs.
Et que sans elle elles ne seraient rien.
Que deux femmes déjà âgées.
Deux femmes d'un certain âge.
Fripées par la vie.
C'est elle, cette petite, qui entraîne tout.
Car la Foi ne voit que ce qui est.
Et elle voit ce qui sera.
La Charité n'aime que ce qui est.
60 Et elle aime ce qui sera.

                Le Porche du Mystère de la deuxième vertu (Librairie Gallimard, éditeur).

Je suis, dit Dieu, Seigneur des Trois Vertus.

La Foi est un grand arbre, c'est un chêne enraciné au cœur de la France.
Et sous les ailes de cet arbre la Charité, ma fille la Charité abrite toutes les
    détresses du monde.
Et ma petite espérance n'est rien que cette petite promesse de bourgeon qui
    s'annonce au fin commencement d'avril.

Et quand on voit l'arbre, quand vous regardez le chêne,
Cette rude écorce du chêne treize et quatorze et dix-huit fois centenaire,
Et qui sera centenaire et séculaire dans les siècles des siècles,
70 Cette dure écorce rugueuse et ces branches qui sont comme un fouillis de bras
    énormes,
(Un fouillis qui est un ordre),
Quand vous voyez tant de force et tant de rudesse le petit bourgeon tendre
    ne paraît plus rien du tout.

C'est lui qui a l'air de parasiter l'arbre, de manger à la table de l'arbre.
Comme un gui, comme un champignon,
C'est lui qui a l'air de se nourrir de l'arbre (et le paysan les appelle des
gourmands), c'est lui qui a l'air de s'appuyer sur l'arbre, de sortir de l'arbre,
à l'aisselle des branches, à l'aisselle des feuilles et il ne peut plus exister
80   sans l'arbre. Il a l'air de venir de l'arbre, de dérober la nourriture de l'arbre.
Et pourtant c'est de lui que tout vient au contraire. Sans un bourgeon qui
est une fois venu, l'arbre ne serait pas. Sans ces milliers de bourgeons, qui
viennent une fois au fin commencement d'avril et peut-être dans les derniers
jours de mars, rien ne durerait, l'arbre ne durerait pas, et ne tiendrait pas
sa place d'arbre (il faut que cette place soit tenue), sans cette sève qui monte
et pleure au mois de mai, sans ces milliers de bourgeons qui pointent à
l'aisselle des dures branches. [...]
Sans ce bourgeon, qui n'a l'air de rien, qui ne semble rien, tout cela ne serait
que du bois mort.
Et le bois mort sera jeté au feu.

                    Le Mystère des Saints Innocents (Librairie Gallimard, éditeur).

LES TAPISSERIES

UNE FORME CLASSIQUE. A l'automne de 1912,
PÉGUY revient au *vers régulier* avec *La Tapisserie de sainte
Geneviève et de Jeanne d'Arc*, précédée de quelques jours par des poèmes parus au
Correspondant : Sonnets, Les Sept contre Thèbes, Châteaux de Loire (cf. p. 164) ; *Les Sept
contre Paris* suivront, en mars 1913. En fait, il composait depuis 1911 une très longue
suite de *Quatrains* réguliers, où alternent les vers de six et de quatre syllabes, mais, le
sujet étant trop intime, ils ne seront publiés qu'après sa mort ; ainsi ce sont les poèmes
du *Correspondant* et la première *Tapisserie* qui datent son retour à une *forme classique*.
Toutefois PÉGUY se permet certaines licences : comme Verlaine, il ne s'astreint pas à
l'alternance des rimes masculines et féminines (cf. p. 166, sonnet 2) ; dans les *Quatrains*
il admet l'hiatus (« Cœur *qui as* tant rêvé ») ; sa verve, surtout, est à l'étroit dans le
cadre du sonnet : aussi verra-t-on telle pièce accumuler, après deux quatrains, 320 tercets
et un vers final isolé (*Sainte Geneviève et Jeanne d'Arc*, pièce VIII). C'est le quatrain
qui va être désormais son rythme de prédilection.

UN GENRE NOUVEAU. Quant à la *Tapisserie*, qui succède au *Mystère*, elle inscrit
le poète dans la longue lignée des *artisans français* épris de « l'ouvrage bien faite », attentifs,
minutieux, qui s'échangent contre l'œuvre née de leurs mains, comme dira Saint-Exupéry.
La tapisserie est un travail de patience que l'on ne bâcle point : ce n'est d'abord qu'un
entrelacs de fils de couleur, mais peu à peu le dessin apparaît, révélant son sens et sa
grandeur. Ainsi des *Tapisseries* de PÉGUY : le rythme est lent, les motifs se répètent,
progressant par nuances discrètes, mais un souffle inépuisable entraîne l'ensemble jusqu'à
son plein épanouissement. En outre ces tapisseries poétiques, comme leurs sœurs aînées
du Moyen Âge, sont destinées à *orner le sanctuaire*, les unes et les autres étant filles de
l'art et de la foi.
    Les deux premières *Tapisseries* groupent des pièces distinctes. Pour *La Tapisserie de
sainte Geneviève et de Jeanne d'Arc*, ce sont les neuf poèmes de la *neuvaine*, auxquels
s'en ajoute un dixième : *Sainte Geneviève patronne de Paris ;* l'ampleur va croissant jusqu'à
la VIIIe pièce, mentionnée plus haut, puis PÉGUY ménage un *decrescendo*. Dans *La
Tapisserie de Notre Dame* deux *Présentations*, de Paris puis de la Beauce, à la Vierge Marie
précèdent l'une trois sonnets *(Paris vaisseau de charge, Paris double galère, Paris vaisseau
de guerre)*, l'autre cinq *Prières, de résidence, de demande, de confidence, de report* et *de
déférence*. Mais la troisième Tapisserie, *Ève*, portant le genre à son accomplissement,
développe d'un seul tenant une suite de quelque 3 000 quatrains : « ce sera une Iliade »
disait PÉGUY ; c'est plutôt sa *Légende des siècles*, la Légende des siècles d'un poète chrétien.

« *Cœur qui as tant battu...* »

Composés en 1911-1912, les *Quatrains* ne furent publiés qu'en 1941, dans les *Œuvres poétiques complètes*, à la Bibliothèque de la Pléiade. Ils sont l'écho, pathétique dans sa pudeur et inlassablement répercuté, d'un *drame intime* où PÉGUY vécut dans toute son intensité le débat cornélien de *l'honneur* contre *le bonheur*. Son cœur fut déchiré, mais sa fidélité ne succomba point ; et peu à peu, après de longues tortures, il retrouva la paix de l'âme (cf. p. 148, § 2). – THÈMES : *Amour. Moi. Morale. Symboles.*

Dans la colonne de droite, nous proposons la « lecture régressive » par rapport à la présentation de la Pléiade, que recommande Jean Onimus approuvé par Bernard Guyon.

Cœur qui as tant rêvé,
  O cœur charnel,
O cœur inachevé,
  Cœur éternel.
	O peine aux longs cheveux
	  Couchée au lit
	De l'homme que tu veux
	  Enseveli.

Cœur qui as tant battu,
  D'amour, d'espoir,
O cœur trouveras-tu
  La paix du soir.
	O peine aux cheveux longs
	  Couchée au long
	De l'homme juste et bon
	  Au même lit.

Cœur tant de fois pétri,
10   O pain du jour,
Cœur tant de fois meurtri,
  Levain d'amour.

Enseveli sois-tu
  Dans cet amour   10
Et dans cette vertu
  Et cette tour.

Cœur qui as tant battu,
  D'amour, de haine,
Cœur tu ne battras plus
  De tant de peine. [...]

Loué sois-tu, cœur frêle,
  Pour ta rudesse,
Loué sois-tu, cœur grêle,
  Pour ta tristesse.

Cœur plein d'un seul regret
  Poignant et bref,
Comme un unique fret
20   Charge une nef.

Pour tes renoncements,
  O dépouillé,
Pour tes abaissements,
  O cœur souillé.   20

Cœur plein d'un seul regret
  Poignant et sourd,
Comme un fardeau trop lourd
  Charge une nef.

Cœur tant de fois cloué
  Au dur gibet,
Tant de fois bafoué
  De quolibets.

Cœur vaisseau démarré
  A charge pleine,
Vaisseau désemparé
  De sa misaine. [...]

Et pardonné sois-tu,
  Notre cœur vil,
Au nom des Trois Vertus,
  Ainsi soit-il.

Quatrains (Librairie Gallimard, éditeur).

CHATEAUX DE LOIRE

Dans ce poème d'une facture impeccable, PÉGUY, enfant d'Orléans, chante le val de Loire et ses châteaux, riches de tout un trésor d'art et d'histoire. Mais soudain le paysage devient, à la manière des symbolistes, un *paysage d'âme.* C'est un *château du souvenir,* un *château mystique,* qui sera célébré ; c'est le *monument idéal* qui se dessine à jamais sur cette noble terre depuis le passage de JEANNE D'ARC, la sainte chère entre toutes au cœur du poète. – THÈMES : *Beaux-arts. Histoire. Souvenir. Adolescence. Symboles.*

Le long du coteau courbe et des nobles vallées
Les châteaux sont semés comme des reposoirs,
Et dans la majesté des matins et des soirs
La Loire et ses vassaux s'en vont par ces allées.

Cent vingt châteaux lui font une suite courtoise,
Plus nombreux, plus nerveux, plus fins que des palais [1].
Ils ont nom Valençay, Saint-Aignan et Langeais,
Chenonceaux et Chambord, Azay, le Lude, Amboise [2].

Et moi j'en connais un dans les châteaux de Loire
10 Qui s'élève plus haut que le château de Blois,
Plus haut que la terrasse où les derniers Valois
Regardaient le soleil se coucher dans sa gloire.

La moulure est plus fine et l'arceau plus léger.
La dentelle de pierre est plus dure et plus grave.
La décence et l'honneur et la mort qui s'y grave
Ont inscrit leur histoire au cœur de ce verger [3].

Et c'est le souvenir qu'a laissé sur ces bords
Une enfant qui menait son cheval vers le fleuve.
Son âme était récente [4] et sa cotte était neuve.
20 Innocente elle allait vers le plus grand des sorts.

Car elle qui venait du pays tourangeau [5],
C'était la même enfant qui quelques jours plus tard,
Gouvernant d'un seul mot le rustre et le soudard,
Descendait devers Meung ou montait vers Jargeau [6].

(Librairie Gallimard, éditeur).

— 1 Cf. Du Bellay (*XVIᵉ Siècle,* p. 113, v. 9-11). — 2 De ces noms propres naît un élément de *poésie pure.* — 3 Le val de Loire, « jardin de la France ». — 4 Fraîche et pure. — 5 De Chinon, Jeanne d'Arc gagna Orléans par Tours. — 6 Cette ville fut prise d'assaut par Jeanne d'Arc, après la délivrance d'Orléans.

Péguy et la sainteté

Jeanne d'Arc va trouver le roi à Chinon.

Jeanne d'Arc faite prisonnière à Compiègne. (Miniatures des « Vigiles de Charles VII »,
vers 1484. Bibliothèque Nationale, Paris. 2 Ph. © Bibl. Nat. – Photeb)

Jeanne d'Arc

Péguy souligne le lien entre le combat de Jeanne au service d'une grande **cause temporelle** et la charité qui la pousse au sacrifice pour le **salut spirituel** de tous (cf. **p. 151-153**). C'est aussi l'insertion du spirituel dans le charnel qui assure selon lui la grandeur de Polyeucte (cf. **p. 183**).

La Tapisserie de sainte Geneviève...

La Tapisserie de sainte Geneviève et de Jeanne d'Arc (1912) unit dans un même hommage la patronne de Paris et l'héroïne nationale que l'Église n'avait pas encore canonisée. Les trois premiers sonnets, consacrés à sainte Geneviève, s'organisent en un admirable mouvement *d'ascension vers la prière.* Les sonnets I et II montent de la simple évocation à la promesse d'une intercession efficace ; dans le troisième éclate la prière directe, et PÉGUY doit encore ajouter un quinzième vers à ce troisième sonnet pour oser enfin la formuler. Il s'agit du vœu pathétique, et peut-être exorbitant, qu'il n'y ait, dans cette « énorme horde » du peuple de Paris, *aucun réprouvé :* toujours hanté par l'horreur de la damnation (cf. p. 151), voilà ce que Péguy demande à la sainte, humblement, timidement, passionnément. – THÈMES : *Histoire. Christianisme. Nature. Symboles.*

Comme elle avait gardé les moutons à Nanterre,
On la mit à [1] garder un bien autre troupeau,
La plus énorme horde où le loup [2] et l'agneau
Aient jamais confondu leur commune misère [3].

Et comme [4] elle veillait tous les soirs solitaire
Dans la cour de la ferme ou sur le bord de l'eau,
Du pied du même saule et du même bouleau
Elle veille aujourd'hui sur ce monstre de pierre.

Et quand le soir viendra qui fermera le jour [5],
10   C'est elle la caduque et l'antique bergère [6],
Qui ramassant Paris et tout son alentour

Conduira d'un pas ferme et d'une main légère
Pour la dernière fois dans la dernière cour [7]
Le troupeau le plus vaste à la droite du père [8].

*

Comme elle avait gardé les moutons à Nanterre
Et qu'on était content de son exactitude [9],
On mit sous sa houlette et son inquiétude [10]
Le plus mouvant troupeau, mais le plus volontaire.

Et comme elle veillait devant le presbytère,
Dans les soirs et les soirs d'une longue habitude,
Elle veille aujourd'hui sur cette ingratitude,
Sur cette auberge énorme et sur ce phalanstère [11].

Et quand le soir viendra de toute plénitude,
10   C'est elle la savante [12] et l'antique bergère,
Qui ramassant Paris dans sa sollicitude

— 1 Expression populaire, paysanne. — 2 Les sons évoquent un ramassis confus, une *horde.* — 3 Les « loups » eux-mêmes sont plus malheureux que coupables : appel discret à la miséricorde divine. — 4 Glissement de sens, par rapport au v. 1 (cf. sonnet II). — 5 Le dernier soir du monde, avant le Jugement ; cf. sonnet II, v. 9 et III, v. 11. — 6 Née à Nanterre en 420, sainte Geneviève mourut à 92 ans. — 7 Le mot *paradis* (doublet de *parvis*) signifie primitivement *enceinte, cour.* — 8 Le jour du Jugement, le Christ (comparé à un berger) placera les élus à sa droite, les damnés à sa gauche (Mat. XXV, 32 et suiv.). — 9 Le mot semble *mimer* un soin minutieux. — 10 Noter l'alliance de l'abstrait et du concret (cf. v. 7-8). — 11 Habitation de la *phalange* (cellule sociale de Fourier). — 12 *Savante* dans son art de garder les moutons (cf. sonnet III) ; comparer au v. 10 du sonnet I.

Péguy
et la sainteté

*Puvis de Chavannes, « Sainte Geneviève veillant sur Paris »,
1898.* (Panthéon, Paris, Ph. © Bulloz)

Geneviève

Comme Jeanne d'Arc, Geneviève a, selon la légende, consacré ses forces à une grande **cause temporelle,** la sauvegarde de Lutèce menacée par les Huns et le ravitaillement de la ville. Et Péguy compte sur la sainte pour assurer le **salut spirituel** des Parisiens dont elle est devenue la patronne.

Conduira d'un pas ferme et d'une main légère
Dans la cour de justice et de béatitude
Le troupeau le plus sage à la droite du père.

*

Elle avait jusqu'au fond du plus secret hameau
La réputation dans toute Seine et Oise
Que jamais ni le loup ni le chercheur de noise
N'avaient pu lui ravir le plus chétif agneau.

Tout le monde savait de Limours à Pontoise
Et les vieux bateliers contaient au fil de l'eau
Qu'assise au pied du saule et du même bouleau
Nul n'avait pu jouer cette humble villageoise.

Sainte qui rameniez tous les soirs au bercail
10 Le troupeau tout entier [13], diligente bergère,
Quand le monde et Paris viendront à fin de bail

Puissiez-vous d'un pas ferme et d'une main légère
Dans la dernière cour par le dernier portail
Ramener par la voûte et le double vantail

Le troupeau tout entier [14] à la droite du père.

La Tapisserie de sainte Geneviève et de Jeanne d'Arc (Librairie Gallimard, éditeur).

PRÉSENTATION DE PARIS A NOTRE DAME

Comme il plaçait le peuple de Paris sous la protection de sainte Geneviève (cf. p. 166), voici que Péguy « présente » et confie Paris même à la Vierge Marie. La nef figurant sur les armes de la cité, le « vaisseau » de Notre-Dame lui fournissent *le symbolisme du navire* et de *l'embarquement* pour *l'aventure du salut*. En saisissant dans une seule vision le Paris du Moyen Age et celui du XXᵉ siècle, le poète réalise d'autre part cette opération de mémoire, remontée à l'intérieur de la race, à laquelle il attachait tant d'importance (cf. p. 180). Enfin, à travers cette bonhomie pleine d'humour, on discernera la méditation sur la *grâce* et le *mystère de la Rédemption* : les « pauvres vertus » des hommes ne sont rien devant Dieu, mais, opérant une miraculeuse transmutation, le sacrifice du Christ sur la croix peut donner valeur à leurs péchés mêmes, s'ils s'en repentent dans l'humilité de leur cœur. – THÈMES : *Christianisme. Bible. Poète. Symboles.*

Étoile de la mer [1] voici la lourde nef
Où nous ramons tout nuds [2] sous vos commandements ;
Voici notre détresse et nos désarmements [3] ;
Voici le quai du Louvre, et l'écluse, et le bief [4].

— 13 Voilà le point essentiel, mis en valeur par l'enjambement et la coupe. — 14 Apprécier la progression (cf. I, 14 et II, 14).
   — 1 Cf. l'hymne à la Vierge : *Ave, maris stella.*
— 2 Orthographe ancienne, qui accentue l'aspect médiéval du poème (en contraste avec son aspect moderne). — 3 Esquisse d'un jeu de mots (sens moral et sens technique : *désarmer* un vaisseau) ; cf. *gouvernements* (v. 7). — 4 Espace compris entre deux écluses.

Voici notre appareil [5] et voici notre chef.
C'est un gars de chez nous qui siffle par moments.
Il n'a pas son pareil pour les gouvernements.
Il a la tête dure et le geste un peu bref.

Reine qui vous levez sur tous les océans,
10 Vous penserez à nous quand nous serons au large.
Aujourd'hui c'est le jour d'embarquer notre charge.
Voici l'énorme grue et les longs meuglements [6].

S'il fallait le charger de nos pauvres vertus,
Ce vaisseau s'en irait vers votre auguste seuil
Plus creux que la noisette après que l'écureuil
L'a laissé retomber de ses ongles pointus.

Nuls ballots n'entreraient par les panneaux béants,
Et nous arriverions dans la mer de sargasse [7]
Traînant cette inutile et grotesque carcasse
20 Et les Anglais diraient : Ils n'ont rien mis dedans [8].

Mais nous saurons l'emplir et nous vous le jurons.
Il sera le plus beau dans cet illustre port.
La cargaison ira jusque sur le plat-bord [9].
Et quand il sera plein nous le couronnerons.

Nous n'y chargerons pas notre pauvre maïs,
Mais de l'or et du blé que nous emporterons.
Et il tiendra la mer : car nous le chargerons
Du poids de nos péchés payés par votre fils [10].

La Tapisserie de Notre Dame (Librairie Gallimard, éditeur).

Présentation
de la Beauce...　　Une première fois, PÉGUY avait confié ses enfants
malades à la Vierge Marie (cf. p. 156). A la mi-juin 1912,
en exécution d'un vœu pour la guérison de son fils Pierre
atteint de la typhoïde, *il accomplit un pèlerinage à la cathédrale de Chartres ;* à la fin de
l'année il retourne à Chartres, où il prie pour le repos de l'âme d'un jeune normalien
mort récemment. Ces deux pèlerinages, et d'autres encore, se fondent dans la *Présentation
de la Beauce à Notre-Dame de Chartres.* Scandé au rythme de la *marche,* le poème progresse
lentement, résolument, comme chemine le pèlerin ; il s'élargit de strophe en strophe,
comme *l'immense ondulation des blés,* à perte de vue. Et lorsque apparaît dans le ciel
la « flèche inimitable », attendue, désirée, célébrée d'avance, il semble qu'un vœu soit
exaucé, que la Vierge elle-même se manifeste à l'âme du poète. Sa présence diffuse était
d'ailleurs sensible dès le début, et cette longue marche, par son intention et par la
méditation spirituelle qu'elle rythme, était déjà *une prière.*

— 5 Tout ce qui sert pour la manœuvre (cf. *appareiller*). — 6 Symphonie discordante d'un port moderne. — 7 Précision géographique qui ne manque pas d'humour, puisqu'il s'agit d'une nef symbolique (*Mer des Sargasses :* vaste étendue encombrée d'algues, au nord-est des Antilles). — 8 Peuple marin par excellence, les Anglais passent en outre pour avoir beaucoup de sens pratique. — 9 Partie supérieure du bordage. — 10 Noter l'allitération expressive.

Présentation de la Beauce à Notre Dame de Chartres

Étoile de la mer voici la lourde nappe
Et la profonde houle et l'océan des blés
Et la mouvante écume et nos greniers comblés,
Voici votre regard sur cette immense chape

Et voici votre voix sur cette lourde plaine
Et nos amis absents et nos cœurs dépeuplés,
Voici le long de nous nos poings désassemblés
Et notre lassitude et notre force pleine.

Étoile du matin, inaccessible reine,
10 Voici que nous marchons vers votre illustre cour,
Et voici le plateau de notre pauvre amour,
Et voici l'océan de notre immense peine.

Un sanglot rôde et court par-delà l'horizon.
A peine quelques toits font comme un archipel.
Du vieux clocher retombe une sorte d'appel.
L'épaisse église semble une basse maison.

Ainsi nous naviguons vers votre cathédrale.
De loin en loin surnage un chapelet de meules,
Rondes comme des tours, opulentes et seules
20 Comme un rang de châteaux sur la barque amirale.

Deux mille ans de labeur ont fait de cette terre
Un réservoir sans fin pour les âges nouveaux.
Mille ans de votre grâce ont fait de ces travaux
Un reposoir sans fin pour l'âme solitaire.

Vous nous voyez marcher sur cette route droite,
Tout poudreux, tout crottés, la pluie entre les dents.
Sur ce large éventail ouvert à tous les vents
La route nationale est notre porte étroite.

Nous allons devant nous, les mains le long des poches,
30 Sans aucun appareil, sans fatras, sans discours,
D'un pas toujours égal, sans hâte ni recours,
Des champs les plus présents vers les champs les plus proches.

Vous nous voyez marcher, nous sommes la piétaille.
Nous n'avançons jamais que d'un pas à la fois.
Mais vingt siècles de peuple et vingt siècles de rois,
Et toute leur séquelle et toute leur volaille

Et leurs chapeaux à plume avec leur valetaille
Ont appris ce que c'est que d'être familiers,
Et comme on peut marcher, les pieds dans ses souliers,
40 Vers un dernier carré le soir d'une bataille. [...]

Péguy et le symbole

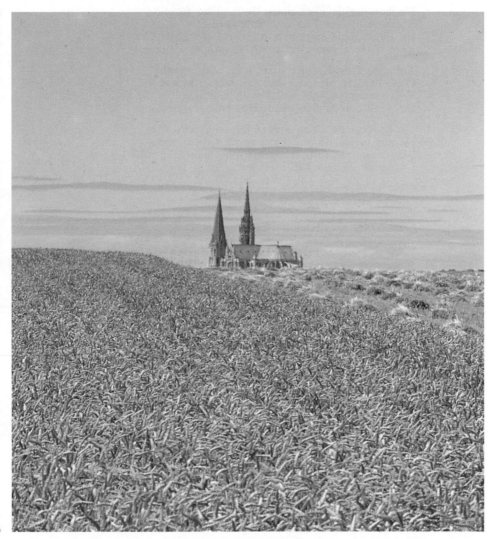

La Beauce et la cathédrale de Chartres. (Ph. © Feher-Rapho)

« La flèche unique au monde »

Par delà la « lourde nappe » des blés, comme les pèlerins qui, avec Péguy, s'avancent vers la cathédrale, nous apercevons au loin *« la flèche irréprochable et qui ne peut faillir »*. Les variations lyriques du poète sur la signification symbolique de cette flèche, si pure dans sa simplicité, restent inoubliables (cf. **p. 172**).

Un homme de chez nous, de la glèbe féconde
A fait jaillir ici d'un seul enlèvement,
Et d'une seule source et d'un seul portement,
Vers votre assomption la flèche unique au monde.

Tour de David, voici votre tour beauceronne.
C'est l'épi le plus dur qui soit jamais monté
Vers un ciel de clémence et de sérénité,
Et le plus beau fleuron dedans votre couronne.

Un homme de chez nous a fait ici jaillir,
50   Depuis le ras du sol jusqu'au pied de la croix,
Plus haut que tous les saints, plus haut que tous les rois
La flèche irréprochable et qui ne peut faillir.

C'est la gerbe et le blé qui ne périra point,
Qui ne fanera point au soleil de septembre,
Qui ne gèlera point aux rigueurs de décembre,
C'est votre serviteur et c'est votre témoin.

C'est la tige et le blé qui ne pourrira pas,
Qui ne flétrira point aux ardeurs de l'été,
Qui ne moisira point dans un hiver gâté,
60   Qui ne transira point dans un commun trépas.

C'est la pierre sans tache et la pierre sans faute,
La plus haute oraison qu'on ait jamais portée,
La plus droite raison qu'on ait jamais jetée,
Et vers un ciel sans bord la ligne la plus haute. [...]

Mais vous apparaissez, reine mystérieuse.
Cette pointe là-bas dans le moutonnement
Des moissons et des bois et dans le flottement
De l'extrême horizon ce n'est point une yeuse,

Ni le profil connu d'un arbre interchangeable.
70   C'est déjà plus distante, et plus basse, et plus haute,
Ferme comme un espoir sur la dernière côte,
Sur le dernier coteau la flèche inimitable. [...]

Nous avons eu bon vent de partir dès le jour.
Nous coucherons ce soir à deux pas de chez vous,
Dans cette vieille auberge où pour quarante sous
Nous dormirons tout près de votre illustre tour.

Nous serons si fourbus que nous regarderons,
Assis sur une chaise auprès de la fenêtre,
Dans un écrasement du corps et de tout l'être,
80   Avec des yeux battus, presque avec des yeux ronds,

Et les sourcils haussés jusque dedans nos fronts,
L'angle une fois trouvé par un seul homme au monde,
Et l'unique montée ascendante et profonde
Et nous serons recrus et nous contemplerons.

Voici l'axe et la ligne et la géante fleur.
Voici la dure pente et le contentement.
Voici l'exactitude et le consentement.
Et la sévère larme, ô reine de douleur.

Voici la nudité, le reste est vêtement.
90 Voici le vêtement, tout le reste est parure.
Voici la pureté, tout le reste est souillure.
Voici la pauvreté, le reste est ornement. [...]

Voici la seule foi qui ne soit point parjure.
Voici le seul élan qui sache un peu monter.
Voici le seul instant qui vaille de compter.
Voici le seul propos qui s'achève et qui dure.

La Tapisserie de Notre Dame (Librairie Gallimard, éditeur).

« *ET LE PREMIER SOLEIL SUR LE PREMIER MATIN* »

L'immense symphonie d'*Ève* s'ouvre sur l'évocation du *paradis perdu*, en un premier mouvement très ample, ponctué sans cesse par ce rappel : « Vous n'avez plus connu... » Rivalisant avec HUGO qu'il admirait tant, PÉGUY donne ici une réplique au *Sacre de la Femme,* poème liminaire de la première *Légende des siècles.* Mais la vision d'un monde intact et proche encore du chaos se nuançait par instants, chez Hugo, d'une sorte de terreur sacrée ; Péguy au contraire aborde sans vertige « ce climat de la grâce » où tout est *limpidité,* et il le traduit en arabesques presque *immatérielles.* Dans cette quête de la *spontanéité originelle* encore vierge de toute habitude, il est guidé par Bergson (cf. p. 185), tandis que son intuition de la correspondance entre le spirituel et le charnel lui révèle, dans le monde d'avant la faute, une matière *sans pesanteur.* Toute chose est saisie poétiquement *à l'état naissant.* – THÈMES : *Bible. Nature. Animaux. Mythes.*

Jésus parle.

— O mère ensevelie hors du premier jardin [1],
Vous n'avez plus connu ce climat de la grâce [2],
Et la vasque et la source et la haute terrasse,
Et le premier soleil sur le premier matin.

Et les bondissements de la biche et du daim
Nouant et dénouant leur course fraternelle
Et courant et sautant et s'arrêtant soudain
Pour mieux commémorer [3] leur vigueur éternelle,

Et pour bien mesurer leur force originelle
10 Et pour poser leurs pas sur ces moelleux tapis,
Et ces deux beaux coureurs sur soi-même tapis
Afin de saluer leur lenteur solennelle [4].

— 1 Le jardin d'Eden. — 2 Dans cette pureté d'avant le péché, les deux sens du mot *grâce* se confondent ; d'autre part le v. 3 évoque la grâce comme une fontaine jaillissante. — 3 *Célébrer,* mais le mot a une résonance religieuse. — 4 Effet de contraste comparable à un *ralenti* cinématographique (cf. les brusques arrêts, v. 7, 15 et 19).

Et les ravissements [5] de la jeune gazelle
Laçant et délaçant sa course vagabonde,
Galopant et trottant et suspendant sa ronde [6]
Afin de saluer sa race intemporelle [7].

Et les dépassements du bouc et du chevreuil
Mêlant et démêlant leur course audacieuse
Et dressés tout à coup sur quelque immense seuil [8]
20 Afin de saluer la terre spacieuse.

Et tous ces filateurs et toutes ces fileuses
Mêlant et démêlant l'écheveau de leur course [9],
Et dans le sable d'or des vagues nébuleuses
Sept clous articulés découpaient la Grande Ourse [10].

Et tous ces inventeurs et toutes ces brodeuses
Du lacis de leurs pas découpaient des dentelles.
Et ces beaux arpenteurs parmi ces ravaudeuses [11]
Dessinaient des glacis devant des citadelles [12].

Une création naissante et sans mémoire
30 Tournante et retournante [13] aux courbes d'un même orbe.
Et la faîne et le gland et le coing et la sorbe
Plus juteux sous les dents que la prune et la poire [14].

Ève (Librairie Gallimard, éditeur).

Pietà

Voici, inspiré de la *salutation angélique,* un nouveau mouvement de la symphonie. « Et moi je vous salue... » : c'est Jésus (et avec lui Péguy) qui s'adresse en ces termes à Ève, aïeule du genre humain, comme l'archange Gabriel à Marie lors de l'Annonciation. Si Marie est la mère spirituelle des hommes, Ève est leur mère charnelle ; et, en dépit du péché originel, Ève ne sort pas diminuée, loin de là, de cette comparaison avec la Vierge (cf. p. 184, l. 58-71). Les deux figures se fondent dans une image intemporelle de *la Mère,* à qui il appartient trop souvent, hélas ! d'ensevelir ses fils. La scène où Marie reçoit le corps du Christ détaché de la croix, si souvent représentée par l'art religieux sous le titre de *Pietà,* inspire ici Péguy. – THÈMES : *Femme. Famille. Mort.*

Et moi je vous salue ô première mortelle.
Vous avez tant baisé les fronts silencieux,
Et la lèvre et la barbe et les dents et les yeux
De vos fils descendus dans cette citadelle [1].

— 5 Noter les deux sens, qui se complètent. — 6 C'est une sorte de *danse* (valeur esthétique de cette activité de jeu, harmonieuse manifestation de l'élan vital). — 7 Sa race future, qui n'existe encore qu'en puissance (cf. v. 29). — 8 Dans l'Eden, chaque être trouve sa *demeure* naturelle ; songer d'autre part au sens géographique du mot *seuil.* — 9 Cf. l'entrecroisement des thèmes dans ce poème d'*Ève,* qui est une *tapisserie.* — 10 Cf. Hugo : *Nomen, numen, lumen (Contemplations,* VI,

25). — 11 Note d'humour populaire, qui d'ailleurs rend *poétique* le travail des *ravaudeuses.* — 12 Elles-mêmes *virtuelles,* comme les *glacis ;* d'ailleurs le mot *arx,* en latin, signifie à la fois *citadelle* et *hauteur.* — 13 Cet accord est un archaïsme (moyen français et XVIIe siècle). — 14 Nouveau thème : fécondité libérale de la nature vierge. Opposer : « Tu gagneras ton pain à la sueur de ton front » *(Genèse* III, 19).
— 1 La « citadelle » de la mort, du tombeau.

Péguy et la nostalgie du Paradis perdu

« La Création du monde ». (Peinture anonyme, école flamande, XVIᵉ s. Musée des Beaux-Arts, Strasbourg. Ph. Jupp Franz © Arch. Photeb)

Le « climat de la grâce »

Pour traduire la pureté native du monde à sa création, l'artiste flamand représente, au repos, la coexistence paisible des animaux devenus, depuis, des ennemis impitoyables. Péguy traduit au contraire ce « climat de la grâce » par la légèreté aérienne et l'élégance dans les mouvements de ces êtres qui s'abandonnent, en toute sécurité, à l'élan et à la joie de leur vie toute neuve (cf. **p. 173-174**).

Vous en avez tant mis dans le chêne et l'érable,
Et la pierre et la terre et les marbres plus beaux.
Vous en avez tant mis sur le seuil des tombeaux.
Vous voici la dernière et la plus misérable.

Vous en avez tant mis dans de pauvres linceuls,
10   Couchés sur vos genoux [2] comme aux jours de l'enfance.
On vous en a tant pris qui marchaient nus et seuls
Pour votre sauvegarde et pour votre défense.

Vous en avez tant mis dans d'augustes linceuls,
Pliés sur vos genoux comme des nourrissons.
On vous en a tant pris de ces grêles garçons
Qui marchaient à la mort téméraires et seuls.

Vous en avez tant mis dans ces lourdes entraves,
Les seules qui jamais ne seront déliées,
De ces pauvres enfants qui marchaient nus et graves
20   Vers d'éternelles morts aussitôt oubliées.

Vous en avez tant mis dans ce lourd appareil [3],
Le seul qui de jamais ne sera résolu [4],
De ce jeune troupeau qui s'avançait pareil
A des agneaux [5] chargés d'un courage absolu.

Vous en avez tant mis dans le secret des tombes,
Le seul qui jamais plus ne sera dévoilé,
Le seul qui de jamais ne sera révélé,
De ces enfants tombés comme des hécatombes,

Offerts à quelque dieu qui n'est pas le vrai Dieu,
30   Frappés sur quelque autel qui n'est pas holocauste [6],
Perdus dans la bataille ou dans quelque avant-poste,
Tombés dans quelque lieu qui n'est pas le vrai Lieu [7].

Vous en avez tant mis au fond des catacombes,
De ces enfants péris pour sauver quelque honneur.
Vous en avez tant mis dans le secret des tombes,
De ces enfants sombrés aux portes du bonheur.

Vous en avez tant mis dans les plis d'un long deuil,
D'entre ceux qui marchaient taciturnes et braves.
On vous en a tant pris jusque sur votre seuil,
40   D'entre ceux qui marchaient invincibles et graves.

Vous en avez tant mis le long des nécropoles,
Vous en avez tant pris sur vos sacrés genoux,
De ces fils qui venaient le long des métropoles,
Et marchaient et tombaient et qui mouraient pour vous.

Ève (Librairie Gallimard, éditeur).

— 2 Comme le Christ sur les genoux de la Vierge, après la descente de croix. — 3 Cf. *l'appareil* qu'on pose sur une blessure. — 4 Au sens propre : dénoué, défait. — 5 Comparaison à la fois familière et mystique (le Christ est *l'agneau de Dieu*). — 6 Où la victime n'est pas brûlée tout entière : dans ce *sacrifice* il reste quelque chose de trop humain. Pour les Hébreux, *l'holocauste* figurait l'effacement total de la créature devant le Créateur. — 7 Le Calvaire.

« *HEUREUX LES ÉPIS MÛRS* »

Voici l'une des pages les plus justement célèbres d'*Ève*. On la lira avec recueillement, comme un *rituel* du souvenir et de la gratitude, *en hommage à Charles Péguy et à tous ceux qui, comme lui, sont morts pour la France*. Ici encore (cf. p. 173), PÉGUY rivalise avec HUGO, qui célébrait par un *Hymne* « ceux qui pieusement sont morts pour la patrie ». Dans son patriotisme fervent, il n'a pas oublié ses vœux pour la République universelle ; il les rappelle dans les strophes qui précèdent. Mais, pour lui, dans un monde divisé, il n'est pas de plus belle mort, hormis le martyre, que la mort au champ d'honneur, pour une cause juste. Car *cette mort est figure charnelle du martyre*, comme la patrie, cité des hommes, est figure de la cité de Dieu (v. 9-10, 13-14). – THÈMES : *Guerre. Mort.*

   — Heureux ceux qui sont morts pour la terre charnelle,
Mais pourvu que ce fût dans une juste guerre.
Heureux ceux qui sont morts pour quatre coins de terre.
Heureux ceux qui sont morts d'une mort solennelle.

Heureux ceux qui sont morts dans les grandes batailles,
Couchés dessus le sol à la face de Dieu.
Heureux ceux qui sont morts sur un dernier haut lieu,
Parmi tout l'appareil des grandes funérailles.

Heureux ceux qui sont morts pour des cités charnelles.
10 Car elles sont le corps de la cité de Dieu.
Heureux ceux qui sont morts pour leur âtre et leur feu,
Et les pauvres honneurs des maisons paternelles.

Car elles sont l'image et le commencement
Et le corps et l'essai de la maison de Dieu.
Heureux ceux qui sont morts dans cet embrassement,
Dans l'étreinte d'honneur et le terrestre aveu [1].

Car cet aveu d'honneur est le commencement
Et le premier essai d'un éternel aveu.
Heureux ceux qui sont morts dans cet écrasement,
20 Dans l'accomplissement de ce terrestre vœu.

Car ce vœu de la terre est le commencement
Et le premier essai d'une fidélité.
Heureux ceux qui sont morts dans ce couronnement
Et cette obéissance et cette humilité.

Heureux ceux qui sont morts, car ils sont retournés
Dans la première argile et la première terre [2].
Heureux ceux qui sont morts dans une juste guerre.
Heureux les épis mûrs et les blés moissonnés.

                     Ève (Librairie Gallimard, éditeur).

— 1 Acte féodal liant le vassal au suzerain, devenu ici le lien de l'homme à sa patrie, puis (v. 18) du chrétien à Dieu. — 2 Cf. *Genèse*, II, 7.

L'ŒUVRE EN PROSE

Péguy et les Cahiers   L'œuvre en prose de PÉGUY est encore beaucoup plus
   de la Quinzaine   vaste que son œuvre poétique : deux gros volumes de la
                     Pléiade ne l'épuisent pas. C'est qu'elle comprend, outre
les textes proprement littéraires, un grand nombre d'articles, sans parler de la
correspondance. Toujours engagée, souvent polémique, elle nous permet de suivre, plus
directement que les poèmes, les luttes de PÉGUY et la vie même des *Cahiers*. Les moindres
communications du gérant aux abonnés méritent d'être lues, car l'auteur y apparaît tout
entier avec son style insistant, redondant, avec ses bilans, ses examens de conscience,
son souci constant de faire survivre le périodique et de lui assurer une plus large diffusion.

   Centres d'intérêt   De cette œuvre énorme, nos extraits ne peuvent retenir
                       que quelques fragments épars, illustrant toutefois les idées
essentielles. Si l'on tente un regroupement par thèmes, qui d'ailleurs coïnciderait à peu
près avec la chronologie, on distinguera trois principaux centres d'intérêt.

    1. AUTOUR DU SOCIALISME (1897-1905 environ). L'un des tout premiers textes des
Cahiers salue le *Triomphe de la République* ; PÉGUY restera toujours républicain (cf. p. 181),
mais il passe de l'apostolat socialiste et dreyfusiste aux attaques contre ce qu'il estime
être des *déviations* du socialisme, du dreyfusisme, et de Jaurès en particulier. Selon les
étiquettes des partis, qu'il refuse absolument, ce socialiste serait devenu nationaliste. Il
dressera le bilan de cette période dans *Notre Jeunesse,* en 1910.

    2. POUR LA TRADITION FRANÇAISE, CONTRE LE MONDE MODERNE (à partir de 1907). Le
péril qui menace la France (*Notre Patrie*, 1905) amène PÉGUY à chercher les causes du
mal et ses raisons de combattre. A l'exemple de MICHELET (cf. p. 181), il se retrempe
dans la tradition nationale et voit dans la France l'héritière de la civilisation gréco-latine,
la nation chrétienne par excellence et la terre de la liberté. S'il attaque l'histoire et la
sociologie modernes, c'est qu'elles lui paraissent renier le passé, perdre le sens de la
mission nationale, et, indifférentes sous prétexte d'objectivité, manquer le réel et
compromettre l'avenir.

    L'œuvre maîtresse à cet égard est *Clio,* texte massif rédigé en 1909 et repris en 1912,
qui comprend deux parties, un *Dialogue de l'histoire et de l'âme païenne* (cf. p. 180) et
un *Dialogue de l'histoire et de l'âme charnelle* présenté dans l'édition de la Pléiade sous
le titre de *Véronique.*

    3. LITTÉRATURE, PHILOSOPHIE ET MYSTIQUE (1910-1914). La mission de la France,
mission romaine aux deux sens du terme, sa vocation d'héroïsme et de sainteté, PÉGUY
la trouve exprimée de façon éclatante dans l'œuvre de CORNEILLE ; dans l'œuvre de Victor
HUGO il entend résonner les accents guerriers et les hymnes à la liberté (*Victor-Marie,
comte Hugo,* 1910). Mais Corneille l'inspire aussi d'une façon plus intime : *Polyeucte* jette
une vive lumière sur l'action de la prière, de l'intercession et de la grâce, et sur la
« promotion » du temporel à l'éternel (cf. p. 183). Nous sommes là au cœur même de
la mystique de PÉGUY, qui s'appuie d'autre part sur la philosophie bergsonienne (cf.
p. 185). Affirmant son originalité dans la confrontation même de ses principaux
intercesseurs, Saint Louis, Jeanne d'Arc, Corneille, Pascal et Bergson, PÉGUY laissait,
avec la *Note conjointe* de 1914, une véritable *somme* de sa pensée et de sa mystique.

LES « HUSSARDS NOIRS » DE LA RÉPUBLIQUE

Dans *L'Argent* (1913), PÉGUY reprend et amplifie les *souvenirs d'enfance* esquissés dans un texte qui ne parut qu'après sa mort : *Pierre, commencement d'une vie bourgeoise*. Il y disait sa « stupeur » lorsqu'il avait appris que ses jeunes maîtres de l'école annexe étaient eux-mêmes des élèves : « Mon imagination se perdait dans les hauteurs de science, de savoir qui m'étaient révélées par de tels échafaudages de savants. » En 1913, dans des formules d'un humour sérieux, il exalte la valeur symbolique de l'uniforme que portaient alors les élèves-maîtres ; il y voit le signe de *la double ferveur patriotique et républicaine* qui animait l'École laïque dans les années 1880, heureux d'unir ainsi *l'École* et *l'Armée* qui lui sont également chères. – THÈMES : *Autobiographie. Adolescence.*
Péguy vient de dire : « Ils étaient comme les jeunes Bara de la République. » *Et il ajoutera :* « Les premiers vers que j'aie entendus de ma vie [...] c'était les *Soldats de l'an II*. »

Nos jeunes maîtres étaient beaux comme des hussards noirs. Sveltes ; sévères ; sanglés. Sérieux, et un peu tremblants de leur précoce, de leur soudaine omnipotence. Un long pantalon noir, mais, je pense, avec un liséré violet. Le violet n'est pas seulement la couleur des évêques, il est aussi la couleur de l'enseignement primaire. Un gilet noir. Une longue redingote noire, bien droite, bien tombante, mais deux croisements de palmes violettes aux revers. Une casquette plate, noire, mais un croisement de palmes violettes au-dessus du front. Cet uniforme civil était une sorte d'uniforme militaire encore plus sévère, encore plus
10 militaire, étant un uniforme civique. Quelque chose, je pense, comme le fameux *cadre noir* de Saumur. Rien n'est beau comme un bel uniforme noir parmi les uniformes militaires. C'est la ligne elle-même. Et la sévérité. Porté par ces gamins qui étaient vraiment les enfants de la République. Par ces jeunes hussards de la République. Par ces nourrissons de la République. Par ces hussards noirs de la sévérité. Je crois avoir dit qu'ils étaient très vieux. Ils avaient au moins quinze ans. Toutes les semaines il en remontait un de l'École Normale vers l'École annexe ; et c'était toujours un nouveau ; et ainsi cette École Normale semblait un régiment inépuisable. Elle était comme un immense dépôt,
20 gouvernemental, de jeunesse et de civisme. Le gouvernement de la République était chargé de nous fournir tant de jeunesse et tant d'enseignement. L'État était chargé de nous fournir tant de sérieux. Cette École Normale faisait un réservoir inépuisable. C'était une grande question, parmi les bonnes femmes du faubourg, de savoir si c'était bon pour les enfants, de changer comme ça de maître tous les lundis matin. Mais les partisans répondaient qu'on avait toujours le même maître, qui était le directeur de l'École annexe, qui lui ne changeait pas, et que cette maison-là, puisque c'était l'École Normale, était certainement ce qu'il y avait de plus savant dans le département du Loiret et par suite, sans doute, en France. Et dans tous les autres départements.

L'Argent (Librairie Gallimard, éditeur).

Histoire et mémoire

Clio, dialogue de l'histoire et de l'âme païenne est un long ouvrage posthume dont PÉGUY
entreprit la rédaction en 1909. On y découvre les raisons profondes de sa polémique
contre l'esprit moderne, le « parti intellectuel » et la conception scientifique de l'histoire.
Très marqué par la philosophie bergsonienne, Péguy attache une importance essentielle
à la *mémoire*, qui donne à un individu, à une famille, à un peuple, leur quatrième
dimension, celle de la durée. Selon lui, l'histoire s'égare lorsqu'elle prétend à un
détachement scientifique, au lieu de tenter, avec Michelet, la résurrection du passé par
un appel à la mémoire de la race, dans la communion avec les « anciens ». Péguy fonde
ainsi son adhésion aux traditions nationales et chrétiennes sur la psychologie, et aussi
sur la mystique, car il voit dans l'Incarnation du Christ une insertion de l'éternel dans
le temporel qui donne à notre durée, à notre « vieillissement », un prix infini. Cette
opération de mémoire, peut-être difficile à concevoir abstraitement, on en trouvera
l'illustration p. 158, 166 et 168. – THÈMES : *Histoire. Temps. Souvenir.*

Le vieillissement est essentiellement, dit-elle [1], une opération de retour, et
de regret. De retour en soi-même, sur soi-même, sur son âge, ou plutôt sur
l'âge antécédent en ce qu'il devient son âge, l'âge actuel.

C'est aussi pour cela, dit-elle, que rien n'est aussi grand et aussi beau que
le regret ; et que les plus beaux poèmes sont des poèmes de regret.

Le vieillissement est essentiellement une opération de mémoire, dit-elle. Or,
c'est la mémoire qui fait toute la profondeur de l'homme. (Bergson [2], dit-elle,
et *Matière et Mémoire*, et l'*Essai sur les données immédiates de la conscience*, s'il
est encore permis de les citer.)

10   En ce sens, dit-elle, rien n'est aussi contraire et aussi étranger que la mémoire
à l'histoire ; et rien n'est aussi contraire et aussi étranger que l'histoire à la
mémoire. Et le vieillissement est avec la mémoire, et l'inscription [3] est avec
l'histoire.

Le vieillissement est essentiellement une opération par laquelle on manque
d'histoire ; et l'inscription est essentiellement une opération par laquelle on
manque de mémoire. [...]

Le vieillissement est essentiellement une opération par laquelle on manque
de plan (au singulier), tout en y étant reculé selon une infinité de plans réels.
Qui sont les plans mêmes où l'événement s'est successivement ou plutôt
20 continûment accompli.

Et cela est aussi vrai, dit-elle, sinon plus, d'une famille, d'une dynastie (les
Burgraves), d'une race, d'un peuple, d'une culture, (de la chrétienté), (même
d'une institution), que d'un homme, d'un individu. Plus encore, vrai, car il
y a plus matière à recul dans une famille, dans une dynastie, (dans les *Burgraves*,
s'il avait su [4]), dans une race, dans un peuple, dans une culture, (dans la
chrétienté), (même dans une institution), que dans un individu. Il y a donc
deux manières de les prendre, comme il y a deux manières de prendre un
homme : ou en histoire et inscription ; ou en mémoire et vieillissement.

— 1 C'est Clio, la Muse de l'histoire, qui parle.
— 2 Cf. p. 79, 148, et aussi Proust, p. 277.
— 3 L'histoire, selon Péguy, se contente de *noter*
des faits qui lui restent étrangers. « L'histoire
s'occupe de l'événement mais elle n'est jamais

dedans. » — 4 Si *Hugo* avait su ; mais, estime
Péguy, il n'a pas su : « Dans les *Burgraves* les cinq
ou six ou sept générations ne donnent aucune idée
de vieillissement [...] parce que ces cinq ou six
ou sept sont *sur le même plan* ».

Cela est particulièrement sensible dans Michelet, dit-elle. Toutes ces
30 prétendues contradictions de Michelet, dit-elle, notamment dans l'histoire du
Moyen Age [5], viennent de là. De ce que tantôt asservi aux idées modernes,
aux prétendues méthodes modernes il fait du travail ; et alors il est dans
l'histoire, dans l'inscription. Mais emporté soudain par l'un des plus grands
génies qu'il y ait jamais eu dans le monde il déborde tout à coup, il fait une
œuvre, et alors il est dans la mémoire et dans le vieillissement. Alors il est
libéré. Quand il suit son temps, il n'est qu'historien. Quand il suit son génie
il est promu mémorialiste et chroniqueur.

Quand il dit que l'histoire est une résurrection [6] et quand on le lui fait tant
dire il suit son génie et il faut entendre que de l'histoire et de l'inscription,
40 de l'histoire historique lui-même il se ramène sur l'histoire mémorialiste, sur
la chronique, sur la mémoire et le vieillissement.

Quand il dit *l'histoire est une résurrection* et quand on le dit tant après lui
on veut dire très exactement qu'il ne faut pas passer *au long* du cimetière,
ni au long des murs du cimetière, ni même au long des *monuments* [7], mais que
restant situé dans la même race, et charnelle et spirituelle, et temporelle et
éternelle, il s'agit d'évoquer simplement *les anciens* [8]. Et de les invoquer. Les
anciens de la même race. Les anciens *dans* la même race. Situés à un point
d'ailleurs mouvant de cette race, il s'agit par un regard intérieur de remonter
dans la race elle-même, de rattraper l'arriéré de la race, et on ne peut le faire
50 que par une opération de mémoire et de vieillissement.

Il s'agit de remonter la race elle-même, comme on dit : remonter le cours
d'un fleuve.

Tout est, dit-elle, ou inscription ou remémoration. Et rien n'est aussi
contraire et étranger que l'un à l'autre. *Clio* (Librairie Gallimard, éditeur).

MYSTIQUE ET POLITIQUE

PÉGUY a rompu, non sans déchirement, avec la plupart de ses compagnons de combat
dans l'affaire Dreyfus, lorsqu'il lui est apparu que la *mystique* dreyfusiste dégénérait en
politique anticléricale et antimilitariste. On voit donc que, dans ce passage de *Notre Jeunesse*
(1910), il s'agit d'abord pour lui de *justifier sa conduite*, car certains le qualifient de
« traître » — il le rappelle avec amertume. Mais, *élevant le débat*, il nous donne à méditer
une distinction universellement valable et nous appelle à la vigilance, devant le risque
constant, pour la pureté d'intention d'une *mystique*, de se perdre et de se renier dans
les compromissions d'une *politique*. – THÈMES : *Société. Morale. Justice.*

Vous nous parlez de la dégradation républicaine, c'est-à-dire,
proprement, de la dégradation de la mystique républicaine en politique
républicaine. N'y a-t-il pas eu, n'y a-t-il pas d'autres dégradations. Tout
commence en mystique et finit en politique. Tout commence par *la*
mystique, par une mystique, par sa (propre) mystique et tout finit par
de la politique. La question, importante, n'est pas, il est important, il
est intéressant que, mais l'intérêt, la question n'est pas que telle politique

---

— 5 Cf. *XIXe Siècle*, p. 370 et 375. — 6 Cf. | *XIXe Siècle*, p. 362. — 7 Au double sens du mot. | 8 Cf. *XIXe Siècle*, p. 364.

l'emporte sur telle ou telle autre et de savoir qui l'emportera de toutes
les politiques. L'intérêt, la question, l'essentiel est que *dans chaque ordre,*
10 *dans chaque système* LA MYSTIQUE NE SOIT POINT DÉVORÉE PAR LA
POLITIQUE A LAQUELLE ELLE A DONNÉ NAISSANCE.

L'essentiel n'est pas, l'intérêt n'est pas, la question n'est pas que telle
ou telle politique triomphe, mais que dans chaque ordre, dans chaque
système, chaque mystique, cette mystique ne soit point dévorée par la
politique issue d'elle.

En d'autres termes il importe peut-être, il importe évidemment que
les républicains l'emportent sur les royalistes ou les royalistes sur les
républicains, mais cette importance est infiniment peu, cet intérêt n'est
rien en comparaison de ceci : que les républicains demeurent des
20 républicains ; que les républicains soient des républicains.

Et j'ajouterai, et ce ne sera pas seulement pour la symétrie,
complémentairement j'ajoute : que les royalistes soient, demeurent des
royalistes. Or c'est peut-être ce qu'ils ne font pas en ce moment-ci même,
où très sincèrement ils croient le faire le plus, l'être le plus. [...]

Tous les sophismes, tous les paralogismes de l'action, tous les
parapragmatismes [1], — ou du moins tous les nobles, tous les dignes, les
seuls précisément où nous puissions tomber, les seuls que nous puissions
commettre, les seuls innocents, — si coupables pourtant, — viennent
de ce que nous prolongeons indûment dans l'action politique, dans la
30 politique, une ligne d'action dûment commencée dans la mystique. Une
ligne d'action était commencée, était poussée dans la mystique, avait
jailli dans la mystique, y avait trouvé, y avait pris sa source et son point
d'origine. Cette action était bien lignée. Cette ligne d'action n'était pas
seulement naturelle, elle n'était pas seulement légitime, elle était due.
La vie suit son train. L'action suit son train. On regarde par la portière.
Il y a un mécanicien qui conduit. L'action continue. Le fil s'enfile. Le
fil de l'action, la ligne de l'action continue. Et continuant, les mêmes
personnes, le même jeu, les mêmes institutions, le même entourage, le
même appareil, les mêmes meubles, les habitudes déjà prises, on ne
40 s'aperçoit pas que l'on passe par-dessus ce point de discernement.
D'autre part, par ailleurs, extérieurement l'histoire, les événements ont
marché. Et l'aiguille est franchie [2]. Par le jeu, par l'histoire des
événements, par la bassesse et le péché de l'homme la mystique est
devenue politique, ou plutôt l'action mystique est devenue action
politique, ou plutôt la politique s'est substituée à la mystique, la politique
a dévoré la mystique. Par le jeu des événements qui ne s'occupent pas
de nous, qui pensent à autre chose, par la bassesse, par le péché de
l'homme, qui pense à autre chose, la matière qui était matière de
mystique est devenue matière de politique. Et c'est la perpétuelle et

---

— 1 Mot forgé par Péguy, sur le modèle de | inspirés par une politique « réaliste ». — 2 C'est
paralogismes ; il s'agit des faux raisonnements | encore l'image du *train* (cf. l. 35).

50 toujours recommençante histoire. Parce que c'est la même matière, les
mêmes hommes, les mêmes comités, le même jeu, le même mécanisme,
déjà automatique, les mêmes entours, le même appareil, les habitudes
déjà prises, nous n'y voyons rien. Nous n'y faisons pas même attention.
Et pourtant la même action, qui était juste, à partir de ce point de
discernement devient injuste. La même action, qui était légitime, devient
illégitime. La même action, qui était due, devient indue. La même action,
qui était celle-ci, à partir de ce point de discernement ne devient pas
seulement autre, elle devient généralement son contraire, son propre
contraire. Et c'est ainsi qu'on devient innocemment criminel.

Notre Jeunesse (Librairie Gallimard, éditeur).

La « promotion » du Cid à Polyeucte

PÉGUY avait voué à CORNEILLE une admiration aussi enthousiaste que lucide. Quoiqu'il
admire l'art de Racine, il trouve irrespirable l'atmosphère de son théâtre, car il y voit
le monde de la « disgrâce », de la damnation. Dans *Polyeucte* au contraire, par-delà le
drame de l'amour humain (cf. l. 72-90), il reconnaît avec joie la tragédie du *salut* et
le mystère de la *communion des saints* (cf. l. 19-22). En outre, tandis que les tragédies
de Racine lui semblent former une « série linéaire », il discerne entre *Le Cid*, *Horace*
et *Cinna* une organisation dont le couronnement sera *Polyeucte*, qui consacre la
« *promotion* » *du héros au martyr*. C'est là un aspect capital de sa foi : le spirituel prend
racine dans le charnel, le dépasse et le transfigure sans le renier ; une étroite parenté
les unit indissolublement depuis l'Incarnation. — THÈMES : *Christianisme. Mysticisme.*

J'espère que nous montrerons que *le Cid* et *Horace* représentent deux
héroïsmes temporels qui, *portés à l'éternel*, donnent *Polyeucte*, qui transférés sur
le plan de l'éternel, dans le registre de l'éternel, avec tous leurs racinements
temporels, se recoupent et en même temps ainsi aboutissent ensemble,
s'achèvent, se couronnent en *Polyeucte*, y produisant ainsi, y montant ainsi, y
achevant ainsi comme naturellement non point un surnaturel antinaturel ni
surtout extranaturel (ce qui est le grand danger), mais un surnaturel naturel
et supranaturel, littéralement *sur*naturel ; y représentant en achèvement, en
couronnement non point un héroïsme éternel, un héroïsme du salut, un héroïsme
10 de la sainteté *en l'air*, (ce qui est l'immense danger), mais un héroïsme éternel
encore pourvu précisément de toute son origine temporelle, de toutes ses racines
temporelles, de toute sa race, de tous ses racinements temporels ; un héroïsme
de sainteté qui monte de la terre mais qui n'est point préalablement déraciné
de la terre ; qui n'est point préalablement lavé à l'eau stérilisée ; qui même on
pourrait dire ne s'en racine point ; qui s'en arrache mais au fond ne s'en
déracine point ; qui n'est donc pas intellectuel mais charnel ; qui est, qui est
donc réel ; qui est, qui reste charnel non pas seulement par son origine, par son
départ, par sa race, par tout son goût, par toute sa sève, mais encore au moins
par le ministère de la prière, de la double prière, toutes les deux montantes ;
20 de la prière de ceux qui restent à ceux qui sont partis, à ceux qui sont déjà
partis, qui sont partis les premiers, pour leur demander leur intercession ; de
la prière, de l'intercession de ceux qui sont partis pour ceux qui restent. Ainsi
cet héroïsme éternel est éternellement de provenance temporelle, cet héroïsme
de sainteté est éternellement de provenance, de production charnelle. C'est ce
qui en fait le prix, infini. C'est le mystère même de l'Incarnation. [...]

Le thème dominant reparaît plus loin, *élargi* : « Polyeucte *n'est point une quatrième œuvre qui vient après trois autres.* [...] *Il ne faut point compter* le Cid, *un ;* Horace, *deux ;* Cinna, *trois ;* Polyeucte, *quatre. Les trois premières sont entre elles et sur le même plan ; elles sont trois bases et toutes les trois ensemble et au même titre elles culminent en* Polyeucte. »

Nous montrerons, nous suivrons partout cette triple promotion. Trois œuvres avançant d'un même front, sur un seul front, apportant, offrant ensemble leur triple nourriture ; trois œuvres s'oubliant elles-mêmes, assez grandes pourtant, qui pouvaient être elles-mêmes des capitales et des maîtresses. Tout le jeune
30 héroïsme du *Cid,* tout l'héroïsme chrétien, tout l'héroïsme chevaleresque, toute la jeunesse, tout l'héroïsme, toute la chevalerie du *Cid* promue dans *Polyeucte,* en jeunesse éternelle, en héroïsme et comme en chevalerie de sainteté. Toute cette jeunesse temporelle, toute cette jeunesse charnelle muée, promue en jeunesse éternelle. Tout cet héroïsme de guerre promu en héroïsme de martyre. Tout cet héroïsme temporel promu en héroïsme de sainteté, en héroïsme éternel, en héroïsme de martyre. Tout cet héroïsme de race (temporelle) promu en héroïsme de grâce, de race éternelle. Toute cette générosité jeune et chevalière promue, qui devient cette jeune générosité de sainteté. D'où cette race dans la grâce même, comme cette jeune race charnelle et temporelle dans l'éternel
40 même, cette race à part de saints, si différente, si plus près de nous que tant d'autres races de saints ; cette race de grâce, cette race de sainteté si particulière, si chevalière, si généreuse, si libérale, si française.

Cet honneur de sainteté, venu, procédant par promotion de l'honneur chevaleresque. Quand tant de saintetés étaient au contraire plutôt, naturellement, littéralement des saintetés sans honneur.

Et cette promotion du *Cid* à *Polyeucte* marquée dans le tissu même, dans la pierre même, dans la matière, dans le rythme, par la promotion des *stances* du *Cid* aux *stances* de *Polyeucte.* Les stances du *Cid* annoncent, préparent les stances de *Polyeucte,* les stances de *Polyeucte* reprennent, raniment les stances
50 du *Cid,* les font monter, les font parvenir au degré suprême. Cette promotion des unes aux autres, cette promotion dans la matière, dans la chair, cette promotion matérielle, cette promotion charnelle, cette promotion temporelle ne fait que représenter dans la matière et dans la chair la promotion même, la promotion propre, la promotion entière, totale, intégrale des deux œuvres. D'une œuvre à l'autre. Ou plutôt ce sont les mêmes stances qui sont promues, transférées, qui passent d'un registre à l'autre, du registre héroïque au registre sacré. Qui montent. Du temps à l'éternel.

Victor-Marie, comte Hugo (Librairie Gallimard, éditeur).

Dans la Note conjointe *(1914) Péguy reprend cette méditation : ce qui a été « promu », par-dessus tout, « c'est le système de pensée du combat loyal et de la comparaison à égalité », car « Telle est la poétique de Corneille. Une immense et constante comparaison loyale. »*

C'est la température qui aura monté et ce n'est pas le thermomètre qui aura baissé. L'éternel s'élèvera de toute sa hauteur au-dessus du temporel et ce n'est
60 pas le temporel qui aura baissé. Le saint, le martyr s'élèvera de toute sa hauteur au-dessus de l'homme et ce n'est pas l'homme qui aura baissé. Dieu s'élèvera de toute sa hauteur au-dessus du monde et ce n'est pas le monde qui aura baissé. Nul ne sera servi frauduleusement, nul (et il est honteux d'avoir à le dire), nul et pas même Dieu.

Nul ne sera frauduleux. Et j'ai honte à le dire, nul et pas même Dieu.

De là la grande et profonde humanité de *Polyeucte,* cette immense bonté et cet approfondissement de tendresse. Celui-là n'aime pas Dieu contre le prochain. Et il ne fait pas son salut contre le prochain. De là que cette grande et précellente tragédie est double, une tragédie sacrée, une tragédie profane,
70 et que la précellence de la tragédie sacrée sur la tragédie profane n'est point obtenue frauduleusement.

La grandeur même et la floraison et l'éclat de la tragédie sacrée dans *Polyeucte* nous masque non pas seulement la grandeur et la floraison de l'humanité mais presque jusqu'à l'existence même de la tragédie profane qui est dessous. Nous sommes tous comme cette princesse qui voulut mettre en comparaison Racine et Corneille et qui pour balancer *Bérénice* trouva *Tite et Bérénice.* Nous sommes tous écrasés par l'histoire des littératures. Nous sommes tous oblitérés. Et nous aussi nous sommes habitués. Nous ne voyons pas que la grande tragédie profane de Corneille (*le Cid* étant mis à part, car à vrai dire il n'est pas une tragédie
80 profane, il est une sorte de tragédie sacrée de l'honneur et de l'amour, (et de la jeunesse), plus précisément une tragédie sacrée de ce que l'honneur et l'amour ont de sacré dans l'âge de la jeunesse), historiens et habitués nous ne voyons pas que la grande tragédie profane de Corneille, comparable (et incomparable), la tragédie profane de l'âge de Titus et de Bérénice c'est *Polyeucte* encore, c'est la tragédie profane qui court sous la tragédie sacrée de *Polyeucte.* Le répondant de Titus et de Bérénice (et d'Antiochus) ce n'est pas Tite et ce n'est pas Bérénice. C'est Pauline et Sévère, (et c'est encore Polyeucte). Voilà la pure tragédie d'un amour profane et pleinement et purement antique et mélancolique et inguérissable ou plutôt voilà la pure et pleine et antique et mélancolique et inguérissable tragédie profane de l'amour.

Note conjointe... (Librairie Gallimard, éditeur).

La morale et la grâce

On verra, dans ces lignes de la *Note conjointe,* ce que *la mystique* de PÉGUY doit à *la philosophie de* BERGSON (cf. p. 148, § 5) : l'opposition bergsonienne entre le « tout fait » et le « se faisant » (la spontanéité créatrice) éclaire aux yeux de Péguy l'opposition entre la morale courante et la grâce. On y reconnaîtra d'autre part l'étonnante *familiarité* de ce croyant *avec le sacré :* ses réflexions se fondent solidement sur l'Évangile, mais l'image plaisante autant qu'efficace de la « mouillature » vient illustrer de la façon la plus tangible ce problème métaphysique, en donnant une sorte d'*évidence* au *mystère de la grâce.*
THÈMES : *Morale. Christianisme. Mysticisme. Psychologie. Philosophie. Symboles.*

Il y a quelque chose de pire que d'avoir une mauvaise pensée. C'est d'avoir une pensée toute faite. Il y a quelque chose de pire que d'avoir une mauvaise âme et même de se faire une mauvaise âme. C'est d'avoir une âme toute faite. Il y a quelque chose de pire que d'avoir une âme même perverse. C'est d'avoir une âme habituée.

On a vu les jeux incroyables de la grâce et les grâces incroyables de la grâce pénétrer une mauvaise âme et même une âme perverse et on a vu sauver ce qui paraissait perdu [1]. Mais on n'a pas vu mouiller ce qui était verni, on n'a pas vu traverser ce qui était imperméable, on n'a pas vu tremper ce qui était habitué.
10 Les cures et les réussites et les sauvetages de la grâce sont merveilleux et

---

— 1 « Car le Fils de l'homme est venu chercher et sauver ce qui était perdu. » (Luc, XIX, 10).

on a vu gagner et on a vu sauver ce qui était (comme) perdu. Mais les pires détresses, mais les pires bassesses [2], les turpitudes et les crimes, mais le péché même sont souvent les défauts de l'armure de l'homme, les défauts de la cuirasse par où la grâce peut pénétrer dans la cuirasse de la dureté de l'homme [3]. Mais sur cette inorganique cuirasse de l'habitude tout glisse, et tout glaive est émoussé.

Ou si l'on veut dans le mécanisme spirituel les pires détresses, bassesses, crimes, turpitudes, le péché même sont précisément les points d'articulation des leviers de la grâce. Par là elle travaille. Par là elle trouve le point qu'il y a dans tout homme pécheur. Par là elle appuie sur ce point douloureux.
20 On a vu sauver les plus grands criminels. Par leur crime même. Par le mécanisme, par l'articulation de leur crime. On n'a pas vu sauver les plus grands habitués par l'articulation de l'habitude, parce que précisément l'habitude est celle qui n'a pas d'articulation [4].

On peut faire beaucoup de choses. On ne peut pas mouiller un tissu qui est fait pour n'être pas mouillé. On peut y mettre autant d'eau que l'on voudra, car il ne s'agit point ici de quantité, il s'agit de contact. Il ne s'agit pas d'en mettre. Il s'agit que ça prenne ou que ça ne prenne pas [5]. Il s'agit que ça entre ou que ça n'entre pas en un certain contact. C'est ce phénomène si mystérieux que l'on nomme mouiller. Peu importe ici la quantité. On est sorti de la physique
30 de l'hydrostatique. On est entré dans la physique de la mouillature, dans une physique moléculaire, globulaire, dans celle que régit le ménisque et la formation du globule, de la goutte. Quand une surface est grasse l'eau n'y prend pas. Elle ne prend pas plus si on y en met beaucoup que si on n'y en met pas beaucoup. Elle ne prend pas, absolument. [...]

De là viennent tant de manques, (car les manques eux-mêmes sont causés et viennent), de là viennent tant de manques que nous constatons dans l'efficacité de la grâce, et que remportant des victoires inespérées dans l'âme des plus grands pécheurs elle reste souvent inopérante auprès des plus honnêtes gens, sur les plus honnêtes gens [6]. C'est que précisément les plus honnêtes gens, ou
40 simplement les honnêtes gens, ou enfin ceux qu'on nomme tels, et qui aiment à se nommer tels, n'ont point de défauts eux-mêmes dans l'armure. Ils ne sont pas blessés. Leur peau de morale constamment intacte leur fait un cuir et une cuirasse sans faute. Ils ne présentent point cette ouverture que fait une affreuse blessure, une inoubliable détresse, un regret invincible, un point de suture éternellement mal joint, une mortelle inquiétude, une invisible arrière anxiété [7], une amertume secrète, un effondrement perpétuellement masqué, une cicatrice éternellement mal fermée. Ils ne présentent point cette entrée à la grâce qu'est essentiellement le péché [8]. Parce qu'ils ne sont pas blessés, ils ne sont plus vulnérables. Parce qu'ils ne manquent de rien on ne leur apporte rien. Parce
50 qu'ils ne manquent de rien, on ne leur apporte pas ce qui est tout. La charité même de Dieu ne panse point celui qui n'a pas de plaies. C'est parce qu'un homme était par terre que le Samaritain le ramassa. C'est parce que la face de Jésus était sale que Véronique l'essuya d'un mouchoir. Or celui qui n'est pas tombé ne sera jamais ramassé ; et celui qui n'est pas sale ne sera pas essuyé [9].

Note conjointe... (Librairie Gallimard, éditeur).

— 2 Ainsi Félix, dans *Polyeucte*, est atteint par la grâce. — 3 Cf. Verlaine (*XIXᵉ Siècle*, p. 512). — 4 Le défaut de la cuirasse est le point faible où *s'articulent* deux pièces d'armure. — 5 Noter la familiarité du ton et de l'expression. — 6 Cf. Sévère, dans *Polyeucte*. — 7 Comme on dit : une *arrière-pensée*. — 8 Cf. p. 169, v. 13-28 ; et aussi : « Nul n'est aussi compétent que le pécheur en matière de chrétienté. Nul si ce n'est le saint. » — 9 Cf. les *Béatitudes* (Matthieu, V, 1-12).

PAUL CLAUDEL

PAUL CLAUDEL, Champenois d'origine lorraine et picarde, est né le 6 août 1868 d'un père conservateur des hypothèques, à Villeneuve-sur-Fère-en-Tardenois (Aisne), petit village dont son grand-oncle avait été curé. Le jeune Paul passe son enfance à Bar-le-Duc, Rambouillet, Compiègne, jusqu'à ce qu'en 1882 la famille vienne s'installer à Paris. Et dès ce moment de ses quatorze ans, PAUL CLAUDEL commence à écrire. Il n'en poursuit pas moins de bonnes études au lycée Louis-le-Grand, où il se plaisait à retrouver le souvenir de Baudelaire. Mais son adolescence fut surtout pour lui l'occasion de ressentir de plus en plus douloureusement une *faim spirituelle* que ne parvenaient pas à apaiser les nourritures intellectuelles de son temps : « *Que l'on se rappelle ces tristes années quatre-vingt, l'époque du plein épanouissement de la littérature naturaliste. Jamais le joug de la matière ne parut mieux affermi...* » Cependant, lorsqu'il va s'inscrire à la Faculté de Droit et à l'École des Sciences politiques, en 1886, il paraît voué à un parfait conformisme intellectuel. Ainsi du moins se verra-t-il rétrospectivement : « A dix-huit ans, je croyais donc ce que croyaient la plupart des gens dits cultivés de ce temps... J'acceptais l'hypothèse moniste et mécaniste dans toute sa rigueur, je croyais que tout était soumis aux "Lois" et que ce monde était un enchaînement dur d'effets et de causes que la science allait arriver après-demain à débrouiller parfaitement. Je vivais d'ailleurs dans l'immoralité et peu à peu je tombai dans un état de désespoir... » (*Contacts et circonstances,* 1940).

Spirituel, ce désespoir ne sera dominé que par un salut lui-même spirituel. Ainsi le thème du *salut*, thème central de l'œuvre claudélienne, trouve son origine dans l'expérience indélébile de l'adolescence. Il aura, ce salut, deux sources convergentes, la source *poétique* et la source *religieuse :* Paul CLAUDEL sera de la sorte conduit à éprouver comme inéluctable *l'unité de la poésie et de la foi*, et l'une des *Cinq Grandes Odes* s'intitulera : *La Muse qui est la Grâce.*

Arthur Rimbaud

Le *choc* poétique, Claudel le dut à RIMBAUD qui, moins paradoxalement qu'il n'y paraît, est ainsi l'origine commune des deux révolutions poétiques contradictoires qui dominent la première moitié du XXᵉ siècle, l'œuvre claudélienne et le surréalisme. CLAUDEL, en tout cas, ne cessera, tout au long de sa vie, de reconnaître sa dette à l'égard de RIMBAUD : « La première lueur de vérité me fut donnée par la rencontre des livres d'un grand poète, à qui je dois une éternelle reconnaissance et qui a eu dans la formation de ma pensée une part prépondérante, Arthur Rimbaud. La lecture des *Illuminations,* puis, quelques mois après, d'*Une saison en Enfer,* fut pour moi un événement capital. Pour la première fois, ces livres ouvraient une fissure dans mon bagne matérialiste et me donnaient l'impression vivante et presque physique du surnaturel... » (*Contacts et circonstances,* 1940). *Événement capital* en effet, puisque, par Rimbaud, CLAUDEL découvre ce qui sera le germe de son épanouissement, de son inspiration et de sa technique : *le lien réciproque entre la libération du langage et la libération de l'esprit*, qui conduit à la définition claudélienne de l'Esprit comme mouvement et liquidité, souffle et respiration (cf. *L'Esprit et l'eau,* p. 195).

Notre-Dame,
Noël 1886

Mais la poésie seule, et la libération conjointe du langage, ne suffisaient point à guérir le désespoir. CLAUDEL, d'autre part, résiste à l'esthétisme, alors fort à la mode, et dont il connut d'ailleurs la tentation ; mais, à la différence de certains de ses contemporains — Marcel Proust par exemple —, il est trop « fils de la terre », il porte trop puissamment en lui *l'exigence d'un spirituel concret* pour trouver satisfaction pleine et entière dans une religion de l'Art, de la Beauté ou de la Poésie, comme en témoignent ses images favorites, qui sont toujours charnelles, et cosmiques. En lui travaille, dès le moment de sa rencontre avec Rimbaud, une *nostalgie d'incarnation* du surnaturel, par le langage certes, mais capable de porter bien au-delà du langage. Ainsi éclate, pour ses dix-huit ans, la *crise* dont la solution va fixer définitivement sa vie intérieure et le sens de son œuvre. Il devait en faire le récit en ces termes : « *Tel était le malheureux enfant qui, le 25 décembre 1886, se rendit à Notre-Dame de Paris pour y suivre les Offices de Noël. Je commençais alors à écrire, et il me semblait que dans les cérémonies catholiques, considérées avec un dilettantisme supérieur, je trouverais un excitant approprié et la matière de quelques exercices décadents. C'est dans ces dispositions que... j'assistai, avec un plaisir médiocre, à la Grand'Messe. Puis... je revins aux Vêpres. Les enfants de la Maîtrise... étaient en train de chanter ce que je sus plus tard être le* Magnificat. *J'étais moi-même debout dans la foule près du second pilier à l'entrée du chœur, à droite, du côté de la sacristie. Et c'est alors que se produisit l'événement qui domine toute ma vie. En un instant mon cœur fut touché et je crus. Je crus, d'une telle force d'adhésion, d'un tel soulèvement de tout mon être, d'une conviction si puissante, d'une telle certitude ne laissant place à aucune espèce de doute, que, depuis, tous les livres, tous les raisonnements, tous les hasards d'une vie agitée, n'ont pu ébranler ma foi ni, à vrai dire, la toucher...* » (*Contacts et circonstances*, 1940). Telle fut la réponse à l'appel que le poète s'était adressé à lui-même : « *Paul, il nous faut partir pour un départ plus beau !* »

Homme de lettres   Dans le même temps, CLAUDEL continue d'écrire (*Tête*
et diplomate   *d'Or*, 1889 ; *La Ville*, 1890). Il noue de précieuses amitiés
littéraires : Marcel Schwob, Jules Renard, Léon Daudet. Surtout, il appartient au cercle de jeunes écrivains qui gravitent autour de Stéphane MALLARMÉ. En 1890 — l'année même où il écrit *La Ville* — il est reçu premier au concours des Affaires étrangères. C'est le moment où se décide simultanément sa double carrière d'*écrivain* et de *diplomate*. Ce sera aussi le commencement des voyages et des séjours lointains qu'impose au diplomate sa carrière et qui fourniront au poète l'occasion de dresser cet *inventaire du monde*, où va se nourrir, de *Connaissance de l'Est* (1895-1905) au *Soulier de satin* (1923), le *fourmillement cosmique* de son œuvre. CLAUDEL part pour les États-Unis en 1893, d'abord comme consul suppléant à New York, puis comme gérant du consulat de Boston. Ce premier séjour américain est encadré par deux tentatives dramatiques situées l'une en France, *La Jeune Fille Violaine* (1892), première ébauche de *L'Annonce faite à Marie*, l'autre en Amérique, *L'Échange* (1894), où déjà paraît cette attention vouée par le poète-dramaturge au drame du couple humain, saisi dans la double perspective du péché et de la grâce.

« Connaissance   De 1895 à 1909, quatorze années capitales, qui sont à
de l'Est »   la fois celles où le diplomate séjourne presque constam-
ment en Extrême-Orient (Shanghaï et Fou-tchéou, 1895-1900 ; Fou-tchéou, 1901-1904 ; Japon, 1904 ; Pékin et Tien-tsin, 1906-1909) et où le poète, à la faveur de ce dépaysement, multiplie les expériences et les œuvres. C'est la période où il écrit quelques livres majeurs : *Connaissance de l'Est* (1895-1905), *Connaissance du temps* (1903), *Traité de la co-naissance au monde et de soi-même* (1904 ; ces deux derniers « traités » réunis sous le titre d'*Art poétique*), *Partage de midi* (1906), les *Grandes Odes* (1904-1908). Et, en même temps que le poète expose et varie ses thèmes — et les fixe —, il entreprend de faire rayonner l'unité de son inspiration dans la diversité formelle de ses modes d'expression : réflexion poético-philosophique *(traités)*, lyrisme *(odes)*, dramaturgie *(théâtre)*. Pour achever cette entreprise de *poésie totale*, voici enfin l'incarnation de l'inspiration dans un rythme : sous l'influence à la fois d'une *définition respiratoire du langage poétique*, et de *l'exemple biblique, pindarique ou eschyléen* [1], CLAUDEL invente alors, fixe et épanouit, aussi bien dans les *odes* lyriques que dans les *drames* ou

---

— 1 La traduction de l'*Agamemnon* (1896) sera suivie, en 1920, des *Choéphores* et des *Euménides*.

même les *traités,* sa rhétorique originale, dont la forme typique — mais non unique — est le *verset claudélien.* Son influence sera déterminante sur quelques-uns des poètes les plus notables des deux générations suivantes : Saint-John Perse, Pierre Emmanuel, Jean-Claude Renard.

Le dramaturge   En 1909, Paul CLAUDEL revient d'Extrême-Orient où il ne retournera qu'en 1921. Sa carrière diplomatique le fait alors passer de Prague à Francfort et à Hambourg, où il est consul général en 1912. Il quittera l'Allemagne à la déclaration de guerre, en 1914. Pendant la guerre, après avoir été chargé d'une mission économique en Italie, il est nommé ministre plénipotentiaire à Rio de Janeiro, où il a pour secrétaire le musicien DARIUS MILHAUD qui collaborera plus tard au *Livre de Christophe Colomb.* Ministre plénipotentiaire à Copenhague en 1920, il est enfin nommé ambassadeur au Japon en 1922. De l'ambassade de Tokyo, il passera à celle de Washington (1928-1933) puis à celle de Bruxelles, qu'il occupera jusqu'à sa retraite en 1936.

C'est au cours de cette période que se développe l'œuvre dramatique qu'il avait commencée avec *La Ville* (1890-1897), *La Jeune Fille Violaine* (1892-1898), *Partage de midi* (1906) et *L'Otage* (1909). Ce fut d'abord *L'Annonce faite à Marie* (1910), puis *Le Pain dur* (1914), *Le Père humilié* (1916) et enfin *Le Soulier de satin* (1924).

Dans les années qui suivent, l'œuvre de CLAUDEL va progressivement s'imposer, et c'est surtout par son *théâtre* que le poète accède à la gloire dans la dernière période de sa vie. Il est alors, par les nombreuses représentations de ses pièces, cet *écho sonore* qu'il avait toujours rêvé d'être (malgré son antipathie pour Hugo !), la dimension *dramatique,* entendue dans son sens le plus vaste, étant bien en effet sa dimension naturelle. Refusé par l'Académie française au bénéfice de Claude Farrère en 1935, Paul CLAUDEL y est élu triomphalement (24 voix sur 25) en 1946, à l'âge de 78 ans.

Présence et   Il devient, peu à peu, une manière de *patriarche.* Il
    prophétie   accepte de parler de lui-même devant le micro de la
Radiodiffusion française au cours d'entretiens avec Jean Amrouche, à partir du 3 janvier 1950 (entretiens publiés dans *Mémoires improvisés*). L'année suivante voit se célébrer la centième du *Soulier de satin* et, en 1952, l'Opéra crée l'oratorio *Jeanne au bûcher.*

Il vit alors de plus en plus fréquemment dans sa propriété de Brangues, en Dauphiné, et s'attache surtout à explorer les secrets et les mystères de ce qui est pour lui la source de toute poésie et de toute grâce, la *Prophétie essentielle* de l'Esprit, la *Bible :* il multiplie alors les commentaires de l'Écriture, en poète plutôt qu'en théologien, et y applique sans retenue la puissance à la fois inquiète et sereine, débordante et mystique, de son génie *visionnaire.* Il développe ainsi le programme annoncé en 1937 dans l'introduction au commentaire du *Livre de Ruth* par Tardiff de Moidrey : *Du sens figuré de l'Écriture,* et entrepris avec *Les Aventures de Sophie* (1937), *Un poète regarde la Croix* (1938) et *L'Épée et le miroir* (1939). La signification en sera concentrée dans *Présence et prophétie* (1942), dont le titre est lui-même révélateur. Les dernières années seront jalonnées, en même temps que par les épisodes de la gloire, par la poursuite de cette méditation continue sur la Parole de Dieu, que développe la série des *Paul Claudel interroge...* (*Le Cantique des Cantiques,* 1948-1954 ; *Les Psaumes,* 1949 ; *L'Évangile d'Isaïe,* 1951 ; *L'Apocalypse,* 1952).

Le 23 février 1955, alors que vient d'avoir lieu à la Comédie-Française la consécration officielle du poète-dramaturge, avec un gala de *L'Annonce faite à Marie,* en présence du Président de la République, et que se prépare la création de *La Ville* au Théâtre national populaire, Paul CLAUDEL meurt, à 86 ans, en disant à sa famille : « Qu'on me laisse tranquille ! Je n'ai pas peur ! » Ses funérailles officielles ont lieu à Notre-Dame le Ier mars, et son corps est inhumé à Brangues, sous l'inscription qu'il avait lui-même composée : *Ici reposent les restes et la semence de Paul Claudel.*

LA POÉSIE DE PAUL CLAUDEL

Dialogue et monologue Malgré l'apparente diversité de son expression formelle, l'œuvre de CLAUDEL se caractérise par sa profonde *unité de structure, de rythme et de ton.* Qu'il profère l'enthousiasme de sa communion avec le monde et Dieu sur le mode lyrique des *Odes,* qu'il en développe les inépuisables prolongements dans la prose rythmée des *Traités* ou des commentaires bibliques, qu'il fasse palpiter son expérience humaine dans les personnages de ses *drames* ou de ses *farces,* c'est toujours selon la double structure primitive de la parole : *dialogue* et *monologue.* Aussi bien, *la conception claudélienne du Temps,* qui conditionne à la fois sa spiritualité et son esthétique, est-elle *une conception rythmique plutôt qu'historique :* pour lui, le Temps est non pas écoulement continu mais *pulsation,* et son analogue dans le langage est cette pulsation verbale qui donne naissance à l'alternance du dialogue et du monologue. Néanmoins, comme il arrive à l'intérieur même de l'unité rythmique qu'est le *verset,* l'accent peut se déplacer d'un terme de l'alternance sur l'autre. Précurseur en cela de l'effort le plus constant de la poésie du XXᵉ siècle, CLAUDEL crée sa forme à partir d'*une remontée jusqu'aux sources mêmes du langage,* et sa poésie se propose d'être, en même temps qu'*une poésie de l'essence spirituelle, une poésie de l'essence verbale.*

Dans l'expérience claudélienne, l'essence du langage est *orale :* ce n'est pas sans raison qu'il désigne le langage du poète par les termes de *parole* et de *voix* et qu'il accuse les « idoles » d'être « sans voix », le poète étant *celui qui nomme ;* l'essence du langage devra donc s'incarner en poésie selon les deux catégories fondamentales de toute voix : *la parole proférée,* et *la parole échangée.* A cette seule condition reste valable la distinction des genres, qui n'est *formellement justifiée* que si elle est *réellement essentielle :* tel est le symbolisme, chez Claudel, de l'alternance entre forme lyrique (monologue) et forme dramatique (dialogue), sans que soit par là altérée l'homogénéité du contenu spirituel de l'œuvre. La forme dramatique accueille, en l'intégrant à son rythme propre, le monologue lyrique (cf. dans *Partage de midi,* le *Cantique de Mesa*) et la forme lyrique accueille, selon la même règle, le dialogue dramatique ; il n'est pas jusqu'aux *Traités* et aux *Commentaires* qui ne contiennent aussi cette alternance réciproque. Ainsi, grâce à la découverte de l'essence poétique, la distinction des formes est à la fois acceptée et dépassée, tandis que s'opère, dans une œuvre grandiose, *la réconciliation décisive du théâtre et de la poésie.*

« La dilatation de la houle » La poésie est donc d'abord réception de l'Esprit, selon les lois organiques de l'être humain : aussi le génie du poète porte-t-il en son centre sa disposition à « recevoir le souffle » : « Nul n'a été plus accueillant à *l'inspiration* » (S. Fumet). Ce qui explique la *dominante lyrique* de cette œuvre : le lyrisme est ici *une manière d'être et de parler,* qui assure l'homogénéité des diverses formes où il s'incarne. La nature rythmique de la parole et de la pensée, du cœur, de l'esprit et de la voix, agit, comme par osmose, sur l'expression littéraire : CLAUDEL est de ces poètes chez qui ne subsiste plus aucune distance entre spiritualité et littérature ; les structures de sa rhétorique épousent exactement la pulsation spirituelle de son être le plus profond. Dans « l'unisson » du rythme s'abolit l'habituelle contradiction de la rhétorique et de l'authenticité. Et ainsi l'universel lyrisme claudélien répond à une *esthétique de la surabondance rythmique* tout en exprimant *l'enthousiasme mystique.* Poursuivant même son expansion, la vision claudélienne de l'univers étend à *tout le Cosmos-Création* la loi rythmique qui est la loi propre de l'Esprit créateur, en Dieu et dans l'âme du poète. Telle est en lui l'unité de la poésie et de la foi que *le poète est l'imitateur de Dieu* et *la poésie imitation de la Création* [1].

— 1 Claudel eut toujours conscience d'un certain décalage entre l'unité de son œuvre et la tendance des critiques à en dissocier les deux termes solidaires : foi et poésie. C'est ainsi qu'il écrivait en 1937 : « *C'est entre les deux pinces de ce dilemme négatif que je me suis trouvé toute ma vie et, ma foi, somme toute, aujourd'hui encore* » (Lettre inédite à H. Lemaitre).

Or la puissance lyrique est encore accrue par la *sincérité* du poète à l'égard de lui-même et à l'égard de sa foi : les deux sources du lyrisme sont en effet le *credo* de l'Église catholique et la personnalité psychologique du poète, fondus dans l'unité de sa manière d'être et de parler. Tous les contemporains et amis de CLAUDEL ont été frappés de cette harmonie entre le *lyrisme de l'œuvre* et la *personnalité de l'homme*.

Ainsi s'explique le VERSET CLAUDÉLIEN *qui n'est ni versification, ni prose rythmée*. Le poète s'est plu à souligner sans cesse la parenté entre sa parole et le mouvement de la mer ; le verset est la transcription — pour CLAUDEL inévitable — de la *« dilatation de la houle »* dans la liberté spontanément organisée de son langage (cf. p. 197). *Rythme cosmique*, par conséquent, libéré des conventions et des régularités, mais dont le caprice n'en obéit pas moins aux lois de la nature et de l'Esprit, « figurées » par les lois organiques du ciel, du vent, de la mer, et tout aussi bien de la respiration humaine. Ainsi le *verset* ne « discipline » pas — par « artifice » — les enthousiasmes, les images, les mots et les réalités (CLAUDEL est l'antipode de Valéry), il en épouse le jaillissement naturel, comme si sa seule justification était qu'il fût *l'enregistrement des rythmes du monde, de l'homme et de Dieu*, lesquels sont d'une inépuisable variété métrique et tonale ; et l'on comprend que la poésie de CLAUDEL se soit si bien accordée avec la musique de HONEGGER ou de DARIUS MILHAUD. Ainsi le *verset* est-il voué à devenir *le langage de l'inépuisable*.

CLAUDEL *ne nie pas la métrique, mais plutôt la dilate ;* la *rime* peut se conserver, ou se transformer en assonance ou en rime intérieure. Mais le *verset claudélien* opère, au-delà des formes fixes comme au-delà de la rime, *le parfait et libre unisson du rythme vital ou cosmique et de la forme métrique*. Comme le Monde, et comme l'Homme, et comme Dieu, le verset est le rythme créateur du *perpétuellement nouveau :* il résout ainsi, selon CLAUDEL, cette angoisse de l'inconnu où s'étaient arrêtés un Baudelaire et un Rimbaud.

Poésie totale

Le *verset* est plus que la forme, il est la *figure* (au sens claudélien, c'est-à-dire biblique) de la poésie. Baudelaire avait dit : *« Au fond de l'inconnu pour trouver du nouveau »*, et Rimbaud : *« Je est un autre »* (cf. *XIXᵉ Siècle*, p. 519). L'*inconnu*, le *nouveau*, l'*autre*, et l'*ailleurs* du romantisme allemand ou nervalien témoignaient d'une *exigence spirituelle de poésie totale* restée inassouvie. Or, inscrit dans la technique du verset comme dans l'universalité de l'inspiration, l'appétit du nouveau et de l'inépuisable ne supporte point, chez CLAUDEL, l'idée de l'échec : « Il s'agit de ne pas être ce que j'ai vu être ce malheureux Verlaine, ou Villiers de l'Isle-Adam, que j'avais rencontrés chez Mallarmé, c'est-à-dire un vaincu. Je veux être un vainqueur » *(Mémoires improvisés)*. La poésie est ainsi un acte de volonté achevant l'acte de lucidité où s'était arrêté Baudelaire, « le plus grand poète français du XIXᵉ siècle ». Quant à la révolte, solution et illusion du romantisme, du néo-romantisme et du surréalisme, « elle ne conduit nulle part », bien qu'elle soit « la meilleure poésie du XIXᵉ siècle » (*Positions et propositions,* II).

Il n'y a donc d'issue victorieuse au drame de la condition humaine que par la conquête de la *totalité de l'Être*. Et c'est la poésie qui est l'organe opérateur de cette conquête : le tout de Dieu, le tout du monde, le tout de l'homme, le tout du langage. Aussi la poésie équivaut-elle, dans son inspiration, dans son contenu et dans son rythme, à une *philosophie de l'Être*. Elle inclura donc, dans son dynamisme homogène, les sens, la sensibilité, l'intelligence et l'intuition mystique ; cette poésie et son langage sont le lieu d'épanouissement des deux valeurs fondamentales de l'Être : *l'inépuisable et l'homogène*.

Or il est une interprétation de Dieu, de l'homme et du monde, interprétation poétique par excellence, selon CLAUDEL, qui seule abolit le risque de défaite ou de révolte, et qui seule produit inlassablement l'inépuisable et l'homogène : *l'idée de Création*. Elle est au centre de l'œuvre claudélienne, la caution de sa totalité, le moteur irremplaçable de la victoire poétique, puisqu'elle implique la continuité de l'Être et de son action, et l'analogie du poète et de Dieu dans la participation au *poïein* universel (du grec *poïein*, faire).

Mais si la Création est un ordre, dont le reflet se rencontre dans les *figures* de la poésie, cet ordre même inclut un désordre, dont le siège est dans le cœur de l'homme ; la *totalité poétique*, à son tour, assume ce désordre, et c'est alors que la poésie se fait *théâtre*, car, dans l'inépuisable continuité interne de la Création, le désordre humain introduit la structure dialectique du drame, selon une sorte de *clair-obscur* où les ténèbres de l'homme se heurtent à la luminosité de Dieu. Et, pour accomplir la totalité de sa vocation, le poète inscrit dans son œuvre le mouvement passionné de ce que Baudelaire appelait la *double postulation* de l'âme humaine (cf. *XIXe Siècle*, p. 430). Car l'homme a une histoire, qui se situe simultanément dans l'ordre de la Terre et dans l'ordre du Ciel, et, pour être totale, la poésie doit se faire, à chaque instant, la figure de cette simultanéité.

« *L'homme soustrait au hasard* »

C'est que la poésie est l'acte même de l'interrogation, et de *l'interrogation victorieuse* : son rythme profond, cette oscillation organique de la question et de la réponse fondent la structure la plus intime de l'acte poétique ; le poète est celui qui peut dire, s'adressant à Dieu : « J'interroge toute chose avec vous ». Mallarmé pensait que, devant quelque objet que ce fût, la question inéluctable était : « Qu'est-ce que cela *veut* dire ? » CLAUDEL reprend l'interrogation mallarméenne, mais, comme c'est si souvent sa coutume, en restaurant la pleine signification du langage, ici celle de ce verbe *vouloir* : en tout et partout résident une volonté et une intention ; la poésie est créatrice selon qu'elle communie avec cette volonté, en poursuit l'accomplissement et l'épanouit dans sa formulation verbale : sans doute est-ce là une des principales significations du célèbre jeu de mots sur *co-naissance* et *connaissance* [1].

Plus aucune place, donc, désormais, pour le « hasard », parce que tout a un sens, le monde et l'homme étant réciproquement sauvés par leur ressemblance en Dieu ; aussi la *ressemblance de l'homme et du monde* sera-t-elle un des grands thèmes de la poésie claudélienne, peut-être même le thème originel d'où jaillissent tous les autres. Et tandis que le lyrisme chante cette victoire décisive et ses péripéties, le théâtre, lui, déploie, sur une scène qui, dans *Le Soulier de satin*, finit par être le Cosmos tout entier (cf. p. 224), le drame, souvent cruel, de l'acheminement vers la victoire, à travers les défaites et les sursauts provisoires d'une humanité complexe dans sa nature et simple dans sa vocation.

C'est que l'interprétation poétique de l'homme et du monde, au-delà des illusions et tourments du hasard et du destin, se développe à partir de *l'intime communion entre le visible et l'invisible*. Le « grand poëme de l'homme soustrait au hasard » *(La Muse qui est la Grâce)* chantera en effet les *correspondances réciproques* du visible et de l'invisible : CLAUDEL s'en est expliqué à plusieurs reprises, et, en particulier, dans un texte où se trouvent définis à la fois l'origine et le processus de la poésie. Expliquant « l'esprit essentiel de [sa] poésie, qui est le *gaudium de veritate* [2] », Claudel écrit : « Le monde sans Dieu est non seulement incomplet mais réduit à l'éparpillement, au non-sens et au néant... Je changerais volontiers l'adage et au lieu de *a visibilibus ad invisibilium amorem rapiamur,* je dirais : *ab invisibilibus ad visibilium amorem et* COGNITIONEM *rapiamur* [3]. Car il y a plusieurs révélations, celle d'une vérité toute faite, mais aussi celle de l'eau qui *révèle* le grain planté dans la terre en le faisant pousser » *(Lettre inédite à H. Lemaitre,* 1er août 1937).

Ainsi se trouve énoncée la meilleure définition de la poésie claudélienne, qui est *révélation,* dans le sens dynamique du mot, souligné par le poète lui-même. L'entreprise poétique d'abolition du hasard, déclarée impossible par Mallarmé dans une formule célèbre, est solidaire de la « déflagration » du dynamisme verbal, avec pour mission d'achever, par une « fructification d'être » (S. Fumet), la Création — cette Création où le hasard ne peut produire l'illusion de sa fatalité que si l'homme continue à ignorer que Dieu l'a laissée « interminée » pour confier à *l'homo poeta* la poursuite positive de sa perpétuelle floraison. Le *Drame* naît de la discordance entre l'apparence du chaos et la vérité du sens ; le *Lyrisme* triomphe dans la découverte du sens à travers le symbolisme du chaos : car le *visible* n'est livré à l'anarchie du hasard que s'il n'est pas rapporté à *l'invisible* qui lui confère réalité et signification.

La vocation propre de la poésie serait l'instauration victorieuse de ce rapport, selon la formule qui résume le mieux l'ambition de CLAUDEL : « *Recevoir l'être et restituer l'éternel.* »

— 1 *Connaître,* c'est *com-prendre,* prendre et faire en soi, et avec soi, l'objet de la connaissance ; c'est donc *co-naître* à cet objet, alors devenu intelligible. — 2 La joie du contact avec la vérité.

— 3. « Laissons-nous emporter *du visible* jusqu'à l'amour *de l'invisible* » ; puis « Laissons-nous emporter *de l'invisible jusqu'à l'amour et la* CONNAISSANCE *du visible.* »

Le mystère de la parole poétique

Dès ses premiers écrits, Paul CLAUDEL est pleinement conscient de la présence en lui du *souffle* poétique, et le thème de l'unité « pneumatique » de l'inspiration et du langage est l'une des constantes fondamentales de son art poétique : c'est le sujet commun de ces deux textes, l'un extrait d'un des premiers essais dramatiques, *La Ville* (1890-1897), l'autre du Prélude de la *Quatrième Ode* (*La Muse qui est la Grâce*, 1907).

THÈMES : *Art (création artistique). Poète. Symboles.*

BESME : O toi, qui comme la langue résides dans un lieu obscur !
S'il est vrai, comme jaillit l'eau de la terre [1],
Que la nature pareillement entre les lèvres du poète nous ait ouvert une source de paroles,
Explique-moi d'où vient ce souffle par ta bouche façonné en mots,
Car quand tu parles, comme un arbre qui de toute sa feuille
S'émeut dans le silence de Midi, la paix en nous peu à peu succède à la pensée.
Par le moyen de ce chant sans musique et de cette parole sans voix, nous sommes accordés à la mélodie de ce monde.
10 Tu n'expliques rien, ô poète, mais toutes choses par toi nous deviennent explicables.
CŒUVRE : O Besme, je ne parle pas selon ce que je veux, mais je conçois dans le sommeil.
Et je ne saurais expliquer d'où je retire ce souffle, c'est le souffle qui m'est retiré.
Dilatant ce vide que j'ai en moi, j'ouvre la bouche,
Et ayant aspiré l'air, dans ce legs de lui-même par lequel l'homme à chaque seconde *expire* l'image de sa mort,
Je restitue une parole intelligible,
20 Et l'ayant dite [2], je sais ce que j'ai dit. [...]
CŒUVRE : O mon fils ! lorsque j'étais un poète entre les hommes,
J'inventai ce vers qui n'avait ni rime ni mètre [3],
Et je le définissais dans le secret de mon cœur cette fonction double et réciproque
Par laquelle l'homme absorbe la vie, et restitue dans l'acte suprême de l'expiration
Une parole intelligible.   *La Ville, 2ᵉ version* (Mercure de France, éd.).

Voici le dépliement de la grande Aile poétique !
Que me parlez-vous de la musique ? Laissez-moi seulement mettre mes
30 sandales d'or !
Je n'ai pas besoin de tout cet attirail qu'il lui faut. Je ne demande pas que vous vous bouchiez les yeux.
Les mots que j'emploie,
Ce sont les mots de tous les jours, et ce ne sont point les mêmes !
Vous ne trouverez point de rimes dans mes vers ni aucun sortilège. Ce sont vos phrases mêmes. Pas aucune de vos phrases que [4] je ne sache reprendre !

— 1 Cf. p. 195. — 2 Participe passé à sens | la parole qui, véritablement, la produit. — 3 Cf.
temporel-causal : la signification est postérieure à | l. 35. — 4 *Il n'est aucune de vos phrases que...*

Ces fleurs sont vos fleurs et vous dites que vous ne les reconnaissez pas.
Et ces pieds sont vos pieds, mais voici que je marche sur la mer et que je
foule les eaux de la mer en triomphe !

Cinq Grandes Odes (Librairie Gallimard, éditeur).

Cinq Grandes Odes				Les *Cinq Grandes Odes,* l'œuvre poétique majeure de
1904-1908-1910			Paul CLAUDEL, ont été écrites de 1904 *(Les Muses)* à 1908
						(La Maison fermée) et publiées, sous leur titre collectif,
suivies d'un *Processionnal pour saluer le siècle nouveau,* en 1910. Elles représentent la mise
au point définitive de la technique du *verset* et transposent dans le « langage » du rythme
et des images l'itinéraire spirituel du poète, dont l'imagination originale puise aux sources
les plus diverses : la Bible d'abord, mais aussi Pindare ou Eschyle. Il est remarquable
que le point de départ en soit un Art poétique fondé sur la Foi et que la *découverte
de Dieu* s'y accompagne de la découverte parallèle des *pouvoirs du poète :* comme Adam,
dans la *Genèse,* est invité à continuer la Création divine en nommant les animaux, ainsi
le poète entreprend de *nommer le monde* pour répondre à sa vocation, qui est de continuer,
à son tour et à sa place, la Création. Et c'est au cours de cette opération poétique (au
sens étymologique du grec *poiein,* faire) que Claudel découvre et chante avec
enthousiasme le sens de la *vie universelle* dans la liberté de son inspiration.

LES MUSES. *Dans la première Ode (1904), le poète évoque, une à une, les neuf Muses,
pour décrire leurs fonctions respectives et les situer dans l'ordre de l'inspiration. C'est l'occasion
de développer un véritable Art poétique, complétant et expliquant, en une vaste fresque rythmée,
les intuitions du jeune auteur de* La Ville.

« LES MUSES ! AUCUNE N'EST DE TROP POUR MOI ! »

L'image de la mer et du triomphe — triomphe de la liberté du mouvement — hante
le poète : l'Ode développe la *« jubilation orchestrale »* des Muses, incarnations de *l'impatience*
de l'Esprit et figures de son rythme cosmique et « maritime ». C'est l'occasion pour CLAUDEL
d'affirmer sa volonté de rupture et de novation en inscrivant dans le dynamisme du *verset,*
et des images qu'il épouse, la réconciliation créatrice du *rythme* et de la *liberté.* Et c'est
la totalité de la poésie que figure désormais *« la déflagration de l'Ode soudaine ».*
THÈMES : *Art. Poète. Nature. Animaux. Symboles.*

Ainsi subitement du milieu de la nuit que mon poëme [1] de tous côtés
frappe comme l'éclat de la foudre trifourchue !
　　Et nul ne peut prévoir où soudain elle fera fumer le soleil,
　　　Chêne, ou mât de navire, ou l'humble cheminée, liquéfiant le pot
comme un astre !
　　O mon âme impatiente ! nous n'établirons aucun chantier ! nous ne
pousserons, nous ne roulerons aucune trirème
　　　Jusqu'à une grande Méditerranée de vers horizontaux,
　　　　Pleine d'îles, praticable aux marchands, entourée par les ports de tous
10　les peuples [2] !
　　Nous avons une affaire plus laborieuse à concerter
　　　Que ton retour, patient Ulysse ! [...]

— 1 Orthographe avec tréma, adoptée par
Claudel, sans doute pour conserver le souvenir
du grec *poïêma,* œuvre. — 2 La Mer, symbole de
la poésie, n'est pas une mer fermée comme la
Méditerranée : il faut au poète l'immensité de
l'Océan, figure à la fois de l'infini de la Création
et de la liberté du langage.

Le poète récuse alors — « bien que ce soit amer » — l'art entendu dans le sens que représentent traditionnellement Homère, Virgile et Dante (« O rimeur Florentin ! nous ne te suivrons point, pas après pas, dans ton investigation... »). La lettre même de l'écriture ne saurait prétendre enfermer la poésie, dont la mesure est l'immensité de la Création, irréductible, comme la houle de la mer ou le vol de l'oiseau, aux ajustements de l'art.

Rien de tout cela ! toute route à suivre nous ennuie ! toute échelle à escalader !

O mon âme ! le poëme n'est point fait de ces lettres que je plante comme des clous, mais du blanc qui reste sur le papier [3].

O mon âme, il ne faut concerter aucun plan ! ô mon âme sauvage, il nous faut nous tenir libres et prêts,

Comme les immenses bandes fragiles d'hirondelles quand sans voix [4]

20 retentit l'appel automnal !

O mon âme impatiente, pareille à l'aigle sans art ! comment ferions-nous pour ajuster aucun vers ? à l'aigle [5] qui ne sait pas faire son nid même ?

Que mon vers ne soit rien d'esclave ! mais tel que l'aigle marin qui s'est jeté sur un grand poisson,

Et l'on ne voit rien qu'un éclatant tourbillon d'ailes et l'éclaboussement de l'écume !   *Cinq Grandes Odes,* I (Librairie Gallimard, éditeur).

L'ESPRIT ET L'EAU. *Dans la* Deuxième Ode, *le poète, retenu dans la captivité des murs de Pékin, médite, pour se libérer, sur le symbolisme de l'eau, figure de l'Esprit. Il découvre le dynamisme universel du « lien liquide » qui réunit le monde, l'homme et Dieu, tandis que, selon l'*Argument *qui précède l'Ode, « la voix qui est à la fois l'esprit et l'eau, l'élément plastique et la volonté qui s'impose à elle, est l'expression de cette union bienheureuse. »*

« La vie même... »

Dans le débat qui s'instaure au cœur de l'âme humaine entre les puissances que CLAUDEL nomme allégoriquement *Animus* et *Anima* [1], la poésie seule permet de dépasser le dilemme de l'*intelligible* [2] et du *spirituel,* comme le mouvement de la mer est à la fois mesure et dilatation. Elle sera donc retour à l'élément, à la matière première. Ainsi se développe *l'analogie substantielle* entre *la Mer* (et non pas n'importe quelle eau), « élément » de la Création, et *l'Esprit,* « élément » de la Vie, qui est le thème central de cette *Ode* (1906). THÈMES : *Art. Poète. Nature. Bible. Symboles.*

Après le long silence fumant,

Après le grand silence civil [3] de maints jours tout fumant de rumeurs et de fumées,

Haleine de la terre en culture et ramage des grandes villes dorées,

Soudain l'Esprit de nouveau, soudain le souffle de nouveau,

Soudain le coup sourd au cœur, soudain le mot donné, soudain le souffle de l'Esprit, le rapt sec, soudain la possession de l'Esprit !

— 3 Le but de la poésie est de plonger « au fond du défini pour y trouver de l'inépuisable » (*Mémoires improvisés*). Les lettres sont le « défini » et le blanc *du papier* figure « l'inépuisable ». — 4 Autre image, *négative,* de l'inépuisable (cf. *sans art,* l. 21). — 5 *Pareille* à l'aigle...

— 1 Cf. p. 232. — 2 Claudel n'est pas en effet un poète de l'irrationnel ; son appétit de vitalité ne détruit pas en lui la fidélité à l'intelligible : la poésie est aussi restitution d'une « *parole intelligible* » (cf. p. 193, l. 19). — 3 Le silence *des villes.*

Comme quand dans le ciel plein de nuit avant que ne claque le premier feu de foudre,

10 Soudain le vent de Zeus dans un tourbillon plein de pailles et de poussières avec la lessive de tout le village !

Mon Dieu, qui au commencement avez séparé les eaux supérieures des eaux inférieures,

Et qui de nouveau avez séparé de ces eaux humides que je dis,

L'aride [4], comme un enfant divisé de l'abondant corps maternel,

La terre bien-chauffante, tendre-feuillante [5], et nourrie du lait de la pluie [6],

Et qui dans le temps de la douleur comme au jour de la création saisissez dans votre main toute-puissante

L'argile humaine et l'esprit de tous côtés vous gicle entre les doigts [7],

20 De nouveau après les longues routes terrestres,

Voici l'Ode, voici que cette grande Ode nouvelle vous est présente,

Non point comme une chose qui commence, mais peu à peu comme la mer qui était là,

La mer de toutes les paroles humaines avec la surface en divers endroits

Reconnue par un souffle sous le brouillard et par l'œil de la matrone Lune ! [...]

Après avoir évoqué la Chine et sa capitale, la « Cité carrée » et ses « Portes colossales »,
le poète, comme s'il s'échappait de sa captivité spirituelle « au plus terre de la terre », retrouve,
avec la mer, la vie même, c'est-à-dire la liberté *et la* possession de l'Esprit.

Mais que m'importent à présent vos empires, et tout ce qui meurt,

Et vous autres que j'ai laissés, votre voie hideuse là-bas !

Puisque je suis libre ! que m'importent vos arrangements cruels ? puisque moi du moins je suis libre ! puisque j'ai trouvé ! puisque moi du moins je suis dehors !

30 Puisque je n'ai plus ma place avec les choses créées, mais ma part avec ce qui les crée, l'esprit liquide et lascif [8].

Est-ce que l'on bêche la mer ? est-ce que vous la fumez comme un carré de pois ?

Est-ce que vous lui choisissez sa rotation, de la luzerne ou du blé ou des choux ou des betteraves jaunes ou pourpres ?

Mais elle est la vie même sans laquelle tout est mort, ah ! je veux la vie même sans laquelle tout est mort !

La vie même et tout le reste me tue qui est mortel !

Ah, je n'en ai pas assez ! Je regarde la mer ! Tout cela me remplit qui a fin [9].

Mais ici et où que je tourne le visage et de cet autre côté

40 Il y en a plus encore et là aussi et toujours et de même et davantage ! Toujours, cher cœur !

Pas à craindre que mes yeux l'épuisent ! Ah, j'en ai assez de vos eaux buvables.

— 4 Cf. *Dieu fit le firmament, qui sépara les eaux qui sont sous le firmament d'avec les eaux qui sont au-dessus du firmament... Dieu dit : « Que les eaux qui sont sous le ciel s'amassent en une seule masse et qu'apparaisse le continent »* (*Genèse*, I, 6-9, trad. Bible « de Jérusalem »). Le mot « *aride* » est peut-être emprunté à certaines traductions anciennes de la Bible. — 5 Claudel est volontiers, comme Ronsard, créateur de mots, selon le besoin de son imagerie et de son rythme. — 6 L'image de *l'enfant* se poursuit. Alliance de mots qui produit un effet de choc. — 7 L'image souligne l'intimité réciproque, au cœur même de la Création, du charnel et du spirituel : thème majeur de la poésie et du théâtre de Claudel. — 8 Sens latin : *folâtre*. — 9 Double sens du mot : *limite* et *terme*. Accès à l'inépuisable, la poésie, qui est « *la vie même* », est franchissement de la *limite* et dépassement du *terme* temporel.

Je ne veux pas de vos eaux arrangées, moissonnées par le soleil, passées au filtre et à l'alambic, distribuées par l'engin des monts [10],
Corruptibles, coulantes.
Vos sources ne sont point des sources. L'élément même !
La matière première ! C'est la mère [11], je dis, qu'il me faut !
Possédons la mer éternelle et salée, la grande rose grise ! Je lève un bras vers le paradis ! je m'avance vers la mer aux entrailles de raisin !

50   Je me suis embarqué pour toujours ! Je suis comme le vieux marin qui ne connaît plus la terre que par ses feux, les systèmes d'étoiles vertes ou rouges enseignés par la carte et le portulan [12].
Un moment sur le quai parmi les balles et les tonneaux, les papiers chez le consul, une poignée de mains au stevedore [13] ;
Et puis de nouveau l'amarre larguée, un coup de timbre aux machines, le breakwater [14] que l'on double, et sous mes pieds
De nouveau la dilatation de la houle !
Ni
Le marin, ni

60   Le poisson qu'un autre poisson à manger
Entraîne, mais la chose même et tout le tonneau et la veine vive,
Et l'eau même, et l'élément même, je joue, je resplendis ! Je partage la liberté de la mer omniprésente !
L'eau
Toujours s'en vient retrouver l'eau,
Composant une goutte unique.
Si j'étais la mer, crucifiée par un milliard de bras sur ses deux continents,
A plein ventre ressentant la traction rude du ciel circulaire avec le soleil immobile comme la mèche allumée sous la ventouse,

70   Connaissant ma propre quantité,
C'est moi, je tire, j'appelle sur toutes mes racines, le Gange, le Mississipi,
L'épaisse touffe de l'Orénoque, le long fil du Rhin, le Nil avec sa double vessie [15],
Et le lion nocturne buvant, et les marais, et les vases souterrains, et le cœur rond et plein des hommes qui durent leur instant.
Pas la mer, mais je suis esprit ! et comme l'eau
De l'eau, l'esprit reconnaît l'esprit,
L'esprit, le souffle secret,
L'esprit créateur qui fait rire, l'esprit de vie et la grande haleine pneumatique, le dégagement de l'esprit

80   Qui chatouille et qui enivre et qui fait rire [16] !
Ô que cela est plus vif et agile, pas à craindre d'être laissé au sec. Loin que j'enfonce, je ne puis vaincre l'élasticité de l'abîme.

Cinq Grandes Odes, II (Librairie Gallimard, éditeur).

— 10 Périphrase qui oppose l'*artifice* à la *nature,* à l'authenticité. Ce qui explique les deux adjectifs suivants. — 11 Claudel se plaît à jouer sur les homonymies et à en tirer des analogies et des images symboliques. C'est un exemple de l'intelligibilité poétique, qui extrait des « correspondances » internes du langage les signes d'une compréhension plus profonde du monde et de l'homme. — 12 Nom médiéval des *cartes marines.* — 13 Arrimeur. — 14 Brise-lames. — 15 Cf. la figure du Nil sur une carte. — 16 Le rire occupe une place importante dans l'œuvre de Claudel, car il est lui aussi de nature « pneumatique ». C'est ainsi que la *farce* intervient dans le *drame* (cf. *Le Soulier de satin*) et que l'inspiration comique (qui n'est pas absente même des commentaires bibliques) a donné naissance à des œuvres comme *Protée,* drame satyrique (1914), et *L'Ours et la Lune,* farce pour un théâtre de marionnettes (1919).

INVENTAIRE POÉTIQUE DU MONDE

L'expérience *poétique* jointe à l'expérience *religieuse* conduit le poète à coïncider avec le *mouvement même du monde,* Création continuée. Le symbole de l'Eau voit s'élargir sa signification spirituelle, puisque la *liquidité* est le signe sensible de la présence de Dieu-Esprit, la loi universelle de l'Être, et, en devenant « *total* », le monde devient « *nouveau* ». Aussi la poésie en sera-t-elle le recensement, et *le poète revendique le monde comme sien,* au nom de la « catholicité » de son cœur. Et ainsi, par le symbolisme spirituel de l'Eau et de la Mer, l'inépuisable devient actuel et présent dans la *parole* et le *rythme* du poème, selon la « jubilation orchestrale » des Muses, et par l'effet de la Grâce de Dieu.

Salut donc, ô monde nouveau à mes yeux, ô monde maintenant total !
O credo entier des choses visibles et invisibles [1], je vous accepte avec
Où que je tourne la tête   [un cœur catholique [2] !
J'envisage l'immense octave [3] de la Création !
Le monde s'ouvre et, si large qu'en soit l'empan [4], mon regard le
traverse d'un bout à l'autre.
J'ai pesé le soleil ainsi qu'un gros mouton que deux hommes forts
suspendent à une perche entre leurs épaules.
J'ai recensé l'armée des Cieux et j'en ai dressé état,
10   Depuis les grandes Figures [5] qui se penchent sur le vieillard Océan
Jusqu'au feu le plus rare englouti dans le plus profond abîme,
Ainsi que le Pacifique bleu-sombre où le baleinier épie l'évent d'un
souffleur [6] comme un duvet blanc.
Vous êtes pris et d'un bout du monde jusqu'à l'autre autour de Vous
J'ai tendu l'immense rets de ma connaissance.
Comme la phrase qui prend aux cuivres
Gagne les bois et progressivement envahit les profondeurs de
Et comme les éruptions du soleil   [l'orchestre,
Se répercutent sur la terre en crises d'eau et en raz-de-marée,
20   Ainsi du plus grand Ange qui vous voit jusqu'au caillou de la route
et d'un bout de votre création jusqu'à l'autre,
Il ne cesse point continuité, non plus que de l'âme au corps ;
Le mouvement ineffable des Séraphins se propage aux Neuf ordres
des Esprits [7],
Et voici le vent qui se lève à son tour sur la terre, le Semeur, le
Moissonneur !
Ainsi l'eau continue l'esprit, et le supporte, et l'alimente,
Et entre
Toutes vos créatures jusqu'à vous il y a comme un lien liquide.

Cinq Grandes Odes, II (Librairie Gallimard, éditeur).

— 1 Selon le *credo,* Dieu est créateur du ciel et de la terre, des choses visibles et invisibles. — 2 *Universel* (sens étym.) et *converti à la foi catholique.* — 3 L'octave, qui renferme la totalité des notes, évoque la plénitude de la connaissance poétique : ainsi *poésie* et *mystique* ne font qu'un. — 4 Écartement entre le pouce et le petit doigt. — 5 Les *Constellations.* — 6 Cétacé qui émet de la vapeur *(duvet blanc)* par ses *évents.* — 7 Les Séraphins appartiennent au premier degré de la hiérarchie angélique : ils sont au point de départ du mouvement des Esprits vers Dieu.

Contre les idoles

D'après l'Argument placé par CLAUDEL lui-même en tête de la troisième Ode, *Magnificat*, « *le poëte se souvient des bienfaits de Dieu et élève vers lui un cantique de reconnaissance* ». Or, au nombre de ces bienfaits, figure d'abord : « *vous m'avez délivré des idoles* ». A cette occasion se déchaîne un lyrisme biblique, où CLAUDEL se fait le disciple moderne des prophètes d'Israël. Les IDOLES sont tout ce que le monde moderne a inventé, sous l'inspiration de Satan, pour faire mentir la Création. Le poète voit les Idoles responsables de la mort de l'Esprit et c'est encore son appétit de « *la vie même* », son attachement à une *parole substantielle*, qui l'incitent à dénoncer ainsi « les fantômes et les poupées » : leur monde est un monde clos, mais, une fois de plus, la poésie ouvre la fenêtre qui donne sur l'*inépuisable*.

Soyez béni, mon Dieu, qui m'avez délivré des idoles,
  Et qui faites que je n'adore que Vous seul, et non point Isis et Osiris,
  Ou la Justice, ou le Progrès, ou la Vérité, ou la Divinité, ou l'Humanité,
ou les Lois de la Nature, ou l'Art, ou la Beauté [1],
  Et qui n'avez pas permis d'exister à toutes ces choses qui ne sont pas, ou
le Vide laissé par votre absence.
  Comme le sauvage qui se bâtit une pirogue et qui de cette planche en trop
fabrique Apollon [2],
  Ainsi tous ces parleurs de paroles du surplus de leurs adjectifs se sont fait
10 des monstres sans substance [3],
  Plus creux que Moloch, mangeurs de petits enfants, plus cruels et plus hideux
que Moloch.
  Ils ont un son et point de voix, un nom et il n'y a point de personne,
  Et l'esprit immonde est là, qui remplit les lieux déserts et toutes les choses
vacantes [4].
  Seigneur, vous m'avez délivré des livres et des Idées, des Idoles et de leurs
prêtres,
  Et vous n'avez point permis qu'Israël serve sous le joug des Efféminés [5].
  Je sais que vous n'êtes point le dieu des morts, mais des vivants.
20 Je n'honorerai point les fantômes et les poupées, ni Diane, ni le Devoir,
ni la Liberté et le bœuf Apis [6].
  Et vos « génies », et vos « héros », vos grands hommes et vos surhommes,
la même horreur de tous ces défigurés.
  Car je ne suis pas libre entre les morts [7],
  Et j'existe parmi les choses qui sont et je les contrains à m'avoir indispensable,
  Et je désire de n'être supérieur à rien, mais un homme *juste*,
  Juste comme vous êtes parfait, juste et vivant parmi les autres esprits réels.
  Que m'importent vos fables ! Laissez-moi seulement aller à la fenêtre et
ouvrir la nuit et éclater [8] à mes yeux en un chiffre simultané
  L'innombrable comme autant de zéros après le 1 coefficient de ma nécessité [9] !

Cinq Grandes Odes, III (Librairie Gallimard, éditeur).

— 1 Évocation des « religions » abstraites de la fin du XIXe siècle. — 2 Claudel méconnaît délibérément le sens du sacré dans les religions antiques et primitives. — 3 L'Esprit seul confère sa *substance* à la parole, laquelle appartient à l'ordre du *poiein*, à l'ordre du *faire ;* sinon, la parole est non seulement vaine mais meurtrière. — 4 Cf. *Matthieu*, XII, 43. — 5 Nom méprisant donné aux idolâtres ennemis d'Israël. — 6 Énu-mération qui mêle à dessein idoles antiques et idoles modernes. — 7 Le poète échappe à l'illusion d'une *liberté mensongère* (cf. p. 228, n. 2 : la « liberté » de Prouhèze). — 8 Ellipse, sens impératif : « *Laissez éclater, qu'éclate...* » — 9 La suite « innombrable » des zéros après le 1 est la figure arithmétique de l'infini, inspirée au poète par la vue du ciel nocturne (cf. p. 198, l. 10, et p. 200).

MORT ET VIE

« *Seigneur, je vous ai trouvé — Qui vous trouve, il n'a plus tolérance de la mort* ». L'inventaire poétique du monde se poursuit, qui, après la dénonciation des puissances de mort, découvre « au plus épais de la terre » l'inépuisable *germe de la vie*. C'est alors le cri du choix décisif et définitif : « *Je préfère l'absolu* ». C'est aussi, une fois encore à partir de la contemplation des nébuleuses et de la mer (images deux fois reprises), le franchissement du temps, le *passage à l'éternité*, selon le constant mouvement de l'itinéraire claudélien, du visible à l'invisible, qui garantit la victoire de la vie sur la mort. THÈMES : *Religion. Christianisme. Mysticisme. Infini. Mort. Nature.*

Et çà et là aux confins du monde où le travail de la création s'achève, les nébuleuses,

Comme, quand la mer violemment battue et remuée

Revient au calme, voici encore [1] de tous côtés l'écume et de grandes plaques de sel trouble qui montent.

Ainsi le chrétien dans le ciel de la foi sent palpiter la Toussaint [2] de tous ses frères vivants.

Seigneur, ce n'est point le plomb ou la pierre ou le bois pourrissant que vous avez enrôlé à votre service,

10 Et nul homme ne se consolidera dans la figure de celui qui a dit : *Non serviam* [3] !

Ce n'est point mort qui vainc la vie, mais vie qui détruit la mort et elle ne peut tenir contre elle !

Vous avez jeté bas les idoles,

Vous avez déposé tous ces puissants de leur siège [4], et vous avez voulu pour serviteurs la flamme elle-même du feu !

Comme dans un port quand la débâcle arrive on voit la noire foule des travailleurs couvrir les quais et s'agiter le long des bateaux [5],

Ainsi les étoiles fourmillantes à mes yeux et l'immense ciel actif !

20 Je suis pris et ne peux m'échapper, comme un chiffre prisonnier de la somme.

Il est temps ! A la tâche qui m'est départie l'éternité seule peut suffire.

Et je sais que je suis responsable, et je crois en mon maître ainsi qu'il croit en moi.

J'ai foi en votre parole et je n'ai pas besoin de papier.

C'est pourquoi rompons les liens des rêves, et foulons aux pieds les idoles, et embrassons la croix avec la croix.

Car l'image de la mort produit la mort, et l'imitation de la vie La vie, et la vision de Dieu engendre la vie éternelle.

Cinq Grandes Odes, III (Librairie Gallimard, éditeur).

— 1 Les nébuleuses sont comparables à *l'écume* que l'on voit sur la mer après le retour au calme. — 2 Fête qui célèbre le *rassemblement autour de Dieu* de toutes les âmes sauvées. — 3 Parole placée dans la bouche de Satan : « *Je ne serai pas esclave* ». Pour Claudel les « idoles » modernes représentent un nouvel épisode de la révolte de Satan. — 4 Cf. Luc, I, 52 ; ici les idoles modernes et leurs sectateurs sont assimilés aux *puissants* de l'Évangile. — 5 Spectacle auquel Claudel avait pu assister dans un port d'Extrême-Orient pris par les glaces.

Paternité et Terre promise

La vie retrouvée fructifie dans l'épanouissement ; la poésie — *« cantique de reconnaissance »* — trouve sa place dans l'ordre de la Création, où elle bénéficie du « crédit » de Dieu (cf. p. 202). Le *reflux* s'opère cette fois de l'*invisible* au *visible,* de Dieu à l'homme, du Ciel à la Terre. La fille de Claudel, MARIE, est née en Chine en 1907, année de la composition de cette ode, *Magnificat :* la paternité inspire au poète une de ses plus belles pages, sur le thème de la « vie même » et de sa *nouveauté* perpétuellement créatrice.
THÈMES : *Famille. Religion. Bible. Providence. Poète. Autobiographie. Symboles.*

O ma fille ! ô petite enfant pareille à mon âme essentielle et à qui pareil redevenir il faut
Lorsque désir sera purgé par le désir !
Soyez béni, mon Dieu, parce qu'à ma place il naît un enfant sans orgueil,
(Ainsi dans le livre au lieu du poète puant et dur
L'âme virginale sans défense et sans corps entièrement donnante et accueillie),
Il naît de moi quelque chose de nouveau avec une étrange ressemblance !
A moi et à la touffe profonde de tous mes ancêtres avant moi il commence
10 un être nouveau.
Nous étions exigés selon l'ordre de nos générations
Pour qu'à cette espéciale [1] volonté de Dieu soient préparés le sang et la chair.
Qui es-tu, nouvelle venue, étrangère ? et que vas-tu faire de ces choses qui sont à nous ?
Une certaine couleur de nos yeux, une certaine position de notre cœur.
O enfant né sur un sol étranger ! ô petit cœur de rose ! ô petit paquet plus frais qu'un gros bouquet de lilas blancs !
Il attend pour toi deux vieillards dans la vieille maison natale toute fendue,
20 raccommodée avec des bouts de fer et des crochets [2] ;
Il attend pour ton baptême les trois cloches dans le même clocher qui ont sonné pour ton père, pareilles à des anges et à des petites filles de quatorze ans,
A dix heures lorsque le jardin embaume et que tous les oiseaux chantent en français !
Il attend pour toi cette grosse planète au-dessus du clocher qui est dans le ciel étoilé comme un *Pater* parmi les petits *Ave,*
Lorsque le jour s'éteint et que l'on commence à compter au-dessus de l'église deux faibles étoiles pareilles aux vierges Patience et Evodie [3] !
Maintenant entre moi et les hommes il y a ceci de changé que je suis père
30 de l'un d'entre eux.
Celui-là ne hait point la vie qui l'a donnée et il ne dira pas qu'il ne comprend point.

Le poète, alors, découvre le passage de la paternité selon la chair *à la paternité* selon l'esprit, *l'analogie entre la naissance* de l'enfant *et la naissance* du poème, *deux naissances également garanties par le « crédit » de Dieu :* « Qui croit en Dieu, il en est l'accrédité ». *Ainsi se trouve introduit, à partir du thème personnel de la paternité, le thème biblique de la* Terre promise : *nouveau Josué, le poète accède à la plénitude de la possession vitale jusqu'à la* véritable intelligence du monde et de lui-même.

— 1 Forme populaire incorrecte, peut-être motivée par le rythme ; peut-être aussi le poète a-t-il voulu « faire naïf » ou évoquer le mot *espèce* (cf. « générations »). — 2 La maison natale du poète, habitée par les grands-parents de l'enfant. — 3 Saintes femmes de l'Église primitive.

Soyez béni, mon Dieu, qui m'avez introduit dans cette terre de mon après-midi [4],

Comme vous avez fait passer les Rois Mages à travers l'embûche des tyrans et comme vous avez conduit Israël dans le désert,

Et comme après sa longue et sévère montée un homme ayant trouvé le col redescend par l'autre versant.

40 Moïse mourut sur le sommet de la montagne, mais Josué entra dans la terre promise avec tout son peuple.

Après la longue montée, après les longues étapes dans la neige et dans la nuée,

Il est comme un homme qui commence à descendre, tenant de la main droite son cheval par le bridon.

Et ses femmes sont avec lui en arrière sur les chevaux et les ânes, et les enfants dans les bâts et le matériel de la guerre et du campement, et les Tables de la Loi sont par derrière,

Et il entend derrière lui dans le brouillard le bruit de tout un peuple qui marche,

50 Et voici qu'il voit le soleil levant à la hauteur de son genou comme une tache rose dans le coton,

Et que la vapeur s'amincit et que tout-à-coup

Toute la Terre Promise lui apparaît dans une lumière éclatante comme une pucelle neuve,

Toute verte et ruisselante d'eaux comme une femme qui sort du bain !

Et l'on voit çà et là du fond du gouffre dans l'air humide paresseusement s'élever de grandes vapeurs blanches,

Comme des îles qui larguent leurs amarres, comme des géants chargés d'outres !

60 Pour lui il n'y a ni surprise ni curiosité sur sa face, et il ne regarde même point Chanaan mais le premier pas à faire pour descendre.

Car son affaire n'est point d'entrer dans Chanaan, mais d'exécuter votre volonté.

C'est pourquoi suivi de tout son peuple en marche il émerge dans le soleil levant !

Il n'a pas eu besoin de vous voir sur le Sinaï, il n'y a point de doute et d'hésitation dans son cœur.

Et les choses qui ne sont point dans votre commandement sont pour lui comme la nullité.

70 Il n'y a point de beauté pour lui dans les idoles, il n'y a point d'intérêt dans Satan, il n'y a point d'existence dans ce qui n'est pas.

Avec la même humilité dont il arrêta le soleil,

Avec la même modestie dont il mesura qui lui était livrée

(Neuf et demie au delà et deux tribus et demie en deçà du Jourdain) [5],

Cette terre de votre promesse sensible,

Laissez-moi envahir votre séjour intelligible à cette heure postméridienne !

Cinq Grandes Odes, III (Librairie Gallimard, éditeur).

— 4 Cf. l. 76, *cette heure postméridienne* et p. 207. Midi est l'heure du partage du jour et aussi l'heure du partage de l'homme (cf. l. 38, *le versant*). C'est tout aussi bien l'heure de la paternité et de la Terre promise. — 5 Cf. *Josué*, X, 12-14 et XIII, 7-8.

LA MUSE QUI EST LA GRACE. *Reprise du thème des Muses et de l'inspiration dans* la Quatrième Ode, *construite par strophes et antistrophes,* en forme de *dialogue entre la Muse et le poète.* C'est la transposition en langage lyrique du drame profond qui inspire aussi le théâtre de CLAUDEL, la difficulté à combler la distance entre la vocation poétique et la volonté humaine, entre la nature et la Grâce. L'Ode s'achève sur l'évocation de l'amour qui forme aussi le sujet de Partage de midi, alors que la Muse vient d'annoncer « l'œuvre d'Août, l'extermination de Midi » (cf. le finale de Partage de midi, p. 214, l. 60-61).

LA MAISON FERMÉE. *Dans la* Cinquième Ode, *le poète répond à ceux qui l'accusent* d'obscurité : la poésie est la figure de l'âme elle-même fermée, que gardent aux quatre points cardinaux les Quatre Vertus cardinales. Mais c'est une clôture analogue à la clôture monastique, qui ordonne « vers l'intérieur » la « catholicité » en laquelle toutes choses sont embrassées et nécessitées.

« *Une porte, une porte, ô mon âme...* »

En marge des *Cinq Grandes Odes,* vaste monument lyrique, la poésie de Paul CLAUDEL est infiniment *diverse* dans *l'unité* de son inspiration humaine et religieuse. C'est justement ce lien profond de la foi et de l'humanité qui lui confère son aisance, sa densité et aussi parfois sa truculence. Par la poésie s'opère ainsi, comme allant de soi, par exemple le passage de *l'humour* — fait de familiarité et de franchise apparemment hors de propos — à *l'exaltation* et même à *la prière :* car tout ce qui est humain porte la marque de la *continuité,* dont la *parole poétique* est le calque fidèle. Et les variations de ton n'altèrent point cette continuité, la soulignent au contraire. Ainsi de cette méditation sur *la sainteté,* à la fois *difficile* et *nécessaire.* – THÈMES : *Religion. Métaphysique. Mysticisme. Infini.*

Quand nous lisons la vie des Saints, telle qu'eux-mêmes rarement ont pris
la peine de la raconter,
Ce n'est pas que ce soit sans intérêt et que çà et là nous ne soyons pas
sincèrement touchés,
Mais avouons que l'effet général est irritant et plus ou moins désagréable.
Tout cela est tellement exagéré, incompréhensible et parfaitement inimitable !
Si je n'ai pas régulièrement mon dîner, on me voit plus farouche qu'un
Incirconcis.
Qu'est-ce que ces trois olives par jour que mange Sainte Angèle de Merici [1],
10   Accompagnées de trois figues et de trois noix en l'honneur de la Sainte
Trinité ?
Si je n'ai pas eu mes sept heures de sommeil, malheur à qui viendra me
réveiller !
Qu'est-ce que c'est que ces ermites pour qui c'est une délicatesse très grande
De dormir quelques minutes contre un mur, tout debout comme les animaux
sans jointures de la légende ?
Encore si l'on savait où l'on s'arrête, le plancher et le pain sec une fois pour toutes.
Mais sans cesse une exigence nouvelle et jamais aucune fin à la route
Sans rien à regarder que par devant la tombe et le triste combat pied à pied
20   Contre la nature inventive en tout minutieusement contrariée !
Et ce monde hermétiquement muré dont ces austérités impraticables sont le pont
Nous est décrit avec des mots repris et repressés par un milliard de sermons,
Entrecoupés d'éjaculations à froid et de castigations orales [2],

---

— 1 Fondatrice de l'ordre enseignant des | prière fervente. *Castigation :* remontrance (latin
Ursulines (1470-1540). — 2 *Éjaculation :* courte | *castigare :* corriger).

(Et certes nous aimons Jésus-Christ, mais rien au monde ne nous fera aimer la morale [3]),

Des mots dont le sens à la lettre, pour nous autres rustiques, savoureux quoique humble et court,

Maintenant séparé chastement de la grossière terre tout autour,

Est converti en la plate allusion d'une perpétuelle figure

30   Pour le délice des spirituels et pour la satisfaisante déconfiture

Des braves gens qui sans aucune disposition n'apportent que leur bonne volonté.

C'est pourquoi nous reprenons l'évangile ou notre vieux paroissien, humiliés.

Et cependant, s'il y a une porte, nous savons que ceux-là l'ont trouvée.

Une porte, une porte, ô mon âme, une porte pour sortir de l'éternelle vanité [4] !

Une porte, n'importe par où, mais dites que dès maintenant il y a une porte pour échapper

A cette vie qui n'est qu'un rêve lourd, un cauchemar entre les deux digestions !

Une issue pour ôter notre esprit à ce moulin sans aucune rémission

40   Des choses arrivant sur nous en une descente inépuisable,

Tout un monde en poudre sur nous pour faire tourner notre roue avec du sable !

Seigneur, qui m'avez fait pour proférer la parole et connaître la vérité,

Délivrez ma pauvre âme un jour de ces choses qui n'ont pas de nécessité !

Vous qui de tout homme vivant êtes le créancier attentif et implacable,

Délivrez de sa dette amassée quelque jour Votre créature insolvable,

Le fardeau énorme sur moi de ces choses que je ne puis arriver à donner,

Et dont la plus nécessaire précisément est celle qui fait notre incompatibilité,

Parmi les conditions pénales de notre séjour,

Avec soi-même tel que c'est être sans Vous, et que nous appelons l'Amour [5] !

Feuilles de saints, Sainte Thérèse (Librairie Gallimard, éditeur).

Chant de la Saint-Louis

A partir de son culte des saints, modèles et inspirateurs tant par leur vie que par leur place dans les saisons de l'année, CLAUDEL reprend et développe le genre de la *poésie liturgique.* C'est le *symbolisme du Temps* qui en est le thème unificateur : le poème devient le réceptacle de tout ce qu'enferme de bonté divine un moment spiritualisé de l'année. Aussi CLAUDEL a-t-il donné pour titre au recueil qui réunit ses principaux poèmes liturgiques : *Corona benignitatis anni Dei* (Couronne de bonté de l'année de Dieu). Sans renoncer au *verset,* le langage y devient souvent plus proche de la réalité quotidienne, le lyrisme y est souvent plus « classique », et par exemple on y voit réapparaître, très librement, la *rime.* Mais l'unité de l'inspiration ne s'en trouve pas altérée : c'est toujours, sous une forme nouvelle, une suite du *grand cantique des richesses de la Création.*
THÈMES : *Religion. Providence. Nature.*

Les mailles du filet sont dissoutes et le filet lui-même a disparu.
Le filet où j'étais retenu s'est ouvert et je n'y suis plus.

— 3 Cf. *faire la morale à quelqu'un.* — 4 Écho du *vanitas vanitatum, et omnia vanitas* (tout est vanité) de l'Ecclésiaste. — 5 Construire : *Celle qui fait notre incompatibilité... et que nous appelons l'Amour.* Et comprendre (passage du *notre* collectif à l'indéfini général *soi-même*) : *les conditions pénales de notre séjour,* tel que être seul avec soi-même, *c'est être sans vous.*

Je n'ai plus pour prison que Dieu et la couleur sublime de la terre.
C'est toujours la même moisson et c'est le même désert.

Aucun chemin n'y conduit, il n'y a pas de carte de la contrée,
Mais le travail à la même place dans la boue, dans la pluie et dans la durée.

Aucun chemin n'y conduit, mais le temps et la foi dans le mois d'août [1].
Et nous n'avons point changé de place, la voici radieuse autour de nous.

10 Bénis soient l'entrave jusqu'ici et les liens qui me tenaient lié !
Il les fallait forts et sûrs avant que la prison soit arrivée.

Ma prison est la plus grande lumière et la plus grande chaleur,
La vision de la terre au mois d'août, qui exclut toute possibilité d'être ailleurs.

Comment aurais-je du passé souci, du futur aucun désir,
Quand déjà la chose qui m'entoure est telle que je n'y puis suffire ?

Comment penserais-je à moi-même, à ce qui me manque ou m'attend,
Quand Dieu ici même hors de moi est tellement plus intéressant [2] ?

Ce champ où je suis est de l'or, et là-bas au-dessus des chaumes,
Cette ineffable couleur rose est la terre même des hommes !

La terre même un instant a pris la couleur de l'éternité,
20 La couleur de Dieu avec nous et toutes les tribus humaines y sont campées.

Ineffable couleur de rose et les multitudes humaines y sont vivantes !
Une mer d'or et de feu entoure nos postes et nos tentes.

C'est le jour de la Saint-Louis, Confesseur et Roi de France.
Je tiens l'étoffe de son manteau dans mes doigts, les gros épis rugueux de blé
[qui en forment la ganse.

De toutes parts je vois les meules qu'on bâtit et les rangs de gerbes entassées,
Et les profondes fumées grelottantes des avoines qui ne sont pas coupées.

L'étoffe est d'or et la bordure est de velours bleu presque noir,
Comme la double forêt qui était autour de Senlis [3] hier soir.

Quelle tristesse peut-il y avoir quand chaque année le même mois d'août est fatal [4] ?
30 La tristesse n'est que d'un moment, la joie est supérieure et finale.

La lumière a tout gagné peu à peu et la nuit est exterminée.
De grosses compagnies de perdreaux sous mes pas éclatent sur la terre illuminée.

Je sais et je vois de mes yeux une chose qui n'est pas mensongère.
Je suis libre et ma prison autour de moi est la lumière !

La terre rit et sait et rit et se cache dans le blé et dans la lumière !
Pour garder le secret que nous savons, ce n'est pas assez que de se taire !

Corona benignitatis anni Dei, IV, 1913 (Librairie Gallimard, éditeur).

— 1 La Saint-Louis tombe le 25 août. L'Août et le Midi, qui sont pour Claudel le moment absolu de l'année et du jour, symbolisent *plénitude* et *lumière* (cf. p. 202, n. 4 et p. 213, l. 60). — 2 Cf. *Magnificat* : « *Je préfère l'absolu* ». Tout Claudel est dans cette préférence. — 3 Cité royale au nord de Paris, attachée au souvenir de Saint Louis, et effectivement entourée d'une « double forêt ». — 4 « *Revient régulièrement* ». La nécessité du cycle des saisons suscite le même enthousiasme chez le poète que la nécessité du mouvement des astres dans le ciel.

LE THÉATRE DE PAUL CLAUDEL

Son premier *art poétique*, CLAUDEL en avait confié l'expression au héros d'une tentative dramatique, *La Ville* (1890-1897, cf. p. 193), qu'avait précédée *Tête d'Or*. *La Ville* est le drame du conflit, dans la société, entre l'ordre ou la révolte purement temporels et la vocation de l'homme à l'Éternité. A la question : *quelle fin donner à la Cité ?* le poète converti CŒUVRE répond que *la fin de la société des hommes, c'est Dieu*.

Entre 1892 et 1898, CLAUDEL aborde le drame du péché et de la grâce, de la chair et de la pureté ; il écrit alors les deux versions de *La Jeune Fille Violaine*, dont le thème sera épanoui et fixé dans *L'Annonce faite à Marie* : c'est le débat tragique de l'orgueil et de la charité résolu dans la mort, le miracle et le pardon.

En 1893, le théâtre de CLAUDEL prend sans doute son véritable départ avec *L'Échange*, drame dur et cruel, où la pureté se trouve prise dans l'ouragan des passions, et où le symbolisme des caractères atteint déjà à la densité des drames ultérieurs. Et c'est cette densité symbolique qui, jointe à l'influence décisive d'une crise personnelle, donne toute sa puissance dramatique à *Partage de midi* (1906 ; cf. p. 207). C'est alors en effet que, par le théâtre, CLAUDEL affirme à la fois la puissance et l'originalité de son génie.

Partage de midi est le terme d'une première étape de la dramaturgie claudélienne où il met en scène la double postulation inhérente à l'amour de l'homme et de la femme, et le tragique cheminement de la rédemption à travers le péché. Certes ce thème ne sera jamais absent du théâtre de CLAUDEL, et occupera encore une place centrale dans *L'Annonce faite à Marie* et dans *Le Soulier de satin ;* mais il sera alors intégré à un drame plus vaste.

C'est à cet *élargissement de son inspiration dramatique* que CLAUDEL s'attache à partir de 1908, lorsqu'il entreprend la trilogie historique qui comprend *L'Otage* (cf. p. 215), *Le Pain dur* et *Le Père humilié* (1909-1914-1916). Commençant au lendemain de la Révolution française, elle s'achève avec l'abolition du pouvoir temporel de la Papauté : les destinées individuelles s'y dessinent en contrepoint sur le drame historique qui oppose et réunit à la fois l'héritage du passé et les nouveautés révolutionnaires du présent. A travers cette trilogie, les générations se succèdent : Turelure (*L'Otage*), son fils Louis (*Le Pain dur*), la fille aveugle de ce dernier, Pensée (*Le Père humilié*). Il s'en dégage une loi qui est le ressort profond du drame : *nécessité et difficulté de l'union entre le Passé et l'Avenir* — tandis que, de son côté, le personnage du Pape incarne *la constance et l'infaillibilité de la Foi*.

Alors qu'il venait d'achever *L'Otage*, et en attendant de continuer sa trilogie historique, CLAUDEL reprend le sujet de *La Jeune Fille Violaine* et en tire *L'Annonce faite à Marie*, écrite en 1910 et représentée en 1912 : c'est sans doute la plus largement connue et la plus accessible de ses grandes œuvres dramatiques (cf. p. 216).

Dans les années suivantes, il donne aussi libre cours à sa veine humoristique avec quelques expériences de théâtre comique : *Protée* (1913), farce mythologique où paraissent, auprès de la nymphe Brindosier, Ménélas, Hélène, Protée et Jupiter ; et *L'Ours et la Lune* (1917), farce lyrique qui évoque le rêve d'un prisonnier français de la Grande Guerre transporté par la lune dans un monde de marionnettes : l'Ours en peluche, le Financier véreux, le Rhabilleur, et « Bourguignon », le Soleil.

Ces expériences, dans lesquelles le CLAUDEL comique « se fait la main », contribuent à enrichir et à diversifier son inspiration. Pendant son ambassade au Japon, il termine, en 1923, *Le Soulier de satin*, où il intègre cette veine comique à une véritable *somme dramatique* et qui couronne sa production théâtrale (cf. p. 224). Mais il faudra attendre encore vingt ans pour que la dramaturgie claudélienne obtienne la place éminente qui lui revient dans l'histoire universelle du théâtre : *Le Soulier de satin* est créé en 1943, *Le Père humilié* en 1947, et *Partage de midi* en 1948.

CLAUDEL a encore écrit *La Sagesse* ou *La Parabole du festin* (1926), *Sous le rempart d'Athènes* (1928), *Le Livre de Christophe Colomb* (1928), et le grand oratorio *Jeanne au bûcher* (1935) avec une musique d'Arthur HONEGGER.

Partage de midi   *Partage de midi*, composé en 1906, devait attendre 1948 pour être connu du public. C'est la mise en œuvre lyrique et dramatique d'un épisode crucial de la vie de l'auteur, qui inspirera encore en 1923 *Le Soulier de satin* et dont l'écho se rencontre dans les *Grandes Odes* : « Et moi aussi, je l'ai donc trouvée à la fin, la mort qu'il me fallait ! J'ai connu cette femme. J'ai connu l'amour de la femme. J'ai possédé l'interdiction... » (*L'Esprit et l'eau*, ode contemporaine de *Partage de midi*). Ce fut la rencontre, sur le bateau qui le menait en Chine, d'une Polonaise, qui deviendra YSÉ, symbole de la Femme, fatale, interdite et finalement régénérée (le personnage sera aussi DONA PROUHÈZE du *Soulier de satin*). Mais la Femme est vouée à être à la fois maléfique et initiatrice, et, dans ce dilemme de sa vocation, prend racine le drame qu'elle fait rayonner sur elle-même et sur quiconque l'approche. *Partage de midi* est la traduction poétique de ce rayonnement dramatique, à la fois dans sa face nocturne et dans sa face diurne, jusqu'à cet ultime *« midi »* de la mort qui partage le destin de l'homme entre le Temps et l'Éternité.

Partage de midi ne fit l'objet en 1906 que d'une édition confidentielle. Le texte en fut enfin publié en 1948. Ce sont là les deux *« Premières versions »* du drame. Une *« version pour la scène »*, dite aussi « de la compagnie Renaud-Barrault », porte la date du 20 janvier 1949 ; elle est, en beaucoup de points, très différente de la première : l'admirable « finale » (cf. p. 213) a disparu, sans doute pour des raisons scéniques. C'est le texte de la version 1906-1948, à nos yeux plus authentiquement « claudélien », que suivent nos extraits.

Un grand paquebot emmène vers la Chine YSÉ, *épouse de* DE CIZ, *en compagnie de l'aventurier* AMALRIC *et du sombre et sauvage* MESA. *Entre* YSÉ *et* MESA *naît, comme une fatalité, une irrésistible et réciproque fascination* (cf. p. 207). *Après s'être donnée à* MESA *et avoir souhaité la mort de son mari,* YSÉ *s'éprend d'*AMALRIC *et s'enfuit avec lui vers le sud de la Chine, en emmenant l'enfant qu'elle a eu de* MESA. *Au cours d'une révolte, la maison d'*AMALRIC *et d'* YSÉ *est encerclée ; pour ne pas être pris vivant,* AMALRIC *y dépose une bombe et met en marche le mouvement d'horlogerie. Alors arrive* MESA, *muni d'un laissez-passer qu'il veut faire servir au salut d'* YSÉ *et de son enfant. Silence d'* YSÉ, *colère d'*AMALRIC *qui blesse* MESA, *l'abandonne sur place, et emmène* YSÉ *(grâce au laissez-passer de* MESA*), alors que celle-ci, ne pouvant sauver l'enfant, vient de le tuer. Tandis que l'horlogerie de la bombe conduit inéluctablement à l'explosion,* MESA *évanoui reprend conscience pour assister au retour d'* YSÉ, *dans un rayon de lune. De Ciz mort, Almaric rejeté,* YSÉ *et* MESA *sont réunis par une sorte de mariage au-delà de la mort,* « dans la transfiguration de Midi » (cf. p. 214).

LE DESTIN

Au centre du 1er acte, sur le pont du paquebot, le point culminant de la rencontre d'YSÉ et de MESA, qui est pour eux *« quelque chose de tout nouveau » :* le balancement entre la fascination et la résistance, le progrès de la fascination à travers l'illusion de la résistance, l'amorce du jeu tragique que joue le DESTIN avec le cœur de l'homme et de la femme. THÈMES : *Amour. Femme. Solitude. Religion. Morale. Métaphysique.*

MESA *vient d'évoquer l'appel de Dieu, qu'il entend encore confusément au fond de lui-même.*

MESA : Je suis sommé de donner
En moi-même une chose que je ne connais pas. Eh bien, voici le tout ensemble ! Je me donne moi-même.
Me voici entre vos mains. Prenez vous-même ce qu'il vous faut [1].
YSÉ : Vous avez été repoussé ?

— 1 Mesa a été tourmenté de ce qu'Amalric appelle « la manie religieuse ». Il est le reflet de l'auteur qui, en 1901, à la veille de son départ pour la Chine et de la rencontre avec la Polonaise, avait séjourné au monastère bénédictin de Ligugé et tenté de se préparer à la vie monacale. Mais il lui avait été conseillé de quitter le monastère pour reprendre sa vie dans le monde. Ainsi s'expliquent les paroles de Mesa, qui décrivent sa situation spirituelle au moment de la rencontre d'Ysé.

MESA : Je n'ai pas été repoussé. Je me suis tenu devant Lui
Comme devant un homme qui ne dit rien et qui ne prononce pas un mot.
Les choses ne vont pas bien à la Chine. On me renvoie ici pour un temps.
YSÉ : Supportez le temps.
10   MESA : Je l'ai tellement supporté ! J'ai vécu dans une telle solitude
entre les hommes ! Je n'ai point trouvé
Ma société avec eux.
Je n'ai point à leur donner, je n'ai point à recevoir la même chose.
Je ne sers à rien à personne.
Et c'est pourquoi je voulais Lui rendre ce que j'avais.
Or je voulais tout donner,
Il me faut tout reprendre. Je suis parti, il me faut revenir à la même place.
Tout a été en vain. Il n'y a rien de fait. J'avais en moi
La force d'un grand espoir ! Il n'est plus. J'ai été trouvé manquant.
20 J'ai perdu mon sens et mon propos.
Et ainsi je suis renvoyé tout nu, avec l'ancienne vie, tout sec, avec
point d'autre consigne
Que l'ancienne vie à recommencer, l'ancienne vie à recommencer,
ô Dieu ! la vie, séparé de la vie.
Mon Dieu, sans autre attente que vous seul qui ne voulez point de moi,
Avec un cœur atteint, avec une force faussée !
Et me voilà bavardant avec vous ! qu'est-ce que vous comprenez à
tout cela ? qu'est-ce que cela vous regarde ou vous intéresse ?
YSÉ : Je vous regarde, cela me regarde.
30 Et je vois vos pensées confusément comme des moineaux près d'une
meule lorsque l'on frappe dans ses mains,
Monter toutes ensemble à vos lèvres et à vos yeux ?
MESA : Vous ne me comprenez pas.
YSÉ : Je comprends que vous êtes malheureux.
MESA : Cela du moins est à moi.
YSÉ : N'est-ce pas ? Il vaudrait mieux que ce fût Ysé qui fût à vous ?
Pause

MESA, *lourdement :* Cela est impossible.
YSÉ : Oui, cela est impossible. [...]
MESA : Je sais que vous ne m'aimez pas.
40 YSÉ : Mais voilà, voilà ce qui m'a surprise ! Voilà ce que j'ai appris
tout-à-coup !
Je suis celle que vous auriez aimée. [...]
MESA : Pourquoi est-ce maintenant que je vous rencontre ? Ah, je
suis fait pour la joie [2],
Comme l'abeille ivre, comme une balle [3] sale dans le cornet de la
fleur fécondée !

— 2 Dans la contradiction entre la solitude de | et le Destin sa chance tragique. — 3 Enveloppe
Mesa et sa vitalité, son malheur trouve son origine, | du grain (cf. *balle d'avoine*).

Le drame claudélien

« *Partage de Midi* ».
– *Décor du Ier acte, Théâtre de France (1961) – Compagnie Renaud-Barrault.*
(Ph. © Agence Bernand – Arch. Photeb)

– *Théâtre de l'Odéon (1966).*
Jean-Louis Barrault, Edwige Feuillère.
(Ph. © Nicolas Treatt-Photeb)

Partage de Midi

Au point de départ de ce drame, le souvenir d'une rencontre sur le bateau, suivie d'une liaison scandaleuse qui agita pendant quatre ans la vie de Claudel. C'est le drame de l'amour interdit, entre deux êtres qu'une passion irrésistible attire l'un vers l'autre (cf. **p. 207-212**). Mais, dans l'optique d'une transcendance, par le biais de cette passion coupable, ces êtres qui se reconnaissent comme destinés l'un à l'autre, accèdent en quelque sorte à une seconde naissance et se retrouveront unis, régénérés, au-delà de la mort, dans la « transfiguration de Midi » (cf. **p. 213-214**).

Il est dur de garder tout son cœur. Il est dur de ne pas être aimé.
Il est dur d'être seul. Il est dur d'attendre,
   Et d'endurer, et d'attendre, et d'attendre toujours,
50   Et encore, et me voici à cette heure de midi où l'on voit tellement
ce qui est tout près
   Que l'on ne voit plus rien d'autre. Vous voici donc !
Ah, que le présent semble donc près et l'immédiat à notre main sur nous
Comme une chose qui a force de nécessité.
Je n'ai plus de forces, mon Dieu ! Je ne puis, je ne puis plus attendre !
Mais c'est bien, cela passera aussi. Soyez heureuse !
Je reste seul. Vous ne connaîtrez pas une telle chose que ma douleur.
Cela du moins est à moi. Cela du moins est à moi.
   YSÉ : Non, non, il ne faut point m'aimer. Non, Mesa, il ne faut point m'aimer.
60   Cela ne serait point bon.
Vous savez que je suis une pauvre femme. Restez le Mesa dont j'ai besoin,
Et ce gros homme grossier et bon qui me parlait l'autre jour dans la nuit [4].
Qu'y aura-t-il que je respecte
   Et que j'aime, si vous m'aimez ? Non, Mesa, il ne faut point m'aimer !
Je voulais seulement causer, je me croyais plus forte que vous
   D'une certaine manière. Et maintenant c'est moi comme une sotte
Qui ne sais plus que dire, comme quelqu'un qui est réduit au silence
et qui écoute.
   Vous savez que je suis une pauvre femme et que si vous me parlez
70 d'une certaine façon,
   Il n'y a pas besoin que ce soit bien haut, mais que si vous m'appelez
par mon nom,
   Par votre nom, par un nom que vous connaissez et moi pas, entendante,
Il y a une femme en moi qui ne pourra pas s'empêcher de vous répondre [5].
Et je sens que cette femme ne serait point bonne
Pour vous, mais funeste, et pour moi il s'agit de choses affreuses ! Il ne
s'agit point d'un jeu avec vous. Je ne veux point me donner tout entière.
Et je ne veux pas mourir, mais je suis jeune
   Et la mort n'est pas belle, c'est la vie qui me paraît belle ; comme
80 la vie m'a monté la tête sur ce bateau !
   C'est pourquoi il faut que tout soit fini entre nous. Tout est dit, Mesa.
Tout est fini entre nous. Convenons que nous ne nous aimerons pas.
Dites que vous ne m'aimerez pas. Ysé, je ne vous aimerai pas.
   MESA : Ysé, je ne vous aimerai pas.
   YSÉ : Ysé, je ne vous aimerai pas.
   MESA : Je ne vous aimerai pas.   *Ils se regardent.*

Partage de midi, 1ʳᵉ version, I (Mercure de France et Gallimard, éditeurs).

— 4 Mesa voyait d'abord en Ysé une coquette ;
un soir qu'elle s'était accoudée auprès de lui, il
l'injuriait « de tout son cœur, à voix basse ».

— 5 Sentiment prophétique de la puissance du
nom et de l'appel par le nom. Cf. p. 211, l. 1-19,
et la scène Ysé-Mesa de l'acte II : « *O Ysé ! — C'est
moi, Mesa, me voici. — O femme entre mes bras !... ».*

Ysé, l'interdite

Ce n'est pas sans raison que le décor du *deuxième acte* est un cimetière de Hong-Kong, « par une sombre après-midi d'avril » : Ysé et Mesa sont entrés dans le monde de l'orage et de la mort ; c'est dans ce climat de pesanteur et de malédiction qu'a lieu leur *reconnaissance*, qu'ils appellent *amour*, et que fait éclater l'appel réciproque de leur nom. *Amour adultère et interdit :* impasse tragique, d'où ils ne peuvent sortir sans crime, que cette coïncidence fatale de l'*amour* et de l'*interdiction*. – THÈMES : *Amour. Femme. Morale.*

MESA : Ysé !

YSÉ : Me voici, Mesa. Pourquoi m'appelles-tu ?

MESA : Ne me sois plus étrangère !

Je lis enfin, et j'en ai horreur, dans tes yeux le grand appel panique !

Derrière tes yeux qui me regardent la grande flamme noire de l'âme qui brûle de toutes parts comme une cité dévorée [1] !

La sens-tu bien maintenant dans ton sein, la mort de l'amour et le feu que fait un cœur qui s'embrase ?

Voici entre mes bras l'âme qui a un autre sexe et je suis son mâle.

10 Et je te sens sous moi passionnément qui abjure, et en moi le profond dérangement

De la création, comme la Terre

Lorsque l'écume aux lèvres elle produisait la chose aride [2], et que dans un rétrécissement effroyable

Elle faisait sortir sa substance et le repli des monts comme de la pâte !

Et voici une sécession dans mon cœur, et tu es Ysé, et je me retourne monstrueusement

Vers toi, et tu es Ysé !

Et tout m'est égal, et tu m'aimes, et je suis le plus fort !

20 YSÉ : Je suis triste, Mesa. Je suis triste, je suis pleine,

Pleine d'amour. Je suis triste, je suis heureuse.

Ah, je suis bien vaincue, et toi, ne pense pas que je te laisse aller, et que je te lâche de ces deux belles mains !

Et à la fin ce n'est plus le temps de rien contraindre, ô comme je me sens une femme entre tes bras,

Et j'ai honte et je suis heureuse.

Et tantôt regardant ton visage, au mien

Je sens comme un coup de honte et de flamme,

Et tantôt comme un torrent et un transport

30 De mépris pour tout et de joie éclatante

Parce que je t'ai et que tu es à moi, et je t'ai, et je n'ai point honte !

MESA : Ysé, il n'y a plus personne au monde.

YSÉ : Personne que toi et moi. — Regarde ce lieu amer [3] !

MESA : Ne sois point triste.

YSÉ : Regarde ce jardin maudit !

MESA : Ne sois point triste, ma femme !

— 1 La « cité dévorée », image et symbole du déchirement de l'âme, était déjà le décor et le sujet │ de *La Ville* (1889-1895). — 2 Sur le symbolisme de « l'aride », cf. p. 196 (l. 15). — 3 Le *cimetière* (cf. l. 35 : *« jardin maudit »*).

YSÉ : Est-ce que je suis ta femme et ne suis-je pas la femme d'un autre ?
Ne me fais point tort de ce sacrement entre nous.
Non, ceci n'est pas un mariage
40 Qui unit toute chose à l'autre, mais une rupture et le jurement mortel et
la préférence de toi seul !
Et elle, la jeune fille,
La voici qui entre chez l'époux, suivie d'un fourgon à quatre chevaux bondé,
du linge, des meubles pour toute la vie.
Mais moi, ce que je t'apporte aussi n'est pas rien ! mon nom et mon honneur,
Et le nom et la joie de cet homme que j'ai épousé,
Jurant de lui être fidèle,
Et mes pauvres enfants. Et toi,
Des choses si grandes qu'on ne peut les dire.
50 Je suis celle qui est interdite. Regarde-moi, Mesa, je suis celle qui est interdite.
MESA : Je le sais.
YSÉ : Et est-ce que je suis pour cela moins belle et désirable ?
MESA : Tu ne l'es pas moins !
YSÉ : Jure !
Et moi, je jure que tu es à moi et que je ne te laisserai point aller et que
je suis à toi,
Oui, à la face de tout, et je ne cesserai point de t'aimer, oui, quand je serais
damnée, oui, quand je serais près de mourir !
Et qu'on me dise de ne plus t'aimer !
60 MESA : Ne dis point des paroles affreuses !
YSÉ : Et voici d'autres paroles :
Il faut que cet homme que l'on appelle mon mari et que je hais
Ne reste point ici, et que tu l'envoies ailleurs [4],
Et que m'importe qu'il meure, et tant mieux parce que nous serons l'un à
l'autre.
MESA : Mais cela ne serait pas bien.
YSÉ : Bien ? Et qu'est-ce qui est bien ou mal que ce qui nous empêche ou
nous permet de nous aimer ?
MESA : Je crois que lui-même
70 Désire aller dans ce pays dont je lui ai parlé.
YSÉ : Il te demandera de rester ici
Mais il ne faut pas le lui permettre et il sera bien forcé de faire ce que tu
veux,
Et il faut l'envoyer ailleurs, que je ne le voie plus !
Et qu'il meure s'il veut ! Tant mieux s'il meurt ! Je ne connais plus cet homme.
Le voici.   *Entre De Ciz*
DE CIZ : Bonjour.   *Les deux hommes se prennent la main.*

Partage de midi, 1ʳᵉ version 1948, II (Mercure de France et Gallimard, éditeurs).

— 4 Dans la scène précédente, De Ciz avait fait part à Ysé de son intention d'aller chercher fortune ailleurs en la laissant à Hong-Kong avec ses enfants ; Ysé vient d'insister auprès de lui pour qu'il renonce à ce projet. Dans la scène suivante, qui termine l'acte II, tout en ayant l'air de conseiller à De Ciz d'accepter une place d'employé aux Douanes et de rester, Mesa lui signale cependant qu'on a besoin de quelqu'un « pour le chemin de fer ». De Ciz décide alors de partir pour cette mission dangereuse, et Mesa se donne bonne conscience en lui répondant : « *C'est donc vous seul qui le voulez. Vous partez contre mon sens et mon conseil* ».

« *SOUVIENS-TOI DU SIGNE* »

« *Mais l'esprit demeure inextinguible...* » Du cœur même de la mort, jaillit, par la transfiguration, le *rachat*. Voici le dénouement du drame, où le retard d'YSÉ, encore prisonnière de l'immanence terrestre, sur MESA, qui accède déjà à la gloire de Dieu, devra se compenser par une mystérieuse « *distance* » (cf. l. 52) à l'intérieur même de l'éternité. C'est l'ultime dialogue claudélien, par-dessus *la ligne de partage*, entre les deux parts divisées de l'homme — vouées cependant à se réunir par une commune adhésion mystique à la mort — : la part *charnelle* et la part *spirituelle*.

THÈMES : *Amour. Femme. Mort. Religion. Mysticisme. Temps. Symboles.*

YSÉ : Il ne faut point avoir peur. Notre temps qui bat, le temps ancien qui s'achève,
La machine qui est au-dessous de la maison, et il ne reste que peu de minutes, le temps même
Qui s'en va faire explosion, dispersant cet habitacle de chair [1]. Ne crains point.
MESA : La chair ignoble frémit mais l'esprit demeure inextinguible.
Ainsi le cierge solitaire veille dans la nuit obscure
Et la charge des ténèbres superposées ne suffiront point
10 A opprimer le feu infime [2] !
Courage, mon âme ! à quoi est-ce que je servais ici-bas [3] ?
Je n'ai point su,
Nous ne savons point, Ysé, nous donner par mesure ! Donnons-nous donc d'un seul coup !
Et déjà je sens en moi
Toutes les vieilles puissances de mon être qui s'ébranlent pour un ordre nouveau
Et d'une part au-delà de la tombe j'entends se former le clairon de l'Exterminateur,
20 La citation de l'instrument judiciaire dans la solitude incommensurable,
Et d'autre part à la voix de l'airain incorruptible,
Tous les événements de ma vie à la fois devant mes yeux
Se déploient comme les sons d'une trompette fanée !

Ysé se lève et se tient debout devant lui, les yeux fermés, toute blanche dans le rayon de la lune, les bras en croix. Un grand coup de vent lui soulève les cheveux [4].

— 1 L'explosion de la « machine » (la bombe, cf. p. 207) symbolise « l'explosion » même du Temps. Mais le symbole recouvre aussi l'idée d'une valeur rédemptrice de cette « explosion ». — 2 Cette alliance de mots (*flamme* et *faiblesse*) représente le paradoxe de la Foi, simple point de lumière mais inextinguible. — 3 La question qu'a dû se poser Claudel au moment de sa conversion : le salut est, pour chaque être, dans la découverte de la conscience de sa nécessité. — 4 Cf. la fin de la scène. Ces indications scéniques sont sym-

boliques : la nuit et la lune représentent l'opposition entre « *partage de minuit* » et « *partage de midi* ». De même le vent dans les cheveux évoque la figure charnelle qui sera répudiée par Mesa au nom de sa propre transcendance (cf. l. 24-30 : « la lune *terrestre* »). L'auteur semble s'inspirer ici d'un souvenir personnel, si l'on en croit l'évocation qui termine l'ode *Les Muses* : « Toi-même, amie, tes grands cheveux blonds dans le vent de la mer... » — « ...la grande chose joconde — S'enlève, tout part dans le clair de la lune ! ».

YSÉ : Maintenant regarde mon visage car il en est temps encore.
Et regarde-moi debout et étendue comme un grand olivier dans le
rayon de la lune terrestre, lumière de la nuit,
Et prends image de ce visage mortel car le temps de notre résolution
approche et tu ne me verras plus de cet œil de chair !
Et je t'entends et ne t'entends point, car déjà voici que je n'ai plus
30 d'oreilles ! Ne te tais point, mon bien-aimé, tu es là !
Et donne-moi seulement l'accord, que je
Jaillisse, et m'entende avec mon propre son d'or pour oreilles
Commencer, affluer comme un chant pur et comme une voix véritable
à ta voix ton éternelle Ysé mieux que le cuivre et la peau d'âne !
J'ai été sous toi la chair qui plie et comme un cheval entre tes genoux,
comme une bête qui n'est pas poussée par la raison,
Comme un cheval qui va où tu lui tournes la tête, comme un cheval
emporté, plus vite et plus loin que tu ne le veux !
Vois-la maintenant dépliée, ô Mesa, la femme pleine de beauté
40 déployée dans la beauté plus grande !
Que parles-tu de la trompette perçante ? lève-toi, ô forme brisée, et
vois-moi comme une danseuse écoutante,
Dont les petits pieds jubilants sont cueillis par la mesure irrésistible !
Suis-moi, ne tarde plus !
Grand Dieu ! me voici, riante, roulante, déracinée, le dos sur la
subsistance même de la lumière comme sur l'aile par dessous de la vague !
O Mesa, voici le partage de minuit ! et me voici prête à être libérée,
Le signe pour la dernière fois de ces grands cheveux déchaînés dans
le vent de la Mort !
50 MESA : Adieu ! je t'ai vue pour la dernière fois [5] !
Par quelles routes longues, pénibles,
Distants encore que ne cessant de peser
L'un sur l'autre, allons-nous
Mener nos âmes en travail ?
Souviens-toi, souviens-toi du signe !
Et le mien, ce n'est pas de vains cheveux dans la tempête, et le petit
mouchoir un moment,
Mais, tous voiles dissipés, moi-même, la forte flamme fulminante,
le grand mâle dans la gloire de Dieu,
60 L'homme dans la splendeur de l'août, l'Esprit vainqueur dans la
transfiguration de Midi [6] !

Partage de midi, 1re version, III (Librairie Gallimard, éditeur).

— 5 Ysé parlait au *présent,* comme pour éterniser, à l'instant de la mort, l'illusoire visage de sa beauté terrestre. Parlant au *passé* (le passé composé a la valeur du *perfectum* latin), Mesa y renonce définitivement : il est situé, lui, de l'autre côté de la ligne de partage où commence la route de l'Éternité. Ysé devra suivre à son tour cette route, munie du *signe,* qui n'est plus le signe de ceux qui *restent* (les cheveux, le mouchoir), mais le signe de ceux qui *partent* (la flamme) pour le long et pénible voyage vers la *transcendance définitive.* Le drame s'achève sur l'effacement de l'exaltation nostalgique et le triomphe rédempteur de l'*espérance* sûre d'elle-même. — 6 Cf. *La Muse qui est la Grâce :* « Voici l'œuvre d'Août, voici l'extermination de Midi ».

Le révolutionnaire et l'aristocrate

L'Otage met en scène, vers la fin de l'Empire, le préfet Toussaint TURELURE, moine défroqué, jacobin, soldat puis fonctionnaire de Napoléon, et la descendante de l'antique famille de Coûfontaine, SYGNE, qui a patiemment reconstitué son patrimoine. Le pape PIE VII se trouve clandestinement réfugié chez elle, ainsi qu'un officier royaliste, son cousin GEORGES, à qui elle vient d'offrir sa main et d'engager sa foi. TURELURE arrive à Coûfontaine, parfaitement au courant de la présence du pape et de l'officier ; aussi menace-t-il SYGNE des plus graves représailles — mais il se déclare prêt à fermer les yeux sur la « rébellion » de la jeune fille et de son cousin, si elle consent à *l'épouser.*
THÈMES : *Histoire. Société (Révolution. République). Progrès.*

LE BARON TURELURE : Est-ce contre le Roi que la révolution a été faite, ou contre Dieu ? ou contre les nobles, et les moines, et les parlements, et tous ces corps biscornus ? Entendez-moi :
C'est une révolution contre le hasard !
Quand un homme veut remettre son bien ruiné en état,
Il ne va pas s'embarrasser superstitieusement d'usage et de tradition, ni continuer à faire simplement ce qu'il faisait.
Il a souci de choses plus anciennes qui sont la terre et le soleil,
Se fiant dans sa propre raison.
10 Où est le tort si dans la république aussi, si dans cette demeure encombrée nous avons voulu mettre de l'ordre et de la logique,
Faisant un inventaire général, état de tous les besoins organiques, déclaration des droits des membres de la communauté,
Et fond sur ces choses seulement qui sont évidentes à chacun ?
SYGNE : Tout sera donc réduit à l'intérêt.
LE BARON TURELURE : L'intérêt est ce qui rassemble les hommes.
SYGNE : Mais non point ce qui les unit.
LE BARON TURELURE : Et qui les unira ?
SYGNE : L'amour seul qui a fait l'homme l'unit.
20 LE BARON TURELURE : Grand amour que les rois et les nobles avaient pour nous.
SYGNE : L'arbre mort fait encore une bonne charpente.
LE BARON TURELURE : Pas moyen d'avoir raison de vous ! Vous parlez comme Pallas elle-même, aux bons jours de cet oiseau sapient [1] dont on la coiffe.
Et c'est moi qui ai tort de parler raison.
Il ne s'agissait guère de raison au beau soleil de ce bel été de l'An Un !
Que les reines-claudes ont été bonnes, cette année-là, il n'y avait qu'à les cueillir, et qu'il faisait chaud !
Seigneur ! que nous étions jeunes alors, le monde n'était pas assez grand pour nous !
30 On allait flanquer toute la vieillerie par terre, on allait faire quelque chose de bien plus beau !
On allait tout ouvrir, on allait coucher tous ensemble, on allait se promener sans contrainte et sans culotte [2] au milieu de l'univers régénéré, on allait se mettre en marche au travers de la terre délivrée des dieux et des tyrans !

— 1 La chouette, emblème de Pallas, déesse | révolutionnaires : *les sans-culotte* (les nobles, eux,
de la Sagesse. — 2 Cf. le nom donné aux | portaient la *culotte* et le bas de soie).

C'est la faute aussi de toutes ces vieilles choses qui n'étaient pas solides, c'était trop tentant de les secouer un petit peu pour voir ce qui arriverait ! Est-ce notre faute si tout nous est tombé sur le dos ? Ma foi, je ne regrette rien. C'est comme ce gros Louis Seize ! La tête ne lui tenait guère. *Quantum potes, tantum aude* [3] ! C'est la devise des Français.

40　　Et tant qu'il y aura des Français, vous ne leur ôterez pas le vieil enthousiasme, vous ne leur ôterez pas le vieil esprit risque-tout d'aventure et d'invention [4] !

SYGNE : Il vous en reste quelque chose.

LE BARON TURELURE : C'est ma foi vrai ! et cela m'encourage à vous dire tout de suite ce que je suis venu pour vous dire.

SYGNE : Je ne tiens pas à l'entendre.

LE BARON TURELURE : Vous l'entendrez cependant.
Mademoiselle Sygne de Coûfontaine,
Je vous aime et j'ai l'honneur de vous demander votre main.

L'Otage, acte II (Mercure de France et Gallimard, éditeurs).

SYGNE, *qui n'éprouve que répulsion pour* TURELURE, *commence par refuser sa proposition. Mais l'intervention du vénérable curé* BADILON *triomphe de son déchirement et de sa révolte ; elle accepte de se sacrifier pour sauver le* PAPE : « *Seigneur, que votre volonté soit faite !* » (II, 2). SYGNE *épousera donc l'homme qu'elle hait et lui donnera un fils,* Louis. *A la chute de l'Empire, elle sera amenée à jouer le rôle d'intermédiaire entre son mari et son cousin (son ex-fiancé,* GEORGES), *émissaire du roi. Une violente altercation éclate entre les deux hommes :* SYGNE *reçoit la balle destinée par* GEORGES *à* TURELURE, *qui riposte et tue son adversaire.* SYGNE *mourante explique à son confesseur qu'elle s'est interposée pour prendre à son mari une mort qui était « trop bonne pour lui ». Elle mourra sans lui pardonner. Mais alors que viennent de disparaître Sygne et Georges, héritiers de l'Ancien Régime, c'est* TURELURE *qui, en récompense de son appui à la Restauration, reçoit du souverain le titre, désormais vacant, de* COMTE DE COÛFONTAINE.

L'Annonce faite à Marie

Le sujet de *L'Annonce faite à Marie* avait été conçu dès 1892 et CLAUDEL avait commencé de l'élaborer dans les deux versions de *La Jeune Fille Violaine* (1892-1898).

L'action de la pièce est simple : dans un « moyen âge de convention », VIOLAINE, *fille d'*ANNE VERCORS, *et fiancée à* JACQUES HURY, *rencontre l'architecte* PIERRE DE CRAON, *qui l'a autrefois désirée et a, depuis, contracté la lèpre.* VIOLAINE *consent à lui donner, par compassion et charité, un baiser d'adieu. Mais la scène a été surprise par sa sœur* MARA, *amoureuse de* JACQUES HURY, *et celle-ci va s'attacher à discréditer et à noircir sa rivale. A la suite de ce baiser,* VIOLAINE *devient elle-même lépreuse ; elle est reniée par les siens, abandonnée par son fiancé, qui épouse* MARA, *et elle se retire dans la forêt pour se vouer à Dieu. Mais voici qu'un enfant né du mariage de Mara et de Jacques. Désespérée, Mara va supplier la lépreuse dans sa caverne : elle ne l'aime pas, mais elle a foi dans la vertu de sa sainteté qui peut obtenir de Dieu un miracle. Violaine l'associe à ses prières et ressuscite l'enfant. A l'acte suivant, elle est tuée par Mara, toujours jalouse, et, avant de mourir, elle obtient pour cette dernière le* pardon *de son père et de son mari. Et, tandis que la lèpre de* PIERRE DE CRAON *a été mystérieusement guérie,* MARA *trouve enfin la paix dans le pardon, au son des cloches de l'Angélus : un Ange du Seigneur est venu annoncer à Marie...,* Angelus Domini nuntiavit Mariae... ; *telle est une signification du* titre, *qui a aussi d'autres résonances* (cf. p. 220-222).

Nos extraits suivent la *Première Version* (1912). Il existe une *Variante pour la scène* de l'acte IV (1938) et une *Version pour la scène* de l'ensemble de la pièce (1948).

— 3 *Ose tout ce que tu peux.* Formule empruntée au chant de la Fête-Dieu, *Lauda Sion...* — 4 Cette rapide esquisse du tempérament français fait songer à Péguy et à ce qu'il écrivait vers la même époque sur ce sujet. Cependant, il ne semble pas que Péguy ait exercé d'influence sur Claudel.

Le drame claudélien

Miracle de Noël

VIOLAINE : Paix, Mara ! Voici le jour de Noël où toute joie est née.

MARA : Quelle joie y a-t-il pour moi, sinon que mon enfant vive ?

VIOLAINE : Et nous aussi un petit enfant nous est né !

MARA : Ça bouge, ça bouge, ça bouge ! O mon Dieu, je vois que cela bouge de nouveau. Au nom du Dieu vivant, que dis-tu là ?

VIOLAINE : *« Voici que je vous annonce une grande joie... »*
Pauvre sœur, elle pleure. Elle a eu trop de peine aussi.
Prends, Mara ! Veux-tu me laisser toujours cet enfant ? *(Elle lui tend l'enfant.)*

MARA : Il vit ! *(Mara se jette sur l'enfant et l'arrache violemment à sa sœur).*

(L'Annonce faite à Marie, version pour la scène).

La vierge pure et l'architecte lépreux

Le *Prologue* a pour décor la grange de *Combernon* dans la région de Reims ; ce sera aussi le lieu de l'acte IV et du dénouement. PIERRE DE CRAON, l'architecte, y entre « sur un gros cheval avec une valise en croupe ». C'est alors qu'il rencontre VIOLAINE et lui annonce qu'il a contracté « la lèpre même dont il est parlé au livre de Moïse ». Elle lui souhaite la paix tandis que sonne l'Angélus, le même qui sonnera à la fin de la pièce, et, comme don *pour la cathédrale* qu'il construit, elle lui remet *l'anneau d'or* qu'elle tient de JACQUES son fiancé. Alors s'engage entre eux le *duo* que couronnera le *baiser de charité* par lequel s'achève le *Prologue* et commence le *Drame*.
THÈMES : *Amour. Femme. Religion. Providence. Bonheur. Beaux-arts. Histoire.*

PIERRE DE CRAON : Jadis passant dans la forêt de Fisme j'ai entendu deux beaux chênes qui parlaient entre eux,
    Louant Dieu qui les avait faits inébranlables à la place où ils étaient nés.
    Maintenant, à la proue d'une drome [1], l'un fait la guerre aux Turcs sur la mer Océane,
    L'autre, coupé par mes soins, au travers de la Tour de Laon,
    Soutient Jehanne la bonne cloche dont la voix s'entend à dix lieues.
    Jeune fille, dans mon métier, on n'a pas les yeux dans sa poche. Je reconnais la bonne pierre sous les genévriers et le bon bois comme un maître-pivert ;
10   Tout de même les hommes et les femmes.
    VIOLAINE : Mais pas les jeunes filles, maître Pierre ! Çà, c'est trop fin pour vous. Et d'abord il n'y a rien à connaître du tout.
    PIERRE DE CRAON, *à demi-voix :* Vous l'aimez bien [2], Violaine ?
    VIOLAINE, *les yeux baissés :* C'est un grand mystère entre nous deux.
    PIERRE DE CRAON : Bénie sois-tu dans ton chaste cœur !
    La sainteté n'est pas d'aller se faire lapider chez les Turcs ou de baiser un lépreux sur la bouche,
    Mais de faire le commandement de Dieu aussitôt,
    Qu'il soit
20   De rester à notre place, ou de monter plus haut.
    VIOLAINE : Ah ! que ce monde est beau et que je suis heureuse !
    PIERRE DE CRAON, *à demi-voix :* Ah ! que ce monde est beau et que je suis malheureux !
    VIOLAINE, *levant le doigt vers le ciel :* Homme de la ville, écoutez ! *(Pause)* Entendez-vous tout là-haut cette petite âme qui chante ?
    PIERRE DE CRAON : C'est l'alouette !
    VIOLAINE : C'est l'alouette, alleluia ! L'alouette de la terre chrétienne, alleluia ! alleluia ! [...] Pierre de Craon, si vous aviez fait de moi à votre volonté,
    Est-ce que vous en seriez plus joyeux, maintenant, ou est-ce que j'en serais
30 plus belle ?
    PIERRE DE CRAON : Non, Violaine.
    VIOLAINE : Et est-ce que je serais encore cette même Violaine que vous aimiez ?
    PIERRE DE CRAON : Non pas elle, mais une autre.
    VIOLAINE : Et lequel vaut mieux, Pierre ?
    Que je vous partage ma joie, ou que je partage votre douleur ?
    PIERRE DE CRAON : Chante au plus haut du ciel, alouette de France !

— 1 Ou *dromon* : navire de guerre. — 2 Il s'agit du fiancé de Violaine, Jacques Hury.

VIOLAINE : Pardonnez-moi parce que je suis trop heureuse ! parce que celui que j'aime

M'aime, et je suis sûre de lui, et je sais qu'il m'aime, et tout est égal entre nous !

40   Et parce que Dieu m'a faite pour être heureuse et non point pour le mal et aucune peine.

PIERRE DE CRAON : Va au ciel d'un seul trait !

Quant à moi, pour monter un peu, il me faut tout l'ouvrage d'une cathédrale et ses profondes fondations.

VIOLAINE : Et dites-moi que vous pardonnez à Jacques parce qu'il va m'épouser.

PIERRE DE CRAON : Non, je ne lui pardonne pas.

VIOLAINE : La haine ne vous fait pas de bien, Pierre, et elle me fait du chagrin.

PIERRE DE CRAON : C'est vous qui me faites parler. Pourquoi me forcer à montrer l'affreuse plaie qu'on ne voit pas ?

50   Laissez-moi partir et ne m'en demandez pas davantage. Nous ne nous reverrons plus.

Tout de même j'emporte son anneau [3] !

VIOLAINE : Laissez votre haine à la place et je vous la rendrai quand vous en aurez besoin.

PIERRE DE CRAON : Mais aussi, Violaine, je suis bien malheureux !

Il est dur d'être un lépreux et de porter avec soi la plaie infâme et de savoir que l'on ne guérira pas et que rien n'y fait,

Mais que chaque jour elle gagne et pénètre, et d'être seul et de supporter son propre poison, et de se sentir tout vivant corrompre !

60   Et non point, la mort, seulement une fois et dix fois la savourer, mais sans en rien perdre jusqu'au bout l'affreuse alchimie de la tombe !

C'est vous qui m'avez fait ce mal par votre beauté, car avant de vous voir j'étais pur et joyeux,

Le cœur à mon seul travail et idée sous l'ordre d'un autre.

Et maintenant que c'est moi qui commande à mon tour et de qui l'on prend le dessin,

Voici que vous vous tournez vers moi avec ce sourire plein de poison.

VIOLAINE : Le poison n'était pas en moi, Pierre !

PIERRE DE CRAON : Je le hais, il était en moi, et il y est toujours et cette

70   chair malade n'a pas guéri l'âme atteinte ! [...]

Adieu, Violaine, mon âme, je ne vous verrai plus !

VIOLAINE : Qui sait si vous ne me verrez plus ?

PIERRE DE CRAON : Adieu, Violaine !

Que de choses j'ai faites déjà ! Quelles choses il me reste à faire et suscitation de demeures !

De l'ombre avec Dieu.

Non point les heures de l'Office dans un livre, mais les vraies, avec une cathédrale dont le soleil successif fait de toutes les parties lumière et ombre !

J'emporte votre anneau.

80   Et de ce petit cercle je vais faire une semence d'or !

« Dieu a fait séjourner le déluge » comme il est dit au psaume du baptême,

Et moi entre les paroles de la Justice [4] je contiendrai l'or du matin !

La lumière profane change mais non point celle que je décanterai sous ces voûtes,

Pareille à celle de l'âme humaine pour que l'hostie réside au milieu ;

— 3 L'anneau donné par Jacques et qu'elle vient | de remettre à Pierre. — 4 *Sainte-Justice,* la | cathédrale qu'il construit à Reims.

L'âme de Violaine, mon enfant, en qui mon cœur se complaît.

Il y a des églises qui sont comme des gouffres, et d'autres qui sont comme des fournaises,

Et d'autres si juste combinées, et de tel art tendues, qu'il semble que tout sonne sous l'ongle.

90   Mais celle que je vais faire sera sous sa propre ombre comme de l'or condensé et comme une pyxide [5] pleine de manne !

VIOLAINE : O maître Pierre, le beau vitrail que vous avez donné aux moines de Clinchy !

PIERRE DE CRAON : Le verre n'est pas de mon art, bien que j'y entends [6] quelque chose.

Mais avant le verre, l'architecte, par la disposition qu'il sait,

Construit l'appareil de pierre comme un filtre dans les eaux de la Lumière de Dieu,

Et donne à tout l'édifice son orient comme à une perle.

— Et maintenant adieu ! Le soleil est levé, je devrais déjà être loin.

100   VIOLAINE : Adieu, Pierre ! *(Mara Vercors est entrée et les observe sans qu'ils la voient).*

PIERRE DE CRAON : Adieu ! Violaine !

VIOLAINE : Pauvre Pierre !

Elle le regarde, les yeux pleins de larmes, hésite et lui tend la main. Il la saisit et pendant qu'il la tient dans les siennes elle se penche et le baise sur le visage.

Mara fait un geste de surprise et sort. — Pierre et Violaine sortent chacun de leur côté.

L'Annonce faite à Marie, 1ʳᵉ Version, Prologue (Librairie Gallimard, éditeur).

L'AVEU ET LE PARDON

ANNE VERCORS, père de VIOLAINE et de MARA, a quitté Combernon pour un pèlerinage en Terre Sainte et confié à JACQUES le gouvernement de sa maison. MARA conspire avec sa mère Élisabeth contre VIOLAINE et parvient à lui prendre Jacques qu'elle aime. Mais *l'enfant né de ce mariage meurt* : à l'acte III, MARA va trouver VIOLAINE, la lépreuse, réfugiée dans la forêt, et *obtient de la sainte qu'elle ressuscite son enfant*. C'est pendant la nuit de Noël, et l'enfant ressuscité a les yeux bleus comme ceux de la sainte lépreuse (cf. l. 83). Ainsi VIOLAINE, comme Marie, *a répondu à l'appel de Dieu ;* comme elle, elle est *vierge* et *mère*. A l'acte IV, PIERRE DE CRAON ramène à Combernon VIOLAINE *mourante.* Alors qu'elle vient de rendre le dernier soupir, arrive ANNE VERCORS qui rentre de Terre Sainte. Bientôt apparaît MARA « *tenant un enfant entre les bras enveloppé d'un châle noir* ». THÈMES : *Amour. Femme. Morale. Christianisme. Bonheur. Merveilleux.*

MARA, *la tête baissée :* Salut, mon père ! Je vous salue tous.

Vous tenez les yeux sur moi et je sais ce que vous pensez : « Violaine est morte.

« Le beau fruit mûr, le bon fruit doré,

« S'est détaché de la branche, et, seule, amère au dehors, dure au dedans comme la pierre,

« Nous reste la noix hivernale. » Qui m'aime ? Qui m'a jamais aimée ?

(Elle relève la tête d'un air sauvage) Eh bien ! me voici ! qu'avez-vous à me dire ? Dites tout ! Qu'avez-vous à me reprocher ?

Qu'avez-vous à me regarder ainsi avec ces yeux qui disent : C'est toi !

10   — Cela est vrai, c'est moi !

— 5 Ciboire où sont conservées les hosties. | Claudel prend volontiers des libertés avec la gram-
— 6 Construction incorrecte avec l'indicatif : | maire. *Bien que* équivaut ici à un simple *néanmoins.*

Cela est vrai, c'est moi qui l'ai tuée.

C'est moi qui l'ai prise par la main, l'autre nuit, étant allée la retrouver,
Durant que Jacques n'était pas là,
Et qui l'ai fait choir dans la sablonnière et qui ai culbuté sur elle
Cette charrette toute chargée [1]. Tout était prêt, il n'y avait qu'une cheville à retirer.

J'ai fait cela.

Jacques ! et c'est moi aussi qui ai dit à la mère,
Violaine, de lui parler, ce jour que tu es revenu de Braine.

20   Car je désirais ardemment t'épouser, et autrement j'étais décidée à me pendre le jour de vos noces.

Or Dieu qui voit les cœurs avait permis déjà qu'elle prît la lèpre.

— Mais Jacques ne cessait de penser à elle. C'est pourquoi je l'ai tuée [...]
Et vous à votre tour, répondez ! Votre Violaine que vous aimiez,
Comment donc est-ce que vous l'avez aimée, et lequel a valu le mieux,
De votre amour, croyez-vous, ou de ma haine ?

Vous l'aimiez tous ! et voici son père qui l'abandonne et sa mère qui la conseille,

Et son fiancé, comme il a cru en elle !

30   Certes vous l'aimiez,

Comme on dit que l'on aime une douce bête, une jolie fleur, et c'était là toute l'amitié de votre amour !

Le mien était d'une autre nature ;

Aveugle, ne lâchant point prise, comme une chose sourde et qui n'entend pas !

Afin qu'il m'ait tout entière il me fallait l'avoir tout entier !

Qu'ai-je fait après tout pour me défendre ? qui lui a été le plus fidèle, de moi ou de Violaine ?

De Violaine qui l'a trahi pour je ne sais quel lépreux, cédant, dit-elle,
40   au conseil de Dieu en un baiser ?

J'honore Dieu. Qu'il reste où il est ! Notre malheureuse vie est si courte ! Qu'il nous y laisse la paix !

Est-ce ma faute si j'aimais Jacques ? était-ce pour ma joie, ou pour la dévoration de mon âme ?

Comment pouvais-je faire pour me défendre, moi qui ne suis point belle, ni agréable, pauvre femme qui ne puis donner que de la douleur ?

C'est pourquoi je l'ai tuée dans mon désespoir !

O pauvre crime maladroit ! O disgrâce de celle qu'on n'aime pas et à qui rien ne réussit ! Comment fallait-il faire puisque je l'aimais et
50   qu'il ne m'aimait pas ?   *(Elle se tourne vers Jacques)*

Et toi, ô Jacques, pourquoi ne dis-tu rien ?

Pourquoi tournes-tu ainsi le visage vers la terre sans mot dire,
Comme Violaine, le jour où tu l'accusais injustement ?

— 1 Pierre de Craon avait trouvé Violaine « à   demi enterrée dans [sa] sablonnière... à demi enfouie sous une grande charretée de sable... ».

Ne me reconnais-tu pas ? je suis ta femme.

Certes je sais que je ne te parais point belle ni agréable, mais vois, je me suis parée pour toi, j'ai ajouté à cette douleur que je puis te donner ! cette douleur, il n'y a que moi qui puisse te la donner. Et je suis la sœur de Violaine.

Il naît de la douleur ! Cet amour ne naît point de la joie, il naît de la douleur ! cette douleur qui suffit à ceux qui n'ont point la joie !
60   Nul n'a plaisir à la voir, ah ! ce n'est point la fleur en sa saison,
Mais ce qu'il y a sous les fleurs qui se fanent, la terre même, l'avare terre sous l'herbe, la terre qui ne manque jamais !

Reconnais-moi donc !

Je suis ta femme et tu ne peux pas faire que je ne le sois point !

Une seule chair inséparable, le contact par le centre et l'âme, et la confirmation, cette parenté mystérieuse entre nous deux,

Qui est que j'ai eu un enfant de toi.

J'ai commis un grand crime, j'ai tué ma sœur ; mais je n'ai point péché contre toi. Et je dis que tu ne peux rien me reprocher. Et que
70 m'importent les autres ?

Voilà ce que j'avais à dire, et maintenant fais ce que tu voudras. *(Silence)*
ANNE VERCORS : Ce qu'elle dit est vrai. Va, Jacques, pardonne-lui !
JACQUES HURY : Viens donc, Mara.
(Elle s'approche et se tient debout devant eux, formant avec son enfant un seul objet sur lequel les deux hommes étendent en même temps la main droite. Leurs bras s'entrecroisent et la main de Jacques est posée sur la tête de l'enfant, celle d'Anne sur la tête de Mara).
JACQUES HURY : C'est Violaine qui te pardonne. C'est en elle, Mara, que je te pardonne. C'est elle, femme criminelle, qui nous garde réunis.
MARA : Hélas ! hélas ! paroles mortes et sans trait !

O Jacques ! je ne suis plus la même ! Il y a en moi quelque chose de fini. N'aie pas peur. Tout cela m'est égal.

Il y a quelque chose de rompu en moi, et je reste sans force, comme
80 une femme veuve et sans enfants.
(L'enfant rit vaguement et regarde de tous côtés en poussant de petits cris de joie)
ANNE VERCORS, *le caressant :* Pauvre Violaine !

Et toi que voici, petit enfant ! Comme ses yeux sont bleus [2] !
MARA, *fondant en larmes :* Père, père ! ah !

Il était mort et c'est elle qui l'a ressuscité !
(Elle s'éloigne et va s'asseoir à l'écart.
Le soleil descend. Il pleut çà et là sur la plaine, on voit la pluie dont les traits se croisent avec les rayons du soleil. Un immense arc-en-ciel se déploie)
Voix d'enfant : Hi ! hi ! regardez la belle arc-en-ciel !

L'Annonce faite à Marie, IV (Librairie Gallimard, éditeur).

La pièce s'achève sur une sorte d'épilogue lyrique, formé des trois voix d'ANNE VERCORS, PIERRE DE CRAON et JACQUES HURY, au son de l'Angélus, sur le thème de la Paix issue de la mort et du pardon : « Bénie soit la mort en qui toute pétition du Pater est comblée ».

— 2 Les yeux noirs de l'enfant sont devenus bleus : il est maintenant l'enfant de Violaine.

Le drame claudélien

L'entrevue de
Rodrigue et de
Prouhèze
sur le bateau
(J.-P. Andréani,
Hélène Arié).

Rodrigue disgracié
et en haillons
(J.-L. Barrault).

Théâtre du
Rond-Point, 1981.
(2 Ph. © Agence Bernand)

Décor de Lucien
Coutaud pour
« Le Soulier de
satin » (Comédie-
Française, 1943).
(Ph. Jean-Loup Charmet
© Arch. Photeb
© by ADAGP 1988)

Le Soulier de satin

La mer, symbole de l'immensité, joue un rôle essentiel dans ce drame baroque dont la scène est le monde entier. On assiste d'abord au naufrage d'un jésuite qui offre sa vie à Dieu en le suppliant de sauver l'âme de son frère Rodrigue exposée aux passions coupables. C'est l'Océan qui, conformément à leur volonté de renoncement, tient éloignés Prouhèze et Rodrigue devenu vice-roi des Indes. Séparés matériellement, ils sont unis spirituellement. A maintes reprises l'action se situe sur un bateau, en particulier l'unique entrevue, celle du renoncement définitif entre Rodrigue et Prouhèze, devant une croix faite avec des épaves du bateau naufragé du frère de Rodrigue. Toute la dernière *Journée* se passe en mer : suprême épreuve terrestre, Rodrigue puni par le roi, en haillons, enchaîné sur un mauvais bateau, est en proie aux railleries des soldats qui le vendent à une religieuse pour servir comme domestique dans les couvents.

Le Soulier de satin   De ce drame, il existe deux versions : la *Version intégrale* (1924), où sont pris nos extraits, et une *Version pour la scène, abrégée, notée et arrangée en collaboration avec Jean-Louis Barrault* (1943). Le titre est expliqué par la scène (I, 5) où l'héroïne, DONA PROUHÈZE, confiée par son mari, DON PÉLAGE, à Don Balthazar, avoue à ce dernier la « folie » qu'elle a faite en adressant une lettre à DON RODRIGUE qu'elle aime d'un amour coupable. Elle se déchausse et confie à la Vierge, dont une statue préside à ce dialogue, son *soulier de satin* en lui adressant une émouvante prière. – THÈMES : *Amour. Femme. Morale. Religion. Christianisme.*

Prière à la Vierge

Vierge, patronne et mère de cette maison,
Répondante et protectrice de cet homme dont le cœur vous est pénétrable plus qu'à moi et compagne de sa longue solitude,
Alors si ce n'est pas pour moi, que ce soit à cause de lui,
Puisque ce lien entre lui et moi n'a pas été mon fait, mais votre volonté intervenante :
Empêchez que je sois à cette maison dont vous gardez la porte, auguste tourière, une cause de corruption !
Que je manque à ce nom que vous m'avez donné à porter, et que je cesse
10 d'être honorable aux yeux de ceux qui m'aiment.
Je ne puis dire que je comprends cet homme que vous m'avez choisi, mais vous, je comprends, qui êtes sa mère comme la mienne.
Alors, pendant qu'il est encore temps, tenant mon cœur dans une main et mon soulier dans l'autre [1],
Je me remets à vous ! Vierge mère, je vous donne mon soulier ! Vierge mère, gardez dans votre main mon malheureux petit pied !
Je vous préviens que tout à l'heure je ne vous verrai plus et que je vais tout mettre en œuvre contre vous !
Mais quand j'essayerai de m'élancer vers le mal, que ce soit avec un pied
20 boiteux ! la barrière que vous avez mise,
Quand je voudrai la franchir, que ce soit avec une aile rognée !
J'ai fini ce que je pouvais faire, et vous, gardez mon pauvre petit soulier,
Gardez-le contre votre cœur, ô grande Maman effrayante !

Ainsi commence *l'aventure* de DONA PROUHÈZE, qui est une figure à la fois de la Femme, du Poète et de l'Ame humaine. Lourde mission pour un personnage dont la plénitude symbolique commande une action qui s'étend au monde entier (« *la scène de ce drame est le monde* »), en une époque où le monde venait de s'ouvrir largement à l'esprit d'aventure des hommes ; aussi est-ce, au XVIe siècle, une « action espagnole ». De l'Espagne aux Amériques et au Maroc, le drame trace l'itinéraire des deux héros essentiels, PROUHÈZE et RODRIGUE, à travers une extraordinaire polyphonie de décors, de tons et de symboles, qui accompagne la polyphonie correspondante des sentiments et des passions, des chutes et des redressements, de la vie et de la mort. Au cœur de cette grandiose tentative de *drame illimité* réapparaît l'éternelle histoire de l'amour, celle même de Tristan et Iseut ; si PROUHÈZE aime RODRIGUE, Prouhèze est mariée : elle est donc interdite et « impossessible ». Le drame sera l'histoire d'une poursuite à travers le monde, poursuite fertile en péripéties de toutes sortes, à la fois comme une *épopée* et comme un *roman picaresque ;* mais c'est aussi, et surtout, la lutte entre *l'appétit de possession* et

— 1 *Geste religieux :* le soulier de satin est offert | en remerciement ou, comme ici, en *garantie d'un* en *ex-voto* à la Vierge (*ex-voto :* don d'un objet | *vœu solennel*).

Le drame claudélien

Catherine Sellers dans « Le Soulier de satin ». Théâtre du Palais-Royal (1958), compagnie Renaud-Barrault. (Ph. © Agence Bernand-Arch. Photeb)

Prouhèze confie à la Vierge son soulier de satin

Loyalement, elle lui annonce qu'elle va tout tenter en faveur de sa passion coupable pour Rodrigue, mais elle la supplie de mettre obstacle à ses élans vers le mal.

l'exigence surnaturelle du renoncement, selon ce qui était annoncé dans la prière à la Vierge. Quand aura lieu enfin la rencontre de Rodrigue et de Prouhèze (qui ne s'étaient vus qu'une fois), ce sera l'ultime salut par le *renoncement réciproque,* Prouhèze allant vers la mort qui l'attend dans une forteresse minée [2], et Rodrigue vers l'humilité de l'esclavage.

    Le Soulier de satin est donc une gigantesque construction dramatique, que Claudel comparait à une tapisserie ; l'histoire providentielle du monde et l'aventure des destinées personnelles s'y développent en contrepoint : le drame reproduit ainsi les inépuisables effets de *la double postulation* de l'homme, jusqu'à la réconciliation finale dans la mort, le renoncement et le sacrifice. Ce thème essentiel, ce fil conducteur, n'est jamais vraiment perdu de vue au milieu même de cette immensité.

L'AMOUR ? « UNE ÉPÉE AU TRAVERS DE SON CŒUR »

    Dans *Le Soulier de satin* apparaissent des personnages épisodiques, mais dont l'âme et le caractère n'en sont pas moins indispensables à la totalité humaine et symbolique de la pièce : amoureuse en rêve du « Roi de Naples », Dona Musique incarne ici la face aérienne et heureuse de la Femme (toujours pour Claudel une énigme), dont Dona Prouhèze est au contraire la face tragique et souffrante. Ainsi Musique est cette sorte d'Ariel féminin dont le dialogue avec Prouhèze, à propos de l'Amour, situe le drame dans la perspective de cette *ambiguïté féminine* qui est l'un des grands ressorts du théâtre claudélien. – THÈMES : *Adolescence. Amour. Femme. Providence.*

DONA MUSIQUE : Aimez-vous tellement votre prison que vous vous plaisiez ainsi à la rendre plus sûre [1] ?

DONA PROUHÈZE : Il y faut des barreaux bien forts.

DONA MUSIQUE : Que peut le monde contre vous ?

DONA PROUHÈZE : C'est moi sans doute qui peux beaucoup contre lui.

DONA MUSIQUE : Je ne veux d'aucune prison !

DONA PROUHÈZE : La prison pour quelqu'un, il dit qu'elle est là où je ne suis pas.

DONA MUSIQUE : Il y a une prison pour moi et nul ne pourra m'en arracher.

10   DONA PROUHÈZE : Quelle, Musique ?

DONA MUSIQUE : Les bras de celui que j'aime, elle est prise, la folle Musique !

DONA PROUHÈZE : Elle échappe !

    Elle n'est là que pour un moment ; qui pourrait la retenir pour toujours avec son cœur ?

DONA MUSIQUE : Déjà je suis avec lui sans qu'il le sache. C'est à cause de moi avant qu'il m'ait connue

    Qu'il affronte à la tête de ses soldats tant de fatigues, c'est pour moi qu'il nourrit les pauvres et pardonne à ses ennemis.

    Ah ! ce ne sera pas long à comprendre que je suis la joie, et que c'est

20   la joie seule et non point l'acceptation de la tristesse qui apporte la paix.

    Oui, je veux me mêler à chacun de ses sentiments comme un sel étincelant

---

— 2 Paul Claudel épouve une prédilection pour la mort par le feu ou l'explosion : c'était déjà un élément capital du dénouement de *L'Échange,* et la signification symbolique de cette sorte de dénouement est révélée dans celui de *Partage de midi* (cf. page 213, ligne 5).

— 1 La scène a lieu dans le jardin de l'auberge où Prouhèze se trouve sous la garde de Don Balthazar, homme de confiance de son mari.

et délectable qui les transforme et les rince ! Je veux savoir comment il s'y prendra désormais pour être triste et pour faire le mal quand il le voudrait.

Je veux être rare et commune pour lui comme l'eau, comme le soleil, l'eau pour la bouche altérée qui n'est jamais la même quand on y fait attention. Je veux le remplir tout à coup et le quitter instantanément, et je veux qu'il n'ait alors aucun moyen de me retrouver, et pas les yeux ni les mains, mais le centre seul et ce sens en nous de l'ouïe qui s'ouvre,

Rare et commune pour lui comme la rose qu'on respire tous les jours
30 tant que dure l'été et une fois seulement !

Ce cœur qui m'attendait, ah ! quelle joie pour moi de le remplir !

Et si parfois le matin le chant d'un seul oiseau suffit à éteindre en nous les feux de la vengeance et de la jalousie,

Que sera-ce de mon âme dans mon corps, mon âme à ces cordes ineffables unie en un concert que nul autre que lui n'a respiré ? Il lui suffit de se taire pour que je chante !

Où il est je ne cesse d'être avec lui. C'est moi pendant qu'il travaille, le murmure de cette pieuse fontaine !

C'est moi le paisible tumulte du grand port dans la lumière de midi,
40 C'est moi mille villages de toutes parts dans les fruits qui n'ont plus rien à redouter du brigand et de l'exacteur,

C'est moi, petite, oui, cette joie stupide sur son vilain visage,

La justice dans son cœur, ce réjouissement sur sa face !

DONA PROUHÈZE : Il n'y a rien pour quoi l'homme soit moins fait que le bonheur et dont il se lasse aussi vite.

DONA MUSIQUE : Est-il fait pour la souffrance ?

DONA PROUHÈZE : S'il la demande, pourquoi la lui refuser ? [...]

DONA MUSIQUE : L'aimez-vous à ce point [2] ?

DONA PROUHÈZE : Qu'oses-tu dire ? Non, je ne l'aime aucunement.
50 DONA MUSIQUE : Regrettez-vous ce temps où vous ne le connaissiez point ?

DONA PROUHÈZE : Maintenant je vis pour lui !

DONA MUSIQUE : Comment, quand votre visage lui est pour toujours interdit ?

DONA PROUHÈZE : Ma souffrance ne l'est pas.

DONA MUSIQUE : Ne voulez-vous pas son bonheur ?

DONA PROUHÈZE : Je veux qu'il souffre aussi.

DONA MUSIQUE : Il souffre en effet.

DONA PROUHÈZE : Jamais assez.

DONA MUSIQUE : Il appelle, ne lui répondrez-vous pas ?

DONA PROUHÈZE : Je ne suis pas une voix pour lui.
60 DONA MUSIQUE : Qu'êtes-vous donc ?

DONA PROUHÈZE : Une Épée au travers de son cœur.

Le Soulier de satin, I, 10 (Librairie Gallimard, éditeur).

MUSIQUE *épousera le vice-roi de Naples et ira faire bénéficier de son rayonnement les pays germaniques, tandis que* PROUHÈZE *épuisera jusqu'au bout son aventure de souffrance et d'amour.*

— 2 Don Rodrigue.

La « liberté » de Prouhèze

Conduite dans une auberge de la côte, sur l'ordre de son mari Don Pélage, par son gardien Don Balthazar, Prouhèze, au moment où va s'achever la « *Première journée* » du drame, tente d'échapper à cette surveillance pour rejoindre Don Rodrigue qui, de son côté, se dispose à la délivrer après avoir reçu d'elle un message secret. L'auberge est entourée d'un « ravin profond, plein de ronces, de lianes et d'arbustes entremêlés ». Sur le bord se tient l'Ange Gardien de Prouhèze qui surveille sa tentative d'évasion. THÈMES : *Amour. Femme. Moi. Métaphysique. Morale. Christianisme. Providence.*

L'ange gardien : Enfin ! elle est tout de même venue à bout de ces ronces et de ces épines charitables [1] qui voulaient la retenir. La voici qui apparaît sur le rebord du fossé. *(Elle est en vêtements d'homme, tout déchirés...)*
Oui, tu es belle, ma pauvre enfant, avec ces cheveux défaits, dans ce costume indécent,
Ces joues couvertes de terre et de sang, et ce regard dans tes yeux qui me fait mal de résolution et de folie !
Ah ! tu me fais honneur et j'ai plaisir à montrer ainsi ma pauvre petite sœur. Si seulement il n'y avait personne pour nous voir !
10 prouhèze, *regardant autour d'elle comme éperdue :* Je suis seule !
L'ange gardien : Elle dit qu'elle est seule !
prouhèze : Je suis libre !
L'ange gardien : Hélas [2] !
prouhèze : Rien ne m'a retenue.
L'ange gardien : Nous ne voulions d'autre prison pour toi que l'honneur.
prouhèze : Il fallait mieux me garder. J'ai été loyale. J'ai donné avertissement à Don Balthazar.
L'ange gardien : Il va payer ta fuite de sa vie.
prouhèze : Rodrigue va mourir [3] !
20 L'ange gardien : Il est encore temps de perdre son âme.
prouhèze : Rodrigue va mourir !
L'ange gardien : Il vit.
prouhèze : Il vit ! quelqu'un me dit qu'il vit encore ! Il est encore temps que je l'empêche de mourir avec mon visage !
L'ange gardien : Ce n'est point l'amour de Prouhèze qui l'empêchera de mourir.
prouhèze : Du moins je puis mourir avec lui.
L'ange gardien : Écoutez avec quelle horrible facilité elle parle de déposer cette âme qui ne lui appartient pas et qu'il a coûté tant de peine à faire et à racheter.
30 prouhèze : Il n'y a que Rodrigue au monde.
L'ange gardien : Essaye donc de le rejoindre. *(Elle tombe sur le sol, défaillante)*
prouhèze, *haletante :* Ah ! l'effort a été trop grand ! Je meurs ! Ah ! j'ai cru que je ne réussirais jamais à sortir de cet horrible fossé !
L'ange gardien *(il lui pose le pied sur le cœur) :* Il me serait facile de te maintenir ici si je le voulais [...]

— 1 « *Charitables* », parce que les épines et le ravin représentent la résistance providentielle, cette « *barrière* » dont Prouhèze parlait à la fin de sa prière (cf. p. 224). C'est de la lutte de Prouhèze contre cette « barrière » que naît le drame. — 2 La « *liberté* » de Prouhèze est en effet selon Claudel une fausse liberté. — 3 Prouhèze vient d'apprendre que Rodrigue a été grièvement blessé en combattant des brigands.

PROUHÈZE, *à voix basse :* Debout Prouhèze ! *(Elle se lève en chancelant)*

L'ANGE GARDIEN : Je regarde Dieu.

PROUHÈZE : Rodrigue !

L'ANGE GARDIEN : Hélas ! j'entends une autre voix dans le feu qui dit :
40 Prouhèze !

PROUHÈZE : Ah ! que le chemin est long jusqu'au buisson là-bas !

L'ANGE GARDIEN : Il était plus long encore jusqu'au Calvaire !

PROUHÈZE : Rodrigue, je suis à toi !

L'ANGE GARDIEN : Tu es à lui ? C'est toi qui le rempliras avec ton corps
d'excommuniée ?

PROUHÈZE : Je sais que je suis un trésor pour lui.

L'ANGE GARDIEN : On ne lui ôtera pas cette idée de sa petite tête stupide.

PROUHÈZE, *faisant un pas :* En marche !

L'ANGE GARDIEN, *faisant un pas de son côté :* En marche !

50 PROUHÈZE, *faisant quelques pas en chancelant :* Rodrigue, je suis à toi ! Tu vois
que j'ai rompu ce lien si dur !

Rodrigue, je suis à toi ! Rodrigue, je vais à toi !

L'ANGE GARDIEN : Et moi, je t'accompagne. *(Ils sortent)*

Le Soulier de satin, I, 12 (Librairie Gallimard, éditeur).

Au cours des Deuxième *et* Troisième Journées, PROUHÈZE, *sur l'ordre du roi, ira prendre au Maroc le commandement de la place de Mogador, ce qui l'éloigne de* RODRIGUE *et la met en présence de* DON CAMILLE, *qui la désire violemment. Situation que* RODRIGUE *se refuse à admettre : nommé vice-roi des Indes, il ne veut accepter cette mission que si le roi fait rentrer* PROUHÈZE *en Espagne. Le roi en donne à* PROUHÈZE *le conseil dans un message que* RODRIGUE *ira lui porter lui-même. Mais* PROUHÈZE *refuse de recevoir* RODRIGUE *et lui fait dire par* DON CAMILLE *qu'elle reste. Pendant plus de dix ans,* RODRIGUE *va se consacrer à la conquête de l'Amérique ; au terme de ces années, il reçoit un appel de* PROUHÈZE, *une lettre vieille de dix ans, qui n'a, depuis, cessé d'errer.* RODRIGUE *se rend à Mogador, où il trouve* PROUHÈZE *veuve de Don Pélage et remariée à* DON CAMILLE. *Ils doivent bien renoncer l'un à l'autre.*

La Quatrième Journée *se passe en mer « sous le vent des Iles Baléares » : on y voit Don Rodrigue, vieilli, avec une jambe de bois. On y voit aussi paraître* DONA SEPT-ÉPÉES, *l'enfant que* PROUHÈZE *a eue de* DON CAMILLE, *et qui ressemble à* RODRIGUE. *Des scènes de farce alternent avec les scènes principales, selon une sorte de contrepoint baroque et fantastique.*

Dans la dernière scène, RODRIGUE, *vendu comme esclave et, « enchaîné sur un bateau qui se dirige vers la terre », apprend que* SEPT-ÉPÉES *a rejoint le bateau de* DON JUAN D'AUTRICHE, *futur vainqueur de Lépante, qu'elle épousera. Il est recueilli par une religieuse. Et le pieux Frère Léon prononce les derniers mots de la pièce : « Délivrance aux âmes captives ! »*

L'ŒUVRE EN PROSE

L'œuvre en prose de Paul CLAUDEL (prose très proche de la poésie car elle use souvent de structures apparentées au *verset)* embrasse une immense matière. Elle peut se répartir en deux grandes catégories : les *« Essais »* ou *« Traités »* et les *Commentaires bibliques*. Dans les premiers, dont les principaux sont : *Connaissance de l'Est* (1895-1905), *Art poétique* (1907), *Positions et propositions* (I, 1928 et II, 1934), et *Conversations dans le Loir-et-Cher* (1929-1935), l'auteur élabore, souvent à bâtons rompus, la « somme » de sa critique, de sa poétique et de sa théologie. Dans les seconds, dont la composition a surtout occupé les quinze dernières années de sa vie, CLAUDEL reprend sa lecture de la Bible, et multiplie, en marge, les méditations les plus libres, les plus profondes et parfois les plus fantaisistes : *Les Aventures de Sophie* (1937), *Un Poëte regarde la Croix* (1938), *L'Épée et le miroir* (1939), *Présence et prophétie* (1942), *Paul Claudel interroge l'Apocalypse* (1952).

Peinture poétique

Auteur d'essais de critique littéraire et de théorie poétique, CLAUDEL s'est aussi laissé tenter par la *critique d'art* (articles réunis en 1946 dans *L'Œil écoute,* titre particulièrement significatif) ; les morceaux essentiels en sont les textes sur la peinture espagnole et surtout sur la peinture hollandaise (conférence faite à La Haye le 20 novembre 1934) ; on y trouve de très belles pages, notamment cette « méditation » sur l'œuvre de VERMEER DE DELFT. THÈME : *Beaux-arts.*

P armi ces maîtres dont nous nous rappelons les œuvres et les noms avec tant de plaisir [...], il est quelqu'un, je ne dirai pas de plus grand, car la grandeur n'a rien à faire ici, mais de plus parfait, de plus rare et de plus exquis, et s'il fallait d'autres adjectifs, ce seraient ceux qu'une autre langue seule nous fournit, *eery, uncanny* [1]. Vous attendiez depuis longtemps son nom : Vermeer de Delft. Et à l'instant, j'en suis sûr, comme les couleurs d'un blason, se peint dans votre esprit ce rapport stimulant d'un bleu céleste et d'un jaune limpide, aussi pur que l'Arabie [2] ! Mais ce n'est point des couleurs ici que je veux vous entretenir, malgré leur qualité et ce jeu entre elles si exact et si frigide qu'il semble moins
10 obtenu par le pinceau que réalisé par l'intelligence. Ce qui me fascine, c'est ce regard pur, dépouillé, stérilisé, rincé de toute matière, d'une candeur en quelque sorte mathématique ou angélique, ou disons simplement photographique, mais quelle photographie ! en qui ce peintre, reclus à l'intérieur de sa lentille, capte le monde extérieur. On ne peut comparer le résultat qu'aux délicates merveilles de la chambre noire et aux premières apparitions sur la plaque du daguerréotype de ces figures dessinées par un crayon plus sûr et plus acéré que celui de Holbein, je veux dire le rayon de soleil. [...]
Je pense à ces compositions de carrés et de rectangles dont le prétexte est un clavecin ouvert, un peintre à l'œuvre devant son chevalet, une carte
20 géographique au mur, une fenêtre entrebâillée, l'angle d'un meuble ou d'un plafond formé par la rencontre de trois surfaces, les raies parallèles des solives, ce dallage sous nos pieds de losanges [3]. Et surtout à ces deux incomparables pages des musées de La Haye et d'Amsterdam, la *Vue de Delft* et la *Ruelle* [4]. L'un, où les trapèzes et les triangles, ce décrochage savant de longs toits et pignons, s'aligne, préparé par une eau immatérielle et séparé par le milieu sous l'arc d'un ponceau [5] par le débouché de la troisième dimension, comme une chevauchée de théorèmes ; et la seconde où la répartition des verticales et des obliques, des ouvertures et des panneaux, se plaque devant nos yeux avec l'évidence d'une démonstration : tout étant édifié sur le rapport de ces trois
30 portes, l'une fermée, l'autre ouverte sur le noir, et celle du milieu, pénétrante, sur l'invisible. Mais Vermeer, comme il sait entrecroiser les axes, espacer les

---

— 1 *Eery* (ou *eerie*) évoque une sorte de magie, et *uncanny* contient sensiblement la même idée, mais sous forme négative : le mot français le plus proche est sans doute *insolite.* — 2 *Et vestivi te discoloribus et calceavi te ianthino.* Ez., XVI, 10. (Note de l'auteur) : *Je t'ai vêtue de couleurs variées et t'ai chaussée de violet.* — 3 Allusion aux tableaux suivants : *Le Concert* (musée de Boston), *L'Atelier* (musée de Vienne). Le dallage apparaît dans de nombreux tableaux (dont, justement, *L'Atelier*) ; la carte géographique de même : *Soldat et jeune fille riant* (coll. Frick, New York), *Joueuse de luth* (Metropolitan Museum, New York), *Jeune Femme en bleu* (Rijksmuseum, Amsterdam). — 4 Mauritshuis, La Haye, et Rijksmuseum, Amsterdam. — 5 Petit pont sur un canal.

aires, reporter les volumes sur les surfaces, est aussi passé maître dans l'art
d'envelopper le point dans une courbe. Voyez cette dentelière (au Louvre)
appliquée à son tambour, où les épaules, la tête, les mains avec leur double
atelier de doigts, tout vient aboutir à cette pointe d'aiguille ; ou cette pupille
au centre d'un œil bleu qui est la convergence de tout un visage, de tout un
être, une espèce de coordonnée spirituelle, un éclair décoché par l'âme [6].

Introduction à la peinture hollandaise (Librairie Gallimard, éditeur).

LE PROMENEUR

Au cours de ses séjours en Extrême-Orient, CLAUDEL *médite sur l'enseignement des
êtres et des choses proposés à son regard.* Connaissance de l'Est *est composé d'une suite
de* poèmes en prose *ayant pour objet les diverses « révélations » qui lui sont faites. Et
c'est ainsi qu'une promenade est pour le poète l'occasion de trouver dans son sentiment
de la nature une confirmation de sa mystique de la Création.*
THÈMES : *Moi. Providence. Religion. Nature.*

Que le chant de ce petit oiseau me paraît frais et risible ! et que
le cri là-bas de ces grolles [1] m'agrée ! Chaque arbre a sa personnalité,
chaque bestiole son rôle, chaque voix sa place dans la symphonie ;
comme on dit que l'on *comprend* la musique, je comprends la nature,
comme un récit bien détaillé qui ne serait fait que de noms propres ;
au fur [2] de la marche et du jour, je m'avance parmi le développement
de la doctrine. Jadis, j'ai découvert avec délice que toutes les choses
existent dans un certain accord, et maintenant cette secrète parenté par
qui la noirceur de ce pin épouse là-bas la claire verdure de ces érables,
10 c'est mon regard seul qui l'avère [3], et, restituant le dessein antérieur,
ma visite, je la nomme une révision. Je suis l'Inspecteur de la Création,
le Vérificateur de la chose présente ; la solidité de ce monde est la
matière de ma béatitude ! Aux heures vulgaires nous nous servons des
choses pour un usage, oubliant ceci de pur, qu'elles soient [4] ; mais quand,
après un long travail, au travers des branches et des ronces, à Midi,
pénétrant historiquement au sein de la clairière, je pose ma main sur
la croupe brûlante du lourd rocher, l'entrée d'Alexandre à Jérusalem
est comparable à l'énormité de ma constatation.

Et je marche, je marche, je marche ! Chacun renferme en soi le
20 principe autonome de son déplacement par quoi l'homme se rend vers
sa nourriture et son travail. Pour moi, le mouvement égal de mes jambes
me sert à mesurer la force de plus subtils appels. L'attrait de toutes
choses, je le ressens dans le silence de mon âme.

Je comprends l'harmonie du monde : quand en surprendrai-je la
mélodie ?

Connaissance de l'Est, 1895-1900 (Mercure de France, éditeur).

— 6 L'œil de la célèbre *Jeune Fille au turban*
(Mauritshuis, La Haye), tableau auquel Claudel
faisait déjà allusion tout à l'heure en évoquant le
rapport « stimulant » du jaune et du bleu.

— 1 Nom populaire du choucas, espèce de
corbeau. — 2 Au long de... (cf. *au fur et à
mesure...*). — 3 Reconnaît comme vrai. — 4 *Que
les choses sont pour être.*

Animus et Anima

Soucieux de suivre en tout la trace du *sens* (et il l'entend à la fois comme signification, intention et orientation), CLAUDEL se refuse à réduire « l'intelligible » à « l'intellectuel ». Aussi reprend-il, dans cette *parabole*, le traditionnel débat entre les deux termes de la dialectique spirituelle : *esprit* et *âme*. Mais c'est pour souligner, par l'humour appuyé de cette fable, sa réaction personnelle *contre l'intellectualisme* et son langage artificiel, et pour situer l'authentique « intelligibilité » au niveau de l'*humilité spirituelle*.

Tout ne va pas bien dans le ménage d'Animus et Anima, l'esprit et l'âme. Le temps est loin, la lune de miel a été bientôt finie, pendant laquelle Anima avait le droit de parler tout à son aise et Animus l'écoutait avec ravissement [1]. Après tout, n'est-ce pas Anima qui a apporté la dot et qui fait vivre le ménage ? Mais Animus ne s'est pas laissé longtemps réduire à cette position subalterne et bientôt il a révélé sa véritable nature, vaniteuse, pédantesque et tyrannique. Anima est une ignorante et une sotte, elle n'a jamais été à l'école, tandis qu'Animus sait un tas de choses, il a lu un tas de choses dans les livres, il s'est appris à parler avec un petit caillou dans la bouche [2], et maintenant, quand

10 il parle, il parle si bien que tous ses amis disent qu'on ne peut parler mieux qu'il ne parle. On n'en finirait pas de l'écouter. Maintenant Anima n'a plus le droit de dire un mot, il lui ôte comme on dit les mots de la bouche, il sait mieux qu'elle ce qu'elle veut dire et au moyen de ses théories et réminiscences il roule tout ça, il arrange ça si bien que la pauvre simple n'y reconnaît plus rien. Animus n'est pas fidèle, mais cela ne l'empêche pas d'être jaloux, car dans le fond il sait bien que c'est Anima qui a toute la fortune, lui est un gueux et ne vit que de ce qu'elle lui donne. Aussi il ne cesse de l'exploiter et de la tourmenter pour lui tirer des sous, il la pince pour la faire crier, il combine des farces, il invente des choses pour lui faire de la peine et pour voir ce qu'elle

20 dira, et le soir il raconte tout cela au café à ses amis. Pendant ce temps, elle reste en silence à la maison à faire la cuisine et à nettoyer tout comme elle peut après ces réunions littéraires qui empestent la vomissure et le tabac. Du reste c'est exceptionnel ; dans le fond Animus est un bourgeois, il a des habitudes régulières, il aime qu'on lui serve toujours les mêmes plats. Mais il vient d'arriver quelque chose de drôle. Un jour qu'Animus rentrait à l'improviste, ou peut-être qu'il sommeillait après dîner, ou peut-être qu'il était absorbé dans son travail, il a entendu Anima qui chantait toute seule, derrière la porte fermée : une curieuse chanson, quelque chose qu'il ne connaissait pas, pas moyen de trouver les notes ou les paroles ou la clef ; une étrange et

30 merveilleuse chanson. Depuis, il a essayé sournoisement de la lui faire répéter, mais Anima fait celle qui ne comprend pas. Elle se tait dès qu'il la regarde. Alors Animus a trouvé un truc, il va s'arranger pour lui faire croire qu'il n'y est pas. Il va dehors, il cause bruyamment avec ses amis, il siffle, il touche du luth, il scie du bois, il chante des refrains idiots. Peu à peu Anima se rassure, elle regarde, elle écoute, elle respire, elle se croit seule, et sans bruit elle va ouvrir la porte à son amant divin. Mais Animus, comme on dit, a les yeux derrière la tête.   *Positions et propositions*, I (Librairie Gallimard, éditeur).

— 1 *Anima* est aussi l'organe de la poésie. Claudel fait ici allusion à la catastrophe que représente à ses yeux la rupture entre l'inspiration et la connaissance. Une des significations de la parabole est qu'il n'est de connaissance authentique que « pneumatique », c'est-à-dire poétique. — 2 *Comme Démosthène*. Claudel raille la rhétorique, langage artificiel.

MARCEL PROUST

« *Un autre moi* »   Dans son *Contre Sainte-Beuve*, MARCEL PROUST a attaqué la « célèbre méthode » du critique, selon laquelle l'œuvre d'un écrivain serait avant tout le reflet de sa vie et pourrait s'expliquer par elle. En fait, plus une sensibilité créatrice est riche et complexe, moins elle est réductible aux données visibles d'une biographie : « Un livre, dit Proust, est *le produit d'un autre moi* que celui que nous manifestons dans nos habitudes, dans la société, dans nos vices ». Ainsi donc, ce qu'il y eut en lui-même d'essentiel, c'est son œuvre qui nous le révélera, plus que son existence apparemment frivole et facile (au moins dans sa jeunesse), en réalité presque continûment douloureuse et tourmentée. Mais les tourments, les secrets, voire les travers de l'*homme,* comme le snobisme, se transcendent chez le *romancier* en un inépuisable champ d'analyses et d'expériences.

La famille   Fils de médecin, comme Flaubert, MARCEL PROUST est né à Paris le 10 juillet 1871. Sa famille paternelle était originaire du village d'Illiers (le COMBRAY de la *Recherche du temps perdu*) situé sur les bords du Loir (la VIVONNE) au sud-ouest de Chartres. Son père, promis à une brillante carrière, avait épousé en 1870 Jeanne Weil, fille d'un agent de change israélite. Un oncle de la jeune femme possédait à Auteuil une spacieuse maison (celle-là même où naquit l'écrivain) et il joue un rôle non négligeable dans le début de l'œuvre : c'est chez lui que se situe la première apparition de la « Dame en Rose », ODETTE DE CRÉCY.

Mais c'est surtout de sa grand-mère maternelle que Marcel PROUST a retracé la figure, et avec quelle tendre ferveur ! Sa mort, survenue en 1895, le fera profondément réfléchir aux « intermittences du cœur » (cf. p. 268) ; longtemps après, en 1907, à propos d'un deuil familial chez son ami Robert de Flers, il s'écriera : « Rien ne dure, pas même la mort. »

Elle aussi intuitive, tendre et cultivée, la mère de Proust entoura de sollicitude ce fils aîné en qui apparaissait une sensibilité aiguë, presque maladive. A treize ans, au cours d'un jeu de société où on lui demandait : « Quel est pour vous le comble de la misère ? » sa réponse fut : « Être séparé de maman. »

Avec son frère Robert, né en 1873 et qui suivit la carrière paternelle, Marcel enfant allait jouer aux Champs-Élysées où il rencontrait les petites filles qui devaient lui inspirer le personnage de GILBERTE. Quant aux vacances d'été, la famille les passait à Illiers entre le « côté de Méséglise » et le « côté de Guermantes », autour de TANTE LÉONIE qui, avec sa fidèle FRANÇOISE (plus tard au service du narrateur et de ses parents), incarne les us et coutumes de Combray (cf. p. 242).

Les études   DU LYCÉE A LA CASERNE. En 1882 PROUST entre au lycée Condorcet où il fera de bonnes études malgré une santé fragile. En philosophie il aura comme professeur M. Darlu, évoqué dans *Les Plaisirs et les Jours*. Ses condisciples opposaient le caractère mondain et moderne de leur lycée aux disciplines plus austères et plus exigeantes de la Rive Gauche. Lui-même y noua des amitiés fidèles et, avec Daniel Halévy, Fernand Gregh, Robert de Flers et Gaston de Caillavet, il commentait passionnément les auteurs contemporains, France, Barrès, Dierx, Maeterlinck ; on admirait aussi Leconte de Lisle et ses traductions poétiques, dont les hellénismes un peu voyants encombreront les propos de BLOCH. Prix d'honneur de dissertation française en classe de Philosophie, Marcel PROUST collabore parallèlement à la *Revue Lilas*, écrite et lue par les lycéens ; toutefois, ce sont peut-être ses lettres conservées par ses amis, tel Robert Dreyfus, qui nous révèlent le mieux les dons de Proust adolescent.

En novembre 1889, PROUST devance l'appel sous les drapeaux ; envoyé au 76ᵉ régiment d'infanterie à Orléans, il semble s'y être fort ennuyé mais tous les dimanches il venait en permission à Paris, heureux de retrouver ses amis. Parfois Gaston de Caillavet le reconduisait jusqu'à ces terres lointaines : « Mon amitié pour Gaston était immense ; je ne parlais que de lui à la caserne où mon brosseur et le caporal voyaient en lui une sorte de divinité. » A travers ces lignes, citées par André Maurois, comment ne pas voir apparaître, déjà, ROBERT DE SAINT-LOUP ?

VERS LA LITTÉRATURE. Rendu à la vie civile, PROUST suit à l'École des sciences politiques les cours d'Albert Sorel et de Leroy-Beaulieu, à la Sorbonne ceux de Bergson qui vient de publier sa thèse sur les *Données immédiates de la conscience* et dont l'influence le marquera profondément. Il passe en 1892 sa licence ès lettres. Désormais les vacances le ramèneront moins souvent vers Combray, et davantage sur les plages normandes, Trouville, Cabourg dont il fera BALBEC.

Diverses revues, *Le Banquet, La Revue blanche,* d'autres encore, publient des articles de lui, des chroniques, comme celle de mars 1892 dont on peut souligner telle phrase, révélatrice chez cet auteur de vingt et un ans : « L'art plonge si avant ses racines dans la vie sociale que, dans la fiction particulière dont on revêt une réalité sentimentale très générale, les mœurs, les goûts d'une époque ou d'une classe ont souvent une grande part » ; ou, à propos de l'« art, ingénieux consolateur » : « Ses mensonges sont les seules réalités, et, pour peu qu'on les aime d'un amour véritable, l'existence de ces choses qui sont autour de nous et qui nous subjuguaient, diminue peu à peu ; le pouvoir de nous rendre heureux ou malheureux se retire d'elles *pour aller croître dans notre âme où nous convertissons la douleur en beauté.* »

La comédie mondaine　　C'est à la lumière de ces textes qu'il faut considérer la vie que mène alors Marcel PROUST. En effet, même sans devoirs professionnels, cette époque de 1892-95, marquée par l'arrestation et la déportation d'ALFRED DREYFUS (octobre et décembre 1894), ne fut pas pour lui un temps inactif. La fortune de ses parents lui permet, il est vrai, de n'exercer aucun métier autre que celui d'« attaché non rétribué » à la bibliothèque Mazarine. Encore est-il presque toujours en congé mais, s'il passe alors pour un aimable dilettante, son œuvre, souterrainement, se prépare et, sous la protection d'une frivolité apparente, se mûrit, s'organise, grâce à d'importantes *rencontres* dans les milieux *mondains.* Jacques-Émile Blanche fait son portrait ; il écrit pour *Le Gaulois ;* il retrouve, chez l'aquarelliste Madeleine Lemaire, la princesse Mathilde, Madame de Chevigné, la comtesse Greffulhe née Caraman-Chimay et Robert de Montesquiou, « moitié mousquetaire et moitié prélat », qui lui fourniront tant de modèles pour les grandes dames ou les snobs de la *Recherche.* Il se lie d'autre part avec le musicien Reynaldo Hahn qui composera, sur ses poèmes, des pièces pour piano et surtout qui sera pour lui un véritable *intercesseur* vers cette musique de VINTEUIL (inspirée par celle de Saint-Saëns et de César Franck).

Avec cet ami sensible et cultivé, Marcel PROUST partage aussi bien des « Journées de lecture », en particulier autour des *Mémoires d'outre-tombe* auxquels le romancier aura toujours conscience de beaucoup devoir : évocation saisissante d'une société, source inépuisable de réflexions.

Ainsi, vers sa vingt-cinquième année, alors qu'il pourrait être ébloui ou distrait par la « Foire aux vanités », en fait il observe, il analyse avec l'attention passionnée d'un *naturaliste :* « Comme Pline l'Ancien périt pour avoir voulu observer de plus près l'éruption du Vésuve, il est admirable, écrit François Mauriac, que notre Proust se soit jeté dans la gueule du monstre afin de nous en donner une peinture exacte. » Et, peu à peu, vont prendre corps les *personnages de la comédie mondaine.* Cette formule qui n'est pas étrangère au souvenir de Balzac forme justement le titre d'un chapitre dans le premier ouvrage publié de Marcel Proust. Ce livre, *Les Plaisirs et les jours,* parut en 1896 chez Calmann-Lévy, pourvu d'une Préface, quelque peu détachée, du « bon maître » Anatole France ; il valut à son auteur un duel avec Jean Lorrain qui l'avait attaqué dans la presse.

La maturité　　　　Mais des luttes plus sérieuses se préparaient. En 1898 et 1899 le procès Zola et la libération d'Alfred Dreyfus occupent et passionnent l'opinion française, partagée jusqu'au déchirement. PROUST qui est, comme on dit, « dreyfusard » conservera une lucidité aiguë sur le comportement ou les erreurs des divers partis politiques.

VENISE ET RUSKIN. Ayant obtenu son quatrième congé d'un an à la bibliothèque Mazarine, cet attaché assez exceptionnel sera désormais considéré comme démissionnaire. Il part pour Venise en 1900 et se consacre à des questions d'esthétique : très influencé par Ruskin, il publie sur son œuvre divers articles, notamment la *Préface à la Bible d'Amiens*, mais il se fait aussi une manière de spécialité avec ses études sur les Salons mondains qu'il signe Dominique ou Horatio.

LES DEUILS. A l'automne de 1903 disparaît le professeur Adrien Proust : ce deuil entre-t-il pour une part dans l'évolution marquée chez son fils vers une pensée plus grave, des préoccupations d'un autre ordre ? Toujours est-il que, tel Maurice Barrès selon lui « admirable auteur du vrai *Génie du Christianisme* », Marcel PROUST prend la défense des églises menacées par le projet Briand et c'est, dans un article d'août 1904, le plaidoyer pour « une résurrection des cérémonies catholiques d'un intérêt historique, social, plastique et musical ». L'été suivant, la *mère* du romancier tombe malade à Évian et ne revient à Paris que pour y mourir, le 26 septembre 1905. Dès lors s'évanouissent les scrupules qui limitaient sa liberté d'expression et qui expliquent peut-être les prudences et les demi-vérités d'un premier roman en trois volumes, *Jean Santeuil* (publié en 1952 mais composé entre 1896 et 1904).

La « collaboratrice　　　Sans craindre maintenant de blesser dans sa délicatesse
inspirée »　　　la sensibilité maternelle, Marcel PROUST va se consacrer
　　　　　　　　à la réalisation de son œuvre.
Mais en aura-t-il *physiquement* la force ? Après deux mois de cure (décembre 1905-janvier 1906) il se met à la tâche, sans fièvre d'abord, puis de plus en plus intensément. Il s'installe boulevard Haussmann et l'été le retrouve fidèle à Cabourg parmi les « jeunes filles en fleurs ».

DU CÔTÉ DE CHEZ SWANN. Cependant *Le Temps* du 12 novembre 1913 annonce la publication chez Bernard Grasset d'un roman intitulé *Du côté de chez Swann*. Ce que l'article ne précisait pas, c'est qu'il s'agissait d'un « compte d'auteur », *toutes* les maisons d'édition ayant refusé le manuscrit.
Bientôt, sous l'impulsion de Léon et Lucien Daudet, de Paul Souday, d'Henri Ghéon, etc., *La Nouvelle Revue française* publiera, dans ses livraisons de 1914, d'importants extraits du grand ouvrage entrepris et, en 1916, Marcel PROUST quittera Grasset pour Gallimard. On pourra lire, sur cette période, sa correspondance avec Jacques Rivière.

L'ARCHE. Mais c'est la guerre : PROUST qui cesse de publier ne cesse pas, pour autant, d'écrire et, si l'on veut reprendre une de ses propres images, le voilà enfermé, bien souvent, dans la solitude de « l'arche » : « Comme les amants quand ils commencent à aimer, comme les poètes dans le temps où ils chantent, les malades se sentent plus près de leur âme. [...] Quand j'étais tout enfant, le sort d'aucun personnage de l'histoire sainte ne me semblait aussi misérable que celui de Noé, à cause du déluge qui le tint enfermé dans l'arche pendant quarante jours. Plus tard, je fus souvent malade, et pendant de longs jours je dus rester aussi dans l'« arche ». Je compris alors que jamais Noé ne put si bien voir le monde que de l'arche, malgré qu'elle fût close et qu'il fît nuit sur la terre » *(Les Plaisirs et les jours)*.
Cette nuit sur la terre, les quatre ans du conflit la prolongèrent cruellement, mais, si « l'arche » demeurait close, c'était aussi en raison d'une santé qui devenait, chez PROUST, de plus en plus vulnérable. Anxieux de savoir s'il pourrait mener son œuvre à bonne fin, le romancier mesurait cependant tout ce que lui avait apporté la maladie en l'obligeant à se refuser au monde. A son ami Louis de Robert, auteur d'un *Roman du malade*, Marcel PROUST avait écrit en 1911 : « Les livres, comme les jets artésiens, ne s'élèvent jamais qu'à la hauteur d'où ils sont descendus. [...] Et pour ceux qui, comme moi, croient que

la littérature est la dernière expression de la vie, si la *maladie* vous a aidé à écrire ce livre-là, ils penseront que vous avez dû accueillir sans colère la *collaboratrice inspirée*. »
Le 11 novembre 1918, dans un billet adressé à une amie, Madame Straus, Marcel PROUST disait sa joie de la paix enfin revenue ; cependant sa vie personnelle était alors très compliquée : « Je suis embarqué dans des choses sentimentales sans issue, sans joie et créatrices perpétuellement de fatigues, de souffrances, de dépenses absurdes. » Il lui faut quitter l'appartement du boulevard Haussmann vendu par sa tante ; où aller ? Il s'installe, « provisoirement », 44 rue Hamelin, dans l'appartement où il devait mourir.

La gloire

En 1919, par six voix contre quatre (aux *Croix de bois* de R. Dorgelès), l'Académie Goncourt couronnait *A l'ombre des jeunes filles en fleurs*. La joie du succès rendit quelques forces à PROUST mais le temps pressait et il fallait renoncer à tout ce qui n'était pas l'unique nécessaire. Traqué par la maladie, l'écrivain fournit dans les derniers mois de sa vie un labeur prodigieux. En 1920 paraissent *Le Côté de Guermantes* I ; en 1921 *Guermantes* II et *Sodome et Gomorrhe* I ; en 1922 *Sodome et Gomorrhe* II. Cependant il cherchait des titres pour les volumes suivants (qui ne paraîtront qu'après sa mort) : *La Prisonnière, La Fugitive* qui s'appela d'abord *Albertine disparue* (cf. p. 274), enfin *Le Temps retrouvé* (1927, tomes XIV et XV de *la Recherche*...). Il remaniait et rajoutait sans cesse, comme en témoignent ces lignes à Gaston Gallimard : « Je travaille à cela tout le temps et rien qu'à cela. » Bien rares étaient les infractions, les sorties. Toutefois, un jour de juin 1921, Proust ne put résister au désir d'aller voir, au musée du Jeu de Paume, une exposition consacrée à ce Vermeer de Delft qu'il aimait tant. Aussi écrivit-il à Jean-Louis Vaudoyer : « Voulez-vous y conduire le mort que je suis et qui s'appuiera à votre bras ? » Pendant cette visite il fut saisi d'un violent malaise qui lui inspira l'épisode admirable de la mort de Bergotte (cf. p. 270), mais il devait survivre une année encore. Pris d'une bronchite en allant chez des amis, c'est le 18 novembre 1922 que Marcel PROUST expirait. Parvenu désormais à l'éternel apaisement, son visage frappa tous les visiteurs comme si, à jamais fermé sur les printemps de Combray, il pouvait respirer au-delà de la vie « leur odeur d'invisibles et persistants lilas. »

STRUCTURE DE L'ŒUVRE

« *A la recherche du temps perdu* est à la fois l'histoire d'une époque et l'histoire d'une conscience, écrit Ramon Fernandez ; ce dédoublement et cette conjonction en font la profonde, la surprenante originalité. » Cette œuvre, en effet, est à la fois observation et introspection ; elle est le *monde* et elle est le *moi*, car la grande découverte de PROUST, c'est que non seulement le monde s'ordonne autour de nous, mais qu'il est *en* nous, qu'il est nous-même. Quant aux êtres, c'est nous qui leur donnons leurs dimensions ; l'indifférence les efface, l'amour et la jalousie les exaltent démesurément ; l'intelligence (ou la mélancolie) discerne et leurs limites et les proportions redoutables qu'ils peuvent prendre en nos propres vies.

Thèmes et harmonies

De la jeune fille tant aimée PROUST devait écrire un jour : « Albertine n'était plus, comme une pierre autour de laquelle il a neigé, que le centre générateur d'une immense *construction*. » Le terme est profondément révélateur et témoigne d'une volonté organisatrice et, pour ainsi dire, architecturale : chez PROUST, en effet, la subtilité des analyses n'affaiblit nullement l'*ordonnance* et la *cohésion* de l'ensemble, que l'auteur compare lui-même à une *cathédrale*, « une église où les fidèles sauraient peu à peu apprendre des *vérités* et découvrir des *harmonies* ». Là encore l'image est significative, car, si l'œuvre s'élève comme un édifice « merveilleusement étagé jusqu'à l'apothéose finale », elle a pu aussi être comparée à une *symphonie*, dominée par de grands *thèmes*, l'amour, la jalousie, la mort, la mémoire, le temps, qui s'entrelacent, s'éloignent, se rejoignent et auxquels préludent, brèves, légères, des notes qui seront reprises, harmonisées, orchestrées. Mais, musicale ou architecturale, l'unité de l'œuvre apparaît éclatante, *organique*, « non pas factice mais vitale » comme le disait de *La Comédie humaine* Proust, grand admirateur de Balzac.

Milieux et
personnages

Ce don de créer un univers, avec ses lois propres et sa propre lumière, révèle à la fois une imagination poétique et un sens aigu de l'observation.

LA SOCIÉTÉ. Comme ce Saint-Simon que Proust a tant pratiqué, jusqu'à en écrire dans *Pastiches et mélanges* une brillante imitation, comme ce La Bruyère que sa grand-mère lui faisait lire dès son jeune âge, il a étudié de près les « caractères et les mœurs de ce siècle » et bien des passages de son œuvre pourraient s'intituler aussi « *De la société et de la conversation* », « *Des biens de fortune* », « *Du cœur* », « *Des femmes* », etc., car ce romancier est nourri des moralistes.

Mais le *climat* de l'œuvre est ici *tout différent* et aussi la visée de l'auteur ; chez Proust, nulle indignation devant l'ordre social : on lui a même reproché la frivolité de ces milieux mondains, *toile de fond* sur laquelle se détachent les analyses et les scènes capitales (ou « capitalissimes » comme il eût dit lui-même.) De fait, les classes populaires ne sont guère représentées chez lui que par les domestiques, et presque tous ses personnages appartiennent à la bourgeoisie snob, ou à l'aristocratie.

Toutefois, ce reproche méconnaît ce qu'a si bien vu Paul Valéry : « Proust sut accommoder les puissances d'une vie intérieure singulièrement riche à l'expression d'une petite société qui veut être et qui *doit* être superficielle. Par son acte, l'image d'une société superficielle est une œuvre *profonde*. » Comme les impressionnistes, ses contemporains, Proust sait que le sujet n'est jamais insignifiant dès qu'il est ou qu'il devient *lumineux*. Un jour, à propos du vers de Baudelaire : « O charme d'un néant follement attifé », il remarquait : « Mais si c'est le néant senti, recréé, ce n'est plus le néant, c'est toute la vie, tout l'art. »

LES INDIVIDUS. Tels ceux de Balzac, mais sans rien d'appuyé ni de systématique, les personnages proustiens sont doués d'une inoubliable *présence*. Figures à la fois individuelles et typiques, Tante Léonie, Françoise et ses proverbes, Legrandin le précieux, Bloch et ses pastiches hellénisants, le diplomate Norpois aux discours-labyrinthes, Saint-Loup, Charlus, la duchesse de Guermantes, Odette, Gilberte ou Albertine, chacune a son rythme et son langage différents de tous les autres et toujours reconnaissables. Même les *rôles secondaires* sont nettement dessinés, par exemple à Balbec, ce directeur d'hôtel aux divertissants lapsus. Tout ce qui situe et caractérise un être, âge, milieu, activité ou désœuvrement, mais aussi tout ce qui, dans l'immédiat, l'émeut ou le modifie, passion, doute, maladie, nuance à l'infini les dialogues et les monologues intérieurs.

Miroir magique,
la mémoire

En effet, la psychologie de Proust n'est pas statique mais *évolutive*. Il sait que le *moi* n'est pas une donnée immobile, qu'il *se transforme sans cesse*, « que la permanence et la durée ne sont promises à rien, pas même à la douleur » ; il sait que seul le passé nous est acquis et que « les vrais paradis sont les paradis qu'on a perdus ».

Perdus à jamais ? Non, car la *mémoire* va les ressusciter, mémoire involontaire mais disponible, accueillant l'apparition mystérieuse, imprévue, grâce à laquelle va se construire, sur le goût d'un gâteau ou le parfum d'une fleur, « *l'édifice immense du souvenir* » (cf. p. 238-240).

Ici Proust s'est nettement, et consciemment, placé sous l'invocation de Chateaubriand, de Nerval, de Baudelaire. Dans *Le Temps retrouvé* (II) il cite ces quelques lignes essentielles des *Mémoires d'outre-tombe* : « Hier au soir je me promenais seul [...] ; je fus tiré de mes réflexions par le gazouillement d'une grive ; à l'instant, ce son *magique* fit reparaître à mes yeux le domaine paternel. » Ainsi tout Combourg ressuscite autour de ce chant d'oiseau : Combourg, Combray, n'y a-t-il pas entre ces deux noms une affinité « élective » ? On songe aussi aux *Fleurs du mal (Le Parfum)* :

Charme profond, *magique*, dont nous grise
Dans le présent, le passé restauré !

L'ART DE MARCEL PROUST

Son style   Dans l'*Hommage à Marcel Proust* publié par la N.R.F. en 1923, PAUL VALÉRY écrivait : « On peut ouvrir le livre où l'on veut : sa vitalité ne dépend point de ce qui précède ; elle tient à ce qu'on pourrait nommer l'activité propre du tissu même de son texte. »

Ce style inimitable est en effet d'une *foisonnante richesse ;* mais seul celui que Montaigne nomme « l'indiligent lecteur » pourrait le trouver confus. En fait, la phrase de PROUST, tantôt longue et sinueuse, tantôt fleurissant en rosace, capte une infinité de *reflets,* crée mille *correspondances* et parfois une sorte d'osmose entre différents domaines. Telles ces toiles d'Elstir (cf. p. 264) où les bateaux ressemblent aux maisons qui à leur tour semblent baigner dans un élément liquide, les pages de PROUST éclairent non pas successivement mais *simultanément* les aspects du monde et les profondeurs de l'âme. Son style n'est pas linéaire, il est *prismatique.* Dès sa jeunesse, il avait pensé que « seule la métaphore peut donner une sorte d'éternité au style » *(Chroniques).*

La transfiguration   Faite d'éléments *vécus,* mais *transposés,* l'œuvre de **du réel**   PROUST (à l'exclusion d'*Un amour de Swann*) est entièrement écrite à la première personne. Elle revendique ainsi ses responsabilités, elle est témoignage et elle est *décantation.* Descendue jusqu'aux abîmes, elle ne s'y est pas enlisée ; au contraire, *l'appel vers les valeurs les plus hautes* et les plus pures prend chez Marcel PROUST un accent particulier : ce n'est pas sans intention qu'il a montré faibles et décevants, dans leur apparence humaine, l'écrivain Bergotte, le peintre Elstir et le musicien Vinteuil, car c'est *leur talent* qui les transfigure et qui transfigure la vie autour d'eux. Serviteurs d'un dieu caché, les artistes apportent aux hommes une révélation et, peut-être, une rédemption (cf. p. 254) ; on peut dire que, chez PROUST, *l'Art atteint vraiment à l'ordre de la Grâce.*

UN UNIVERS DANS UNE TASSE DE THÉ

L'œuvre de PROUST, cette immense *Recherche du temps perdu,* est encadrée tout entière par l'épisode célèbre de la *madeleine* qui en couronne l'ouverture, et l'approfondissement de cette précieuse expérience psychologique aboutissant au miracle du *Temps retrouvé.* La répétition fortuite d'impressions analogues, signalées par une *joie* indicible, permettra à l'auteur de découvrir enfin *le secret de cette joie* (cf. p. 277). Ici la révélation n'est encore que partielle, mais déjà la délicatesse pénétrante de *l'analyse,* aux confins du conscient et de l'inconscient, la solennité de la phrase et son ampleur *lyrique* révèlent *un thème essentiel.* – THÈMES : *Enfance. Famille. Moi. Souvenir. Psychologie. Temps.*

Il y avait déjà bien des années que, de Combray, tout ce qui n'était pas le théâtre et le drame de mon coucher [1] n'existait plus pour moi, quand un jour d'hiver, comme je rentrais à la maison, ma mère, voyant que j'avais froid, me proposa de me faire prendre, contre mon habitude, un peu de thé. Je refusai d'abord et, je ne sais pourquoi, me ravisai. Elle envoya chercher un de ces gâteaux courts et dodus appelés Petites Madeleines qui semblent avoir été moulés dans la valve rainurée d'une

— 1 Cf. p. 241.

coquille de Saint-Jacques. Et bientôt, machinalement, accablé par la morne journée et la perspective d'un triste lendemain, je portai à mes
10 lèvres une cuillerée du thé où j'avais laissé s'amollir un morceau de madeleine. Mais à l'instant même où la gorgée mêlée des miettes du gâteau toucha mon palais, je tressaillis, attentif à ce qui se passait d'extraordinaire en moi. Un plaisir délicieux m'avait envahi, isolé, sans la notion de sa cause. Il m'avait aussitôt rendu les vicissitudes de la vie indifférentes, ses désastres inoffensifs, sa brièveté illusoire, de la même façon qu'opère l'amour, en me remplissant d'une essence précieuse : ou plutôt cette essence n'était pas en moi, elle était moi. J'avais cessé de me sentir médiocre, contingent, mortel [2]. D'où avait pu me venir cette puissante joie ? Je sentais qu'elle était liée au goût
20 du thé et du gâteau, mais qu'elle le dépassait infiniment, ne devait pas être de même nature. D'où venait-elle ? Que signifiait-elle ? Où l'appréhender ? Je bois une seconde gorgée où je ne trouve rien de plus que dans la première, une troisième qui m'apporte un peu moins que la seconde. Il est temps que je m'arrête, la vertu du breuvage semble diminuer. Il est clair que la vérité que je cherche n'est pas en lui, mais en moi. Il l'y a éveillée, mais ne la connaît pas, et ne peut que répéter indéfiniment, avec de moins en moins de force, ce même témoignage que je ne sais pas interpréter et que je veux au moins pouvoir lui redemander et retrouver intact, à ma disposition, tout à l'heure, pour
30 un éclaircissement décisif. Je pose la tasse et me tourne vers mon esprit. C'est à lui de trouver la vérité. Mais comment ? Grave incertitude, toutes les fois que l'esprit se sent dépassé par lui-même ; quand lui, le chercheur, est tout ensemble le pays obscur où il doit chercher et où tout son bagage ne lui sera de rien. Chercher ? pas seulement : créer. Il est en face de quelque chose qui n'est pas encore et que seul il peut réaliser, puis faire entrer dans sa lumière [3].

Et je recommence à me demander quel pouvait être cet état inconnu, qui n'apportait aucune preuve logique, mais l'évidence, de sa félicité, de sa réalité devant laquelle les autres s'évanouissaient. Je veux essayer
40 de le faire réapparaître. [...]

Le narrateur tente donc de remonter à la source de cette joie. Il sent en lui quelque chose qui se déplace, voudrait s'élever ; il éprouve la résistance et entend la rumeur des distances traversées ; il devine que ce qui palpite ainsi au fond de lui, ce doit être l'image, le souvenir visuel lié à cette saveur.

Arrivera-t-il jusqu'à la surface de ma claire conscience, ce souvenir, l'instant ancien que l'attraction d'un instant identique est venue de si loin solliciter, émouvoir, soulever tout au fond de moi ? Je ne sais. Maintenant je ne sens plus rien, il est arrêté, redescendu peut-être ; qui sait s'il remontera jamais de sa nuit ? Dix fois il me faut recommencer, me pencher vers lui. Et chaque fois la lâcheté qui nous détourne de toute

---

— 2 Cf. p. 277. — 3 Ainsi apparaît la parenté entre cette opération de la mémoire et la *création* littéraire ou artistique.

tâche difficile, de toute œuvre importante, m'a conseillé de laisser cela, de boire mon thé en pensant simplement à mes ennuis d'aujourd'hui, à mes désirs de demain qui se laissent remâcher sans peine.

50   Et tout d'un coup le souvenir m'est apparu. Ce goût, c'était celui du petit morceau de madeleine que le dimanche matin à Combray (parce que ce jour-là je ne sortais pas avant l'heure de la messe), quand j'allais lui dire bonjour dans sa chambre, ma tante Léonie m'offrait après l'avoir trempé dans son infusion de thé ou de tilleul. La vue de la petite madeleine ne m'avait rien rappelé avant que je n'y eusse goûté ; peut-être parce que, en ayant souvent aperçu depuis, sans en manger, sur les tablettes des pâtissiers, leur image avait quitté ces jours de Combray pour se lier à d'autres plus récents ; peut-être parce que, de ces souvenirs abandonnés si longtemps hors de la mémoire, rien ne survivait, tout s'était désagrégé ;
60   les formes — et celle aussi du petit coquillage de pâtisserie, si grassement sensuel sous son plissage sévère et dévot — s'étaient abolies, ou, ensommeillées, avaient perdu la force d'expansion qui leur eût permis de rejoindre la conscience. Mais, quand d'un passé ancien rien ne subsiste, après la mort des êtres, après la destruction des choses, seules, plus frêles mais plus vivaces, plus immatérielles, plus persistantes, plus fidèles, l'odeur et la saveur restent encore longtemps, comme des âmes, à se rappeler, à attendre, à espérer, sur la ruine de tout le reste, à porter sans fléchir, sur leur gouttelette presque impalpable, l'édifice immense du souvenir [4].

Et dès que j'eus reconnu le goût du morceau de madeleine trempé
70   dans le tilleul que me donnait ma tante (quoique je ne susse pas encore et dusse remettre à bien plus tard de découvrir pourquoi ce souvenir me rendait si heureux), aussitôt la vieille maison grise sur la rue, où était sa chambre, vint comme un décor de théâtre s'appliquer au petit pavillon donnant sur le jardin, qu'on avait construit pour mes parents sur ses derrières (ce plan tronqué que seul j'avais revu jusque-là) ; et avec la maison, la ville, depuis le matin jusqu'au soir et par tous les temps, la Place où on m'envoyait avant déjeuner, les rues où j'allais faire des courses, les chemins qu'on prenait si le temps était beau. Et comme dans ce jeu où les Japonais s'amusent à tremper dans un bol
80   de porcelaine rempli d'eau, de petits morceaux de papier jusque-là indistincts qui, à peine y sont-ils plongés, s'étirent, se contournent, se colorent, se différencient, deviennent des fleurs, des maisons, des personnages consistants et reconnaissables, de même maintenant toutes les fleurs de notre jardin et celles du parc de M. Swann, et les nymphéas de la Vivonne, et les bonnes gens du village et leurs petits logis et l'église et tout Combray et ses environs, tout cela qui prend forme et solidité, est sorti, ville et jardins, de ma tasse de thé.

Du côté de chez Swann (Librairie Gallimard, éditeur).

— 4 Cf. le rôle que jouent les parfums dans *Les* | un vieux flacon qui se souvient, D'où jaillit toute
Fleurs du mal, et en particulier : « Parfois on trouve | vive une âme qui revient. » *(Le Flacon).*

De l'angoisse à l'espoir

Voici un *petit drame* qui s'est fréquemment renouvelé : un soir où ses parents, en vacances à COMBRAY chez « Tante Léonie », reçoivent des invités à dîner, l'enfant, qu'on a couché de bonne heure, voudrait intensément *voir sa mère* et pour cela met en œuvre tous les moyens. – THÈMES : *Enfance. Famille. Psychologie. Société. Symboles.*

Une fois dans ma chambre, il fallut boucher toutes les issues, fermer les volets, creuser mon propre tombeau, en défaisant mes couvertures, revêtir le suaire de ma chemise de nuit. Mais avant de m'ensevelir dans le lit de fer qu'on avait ajouté dans la chambre parce que j'avais trop chaud l'été sous les courtines de reps du grand lit, j'eus un mouvement de révolte, je voulus essayer d'une ruse de condamné. J'écrivis à ma mère en la suppliant de monter pour une chose grave que je ne pouvais lui dire dans ma lettre. Mon effroi était que Françoise, la cuisinière de ma tante, qui était chargée de s'occuper de moi quand j'étais à Combray, refusât de porter mon mot. Je me doutais que pour
10 elle, faire une commission à ma mère quand il y avait du monde lui paraîtrait aussi impossible que pour le portier d'un théâtre de remettre une lettre à un acteur pendant qu'il est en scène. Elle possédait à l'égard des choses qui peuvent ou ne peuvent pas se faire un code impérieux, abondant, subtil et intransigeant sur des distinctions insaisissables ou oiseuses (ce qui lui donnait l'apparence de ces lois antiques qui, à côté de prescriptions féroces comme de massacrer les enfants à la mamelle, défendent avec une délicatesse exagérée de faire bouillir le chevreau dans le lait de sa mère, ou de manger dans un animal le nerf de la cuisse [1]). Ce code, si l'on en jugeait par l'entêtement soudain qu'elle mettait à ne pas vouloir faire certaines commissions que nous lui donnions,
20 semblait avoir prévu des complexités sociales et des raffinements mondains tels que rien dans l'entourage de Françoise et dans sa vie de domestique de village n'avait pu les lui suggérer ; et l'on était obligé de se dire qu'il y avait en elle un passé français très ancien, noble et mal compris [2], comme dans ces cités manufacturières où de vieux hôtels témoignent qu'il y eut jadis une vie de cour, et où les ouvriers d'une usine de produits chimiques travaillent au milieu de délicates sculptures qui représentent le miracle de saint Théophile ou les quatre fils Aymon. Dans le cas particulier, l'article du code à cause duquel il était peu probable que sauf le cas d'incendie Françoise allât déranger maman en présence de M. Swann pour un aussi petit personnage que moi, exprimait
30 simplement le respect qu'elle professait non seulement pour les parents — comme pour les morts, les prêtres et les rois — mais encore pour l'étranger à qui on donne l'hospitalité, respect qui m'aurait peut-être touché dans un livre mais qui m'irritait toujours dans sa bouche, à cause du ton grave et attendri qu'elle prenait pour en parler, et davantage ce soir où le caractère sacré qu'elle conférait au dîner avait pour effet qu'elle refuserait d'en troubler la cérémonie. Mais pour mettre une chance de mon côté, je n'hésitai pas à mentir et à lui dire que ce n'était pas du tout moi qui avais voulu écrire à maman, mais que c'était maman qui, en me quittant, m'avait recommandé de ne pas oublier de lui envoyer une réponse relativement à un objet qu'elle m'avait prié de

---

— 1 Ces deux prescriptions rituelles figurent dans la Bible, la première dans *L'Exode* (XXIII, 19) et *Le Deutéronome* (XIV, 21), la seconde dans *La Genèse* (XXXII, 33), en rapport avec la lutte de Jacob contre Dieu. — 2 Noter le *rythme ternaire* cher à Proust qui le nuance *d'humour* (cf. l. 31).

40 chercher ; et elle serait certainement très fâchée si on ne lui remettait pas ce
mot. Je pense que Françoise ne me crut pas, car, comme les hommes primitifs
dont les sens étaient plus puissants que les nôtres, elle discernait immédiatement, à des signes insaisissables pour nous, toute vérité que nous voulions lui
cacher ; elle regarda pendant cinq minutes l'enveloppe comme si l'examen du
papier et l'aspect de l'écriture allaient la renseigner sur la nature du contenu
ou lui apprendre à quel article de son code elle devait se référer. Puis elle
sortit d'un air résigné qui semblait signifier : « C'est-il pas malheureux pour
les parents d'avoir un enfant pareil ! » Elle revint au bout d'un moment me
dire qu'on n'en était encore qu'à la glace, qu'il était impossible au maître d'hôtel
50 de remettre la lettre en ce moment devant tout le monde, mais que, quand on serait
aux rince-bouche, on trouverait le moyen de la faire passer à maman. Aussitôt
mon anxiété tomba ; maintenant ce n'était plus comme tout à l'heure pour jusqu'à
demain que j'avais quitté ma mère, puisque mon petit mot allait, la fâchant sans
doute (et doublement parce que ce manège me rendrait ridicule aux yeux de
Swann), me faire du moins entrer invisible et ravi dans la même pièce qu'elle, allait
lui parler de moi à l'oreille ; puisque cette salle à manger interdite, hostile, où,
il y avait un instant encore, la glace elle-même — le « granité » — et les
rince-bouche me semblaient recéler des plaisirs malfaisants et mortellement
tristes parce que maman les goûtait loin de moi, s'ouvrait à moi et, comme un fruit
60 devenu doux qui brise son enveloppe, allait faire jaillir, projeter jusqu'à mon cœur
enivré l'attention de maman tandis qu'elle lirait mes lignes. Maintenant je n'étais
plus séparé d'elle ; les barrières étaient tombées, un fil délicieux nous réunissait.
Et puis, ce n'était pas tout : maman allait sans doute venir !

Du côté de chez Swann (Librairie Gallimard, éditeur).

A Combray

MARCEL PROUST évoque ici le village où il passait ses vacances d'enfant. Le *charme
de cette page* est dû à ce que de très petits « potins » sur des faits insignifiants tissent
une sorte de réseau entrecroisé autour du vieil édifice « qui avait contemplé Saint Louis
et semblait le voir encore ». Et, le dimanche, quand l'enfant pénètre à l'intérieur de la
massive construction, il peut lever les yeux sur deux tapisseries où Assuérus et Esther
sont représentés sous les traits d'un roi de France et d'une dame de Guermantes. Ainsi
l'église lui apparaît comme un lieu *magique,* un *espace à quatre dimensions,* la quatrième
étant celle du TEMPS. – THÈMES : *Autobiographie. Enfance. Société. Beaux-arts.*

A Combray, une personne « qu'on ne connaissait point » était un être aussi
peu croyable qu'un dieu de la mythologie, et de fait on ne se souvenait pas
que, chaque fois que s'était produite, dans la rue du Saint-Esprit ou sur la
place, une de ces apparitions stupéfiantes, des recherches bien conduites
n'eussent pas fini par réduire le personnage fabuleux aux proportions d'une
« personne qu'on connaissait », soit personnellement, soit abstraitement, dans
son état civil, en tant qu'ayant tel degré de parenté avec des gens de Combray [1].
C'était le fils de Mme Sauton qui rentrait du service, la nièce de l'abbé Perdreau
qui sortait du couvent, le frère du curé, percepteur à Châteaudun [2] qui venait
10 de prendre sa retraite ou qui était venu passer les fêtes. On avait eu en les
apercevant l'émotion de croire qu'il y avait à Combray des gens qu'on ne

---

— 1 Voir « La famille », p. 233. — 2 Dans l'Eure-et-Loir, au sud d'Illiers-Combray.

connaissait point, simplement parce qu'on ne les avait pas reconnus ou identifiés tout de suite. Et pourtant, longtemps à l'avance, Mme Sauton et le curé avaient prévenu qu'ils attendaient leurs « voyageurs ». Quand le soir je montais, en rentrant, raconter notre promenade à ma tante, si j'avais l'imprudence de lui dire que nous avions rencontré, près du Pont-Vieux, un homme que mon grand-père ne connaissait pas : « Un homme que grand-père ne connaissait point ! s'écriait-elle. Ah ! je te crois bien ! » Néanmoins un peu émue de cette nouvelle, elle voulait en avoir le cœur net, mon grand-père était mandé. « Qui
20 donc est-ce que vous avez rencontré près du Pont-Vieux, mon oncle ? un homme que vous ne connaissiez point ? — Mais si, répondait mon grand-père, c'était Prosper, le frère du jardinier de Mme Bouillebœuf. — Ah ! bien », disait ma tante, tranquillisée et un peu rouge ; haussant les épaules avec un sourire ironique, elle ajoutait : « Aussi il me disait que vous aviez rencontré un homme que vous ne connaissiez point ! » Et on me recommandait d'être plus circonspect une autre fois et de ne plus agiter ainsi ma tante par des paroles irréfléchies. On connaissait tellement bien tout le monde, à Combray, bêtes et gens, que si ma tante avait vu par hasard passer un chien « qu'elle ne connaissait point », elle ne cessait d'y penser et de consacrer à ce fait incompréhensible ses talents
30 d'induction et ses heures de liberté.

Ce sera le chien de Mme Sazerat, disait Françoise, sans grande conviction, mais dans un but [3] d'apaisement et pour que ma tante ne se « fende pas la tête ».

— Comme si je ne connaissais pas le chien de Mme Sazerat ! répondait ma tante dont l'esprit critique n'admettait pas si facilement un fait.

— Ah ! ce sera le nouveau chien que M. Galopin a rapporté de Lisieux.

— Ah ! à moins de ça.

— Il paraît que c'est une bête bien affable, ajoutait Françoise qui tenait le renseignement de Théodore, spirituelle comme une personne, toujours de bonne humeur, toujours aimable, toujours quelque chose de gracieux. C'est
40 rare qu'une bête qui n'a que cet âge-là soit déjà si galante. Madame Octave [4], il va falloir que je vous quitte, je n'ai pas le temps de m'amuser, voilà bientôt dix heures, mon fourneau n'est seulement pas éclairé, et j'ai encore à plumer mes asperges.

— Comment, Françoise, encore des asperges ! mais c'est une vraie maladie d'asperges que vous avez cette année, vous allez en fatiguer nos Parisiens !

— Mais non, madame Octave, ils aiment bien ça. Ils rentreront de l'église avec de l'appétit et vous verrez qu'ils ne les mangeront pas avec le dos de la cuiller.

— Mais à l'église, ils doivent y être déjà ; vous ferez bien de ne pas perdre de temps. Allez surveiller votre déjeuner.
50 Pendant que ma tante devisait ainsi avec Françoise, j'accompagnais mes parents à la messe. Que je l'aimais, que je la revois bien, notre Église ! Son vieux porche par lequel nous entrions, noir, grêlé comme une écumoire, était dévié et profondément creusé aux angles (de même que le bénitier où il nous conduisait) comme si le doux effleurement des mantes des paysannes entrant à l'église et de leurs doigts timides prenant de l'eau bénite, pouvait, répété pendant des siècles, acquérir une force destructive, infléchir la pierre et l'entailler de sillons comme en trace la roue des carrioles dans la borne contre laquelle elle bute tous les jours. Ses pierres tombales, sous lesquelles la noble

---

— 3 Locution courante mais incorrecte. | *mère* du futur romancier est désignée parfois
— 4 Madame *Octave* est tante *Léonie ;* la grand- | comme Madame *Amédée.*

poussière des abbés de Combray, enterrés là, faisait au chœur comme un pavage
60 spirituel, n'étaient plus elles-mêmes de la matière inerte et dure, car le temps
les avait rendues douces et fait couler comme du miel hors des limites de leur
propre équarrissure qu'ici elles avaient dépassées d'un flot blond, entraînant
à la dérive une majuscule gothique en fleurs, noyant les violettes blanches du
marbre ; et en deçà desquelles, ailleurs, elles s'étaient résorbées, contractant
encore l'elliptique inscription latine, introduisant un caprice de plus dont la
disposition de ces caractères abrégés, rapprochant deux lettres d'un mot dont
les autres avaient été démesurément distendues. Ses vitraux ne chatoyaient
jamais tant que les jours où le soleil se montrait peu, de sorte que, fît-il gris
dehors, on était sûr qu'il ferait beau dans l'église ; l'un était rempli dans toute
70 sa grandeur par un seul personnage pareil à un Roi de jeu de cartes, qui vivait
là-haut, sous un dais architectural, entre ciel et terre ; (et dans le reflet oblique
et bleu duquel, parfois les jours de semaine, à midi, quand il n'y a pas d'office
— à l'un de ces rares moments où l'église aérée, vacante, plus humaine,
luxueuse, avec du soleil sur son riche mobilier, avait l'air presque habitable
comme le hall de pierre sculptée et de verre peint, d'un hôtel de style moyen
âge — on voyait s'agenouiller un instant Mme Sazerat, posant sur le prie-Dieu
voisin un paquet tout ficelé de petits fours qu'elle venait de prendre chez le
pâtissier d'en face et qu'elle allait rapporter pour le déjeuner) ; dans un autre
une montagne de neige rose, au pied de laquelle se livrait un combat, semblait
80 avoir givré à même la verrière qu'elle boursouflait de son trouble grésil comme
une vitre à laquelle il serait resté des flocons, mais des flocons éclairés par
quelque aurore (par la même sans doute qui empourprait le retable de l'autel
de tons si frais qu'ils semblaient plutôt posés là momentanément par une lueur
du dehors prête à s'évanouir que par des couleurs attachées à jamais à la pierre) ;
et tous étaient si anciens qu'on voyait çà et là leur vieillesse argentée étinceler
de la poussière des siècles et montrer, brillante et usée jusqu'à la corde, la
trame de leur douce tapisserie de verre. Il y en avait un qui était un haut
compartiment divisé en une centaine de petits vitraux rectangulaires où
dominait le bleu, comme un grand jeu de cartes pareil à ceux qui devaient
90 distraire le roi Charles VI ; mais soit qu'un rayon eût brillé, soit que mon regard
en bougeant eût promené à travers la verrière, tour à tour éteinte et rallumée,
un mouvant et précieux incendie, l'instant d'après elle avait pris l'éclat
changeant d'une traîne de paon, puis elle tremblait et ondulait en une pluie
flamboyante et fantastique qui dégouttait du haut de la voûte sombre et
rocheuse, le long des parois humides, comme si c'était dans la nef de quelque
grotte irisée de sinueuses stalactites que je suivais mes parents, qui portaient
leur paroissien ; un instant après, les petits vitraux en losange avaient pris la
transparence profonde, l'infrangible dureté de saphirs qui eussent été juxtaposés
sur quelque immense pectoral [5] mais derrière lesquels on sentait, plus aimé
100 que toutes ces richesses, un sourire momentané de soleil ; il était aussi
reconnaissable dans le flot bleu et doux dont il baignait les pierreries que sur
le pavé de la place ou la paille du marché ; et, même à nos premiers dimanches
quand nous étions arrivés avant Pâques, il me consolait que la terre fût encore
nue et noire, en faisant épanouir, comme en un printemps historique et qui datait
des successeurs de Saint Louis, ce tapis éblouissant et doré de myosotis en verre.

Du côté de chez Swann (Librairie Gallimard, éditeur).

— 5 Pièce d'étoffe enrichie de pierres précieuses que portaient les grands-prêtres.

SNOBISME HONTEUX

Il est des snobs, comme des pauvres, « honteux ». Tel apparaît LEGRANDIN, un voisin de Combray, beau parleur, prodigue en phrases fleuries sur les clairs de lune et les « jolis » états d'âme. En fait, au fond de lui se cache soigneusement un *alter ego* dont le ton et les regards viennent souvent démentir la feinte indifférence du « Legrandin causeur » à l'égard des brillantes relations. Ainsi, lorsque l'adolescent enthousiaste prononcera le nom de GUERMANTES, ses mots vont percer comme autant de flèches ce *« saint Sébastien du snobisme »*. – THÈMES : *Société. Psychologie. Littérature (Portraits).*

J'écoutais les paroles de M. Legrandin qui me paraissaient toujours si agréables ; mais troublé par le souvenir d'une femme que j'avais aperçue dernièrement pour la première fois, et pensant, maintenant que je savais que Legrandin était lié avec plusieurs personnalités aristocratiques des environs, que peut-être il connaissait celle-ci, prenant mon courage, je lui dis : « Est-ce que vous connaissez, monsieur, la... les châtelaines de Guermantes ? », heureux aussi en prononçant ce nom de prendre sur lui une sorte de pouvoir, par le seul fait de le tirer de mon rêve et de lui donner une existence objective et sonore.

10 Mais à ce nom de Guermantes, je vis au milieu des yeux bleus de notre ami se ficher une petite encoche brune comme s'ils venaient d'être percés par une pointe invisible, tandis que le reste de la prunelle réagissait en sécrétant des flots d'azur. Le cerne de sa paupière noircit, s'abaissa. Et sa bouche marquée d'un pli amer se ressaisissant plus vite sourit, tandis que le regard restait douloureux, comme celui d'un beau martyr dont le corps est hérissé de flèches : « Non, je ne les connais pas », dit-il, mais au lieu de donner à un renseignement aussi simple, à une réponse aussi peu surprenante le ton naturel et courant qui convenait, il le débita en appuyant sur les mots, en s'inclinant, en saluant

20 de la tête, à la fois avec l'insistance qu'on apporte, pour être cru, à une affirmation invraisemblable — comme si ce fait qu'il ne connût pas les Guermantes ne pouvait être l'effet que d'un hasard singulier — et aussi avec l'emphase de quelqu'un qui, ne pouvant pas taire une situation qui lui est pénible, préfère la proclamer pour donner aux autres l'idée que l'aveu qu'il fait ne lui cause aucun embarras, est facile, agréable, spontané, que la situation elle-même — l'absence de relations avec les Guermantes — pourrait bien avoir été non pas subie, mais voulue par lui, résulter de quelque tradition de famille, principe de morale ou vœu mystique lui interdisant nommément la fréquentation

30 des Guermantes. « Non, reprit-il, expliquant par ses paroles sa propre intonation, non je ne les connais pas, je n'ai jamais voulu, j'ai toujours tenu à sauvegarder ma pleine indépendance ; au fond je suis une tête jacobine, vous le savez. Beaucoup de gens sont venus à la rescousse, on me disait que j'avais tort de ne pas aller à Guermantes, que je me

donnais l'air d'un malotru, d'un vieil ours. Mais voilà une réputation qui n'est pas pour m'effrayer, elle est si vraie ! Au fond, je n'aime plus au monde que quelques églises, deux ou trois livres, à peine davantage de tableaux, et le clair de lune quand la brise de votre jeunesse apporte jusqu'à moi l'odeur des parterres que mes vieilles prunelles ne
40 distinguent plus. » Je ne comprenais pas bien que, pour ne pas aller chez des gens qu'on ne connaît pas, il fût nécessaire de tenir à son indépendance, et en quoi cela pouvait vous donner l'air d'un sauvage ou d'un ours. Mais ce que je comprenais, c'était que Legrandin n'était pas tout à fait véridique quand il disait n'aimer que les églises, le clair de lune et la jeunesse ; il aimait beaucoup les gens des châteaux et se trouvait pris devant eux d'une si grande peur de leur déplaire qu'il n'osait pas leur laisser voir qu'il avait pour amis des bourgeois, des fils de notaires ou d'agents de change, préférant, si la vérité devait se découvrir, que ce fût en son absence, loin de lui et « par défaut » ; il était snob. *Du côté de chez Swann* (Librairie Gallimard, éditeur).

PARFUMS IMPÉRISSABLES

La véritable réalité, selon PROUST, ne se forme que *dans la mémoire*. Aussi le souvenir confère-t-il *profondeur* et *durée* à ce qui semblait devoir être le plus périssable, une fleur ou le parfum de cette fleur. MARCEL PROUST aimait les lilas, les bluets et surtout les aubépines que porte au mois de mai, blanches ou roses, « l'arbuste catholique et délicieux ». THÈMES : *Nature. Souvenir. Psychologie. Enfance. Moi. Temps.*

Aussi le côté de Méséglise et le côté de Guermantes restent-ils pour moi liés à bien des petits événements de celle de toutes les diverses vies que nous menons parallèlement, qui est la plus pleine de péripéties, la plus riche en épisodes, je veux dire la vie intellectuelle. Sans doute elle progresse en nous insensiblement, et les vérités qui en ont changé pour nous le sens et l'aspect, qui nous ont ouvert de nouveaux chemins, nous en préparions depuis toujours la découverte ; mais c'était sans le savoir ; et elles ne datent pour nous que du jour, de la minute où elles nous sont devenues visibles. Les fleurs qui jouaient alors sur l'herbe, l'eau qui
10 passait au soleil, tout le paysage qui environna leur apparition continue à accompagner leur souvenir de son visage inconscient ou distrait ; et certes, quand ils étaient longuement contemplés par cet humble passant, par cet enfant qui rêvait — comme l'est un roi, par un mémorialiste perdu dans la foule, — ce coin de nature, ce bout de jardin n'eussent pu penser que ce serait grâce à lui qu'ils seraient appelés à survivre en leurs particularités les plus éphémères ; et pourtant ce parfum d'aubépine qui butine le long de la haie où les églantiers le remplaceront bientôt, un bruit de pas sans écho sur le gravier d'une allée, une bulle formée contre une plante aquatique par l'eau de la rivière et qui crève aussitôt, mon exaltation
20 les a portés et a réussi à leur faire traverser tant d'années successives,

tandis qu'alentour les chemins se sont effacés et que sont morts ceux qui les foulèrent et le souvenir de ceux qui les foulèrent. Parfois ce morceau de paysage amené ainsi jusqu'à aujourd'hui se détache si isolé de tout, qu'il flotte incertain dans ma pensée comme une Délos fleurie [1], sans que je puisse dire de quel pays, de quel temps — peut-être tout simplement de quel rêve — il vient. Mais c'est surtout comme à des gisements profonds de mon sol mental, comme aux terrains résistants sur lesquels je m'appuie encore, que je dois penser au côté de Méséglise [2] et au côté de Guermantes. C'est parce que je croyais aux choses, aux êtres, tandis que je les par-
30 courais, que les choses, les êtres qu'ils m'ont fait connaître sont les seuls que je prenne encore au sérieux et qui me donnent encore de la joie. Soit que la foi qui crée soit tarie en moi [3], soit que la réalité ne se forme que dans la mémoire, les fleurs qu'on me montre aujourd'hui pour la première fois ne me semblent pas de vraies fleurs. Le côté de Méséglise avec ses lilas, ses aubépines, ses bluets, ses coquelicots, ses pommiers, le côté de Guermantes avec sa rivière à têtards, ses nymphéas et ses boutons d'or, ont constitué à tout jamais pour moi la figure des pays où j'aimerais vivre, où j'exige avant tout qu'on puisse aller à la pêche, se promener en canot, voir des ruines de fortifications gothiques et trouver au milieu des blés,
40 ainsi qu'était Saint-André-des-Champs, une église monumentale, rusti-que et dorée comme une meule ; et les bluets, les aubépines, les pommiers qu'il m'arrive, quand je voyage, de rencontrer encore dans les champs, parce qu'ils sont situés à la même profondeur, au niveau de mon passé, sont immédiatement en communication avec mon cœur. Et pourtant, parce qu'il y a quelque chose d'individuel dans les lieux, quand me saisit le désir de revoir le côté de Guermantes, on ne le satisferait pas en me menant au bord d'une rivière où il y aurait d'aussi beaux, de plus beaux nymphéas que dans la Vivonne, pas plus que le soir en rentrant — à l'heure où s'éveillait en moi cette angoisse qui plus tard émigre dans
50 l'amour, et peut devenir à jamais inséparable de lui — je n'aurais souhaité que vînt me dire bonsoir une mère plus belle et plus intelligente que la mienne [4]. Non ; de même que ce qu'il me fallait pour que je pusse m'endormir heureux, avec cette paix sans trouble qu'aucune maîtresse n'a pu me donner depuis, puisqu'on doute d'elles encore au moment où on croit en elles et qu'on ne possède jamais leur cœur comme je recevais dans un baiser celui de ma mère, tout entier, sans la réserve d'une arrière-pensée, sans le reliquat d'une intention qui ne fût pas pour moi — c'est que ce fût elle, c'est qu'elle inclinât vers moi ce visage où il y avait au-dessous de l'œil quelque chose qui était, paraît-il, un défaut, et
60 que j'aimais à l'égal du reste ; de même ce que je veux revoir, c'est le côté de Guermantes que j'ai connu, avec la ferme qui est un peu éloignée des deux suivantes serrées l'une contre l'autre, à l'entrée de l'allée des chênes ;

— 1 Selon la légende grecque, Délos avait été | *de chez Swann.* — 3 Cf. « le temps heureux de d'abord une île *flottante.* — 2 C'est aussi *le côté* | ma *croyante* jeunesse ». — 4 Cf. p. 241.

ce sont ces prairies où, quand le soleil les rend réfléchissantes comme une mare, se dessinent les feuilles des pommiers, c'est ce paysage dont parfois, la nuit dans mes rêves, l'individualité m'étreint avec une puissance presque fantastique et que je ne peux plus retrouver au réveil. Sans doute pour avoir à jamais indissolublement uni en moi des impressions différentes, rien que parce qu'ils me les avaient fait éprouver en même temps, le côté de Méséglise ou le côté de Guermantes m'ont exposé, pour
70 l'avenir, à bien des déceptions et même à bien des fautes. Car souvent j'ai voulu revoir une personne sans discerner que c'était simplement parce qu'elle me rappelait une haie d'aubépines, et j'ai été induit à croire, à faire croire à un regain d'affection, par un simple désir de voyage. Mais par là même aussi, et en restant présents en celles de mes impressions d'aujourd'hui auxquelles ils peuvent se relier, ils leur donnent des assises, de la profondeur, une dimension de plus qu'aux autres [5]. Ils leur ajoutent aussi un charme, une signification qui n'est que pour moi. Quand par les soirs d'été le ciel harmonieux gronde comme une bête fauve et que chacun boude l'orage, c'est au côté de Méséglise que je dois de rester seul en
80 extase à respirer, à travers le bruit de la pluie qui tombe, l'odeur d'invisibles et persistants lilas.

Du côté de chez Swann (Librairie Gallimard, éditeur).

Le salon de Mme Verdurin

SWANN a rencontré une jeune femme peu farouche, au passé déjà lourd, ODETTE DE CRÉCY. Elle va l'introduire auprès d'un ménage de mécènes bourgeois, très riches, mais dépourvus de relations et qui, faute de mieux, se sont constitué un *salon* qu'ils veulent à la fois brillant et intime. Pour faire partie du « petit noyau », du petit clan, il y a une condition suffisante mais nécessaire : adhérer au credo de MADAME VERDURIN qui classe les réputations intellectuelles ou mondaines selon son bon plaisir et ses possibilités. Tel jeune pianiste qu'elle protège « enfonce », dit-elle, les virtuoses les plus réputés. Les convives de ses dîners voient ainsi applaudir leurs platitudes et leurs calembredaines. Mais les femmes gardent un peu plus d'esprit critique et ne perdent pas « toute envie de se renseigner sur l'agrément des autres salons », si bien que, peu à peu, « ce démon de la frivolité pouvant devenir fatal à l'orthodoxie de la petite Église », les VERDURIN ont été amenés à rejeter successivement presque tous les « fidèles du sexe féminin ». THÈMES : *Société. Littérature (Portraits. Satire).*

Le « petit noyau »   En dehors de la jeune femme du docteur [1], ils étaient réduits presque uniquement cette année-là (bien que Mme Verdurin fût elle-même vertueuse et d'une respectable famille bourgeoise, excessivement riche et entièrement obscure, avec laquelle elle avait peu à peu cessé volontairement toute relation) à une personne presque du demi-monde, Mme de Crécy, que Mme Verdurin appelait par son petit nom, Odette, et déclarait être « un amour », et à la tante du pianiste, laquelle devait avoir tiré le cordon ; personnes ignorantes du monde et à la naïveté de qui

---

— 5 Cette quatrième dimension qui est celle du Temps (cf. p. 242, présentation de l'extrait).

— 1 Du docteur Cottard, spécialiste... en absurdes calembours.

il avait été si facile de faire accroire que la princesse de Sagan [2] et la duchesse
10 de Guermantes étaient obligées de payer des malheureux pour avoir du monde
à leurs dîners, que si on leur avait offert de les faire inviter chez ces deux grandes
dames, l'ancienne concierge et la cocotte eussent dédaigneusement refusé.

Les Verdurin n'invitaient pas à dîner : on avait chez eux « son couvert mis ».
Pour la soirée, il n'y avait pas de programme. Le jeune pianiste jouait, mais
seulement si « ça lui chantait », car on ne forçait personne et comme disait
M. Verdurin : « Tout pour les amis, vivent les camarades ! » Si le pianiste voulait
jouer la chevauchée de la *Walkyrie* ou le prélude de *Tristan*, Mme Verdurin
protestait [3], non que cette musique lui déplût, mais au contraire parce qu'elle
lui causait trop d'impression. « Alors vous tenez à ce que j'aie ma migraine ? Vous
20 savez bien que c'est la même chose chaque fois qu'il joue ça. Je sais ce qui
m'attend ! Demain quand je voudrai me lever, bonsoir, plus personne ! » S'il ne
jouait pas, on causait, et l'un des amis, le plus souvent leur peintre favori d'alors,
« lâchait », comme disait M. Verdurin, « une grosse faribole qui faisait esclaffer
tout le monde », Mme Verdurin surtout, à qui — tant elle avait l'habitude de
prendre au propre les expressions figurées des émotions qu'elle éprouvait — le
docteur Cottard (un jeune débutant à cette époque) dut un jour remettre sa
mâchoire qu'elle avait décrochée pour avoir trop ri.

L'habit noir était défendu parce qu'on était entre « copains » et pour ne
pas ressembler aux « ennuyeux » dont on se garait comme de la peste et qu'on
30 n'invitait qu'aux grandes soirées, données le plus rarement possible et seulement
si cela pouvait amuser le peintre ou faire connaître le musicien. Le reste du
temps, on se contentait de jouer des charades, de souper en costumes, mais
entre soi, en ne mêlant aucun étranger au petit « noyau ».

La « patronne »

Mme Verdurin était assise sur un haut siège
suédois en sapin ciré, qu'un violoniste de ce pays
lui avait donné et qu'elle conservait, quoiqu'il rappelât la forme d'un escabeau
et jurât avec les beaux meubles anciens qu'elle avait, mais elle tenait à garder
en évidence les cadeaux que les fidèles avaient l'habitude de lui faire de temps
en temps, afin que les donateurs eussent le plaisir de les reconnaître quand
40 ils venaient. Aussi tâchait-elle de persuader qu'on s'en tînt aux fleurs et aux
bonbons, qui du moins se détruisent ; mais elle n'y réussissait pas, et c'était
chez elle une collection de chauffe-pieds, de coussins, de pendules, de paravents,
de baromètres, de potiches, dans une accumulation de redites et un [4] disparate
d'étrennes.

De ce poste élevé elle participait avec entrain à la conversation des fidèles
et s'égayait de leurs « fumisteries », mais depuis l'accident qui était arrivé à
sa mâchoire, elle avait renoncé à prendre la peine de pouffer effectivement
et se livrait à la place à une mimique conventionnelle qui signifiait, sans fatigue
ni risques pour elle, qu'elle riait aux larmes. Au moindre mot que lâchait un
50 habitué contre un ennuyeux ou contre un ancien habitué rejeté au camp des
ennuyeux — et pour le plus grand désespoir de M. Verdurin qui avait eu
longtemps la prétention d'être aussi aimable que sa femme, mais qui riant pour
de bon s'essoufflait vite et avait été distancé et vaincu par cette ruse d'une

---

— 2 Tante d'Oriane de Guermantes, désignée par
Françoise sous l'appellation de « La Sagante ».
— 3 Elle affirme que « ça ne devrait pas être

permis de savoir jouer Wagner comme ça. »
— 4 Le substantif *disparate* est, régulièrement, du
féminin.

incessante et fictive hilarité — elle poussait un petit cri, fermait entièrement
ses yeux d'oiseau qu'une taie commençait à voiler, et brusquement, comme
si elle n'eût eu que le temps de cacher un spectacle indécent ou de parer à
un accès mortel, plongeant sa figure dans ses mains qui la recouvraient et n'en
laissaient plus rien voir, elle avait l'air de s'efforcer de réprimer, d'anéantir
un rire qui, si elle s'y fût abandonnée, l'eût conduite à l'évanouissement. Telle,
60 étourdie par la gaîté des fidèles, ivre de camaraderie, de médisance et
d'assentiment, Mme Verdurin, juchée sur son perchoir, pareille à un oiseau
dont on eût trempé le colifichet [5] dans du vin chaud, sanglotait d'amabilité.

Un amour de Swann (Librairie Gallimard, éditeur).

Odette ou Zéphora ?

Devenu amoureux d'ODETTE, SWANN va lui rendre visite dans son appartement
« modern-style ». Conscient peut-être des *imperfections* de la jeune femme, donc de sa
propre faiblesse, il cherche à justifier sa passion par des mobiles d'ordre *esthétique*.
THÈMES : *Amour. Femme. Psychologie. Réel et irréel. Beaux-arts. Littérature (Portraits).*

Une seconde visite qu'il lui fit eut plus d'importance peut-être. En se
rendant chez elle ce jour-là comme chaque fois qu'il devait la voir, d'avance
il se la représentait ; et la nécessité où il était, pour trouver jolie sa figure,
de limiter aux seules pommettes roses et fraîches, les joues qu'elle avait si
souvent jaunes, languissantes, parfois piquées de petits points rouges, l'affligeait
comme une preuve que l'idéal est inaccessible et le bonheur médiocre. Il lui
apportait une gravure qu'elle désirait voir. Elle était un peu souffrante ; elle
le reçut en peignoir de crêpe de chine mauve, ramenant sur sa poitrine, comme
un manteau, une étoffe richement brodée. Debout à côté de lui, laissant couler
10 le long de ses joues ses cheveux qu'elle avait dénoués, fléchissant une jambe
dans une attitude légèrement dansante pour pouvoir se pencher sans fatigue
vers la gravure qu'elle regardait, en inclinant la tête, de ses grands yeux, si
fatigués et maussades quand elle ne s'animait pas, elle frappa Swann par sa
ressemblance avec cette figure de Zéphora [1], la fille de Jéthro, qu'on voit dans
une fresque de la chapelle Sixtine [2]. Swann avait toujours eu ce goût particulier
d'aimer à retrouver dans la peinture des maîtres non pas seulement les caractères
généraux de la réalité qui nous entoure, mais ce qui semble au contraire le
moins susceptible de généralité, les traits individuels des visages que nous
connaissons : ainsi, dans la matière d'un buste du doge Lorédan par Antoine
20 Rizzo [3], la saillie des pommettes, l'obliquité des sourcils, enfin la ressemblance
criante de son cocher Rémi ; sous les couleurs d'un Ghirlandajo, le nez de
M. de Palancy [4] ; dans un portrait de Tintoret, l'envahissement du gras de la
joue par l'implantation des premiers poils des favoris, la cassure du nez, la
pénétration du regard, la congestion des paupières du docteur du Boulbon.
Peut-être, ayant toujours gardé un remords d'avoir borné sa vie aux relations
mondaines, à la conversation [5], croyait-il trouver une sorte d'indulgent pardon

---

— 5 Pâtisserie sèche, qu'on donne à becqueter
aux oiseaux.
— 1 Ou *Séphora ;* elle deviendra la femme de
Moïse. — 2 Célèbre fresque de Botticelli.
— 3 Surnom d'Antonio Regno, plus connu
comme architecte et sculpteur. — 4 Ce personnage paraîtra à la soirée chez Mme de Saint-
Euverte et au gala de l'Opéra (cf. p. 258).
— 5 Swann n'est qu'un dilettante mondain, alors
qu'il avait assez de culture et de goût pour devenir
un excellent critique d'art.

à lui accordé par les grands artistes, dans ce fait qu'ils avaient eux aussi considéré avec plaisir, fait entrer dans leur œuvre, de tels visages qui donnent à celle-ci un singulier certificat de réalité et de vie, une saveur moderne ;
30 peut-être aussi s'était-il tellement laissé gagner par la frivolité des gens du monde qu'il éprouvait le besoin de trouver dans une œuvre ancienne ces allusions anticipées et rajeunissantes à des noms propres d'aujourd'hui. Peut-être, au contraire, avait-il gardé suffisamment une nature d'artiste pour que ces caractéristiques individuelles lui causassent du plaisir en prenant une signification plus générale, dès qu'il les apercevait, déracinées, délivrées, dans la ressemblance d'un portrait plus ancien avec un original qu'il ne représentait pas. Quoi qu'il en soit, et peut-être parce que la plénitude d'impressions qu'il avait depuis quelque temps, et bien qu'elle lui fût venue plutôt avec l'amour de la musique, avait enrichi même son goût pour la peinture, le plaisir fut
40 plus profond — et devait exercer sur Swann une influence durable, — qu'il trouva à ce moment-là dans la ressemblance d'Odette avec la Zéphora de ce Sandro di Mariano auquel on donne plus volontiers son surnom populaire de Botticelli depuis que celui-ci évoque au lieu de l'œuvre véritable du peintre l'idée banale et fausse qui s'en est vulgarisée. Il n'estima plus le visage d'Odette selon la plus ou moins bonne qualité de ses joues et d'après la douceur purement carnée qu'il supposait devoir leur trouver en les touchant avec ses lèvres si jamais il osait l'embrasser, mais comme un écheveau de lignes subtiles et belles que ses regards dévidèrent, poursuivant la courbe de leur enroulement, rejoignant la cadence de la nuque à l'effusion des cheveux et à la flexion des paupières, comme
50 en un portrait d'elle en lequel son type devenait intelligible et clair.
    Il la regardait ; un fragment de la fresque apparaissait dans son visage et dans son corps, que dès lors il chercha toujours à y retrouver, soit qu'il fût auprès d'Odette, soit qu'il pensât seulement à elle ; et, bien qu'il ne tînt sans doute au chef-d'œuvre florentin que parce qu'il le retrouvait en elle, pourtant cette ressemblance lui conférait à elle aussi une beauté, la rendait plus précieuse. Swann se reprocha d'avoir méconnu le prix d'un être qui eût paru adorable au grand Sandro, et il se félicita que le plaisir qu'il avait à voir Odette trouvât une justification dans sa propre culture esthétique.

Un amour de Swann (Librairie Gallimard, éditeur).

L'AMOUR-MALADIE

On parle souvent d'*amour-passion* mais PROUST renouvelle cette formule usée, par l'analyse aiguë du terme *affection* auquel il va donner ici à la fois sa valeur *sensible*, et son sens *clinique*. Peut-être s'est-il souvenu du vers de Virgile : *Hic quos durus amor crudeli tabe peredit* [1]... – THÈMES : *Amour. Femme. Psychologie.*

De fait, l'amour de Swann en était arrivé à ce degré où le médecin et, dans certaines affections, le chirurgien le plus audacieux, se demandent si priver un malade de son vice ou lui ôter son mal, est encore raisonnable ou même possible.

— 1 « Là ceux que le dur amour a rongés de son mal cruel... » (*Énéide*, VI, 442) ; cf. p. 255, n. 1.

Certes l'étendue de cet amour, Swann n'en avait pas une conscience directe. Quand il cherchait à le mesurer, il lui arrivait parfois qu'il semblât diminué, presque réduit à rien ; par exemple, le peu de goût, presque le dégoût que lui avaient inspiré, avant qu'il aimât Odette, ses traits expressifs, son teint sans fraîcheur, lui revenait à certains jours.
10 « Vraiment il y a progrès sensible, se disait-il le lendemain ; à voir exactement les choses, je n'avais presque aucun plaisir hier à être dans son lit : c'est curieux, je la trouvais même laide. » Et certes, il était sincère, mais son amour s'étendait bien au-delà des régions du désir physique. La personne même d'Odette n'y tenait plus une grande place. Quand du regard il rencontrait sur sa table la photographie d'Odette, ou quand elle venait le voir, il avait peine à identifier la figure de chair ou de bristol avec le trouble douloureux et constant qui habitait en lui. Il se disait presque avec étonnement : « C'est elle », comme si tout d'un coup on nous montrait extériorisée devant nous une de nos
20 maladies et que nous ne la trouvions pas ressemblante à ce que nous souffrons. « Elle », il essayait de se demander ce que c'était ; car c'est une ressemblance de l'amour et de la mort, plutôt que celles, si vagues, que l'on redit toujours, de nous faire interroger plus avant, dans la peur que sa réalité se dérobe, le mystère de la personnalité. Et cette maladie qu'était l'amour de Swann avait tellement multiplié, il était si étroitement mêlé à toutes les habitudes de Swann, à tous ses actes, à sa pensée, à sa santé, à son sommeil, à sa vie, même à ce qu'il désirait pour après sa mort, il ne faisait tellement plus qu'un avec lui, qu'on n'aurait pas pu l'arracher de lui sans le détruire lui-même à peu près
30 tout entier : comme on dit en chirurgie, son amour n'était plus opérable.

Un amour de Swann (Librairie Gallimard, éditeur).

LA PETITE PHRASE DE VINTEUIL

Cependant ODETTE se montre désormais indifférente, distraite, irritable ; les temps heureux ne sont plus. Or, au cours d'une soirée chez Mme de Saint-Euverte, SWANN entend, tout à coup, s'élever *le chant d'un violon* — et c'est comme une apparition, une souffrance déchirante. Il s'agit là en effet de cette *sonate de Vinteuil* qu'ils appelaient autrefois tous deux l'air national de leur amour, et « tous les souvenirs du temps où Odette était éprise de lui, trompés par ce brusque rayon,... étaient remontés lui chanter éperdument, sans pitié pour son infortune présente, les refrains oubliés du bonheur ». Mais, par-delà sa tristesse et au milieu de tous ces indifférents, il découvre une *purification* et un *apaisement,* à entendre ainsi, dans cet air, « comme un être surnaturel et pur qui passe en déroulant son message invisible ».
THÈMES : *Amour. Femme. Musique. Psychologie. Souvenir. Temps. Réel et irréel.*

Comme si les instrumentistes, beaucoup moins jouaient la petite phrase qu'ils n'exécutaient les rites exigés d'elle pour qu'elle apparût, et procédaient aux incantations nécessaires pour obtenir et prolonger quelques instants le prodige de son évocation, Swann, qui ne pouvait

pas plus la voir que si elle avait appartenu à un monde ultra-violet,
et qui goûtait comme le rafraîchissement d'une métamorphose dans la
cécité momentanée dont il était frappé en approchant d'elle, Swann
la sentait présente, comme une déesse protectrice et confidente de son
amour, et qui pour pouvoir arriver juqu'à lui devant la foule et
10 l'emmener à l'écart pour lui parler, avait revêtu le déguisement de cette
apparence sonore. Et tandis qu'elle passait, légère, apaisante et
murmurée comme un parfum, lui disant ce qu'elle avait à lui dire et
dont il scrutait tous les mots, regrettant de les voir s'envoler si vite,
il faisait involontairement avec ses lèvres le mouvement de baiser au
passage le corps harmonieux et fuyant. Il ne se sentait plus exilé et
seul puisque, elle, qui s'adressait à lui, lui parlait à mi-voix d'Odette.
Car il n'avait plus comme autrefois l'impression qu'Odette et lui
n'étaient pas connus de la petite phrase. C'est que si souvent elle avait
été témoin de leurs joies ! Il est vrai que souvent aussi elle l'avait averti
20 de leur fragilité. Et même, alors que dans ce temps-là il devinait de
la souffrance dans son sourire, dans son intonation limpide et désen-
chantée, aujourd'hui il y trouvait plutôt la grâce d'une résignation
presque gaie. De ces chagrins dont elle lui parlait autrefois et qu'il la
voyait, sans qu'il fût atteint par eux, entraîner en souriant dans son
cours sineux et rapide, de ces chagrins qui maintenant étaient devenus
les siens sans qu'il eût l'espérance d'en être jamais délivré, elle semblait
lui dire comme jadis de son bonheur : « Qu'est-ce cela ? tout cela n'est
rien. » Et la pensée de Swann se porta pour la première fois dans un
élan de pitié et de tendresse vers ce Vinteuil, vers ce frère inconnu
30 et sublime qui lui aussi avait dû tant souffrir ; qu'avait pu être sa vie ?
au fond de quelles douleurs avait-il puisé cette force de dieu, cette
puissance illimitée de créer ? Quand c'était la petite phrase qui lui parlait
de la vanité de ses souffrances, Swann trouvait de la douceur à cette
même sagesse qui tout à l'heure pourtant lui avait paru intolérable,
quand il croyait la lire dans les visages des indifférents qui considéraient
son amour comme une divagation sans importance. C'est que la petite
phrase, au contraire, quelque opinion qu'elle pût avoir sur la brève durée
de ces états de l'âme, y voyait quelque chose, non pas comme faisaient
tous ces gens, de moins sérieux que la vie positive, mais au contraire
40 de si supérieur à elle que seul il valait la peine d'être exprimé.

*Ainsi les grands musiciens « nous rendent le service, en éveillant en nous le correspondant
du thème qu'ils ont trouvé, de nous montrer quelle richesse, quelle variété cache à notre insu
cette grande nuit impénétrée et décourageante de notre âme que nous prenons pour du vide
et pour du néant. »*

Même quand il ne pensait pas à la petite phrase, elle existait latente
dans son esprit au même titre que certaines autres notions sans
équivalent, comme la notion de lumière, de son, de relief, de volupté
physique, qui sont les riches possessions dont se diversifie et se pare

notre domaine intérieur. Peut-être les perdrons-nous, peut-être s'efface-ront-elles, si nous retournons au néant. Mais tant que nous vivons, nous ne pouvons pas plus faire que nous ne les ayons connues que nous ne le pouvons pour quelque objet réel, que nous ne pouvons par exemple douter de la lumière de la lampe qu'on allume devant les objets
50 métamorphosés de notre chambre d'où s'est échappé jusqu'au souvenir de l'obscurité. Par là, la phrase de Vinteuil avait, comme tel thème de *Tristan* par exemple, qui nous représente aussi une certaine acquisition sentimentale, épousé notre condition mortelle, pris quelque chose d'humain qui était assez touchant. Son sort était lié à l'avenir, à la réalité de notre âme dont elle était un des ornements les plus particuliers, les mieux différenciés. Peut-être est-ce le néant qui est le vrai et tout notre rêve est-il inexistant, mais alors nous sentons qu'il faudra que ces phrases musicales, ces notions qui existent par rapport à lui, ne soient rien non plus. Nous périrons, mais nous avons pour otages ces captives
60 divines qui suivront notre chance. Et la mort avec elles a quelque chose de moins amer, de moins inglorieux, peut-être de moins probable.

Un amour de Swann (Librairie Gallimard, éditeur).

AMOUR ET JALOUSIE

Inquiet, SWANN *interroge continuellement* ODETTE ; *la crainte de mensonges passés vient corrompre jusqu'à ses souvenirs : dès lors « il regarde mourir leur amour ». Peu à peu, toutefois, il lui deviendra possible de songer, sans trop souffrir, à tel nom, à tel décor du temps heureux, car « ce que nous croyons notre amour, notre jalousie, n'est pas une même passion, continue, indivisible. Ils se composent d'une infinité d'amours successifs, de jalousies différentes et qui sont éphémères, mais par leur multitude ininterrompue donnent l'impression de la continuité, l'illusion de l'unité ».*

Plus tard, SWANN *épousera* ODETTE *et le narrateur deviendra amoureux de leur fille* GILBERTE, *auprès de laquelle il comprendra qu'* il ne peut y avoir de calme dans l'amour *« puisque ce qu'on a obtenu n'est jamais qu'un nouveau point de départ pour désirer davantage ». C'est auprès d'elle aussi qu'il aura la révélation, essentielle à toute son œuvre romanesque, qu'*aimer c'est avant tout souffrir *et qu'entre deux êtres celui qui aime le plus est toujours vulnérable et le plus souvent victime.*

TÉNÉBREUSE ET PROFONDE UNITÉ

Cependant, les différentes périodes de notre vie sont comme imbriquées les unes dans les autres : « On refuse dédaigneusement, dit Proust, à cause de ce qu'on aime aujourd'hui, de voir ce qu'on aimera demain ». Ainsi, encore tout occupé de GILBERTE, *le narrateur refuse d'accompagner son père à un dîner officiel où il aurait rencontré* ALBERTINE, *son grand amour, celle qu'il fera le projet d'épouser, celle dont la présence continue lui est indispensable. « Ce terrible besoin d'un être, à Combray, j'avais appris à le connaître au sujet de ma mère et jusqu'à vouloir mourir si elle me faisait dire par Françoise qu'elle ne pourrait pas monter. »*

Aux yeux de Proust, l'amour ne signifie pas bonheur mais exigence d'absolu, enrichissement douloureux et révélation de soi à soi-même. *Ce n'est pas dans le Présent, toujours troublé, c'est dans le Passé « réfléchi » que le romancier approfondira son analyse. Ainsi, les chagrins venus par l'amour d'une* GILBERTE *ou d'une* ALBERTINE *apparaîtront non plus épisodiques et fugitifs mais comme une part de notre âme « plus durable que les moi divers qui meurent successivement en nous ». De même que dans les toiles d'Elstir (cf. p. 264) les objets se transfigurent sous la lumière, tous les matériaux de la vie passée, « qu'ils soient venus dans les plaisirs frivoles, dans la paresse, dans la tendresse », contribuent à l'unité d'une œuvre où la douleur même peut devenir une joie spirituelle en faisant négliger sa cause pour approfondir son essence.*

Désenchantement

Une fois terminé l'épisode d'*Un amour de Swann*, l'auteur reprend le récit à la première personne. Et soudain l'homme qu'il est à présent se substitue à l'enfant, en une sorte de *surimpression des sentiments*. Il aimerait, au cours de ses promenades, retrouver ces images d'autrefois où se jouait la grâce d'ODETTE, mais les modes ont changé et LE « Bois » n'est plus qu'*un* bois, désaffecté. – THÈMES : *Souvenir. Réel et irréel. Psychologie. Temps.*

D'ailleurs il ne m'eût pas suffi que les toilettes fussent les mêmes qu'en ces années-là. A cause de la solidarité qu'ont entre elles les différentes parties d'un souvenir et que notre mémoire maintient équilibrées dans un assemblage où il ne nous est pas permis de rien distraire ni refuser, j'aurais voulu pouvoir aller finir la journée chez une de ces femmes, devant une tasse de thé, dans un appartement aux murs peints de couleurs sombres, comme était encore celui de Mme Swann (l'année d'après celle où se termine la première partie de ce récit) et où luiraient les feux orangés, la rouge combustion, la flamme rose et blanche des chrysanthèmes dans le crépuscule de novembre, pendant des
10 instants pareils à ceux où (comme on le verra plus tard) je n'avais pas su découvrir les plaisirs que je désirais. Mais maintenant, même ne me conduisant à rien, ces instants me semblaient avoir en eux-mêmes assez de charme. Je voulais les retrouver tels que je me les rappelais. Hélas ! il n'y avait plus que des appartements Louis XVI tout blancs, émaillés d'hortensias bleus. D'ailleurs, on ne revenait plus à Paris que très tard. Mme Swann m'eût répondu d'un château qu'elle ne rentrerait qu'en février, bien après le temps des chrysanthèmes, si je lui avais demandé de reconstituer pour moi les éléments de ce souvenir que je sentais attaché à une année lointaine, à un millésime vers lequel il ne m'était pas permis de remonter, les éléments de ce désir devenu
20 lui-même inaccessible comme le plaisir qu'il avait jadis vainement poursuivi. Et il m'eût fallu aussi que ce fussent les mêmes femmes, celles dont la toilette m'intéressait parce que, au temps où je croyais encore, mon imagination les avait individualisées et les avait pourvues d'une légende. Hélas ! dans l'avenue des Acacias — l'allée de Myrtes — j'en revis quelques-unes, vieilles, et qui n'étaient plus que les ombres terribles de ce qu'elles avaient été, errant, cherchant désespérément on ne sait quoi dans les bosquets virgiliens [1]. Elles avaient fui depuis longtemps, que j'étais encore à interroger vainement les chemins désertés. Le soleil s'était caché. La nature recommençait à régner sur le Bois d'où s'était envolée l'idée qu'il était le jardin élyséen de la Femme ;
30 au-dessus du moulin factice le vrai ciel était gris ; le vent ridait le Grand Lac de petites vaguelettes, comme un lac ; de gros oiseaux parcouraient rapidement le Bois, comme un bois, et poussant des cris aigus se posaient l'un après l'autre sur les grands chênes qui, sous leur couronne druidique et avec une majesté dodonéenne [2], semblaient proclamer le vide inhumain de la forêt désaffectée, et m'aidaient à mieux comprendre la contradiction que c'est de chercher dans la réalité les tableaux de la mémoire, auxquels manquerait toujours le charme

---

— 1 Bosquets de myrtes où Virgile (*Énéide*, VI, 443-444) a placé les âmes ravagées par l'amour (cf. p. 251, note 1). — 2 A Dodone, en Épire, s'élevait un temple de Zeus, près d'une forêt de chênes qui rendaient des oracles.

qui leur vient de la mémoire même et de n'être pas perçus par les sens. La réalité que j'avais connue n'existait plus. Il suffisait que Mme Swann n'arrivât pas toute pareille au même moment, pour que l'Avenue fût autre. Les lieux 40 que nous avons connus n'appartiennent pas qu'au monde de l'espace où nous les situons pour plus de facilité. Ils n'étaient qu'une mince tranche au milieu d'impressions contiguës qui formaient notre vie d'alors ; le souvenir d'une certaine image n'est que le regret d'un certain instant ; et les maisons, les routes, les avenues, sont fugitives, hélas ! comme les années.

Du côté de chez Swann, III Noms de Pays (Librairie Gallimard, éditeur).

Un personnage étrange

Avec sa grand-mère et Françoise, le narrateur « arrivé à une presque complète indifférence à l'égard de Gilberte » passe l'été sur une plage normande, à Balbec. Au Grand Hôtel où ils sont descendus, il observe ce milieu de touristes parmi lesquels se distingue « une vieille dame au parfum fin et vieillot ». C'est la marquise de VILLEPARISIS, tante du duc de Guermantes, qui a connu jadis, au couvent, le grand-père du narrateur. Ces relations se renouent et le petit-neveu de la marquise, ROBERT DE SAINT-LOUP, jeune officier très élégant, deviendra l'ami du futur écrivain, malgré l'ironie envieuse d'un camarade retrouvé à Balbec, BLOCH, de famille encombrante et mal élevée. ROBERT, qui a fait la conquête de son entourage actuel, parle beaucoup de sa famille et notamment de son oncle Palamède, M. DE CHARLUS, une des créations les plus hardies de Marcel Proust. – THÈMES : *Psychologie. Littérature (Portraits).*

Le lendemain matin du jour où Robert m'avait ainsi parlé de son oncle tout en l'attendant, vainement du reste, comme je passais seul devant le casino en rentrant à l'hôtel, j'eus la sensation d'être regardé par quelqu'un qui n'était pas loin de moi. Je tournai la tête et j'aperçus un homme d'une quarantaine d'années, très grand et assez gros, avec des moustaches très noires, et qui, tout en frappant nerveusement son pantalon avec une badine, fixait sur moi des yeux dilatés par l'attention. Par moments, ils étaient percés en tous sens par des regards d'une extrême activité comme en ont seuls devant une personne qu'ils ne connaissent pas des hommes à qui, pour un motif quelconque, elle 10 inspire des pensées qui ne viendraient pas à tout autre — par exemple des fous ou des espions. Il lança sur moi une suprême œillade à la fois hardie, prudente, rapide et profonde, comme un dernier coup que l'on tire au moment de prendre la fuite, et après avoir regardé tout autour de lui, prenant soudain un air distrait et hautain, par un brusque revirement de toute sa personne il se tourna vers une affiche dans la lecture de laquelle il s'absorba, en fredonnant un air et en arrangeant la rose mousseuse qui pendait à sa boutonnière. Il sortit de sa poche un calepin sur lequel il eut l'air de prendre en note le titre du spectacle annoncé, tira deux ou trois fois sa montre, abaissa sur ses yeux un canotier de paille noire dont il prolongea le rebord avec sa main mise en visière 20 comme pour voir si quelqu'un n'arrivait pas, fit le geste de mécontentement par lequel on croit faire voir qu'on a assez d'attendre, mais qu'on ne fait jamais quand on attend réellement, puis rejetant en arrière son chapeau et laissant voir une brosse coupée ras qui admettait cependant de chaque côté d'assez longues ailes de pigeon ondulées, il exhala le souffle bruyant des personnes

qui ont non pas trop chaud, mais le désir de montrer qu'elles ont trop chaud. J'eus l'idée d'un escroc d'hôtel qui, nous ayant peut-être déjà remarqués les jours précédents, ma grand-mère et moi, et préparant quelque mauvais coup, venait de s'apercevoir que je l'avais surpris pendant qu'il m'épiait ; pour me donner le change, peut-être cherchait-il seulement par sa nouvelle attitude à
30 exprimer la distraction et le détachement, mais c'était avec une exagération si agressive que son but semblait, au moins autant que de dissiper les soupçons que j'avais dû avoir, de venger une humiliation qu'à mon insu je lui eusse infligée, de me donner l'idée non pas tant qu'il ne m'avait pas vu, que celle que j'étais un objet de trop petite importance pour attirer l'attention. Il cambrait sa taille d'un air de bravade, pinçait les lèvres, relevait ses moustaches et dans son regard ajustait quelque chose d'indifférent, de dur, de presque insultant. Si bien que la singularité de son expression me le faisait prendre tantôt pour un voleur et tantôt pour un aliéné. Pourtant sa mise extrêmement soignée était beaucoup plus grave et beaucoup plus simple que celles de tous les baigneurs
40 que je voyais à Balbec, et rassurante pour mon veston si souvent humilié par la blancheur éclatante et banale de leurs costumes de plage. Mais ma grand-mère venait à ma rencontre, nous fîmes un tour ensemble et je l'attendais, une heure après, devant l'hôtel où elle était rentrée un instant, quand je vis sortir Mme de Villeparisis avec Robert de Saint-Loup et l'inconnu qui m'avait regardé si fixement devant le casino. Avec la rapidité d'un éclair son regard me traversa ainsi qu'au moment où je l'avais aperçu, et revint, comme s'il ne m'avait pas vu, se ranger, un peu bas, devant ses yeux, émoussé, comme le regard neutre qui feint de ne rien voir au dehors et n'est capable de rien lire au dedans, le regard qui exprime seulement la satisfaction de sentir autour
50 de soi les cils qu'il écarte de sa rondeur béate, le regard dévot et confit qu'ont certains hypocrites, le regard fat qu'ont certains sots. [...]
    — Comment allez-vous ? Je vous présente mon neveu le baron de Guermantes, me dit Mme de Villeparisis, pendant que l'inconnu sans me regarder, grommelant un vague : « Charmé » qu'il fit suivre de : « heue, heue, heue » pour donner à son amabilité quelque chose de forcé, et repliant le petit doigt, l'index et le pouce, me tendait le troisième doigt et l'annulaire, dépourvus de toute bague, que je serrai sous son gant de Suède ; puis sans avoir levé les yeux sur moi il se détourna vers Mme de Villeparisis.
    — Mon Dieu, est-ce que je perds la tête ? dit celle-ci en riant, voilà que
60 je t'appelle le baron de Guermantes. Je vous présente le baron de Charlus. Après tout, l'erreur n'est pas si grande, ajouta-t-elle, tu es bien un Guermantes tout de même.

A l'ombre des jeunes filles en fleurs (Librairie Gallimard, éditeur).

LES GUERMANTES

Au début de cette partie de son œuvre intitulée Du côté de Guermantes, MARCEL PROUST *a dit le pouvoir évocateur et magique des* noms, *noms de* villes *ou de* pays, *noms de* familles *anciennes mêlées à tout un passé historique ou architectural. La figure dominante sera ici celle de la jeune* duchesse, ORIANE, *aux « yeux ensoleillés d'un sourire bleu ». Son mari,* BASIN, *avant d'être duc de Guermantes, a porté le titre de prince des Laumes ; il a pour frère le baron de Charlus. Quant à la* princesse DE GUERMANTES, *elle est, pour parler comme Françoise, « la femme du cousin à M. le Duc ». On l'appelle en général* MARIE GILBERT *en associant son prénom à celui de son mari. Ce dernier, devenu veuf, épousera Mme Verdurin (cf.* Le Temps retrouvé).

Néréides et Tritons

Très épris de théâtre, le narrateur se trouve ici à l'Opéra, lors d'une soirée de gala dont LA BERMA est la vedette. Dans cette page où une *baignoire* devient si poétiquement une *grotte* marine, l'art de PROUST dans la métaphore et la transposition semble préluder à celui de JEAN GIRAUDOUX. – THÈMES : *Société. Femme. Symboles. Réel et irréel.*

Dans les autres baignoires, presque partout les blanches déités qui habitaient ces sombres séjours s'étaient réfugiées contre les parois obscures et restaient invisibles. Cependant, au fur et à mesure que le spectacle s'avançait, leurs formes vaguement humaines se détachaient mollement l'une après l'autre des profondeurs de la nuit qu'elles tapissaient et, s'élevant vers le jour, laissaient émerger leurs corps demi-nus et venaient s'arrêter à la limite verticale et à la surface clair-obscur où leurs brillants visages apparaissaient derrière le déferlement rieur, écumeux et léger [1] de leurs éventails de plumes, sous leurs chevelures de pourpre emmêlées de perles que semblait avoir courbées
10 l'ondulation du flux ; après commençaient les fauteuils d'orchestre, le séjour des mortels à jamais séparé du sombre et transparent royaume auquel çà et là servaient de frontière, dans leur surface liquide et plate, les yeux limpides et réfléchissants des déesses des eaux. Car les strapontins du rivage, les formes des monstres de l'orchestre se peignaient dans ces yeux suivant les seules lois de l'optique et selon leur angle d'incidence, comme il arrive pour ces deux parties de la réalité extérieure auxquelles, sachant qu'elles ne possèdent pas, si rudimentaire soit-elle, d'âme analogue à la nôtre, nous nous jugerions insensés d'adresser un sourire ou un regard : les minéraux et les personnes avec qui nous ne sommes pas en relations. En deçà, au contraire, de la limite de leur
20 domaine, les radieuses filles de la mer se retournaient à tout moment en souriant vers des tritons barbus pendus aux anfractuosités de l'abîme, ou vers quelque demi-dieu aquatique ayant pour crâne un galet poli sur lequel le flot avait ramené une algue lisse et pour regard un disque en cristal de roche. Elles se penchaient vers eux, elles leur offraient des bonbons ; parfois le flot s'entr'ouvrait devant une nouvelle néréide qui, tardive, souriante et confuse, venait de s'épanouir du fond de l'ombre ; puis, l'acte fini, n'espérant plus entendre les rumeurs mélodieuses de la terre qui les avaient attirées à la surface, plongeant toutes à la fois, les diverses sœurs disparaissaient dans la nuit. Mais de toutes ces retraites au seuil desquelles le souci léger d'apercevoir les œuvres
30 des hommes amenait les déesses curieuses, qui ne se laissent pas approcher, la plus célèbre était le bloc de demi-obscurité connu sous le nom de baignoire de la princesse de Guermantes.
Comme une grande déesse qui préside de loin aux jeux des divinités inférieures, la princesse était restée volontairement un peu au fond sur un canapé latéral, rouge comme un rocher de corail, à côté d'une large réverbération vitreuse qui était probablement une glace et faisait penser à quelque section qu'un rayon aurait pratiquée, perpendiculaire, obscure et liquide, dans le cristal ébloui des eaux. A la fois plume et corolle, ainsi que certaines floraisons marines, une

---

— 1 Cette suite de *trois* adjectifs est fréquente chez Proust (cf. l. 25, 37, 40-41, et p. 241, note 2).

Proust et la vie mondaine

Auguste Renoir, « La Loge », 1874. (Courtauld Institute Galleries, Londres.
Ph. © du Musée)

L'originalité d'un style

Ce tableau est antérieur à la description de Proust. A partir d'une réalité assez semblable, la grande métaphore proustienne métamorphose les spectateurs privilégiés en néréides et tritons. Pour le romancier comme pour le peintre, le théâtre est une cérémonie mondaine, avec sa part de féerie : les femmes y sont parées pour éblouir leurs admirateurs et le spectacle est en partie dans la salle.

grande fleur blanche, duvetée comme une aile, descendait du front de la princesse
40 le long d'une de ses joues dont elle suivait l'inflexion avec une souplesse coquette,
amoureuse et vivante, et semblait l'enfermer à demi comme un œuf rose dans
la douceur d'un nid d'alcyon. Sur la chevelure de la princesse, et s'abaissant
jusqu'à ses sourcils, puis reprise plus bas à la hauteur de sa gorge, s'étendait une
résille faite de ces coquillages blancs qu'on pêche dans certaines mers australes
et qui étaient mêlés à des perles, mosaïque marine à peine sortie des vagues qui
par moments se trouvait plongée dans l'ombre au fond de laquelle, même alors,
une présence humaine était révélée par la motilité éclatante des yeux de la
princesse. La beauté qui mettait celle-ci bien au-dessus des autres filles
fabuleuses de la pénombre n'était pas tout entière matériellement et inclusive-
50 ment inscrite dans sa nuque, dans ses épaules, dans ses bras, dans sa taille. Mais
la ligne délicieuse et inachevée de celle-ci était l'exact point de départ, l'amorce
inévitable de lignes invisibles en lesquelles l'œil ne pouvait s'empêcher de les
prolonger, merveilleuses, engendrées autour de la femme comme le spectre d'une
figure idéale projetée sur les ténèbres.

Le Côté de Guermantes (Librairie Gallimard, éditeur).

Cependant l'acte de Phèdre *va commencer ; les ondines et les néréides cessent d'appartenir
au monde des eaux pour devenir d'immobiles spectatrices ; « la princesse de Guermantes vint
sur le devant de la baignoire ; alors... je vis que le* doux nid d'alcyon *qui protégeait tendrement
la nacre rose de ses joues était, douillet, éclatant et velouté, un immense oiseau de paradis ».*

INCONSCIENCE OU FRIVOLITÉ ?

La scène se passe dans la cour de l'hôtel de Guermantes. Pour le duc BASIN et pour
la duchesse ORIANE les *obligations mondaines* ont un caractère d'impératif catégorique.
Frivolité, inconscience ou entraînement, lorsqu'un plaisir est en jeu, rien ne compte plus,
ni la maladie ni la mort — n'avons-nous pas « toujours assez de force pour supporter
les maux d'autrui » ? — Dans un passage précédent et plus souvent cité, on a pu voir
SWANN, condamné par le corps médical, venir faire ses adieux à ce couple aristocratique,
alors soucieux d'assortir souliers et costumes pour une fête donnée chez Mme de
Saint-Euverte. Tandis qu'il repart, le duc lui crie « à la cantonade et d'une voix de stentor :
« Ne vous laissez pas frapper par les bêtises des médecins. Ce sont des ânes ! Vous vous
portez comme le Pont-Neuf. Vous nous enterrerez tous. » Ici, la duchesse, et surtout son
mari, tremblent d'être *privés d'une soirée* par la mort d'un de leurs cousins, malade depuis
longtemps, AMANIEN D'OSMOND. Le duc s'adresse au narrateur, qui d'ailleurs a rendez-vous
avec la jeune fille qu'il aime, ALBERTINE, et ne se soucie nullement de cette soirée.
THÈMES : *Société. Morale. Mort. Littérature (Satire).*

Vous ne voulez pas venir avec nous à la redoute [1] ? me demanda-t-il.
Je vous prêterais un manteau vénitien et je sais quelqu'un à qui cela ferait
bougrement [2] plaisir, à Oriane d'abord, cela ce n'est pas la peine de le

---

— 1 Cette *redoute* est une fête costumée. | naire Philosophique, *Langues*). — 2 Le duc affecte
Voltaire préférait le mot : *assemblée* (cf. Diction- | un langage populaire. Cf. l. 9 : *à la revoyure.*

Proust et la vie mondaine

Eugène Lami, « Bal chez la princesse de Sagan ou Bal au palais Balbi », 1883.
– C'est une fête costumée (cf. **p. 260-262).** (Coll. part. Ph. Luc Joubert © Arch. Photeb)

dire ; mais à la princesse de Parme. Elle chante tout le temps vos louanges, elle ne jure que par vous. [...]

Je ne tenais pas à la redoute, mais au rendez-vous avec Albertine. Aussi je refusai. La voiture s'était arrêtée, le valet de pied demanda la porte cochère, les chevaux piaffèrent jusqu'à ce qu'elle fût ouverte toute grande, et la voiture s'engagea dans la cour. « A la revoyure, me dit le duc. — J'ai
10 quelquefois regretté de demeurer aussi près de Marie, me dit la duchesse, parce que, si je l'aime beaucoup, j'aime un petit peu moins la voir. Mais je n'ai jamais regretté cette proximité autant que ce soir, puisque cela me fait rester si peu avec vous. — Allons, Oriane, pas de discours ». La duchesse aurait voulu que j'entrasse un instant chez eux. Elle rit beaucoup, ainsi que le duc, quand je dis que je ne pouvais pas parce qu'une jeune fille devait précisément venir me faire une visite maintenant. « Vous avez une drôle d'heure pour recevoir vos visites, me dit-elle. — Allons, mon petit, dépêchons-nous, dit M. de Guermantes à sa femme. Il est minuit moins le quart et le temps de nous costumer... » Il se heurta devant
20 sa porte, sévèrement gardée par elles, aux deux dames à canne [3] qui n'avaient pas craint de descendre nuitamment de leur cime afin d'empêcher un scandale. « Basin, nous avons tenu à vous prévenir, de peur que vous ne soyez vu à cette redoute : le pauvre Amanien vient de mourir, il y a une heure. » Le duc eut un instant d'alarme. Il voyait la fameuse redoute s'effondrer pour lui du moment que, par ces maudites montagnardes [4], il était averti de la mort de M. d'Osmond. Mais il se ressaisit bien vite et lança aux deux cousines ce mot où il faisait entrer, avec la détermination de ne pas renoncer à un plaisir, son incapacité d'assimiler exactement les tours de la langue française : « Il est mort ! Mais non, on
30 exagère, on exagère ! » Et sans plus s'occuper des deux parentes qui, munies de leurs alpenstocks, allaient faire l'ascension dans la nuit, il se précipita aux nouvelles en interrogeant son valet de chambre : « Mon casque est bien arrivé ? — Oui, monsieur le duc. — Il y a bien un petit trou pour respirer ? Je n'ai pas envie d'être asphyxié, que diable ! — Oui, monsieur le duc. — Ah ! tonnerre de Dieu, c'est un soir de malheur. Oriane, j'ai oublié de demander à Babal si les souliers à la poulaine étaient pour vous ! — Mais, mon petit, puisque le costumier de l'Opéra-Comique est là, il nous le dira. Moi, je ne crois pas que ça puisse aller avec vos éperons. — Allons trouver le costumier, dit le duc. Adieu, mon petit, je
40 vous dirais bien d'entrer avec nous pendant que nous essaierons, pour vous amuser. Mais nous causerions, il va être minuit et il faut que nous n'arrivions pas en retard pour que la fête soit complète. »

Sodome et Gomorrhe (Librairie Gallimard, éditeur).

— 3 Mmes de Plassac et de Tresmes, toutes deux filles du Comte de Bréquigny et « cousines très nobles de M. de Guermantes ». Elles ont suivi de près l'évolution de cette maladie de leur cousin Amanien, dit Mama (cf. plus bas, *Babal,* pour Hannibal de Bréauté). — 4 Elles habitent les *cimes* de l'hôtel ! cf. plus loin : *alpenstocks, ascension.*

Proust et la vie mondaine

*Giovanni Boldini, « Le comte Robert
de Montesquiou-Fezensac », 1897.*

Réalité et création romanesque

C'est la comédie mondaine que Proust a voulu
dépeindre avec ses élégances, ses raffinements et
ses ridicules. Le comte a pu servir de modèle pour
Robert de Saint-Loup, la comtesse pour la
duchesse de Guermantes. Mais il serait vain
d'enfermer l'œuvre de Proust dans les limites
étroites du roman à clés. Pour animer chacun
de ses personnages, il a puisé divers traits dans
la foule de ceux qu'il avait observés autour de
sa vingtième année : cet amalgame est le secret
des grands créateurs.

Les « *métaphores* » d'Elstir

Dans les toiles *impressionnistes* d'ELSTIR, une « multiforme et puissante unité » se dégage des *paysages marins* aux divers aspects, permettant ainsi de voir « la nature telle qu'elle est », c'est-à-dire « poétiquement ». Cette critique d'art, très pénétrante, éclaire de façon significative l'étude du *style* même de MARCEL PROUST.
THÈMES : *Art. Beaux-arts. Nature. Réel et irréel.*

Parfois à ma fenêtre, dans l'hôtel de Balbec, le matin quand Françoise défaisait les couvertures qui cachaient la lumière, le soir quand j'attendais le moment de partir avec Saint-Loup, il m'était arrivé, grâce à un effet de soleil, de prendre une partie plus sombre de la mer pour une côte éloignée, ou de regarder avec joie une zone bleue et fluide sans savoir si elle appartenait à la mer ou au ciel [1]. Bien vite mon intelligence rétablissait entre les éléments la séparation que mon impression avait abolie [2]. C'est ainsi qu'il m'arrivait à Paris, dans ma chambre, d'entendre une dispute, presque une émeute, jusqu'à ce que j'eusse rapporté à sa cause, par exemple une voiture dont le roulement
10 approchait, ce bruit dont j'éliminais alors les vociférations aiguës et discordantes que mon oreille avait réellement entendues, mais que mon intelligence savait que les roues ne produisaient pas. Mais les rares moments où l'on voit la nature telle qu'elle est, poétiquement, c'était de ceux-là qu'était faite l'œuvre d'Elstir [3]. Une de ses métaphores les plus fréquentes dans les marines qu'il avait près de lui en ce moment était justement celle qui, comparant la terre à la mer, supprimait entre elles toute démarcation [4]. C'était cette comparaison, tacitement et inlassablement répétée dans une même toile, qui y introduisait cette multiforme et puissante unité, cause, parfois non clairement aperçue par eux, de l'enthousiasme qu'excitait chez certains amateurs la peinture d'Elstir.
20 C'est par exemple à une métaphore de ce genre — dans un tableau représentant le port de Carquethuit, tableau qu'il avait terminé depuis peu de jours et que je regardai longuement — qu'Elstir avait préparé l'esprit du spectateur en n'employant pour la petite ville que des termes marins, et que des termes urbains pour la mer. Soit que les maisons cachassent une partie du port, un bassin de calfatage ou peut-être la mer même s'enfonçant en golfe dans les terres, ainsi que cela arrivait constamment dans ce pays de Balbec, de l'autre côté de la pointe avancée où était construite la ville, les toits étaient dépassés (comme ils l'eussent été par des cheminées ou par des clochers) par des mâts, lesquels avaient l'air de faire des vaisseaux auxquels ils appartenaient,
30 quelque chose de citadin, de construit sur terre, impression qu'augmentaient d'autres bateaux, demeurés le long de la jetée, mais en rangs si pressés que les hommes y causaient d'un bâtiment à l'autre sans qu'on pût distinguer leur séparation et l'interstice de l'eau, et ainsi cette flottille de pêche avait moins l'air d'appartenir à la mer que, par exemple, les églises de Criquebec qui, au

---

— 1 Ou bien, au cours d'une promenade en voiture, Proust *voit* soudain un mur barrer la route, avant de s'apercevoir qu'il s'agit d'un effet de lumière. — 2 Au contraire « Elstir tâchait d'arracher à ce qu'il venait de sentir ce qu'il savait, son effort avait souvent été de dissoudre cet agrégat de raisonnements que nous appelons vision ». — 3 On a remarqué que ce nom est l'anagramme partiel de *Whistler*. — 4 Cf. le poème de Rimbaud intitulé *Marine*.

Proust et la peinture

Paul Helleu, « Madame Helleu et son fils en canot ». (Coll. particulière.
Ph. Henri Tabah © Arch. Photeb © by SPADEM 1988)

« Métaphores »

Dans le personnage du peintre Elstir, on s'accorde à considérer que Proust a pris, entre autres, comme modèles Claude Monet et Paul Helleu qui lui avait été présenté en 1890 par Robert de Montesquiou et qu'il pouvait rencontrer dans son atelier de Cabourg. Cette marine impressionniste permet de mieux suivre les considérations de Marcel Proust sur les « métaphores » d'Elstir (cf. **p. 264-266**).

loin, entourées d'eau de tous côtés parce qu'on les voyait sans la ville, dans un poudroiement de soleil et de vagues, semblaient sortir des eaux, soufflées en albâtre ou en écume et, enfermées dans la ceinture d'un arc-en-ciel versicolore [5], former un tableau irréel et mystique. Dans le premier plan de la plage, le peintre avait su habituer les yeux à ne pas reconnaître de frontière
40 fixe, de démarcation absolue, entre la terre et l'océan. Des hommes qui poussaient des bateaux à la mer, couraient aussi bien dans les flots que sur le sable, lequel, mouillé, réfléchissait déjà les coques comme s'il avait été de l'eau. La mer elle-même ne montait pas régulièrement, mais suivait les accidents de la grève, que la perspective déchiquetait encore davantage, si bien qu'un navire en pleine mer, à demi caché par les ouvrages avancés de l'arsenal, semblait voguer au milieu de la ville ; des femmes qui ramassaient des crevettes dans les rochers avaient l'air, parce qu'elles étaient entourées d'eau et à cause de la dépression qui, après la barrière circulaire des roches, abaissait la plage (des deux côtés les plus rapprochés de terre) au niveau de la mer, d'être dans
50 une grotte marine surplombée de barques et de vagues, ouverte et protégée au milieu des flots écartés miraculeusement. Si tout le tableau donnait cette impression des ports où la mer entre dans la terre, où la terre est déjà marine et la population amphibie, la force de l'élément marin éclatait partout ; et, près des rochers, à l'entrée de la jetée, où la mer était agitée, on sentait aux efforts des matelots et à l'obliquité des barques couchées à angle aigu devant la calme verticalité de l'entrepôt, de l'église, des maisons de la ville, où les uns rentraient, d'où les autres partaient pour la pêche, qu'ils trottaient rudement sur l'eau comme sur un animal fougueux et rapide dont les soubresauts, sans leur adresse, les eussent jetés à terre. Une bande de promeneurs sortait gaiement en une
60 barque secouée comme une carriole ; un matelot joyeux, mais attentif aussi, la gouvernait comme avec des guides, menait la voile fougueuse, chacun se tenait bien à sa place pour ne pas faire trop de poids d'un côté et ne pas verser, et on courait ainsi par les champs ensoleillés, dans les sites ombreux, dégringolant les pentes. C'était une belle matinée malgré l'orage qu'il avait fait. Et même on sentait encore les puissantes actions qu'avait à neutraliser le bel équilibre des barques immobiles, jouissant du soleil et de la fraîcheur, dans les parties où la mer était si calme que les reflets avaient presque plus de solidité et de réalité que les coques vaporisées par un effet de soleil et que la perspective faisait s'enjamber les unes les autres. Ou plutôt on n'aurait pas dit d'autres
70 parties de la mer. Car entre ces parties, il y avait autant de différence qu'entre l'une d'elles et l'église sortant des eaux, et les bateaux derrière la ville. L'intelligence faisait ensuite un même élément de ce qui était, ici noir dans un effet d'orage, plus loin tout d'une couleur avec le ciel et aussi verni que lui, et là si blanc de soleil, de brume et d'écume, si compact, si terrien, si circonvenu de maisons, qu'on pensait à quelque chaussée de pierres ou à un champ de neige, sur lequel on était effrayé de voir un navire s'élever en pente raide et à sec comme une voiture qui s'ébroue [6] en sortant d'un gué, mais qu'au bout d'un moment, en y voyant sur l'étendue haute et inégale du plateau solide des bateaux titubants, on comprenait, identique en tous ces aspects divers, être encore la mer.

A l'ombre des jeunes filles en fleurs (Librairie Gallimard, éditeur).

— 5 Chatoyant. — 6 Ici même s'esquisse une | *métaphore,* car ce sont les chevaux qui *s'ébrouent,* et non la voiture.

Proust et la vie mondaine

Comme le dessinateur, le romancier a saisi cette fugitive vision d'élégance : « Je voyais... une incomparable victoria... au fond de laquelle reposait avec abandon Mme Swann... à la main une ombrelle mauve ».

Louis-Rémy Sabattier, « La Plage de Deauville, » vers 1905. (Coll. Seligmann.
Ph. X © Arch. Photeb – DR)

A la plage

L'été, la cérémonie mondaine se déplaçait vers les hôtels et les plages de Normandie. C'est avec le souvenir de ses nombreux séjours à Cabourg que Proust ressuscite à Balbec les scènes souvent humoristiques de ce temps retrouvé.

267

LES INTERMITTENCES DU CŒUR

Au cours d'un second séjour à Balbec où il retrouve le même public, le même hôtel et le même directeur au vocabulaire incertain, le narrateur va connaître un *bouleversement de toute son âme* : la présence de sa grand-mère morte va lui être rendue, mais pour lui faire sentir plus douloureusement son *irrémédiable disparition*. Rarement MARCEL PROUST a mieux montré ce caractère *subit* des grandes *révélations psychologiques*. THÈMES : *Souvenir. Famille. Enfance. Mort. Psychologie. Réel et irréel. Autobiographie.*

Bouleversement de toute ma personne. Dès la première nuit, comme je souffrais d'une crise de fatigue cardiaque, tâchant de dompter ma souffrance, je me baissai avec lenteur et prudence pour me déchausser. Mais à peine eus-je touché le premier bouton de ma bottine, ma poitrine s'enfla, remplie d'une présence inconnue, divine, des sanglots me secouèrent, des larmes ruisselèrent de mes yeux. L'être qui venait à mon secours, qui me sauvait de la sécheresse de l'âme, c'était celui qui, plusieurs années auparavant, dans un moment de détresse et de solitude identiques, dans un moment où je n'avais plus rien de moi, était entré,
10 et qui m'avait rendu à moi-même, car il était moi et plus que moi (le contenant qui est plus que le contenu et me l'apportait). Je venais d'apercevoir, dans ma mémoire, penché sur ma fatigue, le visage tendre, préoccupé et déçu de ma grand-mère, telle qu'elle avait été ce premier soir d'arrivée ; le visage de ma grand-mère, non pas de celle que je m'étais étonné et reproché de si peu regretter et qui n'avait d'elle que le nom, mais de ma grand-mère véritable dont, pour la première fois depuis les Champs-Élysées où elle avait eu son attaque, je retrouvais dans un souvenir involontaire et complet la réalité vivante. Cette réalité n'existe pas pour nous tant qu'elle n'a pas été recréée par notre pensée
20 (sans cela les hommes qui ont été mêlés à un combat gigantesque seraient tous de grands poètes épiques) ; et ainsi, dans un désir fou de me précipiter dans ses bras, ce n'était qu'à l'instant — plus d'une année après son enterrement, à cause de cet anachronisme qui empêche si souvent le calendrier des faits de coïncider avec celui des sentiments — que je venais d'apprendre qu'elle était morte. J'avais souvent parlé d'elle depuis ce moment-là et aussi pensé à elle, mais sous mes paroles et mes pensées de jeune homme ingrat, égoïste et cruel, il n'y avait jamais rien eu qui ressemblât à ma grand-mère, parce que, dans ma légèreté, mon amour du plaisir, mon accoutumance à la voir malade,
30 je ne contenais en moi qu'à l'état virtuel le souvenir de ce qu'elle avait été. A n'importe quel moment que nous la considérions, notre âme totale n'a qu'une valeur presque fictive, malgré le nombreux bilan de ses richesses, car tantôt les unes, tantôt les autres sont indisponibles, qu'il s'agisse d'ailleurs de richesses effectives aussi bien que de celles de l'imagination, et pour moi par exemple, tout autant que de l'ancien nom de Guermantes, de celles, combien plus graves, du souvenir vrai de ma

grand-mère. Car aux troubles de la mémoire sont liées les intermittences du cœur. C'est sans doute l'existence de notre corps, semblable pour nous à un vase où notre spiritualité serait enclose, qui nous induit à
40 supposer que tous nos biens intérieurs, nos joies passées, toutes nos douleurs sont perpétuellement en notre possession. Peut-être est-il aussi inexact de croire qu'elles s'échappent ou reviennent. En tous cas si elles restent en nous c'est, la plupart du temps, dans un domaine inconnu où elles ne sont de nul service pour nous, et où même les plus usuelles sont refoulées par des souvenirs d'ordre différent et qui excluent toute simultanéité avec elles dans la conscience. Mais si le cadre de sensations où elles sont conservées est ressaisi, elles ont à leur tour ce même pouvoir d'expulser tout ce qui leur est incompatible, d'installer, seul en nous, le moi qui les vécut. Or, comme celui que je venais subitement de
50 redevenir n'avait pas existé depuis ce soir lointain où ma grand-mère m'avait déshabillé à mon arrivée à Balbec, ce fut tout naturellement, non pas après la journée actuelle que ce moi ignorait, mais — comme s'il y avait dans le temps des séries différentes et parallèles — sans solution de continuité, tout de suite après le premier soir d'autrefois, que j'adhérai à la minute où ma grand-mère s'était penchée vers moi. Le moi que j'étais alors, et qui avait disparu si longtemps, était de nouveau si près de moi qu'il me semblait encore entendre les paroles qui avaient immédiatement précédé et qui n'étaient pourtant plus qu'un songe, comme un homme mal éveillé croit percevoir tout près de lui
60 les bruits de son rêve qui s'enfuit. Je n'étais plus que cet être qui cherchait à se réfugier dans les bras de sa grand-mère, à effacer les traces de ses peines en lui donnant des baisers, cet être que j'aurais eu à me figurer, quand j'étais tel ou tel de ceux qui s'étaient succédé en moi depuis quelque temps, autant de difficulté que maintenant il m'eût fallu d'efforts, stériles d'ailleurs, pour ressentir les désirs et les joies de l'un de ceux que, pour un temps du moins, je n'étais plus. Je me rappelais comme, une heure avant le moment où ma grand-mère s'était penchée ainsi dans sa robe de chambre vers mes bottines, errant dans la rue étouffante de chaleur, devant le pâtissier, j'avais cru que
70 je ne pourrais jamais, dans le besoin que j'avais de l'embrasser, attendre l'heure qu'il me fallait encore passer sans elle. Et maintenant que ce même besoin renaissait, je savais que je pouvais attendre des heures après des heures, qu'elle ne serait plus jamais auprès de moi, je ne faisais que de le découvrir parce que je venais, en la sentant, pour la première fois, vivante, véritable, gonflant mon cœur à le briser, en la retrouvant enfin, d'apprendre que je l'avais perdue pour toujours. Perdue pour toujours ; je ne pouvais comprendre [...]. Au lieu des plaisirs que j'avais eus depuis quelque temps, le seul qu'il m'eût été possible de goûter en ce moment, c'eût été, retouchant le passé, de diminuer les douleurs que ma grand-mère avait autrefois ressenties.

Sodome et Gomorrhe (Librairie Gallimard, éditeur).

LA MORT DE BERGOTTE

Pour peindre ce grand écrivain, Proust s'est inspiré, dit-on, d'Anatole France et de
Bergson, mais ici tout rapprochement de ce genre serait déplacé : la page est au-delà
de toutes les « clés ». Malade depuis longtemps et contraint à une diète sévère, Bergotte
ne sort plus de chez lui. « D'ailleurs, il n'avait jamais aimé le monde, ou l'avait aimé
un seul jour pour le mépriser comme tout le reste et de la même façon, qui était la
sienne, à savoir non de mépriser parce qu'on ne peut obtenir, mais aussitôt qu'on a
obtenu. » Il essaie tour à tour différents remèdes qui lui valent quelques *accalmies,*
cependant qu'auprès de lui les médecins se succèdent et se contredisent. On notera que
Proust lui-même, pour aller voir une belle exposition, ne craignit pas de compromettre
sa santé, et qu'il aurait, pour entendre la Berma, « sacrifié sa vie » (cf. p. 236, *La gloire*).
THÈMES : *Art. Beaux-arts. Mort. Morale. Critique. Temps.*

Une crise d'urémie assez légère était cause qu'on lui avait prescrit
le repos. Mais un critique ayant écrit que dans la *Vue de Delft* de Ver
Meer (prêté par le musée de La Haye pour une exposition hollandaise),
tableau qu'il adorait et croyait connaître très bien, un petit pan de mur
jaune (qu'il ne se rappelait pas) était si bien peint qu'il était, si on le
regardait seul, comme une précieuse œuvre d'art chinoise, d'une beauté
qui se suffirait à elle-même, Bergotte mangea quelques pommes de terre,
sortit, et entra à l'exposition.

10   Dès les premières marches qu'il eut à gravir il fut pris d'étourdissements. Il passa devant plusieurs tableaux et eut l'impression de la
sécheresse et de l'inutilité d'un art si factice et qui ne valait pas les
courants d'air et de soleil d'un palazzo de Venise ou d'une simple maison
au bord de la mer. Enfin il fut devant le Ver Meer, qu'il se rappelait
plus éclatant, plus différent de tout ce qu'il connaissait, mais où, grâce
à l'article du critique, il remarqua pour la première fois des petits
personnages en bleu, que le sable était rose, et enfin la précieuse matière
du tout petit pan de mur jaune. Ses étourdissements augmentaient ; il
attachait son regard, comme un enfant à un papillon jaune qu'il veut
saisir, au précieux petit pan de mur. « C'est ainsi que j'aurais dû écrire,
20   disait-il. Mes derniers livres sont trop secs, il aurait fallu passer plusieurs
couches de couleur, rendre ma phrase en elle-même précieuse, comme
ce petit pan de mur jaune. » Cependant la gravité de ses étourdissements
ne lui échappait pas. Dans une céleste balance lui apparaissait, chargeant
l'un des plateaux, sa propre vie, tandis que l'autre contenait le petit
pan de mur si bien peint en jaune. Il sentait qu'il avait imprudemment
donné le premier pour le second. « Je ne voudrais pourtant pas, se dit-il,
être pour les journaux du soir le fait divers de cette exposition. »

Il se répétait : « Petit pan de mur jaune avec un auvent, petit pan
de mur jaune. » Cependant il s'abattit sur un canapé circulaire ; aussi
30   brusquement il cessa de penser que sa vie était en jeu, et, revenant à
l'optimisme, se dit : « C'est une simple indigestion que m'ont donnée

Proust et la peinture

Vermeer, « Vue de Delft », 1658. (Mauritshuis, La Haye. Ph. © Agraci -Artephot)

Deux regards critiques

Cette célèbre toile de Vermeer que Marcel Proust commente en critique impressionniste dans l'épisode de la mort de Bergotte (cf. **p. 270**) était également admirée de Paul Claudel qui a tenté, dans *L'œil écoute*, de justifier son engouement par des considérations d'ordre technique sur la composition du paysage (cf. **p. 230**).

ces pommes de terre pas assez cuites, ce n'est rien. » Un nouveau coup
l'abattit, il roula du canapé par terre, où accoururent tous les visiteurs
et gardiens. Il était mort. Mort à jamais ? Qui peut le dire ? Certes les
expériences spirites pas plus que les dogmes religieux n'apportent la
preuve que l'âme subsiste. Ce qu'on peut dire, c'est que tout se passe
dans notre vie comme si nous y entrions avec le faix d'obligations
contractées dans une vie antérieure ; il n'y a aucune raison dans nos
conditions de vie sur cette terre pour que nous nous croyions obligés
40　à faire le bien, à être délicats, même à être polis, ni pour l'artiste athée
à ce qu'il se croie obligé de recommencer vingt fois un morceau dont
l'admiration qu'il excitera importera peu à son corps mangé par les vers,
comme le pan de mur jaune que peignit avec tant de science et de
raffinement un artiste à jamais inconnu, à peine identifié sous le nom
de Ver Meer. Toutes ces obligations, qui n'ont pas leur sanction dans
la vie présente, semblent appartenir à un monde différent, fondé sur
la bonté, le scrupule, le sacrifice, un monde entièrement différent de
celui-ci, et dont nous sortons pour naître à cette terre, avant peut-être,
d'y retourner revivre sous l'empire de ces lois inconnues auxquelles nous
50　avons obéi parce que nous en portions l'enseignement en nous, sans
savoir qui les y avait tracées — ces lois dont tout travail profond de
l'intelligence nous rapproche et qui sont invisibles seulement — et
encore ! — pour les sots. De sorte que l'idée que Bergotte n'était pas
mort à jamais est sans invraisemblance.

On l'enterra, mais toute la nuit funèbre, aux vitrines éclairées, ses livres,
disposés trois par trois, veillaient comme des anges aux ailes éployées et
semblaient, pour celui qui n'était plus, le symbole de sa résurrection.

La Prisonnière (Librairie Gallimard, éditeur).

La patrie perdue

Au cours d'une soirée chez les Verdurin, on joue un *septuor inédit de Vinteuil* où le
narrateur retrouve avec ravissement la « *petite phrase* » reconnaissable malgré une
coloration nouvelle (cf. p. 252). La permanence de l'inspiration le fait profondément
réfléchir à la notion d'*univers spirituel,* au caractère « singulier » de l'œuvre d'art, dans
cette page d'accent parfois platonicien. – THÈMES : *Art. Beaux-arts. Musique. Moi.*

Vinteuil était mort depuis nombre d'années ; mais, au milieu de ces
instruments qu'il avait aimés, il lui avait été donné de poursuivre, pour un
temps illimité, une part au moins de sa vie. De sa vie d'homme seulement ?
Si l'art n'était vraiment qu'un prolongement de la vie, valait-il de lui rien
sacrifier ? N'était-il pas aussi irréel qu'elle-même ? A mieux écouter ce septuor,
je ne le pouvais pas penser. Sans doute le rougeoyant septuor différait singulièrement de la blanche sonate [1] ; la timide interrogation à laquelle répondait
la petite phrase, de la supplication haletante pour trouver l'accomplissement

---

— 1 Noter la *correspondance.*

de l'étrange promesse qui avait retenti, si aigre, si surnaturelle, si brève, faisant
10 vibrer la rougeur encore inerte du ciel matinal au-dessus de la mer. Et pourtant,
ces phrases si différentes étaient faites des mêmes éléments ; car, de même qu'il
y avait un certain univers, perceptible pour nous en ces parcelles dispersées
çà et là, dans telles demeures, dans tels musées, et qui étaient l'univers d'Elstir [2],
celui qu'il voyait, celui où il vivait, de même la musique de Vinteuil étendait,
notes par notes, touches par touches, les colorations inconnues, inestimables
d'un univers insoupçonné, fragmenté par les lacunes que laissaient entre elles
les auditions de son œuvre ; ces deux interrogations si dissemblables qui
commandaient le mouvement si différent de la sonate et du septuor, l'une brisant
en courts appels une ligne continue et pure, l'autre ressoudant en une armature
20 indivisible des fragments épars, l'une si calme et timide, presque détachée et
comme philosophique, l'autre si pressante, anxieuse, implorante, c'était
pourtant une même prière, jaillie devant différents levers de soleil intérieurs,
et seulement réfractée à travers les milieux différents de pensées autres, de
recherches d'art en progrès au cours d'années où il avait voulu créer quelque
chose de nouveau. Prière, espérance qui était au fond la même, reconnaissable
sous ces déguisements dans les diverses œuvres de Vinteuil, et d'autre part
qu'on ne trouvait que dans les œuvres de Vinteuil. [...] C'est bien un accent
unique auquel s'élèvent, auquel reviennent malgré eux ces grands chanteurs
que sont les musiciens originaux, et qui est une preuve de l'existence
30 irréductiblement individuelle de l'âme. Que Vinteuil essayât de faire plus
solennel, plus grand, ou de faire du vif et du gai, de faire ce qu'il apercevait
se reflétant en beau dans l'esprit du public, Vinteuil, malgré lui, submergeait
tout cela sous une lame de fond qui rend son chant éternel et aussitôt reconnu.
Ce chant, différent de celui des autres, semblable à tous les siens, où Vinteuil
l'avait-il appris, entendu ? Chaque artiste semble ainsi comme le citoyen d'une
patrie inconnue [3], oubliée de lui-même, différente de celle d'où viendra,
appareillant pour la terre, un autre grand artiste. [....]
 Cette patrie perdue, les musiciens ne se la rappellent pas, mais chacun d'eux
reste toujours inconsciemment accordé en un certain unisson avec elle ; il délire
40 de joie quand il chante selon sa patrie, la trahit parfois par amour de la gloire,
mais alors en cherchant la gloire, il la fuit [4], et ce n'est qu'en la dédaignant
qu'il la trouve, quand il entonne ce chant singulier dont la monotonie — car,
quel que soit le sujet qu'il traite, il reste identique à soi-même — prouve la
fixité des éléments composants de son âme. Mais alors, n'est-ce pas que de
ces éléments, tout ce résidu réel que nous sommes obligés de garder pour
nous-mêmes, que la causerie ne peut transmettre même de l'ami à l'ami, du
maître au disciple, de l'amant à la maîtresse, cet ineffable qui différencie
qualitativement ce que chacun a senti et qu'il est obligé de laisser au seuil
des phrases où il ne peut communiquer avec autrui qu'en se limitant à des
50 points extérieurs communs à tous et sans intérêt, l'art, l'art d'un Vinteuil comme
celui d'un Elstir, le fait apparaître, extériorisant dans les couleurs du spectre
la composition intime de ces mondes que nous appelons les individus et que
sans l'art nous ne connaîtrions jamais [5] ? Des ailes, un autre appareil

---

— 2 Cf. p. 264. — 3 Cf. le paradis platonicien
des Idées, et Mallarmé : « Au ciel antérieur où
fleurit la Beauté » *(Les Fenêtres).* — 4 Cf. la parole
de l'Évangile souvent citée par Gide : « Celui qui
veut sauver sa vie la perdra. » — 5 Ainsi pour
Proust l'art seul, à l'exclusion de l'amitié et de
l'amour, permet la communication entre deux
êtres.

respiratoire, et qui nous permissent de traverser l'immensité, ne nous serviraient à rien, car si nous allions dans Mars et dans Vénus en gardant les mêmes sens, ils revêtiraient du même aspect que les choses de la Terre tout ce que nous pourrions voir. Le seul véritable voyage, le seul bain de Jouvence, ce ne serait pas d'aller vers de nouveaux paysages, mais d'avoir d'autres yeux, de voir l'univers avec les yeux d'un autre, de cent autres, de voir les cent univers que
60 chacun d'eux voit, que chacun d'eux est ; et cela, nous le pouvons avec un Elstir, avec un Vinteuil ; avec leurs pareils, nous volons vraiment d'étoiles en étoiles.

La Prisonnière (Librairie Gallimard, éditeur).

« *ALBERTINE DISPARUE* »

La jeune fille aimée du narrateur et qui a fait tant souffrir sa *jalousie* vient de *mourir accidentellement* loin de lui [1]. Une suite de douloureux malentendus, attisés par Françoise, a mis fin en effet à une intimité assez invraisemblable, a-t-on dit, surtout pour l'époque, puisqu'ALBERTINE vivait en permanence dans l'appartement des parents de MARCEL (c'est dans le recueil précédent, intitulé *La Prisonnière,* que le prénom est donné au narrateur pour la première fois). Mais, comme l'a dit FRANÇOIS MAURIAC (*Du côté de chez Proust,* p. 77) : « Tout occupés des découvertes atroces où Proust nous engage, nous nous laissons, nous aussi, gagner à son indifférence pour tout ce qui n'est pas cette implacable recherche. » THÈMES : *Amour. Femme. Mort. Solitude. Souvenir. Psychologie. Temps. Nature.*

Pour que la mort d'Albertine eût pu supprimer mes souffrances, il eût fallu que le choc l'eût tuée non seulement en Touraine, mais en moi. Jamais elle n'y avait été plus vivante. Pour entrer en nous, un être a été obligé de prendre la forme, de se plier au cadre du temps ; ne nous apparaissant que par minutes successives, il n'a jamais pu nous livrer de lui qu'un seul aspect à la fois, nous débiter de lui qu'une seule photographie [2]. Grande faiblesse sans doute pour un être de consister en une simple collection de moments ; grande force aussi ; il relève de la mémoire, et la mémoire d'un moment n'est pas instruite de tout ce
10 qui s'est passé depuis ; ce moment qu'elle a enregistré dure encore, vit encore et avec lui l'être qui s'y profilait. Et puis cet émiettement ne fait pas seulement vivre la morte, il la multiplie. Pour me consoler, ce n'est pas une, ce sont d'innombrables Albertine que j'aurais dû oublier. Quand j'étais arrivé à supporter le chagrin d'avoir perdu celle-ci, c'était à recommencer avec une autre, avec cent autres.

Alors ma vie fut entièrement changée. Ce qui en avait fait, et non à cause d'Albertine, parallèlement à elle, quand j'étais seul, la douceur, c'était justement, à l'appel de moments identiques, la perpétuelle renaissance de moments anciens. Par le bruit de la pluie m'était rendue
20 l'odeur des lilas de Combray ; par la mobilité du soleil sur le balcon, les pigeons des Champs-Élysées ; par l'assourdissement des bruits dans

---

— 1 Nous gardons à dessein comme titre de cet extrait, en raison du caractère de la page, le titre traditionnel du recueil, devenu dans l'édition de la Pléiade *La Fugitive.* — 2 Il en est donc des êtres humains comme de la mer : « Chacune de ces mers ne restait jamais plus d'un jour. Le lendemain il y en avait une autre qui parfois lui ressemblait. Mais je ne vis jamais deux fois la même. »

la chaleur de la matinée, la fraîcheur des cerises ; le désir de la Bretagne ou de Venise par le bruit du vent et le retour de Pâques. [...]

Que le jour est lent à mourir par ces soirs démesurés de l'été ! Un pâle fantôme de la maison d'en face continuait indéfiniment à aquareller sur le ciel sa blancheur persistante. Enfin il faisait nuit dans l'appartement, je me cognais aux meubles de l'antichambre, mais dans la porte de l'escalier, au milieu du noir que je croyais total, la partie vitrée était translucide et bleue, d'un bleu de fleur, d'un bleu d'aile
30 d'insecte, d'un bleu qui m'eût semblé beau si je n'avais senti qu'il était un dernier reflet, coupant comme un acier, un coup suprême que dans sa cruauté infatigable me portait encore le jour.

L'obscurité complète finissait pourtant par venir, mais alors il suffisait d'une étoile vue à côté de l'arbre de la cour pour me rappeler nos départs en voiture, après le dîner, pour les bois de Chantepie [3], tapissés par le clair de lune. Et même dans les rues, il m'arrivait d'isoler sur le dos d'un banc, de recueillir la pureté naturelle d'un rayon de lune au milieu des lumières artificielles de Paris, de Paris sur lequel il faisait régner, en faisant rentrer un instant pour mon imagination la ville dans la nature,
40 avec le silence infini des champs évoqués, le souvenir douloureux des promenades que j'y avais faites avec Albertine. Ah ! quand la nuit finirait-elle ? Mais à la première fraîcheur de l'aube, je frissonnais car celle-ci avait ramené en moi la douceur de cet été où de Balbec à Incarville, d'Incarville à Balbec, nous nous étions tant de fois reconduits l'un l'autre jusqu'au petit jour. Je n'avais plus qu'un espoir pour l'avenir — espoir bien plus déchirant qu'une crainte, — c'était d'oublier Albertine. Je savais que je l'oublierais un jour, j'avais bien oublié Gilberte, Mme de Guermantes, j'avais bien oublié ma grand-mère. Et c'est notre plus juste et plus cruel châtiment de l'oubli si total, paisible
50 comme ceux des cimetières, par quoi nous nous sommes détachés de ceux que nous n'aimons plus, que nous entrevoyions ce même oubli comme inévitable à l'égard de ceux que nous aimons encore. A vrai dire nous savons qu'il est un état non douloureux, un état d'indifférence. Mais ne pouvant penser à la fois à ce que j'étais et à ce que je serais, je pensais avec désespoir à tout ce tégument de caresses, de baisers, de sommeils amis, dont il faudrait bientôt me laisser dépouiller pour jamais. L'élan de ces souvenirs si tendres, venant se briser contre l'idée qu'elle était morte, m'oppressait par l'entrechoc de flux si contrariés que je ne pouvais rester immobile : je me levais, mais tout d'un coup je m'arrêtais, terrassé ;
60 le même petit jour que je voyais au moment où je venais de quitter Albertine, encore radieux et chaud de ses baisers, venait tirer au-dessus des rideaux sa lame maintenant sinistre dont la blancheur froide, implacable et compacte me donnait comme un coup de couteau.

La Fugitive (Librairie Gallimard, éditeur).

— 3 Forêt aux environs de Balbec.

Le Temps retrouvé

Après plusieurs années passées dans une maison de santé provinciale, le narrateur mal rétabli revient à Paris. Il est un jour convié à une matinée chez le PRINCE DE GUERMANTES et rencontre en chemin M. de CHARLUS vieilli, méconnaissable, qui prend un sombre plaisir à énumérer ses amis morts, parmi lesquels CHARLES SWANN... L'auteur, momentanément découragé, se dit que BERGOTTE a fait erreur en lui prédisant jadis une célébrité littéraire : son existence va se disperser en plaisirs, en velléités, en regrets. THÈMES : *Souvenir. Bonheur. Moi. Temps. Mort.*

Mais c'est quelquefois au moment où tout nous semble perdu que l'avertissement arrive qui peut nous sauver ; on a frappé à toutes les portes qui ne donnent sur rien, et la seule par où on peut entrer et qu'on aurait cherchée en vain pendant cent ans, on y heurte sans le savoir, et elle s'ouvre. En roulant les tristes pensées que je disais il y a un instant, j'étais entré dans la cour de l'hôtel de Guermantes, et dans ma distraction je n'avais pas vu une voiture qui s'avançait ; au cri du wattman je n'eus que le temps de me ranger vivement de côté, et je reculai assez pour buter malgré moi contre des pavés assez mal équarris derrière lesquels était une remise. Mais au moment où, me
10 remettant d'aplomb, je posai mon pied sur un pavé qui était un peu moins élevé que le précédent, tout mon découragement s'évanouit devant la même félicité qu'à diverses époques de ma vie m'avaient donnée la vue d'arbres que j'avais cru reconnaître dans une promenade en voiture autour de Balbec, la vue des clochers de Martinville, la saveur d'une madeleine trempée dans une infusion, tant d'autres sensations dont j'ai parlé et que les dernières œuvres de Vinteuil m'avaient paru synthétiser. Comme au moment où je goûtais la madeleine, toute inquiétude sur l'avenir, tout doute étaient dissipés. Ceux qui m'assaillaient tout à l'heure au sujet de la réalité de mes dons littéraires, et même de la réalité de la littérature, se trouvaient levés comme par
20 enchantement. Sans que j'eusse fait aucun raisonnement nouveau, trouvé aucun argument décisif, les difficultés, insolubles tout à l'heure, avaient perdu toute importance. Mais, cette fois, j'étais bien décidé à ne pas me résigner à ignorer pourquoi, comme je l'avais fait le jour où j'avais goûté d'une madeleine trempée dans une infusion. La félicité que je venais d'éprouver était bien en effet la même que celle que j'avais éprouvée en mangeant la madeleine et dont j'avais alors ajourné de rechercher les causes profondes. La différence, purement matérielle, était dans les images évoquées ; un azur profond enivrait mes yeux, des impressions de fraîcheur, d'éblouissante lumière tournoyaient près de moi et, dans mon désir de les saisir, sans oser plus bouger que quand je goûtais
30 la saveur de la madeleine en tâchant de faire parvenir jusqu'à moi ce qu'elle me rappelait, je restais, quitte à faire rire la foule innombrable des wattmen, à tituber comme j'avais fait tout à l'heure, un pied sur le pavé plus élevé, l'autre pied sur le pavé plus bas. Chaque fois que je refaisais rien que matériellement ce même pas, il me restait inutile ; mais si je réussissais, oubliant la matinée Guermantes, à retrouver ce que j'avais senti en posant ainsi mes pieds, de nouveau la vision éblouissante et indistincte me frôlait comme si elle m'avait dit : « Saisis-moi au passage si tu en as la force et tâche à résoudre l'énigme du bonheur que je te propose. » Et presque tout de suite, je le reconnus, c'était Venise dont mes efforts pour la décrire et les prétendus instantanés pris par
40 ma mémoire ne m'avaient jamais rien dit, et que la sensation que j'avais ressentie

jadis sur deux dalles inégales du baptistère de Saint-Marc m'avait rendue avec toutes les autres sensations jointes ce jour-là à cette sensation-là et qui étaient restées dans l'attente, à leur rang, d'où un brusque hasard les avait impérieusement fait sortir, dans la série des jours oubliés. De même le goût de la petite madeleine m'avait rappelé Combray. Mais pourquoi les images de Combray et de Venise m'avaient-elles, à l'un et à l'autre moment, donné une joie pareille à une certitude et suffisante sans autres preuves à me rendre la mort indifférente ?

Un maître d'hôtel apporte au narrateur un plateau avec une serviette « *dont la raideur empesée est celle même du linge de Balbec* » ; *d'autre part* une cuiller *qui tinte sur une assiette fait renaître un bruit entendu jadis en voyage ; c'est alors tout un* contrepoint de souvenirs *qui se dessine dans l'âme de l'écrivain* affranchi de l'ordre du temps.

L'essence des choses   Je glissais rapidement sur tout cela, plus impérieusement sollicité que j'étais de chercher la cause
50 de cette félicité, du caractère de certitude avec lequel elle s'imposait, recherche ajournée autrefois. Or, cette cause, je la devinais en comparant entre elles ces diverses impressions bienheureuses et qui avaient entre elles ceci de commun que je les éprouvais à la fois dans le moment actuel et dans un moment éloigné où le bruit de la cuiller sur l'assiette, l'inégalité des dalles, le goût de la madeleine allaient jusqu'à faire empiéter le passé sur le présent, à me faire hésiter à savoir dans lequel des deux je me trouvais ; au vrai, l'être qui alors goûtait en moi cette impression la goûtait en ce qu'elle avait de commun dans un jour ancien et maintenant, dans ce qu'elle avait d'extra-temporel, un être qui n'apparaissait que quand, par une de ces identités entre le présent et le
60 passé, il pouvait se trouver dans le seul milieu où il pût vivre, jouir de l'essence des choses, c'est-à-dire en dehors du temps.

Une vocation   L'être qui était rené en moi quand, avec un tel
révélée   frémissement de bonheur, j'avais entendu le bruit commun à la fois à la cuiller qui touche l'assiette et au marteau qui frappe sur la roue, à l'inégalité pour les pas des pavés de la cour Guermantes et du baptistère de Saint-Marc, etc., cet être-là ne se nourrit que de l'essence des choses, en elle seulement il trouve sa subsistance, ses délices. Il languit dans l'observation du présent où les sens ne peuvent la lui apporter, dans la considération d'un passé que l'intelligence lui dessèche, dans
70 l'attente d'un avenir que la volonté construit avec des fragments du présent et du passé auxquels elle retire encore de la réalité en ne conservant d'eux que ce qui convient à la fin utilitaire, étroitement humaine, qu'elle leur assigne. Mais qu'un bruit, qu'une odeur, déjà entendu ou respirée jadis, le soient de nouveau, à la fois dans le présent et dans le passé, réels sans être actuels, idéaux sans être abstraits, aussitôt l'essence permanente et habituellement cachée des choses se trouve libérée et notre vrai moi qui, parfois depuis longtemps, semblait mort, mais ne l'était pas entièrement, s'éveille, s'anime en recevant la céleste nourriture qui lui est apportée. Une minute affranchie de l'ordre du temps a recréé en nous, pour la sentir, l'homme affranchi de l'ordre du temps. Et
80 celui-là, on comprend qu'il soit confiant dans sa joie, même si le simple goût d'une madeleine ne semble pas contenir logiquement les raisons de cette joie, on comprend que le mot de « mort » n'ait pas de sens pour lui ; situé hors du temps, que pourrait-il craindre de l'avenir ?

Le Temps retrouvé (Librairie Gallimard, éditeur).

L'art et la vie

Devant cette *complexité de la vie* qu'il faut « retrouver », devant ce « grimoire compliqué et fleuri » si riche de reflets, le romancier sent mieux *l'insuffisance d'une littérature dite « réaliste »* qui se contente de donner des choses « un misérable relevé », qui nous attriste, nous appauvrit et finalement nous écarte de la *véritable réalité.*
THÈMES : *Art. Beaux-arts. Littérature. Critique. Moi. Temps.*

La grandeur de l'art véritable, au contraire, de celui que M. de Norpois eût appelé un jeu de dilettante, c'était de retrouver, de ressaisir, de nous faire connaître cette réalité loin de laquelle nous vivons, de laquelle nous nous écartons de plus en plus au fur et à mesure que prend plus d'épaisseur et d'imperméabilité la connaissance conventionnelle que nous lui substituons, cette réalité que nous risquerions fort de mourir sans avoir connue et qui est tout simplement notre vie. La vraie vie, la vie enfin découverte et éclaircie, la seule vie par conséquent réellement vécue, c'est la littérature ; cette vie qui, en un sens, habite à chaque instant chez tous les hommes aussi bien que chez l'artiste.
10   Mais ils ne la voient pas, parce qu'ils ne cherchent pas à l'éclaircir. Et ainsi leur passé est encombré d'innombrables clichés qui restent inutiles parce que l'intelligence ne les a pas « développés ». Notre vie, et aussi la vie des autres ; car le style pour l'écrivain, aussi bien que la couleur pour le peintre, est une question non de technique mais de vision. Il est la révélation, qui serait impossible par des moyens directs et conscients, de la différence qualitative qu'il y a dans la façon dont nous apparaît le monde, différence qui, s'il n'y avait pas l'art, resterait le secret éternel de chacun. Par l'art seulement nous pouvons sortir de nous, savoir ce que voit un autre de cet univers qui n'est pas le même que le nôtre, et dont les paysages nous seraient restés aussi inconnus que ceux qu'il peut y avoir dans
20   la lune. Grâce à l'art, au lieu de voir un seul monde, le nôtre, nous le voyons se multiplier, et, autant qu'il y a d'artistes originaux, autant nous avons de mondes à notre disposition, plus différents les uns des autres que ceux qui roulent dans l'infini et qui, bien des siècles après qu'est éteint le foyer dont il émanait, qu'il s'appelât Rembrandt ou Ver Meer, nous envoient encore leur rayon spécial.
Ce travail de l'artiste, de chercher à apercevoir sous de la matière, sous de l'expérience, sous des mots, quelque chose de différent, c'est exactement le travail inverse de celui que, à chaque minute, quand nous vivons détourné de nous-même, l'amour-propre, la passion, l'intelligence, et l'habitude aussi accomplissent en nous, quand elles amassent au-dessus de nos impressions vraies, pour nous les
30   cacher entièrement, les nomenclatures, les buts pratiques que nous appelons faussement la vie. En somme, cet art si compliqué est justement le seul art vivant. Seul il exprime pour les autres et nous fait voir à nous-même notre propre vie, cette vie qui ne peut pas s'« observer », dont les apparences qu'on observe ont besoin d'être traduites et souvent lues à rebours et péniblement déchiffrées.

                              Le Temps retrouvé (Librairie Gallimard, éditeur).

Dans ce « *retour aux profondeurs* » l'écrivain a trouvé sa voie. Si la force lui est donnée d'accomplir son œuvre, alors il ne manquera pas « d'y décrire les hommes (cela dût-il les faire ressembler à des êtres monstrueux) comme occupant une place si considérable, à côté de celle si restreinte qui leur est réservée dans l'espace, une place au contraire prolongée sans mesure — puisqu'ils touchent simultanément, comme des géants plongés dans les années, à des époques si distantes entre lesquelles tant de jours sont venus se placer — dans le Temps ».

ANDRÉ GIDE

La carrière d'ANDRÉ GIDE débute, en 1891, sous les couleurs de la gratuité et de l'esthétisme symbolistes, pour s'achever en 1951, alors que le temps de la « littérature engagée » a rendu tout autre le sens de la création littéraire. Entre ces deux termes, Gide a longuement marqué sa place qui fut des plus grandes.

Sans cesse *appliqué à l'examen de soi*, il a, dans la tradition de Montaigne, de Rousseau et de Stendhal, poussé jusqu'à la limite du « dicible » l'aveu d'un être lucide, enrichissant ainsi le « discours continu sur l'homme » qui fait l'essentiel de la littérature française. Passant d'un *narcissisme inquiet* à la volonté de « n'accepter rien de mal de ce qu'[il] pourrait changer », il a avancé quelques interrogations généreuses sur le destin de l'humanité ; *avouant à sa façon Dieu* et même pendant longtemps le Christ, mais *séparé de toute Église,* il a en définitive renforcé le culte de l'Homme et confirmé les positions d'un *humanisme* résolu.

Par ailleurs, sa pratique constante des grandes œuvres l'a amené à énoncer *d'innombrables jugements critiques* dont il semble désormais difficile de se passer (cf. p. 318) ; par son intérêt pour les littératures étrangères — anglaise, russe, allemande — il a contribué à répandre la lecture d'auteurs certes connus avant lui mais dont ses commentaires originaux et, parfois, ses ferventes traductions ont ravivé l'intérêt ; par l'expérience tentée, dès 1925, avec *Les Faux-Monnayeurs,* il a lui-même renouvelé la conception du roman dans notre littérature ; enfin, par le contrôle actif qu'il exerça sur « l'esprit N.R.F. » (cf. p. 861), il a été, pour toute une génération, *l'animateur secret des lettres françaises.*

Ainsi s'explique l'importance de celui en qui l'on voyait, avec trop d'empressement peut-être vers 1930, le « contemporain capital », mais qui n'en demeure pas moins une des présences les plus affirmées du demi-siècle.

André Walter Né à Paris, le 22 novembre 1869, d'un père professeur de Droit et d'une mère issue de la haute bourgeoisie havraise, GIDE mêle en lui le sang languedocien et le sang normand mais reçoit, des deux côtés, l'héritage d'une *stricte tradition protestante.* Son enfance en est marquée avant que son adolescence en soit accablée. Fragile, *les nerfs presque pathologiquement vulnérables* (cf. p. 285), il éprouve très tôt, jusqu'à l'angoisse, le sentiment « de n'être pas comme les autres ». Tant à l'école Alsacienne qu'au lycée de Montpellier, ses études sont d'abord *décousues et coupées* jusqu'au moment où, dans un milieu familial dévoué aux choses de l'esprit, il peut plus heureusement les poursuivre à son gré.

Lorsque les vacances ne l'amènent pas à Uzès chez sa grand-mère paternelle (cf. p. 283), elles le conduisent, soit à La Roque soit à Cuverville, dans les propriétés normandes de sa famille maternelle. *Uniquement entouré de sollicitudes féminines* depuis la mort de son père en 1880, il y retrouve la tendre et confiante compagnie de ses cousines. Dès sa quinzième année il voue à l'une d'elles, MADELEINE RONDEAUX, un amour fait d'élan pur et de don mystique, de rêve et d'*exaltation héroïque* auxquels répond un même « cornélianisme gratuit ».

Tout autant qu'il est admiré et choyé par les siens, il se trouve délivré par sa fortune de l'obligation d'exercer un métier : aussi peut-il très tôt s'abandonner à son jeune goût d'écrire sans nul souci de réussite matérielle. Ami de Pierre Louÿs et de Paul Valéry, patronné par Mallarmé, il entre de plain-pied dans le monde du symbolisme. Pour ses premières publications, il se confond avec le personnage d'ANDRÉ WALTER, héros d'œuvres assez hermétiques selon l'idéal symboliste : les *Cahiers,* puis les *Poésies d'André Walter* (1891 et 1892) ; *Le Traité du Narcisse* (1891) ; *Le Voyage d'Urien* (1893).

« Un nouvel être » C'est alors que sa vie va connaître *une péripétie essentielle en deux phases étrangement enchaînées.* A vingt-quatre ans ANDRÉ GIDE s'embarque pour la Tunisie (octobre 1893). Accompagnant son ami, le peintre P.-A. Laurens, il y arrive malade et croyant sa vie menacée, chaste et plein de l'effroi du péché, fidèle au pur amour qui depuis longtemps le lie à Madeleine, sa « sœur » tout autant que sa fiancée. Deux ans après, en 1895, il revient d'Afrique du Nord guéri, brûlant de vivre, libéré des interdits physiques et moraux, révélé à lui-même par les ardentes surprises des oasis. Il se trouve transformé par la certitude qu'il est fait pour tous les désirs et d'abord pour le penchant le plus inavouable aux yeux de ses contemporains, l'homosexualité ; *désormais il ne pourra plus nier ni contenir cette part de son être.*

Mais, en même temps, il ne peut pas non plus abolir sa *soif de communion spirituelle,* sa vocation de dévouement et, peut-être, *son besoin de refuge contre lui-même.* Peu après la mort de sa mère, il épouse le 8 octobre 1895 Madeleine RONDEAUX qui, partageant son illusion, accepte la gageure d'un mariage blanc. Cependant, dès le voyage où il entraîne sa compagne sur les lieux mêmes de sa révélation africaine, *la contradiction éclate entre les deux exigences qu'il porte en lui.* Il croit trouver la solution dans un *étrange partage* qui, réservant au mariage le pur commerce des âmes, accorde au plaisir une place à ses yeux tout aussi légitime. Il n'en sent pas moins le poids de la société, le contrôle de sa conscience puritaine et le muet reproche d'une présence douloureuse : dès lors commence son existence « d'immoraliste » tourmenté par *tous les problèmes de la vie morale.*

Après cette crise, le monde littéraire qu'il a connu lui paraît bien fade et hypocrite (*Paludes,* 1895). Réduit à l'estime vigilante d'un petit nombre d'esprits, il publie *Les Nourritures terrestres* (1897), écrit ses premiers drames (cf. p. 315) et donne en 1902 *L'Immoraliste,* toutes œuvres qui, sous des voiles divers, sont pleines de l'expérience qui a fait de lui « un nouvel être ». De nombreux voyages coupés de séjours en Normandie et quelques rares travaux littéraires coupés de périodes de « retombement » précèdent la publication du premier « récit » dont s'occupe vraiment la critique : *La Porte étroite* (1909). Peu après, la part active qu'il prend à la fondation de la N.R.F. lui assure un rôle qui s'affirme. En 1914, le ton, les hardiesses et la désinvolture des *Caves du Vatican* établissent brusquement la notoriété de Gide, à l'instant où, tout au long du premier conflit mondial, il va s'imposer le silence. Il réserve alors sa pensée et ses aveux à son fameux *Journal,* commencé dès 1889.

Les dernières
libérations Les années de guerre, pendant lesquelles il se dévoue à des œuvres de bienfaisance, voient, en effet, se réveiller chez lui *le drame religieux.* Frappé par le retour au catholicisme de quelques compagnons d'autrefois comme Ghéon, Copeau, Rivière, il se croit un instant *tenté par la soumission* dont Jammes et Claudel lui proposent depuis longtemps l'exemple. Mais, « ayant relu l'Évangile d'un œil neuf » et cherché en vain « commandement, menace, défense » dans la loi d'amour, il ne trouve, en définitive, que de nouvelles raisons pour refuser toute loi et *légitimer en bonne conscience ses égarements :* les feuillets de *Numquid et tu ?* gardent la trace de cette ultime libération religieuse. Celle-ci s'accompagne d'une libération plus intime. Sa femme a déchiré les lettres de leur jeunesse où s'inscrivait « le meilleur de lui-même ». Consterné par ce geste qui le prive d'une longue et chère équivoque, GIDE opte désormais pour *l'audace* dans l'usage de la vie et *l'aveu non-voilé* dans l'œuvre.

Un « malfaiteur » ? *La Symphonie pastorale* (1919) le libère de « sa dernière dette envers le passé ». Puis, *Si le grain ne meurt* (1920) où, pour la première fois, il se raconte sans fard, et *Corydon* où, en 1924, il rend publique une apologie de l'anomalie sexuelle esquissée dès 1911, offrent brusquement aux lecteurs *d'étranges hardiesses.* La curiosité se trouvant ainsi ramenée vers ses premiers ouvrages, *l'œuvre entière de Gide s'installe au premier plan de l'actualité,* à la fois par son profond intérêt mais aussi par l'attrait du scandale. Alors se dresse contre lui une croisade rassemblant d'anciens adversaires comme Henri Massis ou des chroniqueurs assez pharisiens comme Henri Béraud, et un pamphlet anonyme dénonce en lui *« un malfaiteur ».*

Un « inquiéteur »   « Belle fonction à assurer, celle d'inquiéteur », dit le *Journal* de Gide à la date du 28 mars 1935. A la vérité, c'est depuis longtemps son rôle. En effet, il s'est toujours complu à *réveiller toutes les interrogations* qui dorment sous le bouclier des conventions. Dans un autre domaine il a, dès 1925 par la publication des *Faux-Monnayeurs*, « inquiété » la conscience littéraire *en bouleversant la conception traditionnelle du roman* (cf. p. 307). Puis, toujours animé de sa passion du *dénuement* et de la *disponibilité* (cf. p. 289), il est parti, nouveau « voyageur sans bagages », pour un long périple au Congo (1925-1926) pendant lequel, au contact de certaines réalités, il s'est reconnu *un cœur de missionnaire social ;* et le *Voyage au Congo* (1927) a soulevé de graves questions encore occultées à son époque. S'appliquant désormais à des préoccupations moins strictement personnelles, il a proclamé sa *confiance en l'Homme (Œdipe*, 1931 ; cf. p. 316) et lutté pour « faire son bonheur augmenter celui des autres ». Comparable à l'entrée d'Anatole France dans l'action sociale, une génération plus tôt, cet illustre passage d'un pur narcissisme à *un altruisme positif* n'a pas été sans « inquiéter » d'une nouvelle façon les réflexions en repos : la présence de GIDE au Congrès mondial pour la paix (1932) comme son soutien au communisme militant ont vraiment représenté des événements pour le monde intellectuel de son temps.

Aussi, lorsqu'en 1936 il part pour la Russie découvrir un monde « où l'inespéré pouvait éclore », est-il suivi par la pensée de nombreux fidèles. Mais il revient déçu d'un voyage où il a eu « moralement si chaud et si froid ». Sa *loi de vérité* l'oblige à dire ses craintes et sa répugnance devant le formalisme stalinien (*Le Retour d'U.R.S.S.*, 1936). A nouveau il se sent isolé. Sa femme meurt en 1938. A la veille de la Seconde Guerre mondiale, il livre au public cinquante ans de sa conscience (*Journal 1889-1939*).

La vieillesse   Condamné à l'éloignement puis à l'exil par l'occupation
de Thésée   allemande, il retrouve, pendant quelques années, la
Tunisie et tous ses fantômes. A plus de soixante-dix ans, son esprit est toujours jeune mais son âge *l'incline aux récapitulations*. Il choisit, pour lui faire endosser son propre testament, un héros vieilli qui, comme lui, a épuisé les aventures et bâti son œuvre. *Thésée*, longuement médité en Tunisie, paraît en 1946 (cf. p. 317). Honoré par le prix Nobel (1947) qui constitue sa *revanche sur d'anciens dénigrements*, salué une dernière fois par le monde des Lettres lorsque la Comédie-Française représente son adaptation des *Caves du Vatican* (1950), GIDE laisse en mourant (1951) un pénible mais courageux témoignage de sincérité : sous le titre de *Et nunc manet in te*, son plus secret Journal avoue le calvaire imposé à son admirable épouse et, remettant ainsi en question une joie souvent proclamée, révèle de quels *remords* s'est accompagnée chez lui *la volonté d'être libre*.

Le « gidisme »   Tous les genres sont représentés dans une œuvre
extrêmement diverse qui compte plus de soixante titres. Mais cette diversité trouve son unité dans la *perpétuelle présence* d'un auteur qui a, plus que tout autre, pratiqué « l'aveu considéré comme un des beaux-arts » (André Rousseaux). Partout en effet et non pas seulement sous forme de confession lyrique, de journal et de récit autobiographique, GIDE a *parlé de lui-même* par l'entremise des personnages qu'il a créés. De tous ces aveux, inégalement voilés, et des propositions morales qui les accompagnent on a trop sommairement tiré, du vivant même de l'auteur, une doctrine de vie fondée sur *une affirmation de soi confinant au défi ;* et l'on a parlé du « gidisme » comme d'un véritable enseignement auquel aurait prétendu un mauvais maître « en rupture avec toute décence, toute convenance, toute loi » : plus que dangereux, un tel enseignement est apparu comme scandaleux lorsque, par dessein hostile ou ironique, on ne retenait que l'occasion sexuelle de la libération gidienne. A l'opposé, les *perpétuelles contradictions* observées entre des héros trop globalement confondus avec leur créateur, les *propres revirements* de celui-ci et ses détours ont amené parfois à ne voir dans le prétendu gidisme qu'un jeu subtil et vain.

Mais il faut, tout d'abord, considérer que GIDE *refuse et renvoie les disciples* (cf. p. 291) parce qu'il réclame avant tout, comme l'avait déjà fait Montaigne, *l'originalité et l'autonomie de l'individu*. Seuls croient pouvoir le prendre comme modèle ceux qui l'ont mal compris.

On doit donc éviter aussi de ne retenir de son œuvre que des formules flatteuses et agressives à la fois (cf. p. 289), qui semblent inviter à une liberté totale. « Suivre sa pente pourvu que ce soit en montant » *n'est pas pour lui un vain principe :* sa conquête d'une vie « authentique » obéit à *un esprit de contrôle et de contrainte* qui ne connaît jamais de repos puisqu'il implique un effort constant de renouvellement. Parti d'un « culte du moi » tout barrésien (cf. p. 119) qui n'a pas rencontré sa Lorraine ni son arrière-plan de nostalgie catholique, moins allègre que Stendhal (cf. *XIXe Siècle*, p. 338) dans une « chasse au bonheur » compromise par *un constant examen critique*, GIDE a rencontré bien des scrupules qu'il a dû vaincre quand on croit qu'il s'abandonne. Il a dû aussi lutter contre la tentation de « vivre sur son erre » quand, le voyant soudain changer d'être moral, on suppose qu'il veut dérouter : c'est à ce prix que son itinéraire « monte » dans une perpétuelle invention de soi, consciente d'une *complexité* fondamentale et de *contradictions vécues.*

La vérité de l'artiste

Cette complexité et *l'effort de sincérité* qui tend à en rendre compte font la richesse des pages où Gide parle directement de lui-même, par exemple dans *Si le grain ne meurt* et le *Journal :* on y trouve en effet un registre « exemplaire » des dessous, des replis, des nuances, des sursauts d'une *conscience infiniment sollicitée.* Les contradictions, qu'on souligne souvent avec malignité, apparaissent surtout lorsque, dans ses œuvres de *fiction relative,* GIDE éclaire tour à tour, sous divers masques, *des pans entiers de sa vie morale.* Mais lui-même répond d'avance à un étonnement mal fondé. En effet, ressentant tout le premier *sa propre complexité et l'imprévu de ses attitudes,* il reconnaît, dès 1909 : « on ne tracera pas aisément la courbe de ma vie morale » ; et, constatant en 1924 que chacun de ses livres « se retourne contre les amateurs du précédent », il proclame : « cela leur apprendra à ne m'applaudir que pour le bon motif et à ne prendre chacun de mes livres que pour ce qu'il est : une œuvre d'art. »

S'il est vrai que tout écrivain, délivré d'une œuvre, est souvent attiré par une *occasion toute différente* de s'exprimer, à plus forte raison Gide, toujours divisé, a-t-il pu être tenté de « bondir à l'autre extrémité de soi-même » en incarnant dans un héros inattendu un autre aspect de sa personnalité. Isolée, cette image fragmentaire lui devient *sujet d'étude curieuse* et, comme il l'a dit lui-même, le roman lui est alors, *plus que l'autobiographie brute,* un moyen de la mieux fouiller ; ne la considérant plus que comme un « cas », il s'en distingue *parce qu'il la scrute et la juge* et il s'en détache parce qu'une partie de son être *est devenue personnage.* Il peut donc à bon droit parler d'« intention critique » à propos de tel personnage avec lequel on veut le confondre et déclarer « qu'à la seule exception de [ses] *Nourritures Terrestres* tous [ses] livres sont des livres *ironiques* » : chacun des êtres qu'il a animés prend ainsi, par rapport à lui-même, *la souveraine distance qu'établit la création artistique.*

La leçon du classique

GIDE entre naturellement dans la tradition classique par la primauté qu'il accorde à *l'inépuisable étude de l'âme humaine* faite à travers lui-même. Mais il a aussi formulé sa propre définition du classicisme (cf. p. 318) qui est toujours victoire sur le « romantisme intérieur » et par conséquent *pudeur, litote, contrainte* dans l'expression littéraire.

Il a lui-même très vite condamné le « pignochage » de ses premières œuvres marquées par la recherche symboliste, pour se soumettre à *une règle de dépouillement* et même de « banalité ». Or, par une dernière contradiction, c'est à ce prix que son style est devenu entièrement original. L'étonnant, en effet, est que, semblant promettre une pureté insipide, la « banalité » de GIDE révèle, à l'examen, l'usage d'un *vocabulaire très étudié* où comptent en petit nombre des archaïsmes et des provincialismes et, en grand nombre, des néologismes parfois audacieux ; de même sa syntaxe, au lieu d'être strictement régulière, multiplie les inflexions, les ruptures les plus variées et même des hardiesses combinant purisme et incorrection. Mais ce n'est pas là *recherche gratuite* ni ornement « surajouté ». Chacun des effets obtenus l'est au profit des *nuances de la pensée* et du *frémissement dompté* de la sensibilité. GIDE obtient ainsi *la parfaite unité du fond et de la forme* qui constitue un sûr critère de classicisme. Son moindre mérite n'est pas d'avoir été un grand maître de la prose française dont il a découvert quelques possibilités nouvelles, tantôt fortes, tantôt exquises.

*LES PREMIÈRES
EMPREINTES* Avant d'aborder l'étude suivie de l'œuvre d'ANDRÉ GIDE il est intéressant de considérer quelques traits profonds ou quelques expériences qui l'ont marqué dès le début. On saisira mieux ainsi le caractère éminemment personnel de ses écrits. La plupart des pages qui vont suivre sont tirées de *Si le grain ne meurt*, récit autobiographique qui s'étend de l'enfance jusqu'aux fiançailles de l'auteur. On retrouve notamment, dans ce livre, les éléments vécus qui ont déjà été élaborés par Gide dans deux de ses plus importants récits : *L'Immoraliste* (1902) et *La Porte étroite* (1909, cf. p. 288).

Le petit-fils de Monsieur Tancrède

GIDE, dont la jeunesse a été étrangère à « l'exotisme de la misère », a du moins connu la *simplicité archaïque* de la vie huguenote pendant ses vacances à Uzès. C'est là, comme plus tard à Montpellier, qu'il a éprouvé le vif sentiment d'être « divisé » par sa double origine normande et languedocienne. Aussi, dès 1897, pouvait-il lancer à Barrès la fameuse apostrophe : « *Né à Paris d'un père uzétien et d'une mère normande, où voulez-vous, Monsieur Barrès, que je m'enracine ?* » Écrit en 1902 pour la revue *L'Occident*, un ample diptyque aujourd'hui recueilli dans *Prétextes* illustre le même thème. Très postérieure, la page que l'on va lire montre d'abord l'adolescent tout fier d'être reconnu comme le petit-fils du pasteur Tancrède Gide et touché par la vie évangélique d'une famille paysanne : on devine ainsi quel empire a pu avoir sur lui, pendant son enfance, l'atmosphère dans laquelle il vivait. Par la suite, *l'ironie* apparaît dans l'évocation des veuves bavardant au temple. Mais l'enfant de jadis ressentait-il déjà ce ridicule ? N'est-ce pas Gide, adulte et libéré, qui revoit la scène à sa façon ? C'est l'éternelle question des souvenirs d'enfance revécus à l'âge mûr et *inconsciemment transposés*.

THÈMES : *Enfance. Famille. Religion. Christianisme. Autobiographie.*

Au retour d'une expédition chez son cousin, le pasteur Guillaume Granier, le jeune voyageur des garrigues n'a pu regagner Uzès. Il est accueilli pour la nuit dans une ferme isolée.

Soudain, je remarquai sur une sorte d'étagère une grosse Bible, et, comprenant que je me trouvais chez des protestants, je leur nommai celui que je venais d'aller voir. Le vieux se redressa tout aussitôt ; il connaissait mon cousin le pasteur ; même il se souvenait fort bien de mon grand-père. La manière dont il m'en parla me fit comprendre quelle abnégation, quelle bonté pouvait habiter la plus rude enveloppe, aussi bien chez mon grand-père que chez ce paysan lui-même, à qui j'imaginais que mon grand-père avait dû ressembler, d'aspect extrêmement robuste, à la voix sans douceur, mais vibrante, au regard sans caresse, mais droit.

10 Cependant les enfants rentraient du travail, une grande fille et trois fils ; plus fins, plus délicats que l'aïeul ; beaux, mais déjà graves et même un peu froncés. La mère posa la soupe fumante sur la table, et, comme à ce moment je parlais, d'un geste discret elle arrêta ma phrase et le vieux dit le bénédicité.

Ce fut pendant le repas qu'il me parla de mon grand-père ; son langage était à la fois imagé et précis ; je regrette de n'avoir pas noté de ses phrases. Quoi ! ce n'est là, me redisais-je, qu'une famille de paysans ! quelle élégance, quelle vivacité, quelle noblesse, auprès de nos épais cultivateurs de Normandie ! Le souper fini, je fis mine de repartir ; mais mes hôtes ne l'entendaient pas ainsi. Déjà la mère s'était levée ; l'aîné des fils coucherait avec un de ses frères ;

20 j'occuperais sa chambre et son lit, auquel elle mit des draps propres, rudes et qui sentaient délicieusement la lavande. La famille n'avait pas l'habitude de veiller tard, ayant celle de se lever tôt ; au demeurant je pourrais rester à lire encore s'il me plaisait.

— Mais, dit le vieux, vous permettrez que nous ne dérangions pas nos habitudes — qui ne seront pas pour vous étonner, puisque vous êtes le petit de Monsieur Tancrède.

Alors il alla chercher la grosse Bible que j'avais entrevue, et la posa sur la table desservie. Sa fille et ses petits-enfants se rassirent à ses côtés devant la table, dans une attitude recueillie qui leur était naturelle. L'aïeul ouvrit le livre
30 saint et lut avec solennité un chapitre des Évangiles, puis un psaume ; après quoi chacun se mit à genoux devant sa chaise, lui seul excepté, que je vis demeurer debout, les yeux clos, les mains posées à plat sur le livre refermé. Il prononça une courte prière d'actions de grâces, très digne, très simple et sans requêtes, où je me souviens qu'il remercia Dieu de m'avoir indiqué sa porte, et cela d'un tel ton que tout mon cœur s'associait à ses paroles. Pour achever, il récita « Notre Père... » ; puis il y eut un instant de silence, après quoi seulement chacun des enfants se releva. Cela était si beau, si tranquille, et ce baiser de paix si glorieux, qu'il posa sur le front de chacun d'eux ensuite, que, m'approchant de lui moi aussi, je tendis à mon tour mon front.
40 Ceux de la génération de mon grand-père gardaient vivant encore le souvenir des persécutions qui avaient martelé leurs aïeux ou du moins certaine tradition de résistance ; un grand raidissement intérieur leur restait de ce qu'on avait voulu les plier. Chacun d'eux entendait distinctement le Christ lui dire, et au petit troupeau tourmenté : « Vous êtes le sel de la terre ; or si le sel perd sa saveur, avec quoi la lui rendra-t-on ? »

Et il faut reconnaître que le culte protestant de la petite chapelle d'Uzès présentait, du temps de mon enfance encore, un spectacle particulièrement savoureux. Oui, j'ai pu voir encore les derniers représentants de cette génération de tutoyeurs de Dieu [1] assister au culte avec leur grand chapeau de feutre sur
50 la tête, qu'ils gardaient durant toute la pieuse cérémonie, qu'ils soulevaient au nom de Dieu, lorsque l'invoquait le pasteur, et n'enlevaient qu'à la récitation de « Notre Père... ». Un étranger s'en fût scandalisé comme d'un irrespect, qui n'eût pas su que ces vieux huguenots gardaient ainsi la tête couverte en souvenir des cultes en plein air et sous un ciel torride, dans les replis secrets des garrigues, du temps que le service de Dieu selon leur foi présentait, s'il était surpris, un inconvénient capital [2].

Puis, l'un après l'autre, ces mégathériums [3] disparurent. Quelque temps après eux, survécurent encore les veuves. Elles ne sortaient plus que le dimanche, pour l'église, c'est-à-dire aussi pour s'y retrouver. Il y avait là ma grand-mère,
60 Mme Abauzit son amie, Mme Vincent et deux autres vieillardes dont je ne sais plus le nom. Un peu avant l'heure du culte, des servantes, presque aussi vieilles que leur maîtresse, apportaient les chaufferettes de ces dames, qu'elles posaient devant leur banc. Puis, à l'heure précise, les veuves faisaient leur entrée, tandis que le culte commençait. A moitié aveugles, elles ne se reconnaissaient point avant la porte, mais seulement une fois dans le banc ; tout au plaisir de la rencontre, elles commençaient en chœur d'extraordinaires effusions, mélange de congratulations, de réponses et de questions, chacune, sourde comme un pot, n'entendant rien de ce que lui disait sa commère ; et leurs voix mêlées, durant quelques instants, couvraient complètement celle du malheureux pasteur... *Si le grain ne meurt* (Librairie Gallimard, éditeur).

— 1 Par respect pour le texte même de | lieu des dragonnades. — 3 L'emploi du terme l'Évangile. — 2 La scène se passe non loin du | convient à l'intention ironique du paragraphe.

« *Ah ! quel souvenir misérable...* »

Enfant maladif et trop choyé, GIDE a été souvent le souffre-douleur de ses camarades. Après une petite vérole qui l'a éloigné de ses tortionnaires, il est pris d'angoisse à mesure que s'approche l'instant de les retrouver. Un malaise *réellement ressenti* éveille en lui l'idée de *simuler* des troubles nerveux. Ainsi l'auteur qui, dans *L'Immoraliste* et *Les Faux-Monnayeurs* (cf. p. 314), a peint tant d'adolescents complexes, dissimulés et instinctivement cruels, a pu faire sur lui-même l'observation de la perversité enfantine : aptitude à la comédie, remords impuissants à la pensée de l'inquiétude causée, mouvement de défense instinctif contre la perspicacité des médecins, puis, devant l'oncle, sentiment de l'échec suivi d'un mouvement de haine enfantine, tout est ici révélateur d'une « météorologie intime » extrêmement compliquée. En même temps se confirment le *contrôle* du narrateur adulte et son engagement de *sincérité* dans l'aveu pénible. Cette page peut être rapprochée de maintes pages semblables dans *Les Confessions* de Rousseau (cf. *XVIIIᵉ Siècle,* p. 322) ou la *Vie de Henri Brulard* de Stendhal.
THÈMES : *Enfance. Autobiographie. Souvenir. Psychologie. Famille. Société.*

Voici, je crois, comment cela commença. Au premier jour qu'on me permit de me lever, un certain vertige faisait chanceler ma démarche, comme il est naturel après trois semaines de lit. Si ce vertige était un peu plus fort, pensai-je, puis-je imaginer ce qui se passerait ? Oui, sans doute : ma tête, je la sentirais fuir en arrière ; mes genoux fléchiraient (j'étais dans le petit couloir qui menait de ma chambre à celle de ma mère) et soudain je croulerais à la renverse. Oh ! me disais-je, imiter ce qu'on imagine ! Et tandis que j'imaginais, déjà je pressentais quelle détente, quel répit je goûterais à céder à l'invitation de mes nerfs. Un regard en arrière, pour m'assurer de l'endroit où ne pas me faire
10 trop de mal en tombant...
Dans la pièce voisine, j'entendis un cri. C'était Marie ; elle accourut. Je savais que ma mère était sortie ; un reste de pudeur, ou de pitié, me retenait encore devant elle ; mais je comptais qu'il lui serait tout rapporté. Après ce coup d'essai, presque étonné d'abord qu'il réussît, promptement enhardi, devenu plus habile et plus décidément inspiré, je hasardai d'autres mouvements, que tantôt j'inventais saccadés et brusques, que tantôt je prolongeais au contraire, répétais et rythmais en danses. J'y devins fort expert et possédai bientôt un répertoire assez varié : celle-ci se sautait presque sur place ; cette autre nécessitait le peu d'espace de la fenêtre à mon lit, sur lequel, tout debout, à chaque retour, je
20 me lançais : en tout trois bonds bien exactement réussis ; et cela près d'une heure durant. Une autre enfin que j'exécutais couché, les couvertures rejetées, consistait en une série de ruades en hauteur, scandées comme celles des jongleurs japonais.
Maintes fois par la suite je me suis indigné contre moi-même, doutant où je pusse trouver le cœur, sous les yeux de ma mère, de mener cette comédie. Mais avouerai-je qu'aujourd'hui cette indignation ne me paraît pas bien fondée. Ces mouvements que je faisais, s'ils étaient conscients, n'étaient qu'à peu près volontaires. C'est-à-dire que, tout au plus, j'aurais pu les retenir un peu. Mais j'éprouvais le plus grand soulas [1] à les faire. Ah ! que de fois, longtemps ensuite, souffrant des
30 nerfs, ai-je pu déplorer de n'être plus à un âge où quelques entrechats...

— 1 Soulagement : exemple du vocabulaire archaïque ou provincial que ne dédaigne pas Gide.

Dès les premières manifestations de ce mal bizarre, le docteur Leenhardt
appelé avait pu rassurer ma mère : les nerfs, rien que les nerfs, disait-il ; mais
comme tout de même je continuais de gigoter, il jugea bon d'appeler à la
rescousse deux confrères. La consultation eut lieu, je ne sais comment ni
pourquoi, dans une chambre de l'hôtel Nevet [2]. Ils étaient là, trois docteurs,
Leenhardt, Theulon et Boissier ; ce dernier, médecin de Lamalou-les-Bains,
où il était question de m'envoyer. Ma mère assistait, silencieuse.

J'étais un peu tremblant du tour que prenait l'aventure ; ces vieux Messieurs,
dont deux à barbe blanche, me retournaient dans tous les sens, m'auscultaient,
40   puis parlaient entre eux à voix basse. Allaient-ils me percer à jour ? dire, l'un
d'eux, M. Theulon à l'œil sévère :

— Une bonne fessée, Madame, voilà ce qui convient à cet enfant ?...

Mais non ; et plus ils m'examinent, plus semble les pénétrer le sentiment
de l'authenticité de mon cas. Après tout, puis-je prétendre en savoir sur
moi-même plus long que ces Messieurs ? En croyant les tromper, c'est sans
doute moi que je trompe.

La séance est finie.

Je me rhabille. Theulon paternellement se penche, veut m'aider ; Boissier
aussitôt l'arrête ; je surprends de lui à Theulon un petit geste, un clin d'œil,
50   et suis averti qu'un regard malicieux, fixé sur moi, m'observe, veut m'observer
encore, alors que je ne me sache plus observé, qu'il épie le mouvement de
mes doigts, ce regard, tandis que je reboutonne ma veste. — « Avec le petit
vieux que voilà, s'il m'accompagne à Lamalou, il va falloir jouer serré »,
pensai-je, et, sans en avoir l'air, je lui servis quelques grimaces de supplément,
du bout des doigts trébuchant dans les boutonnières.

Quelqu'un qui ne prenait pas au sérieux ma maladie, c'était mon oncle [3] ;
et comme je ne savais pas encore qu'il ne prenait au sérieux les maladies de
personne, j'étais vexé. J'étais extrêmement vexé, et résolus de vaincre cette
indifférence en jouant gros. Ah ! quel souvenir misérable ! Comme je sauterais
60   par-dessus, si j'acceptais de rien omettre ! — Me voici dans l'antichambre de
l'appartement, rue Salle-l'Évêque ; mon oncle vient de sortir de sa bibliothèque
et je sais qu'il va repasser ; je me glisse sous une console, et, quand il revient,
j'attends d'abord quelques instants, si peut-être il m'apercevra de lui-même,
car l'antichambre est vaste et mon oncle va lentement ; mais il tient à la main
un journal qu'il lit tout en marchant ; encore un peu et il va passer outre...
Je fais un mouvement ; je pousse un gémissement ; alors il s'arrête, soulève
son lorgnon et, de par-dessus son journal :

— Tiens ! Qu'est-ce que tu fais là ?

Je me crispe, me contracte, me tords et, dans une espèce de sanglot que
70   je voudrais irrésistible :

— Je souffre, dis-je.

Mais tout aussitôt j'eus la conscience du fiasco : mon oncle remit le lorgnon
sur son nez, son nez dans son journal, rentra dans sa bibliothèque dont il referma
la porte de l'air le plus quiet. O honte ! Que me restait-il à faire, que me relever,
secouer la poussière de mes vêtements, et détester mon oncle ; à quoi je
m'appliquais de tout mon cœur.   *Si le grain ne meurt* (Librairie Gallimard, éditeur).

— 2 Note de Gide : « *A bien y réfléchir, je crois* | *nous fussions à l'hôtel.* » Lamalou est une station
qu'il faut placer cette consultation entre mes deux | thermale de l'Hérault, sur le rebord des Cévennes.
séjours à Lamalou, et c'est ce qui expliquerait que | — 3 Il s'agit du célèbre économiste Charles Gide.

« *UN NOUVEL ORIENT A MA VIE...* »

On sait quelle importance a eue, dans la vie de GIDE, son amour pour MADELEINE RONDEAUX qui devint sa femme (cf. p. 279, § 6). Apparaissant sous divers noms (Ellis, dans *Le Voyage d'Urien ;* Marceline, dans *L'Immoraliste ;* Alissa, dans *La Porte étroite*), elle est l'Emmanuèle des *Cahiers d'André Walter* et garde ce nom dans *Si le grain ne meurt* et le *Journal.* Parmi les sentiments qui attachèrent André Gide à sa cousine et que l'analyse éclaire différemment selon l'œuvre considérée, le *dévouement* et le *désir de protéger un être faible* et blessé ont certainement compté. La mère de Madeleine était une épouse assez frivole qui donnait à jaser en ridiculisant son mari. Cette page fait revivre l'instant où l'adolescent, incapable d'interpréter la « crise » qui consterne la demeure, devine cependant chez Madeleine l'« *intolérable détresse* » née d'un *drame familial.* THÈMES : *Adolescence. Amour. Famille. Autobiographie.*

Au Havre où il est en vacances, le narrateur, qui avait quitté ses cousines « vers la tombée du soir », est revenu à la maison de la rue de Lecat, mû par un instinctif besoin de surprendre. « Ce soir-là, dit-il, mon goût du clandestin fut servi. »

Dès le seuil, je flairai l'insolite. Contrairement à la coutume, la porte cochère n'était pas fermée, de sorte que je n'eus pas à sonner. Je me glissais furtivement lorsque Alice, une peste femelle que ma tante avait à son service, surgit de derrière la porte du vestibule où, apparemment, elle était embusquée, et, de sa voix la moins douce :

— Eh quoi ! c'est vous ! Qu'est-ce que vous venez faire à présent ?

Évidemment je n'étais pas celui qu'on attendait.

Mais je passai sans lui répondre.

Au rez-de-chaussée se trouvait le bureau de mon oncle Émile, un
10 morne petit bureau qui sentait le cigare, où il s'enfermait des demi-journées et où je crois que les soucis l'occupaient beaucoup plus que les affaires ; il ressortait de là tout vieilli. Certainement il avait beaucoup vieilli ces derniers temps ; je ne sais trop si j'aurais remarqué cela de moi-même, mais, après avoir entendu ma mère dire à ma tante Lucile : « Ce pauvre Émile a bien changé ! », aussitôt m'était apparu le plissement douloureux de son front, l'expression inquiète et parfois harassée de son regard. Mon oncle n'était pas à Rouen ce jour-là.

Je montai sans bruit l'escalier sans lumière. Les chambres des enfants se trouvaient tout en haut ; au-dessous, la chambre de ma tante et celle
20 de mon oncle ; au premier, la salle à manger et le salon, devant lesquels je passai. Je m'apprêtais à franchir d'un bond le deuxième étage, mais la porte de la chambre de ma tante était grande ouverte ; la chambre était très éclairée et répandait de la lumière sur le palier. Je ne jetai qu'un rapide coup d'œil ; j'entrevis ma tante, étendue languissamment sur un sofa ; auprès d'elle Suzanne et Louise, penchées, l'éventaient et lui faisaient, je crois, respirer des sels. Je ne vis pas Emmanuèle, ou, plus exactement, une sorte d'instinct m'avertit qu'elle ne pouvait pas être là. Par peur d'être aperçu et retenu, je passai vite.

La chambre de ses sœurs, que je devais d'abord traverser, était obscure,

30 ou du moins je n'avais pour me diriger que la clarté crépusculaire des deux fenêtres dont on n'avait pas encore fermé les rideaux. J'arrivai devant la porte de mon amie ; je frappai doucement et, ne recevant pas de réponse, j'allais frapper encore, mais la porte céda, qui n'était pas close. Cette chambre était plus obscure encore ; le lit en occupait le fond ; contre le lit je ne distinguai pas d'abord Emmanuèle, car elle était agenouillée. J'allais me retirer, croyant la chambre vide, mais elle m'appela :

— Pourquoi viens-tu ? Tu n'aurais pas dû revenir...

Elle ne s'était pas relevée. Je ne compris pas aussitôt qu'elle était triste. C'est en sentant ses larmes sur ma joue que tout à coup mes yeux s'ouvrirent.

40 Il ne me plaît point de rapporter ici le détail de son angoisse, non plus que l'histoire de cet abominable secret qui la faisait souffrir, et dont à ce moment je ne pouvais du reste à peu près rien entrevoir. Je pense aujourd'hui que rien ne pouvait être plus cruel, pour une enfant qui n'était que pureté, qu'amour et que tendresse, que d'avoir à juger sa mère et à réprouver sa conduite ; et ce qui renforçait le tourment, c'était de devoir garder pour elle seule, et cacher à son père qu'elle vénérait, ce secret qu'elle avait surpris je ne sais comment et qui l'avait meurtrie — ce secret dont on jasait en ville, dont riaient les bonnes et qui se jouait de l'innocence et de l'insouciance de ses deux sœurs. Non, de tout cela je

50 ne devais rien comprendre que plus tard ; mais je sentais que, dans ce petit être que déjà je chérissais, habitait une grande, une intolérable détresse, un chagrin tel que je n'aurais pas trop de tout mon amour, toute ma vie, pour l'en guérir. Que dirais-je de plus ?... J'avais erré jusqu'à ce jour à l'aventure ; je découvrais soudain un nouvel orient à ma vie.

Si le grain ne meurt (Librairie Gallimard, éditeur).

Cette scène essentielle de sa vie, Gide en avait déjà fait le récit dans La Porte étroite *(1909). En lisant cette première version, beaucoup plus proche de la réalité, on verra que l'auteur n'y a pas voilé, comme dans* Si le grain ne meurt, *la cause du désespoir d'Alissa.*

Brusquement le désir me saisit d'aller surprendre Alissa que pourtant je venais de quitter... Je traverse la ville en courant, sonne à la porte des Bucolin ; déjà je m'élançais dans l'escalier. La bonne qui m'a ouvert m'arrête :

— Ne montez pas, monsieur Jérôme ! ne montez pas : madame a sa crise.

Mais je passe outre : — Ce n'est pas ma tante que je viens voir... La chambre d'Alissa est au troisième étage. Au premier, le salon et la salle à manger ; au second, la chambre de ma tante d'où jaillissent des voix. La porte est ouverte, devant laquelle il faut passer ; un rais de lumière sort de la chambre et coupe le palier de l'escalier ; par crainte d'être vu, j'hésite un instant, me dissimule, et, plein de stupeur, je vois ceci : au milieu de la chambre aux rideaux clos, mais où les bougies de deux candélabres répandent une clarté joyeuse, ma tante est couchée sur une chaise longue ; à ses pieds, Robert et Juliette ; derrière elle, un inconnu jeune homme en uniforme de lieutenant. — La présence de ces deux enfants m'apparaît aujourd'hui monstrueuse ; dans mon innocence d'alors, elle me rassura plutôt.

Ils regardent en riant l'inconnu qui répète d'une voix flûtée :

— Bucolin ! Bucolin !... Si j'avais un mouton, sûrement je l'appellerais Bucolin.

Ma tante elle-même rit aux éclats. Je la vois tendre au jeune homme une cigarette qu'il allume et dont elle tire quelques bouffées. La cigarette tombe à terre. Lui s'élance pour la ramasser, feint de se prendre les pieds dans une écharpe, tombe à genoux devant ma tante... A la faveur de ce ridicule jeu de scène, je me glisse sans être vu.

Me voici devant la porte d'Alissa. J'attends un instant. Les rires et les éclats de voix montent de l'étage inférieur ; et peut-être ont-ils couvert le bruit que j'ai fait en frappant, car je n'entends pas de réponse. Je pousse la porte, qui cède silencieusement. La chambre est déjà si sombre que je ne distingue pas aussitôt Alissa ; elle est au chevet de son lit, à genoux, tournant le dos à la croisée d'où tombe un jour mourant. Elle se retourne, sans se relever pourtant, quand j'approche ; elle murmure :

— Oh ! Jérôme, pourquoi reviens-tu ?

Je me baisse pour l'embrasser ; son visage est noyé de larmes...

Cet instant décida de ma vie ; je ne puis encore aujourd'hui le remémorer sans angoisse. Sans doute je ne comprenais que bien imparfaitement la cause de la détresse d'Alissa, mais je sentais intensément que cette détresse était beaucoup trop forte pour cette petite âme palpitante, pour ce frêle corps tout secoué de sanglots.

La Porte étroite (Mercure de France, éditeur).

Les Nourritures terrestres

Publiées en 1897 après une lente élaboration, *Les Nourritures terrestres* chantent, sur le mode lyrique, la libération que Gide a connue pendant son premier séjour en Tunisie. Leur composition est *volontairement très lâche* comme sont disparates les éléments qu'on y trouve « affistolés » dans le dessein d'éviter la lourdeur didactique. Huit livres y présentent, subtilement mêlés, des *versets solennels,* des *pages de journal passionné,* de *véritables poèmes (Ronde des Grenades, Ronde de tous mes Désirs)* chantés par des compagnons assez indistincts, Hylas, Mopsus, Moelibée, qui rivalisent dans un tournoi, à la manière virgilienne — et, enfin, *le long récit de Ménalque.* Gide distribue ainsi entre divers personnages la révélation qu'il destine à Nathanaël, « petit pâtre » imaginaire.

Passée presque inaperçue au moment de sa publication, cette œuvre est sans doute celle qui offre, aujourd'hui, le plus de formules *trop facilement invoquées* pour définir, sans nuances, l'attitude gidienne devant la vie. « *Nathanaël, je t'enseignerai la ferveur,... Une existence pathétique, Nathanaël, plutôt que la tranquillité... Il faut, Nathanaël, que tu brûles en toi tous les livres... Jusqu'où mon désir peut s'étendre, là j'irai... Nathanaël, je ne crois plus au péché... Nathanaël, je t'enseignerai que toutes choses sont divinement naturelles... Nathanaël, ne distingue pas Dieu de ton bonheur » :* autant de déclarations frappantes qui, prises isolément et considérées en dehors de l'expérience vécue qui les explique, ont *plus d'éclat agressif que de sens profond.* Il n'est que d'accompagner la plus célèbre d'entre elles de son contexte : « *Familles, je vous hais,* foyers clos, portes refermées, possessions jalouses du bonheur », pour comprendre que l'anathème s'adresse seulement à une conception de la vie *repliée et étroitement satisfaite.*

Gide, dans sa Préface à l'édition de 1927, présente *Les Nourritures terrestres* comme le livre d'un convalescent « qui embrasse la vie comme quelque chose qu'il a failli perdre ». Tout connaître et tout goûter devient un *devoir ;* limiter la possession du monde que permet la santé reconquise serait une impiété à l'égard de « Dieu » qu'on ne peut trouver « ailleurs que partout » dans « le miracle étourdissant » qu'est la vie. La « ferveur » enseignée à Nathanaël est *différente de l'amour :* elle est abandon à toute occasion de savourer les êtres, les paysages et les « attentes ». « L'unique bien, c'est la vie. » Toutes les contraintes religieuses longtemps supportées par Gide sont donc abolies et remplacées par une évangile charnel qui n'en impose pas moins une éthique particulière.

S'arrêter à la « possession jalouse » d'un seul bonheur serait, en effet, nier une *immense proposition* de beautés et de joies possibles. Un devoir de *disponibilité* s'impose *(« chaque nouveauté doit nous trouver tout entiers disponibles »),* qui ne peut s'accomplir qu'au prix d'un parfait *dénuement.* L'apologie de ce dénuement est, d'après Gide lui-même, « ce qui reste de plus précieux » dans l'ouvrage. C'est qu'un tel état suppose non seulement dédain complet des attaches matérielles, mais encore effort et lutte contre une tentation particulière qui est celle de *l'abandon au bonheur acquis.* Le cœur, lui aussi, doit rester « pauvre » de toute félicité engrangée, de tout lien trop cher, de tout poids qui le fixe, même heureusement. Ainsi, toujours sans repos et sans « retombement » accepté, la « quête » des « nourritures » offertes par la vie terrestre garde-t-elle un caractère « *pathétique* » qui la distingue d'un simple *appétit inconscient et veule.*

« JE M'ATTENDS A VOUS, NOURRITURES »

Au début du livre II, voici deux mouvements lyriques très caractéristiques. Le premier célèbre tout ce dont le monde peut nourrir une grande faim de vivre, et l'on remarquera que les voluptés de la chair, si elles sont réclamées ailleurs, *cèdent ici le pas à d'autres satisfactions moins élémentaires.* Le second exalte la faim elle-même, *principe de la ferveur* qui tient l'être en éveil et lui permet de « s'attendre à » toutes les richesses du monde. Les « vers » 5 et 6 traduisent l'opposition de la nouvelle éthique aux morales traditionnelles ; le verset final établit nettement Gide dans la seule vie terrestre par sa négation de tout credo chrétien puisque la mort lui devient une *limite absolue.* Rythmée et cadencée, cette prose poétique, *non sans artifices dans le détail,* s'éloigne des « tons rompus et des nuances fuyantes » que Gide reproche très tôt au symbolisme. Seule la syntaxe en est *subtile plus que recherchée ;* la langue est déjà « la plus franche, la plus aisée et la plus belle ». – THÈMES : *Moi. Bonheur. Morale. Liberté. Mort. Nature.*

NOURRITURES.

Je m'attends à vous [1], nourritures !
Ma faim ne se posera pas à mi-route ;
Elle ne se taira que satisfaite ;
Des morales n'en sauraient venir à bout [2]
Et de privations je n'ai jamais pu nourrir que mon âme [3].

Satisfactions ! je vous cherche.
Vous êtes belles comme les aurores d'été.

Sources plus délicates au soir, délicieuses à midi ; eaux du petit matin
10 glacées ; souffles au bord des flots ; golfes encombrés de mâtures ; tiédeur des rives cadencées...

Oh ! s'il est encore des routes vers la plaine ; les touffeurs de midi ; les breuvages des champs, et pour la nuit le creux des meules ;

S'il est des routes vers l'Orient ; des sillages sur les mers aimées ; des jardins à Mossoul ; des danses à Touggourt ; des chants de pâtre en Helvétie ;

S'il est des routes vers le Nord ; des foires à Nijni ; des traîneaux soulevant la neige ; des lacs gelés ; certes, Nathanaël, ne s'ennuieront pas nos désirs.

20 Des bateaux sont venus dans nos ports apporter les fruits mûrs de plages ignorées.

Déchargez-les de leur faix un peu vite, que nous puissions enfin y goûter.

Nourritures !
Je m'attends à vous, nourritures !
Satisfactions, je vous cherche ;
Vous êtes belles comme les rires de l'été.
Je sais que je n'ai pas un désir
Qui n'ait déjà sa réponse apprêtée.
30 Chacune de mes faims attend sa récompense.

—————

— 1 Je compte sur vous. — 2 Ne sauraient être | plus fortes qu'elle. — 3 Allusion aux interdits qui enrichissaient jadis son âme.

Nourritures !
Je m'attends à vous, nourritures !
Par tout l'espace je vous cherche,
Satisfactions de tous mes désirs.

*

Ce que j'ai connu de plus beau sur la terre,
Ah ! Nathanaël, c'est ma faim.
Elle a toujours été fidèle
A tout ce qui toujours l'attendait.
Est-ce de vin que se grise le rossignol ?
40 L'aigle, de lait ? ou non point de genièvre les grives ?
L'aigle se grise de son vol. Le rossignol s'enivre des nuits d'été. La plaine
tremble de chaleur. Nathanaël, que toute émotion sache te devenir une
ivresse. Si ce que tu manges ne te grise pas, c'est que tu n'avais pas assez faim.

Chaque action parfaite s'accompagne de volupté ! A cela tu reconnais que
tu devais la faire. Je n'aime point ceux qui se font un mérite d'avoir péniblement œuvré. Car si c'était pénible, ils auraient mieux fait de faire autre
chose. La joie que l'on y trouve est le signe de l'appropriation du travail et
la sincérité de mon plaisir, Nathanaël, m'est le plus important des guides.

Je sais ce que mon corps peut désirer de volupté chaque jour et ce
50 que ma tête en supporte. Et puis commencera mon sommeil. Terre et
ciel ne me valent plus rien au-delà.

Les Nourritures terrestres (Librairie Gallimard, éditeur).

A la fin du livre figure un Envoi. *C'est alors que Gide déclare son refus des disciples. A*
Nathanaël, il n'a voulu donner qu'une méthode de découverte en lui montrant une « des
mille postures possibles en face de la vie ».

Envoi Nathanaël, à présent, jette mon livre. Émancipe-
t'en. Quitte-moi. Quitte-moi ; maintenant tu m'im-
portunes ; tu me retiens ; l'amour que je me suis surfait pour toi m'occupe
trop. Je suis las de feindre d'éduquer quelqu'un. Quand ai-je dit que je te voulais
pareil à moi ? — C'est parce que tu diffères de moi que je t'aime ; je n'aime
en toi que ce qui diffère de moi. — Éduquer ! Qui donc éduquerais-je, que
moi-même ? Nathanaël, te le dirai-je ? je me suis interminablement éduqué.
Je continue. Je ne m'estime jamais que dans ce que je pourrais faire.

Nathanaël, jette mon livre ; ne t'y satisfais point. Ne crois pas que *ta* vérité
10 puisse être trouvée par quelque autre ; plus que de tout, aie honte de cela.
Si je cherchais tes aliments, tu n'aurais pas de faim pour les manger ; si je
te préparais ton lit, tu n'aurais pas sommeil pour y dormir.

Jette mon livre ; dis-toi bien que ce n'est là *qu'une* des mille postures possibles
en face de la vie. Cherche la tienne. Ce qu'un autre aurait aussi bien fait que
toi, ne le fais pas. Ce qu'un autre aurait aussi bien dit que toi, ne le dis pas,
aussi bien écrit que toi, ne l'écris pas. — Ne t'attache en toi qu'à ce que tu
sens qui n'est nulle part ailleurs qu'en toi-même, et crée de toi, impatiemment
ou patiemment, ah ! le plus irremplaçable des êtres.

Les Nourritures terrestres (Librairie Gallimard, éditeur).

RÉCITS ET SOTIES

Jusqu'en 1919, où il commence à songer aux *Faux-Monnayeurs,* Gide ne prétend pas écrire de romans mais simplement des *récits* et des *soties.*

LE RÉCIT. Œuvre relativement brève et toujours dépouillée, le *récit* gidien restitue l'évolution d'un drame sentimental ou moral dont le dénouement est, dans la plupart des cas, déjà accompli *(L'Immoraliste, La Porte étroite).* Héros ou simplement témoin (comme dans *Isabelle,* 1911) d'une aventure qui a fixé le destin *d'un ou deux êtres significatifs* entourés de *simples comparses,* un « narrateur » rapporte les faits et les éclaire par un effort d'analyse intime ou « sympathique ». Tantôt il s'abandonne à un *long monologue* devant quelques amis accourus à son appel ; tantôt il s'impose une relation écrite accompagnée de « pièces à l'appui » *(La Porte étroite) ;* ou bien, il a rédigé un journal *(La Symphonie pastorale)* que Gide est censé livrer au public. Dans tous les cas, ce procédé permet une lente et précise analyse des sentiments qui fait entrer de telles œuvres dans la tradition du « roman psychologique ».

LA SOTIE. De composition beaucoup moins *linéaire* et d'intention différente, la *sotie,* qui est à l'origine un genre dramatique (cf. *Moyen Age,* p. 167), devient chez Gide un *récit arbitraire* et volontiers *bouffon ;* l'auteur y présente, sous forme symbolique, les thèmes généraux de sa méditation sur l'homme et la conduite de la vie. Dès *Paludes,* il témoigne ainsi d'un « certain sens du saugrenu », mais c'est dans *Le Prométhée mal enchaîné* (1899) qu'on découvre pleinement son aptitude à la cocasserie bien dirigée.

En effet, Prométhée, loin du Caucase, s'assied « entre quatre et cinq heures d'automne » à la terrasse d'un café parisien ; il dîne avec deux convives en qui il est facile de reconnaître deux personnages historiques : Damoclès, qui se sent toujours menacé, et Coclès, que l'aigle légendaire vient éborgner avant de retrouver le flanc de Prométhée. Mais celui-ci, toujours victime du feu qu'il procure aux hommes, est jeté en prison pour fabrication illégale d'allumettes. Puis le voici donnant une conférence publique sur son propre cas : l'inquiet Damoclès en sort envahi d'une angoisse nouvelle qui va le ronger et finalement le conduire à la mort. Cependant, de l'ensemble de ces inventions débridées, se dégage peu à peu une *interprétation* du mythe antique rapportée à la vie morale. Chacun de nous a son aigle. « *L'histoire de l'homme, c'est l'histoire des aigles, Messieurs.* » La bête dévorante symbolise à la fois la *conscience individuelle* et le *sentiment de la conquête humaine.* Elle grandit et s'épanouit à mesure que sa victime s'épuise en se livrant à elle, car c'est « la raison d'être » de l'homme que de vivre consciemment : « *Je n'aime pas les hommes,* dit Prométhée, *j'aime ce qui les dévore.* »

L'Immoraliste

Tiré à 300 exemplaires en 1902, ce récit, aujourd'hui universellement connu, est constitué par la confession que Michel fait à ses amis, une nuit, devant le désert. Longtemps enfermé dans d'austères études et retenu par toutes les pudeurs puritaines, ce jeune savant a été conduit par une série de hasards et la rencontre d'êtres d'exception à rejeter toutes les contraintes. Malgré l'amour qu'il éprouvait pour sa fragile jeune femme, il a senti naître en lui *un goût furieux de la vie* et le besoin de posséder *une absolue liberté ;* d'étape en étape, il s'est ainsi construit une nouvelle « éthique qui devenait une science de la parfaite utilisation de soi ». Mais, en même temps, il a peut-être inconsciemment souhaité la mort de Marceline qui le libérerait et, parmi les sortilèges d'une oasis algérienne, irrésistiblement entraîné, il a du moins laissé cette mort s'accomplir dans un détestable abandon.

Trop d'éléments appartiennent ici à la vie de Gide pour qu'on ne voie pas dans *L'Immoraliste* une œuvre autobiographique. La fiction lui permet même, grâce à la présence d'un personnage « objectif » (cf. p. 282, § 3), d'éclairer plus librement, jusqu'en des profondeurs obscures jamais encore atteintes par l'analyse, la motivation psycho-logique et morale de la libération qu'il a connue en Afrique dès 1893. Il serait cependant faux de n'y voir que la version réaliste des *Nourritures terrestres.*

L'accent est tout autre, l'intention très différente et c'est devant un *examen de conscience tourmenté* qu'on se trouve beaucoup plus que devant une *apologie*. Gide a souvent répété qu'il n'était pas complètement Michel, mais *le juge* de Michel. Il l'a fait une dernière fois au cours des entretiens radiophoniques poursuivis avec Jean Amrouche en 1949-1950. Sa référence au *Dialogue de Sylla et d'Eucrate* de Montesquieu est alors significative, puisqu'il y relève comme s'appliquant au cas de Michel cette phrase : « *Pour qu'un homme soit au-dessus de l'humanité, il en coûte trop cher à tous les autres.* » C'est indiquer que Marceline est vraiment le personnage « intéressant » du drame et avouer que, pour Michel comme pour lui-même, « les tables de la loi nouvelle » n'ont pas été fixées sans soulever le *problème de la responsabilité*. Certes, ni Gide ni son héros ne transigent sur l'affirmation et la conquête de soi, mais leur commun débat est le signe d'une *conscience morale toujours en éveil*. Lorsque Michel révèle à la fin de sa confession : « Je me suis délivré, c'est possible ; mais qu'importe ? Je souffre de cette liberté sans emploi », il pose même le grave problème de la liberté personnelle que Sartre (cf. p. 701) allégera simplement du reliquat gidien des interrogations puritaines. Riche de découvertes psychologiques dans le domaine des sentiments indiscernables ou inavoués, *L'Immoraliste* est donc, comme le dit Gide, un livre « avertisseur » qui comporte « une critique latente de l'anarchie ».

MICHEL, *arraché à la mort par le dévouement de* MARCELINE *pendant leur voyage de noces en Afrique du Nord, a déjà retrouvé le goût de vivre au soleil de Biskra. Il n'est plus « l'être malingre et studieux à qui [sa] morale précédente, toute rigide et restrictive, convenait ». En Sicile, où le voyage continue, l'historien qu'il est se détourne des monuments antiques parce qu'il y retrouve « l'immobilité de la mort ». Au contraire, il est attiré par les seules chaleurs de la vie. « Un nouvel être, un nouvel être ! » a-t-il crié sur la route de Taormine et « la patiente étude » de sa santé est devenue le seul devoir qu'il se reconnaisse. Puis le jeune couple est revenu à Paris. Michel a repris ses travaux. Cependant, Marceline lui donne l'espérance d'être père.*

Ménalque ou la disponibilité

MÉNALQUE, personnage dont on devine seulement l'influence dans *Les Nourritures terrestres*, apparaît dans *L'Immoraliste* avec son complet visage. Célibataire, il maintient dans sa vie « l'état précaire » de disponibilité qui supprime toutes les attaches. Les trois conversations de Michel avec Ménalque sont de la plus grande importance, car elles « mettent à nu sa propre pensée » : « être de dialogue » tout comme Diderot (cf. *XVIIIe Siècle*, p. 205), Gide incarne en Ménalque *une partie de lui-même* qui oppose sa hardiesse lucide aux résistances d'une conscience scrupuleuse.
THÈMES : *Bonheur. Moi. Liberté. Morale. Psychologie. Souvenir.*

Michel, laissant seule Marceline proche de ses couches, est venu s'entretenir avec Ménalque la nuit qui précède un départ lointain. Son ami, devinant l'envie qu'il porte à sa liberté, lui a rappelé que, marié, bientôt père, il a « choisi ». Ménalque poursuit :

Des mille formes de la vie, chacun ne peut connaître qu'une. Envier le bonheur d'autrui, c'est folie ; on ne saurait pas s'en servir. Le bonheur ne se veut pas tout fait, mais sur mesure. Je pars demain ; je sais : j'ai tâché de tailler ce bonheur à ma taille... gardez le bonheur calme du foyer...
— C'est à ma taille aussi que j'avais taillé mon bonheur, m'écriai-je ; mais j'ai grandi ; à présent mon bonheur me serre. Parfois, j'en suis presque étranglé...
— Bah ! vous vous y ferez ! dit Ménalque ; puis il se campa devant moi, plongea son regard dans le mien, et, comme je ne trouvais rien à dire, il sourit un peu tristement : — On croit que l'on possède, et l'on est possédé, reprit-il.
10 — Versez-vous du chiraz, cher Michel ; vous n'en goûterez pas souvent ; et

mangez de ces pâtes roses que les Persans prennent avec. Pour ce soir je veux boire
avec vous, oublier que je pars demain, et causer comme si cette nuit était longue...
(Ménalque parle de la philosophie et de la poésie grecques ; puis Michel reprend :)
    — Pourquoi, dis-je, vous qui vivez votre sagesse, n'écrivez-vous pas vos
mémoires ? — ou simplement, repris-je en le voyant sourire, les souvenirs de
vos voyages ?
    — Parce que je ne veux pas me souvenir, répondit-il. Je croirais, ce faisant,
empêcher d'arriver l'avenir et faire empiéter le passé. C'est du parfait oubli
d'hier que je crée la nouvelleté de chaque heure. Jamais, d'avoir été heureux,
20 ne me suffit. Je ne crois pas aux choses mortes, et confonds n'être plus, avec
n'avoir jamais été.
    Je m'irritais enfin de ces paroles, qui précédaient trop ma pensée ; j'eusse voulu
tirer arrière, l'arrêter ; mais je cherchais en vain à contredire ; et d'ailleurs
m'irritais contre moi-même plus encore que contre Ménalque. Je restai donc
silencieux. Lui, tantôt allant et venant à la façon d'un fauve en cage, tantôt se
penchant vers le feu, tantôt se taisait longuement, puis tantôt, brusquement disait :
    — Si encore nos médiocres cerveaux savaient bien embaumer les souvenirs !
Mais ceux-ci se conservent mal ; les plus délicats se dépouillent ; les plus
voluptueux pourrissent, les plus délicieux sont les plus dangereux dans la suite.
30 Ce dont on se repent était délicieux d'abord.
    De nouveau, long silence ; et puis il reprenait :
    — Regrets, remords, repentirs, ce sont joies de naguère, vues de dos. Je
n'aime pas regarder en arrière, et j'abandonne au loin mon passé comme l'oiseau,
pour s'envoler, quitte son ombre. Ah ! Michel, toute joie nous attend toujours,
mais veut toujours trouver la couche vide, être la seule, et qu'on arrive à elle
comme un veuf. — Ah ! Michel, toute joie est pareille à cette manne du désert
qui se corrompt d'un jour à l'autre ; elle est pareille à l'eau de la source Amélès
qui, raconte Platon, ne se pouvait garder dans aucun vase... Que chaque instant
emporte tout ce qu'il avait apporté.
40 Ménalque parla longtemps encore ; je ne puis rapporter ici toutes ses phrases ;
beaucoup pourtant se gravèrent en moi, d'autant plus fortement que j'eusse
désiré les oublier plus vite ; non qu'elles m'apprissent rien de bien neuf mais
elles mettaient à nu brusquement ma pensée ; une pensée que je couvrais de
tant de voiles, que j'avais presque pu l'espérer étouffée. Ainsi s'écoula la veillée.

L'Immoraliste (Mercure de France, éditeur).

    En rentrant chez lui, le matin, Michel apprend qu'il ne sera pas père. Alors qu'il aspire
à la vie la plus ardente, Marceline affaiblie ne lui apparaît plus que comme « une chose abîmée ».

LA TENTATION

    Un nouveau voyage de Michel et de Marceline dans les oasis algériennes donne à
Gide l'occasion de multiplier les notations — *exotiques pour son époque* — où il excelle.
Tandis que Marceline agonise dans sa chambre, Michel cède à l'invite de la vie la plus
libre. A son retour, Marceline mourra dans ses bras « vers le petit matin ». La page
témoigne de l'admirable *discrétion* d'un art très sûr au profit d'une étonnante suggestion.
THÈMES : *Psychologie. Morale. Exotisme.*

Par un dernier semblant de vertu, je reste jusqu'au soir près d'elle.
Et soudain je me sens comme à bout de forces moi-même. O goût de

Un écrivain en devenir

Jacques-Émile Blanche, portrait d'André Gide (1912). (Musée des Beaux-Arts, Rouen. Ph. Ellebé © Arch. Photeb © by SPADEM 1988)

Gide à l'âge mûr.
(Ph. © Coll. Viollet – Arch. Photeb)

Gide âgé.
(Ph. © Agence Bernand – Arch. Photeb)

« J'ai fait mon œuvre. J'ai vécu. »

Sous ces portraits de la quarantaine, puis de l'âge mûr, puis de la vieillesse, on pourra évoquer la diversité des inspirations qui jalonnent la carrière de l'homme et de l'écrivain (cf. **p. 317**).

cendre ! O lassitude ! Tristesse du surhumain effort ! J'ose à peine la regarder ; je sais trop que mes yeux, au lieu de chercher son regard, iront affreusement se fixer sur les trous noirs de ses narines ; l'expression de son visage souffrant est atroce. Elle non plus ne me regarde pas. Je sens, comme si je la touchais, son angoisse. Elle tousse beaucoup ; puis s'endort. Par moments un frisson brusque la secoue.

10 La nuit pourrait être mauvaise et, avant qu'il ne soit trop tard, je veux savoir à qui je pourrais m'adresser. Je sors. Devant la porte de l'hôtel, la place de Touggourt, les rues, l'atmosphère même sont étranges au point de faire croire que ce n'est pas moi qui les vois. — Après quelques instants, je rentre. Marceline dort tranquillement. Je m'effrayais à tort ; sur cette terre bizarre, on suppose un péril partout ; c'est absurde. Et, suffisamment rassuré, je ressors.

Étrange animation nocturne sur la place ; circulation silencieuse ; glissement clandestin des burnous blancs. Le vent déchire par instant des lambeaux de musique étrange et les apporte je ne sais d'où. Quelqu'un vient à moi... C'est Moktir. Il m'attendait, dit-il, et pensait

20 bien que je ressortirais. Il rit. Il connaît bien Touggourt, y vient souvent et sait où il m'emmène. Je me laisse entraîner par lui.

Nous marchons dans la nuit ; nous entrons dans un café maure ; c'est de là que venait la musique. Des femmes arabes y dansent — si l'on peut appeler une danse ce monotone glissement.

L'Immoraliste (Mercure de France, éditeur).

La Porte étroite

Nourrie, elle aussi, des propres souvenirs de Gide, l'histoire du sacrifice d'Alissa est publiée en 1909, sept ans après *L'Immoraliste*. Entre-temps est paru *Le Retour de l'enfant prodigue* (1907) dont le héros qui s'est « dépris de lui-même » vient chercher refuge dans la famille autrefois désertée. On peut être surpris — comme l'ont été les contemporains — de voir l'image du repentir ou de *la contrainte victorieuse* alterner avec le drame de *l'abandon à soi*.

L'erreur serait de s'en tenir à l'idée d'une contradiction imputable à Gide. Lui-même invite d'ailleurs à poser autrement le problème lorsqu'en 1912 il écrit dans le *Journal* : « Qui donc persuaderai-je que ce livre [*La Porte étroite*] est jumeau de *L'Immoraliste* et que les deux sujets ont grandi concurremment dans mon esprit, l'excès de l'un trouvant dans l'excès de l'autre une permission secrète ? » Après avoir montré l'« excès » de Michel, dans sa recherche d'une vie sans contrainte, il s'est trouvé comme sollicité par « l'excès » d'Alissa dans l'héroïsme. Mais Gide n'exalte pas plus l'un que l'autre. Romancier, et non apologiste, il a voulu retracer, dans *La Porte étroite*, « le drame d'une âme protestante en qui se jouât le drame essentiel du protestantisme ». Son récit restitue dans leur beauté les mouvements d'âme admirables que fait naître la « gloire célestielle » d'Alissa, mais il demeure « ironique » lorsqu'il s'agit d'en juger les dangers pour elle-même et pour les autres : Gide, appliqué à sa création romanesque, ne se reconnaît plus que des devoirs d'artiste véridique (cf. p. 282). C'est sous ce jour qu'il faut aborder l'histoire d'Alissa.

Déjà unis par des liens d'affection enfantine et de dévouement (cf. p. 288-289), ALISSA *et* JÉRÔME *se sont sentis liés par un pacte mystique le jour où, au temple, chacun d'eux a pensé « Je serai de ceux-là » en écoutant la parabole de la Porte étroite (cf. Luc, XIII, 24) qui enseigne la difficulté et le prix du salut. D'abord ensemble, ils « cherchent follement leur félicité à côté du bonheur terrestre ». Puis Alissa marche seule jusqu'à la mort sur le chemin montant de l'héroïsme.*

L'ADIEU D'ALISSA

Jérôme ne connaît pas encore le Journal que rédige Alissa et qui, après la mort de son amie, lui apprendra quels poignants regrets, et même quelles tentations, l'héroïsme de la jeune fille a dû vaincre dans son renoncement à l'amour. Ici, incapable de comprendre pourquoi, jadis presque fiancée à lui, elle s'est toujours refusée au mariage et s'est même enfermée dans une farouche retraite, il est venu la revoir, après une longue absence. Mais elle-même, comme avertie d'instinct, redescend depuis trois jours dans le jardin d'autrefois et c'est dans ce cadre que Jérôme l'a retrouvée, pleine d'attente et de refus.

Il existe d'autres scènes d'adieux célèbres dans le roman français : *La Princesse de Clèves*, *Le Lys dans la vallée*, *Dominique* (cf. *XIXᵉ Siècle*, p. 552). Dans chaque cas un *devoir précis* sépare deux êtres faits l'un pour l'autre. Au contraire, seule la « sainteté » d'Alissa lui dicte son renoncement. Cette ultime rencontre revêt, de ce fait, un sublime un peu glacé, mais prenant. Le magnifique couchant devant lequel elle s'accomplit ajoute à sa calme solennité. Une telle « convenance » est le fruit d'un art sobre et sûr.

Thèmes : *Adolescence. Amour. Femme. Religion. Nature.*

Le soleil déclinant, que cachait depuis quelques instants un nuage, reparut au ras de l'horizon, presque en face de nous, envahissant d'un luxe frémissant les champs vides et comblant d'une profusion subite l'étroit vallon qui s'ouvrait à nos pieds ; puis, disparut. Je demeurais, ébloui, sans rien dire ; je sentais m'envelopper encore, me pénétrer, cette sorte d'extase dorée où mon ressentiment s'évaporait, et je n'entendais plus en moi que l'amour. Alissa, qui restait penchée, appuyée contre moi, se redressa ; elle sortit de son corsage un menu paquet enveloppé de papier fin, fit mine de me le tendre, s'arrêta, semblant indécise, et comme je la regardais, surpris :

10 — Écoute, Jérôme, c'est ma croix d'améthystes que j'ai là ; depuis trois soirs je l'apporte parce que je voulais depuis longtemps te la donner.

— Que veux-tu que j'en fasse ? fis-je assez brusquement.

— Que tu la gardes en souvenir de moi, pour ta fille.

— Quelle fille ? m'écriai-je en regardant Alissa sans la comprendre.

— Écoute-moi bien calmement, je t'en prie ; non, ne me regarde pas ainsi ; ne me regarde pas ; déjà j'ai beaucoup de mal à te parler ; mais ceci, je veux absolument te le dire. Écoute, Jérôme, un jour, tu te marieras ?... Non, ne me réponds pas ; ne m'interromps pas, je t'en supplie. Je voudrais tout simplement que tu te souviennes que je t'aurai beaucoup aimé et...

20 depuis longtemps déjà... depuis trois ans... j'ai pensé que cette petite croix que tu aimais, une fille de toi la porterait un jour, en souvenir de moi, oh ! sans savoir de qui... et peut-être pourrais-tu aussi lui donner... mon nom...

Elle s'arrêta, la voix étranglée ; je m'écriai presque hostilement :

— Pourquoi ne pas la lui donner toi-même ?

Elle essaya de parler encore. Ses lèvres tremblaient comme celles d'un enfant qui sanglote ; elle ne pleurait pas toutefois ; l'extraordinaire éclat de son regard inondait son visage d'une surhumaine, d'une angélique beauté.

— Alissa ! qui donc épouserais-je ? Tu sais pourtant que je ne puis

aimer que toi... et tout à coup, la serrant éperdument, presque
30 brutalement dans mes bras, j'écrasai de baisers ses lèvres. Un instant
comme abandonnée je la tins à demi renversée contre moi, je vis son
regard se voiler ; puis ses paupières se fermèrent, et d'une voix dont
rien n'égalera pour moi la justesse et la mélodie :

— Aie pitié de nous, mon ami ! Ah ! n'abîme pas notre amour.

Peut-être dit-elle encore : N'agis pas lâchement ! ou peut-être me
le dis-je moi-même, je ne sais plus, mais soudain, me jetant à genoux
devant elle et l'enveloppant pieusement de mes bras :

— Si tu m'aimais ainsi, pourquoi m'as-tu toujours repoussé ? Vois !
j'attendais d'abord le mariage de Juliette [1] ; j'ai compris que tu
40 attendisses aussi son bonheur ; elle est heureuse ; c'est toi-même qui
me l'as dit. J'ai cru longtemps que tu voulais continuer à vivre près
de ton père ; mais à présent nous voici tous deux seuls.

— Oh ! ne regrettons pas le passé, murmura-t-elle. A présent j'ai
tourné la page. — Il est temps encore, Alissa.

— Non, mon ami, il n'est plus temps. Il n'a plus été temps du jour
où, par amour, nous avons entrevu l'un pour l'autre mieux que l'amour.
Grâce à toi, mon rêve était monté si haut que tout contentement humain
l'eût fait déchoir. J'ai souvent réfléchi à ce qu'eût été notre vie l'un
avec l'autre ; dès qu'il n'eût plus été parfait, je n'aurais plus pu
50 supporter... notre amour.

— Avais-tu réfléchi à ce que serait notre vie l'un sans l'autre ?

— Non ! jamais.

— A présent tu le vois ! Depuis trois ans, j'erre... péniblement...
Le soir tombait.

— J'ai froid, dit-elle en se levant et s'enveloppant de son châle trop
étroitement pour que je pusse reprendre son bras. Tu te souviens de
ce verset de l'Écriture, qui nous inquiétait et que nous craignions de
ne pas bien comprendre : « Ils n'ont pas obtenu ce qui leur avait été
promis, Dieu les ayant réservés pour quelque chose de meilleur... »
60 — Crois-tu toujours à ces paroles ? — Il le faut bien.

Nous marchâmes quelques instants l'un près de l'autre, sans plus rien
dire. Elle reprit :

— Imagines-tu cela, Jérôme : le meilleur ! Et brusquement les larmes
jaillirent de ses yeux, tandis qu'elle répétait encore : le meilleur !

Nous étions de nouveau parvenus à la petite porte du potager par
où, tout à l'heure, je l'avais vue sortir. Elle se retourna vers moi :

— Adieu ! fit-elle. Non, ne viens pas plus loin. Adieu, mon ami
bien-aimé. C'est maintenant que va commencer... le meilleur.

Un instant elle me regarda, tout à la fois me retenant et m'écartant
70 d'elle, les bras tendus et les mains sur mes épaules, les yeux emplis
d'un indicible amour...   *La Porte étroite* (Mercure de France, éditeur).

— 1 Alissa a d'abord prétendu s'effacer devant sa sœur, qui aimait aussi Jérôme.

**La Symphonie
pastorale**

Lorsque *La Symphonie pastorale* parut, en 1919, le public averti s'étonna de voir un récit *sérieux et pathétique* succéder à l'alacrité bouffonne des *Caves du Vatican* (1914). La surprise peut être plus grande encore aujourd'hui où l'on sait que la rédaction de ce roman a coïncidé avec la refonte et l'augmentation de l'audacieux *Corydon*.

Quoi qu'il en soit de la complexité morale dont témoigne un tel rapprochement, *La Symphonie pastorale* présente un nouvel exemple des modalités de la création chez Gide : le sujet existait dans son esprit dès 1893 ; il s'est trouvé ranimé par la crise religieuse traversée en 1916 (cf. p. 280, § 4), mais il est traité par un écrivain dont les dispositions d'âme et l'attitude devant la vie sont alors très différentes de celles que semblerait réclamer le sujet traité. Gide révèle, en effet, que, pour écrire son livre, il a été obligé de « terriblement se contrefaire ou, du moins, rentrer dans des plis effacés ». Cet aveu doit porter le lecteur à mieux apprécier *la vérité humaine* à laquelle Gide a su atteindre et *l'indiscutable valeur littéraire* de l'œuvre.

Établi pour l'écrire dans le petit village suisse de La Brévine, proche du Val-Travers, Gide donne l'impression d'avoir été assailli par le rousseauisme latent qu'il a toujours porté en lui. Outre l'accord entre le paysage austère et les âmes repliées du drame, il faut en effet remarquer que Gertrude, la petite aveugle abandonnée et ignorante recueillie un soir par le Pasteur — personnage anonyme —, est un parfait « enfant de la Nature » que son protecteur doit entièrement instruire et éveiller aux choses de l'âme dans une solitude montagnarde. Mais là n'est pas *l'intérêt profond* du récit. Le Pasteur est marié, chargé d'enfants, plein d'une vertu paisible et sans menaces. Lorsqu'après des années, il s'aperçoit que son affection pour sa pupille s'est changée en amour, loin de songer à lutter, il cherche à confirmer son instinctive conviction qu'un sentiment si naturel et si pur ne peut être un péché. C'est alors que, tout comme Gide lui-même, il relit l'Évangile « d'un œil nouveau » ; il n'y trouve proclamée que la loi d'amour et s'en autorise, avec une mauvaise foi *inconsciente*, pour légitimer dans son cœur la passion qui l'entraîne. Le scandale, le désastre familial et la mort seront les terribles conséquences du piège tendu à une âme pieuse par le Diable (cf. p. 310, note 4) : Gide est fondé à dire que *La Symphonie pastorale* dénonce les dangers de « la libre interprétation des Écritures ».

« *Mon cœur devrait bondir de joie...* »

Constitué par le Journal du PASTEUR, le livre devait d'abord s'appeler *L'Aveugle*, titre symbolique écarté par Gide. Belle, instruite, parée de vertu et d'innocence, Gertrude porte déjà en elle un cœur de femme. Bien que ses yeux ne soient pas ouverts sur le monde — mais on parle de l'opérer —, elle sait les lois et les vérités de la vie ; chez elle aussi, reconnaissance et affection sont devenues amour. En date du 18 mai, le Pasteur note une promenade de la veille. Passant de la timidité pudique à la franchise toute simple, puis témoignant d'une *habileté bien féminine* à interroger en même temps que d'une curieuse aptitude au « raisonnement », Gertrude l'a, mieux que toutes ses méditations, éclairé sur eux-mêmes. Un long silence s'est établi dans leur conversation après que la jeune fille a dit : « Je voudrais être sûre de ne pas ajouter au mal ». THÈMES : *Adolescence. Femme. Amour. Morale.*

Je voulais vous demander, reprit-elle enfin — mais je ne sais comment le dire...

Certainement, elle faisait appel à tout son courage, comme je faisais appel au mien pour l'écouter. Mais comment eussé-je pu prévoir la question qui la tourmentait :

— Est-ce que les enfants d'une aveugle naissent aveugles nécessairement ?

Je ne sais qui de nous deux cette conversation oppressait davantage ; mais à présent il fallait continuer.

— Non, Gertrude, lui dis-je ; à moins de cas très spéciaux. Il n'y a même
10 aucune raison pour qu'ils le soient.
Elle parut extrêmement rassurée. J'aurais voulu lui demander à mon tour
pourquoi elle me demandait cela ; je n'en eus pas le courage et continuai
maladroitement :
— Mais Gertrude, pour avoir des enfants, il faut être mariée.
— Ne me dites pas cela, Pasteur. Je sais que cela n'est pas vrai.
— Je t'ai dit ce qu'il était décent de te dire, protestai-je. Mais en effet les
lois de la nature permettent ce qu'interdisent les lois des hommes et de Dieu.
— Vous m'avez dit souvent que les lois de Dieu étaient celles mêmes de l'amour.
— L'amour qui parle ici n'est plus celui qu'on appelle aussi : charité.
20 — Est-ce par charité que vous m'aimez ?
— Tu sais bien que non, ma Gertrude.
— Mais alors vous reconnaissez que notre amour échappe aux lois de Dieu ?
— Que veux-tu dire ?
— Oh ! vous le savez bien, et ce ne devrait pas être à moi de parler.
En vain, je cherchais à biaiser ; mon cœur battait la retraite de mes arguments
en déroute. Éperdument je m'écriai :
— Gertrude... tu penses que ton amour est coupable ?
Elle rectifia :
— Que *notre* amour... Je me dis que je devrais le penser.
30 — Et alors ?...
Je surpris comme une supplication dans ma voix, tandis que, sans reprendre
haleine, elle achevait :
— Mais que je ne peux pas cesser de vous aimer.
Tout cela se passait hier. J'hésitais d'abord à l'écrire... Je ne sais plus comment
s'acheva la promenade. Nous marchions à pas précipités, comme pour fuir,
et je tenais son bras étroitement serré contre moi. Mon âme avait à ce point
quitté mon corps — il me semblait que le moindre caillou sur la route nous
eût fait tous deux rouler à terre.

19 mai

Martins [1] est revenu ce matin. Gertrude est opérable. Roux l'affirme et
40 demande qu'elle lui soit confiée quelque temps. Je ne puis m'opposer à cela,
et pourtant, lâchement, j'ai demandé à réfléchir. J'ai demandé qu'on me laissât
la préparer doucement... Mon cœur devrait bondir de joie, mais je le sens peser
en moi, lourd d'une angoisse inexprimable. A l'idée de devoir annoncer à
Gertrude que la vue pourrait lui être rendue, le cœur me faut.

La Symphonie pastorale (Librairie Gallimard, éditeur).

*Le Pasteur a raison de craindre : l'âme de Gertrude verra clair en même temps que ses
yeux. La jeune fille va bientôt s'apercevoir qu'elle a apporté le trouble dans toute une famille
et que le péché existe. Elle devra aussi s'avouer que celui qu'elle aime n'est pas le Pasteur
mais son fils aîné, Jacques. Accablée par tant de révélations, elle se jette au torrent. On la
transporte dans une maison amie où elle mourra peu après. Le scandale a éclaté. Châtiment
plus terrible encore : Jacques, qui s'est converti au catholicisme par réaction contre son père,
décide Gertrude à abjurer avant sa mort ; lui-même va entrer dans les ordres. Le Pasteur
ne peut plus prier. Son âme est « plus aride que le désert ».*

— 1 Martins et Roux sont deux médecins.

La Symphonie pastorale

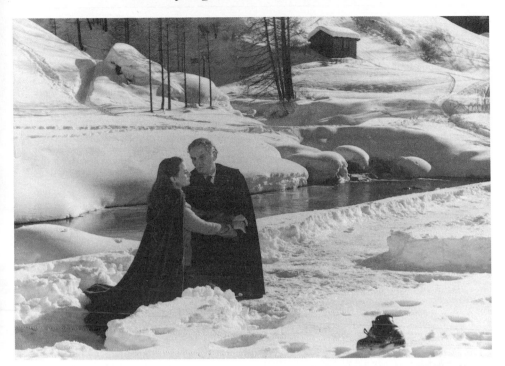

« La Symphonie pastorale », film de Jean Delannoy, 1946, avec Pierre Blanchar et Michèle Morgan.

Transposition cinématographique

Dans le film tiré de *La Symphonie pastorale* par Jean Delannoy, les images de montagne, de neige, de glace, loin de se borner à illustrer le texte, opèrent une remarquable transposition de la pureté apparente, si froide, du regard gidien, sous laquelle couvent les passions et la tragédie.

Les Caves du Vatican   Publiée en 1914, cette œuvre entraînante et curieuse
                                offre bien, en puissance, les éléments constitutifs d'un
roman : personnages nombreux qui semblent au premier abord détachés de l'auteur,
intrigue compliquée, démarquage d'événements contemporains, fresque d'époque. Elle
reste cependant plus proche du *conte philosophique* parce qu'elle révèle moins un dessein
d'analyse morale que la volonté d'illustrer *ironiquement* certains thèmes gidiens et le désir
de faire naître la réflexion sur nombre de problèmes. Elle est, de plus, une parfaite
réalisation de la SOTIE telle que Gide la conçoit, puisque s'y mêlent *le saugrenu, l'arbitraire*
et *l'invraisemblable* au profit d'une véritable intrigue policière pleine de mystère, de
rencontres et de rebondissements. En effet, comme Voltaire faisait dans ses *Contes* la
parodie des romans d'aventures de son temps tout en utilisant à plaisir leurs procédés,
l'auteur des *Caves du Vatican,* moins sévère encore pour le genre, ne dédaigne pas d'user
de schémas et de « ficelles » dignes de Maurice Leblanc (1864-1941) dans ses *Aventures
d'Arsène Lupin :* il appartient bien en cela à la génération d'Apollinaire (cf. *Zone,* p. 43)
et de Jules Romains, futur auteur du *Crime de Quinette* (cf. p. 479).

   Divisée en cinq livres *(Anthime Armand-Dubois ; Julius de Baraglioul ; Amédée
Fleurissoire ; Le Mille-Pattes ; Lafcadio),* la *sotie* révèle le secret de sa composition lorsque
Lafcadio, ayant — par un « acte gratuit » — précipité Amédée Fleurissoire par la portière
d'un wagon (p. 303), remarque après coup : « Ce vieillard est un carrefour. » Le
« carrefour » est, en effet, le croisement de bien des routes qu'on peut retrouver à l'analyse.

   En 1890, AMÉDÉE FLEURISSOIRE, *timide et naïf fabriquant d'objets de piété, a quitté Pau
pour une héroïque croisade. C'est que la franc-maçonnerie, curieusement alliée aux jésuites,
a supposé un faux pape alors que le vrai est enfermé au château Saint-Ange. En réalité, il
s'agit d'une énorme supercherie montée par une bande d'aigrefins internationaux, le
Mille-Pattes, pour escroquer des fonds prétendument destinés à la délivrance du prisonnier.
Dès qu'il a touché le sol de l'Italie, le « pèlerin » a été pris en mains par la bande qui dirige
tous ses gestes. S'il voyageait un jour dans le train Rome-Naples, c'est qu'il rapportait aux
bandits le montant d'un chèque touché à leur place.*

   Par un « acte gratuit », LAFCADIO *a précipité par la portière* FLEURISSOIRE, *qui se trouvait
avoir le billet de voyage de l'écrivain* JULIUS DE BARAGLIOUL *et des boutons de manchette,
reconnaissables entre tous. Ce bijou lui avait été donné par une étrange femme croisée sur sa
route, Carola. Quant au carnet de l'agence Cook, il le tenait légitimement de* BARAGLIOUL, *son
propre beau-frère, rencontré — ô surprise — à Rome. Julius y était en effet venu, non seulement
pour assister à un Congrès, mais aussi pour avancer au Vatican les affaires de leur commun
parent — le troisième beau-frère de l'histoire —, le savant Anthime Armand-Dubois,
matérialiste et franc-maçon soudain converti par un miracle dont il s'est cru favorisé.*

   *Julius n'est pas non plus sans secrète parenté avec Lafcadio. Il y a peu de mois, à Paris,
il a été invité son père, le vieux diplomate Juste-Agénor de Baraglioul, à s'informer de
la conduite d'un mystérieux jeune homme. Pour retrouver celui-ci, il est monté un jour jusqu'à
une modeste chambrette où il a été reçu par l'amie du locataire absent, la belle Carola. Son
rapport a été si favorable qu'avant de mourir le comte de Baraglioul a convoqué ce fils illégitime,
Lafcadio, pour le bénir avec remords et le doter somptueusement. Désormais riche, le nouveau
demi-frère de Julius a pu commencer les voyages lointains dont il rêvait : avant son départ
il a laissé comme cadeau d'adieu à Carola l'étrange bijou qu'elle désirait depuis longtemps.*

   *Si Carola a hébergé Amédée Fleurissoire, c'est qu'elle est maintenant subjuguée par le chef
du Mille-Pattes. Depuis le début, on l'a vu surgir ici ou là sous divers déguisements pour tout
mener à sa guise. Le voici enfin devant Lafcadio dont il a surpris le crime et qu'il croit pouvoir
embrigader. Mais ce chef de bande n'est autre que « Protos », un camarade de collège, admiré
jadis par « Cadio » et qui, contre toute attente, avait été un jour premier en thème grec...*

   Dans le cadre d'une telle intrigue, où l'on devine l'allégresse de *l'invention cocasse,*
Gide a pu appliquer son *ironie* à nombre de sujets et transformer en fantoches les héros
en qui s'incarne ce qu'il déteste ou méprise. Au contraire, sa faveur est allée à Lafcadio,
être *éminemment libre* grâce à sa bâtardise qui l'a sauvé d'une famille très
« embaraglioullée » par les conventions et l'hypocrisie.

L'ACTE GRATUIT

Dans la page qui va suivre GIDE montre admirablement *la naissance brusque d'une pensée agressive*, son emprise et le jeu qu'elle semble offrir, jusqu'à l'acte lui-même : le problème relève d'une psychologie pré-pathologique bien connue de la psychiatrie moderne mais sur laquelle la lecture de Dostoïevsky avait pu attirer la curiosité de Gide (cf. p. 321). Il devient proprement un problème gidien lorsqu'après tel personnage du *Prométhée mal enchaîné* (cf. p. 292) qui raisonne sur « l'acte désintéressé ; né de soi ; l'acte aussi sans but ; donc sans maître ; l'acte libre ; l'Acte autochtone », Lafcadio, « être d'inconséquence », songe aussi à *un acte sans raison ni profit*, où il trouverait une étrange et dangereuse affirmation de sa liberté. Amédée Fleurissoire pénétrant dans le wagon où il voyage va lui fournir l'occasion de transformer en « acte gratuit » une de ces pensées incontrôlées.
THÈMES : *Moi. Psychologie. Morale. Philosophie. Liberté. Littérature.*

A-t-il bientôt fini de jouer avec la lumière ? pensait Lafcadio impatienté. Que fait-il à présent ? (Non ! je ne lèverai pas les paupières.) Il est debout... Serait-il attiré par ma valise ? Bravo ! Il constate qu'elle est ouverte. Pour en perdre la clef aussitôt, c'était bien adroit d'y avoir fait mettre, à Milan, une serrure compliquée qu'on a dû crocheter à Bologne ! Un cadenas du moins se remplace... Dieu me damne : il enlève sa veste ? Ah ! tout de même regardons.

Sans attention pour la valise de Lafcadio, Fleurissoire, occupé à son nouveau faux col, avait mis bas sa veste pour pouvoir le boutonner
10 plus aisément ; mais le madapolam empesé, dur comme du carton, résistait à tous ses efforts.

— Il n'a pas l'air heureux, reprenait à part soi Lafcadio. Il doit souffrir d'une fistule, ou de quelque affection cachée. L'aiderai-je ! Il n'y parviendra pas tout seul...

Si pourtant ! le col enfin admit le bouton. Fleurissoire reprit alors, sur le coussin où il l'avait posée près de son chapeau, de sa veste et de ses manchettes, sa cravate et, s'approchant de la portière, chercha comme Narcisse sur l'onde, sur la vitre, à distinguer du paysage son reflet.

— Il n'y voit pas assez.
20 Lafcadio redonna de la lumière. Le train longeait alors un talus, qu'on voyait à travers la vitre, éclairé par cette lumière de chaque compartiment projetée ; cela formait une suite de carrés clairs qui dansaient le long de la voie et se déformaient tour à tour selon chaque accident du terrain. On apercevait, au milieu de l'un d'eux, danser l'ombre falote de Fleurissoire ; les autres carrés étaient vides.

— Qui le verrait ? pensait Lafcadio. Là, tout près de ma main, sous ma main, cette double fermeture, que je peux faire jouer aisément ; cette porte qui, cédant tout à coup, le laisserait crouler en avant ; une petite poussée suffirait ; il tomberait dans la nuit comme une masse ; même
30 on n'entendrait pas un cri... Et demain, en route pour les îles !... Qui le saurait ?

La cravate était mise, un petit nœud marin tout fait ; à présent

Fleurissoire avait repris une manchette et l'assujettissait au poignet droit ; et, ce faisant, il examinait, au-dessus de la place qu'il occupait tout à l'heure, la photographie (une des quatre qui décoraient le compartiment) de quelque palais près de la mer.

— Un crime immotivé, continuait Lafcadio : quel embarras pour la police ! Au demeurant, sur ce sacré talus, n'importe qui peut, d'un compartiment voisin, remarquer qu'une portière s'ouvre, et voir l'ombre

40 du Chinois cabrioler. Du moins les rideaux du couloir sont tirés... Ce n'est pas tant des événements que j'ai curiosité, que de moi-même. Tel se croit capable de tout, qui, devant que d'agir, recule... Qu'il y a loin, entre l'imagination et le fait !... Et pas plus le droit de reprendre son coup qu'aux échecs. Bah ! qui prévoirait tous les risques, le jeu perdrait tout intérêt !... Entre l'imagination d'un fait et... Tiens ! le talus cesse. Nous sommes sur un pont, je crois ; une rivière...

Sur le fond de la vitre, à présent noire, les reflets apparaissaient plus clairement. Fleurissoire se pencha pour rectifier la position de sa cravate.

— Là, sous ma main, cette double fermeture — tandis qu'il est distrait

50 et regarde au loin devant lui — joue, ma foi ! plus aisément encore qu'on eût cru. Si je puis compter jusqu'à douze, sans me presser, avant de voir dans la campagne quelque feu, le tapir est sauvé. Je commence : Une ; deux ; trois ; quatre ; (lentement ! lentement !) cinq ; six ; sept ; huit ; neuf... Dix, un feu !... Fleurissoire ne poussa pas un cri.

Les Caves du Vatican, V, 1 (Librairie Gallimard, éditeur).

Cependant le romancier...

A l'heure même où LAFCADIO accomplit son « acte gratuit », son demi-frère JULIUS rêve, en romancier, de faire accomplir un tel acte par un « héros d'inconséquence ». C'est qu'il veut renouveler sa manière, toute banale et rationnelle. Possédé par cette « illumination », à peine voit-il surgir devant lui Lafcadio, au lendemain même de son geste criminel, qu'il se hâte de lui communiquer la belle trouvaille. Dans cette page très caractéristique où Julius reconstruit sans le savoir tout le cheminement secret qu'a suivi Lafcadio, Gide prélude à la confusion entre *la réalité vécue* et *l'invention romanesque,* dont il fera la pièce essentielle des *Faux-Monnayeurs.* Son art du dialogue est vraiment ici « diabolique ».
THÈMES : *Adolescence. Morale. Liberté. Philosophie. Réel et irréel. Littérature.*

Donc, voici ce que j'imagine... Vous m'écoutez ? — Jusque dans l'âme, dit en riant toujours Lafcadio. — Et me suivez ? — Jusqu'en enfer.

Julius humecta de nouveau son mouchoir, s'assit dans un fauteuil ; en face de lui, Lafcadio se mit à fourchon sur sa chaise :

— Il s'agit d'un jeune homme, dont je veux faire un criminel.

— Je n'y vois pas difficulté.

— Eh ! eh ! fit Julius, qui prétendait à la difficulté.

— Mais, romancier, qui vous empêche ? Et du moment qu'on imagine, d'imaginer tout à souhait ?

10 — Plus ce que j'imagine est étrange, plus j'y dois apporter de motif et d'explication. — Il n'est pas malaisé de trouver des motifs de crime.

— Sans doute... mais précisément, je n'en veux point. Je ne veux pas de

Les Caves du Vatican

Jean-Émile Laboureur, illustration (1929) pour « Les Caves du Vatican ».

Un acte gratuit ?

Lafcadio pousse Fleurissoire dans le vide, et conçoit cet *acte gratuit* « désintéressé, né de soi », « sans but », « sans maître », comme une affirmation de sa liberté. Pourtant, à la fin du roman, il sera pris de remords : « Quand bien même j'échapperais à la police, je n'échapperais pas à moi-même.[...] Je vivais inconscient ; j'ai tué comme dans un rêve, un cauchemar où, depuis, je me débats.[...] Ne comprenez-vous pas que j'ai l'impunité en horreur ? Que me reste-t-il à faire à présent ? sinon, quand le jour paraîtra, de me livrer. » Mais il a tôt fait d'oublier ces résolutions dans les bras de Geneviève de Baraglioul, fille de Julius, le beau-frère de sa victime !

motif au crime ; il me suffit de motiver le criminel. Oui ; je prétends l'amener à commettre gratuitement le crime ; à désirer commettre un crime parfaitement immotivé.

Lafcadio commençait à prêter une oreille plus attentive.

— Prenons-le tout adolescent : je veux qu'à ceci se reconnaisse l'élégance de sa nature, qu'il agisse surtout par jeu, et qu'à son intérêt il préfère couramment son plaisir. — Ceci n'est pas commun peut-être... hasarda Lafcadio.

20 — N'est-ce pas ! dit Julius tout ravi. Ajoutons-y qu'il prend plaisir à se contraindre... — Jusqu'à la dissimulation.

— Inculquons-lui l'amour du risque.

— Bravo ! fit Lafcadio toujours plus amusé. S'il sait prêter l'oreille au démon de la curiosité, je crois que votre élève est à point.

Ainsi tour à tour bondissant et dépassant, puis dépassé, on eût dit que l'un jouait à saute-mouton avec l'autre :

Julius. — Je le vois d'abord qui s'exerce ; il excelle aux menus larcins.

Lafcadio. — Je me suis maintes fois demandé comment il ne s'en commettait pas davantage. Il est vrai que les occasions ne s'offrent d'ordinaire qu'à ceux-là

30 seuls, à l'abri du besoin, qui ne se laissent pas solliciter.

Julius. — A l'abri du besoin ; il est de ceux-là, je l'ai dit. Mais ces seules occasions le tentent qui exigent de lui quelque habileté, de la ruse...

Lafcadio. — Et sans doute l'exposent un peu.

Julius. — Je disais qu'il se plaît au risque. Au demeurant il répugne à l'escroquerie ; il ne cherche point à s'approprier, mais s'amuse à déplacer subrepticement les objets. Il y apporte un vrai talent d'escamoteur.

Lafcadio. — Puis l'impunité l'encourage...

Julius. — Mais elle le dépite à la fois. S'il n'est pas pris, c'est qu'il se proposait jeu trop facile.

40 Lafcadio. — Il se provoque au plus risqué.

Julius. — Je le fais raisonner ainsi...

Lafcadio. — Êtes-vous bien sûr qu'il raisonne ?

Julius, *poursuivant*. — C'est par le besoin qu'il avait de le commettre que se livre l'auteur du crime.

Lafcadio. — Nous avons dit qu'il était très adroit.

Julius. — Oui ; d'autant plus adroit qu'il agira la tête froide. Songez donc : un crime que ni la passion, ni le besoin ne motive. Sa raison de commettre le crime, c'est précisément de le commettre sans raison.

Lafcadio. — C'est vous qui raisonnez son crime ; lui, simplement, le commet.

50 Julius. — Aucune raison pour supposer criminel celui qui a commis le crime sans raison.

Lafcadio. — Vous êtes trop subtil. Au point où vous l'avez porté, il est ce qu'on appelle : un homme libre.

Julius. — A la merci de la première occasion.

Lafcadio. — Il me tarde de le voir à l'œuvre. Qu'allez-vous bien lui proposer ?

Julius. — Eh bien, j'hésitais encore. Oui ; jusqu'à ce soir, j'hésitais... Et tout à coup, ce soir, le journal, aux dernières nouvelles, m'apporte tout précisément l'exemple souhaité. Une aventure providentielle ! C'est affreux : figurez-vous qu'on vient d'assassiner mon beau-frère !

60 Lafcadio. — Quoi ! le petit vieux du wagon, c'est...

Julius. — C'était Amédée Fleurissoire à qui j'avais prêté mon billet...

Les Caves du Vatican, V, III (Librairie Gallimard, éditeur).

LES FAUX-MONNAYEURS

Dans *Les Faux-Monnayeurs* (1925), la seule de ses œuvres de fiction qu'il ait accepté de nommer *roman,* Gide rassemble une ample matière où l'analyse pourrait retrouver tous les éléments constitutifs du roman traditionnel depuis Balzac. Or l'œuvre aboutit à rendre secondaires la nature et la présence de tels éléments au profit de la surprise causée par un « roman » qui tend à bouleverser la conception et même à nier finalement la possibilité du genre. Le curieux *Journal des Faux-Monnayeurs,* tenu pendant la longue élaboration du livre, précise la pensée et le dessein de l'auteur sur ce point.

UN ROMAN GIDIEN. « Carrefour, rendez-vous de problèmes », l'œuvre sollicite sans cesse l'esprit alors que l'imagination et la sensibilité peuvent se croire captées par le déroulement romanesque. Par là s'affirme la prédominance de son caractère *intellectuel ;* il en résulte pour le lecteur un plaisir très particulier, qui mêle à la satisfaction de l'intelligence l'irritation de se sentir entraîné dans un jeu subtil contre la crédibilité banale.

De plus, bien que Gide parle de la « gratuité » de son roman parce qu'en apparence il n'y affirme aucun enseignement, on y retrouve pourtant, sous une équivoque objectivité, l'image de *son idéal de vie personnel* et la trace de *ses répugnances instinctives.* Les faux-monnayeurs ne sont pas seulement, dans son esprit, les collégiens dévoyés qui écoulent des pièces douteuses mais aussi tous les faussaires de l'âme, tous les êtres, tant adultes qu'adolescents, qui vivent sous « une épaisseur de mensonge » ou s'offrent mutuellement la parade de leur attitude. A toutes ces consciences de mauvais aloi il oppose un héros très proche de lui-même, le romancier Édouard, et le jeune Bernard Profitendieu qui voudrait « tout au long de sa vie rendre un son pur, probe, authentique ».

UN « ROMAN PUR ». A une heure où Valéry refusait d'écrire : « La Marquise sortit à cinq heures » et où l'abbé Bremond instituait le débat sur la « poésie pure » (octobre 1925, cf. p. 330), Gide a lui aussi voulu *un roman réduit à sa pure essence.* Ce n'est pas qu'il l'ait entièrement coupé de la vie réelle : « J'ai eu soin, dit-il, de n'indiquer que le significatif, le décisif, l'indispensable ». Supprimant au maximum traits physiques et paysages, il s'est donc interdit *l'approximation d'une image concrète du monde ;* de même, considérant que l'univers romanesque est essentiellement « un lieu de caractères », il l'a ramené à « ce qui s'inscrit en deçà des événements » ; aussi le confond-il avec le domaine de la vie consciente où sentiments et idées ont leurs aventures, et avec *une durée non seulement vécue mais vivante* qu'il cherche à saisir dans sa fluidité, ses simultanéités et son élan vers l'avenir.

UN ROMAN SANS LIMITES. C'est sur ce point surtout qu'il commence à innover car, dès 1925, et bien avant l'influence de romanciers américains comme Faulkner, la narration gidienne a déjà abandonné *toute chronologie linéaire et bornée ;* toutefois, le simple « retour en arrière » est son moindre artifice, et elle n'est pas non plus animée par un unique mouvement de reconquête sur « le temps perdu » comme chez Proust. Gide tend à autre chose : il veut d'abord rendre sensible, à tel moment choisi, *la simultanéité de gestes et de pensées* appartenant à des êtres éloignés les uns des autres et qui commandent leur future rencontre (cf. p. 309). Ensuite, réalisant à sa façon le miracle unanimiste, il fait de la conscience de quelques héros privilégiés — notamment Édouard —, le lieu commun où des actions dispersées « vivent » sans être présentes et n'en retentissent pas moins sur la conduite des autres personnages. Enfin, ayant multiplié les « amorces de drames » et créé l'étrange foisonnement d'une vie éparpillée en divers lieux du monde, il évite de l'interrompre par une conclusion et de *figer le temps en marche.* Rien ne s'est définitivement accompli lorsque l'auteur « coupe » l'évocation en cours ; de la quarantaine d'êtres qu'il a mis en scène, seuls Lady Griffith et le petit Boris (cf. p. 314) ont achevé leur destin par la mort. Pour tous les autres, le roman devrait non pas s'interrompre mais s'éclipser sur la formule désinvolte : « Pourrait être continué ».

« LE ROMAN D'UN ROMAN ». Cette formule est justement lancée par le romancier Édouard au moment où il parle de l'œuvre qu'il projette sous le même titre que celle de Gide. Étonnante rencontre : *Les Faux-Monnayeurs* ne sont, en effet, que le roman d'un roman en train de s'écrire (cf. p. 311). Édouard, qui est au cœur de l'action, « pense » une action identique développée dans son cerveau par des personnages exactement confondus avec ceux d'André Gide. « *Et c'est là le sujet principal, le centre nouveau qui désaxe le récit et l'entraîne vers l'imaginatif.* » Quand Édouard avoue qu'il n'écrira jamais son livre mais que peu lui importe, l'écrivain réel exprime symboliquement par ce biais sa pensée profonde sur le genre auquel il s'applique : le roman, nécessairement voué à l'échec puisqu'il prétend restituer la complète vérité de la vie, n'est intéressant que par les problèmes techniques nés de cette tentative. Or, Gide est lui-même en train d'introduire *une innovation technique capitale,* sur la voie de l'éternel « nouveau roman ».

Avantages de la bâtardise

Après de longues hésitations, Gide a heureusement trouvé l'amorce qui révèle le mieux ses intentions : BERNARD, qui s'est cru jusqu'ici le fils du juge Profitendieu, vient de découvrir sa bâtardise, au prix d'une de ces indiscrétions chères aux héros gidiens. Désormais libre comme Lafcadio, il pourra, plus sérieusement que celui-ci, conquérir sa propre voie. La première page du livre est une réussite : la vie est là, dans son élan ; toute la famille Profitendieu est présentée ; les notations psychologiques révèlent immédiatement, chez l'adolescent, la lucidité, le jeu avec soi-même, le besoin d'attitude, le cynisme naïf, l'ironie. – THÈMES : *Adolescence. Famille. Diable. Psychologie. Moi.*

C'est le moment de croire que j'entends des pas dans le corridor, se dit Bernard. Il releva la tête et prêta l'oreille. Mais non : son père et son frère aîné étaient retenus au Palais ; sa mère en visite ; sa sœur à un concert ; et quant au puîné, le petit Caloub, une pension le bouclait au sortir du lycée chaque jour. Bernard Profitendieu était resté à la maison pour potasser son bachot ; il n'avait plus devant lui que trois semaines. La famille respectait sa solitude ; le démon pas. Bien que Bernard eût mis bas sa veste, il étouffait. Par la fenêtre ouverte sur la rue n'entrait rien que de la chaleur. Son front ruisselait. Une goutte de sueur coula le long de son nez, et s'en alla tomber
10   sur une lettre qu'il tenait en main :
— Ça joue la larme, pensa-t-il. Mais mieux vaut suer que de pleurer.
Oui, la date était péremptoire. Pas moyen de douter : c'est bien de lui, Bernard, qu'il s'agissait. La lettre était adressée à sa mère ; une lettre d'amour vieille de dix-sept ans ; non signée.
— Que signifie cette initiale ? un V, qui peut aussi bien être un N... Sied-il d'interroger ma mère ?... Faisons crédit à son bon goût. Libre à moi d'imaginer que c'est un prince. La belle avance si j'apprends que je suis le fils d'un croquant ! Ne pas savoir qui est son père, c'est ça qui guérit de la peur de lui ressembler. Toute recherche oblige. Ne retenons de ceci que la délivrance.
20   N'approfondissons pas. Aussi bien j'en ai mon suffisant pour aujourd'hui.
Bernard replia la lettre. Elle était du même format que les douze autres du paquet. Une faveur rose les attachait, qu'il n'avait pas eu à dénouer ; qu'il refit glisser pour ceinturer comme auparavant la liasse. Il remit la liasse dans le coffret et le coffret dans le tiroir de la console. Le tiroir n'était pas ouvert ; il avait livré son secret par en haut. Bernard rassujettit les lames disjointes du plafond de bois, que devait recouvrir une lourde plaque d'onyx. Il fit doucement, précautionneusement, retomber celle-ci, replaça par-dessus deux candélabres de cristal et l'encombrante pendule qu'il venait de s'amuser à réparer.
La pendule sonna quatre coups. Il l'avait remise à l'heure.

30   — Monsieur le juge d'instruction et Monsieur l'avocat son fils ne seront pas de retour avant six heures. J'ai le temps. Il faut que Monsieur le juge, en rentrant, trouve sur son bureau la belle lettre où je m'en vais lui signifier mon départ. Mais avant de l'écrire, je sens un immense besoin d'aérer un peu mes pensées — et d'aller retrouver mon cher Olivier, pour m'assurer, provisoirement du moins, d'un perchoir. Olivier, mon ami, le temps est venu pour moi de mettre ta complaisance à l'épreuve et pour toi de me montrer ce que tu vaux. Ce qu'il y avait de beau dans notre amitié, c'est que, jusqu'à présent, nous ne nous étions jamais servis l'un de l'autre. Bah ! un service amusant à rendre ne saurait être ennuyeux à demander. Le gênant, c'est qu'Olivier ne sera pas seul. Tant pis !
40 je saurai le prendre à part. Je veux l'épouvanter par mon calme. C'est dans l'extraordinaire que je me sens le plus naturel.

Les Faux-Monnayeurs, I, I (Librairie Gallimard, éditeur).

Au Luxembourg BERNARD *retrouve, parlant de littérature et de politique, beaucoup de camarades dont certains réapparaîtront tour à tour jusqu'à la fin du roman. Voici* OLIVIER MOLINIER ; *il héberge Bernard pour la nuit : excellente occasion de faire foisonner l'intrigue. Le magistrat Oscar Molinier a deux autres fils : Georges, adolescent très averti, et* VINCENT, *étudiant en médecine. Vincent (raconte Olivier) a décidé d'abandonner Laura, une jeune femme qui attend un enfant de lui. Il parle aussi de son oncle* ÉDOUARD, *le romancier sympathique à toute la jeunesse qui, demain, reviendra d'Angleterre.*

La même nuit, VINCENT *va retrouver, chez une belle et audacieuse étrangère, son riche ami* ROBERT DE PASSAVANT, *homme de lettres sans génie, dont il assiste le vieux père mourant. Lady Lilian Griffith s'intéresse au visiteur qui, parlant de ses projets scientifiques, lui paraît bien moins fade que l'équivoque Passavant. Le petit matin venu, elle renvoie ses invités.*

« *Laissons-le, tandis que le diable amusé...* »

Voici une remarquable page de roman, car, dans la première partie du texte, l'auteur sait tout dire grâce aux seuls gestes et aux seules paroles de ses personnages. Elle amorce au surplus une des nombreuses intrigues du livre, qui se diluera et s'éloignera peu à peu. Lady Griffith entraînera le jeune homme en Afrique. A la fin du livre on apprendra qu'elle a été sans doute assassinée par son compagnon. Mais elle intéresse peu Gide : « elle n'a pas d'âme ». — Différente en intérêt est l'évocation *unanimiste* qui suit. Ici apparaît Édouard. Il sait tout de la vie de Laura, mariée à un assez pâle professeur de français en Angleterre, Félix Louviers. Le journal enfermé dans la valise du romancier permettrait de remonter dans le passé, car Édouard et Laura ont naguère été liés d'amitié amoureuse qu'elle ait accepté d'abandonner ses goûts et sa chère liberté.
THÈMES : *Littérature. Société. Diable.*

Maintenant, quittez-moi. Il est tard, et je n'en puis plus. Elle les accompagna vers l'antichambre, puis, comme Robert passait devant, glissa dans la main de Vincent un petit objet de métal et chuchota :
— Sors avec lui, tu reviendras dans un quart d'heure.
Dans l'antichambre sommeillait un laquais, qu'elle secoua par le bras.
— Éclairez ces messieurs jusqu'en bas.
L'escalier était sombre, où il eût été simple, sans doute, de faire jouer l'électricité ; mais Lilian tenait à ce qu'un domestique, toujours, vît sortir ses hôtes.
Le laquais alluma les bougies d'un grand candélabre qu'il tint haut devant
10 lui, précédant Robert et Vincent dans l'escalier. L'auto de Robert attendait devant la porte que le laquais referma sur eux.
— Je crois que je vais rentrer à pied. J'ai besoin de marcher un peu pour

retrouver mon équilibre [1], dit Vincent, comme l'autre ouvrait la portière de l'auto et lui faisait signe de monter.

— Vous ne voulez pas vraiment que je vous raccompagne ? Brusquement, Robert saisit la main gauche de Vincent, que celui-ci tenait fermée.

— Ouvrez la main ! Allons ! montrez ce que vous avez là.

Vincent avait cette naïveté de craindre la jalousie de Robert. Il rougit en desserrant les doigts. Une petite clef tomba sur le trottoir. Robert la ramassa
20 tout aussitôt, la regarda ; en riant, la rendit à Vincent.

— Parbleu ! fit-il ; et il haussa les épaules. Puis, entrant dans l'auto, il se pencha en arrière, vers Vincent qui demeurait penaud :

— C'est jeudi. Dites à votre frère que je l'attends ce soir dès quatre heures [2]
— et vite il referma la portière, sans laisser à Vincent le temps de répliquer.

L'auto partit. Vincent fit quelques pas sur le quai, traversa la Seine, gagna cette partie des Tuileries qui se trouve en dehors des grilles, s'approcha d'un petit bassin et trempa dans l'eau son mouchoir qu'il appliqua sur son front et ses tempes. Puis, lentement, il revint vers la demeure de Lilian. Laissons-le [3], tandis que le diable [4] amusé le regarde glisser sans bruit la petite clef dans la serrure...
30 C'est l'heure où, dans une triste chambre d'hôtel, Laura, sa maîtresse d'hier, après avoir longtemps pleuré, longtemps gémi, va s'endormir. Sur le pont du navire qui le ramène en France, Édouard, à la première clarté de l'aube, relit la lettre qu'il a reçue d'elle, lettre plaintive et où elle appelle au secours. Déjà, la douce rive de son pays natal est en vue, mais, à travers la brume, il faut un œil exercé pour la voir. Pas un nuage au ciel, où le regard de Dieu va sourire. La paupière de l'horizon rougissant déjà se soulève. Comme il va faire chaud dans Paris ! Il est temps de retrouver Bernard.

Les Faux-Monnayeurs, I, v (Librairie Gallimard, éditeur).

Olivier est allé attendre à son arrivée l'oncle Édouard. Hélas ! malgré son élan vers lui sa timidité a glacé leur rencontre. Cependant Bernard, ayant suivi son ami par curiosité, est entré en possession de la valise du romancier et, indiscrètement, il a ouvert le Journal d'Édouard où il peut lire les notes du romancier pour son futur livre : Les Faux-Monnayeurs. Il y apprend aussi le drame de Laura Louviers qui, honteuse de sa faute, n'ose retourner chez ses parents, les Vedel-Azaïs, maîtres de pension près du Luxembourg.

Bernard, apitoyé autant que curieux, va se présenter à Laura dans son refuge. Or, par un de ces hasards que Gide ne dédaigne jamais, Édouard survient alors pour secourir son amie. Il devine bien que celui qu'il rencontre chez elle détient sa valise et ses papiers. Cela ne l'empêche pas de ressentir une brusque sympathie pour le jeune homme qu'il engage comme secrétaire.

La suite de la première partie du roman montre Olivier Molinier jaloux du succès de Bernard auprès du prestigieux Édouard. Celui-ci sent son intérêt se partager entre les deux jeunes gens.

Cependant, en son petit logis du Faubourg Saint-Honoré, le vieux pianiste LA PÉROUSE, auquel Édouard doit son goût pour la musique, vit jusqu'à la haine, auprès de sa femme, le drame de la « décristallisation » destructrice d'un long et fidèle amour. Sa vie n'est plus animée que par une seule pensée : son petit-fils BORIS né loin de lui, et qu'il rêve de connaître enfin.

— 1 On avait beaucoup bu chez Lady Lilian. — 2 Pas d'homme de lettres de quelque importance qui n'eût son secrétaire, avant 1914. Robert de Passavant veut faire d'Olivier le sien. — 3 Ce procédé rapproche Gide de son lecteur. — 4 Le diable qui déjà guidait Bernard (p. 308, l. 7) et s'était gaussé du pasteur de *La Symphonie pastorale,* intervient à nouveau ici. Gide tient à ce fantastique moral qu'il faut juger à bon escient.

Il est destiné à rendre présente la lutte du Bien et du Mal que « l'immoraliste » puritain continue à ressentir jusqu'au fond de lui-même. Dans le *Journal des Faux-Monnayeurs,* il est parlé du diable « qui circulerait incognito à travers tout le livre et dont la réalité s'affirmerait d'autant plus qu'on croirait moins à lui ». A la fin du livre, Bernard dialogue au contraire toute une nuit avec son « Ange » qui est celui de la vie « authentique ».

La composition en « abyme »

« J'aime assez, écrit Gide dès 1893, qu'en une œuvre d'art on retrouve [...] transposé à l'échelle des personnages, le sujet même de cette œuvre. » Il songeait ainsi, d'après Van Eyck ou Vélasquez, à un artifice pictural par lequel un artiste réalise la *réflection* sur la petite surface d'un objet représenté — un miroir par exemple — de la scène entière qu'il peint sur sa toile. *Le Traité du Narcisse* (1891) le montrait déjà hanté par *le jeu de la réalité et du reflet*. Le procédé n'était pas absent de certaines pages de *L'Immoraliste*. Mais, par l'invention « du roman dans le roman », c'est dans *Les Faux-Monnayeurs* qu'il applique pleinement une technique comparable à « ce procédé du blason qui consiste, dans le premier, à en mettre un second *en abyme* ». *L'abyme étant le centre de l'écu, c'est au cœur même du livre qu'* ÉDOUARD *parle de son propre roman et en fait la théorie.*
THÈMES : *Littérature. Art. Beaux-arts. Réel et irréel. Société. Critique.*

La doctoresse SOPHRONISKA, *qui relance Édouard dans son exposé, est le médecin du petit Boris qu'elle soigna par la méthode psychanalytique, encore assez nouvelle en 1925. Il va de soi que Gide, curieux de tout, place « l'analyse » dans son « carrefour de problèmes ».*

Et... le sujet de ce roman ?
— Il n'en a pas, repartit Édouard brusquement ; et c'est là ce qu'il a de plus étonnant peut-être. Mon roman n'a pas de sujet. Oui, je sais bien ; ça a l'air stupide ce que je dis là. Mettons si vous préférez qu'il n'y aura pas *un sujet*... « Une tranche de vie », disait l'école naturaliste. Le grand défaut de cette école, c'est de couper sa tranche toujours dans le même sens ; dans le sens du temps, en longueur. Pourquoi pas en largeur ? ou en profondeur ? Pour moi, je voudrais ne pas couper du tout. Comprenez-moi ; je voudrais tout y faire entrer, dans ce roman. Pas de coup de ciseaux pour arrêter, ici plutôt que là, sa substance.
10 Depuis plus d'un an que j'y travaille, il ne m'arrive rien que je n'y verse, et que je n'y veuille faire entrer ; ce que je vois, ce que je sais, tout ce que m'apprend la vie des autres et la mienne...
— Et tout cela stylisé ? dit Sophroniska, feignant l'attention la plus vive, mais sans doute avec un peu d'ironie. Laura ne put réprimer un sourire. Édouard haussa légèrement les épaules et reprit :
— Et ce n'est même pas cela que je veux faire. Ce que je veux, c'est présenter d'une part la réalité, présenter d'autre part cet effort pour la styliser, dont je vous parlais tout à l'heure.
— Mon pauvre ami, vous ferez mourir d'ennui vos lecteurs, dit Laura ; ne
20 pouvant plus cacher son sourire, elle avait pris le parti de rire vraiment.
— Pas du tout. Pour obtenir cet effet, suivez-moi, j'invente un personnage de romancier, que je pose en figure centrale ; et le sujet du livre, si vous voulez, c'est précisément la lutte entre ce que lui offre la réalité et ce que, lui, prétend en faire. [...]

Mais, objecte Sophroniska, il est toujours dangereux de « présenter des intellectuels » dans un livre. Et puis on reconnaîtra Édouard. Tant pis. Il se fera « très désagréable »...

— Et le plan de ce livre est fait ? demanda Sophroniska, en tâchant de reprendre son sérieux. — Naturellement pas.
— Comment ! naturellement pas ?
— Vous devriez comprendre qu'un plan, pour un livre de ce genre, est essentiellement inadmissible. Tout y serait faussé si j'y décidais rien par avance.
30 J'attends que la réalité me le dicte.

— Mais je croyais que vous vouliez vous écarter de la réalité.

— Mon romancier voudra s'en écarter ; mais moi je l'y ramènerai sans cesse. A vrai dire, ce sera là le sujet : la lutte entre les faits proposés par la réalité, et la réalité idéale.

L'illogisme de son propos était flagrant, sautait aux yeux d'une manière pénible. Il apparaissait clairement que, sous son crâne, Édouard abritait deux exigences inconciliables, et qu'il s'usait à les vouloir accorder.

— Et c'est très avancé ? demanda poliment Sophroniska.

— Cela dépend de ce que vous entendez par là. A vrai dire, du livre même,
40 je n'ai pas encore écrit une ligne. Mais j'y ai déjà beaucoup travaillé. J'y pense chaque jour et sans cesse. J'y travaille d'une façon très curieuse, que je m'en vais vous dire : sur un carnet, je note au jour le jour l'état de ce roman dans mon esprit ; oui, c'est une sorte de journal que je tiens, comme on ferait celui d'un enfant... C'est-à-dire qu'au lieu de me contenter de résoudre, à mesure qu'elle se propose, chaque difficulté (et toute œuvre d'art n'est que la somme ou le produit des solutions d'une quantité de menues difficultés successives), chacune de ces difficultés, je l'expose, je l'étudie. Si vous voulez, ce carnet contient la critique continue de mon roman ; ou mieux : du roman en général. Songez à l'intérêt qu'aurait pour nous un semblable carnet tenu par Dickens,
50 ou Balzac ; si nous avions le journal de *L'Éducation sentimentale,* ou des *Frères Karamazov !* l'histoire de l'œuvre, de sa gestation ! Mais ce serait passionnant... plus intéressant que l'œuvre elle-même...

Gide, qui sait ne pas être dogmatique, a voulu qu'ici le débat se délayât, comme dans une conversation réelle.

La discussion se perdait en arguties. Bernard, qui jusqu'à ce moment avait gardé le silence, mais qui commençait à s'impatienter sur sa chaise, à la fin n'y tint plus : avec une déférence extrême, exagérée même, comme chaque fois qu'il adressait la parole à Édouard, mais avec cette sorte d'enjouement qui semblait faire de cette déférence un jeu :

— Pardonnez-moi, Monsieur, dit-il, de connaître le titre de votre livre, puisque c'est par une indiscrétion, mais sur laquelle vous avez bien voulu, je
60 crois, passer l'éponge. Ce titre pourtant semblait annoncer une histoire... ?

— Oh ! dites-nous ce titre, dit Laura.

— Ma chère amie, si vous voulez... Mais je vous avertis qu'il est possible que j'en change. Je crains qu'il ne soit un peu trompeur... Tenez, dites-le-leur, Bernard.

— Vous permettez ?... *Les Faux-Monnayeurs,* dit Bernard. Mais maintenant, à votre tour, dites-nous : ces faux-monnayeurs... qui sont-ils ?

— Eh bien ! je n'en sais rien, dit Édouard.

Les Faux-Monnayeurs, II, iii (Librairie Gallimard, éditeur).

A la fin de la deuxième partie, Gide interrompt un instant sa narration pour juger chacun de ses personnages qui, selon lui, se sont développés librement. « Je crains, dit-il par exemple, qu'en confiant le petit Boris aux Azaïs, Édouard ne commette une imprudence. » En effet, la troisième partie ramène le lecteur à Paris. Édouard a obtenu que Boris lui soit confié et il l'a placé à la pension Azaïs où le vieux La Pérouse, devenu répétiteur, pourra ainsi vivre près de son petits-fils. La pension Azaïs est alors un des centres de l'action car elle réunit les collégiens dont on devinait déjà les agissements coupables : entre autres méfaits, ils écoulent de la fausse monnaie. En même temps se poursuit le drame de l'attirance et de la jalousie entre Édouard, Bernard et Olivier. Il se joue au milieu de la comédie littéraire où réapparaît Robert de Passavant.

Gide et la technique romanesque

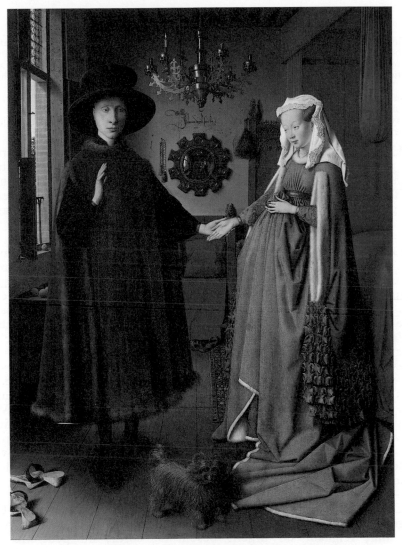

Jan Van Eyck, « Portrait des Arnolfini », 1434.
(National Gallery, Londres. Ph. Eileen Tweedy © Arch. Photeb)

La composition « en abyme »

Toujours en quête d'artifices pour renouveler la technique du roman, Gide notait, dès 1893, à propos de la composition « en abyme » qui sera la grande originalité des *Faux-Monnayeurs :* « Cette rétroaction du sujet sur lui-même m'a toujours tenté. C'est le roman psychologique typique. » (Cf. **p. 311**.)

LE SUICIDE DE BORIS

Édouard n'a pas été bien inspiré en faisant entrer Boris à la pension. Le vieux La Pérouse n'a pas su le conquérir. Maladif, nerveux, influençable, l'enfant est tombé sous la coupe de ses camarades organisés en bande : les « Hommes forts ». Ceux-ci ont imaginé de tirer au sort le nom de celui qui, pour être digne d'estime, se suiciderait à l'heure et à la place fixées. Utilisant un triste fait divers, Gide témoigne ici de ses dons de *vrai romancier*. Dans la lourde atmosphère d'une étude de collège, quelques gestes, quelques paroles évoquent bien la présence d'adolescents à la fois cruellement curieux et déjà effrayés. Leurs pensées et leurs regards convergent vers Boris dont tout dit l'angoisse et le courage désespéré. – THÈMES : *Enfance. Adolescence. Mort.*

Comme un étranger, à la frontière d'un pays dont il va sortir, prépare ses papiers, Boris chercha des prières dans son cœur et dans sa tête, et n'en trouva point ; mais il était si fatigué et tout à la fois si tendu, qu'il ne s'en inquiéta pas outre mesure. Il faisait effort pour penser et ne pouvait penser à rien. Le pistolet pesait dans sa poche ; il n'avait pas besoin d'y porter la main pour le sentir.

— Plus que dix minutes.

Georges [1], à la gauche de Ghéridanisol [2], suivait la scène du coin de l'œil, mais faisait mine de ne pas voir. Il travaillait fébrilement. Jamais
10 l'étude n'avait été si calme. La Pérouse ne reconnaissait plus ses moutards et pour la première fois respirait. Phiphi [3] cependant n'était pas tranquille ; Ghéridanisol lui faisait peur, il n'était pas bien assuré que ce jeu ne pût mal finir ; son cœur gonflé lui faisait mal et par instants il s'entendait pousser un gros soupir. A la fin, n'y tenant plus, il déchira une demi-feuille de son cahier d'histoire qu'il avait devant lui — car il avait à préparer un examen ; mais les lignes se brouillaient devant ses yeux, les faits et les dates dans sa tête —, le bas d'une feuille, et, très vite, écrivit dessus : « Tu es bien sûr au moins que le pistolet n'est pas chargé ? » puis tendit le billet à Georges, qui le passa à Ghéri. Mais
20 celui-ci, après l'avoir lu, haussa les épaules sans même regarder Phiphi, puis du billet fit une boulette qu'une pichenette envoya rouler juste à l'endroit marqué par la craie. Après quoi, satisfait d'avoir si bien visé, il sourit. Ce sourire, d'abord volontaire, persista jusqu'à la fin de la scène ; on l'eût dit imprimé sur ses traits.

— Encore cinq minutes.

C'était dit à voix presque haute. Même Philippe entendit. Une angoisse intolérable s'empara de lui et, bien que l'étude fût sur le point de finir, feignant un urgent besoin de sortir, ou peut-être très authentiquement pris de coliques, il leva la main et claqua des doigts
30 comme les élèves ont coutume de faire pour solliciter du maître une autorisation ; puis, sans attendre la réponse de La Pérouse, il s'élança hors du banc. Pour regagner la porte, il devait passer devant la chaire du maître ; il courait presque, mais chancelait.

— 1 Frère d'Olivier Molinier. — 2 Le chef de la bande. — 3 Philippe, simple comparse.

Presque aussitôt après que Philippe fut sorti, Boris à son tour se dressa. Le petit Passavant, qui travaillait assidûment derrière lui, leva les yeux. Il raconta plus tard à Séraphine [4] que Boris était « affreusement pâle » ; mais c'est ce qu'on dit toujours dans ces cas-là. Du reste, il cessa presque aussitôt de regarder et se replongea dans son travail. Il se le reprocha beaucoup par la suite. S'il avait pu comprendre ce qui se passait, il l'aurait
40 sûrement empêché, disait-il plus tard en pleurant. Mais il ne se doutait de rien. Boris s'avança donc jusqu'à la place marquée. Il marchait à pas lents, comme un automate, le regard fixe ; comme un somnambule plutôt. Sa main droite avait saisi le pistolet, mais le maintenait caché dans la poche de sa vareuse ; il ne le sortit qu'au dernier moment.

La place fatale était, je l'ai dit, contre la porte condamnée qui formait, à droite de la chaire, un retrait, de sorte que le maître, de sa chaire, ne pouvait le voir qu'en se penchant.

La Pérouse se pencha. Et d'abord il ne comprit pas ce que faisait son petit-fils, encore que l'étrange solennité de ses gestes fût de nature
50 à l'inquiéter. De sa voix la plus forte, et qu'il tâchait de faire autoritaire, il commença :

« Monsieur Boris, je vous prie de retourner immédiatement à votre... »

Mais soudain il reconnut le pistolet ; Boris venait de le porter à sa tempe. La Pérouse comprit et sentit aussitôt un grand froid, comme si le sang figeait dans ses veines. Il voulut se lever, courir à Boris, le retenir, crier... Une sorte de râle rauque sortit de ses lèvres ; il resta figé, paralytique, secoué d'un grand tremblement.

Le coup partit. Boris ne s'affaissa pas aussitôt. Un instant le corps se maintint, comme accroché dans l'encoignure ; puis la tête, retombée
60 sur l'épaule, l'emporta, tout s'effondra.

Les Faux-Monnayeurs, III, XVIII (Librairie Gallimard, éditeur).

« J'aime les fins brusquées », disait Gide. Le Journal d'Édouard note simplement :
« J'apprends par Olivier que Bernard est retourné chez son père, et, ma foi, c'est ce qu'il avait de mieux à faire. En apprenant par le petit Caloub, fortuitement rencontré, que le vieux juge n'allait pas bien, Bernard n'a plus écouté que son cœur. Nous devons nous revoir demain soir, car Profitendieu m'a invité à dîner avec Molinier, Pauline et les deux enfants. Je suis bien curieux de connaître Caloub. »

Le théâtre de Gide

Gide, peu attiré par le théâtre, écrit cependant Saül en 1896, sans le faire représenter. Puis Lugné-Poe donne en 1901, au théâtre de l'Œuvre, Le Roi Candaule où Gide démarque avec une fantaisie pleine d'intentions la fable antique rapportée par Hérodote. Beaucoup plus tard, et sans parler de la version scénique des Caves du Vatican écrite en 1948, Œdipe, sa meilleure pièce composée en 1931, et son adaptation du Procès de Kafka (1946) montreront le rôle qu'il aurait pu jouer, dans une dramaturgie où il a été novateur et « inquiéteur » comme dans d'autres domaines. Il a en effet deviné, dès 1896, l'aptitude de la « Fable » — biblique ou antique — à devenir le support d'une action évoquant, dans sa généralité, un problème de la conduite personnelle ou de la destinée. Comme il possédait aussi l'ironie et la facilité à manier l'anachronisme (cf. La sotie, p. 292), il aurait pu, en persévérant au théâtre, affirmer une priorité réelle sur Cocteau et Giraudoux.

— 4 Gouvernante du petit Passavant.

« *LE SEUL MOT DE PASSE, C'EST : L'HOMME* »

Dans *Œdipe,* représenté par la compagnie Georges Pitoëff en février 1932, GIDE suit pas à pas Sophocle avec beaucoup moins de complication que Cocteau dans sa *Machine infernale* (cf. p. 456). Il se contente d'user de quelques anachronismes : ainsi Antigone, vouée au rachat des fautes, « veut entrer dans les ordres ». C'est que l'essentiel est pour lui de transposer, sous le masque antique, sa propre pensée. Voici comment, devant ses fils, l'Œdipe gidien interprète philosophiquement sa fameuse réponse au Sphinx. Polynice, dans un orgueil tout nietzschéen, vient de lancer : « Je crois moins volontiers aux dieux qu'aux héros » ; Œdipe est plus simplement *humain* dans sa réponse.
THÈMES : *Moi. Morale. Progrès. Antiquité. Hellénisme. Humanisme.*

ŒDIPE : Pour se grandir, il faut porter loin de soi ses regards. Et puis, ne regardez pas trop en arrière. Persuadez-vous que l'humanité est sans doute beaucoup plus loin de son but que nous ne pouvons encore entrevoir [1], que de son point de départ que nous ne distinguons déjà plus.

ÉTÉOCLE : Le but... Quel peut être le but ?

ŒDIPE : Il est devant nous, quel qu'il soit. J'imagine, beaucoup plus tard, la terre couverte d'une humanité désasservie, qui considérera notre civilisation d'aujourd'hui du même œil que nous considérons l'état des hommes au début de leur lent progrès. Si j'ai vaincu le Sphinx, ce n'est
10 pas pour que vous vous reposiez. Ce dragon dont tu parlais, Étéocle, est pareil à celui qui m'attendait aux portes de Thèbes, où je me devais d'entrer en vainqueur. Tirésias nous embête avec son mysticisme et sa morale. On m'avait appris tout cela chez Polybe [2]... Tirésias n'a jamais rien inventé et ne saurait approuver ceux qui cherchent et qui inventent. Si inspiré par Dieu qu'il se dise, avec ses révélations, ses oiseaux, ce n'est pas lui qui sut répondre à l'énigme. J'ai compris, moi seul ai compris, que le seul mot de passe, pour n'être pas dévoré par le sphinx, c'est : l'Homme. Sans doute fallait-il un peu de courage pour le dire, ce mot. Mais je le tenais prêt dès avant d'avoir entendu l'énigme ; et ma force est que je
20 n'admettais pas d'autre réponse, à quelle que pût être la question.

Car, comprenez bien, mes petits, que chacun de nous, adolescent, rencontre, au début de sa course, un monstre qui dresse devant lui telle énigme qui nous puisse empêcher d'avancer. Et, bien qu'à chacun de nous, mes enfants, ce sphinx particulier pose une question différente, persuadez-vous qu'à chacune de ses questions la réponse reste pareille ; oui, qu'il n'y a qu'une seule et même réponse à de si diverses questions ; et que cette réponse unique, pour chacun de nous, c'est : Soi.   *Tirésias est entré*

TIRÉSIAS : Œdipe, est-ce là le dernier mot de ta sagesse ? Est-ce là que ta science aboutit ?

30 ŒDIPE : C'est de là qu'elle part, au contraire. C'en est le premier mot.

TIRÉSIAS : Les mots suivants ?

ŒDIPE : Mes fils auront à les chercher.

Œdipe, acte II (Librairie Gallimard, éditeur).

—————————

— 1 A la date de 1931, Gide a abandonné son | strict « égoïsme » (cf. p. 281, § 1). — 2 Le roi qui avait recueilli et élevé Œdipe.

Thésée   « Thésée devait avoir mon âge quand il souleva le rocher », pense déjà le jeune Bernard dans *Les Faux-Monnayeurs*. A partir de 1931, peu après *Œdipe*, Gide applique à nouveau sa pensée « sympathique » à cet autre Héros fabuleux. Mais c'est treize ans après seulement que — le thème ayant longuement mûri dans son esprit selon ses habitudes de travail — il rédige à Tunis ce qu'il appelle « son dernier écrit ». Publié en 1946, véritable récapitulation des thèmes gidiens, *Thésée* est du moins sa dernière œuvre importante : il y exprime l'ultime parole de sa « sagesse ».

« *J'AI FAIT MON ŒUVRE. J'AI VÉCU* »

Le Héros, qui vient de raconter toute son histoire, peut considérer maintenant qu'en dépit du drame de Phèdre et d'Hippolyte — symbole des inévitables traverses intimes — tout lui a réussi parce qu'il a toujours « passé outre ». Au contraire, Œdipe a semblé reconnaître l'existence du péché et de l'échec. Lorsque Thésée, selon la légende, l'accueille à Colone, l'Aveugle lui fournit une dernière raison de son geste. Par la voix de Thésée, c'est Gide qui répondra. – THÈMES : *Moi. Morale. Humanisme. Mort. Psychologie.*

Tu t'étonnes que je me sois crevé les yeux ; et je m'en étonne moi-même. Mais, dans ce geste, inconsidéré, cruel, peut-être y eut-il encore autre chose ; je ne sais quel secret besoin de pousser à bout ma fortune, de rengréger [1] sur ma douleur et d'accomplir une héroïque destinée. Peut-être ai-je pressenti vaguement ce qu'avait d'auguste et de rédempteur la souffrance ; aussi bien répugne à s'y refuser le héros. Je crois que c'est là que s'affirme surtout sa grandeur et qu'il n'est nulle part plus valeureux que lorsqu'il tombe en victime, forçant ainsi la reconnaissance céleste et désarmant la vengeance des Dieux. Quoi qu'il en soit, et si
10 déplorables que puissent avoir été mes erreurs, l'état de félicité suprasensible où j'ai pu parvenir récompense amplement aujourd'hui tous les maux que j'ai dû souffrir et sans lesquels je n'y serais sans doute point parvenu.

— Cher Œdipe, lui dis-je quand j'eus compris qu'il avait cessé de parler, je ne puis que te louer de cette sorte de sagesse surhumaine [2] que tu professes. Mais ma pensée, sur cette route, ne saurait accompagner la tienne. Je reste enfant de cette terre et crois que l'homme, quel qu'il soit et si taré que tu le juges, doit faire jeu des cartes qu'il a. Sans doute as-tu su faire bon usage de ton infortune même et tirer parti d'elle pour en obtenir un contact plus intime avec ce que
20 tu nommes le divin. Au surplus, je me persuade volontiers qu'une sorte de bénédiction est attachée à ta personne et qu'elle se reportera, selon ce qu'ont dit les oracles, sur la terre où pour toujours tu reposeras.

Je n'ajoutai point que ce qui m'importait, c'est que ce sol fût celui de l'Attique, et me félicitai que les dieux aient su faire aboutir Thèbes à moi [3].

— 1 Verbe archaïque signifiant *aggraver*, mais il est transitif. Gide combine son emploi avec celui de : renchérir *sur*. — 2 Au sens de : *religieuse*. — 3 D'après Sophocle, seul Thésée connaît la sépulture d'Œdipe dans le bois des Euménides ; mais le héros thébain protège à jamais Athènes.

Si je compare à celui d'Œdipe mon destin, je suis content : je l'ai rempli. Derrière moi, je laisse la cité d'Athènes. Plus encore que ma femme et mon fils, je l'ai chérie. J'ai fait ma ville. Après moi, saura l'habiter immortellement ma pensée. C'est consentant que j'approche la mort solitaire. J'ai goûté des biens de la terre. Il m'est doux de penser qu'après moi, grâce
30 à moi, les hommes se reconnaîtront plus heureux, meilleurs et plus libres. Pour le bien de l'humanité future, j'ai fait mon œuvre. J'ai vécu.

Thésée (Librairie Gallimard, éditeur).

GIDE CRITIQUE LITTÉRAIRE

Lecteur assidu des grandes œuvres tant françaises qu'étrangères, mais aussi « lecteur » passionné des manuscrits présentés au choix de la N.R.F., découvreur enthousiaste jusqu'à la fin de sa vie (*Découvrons Henri Michaux*, 1941), préfacier des nouveaux venus (comme Saint-Exupéry avec *Vol de nuit*, cf. p. 552), Gide, autant par tempérament que par dévotion à la littérature, a véritablement fait « profession » de critique.

Dans son œuvre personnelle, beaucoup de ses héros, tels Édouard et les jeunes gens des *Faux-Monnayeurs*, multiplient théories ou boutades qui appartiennent à l'écrivain lui-même. Son *Journal* n'est, très souvent, qu'un journal de lectures. Enfin, auteur de nombreux articles (par exemple sous la forme des fameux *Billets à Angèle*), conférencier, traducteur de Shakespeare, Conrad, Rabindranath Tagore, il a rassemblé une partie de sa production critique dans divers recueils : *Prétextes* et *Nouveaux Prétextes* (1903 et 1911) ; *Dostoïevsky* (1923) ; *Incidences* (1924) ; *Essai sur Montaigne* (1929) ; *Interviews imaginaires* (1943) ; *Littérature engagée* (1950).

Ces textes, où l'on se plaît à puiser citations et jugements, sont d'une lecture non tant instructive qu'excitante pour l'esprit. Ils pourraient en effet représenter le *modèle sérieux de la critique impressionniste et subjective* (cf. p. 857) pratiquée par un esprit remarquablement curieux. De plus, comme Gide est lui-même écrivain, dans l'ensemble de ses condamnations et de ses enthousiasmes il est possible de retrouver *les éléments de sa propre esthétique ;* mieux encore, ses préférences révèlent toujours quelque trait de *sa personnalité profonde :* c'est que, dans ses meilleurs exercices, il commente des écrivains représentant pour lui soit des miroirs (Montaigne), soit des adversaires de sa pensée (Pascal), soit encore les révélateurs de problèmes vers lesquels il se sent naturellement attiré (Dostoïevsky). A propos de tous, il aurait pu dire ce qu'il avouait en rédigeant ses conférences sur le grand romancier russe : « Ce sera, tout autant qu'un livre de critique, un livre de confessions, pour qui sait lire ». En définitive, *comme dans le reste de son œuvre, le plus intéressant de la critique gidienne reste Gide lui-même.*

LE CLASSICISME

Voici un *Billet à Angèle* de 1921. Allure paradoxale des affirmations, utilisation de l'Évangile à des fins critiques, jaillissement de formules qui deviendront célèbres, tout y est très gidien mais reste au service d'une distinction nécessaire sur le sens du mot *classique* et concourt à la définition du « classicisme » de Gide. (Cf. Valéry, p. 334.)
THÈMES : *Art. Beaux-arts. Classicisme. Littérature.*

Le triomphe de l'individualisme et le triomphe du classicisme se confondent. Or le triomphe de l'individualisme est dans le renoncement à l'individualité. Il n'est pas une des qualités du style classique qui ne

s'achète par le sacrifice d'une complaisance. Les peintres et les littérateurs que nous louangeons le plus aujourd'hui ont une manière ; le grand artiste classique travaille à n'avoir pas de manière ; il s'efforce vers la banalité. S'il parvient à cette banalité sans effort, c'est qu'il n'est pas un grand artiste, parbleu ! L'œuvre classique ne sera forte et belle qu'en raison de son romantisme dompté. « Un grand artiste n'a qu'un
10 souci : devenir le plus humain possible, — disons mieux : devenir *banal* — écrivais-je il y a vingt ans. Et chose admirable, c'est ainsi qu'il devient le plus personnel. Tandis que celui qui fuit l'humanité pour lui-même, n'arrive qu'à devenir particulier, bizarre, défectueux... Dois-je citer ici le mot de l'Évangile ? — Oui, car je ne pense pas le détourner de son sens : « Celui qui veut sauver sa vie (sa vie personnelle) la perdra ; mais celui qui veut la perdre la sauvera (ou, pour traduire plus exactement le texte grec : *la rendra vraiment vivante*). »

J'estime que l'œuvre d'art accomplie sera celle qui passera d'abord inaperçue, qu'on ne remarquera même pas ; où les qualités les plus
20 contraires, les plus contradictoires en apparence : force et douceur, tenue et grâce, logique et abandon, précision et poésie — respireront si aisément, qu'elles paraîtront naturelles et pas surprenantes du tout. Ce qui fait que le premier des renoncements à obtenir de soi, c'est celui d'étonner ses contemporains. [...]

Aujourd'hui le mot « classique » est en tel honneur, on le charge aujourd'hui d'un tel sens, que peu s'en faut qu'on n'appelle classique toute œuvre grande et belle. C'est absurde. Il y a des œuvres énormes qui ne sont pas classiques du tout. Sans être plus romantiques pour cela. Cette classification n'a de raison d'être qu'en France ; et, même
30 en France, quoi de moins classique souvent que Pascal, que Rabelais, que Villon. Ni Shakespeare, ni Michel-Ange, ni Beethoven, ni Dostoïevsky, ni Rembrandt, ni même Dante (je ne cite que les plus grands), ne sont classiques. Le *Don Quichotte,* non plus que les pièces de Calderon, ne sont classiques — ni romantiques ; mais espagnoles, tout purement. A vrai dire, je ne connais, depuis l'antiquité, d'autres classiques que ceux de France (si toutefois j'excepte Goethe — et encore il ne devenait classique que par imitation des anciens). Le classicisme me paraît à ce point une invention française, que pour un peu je ferais synonymes ces deux mots : classique et français, si le premier terme
40 pouvait prétendre à épuiser le génie de la France et si le romantisme aussi n'avait su se faire français ; du moins c'est dans son art classique que le génie de la France s'est le plus pleinement réalisé. Tandis que tout effort vers le classicisme restera, chez tout autre peuple, factice, comme il advient avec Pope par exemple. C'est aussi qu'en France, et dans la France seule, l'intelligence tend toujours à l'emporter sur le sentiment et l'instinct. Ce qui ne veut nullement dire, comme certains étrangers ont une disposition à le croire, que le sentiment ou l'instinct soit absent. Il suffit de parcourir les salles du Louvre nouvellement rouvertes, tant de

peinture que de sculpture. A quel point toutes ces œuvres sont
50 raisonnables ! Quelle pondération, quelle mesure ! Il faut les contempler
longuement pour qu'elles consentent à livrer leur signification profonde,
tant leur frémissement est secret. Débordante chez Rubens, la sensualité
chez Poussin est-elle moins puissante, pour être toute refoulée ?

Le classicisme — et par là j'entends : le classicisme français — tend
tout entier vers la litote. C'est l'art d'exprimer le plus en disant le moins.
C'est un art de pudeur et de modestie. Chacun de nos classiques est
plus ému qu'il ne le laisse paraître d'abord. Le romantique, par le faste
qu'il apporte dans l'expression, tend toujours à paraître plus ému qu'il
ne l'est en réalité, de sorte que chez nos auteurs romantiques sans cesse
60 le mot précède et déborde l'émotion et la pensée ; il répondait à certain
émoussement de goût résultant d'une moindre culture — qui permit
de douter de la réalité de ce qui chez nos classiques était si modestement
exprimé. Faute de savoir les pénétrer et les entendre à demi-mot, nos
classiques dès lors parurent froids, et l'on tint pour défaut leur qualité
la plus exquise : la réserve. *Incidences* (Librairie Gallimard, éditeur).

Montaigne

En dépit de son titre, l'*Essai sur Montaigne* n'a rien de composé ni de didactique.
Respectant l'allure même de son auteur, GIDE va, lui aussi, « à sauts et à gambades »
dans le texte des *Essais* et commente sans ordre les phrases qui le frappent.
« L'inconstance » de Montaigne plaît à sa complexité. Mais il sait élargir le débat.
THÈMES : *Moi. Psychologie. Philosophie. Morale. Classicisme.*

Dès le début du Livre Second, cette phrase nous donne à la fois l'éveil et
l'alarme : « *Ceux qui s'exercent à contreroller les actions humaines, ne se trouvent
en aucune partie si empeschez, qu'à les r'appiesser et mettre à mesme lustre : car
elles se contredisent communément de si estrange façon, qu'il semble impossible qu'elles
soient parties d'une mesme boutique.* » Ai-je tort de voir ici bien autre chose et
bien plus que la simple expression du scepticisme que Pascal exposera bientôt
à M. de Sacy [1] ? Non, non ; comme le dira plus tard M. Massis [2] à propos d'un
contemporain : « Ce qui est mis en cause ici, c'est la notion même de *l'homme*
sur laquelle nous *vivons* » (nous feignons de vivre) ; et pour que nous ne gardions
10 aucun doute sur le doute de sa pensée, Montaigne ajoute un peu plus loin :
« *...veu la naturelle instabilité de nos mœurs et opinions, il m'a semblé souvent que
les autheurs mesmes ont tort de s'opiniastrer à former de nous une constante et solide
contexture.* » Mais il fallait attendre Dostoïevsky et arriver à nos jours pour le
reconnaître, ou du moins pour l'admettre et le manifester, car il n'est pas un
des grands spécialistes du « cœur humain », qu'il ait nom Racine, ou Shakespeare
ou Cervantes, qui n'en ait eu tout au moins des aperceptions fugitives. Mais
sans doute l'établissement provisoire d'une psychologie un peu sommaire, à
grandes lignes très arrêtées, était-il nécessaire d'abord pour permettre à un art

---

— 1 Dans son célèbre *Entretien* (cf. *XVIIe Siè-* | 1910 sous le pseudonyme d'*Agathon* partagé avec
cle, p. 159). — 2 Écrivain catholique, célèbre dès | A. de Tarde.

classique de se construire. Il y fallait des amoureux qui soient bien amoureux,
20 des avares qui soient bien avares, des jaloux qui soient bien jaloux, et des hommes
qui se gardent d'être un peu tout cela à la fois. Montaigne n'a jamais été plus
perspicace qu'en dénonçant, sous cette fausse exigence esthétique, l'entorse
qu'elle donnait à la vérité : « *Je laisse aux artistes et ne sçay s'ils en viennent à
bout en chose si meslée, si menue et si fortuite, de ranger en bandes cette infinie diversité
de visages et arrester notre inconstance et la mettre par ordre. Non seulement je trouve
mal-aisé d'attacher nos actions les unes aux autres, mais chacune à part soy je trouve
mal-aisé de la désigner proprement par quelque qualité principale, tant elles sont
doubles et bigarrées à divers lustres.* » Et dans le Livre Premier nous lisons cette
invite à Proust [3] : « *... aussi, en nostre ame, bien qu'il y ait divers mouvements qui*
30 *l'agitent, si faut-il qu'il y en ait un à qui le champ demeure. Mais ce n'est pas avec
si entier avantage que, pour [4] la volubilité et souplesse de nostre ame, les plus faibles
par occasion ne regaignent encor la place et ne facent une courte charge à leur tour.* »
Montaigne continue, parlant de ces « bons autheurs mesmes » qui pourraient
tout aussi bien être ceux qui l'ont suivi que ceux qu'il connaissait déjà : « *Ils
choisissent un air universel, et suivant cette image, vont rangeant et interprétant
toutes les actions d'un personnage et, s'ils ne le peuvent assez tordre, les vont
renvoyant à la dissimulation.* » Et il ajoute : « *Auguste leur est eschappé* » du
même ton que Saint-Évremond dira plus tard : « Il y a des replis et des détours
qui lui ont échappé (à Plutarque)... il a jugé l'homme trop en gros et ne l'a
40 pas cru si différent qu'il est de lui-même... Ce qui lui semble se démentir, il
l'attribue à des causes étrangères que Montaigne lui-même a beaucoup mieux
entendues [5]. » Mais Montaigne eût pu voir là, ce me semble, beaucoup plus
que, comme il le fait, « de l'inconstance », simplement. Je crois que la vraie
question se cache à l'abri de ce mot. C'est à partir de là que j'entre en quête.

Essai sur Montaigne (Schiffre, éditeur).

DOSTOIEVSKY ET NIETZSCHE

Dès 1908, GIDE avait donné une étude sur Dostoïevsky d'après sa Correspondance,
suivie d'un grand article sur *Les Frères Karamazov ;* en 1923, après avoir prononcé sur
le romancier russe une série de conférences au Vieux-Colombier, il publia l'ensemble
de ces textes en volume. Dostoïevsky l'intéressait au plus haut point non seulement par
la psychologie de ses personnages qui commandait une certaine conception du roman,
mais encore, comme il le prouve dans cette analyse, par des vues particulières sur Dieu
et sur la tentation. Il trouvait en tout cas chez lui l'affirmation de la présence du « diable »
(cf. p. 310). Gide s'était aussi passionné pour Nietzsche, mais, par la suite, le « surhomme »
lui parut trop ambitieusement inhumain. Le ton, sans apprêt, est ici celui de la causerie.
THÈMES : *Religion. Diable. Philosophie. Métaphysique. Providence. Morale. Humanisme.*

La question du diable, si j'ose ainsi dire, tient une place considérable
dans l'œuvre de Dostoïevsky. Certains verront sans doute en lui un
manichéen. Nous savons que la doctrine du grand hérésiarque Manès
reconnaissait dans ce monde deux principes : celui du bien et celui du
mal, principes également actifs, indépendants, également indispensables,

----

— 3 Cf. p. 267. — 4 Par ; à cause de. — 5 *Juge-* | *ment sur Sénèque, Plutarque et Pétrone.* Gide prend
quelques libertés avec le texte.

— par quoi la doctrine de Manès se rattachait directement à celle de Zarathustra [1]. Nous avons pu voir, et j'y insiste, car c'est là un des points les plus importants, que Dostoïevsky fait habiter le diable non point dans la région basse de l'homme — encore que l'homme entier puisse
10 devenir son gîte et sa proie — tant que dans la région la plus haute, la région intellectuelle, celle du cerveau. Les grandes tentations que le Malin nous présente sont, selon Dostoïevsky, des tentations intellectuelles, des questions. Et je ne pense pas m'écarter beaucoup de mon sujet, en considérant d'abord les questions où s'est exprimée et longtemps attardée la constante angoisse de l'humanité : « Qu'est-ce que l'homme ? D'où vient-il ? Où va-t-il ? Qu'était-il avant sa naissance ? Que devient-il après la mort ? A quelle vérité l'homme peut-il prétendre ? » et même plus exactement : « Qu'est-ce que la vérité ? »

Mais depuis Nietzsche, avec Nietzsche, une nouvelle question s'est
20 soulevée, une question totalement différente des autres... et qui ne s'est point tant greffée sur celles-ci qu'elle ne les bouscule et remplace ; question qui comporte aussi son angoisse, une angoisse qui conduit Nietzsche à la folie. Cette question, c'est : « Que peut l'homme ? Que peut un homme ? » Cette question se double de l'appréhension terrible que l'homme aurait pu être autre chose ; aurait pu davantage, qu'il pourrait davantage encore ; qu'il se repose indignement à la première étape, sans souci de son parachèvement.

Nietzsche fut-il précisément le premier à formuler cette question ? Je n'ose l'affirmer, et sans doute l'étude même de sa formation
30 intellectuelle nous montrera qu'il rencontrait déjà cette question chez les Grecs et chez les Italiens de la Renaissance ; mais, chez ces derniers, cette question trouvait aussitôt sa réponse et précipitait l'homme dans un domaine pratique. Cette réponse, ils la cherchaient, ils la trouvaient immédiatement, dans l'action et dans l'œuvre d'art. Je songe à Alexandre et César Borgia, à Frédéric II (celui des Deux-Siciles), à Léonard de Vinci, à Goethe. Ce furent là des créateurs, des êtres supérieurs. Pour les artistes et pour les hommes d'action la question du *surhomme* ne se pose pas, ou du moins elle se trouve tout aussitôt résolue. Leur vie même, leur œuvre est une réponse immédiate. L'angoisse commence
40 lorsque la question demeure sans réponse. [...]

« Que peut un homme ? » Cette question, c'est proprement celle de l'athée, et Dostoïevsky l'a admirablement compris : c'est la négation de Dieu qui fatalement entraîne l'affirmation de l'homme :

« Il n'y a pas de Dieu ? Mais alors..., alors tout est permis [2]. » Nous lisons ces mots dans *les Possédés*. Nous les retrouverons dans *les Karamazov*.

Dostoïevsky (Plon, éditeur).

— 1 Zarathustra ou Zoroastre est le personnage, sans doute mythique, auquel on attribue une religion orientale : le mazdéisme. Quant à Manès, qui vécut en Perse au IIIe siècle, il est à l'origine d'une hérésie bien connue qui dénatura les dogmes chrétiens par une interprétation tirée de Zoroastre. — 2 Formule célèbre sur laquelle reviendront Sartre et Camus (cf. p. 701-702 et 723 ; 732).

PAUL VALÉRY

Une vocation
vite interrompue De père corse et de mère italienne, PAUL VALÉRY est né à Sète en 1871. D'abord élève au collège de la ville, d'où ses regards émerveillés plongent sur « le port et la mer », il poursuit au lycée de Montpellier, de 1884 à 1888, des études maussades et sans grand éclat. Dès les années du baccalauréat, déçu de n'être pas assez « mathématicien » pour aspirer à l'École navale, il s'intéresse aux beaux-arts et surtout à la poésie : il admire Hugo, Gautier, Baudelaire, et, quand il entre à la Faculté de Droit, il a déjà composé quelques poèmes.

RENCONTRES DÉCISIVES. C'est à Montpellier, durant son service militaire (1889-1890), que diverses « rencontres » vont préciser son orientation. D'une part, la lecture d'*A Rebours* de Huysmans lui révèle VERLAINE et surtout MALLARMÉ : pris d'une subite ferveur pour la poésie symboliste, il écrit, en 1889, une centaine de poèmes. D'autre part, l'année suivante, aux fêtes du sixième centenaire de l'Université de Montpellier, il se lie d'amitié avec PIERRE LOUŸS : ce dernier le mettra en relations avec MALLARMÉ, HEREDIA, GIDE (qui lui rend visite à Montpellier) et plus tard avec CLAUDE DEBUSSY. Redevenu étudiant en Droit, le jeune poète n'est donc plus isolé : il se sent encouragé par ces correspondants parisiens ; il leur adresse ses vers, et Pierre Louÿs, fondateur de la revue *La Conque,* lui fait l'amitié d'en publier quelques-uns *(Narcisse parle, Le Bois amical).*

LA NUIT DE GÊNES (1892). Sa vocation semble donc définitivement orientée, mais l'année 1892 marquera un tournant de sa carrière. Bouleversé par une crise passionnelle, PAUL VALÉRY va passer ses vacances à Gênes, dans la famille de sa mère : c'est là qu'en octobre, au cours d'une nuit d'orage et d'insomnie, il prend conscience des dangers que la vie sentimentale et l'idolâtrie artistique font peser sur l'*activité intellectuelle* (cf. p. 326). Il décide alors de *renoncer à la création littéraire* pour se consacrer aux valeurs auxquelles il accorde le plus de prix : la connaissance de soi, la rigueur et la sincérité de la pensée. De retour à Montpellier, il se débarrasse de la plupart de ses livres...

Vingt ans
de « silence » Songeant à une carrière administrative, PAUL VALÉRY s'installe à Paris en 1894 ; reçu l'année suivante au concours de rédacteur au ministère de la Guerre, il est affecté en 1897 dans les bureaux de la direction de l'artillerie.

UN POSTE DE CHOIX. Dès 1900, il quitte le ministère pour devenir secrétaire particulier d'un administrateur de l'agence Havas, ÉDOUARD LEBEY : pendant vingt-deux ans il restera l'auxiliaire de cet homme lucide, mais atteint de paralysie. C'est là une *place de choix* qui enrichit son expérience, car il fréquente les milieux financiers et doit se tenir au courant des événements mondiaux ; et surtout il a l'avantage, sa tâche quotidienne terminée, de jouir de vastes loisirs pour son travail personnel. Pourtant, jusqu'à la guerre de 1914, sa production d'écrivain se réduira à peu de chose : longtemps VALÉRY croira avoir fait à la poésie des adieux définitifs. Son esprit s'était engagé dans d'autres voies.

« AU CLOÎTRE DE L'INTELLECT ». Pendant une vingtaine d'années VALÉRY s'est, selon l'expression de Berne-Joffroy, retiré « au cloître de l'Intellect ». Dès son installation à Paris, dans une chambre austère, meublée d'un tableau noir qu'il couvre de calculs, il renoue avec les mathématiques, considérées désormais comme un « entraînement » de l'esprit. Ses préoccupations se lisent dans les écrits qu'il publie au cours de ses premières années à Paris : *Introduction à la méthode de Léonard de Vinci* (1895), *La Soirée avec M. Teste* (1896, cf. p. 326) et un essai prédisant l'expansion systématique de l'économie allemande *(La Conquête allemande,* 1897 ; titre devenu en 1924 *Une conquête méthodique).*

Persuadé en effet que le génie se caractérise par l'application plus ou moins consciente d'une *méthode originale,* il s'efforce de surprendre les secrets de l'activité intellectuelle. Il consacre tous ses soins à « *l'exercice de l'intellect* ». Chaque matin, dès l'aube, et pendant plusieurs heures, il note ses réflexions sur les phénomènes mentaux, l'attention, le moi pensant, le rêve, le temps, le langage, « le détail réel du vivant ». Jusqu'à la fin de sa vie il se livrera à cette tâche matinale, couvrant de sa fine écriture deux cent cinquante-sept *Cahiers.*

LE LABYRINTHE. Il est parfois tenté de publier le résultat de ses recherches et travaille à un « conte singulier », *Agathe,* auquel il voudrait aussi donner le titre significatif de *Manuscrit trouvé dans une cervelle.* Tantôt il se compare à un moderne docteur Faust ou à quelque héros antique enfermé dans le Labyrinthe : « Dans ce dédale inexprimable où je cherche le fil, il faut une fichue lanterne. Je crois qu'on la trouvera... Ce n'est qu'une affaire d'ingéniosité. J'entrevois tant de relations, et d'autre part, une méthode si certaine de simplification que je ne puis désespérer, – au moins pour d'autres... » (*A sa femme,* 1903). Tantôt au contraire il se décourage devant ces énigmes « sans cesse reprises, réobscurcies, redégagées » : « seul fil de ma vie, dit-il, seul culte, seule morale, seul luxe, seul capital, et sans doute placement à fonds perdu » (*A André Lebey,* 1906).

Retour à la poésie

Au cours de ce long silence, PAUL VALÉRY ne s'était pas détourné des milieux artistiques. Jusqu'à la mort de MALLARMÉ (1898) il avait compté parmi les intimes du Maître. La solitude lui étant, disait-il, « trop bruyante », il fréquentait aussi les écrivains Pierre Louÿs, Gide, Heredia, Viélé-Griffin, Fontainas. Ami du collectionneur Rouart, il s'était lié avec de grands peintres (Degas, Renoir) et son mariage, en 1900, avec JEANNIE GOBILLARD, nièce de Berthe Morisot (Mme Manet), avait resserré ses relations avec le monde de la peinture et de la musique. De temps à autre, surtout en écoutant des opéras de Gluck ou de Wagner, il reconnaissait, à son émotion, qu'en dépit de son « silence » il était *« resté lyrique ».*

LA JEUNE PARQUE. Le poète qui sommeillait en lui fut enfin réveillé, comme par accident. A l'instigation de GIDE et de GASTON GALLIMARD qui l'avaient invité, en 1912, à publier ses vers de jeunesse, il se mit à les retoucher et entreprit bientôt, pour compléter le recueil, un court poème qui allait devenir *La Jeune Parque* (cf. p. 335). On lira plus bas (cf. p. 334) l'étonnante histoire de ce monument lyrique, conçu d'abord comme un « exercice » et réalisé au prix d'un labeur acharné de 1913 à 1917.

CHARMES. Le succès de *La Jeune Parque* (1917) fut immédiat. Aussitôt attiré dans les salons de la haute société, PAUL VALÉRY saura pourtant réserver, pendant quelques années, le loisir qu'exige la création poétique. De 1918 à 1922, parfois avec une aisance qui le surprend lui-même, il compose de nouveaux poèmes. Certains sont publiés dans des revues, en particulier le fameux *Cimetière marin* (cf. p. 354) que JACQUES RIVIÈRE parvient à lui ravir pour le confier à la *Nouvelle Revue française* en 1920, l'année même où paraît l'*Album de vers anciens,* datant de 1890-1893 (cf. p. 325).

En 1922, enfin, PAUL VALÉRY rassemble sous le titre de *Charmes* (cf. p. 341) les principaux poèmes qu'il a composés depuis *La Jeune Parque.* Dès l'année précédente, un referendum l'avait désigné comme le plus grand des poètes contemporains.

Une glorieuse fin de carrière

Avec le recueil de *Charmes* s'achève l'activité poétique de PAUL VALÉRY. Après la mort de M. Lebey (1922), il se limite à ses occupations d'homme de lettres. Sa notoriété est telle que la plupart de ses écrits seront désormais des *œuvres de circonstance.* On lui demande des *Préfaces,* des *Essais* qui paraissent dans les revues, en particulier les célèbres *Dialogues* (cf. p. 362). On l'invite surtout à donner des *conférences* en France et à l'étranger. En Grande-Bretagne, en Suisse, en Belgique, en Italie, en Espagne, aux Pays-Bas, en Allemagne, en Autriche, en Suède, ses tournées prennent un caractère *officiel :* il y est reçu par les souverains et les chefs d'État qui le couvrent de décorations, ou par ses pairs, écrivains et savants illustres. Ses articles et ses conférences seront rassemblés dans *Variété* (cf. p. 364) ou recueillis dans *Tel Quel, Regards sur le monde actuel* (cf. p. 367), *Pièces sur l'Art,* etc.

En France il devient, comme il dit plaisamment, « une espèce de poète d'État » ou même une sorte de *héros intellectuel.* Élu à l'Académie française au fauteuil d'Anatole France (1925), il préside le Pen-Club de 1924 à 1934 et de la Libération à sa mort ; il est nommé membre du Conseil des musées nationaux (1932), administrateur du Centre universitaire méditerranéen (1933), président de la Cinquième Session des Arts et Lettres à la Société des Nations (1935), titulaire de la chaire de Poétique au Collège de France (1937).

Après 1940, pendant l'occupation allemande, PAUL VALÉRY eut une attitude pleine de dignité. Dès janvier 1941, il prononça à l'Académie un éloge funèbre de BERGSON qui fut considéré comme un premier acte de résistance et, au début de 1942, il adhéra au Comité national des écrivains. Il continua son enseignement au Collège de France et travailla à *Mon Faust* qui parut après sa mort, survenue en 1945. On lui fit des funérailles nationales et, selon sa volonté, il fut inhumé à Sète, dans le *cimetière marin* qu'il a immortalisé.

ALBUM DE VERS ANCIENS — Sous ce titre furent rassemblés en 1920 une vingtaine de poèmes parus dans diverses revues entre 1890 et 1893. Certains rappellent encore la technique parnassienne *(César)* ; la plupart reflètent, par leur inspiration mythologique et précieuse, l'atmosphère décadente ou symboliste de l'époque (cf. *XIXᵉ Siècle*, p. 530) : *Hélène, Orphée, Naissance de Vénus, Féerie, Le Bois amical, Les Vaines Danseuses...* Pourtant on note aussi dans cet *Album* l'influence de MALLARMÉ, qui devait être décisive *(La Fileuse, Baignée, Vue, Valvins)* ; on y reconnaît, çà et là, l'amorce de thèmes qui seront chers à l'auteur *(Un feu distinct..., Narcisse parle, Profusion du soir)* ; on y perçoit même, dans certains vers, un accent déjà « valéryen ». Ces œuvres de jeunesse permettent en somme de mesurer, entre l'incertitude du débutant et l'originalité enfin conquise, l'évolution d'un grand poète.

La Fileuse

Auprès de la fenêtre donnant sur le jardin en fleurs, une jeune fileuse s'assoupit ; peu à peu le soir tombe et elle s'endort profondément, dans la pénombre. Sur ce thème très simple, le disciple de MALLARMÉ et des symbolistes enlace tout un jeu de notations subtiles et de *correspondances* délicates, rehaussées par le recours à une forme assez rare, la *tierce rime*. L'impression de *douceur* et de *grâce évanescente* est suggérée par une versification adroite : on notera les rimes exclusivement féminines, l'usage savant de l'enjambement et des coupes, et surtout les allitérations expressives. Tout cela ne va pas sans *mièvrerie ;* mais nous savons aujourd'hui à quelle parfaite maîtrise devaient aboutir ces exercices de virtuose.

Lilia..., neque nent [1].

Assise, la fileuse au bleu de la croisée
Où le jardin mélodieux [2] se dodeline [3] ;
Le rouet ancien qui ronfle l'a grisée.

Lasse, ayant bu l'azur [4], de filer la câline
Chevelure [5], à ses doigts si faibles évasive [6],
Elle songe, et sa tête petite s'incline.

Un arbuste et l'air pur font une source vive [7]
Qui, suspendue au jour, délicieuse [8] arrose
De ses pertes de fleurs [9] le jardin de l'oisive.

10 Une tige, où le vent vagabond se repose,
Courbe le salut vain [10] de sa grâce étoilée [11],
Dédiant magnifique, au vieux rouet, sa rose.

Mais la dormeuse file une laine isolée ;
Mystérieusement l'ombre frêle se tresse [12]
Au fil de ses doigts longs et qui dorment, filée.

— 1 « Les lis [ne travaillent] ni ne filent » (*Évangile selon saint Matthieu*, VI, 28). — 2 Correspondance entre sensations visuelles et auditives. — 3 Se balance avec douceur. — 4 *Parce qu'elle a* « bu l'azur » (rêverie pure et délicate). — 5 La laine, d'une douceur *caressante*, fixée autour de la quenouille. — 6 *Qui échappe à...* — 7 Étudier l'épanouissement de cette image. — 8 Adjectif à valeur adverbiale (cf. v. 12). — 9 Pétales qui se détachent de l'*arbuste* sous l'action de la brise *(air pur)*. — 10 *Vain*, puisque ce *salut* de la fleur au rouet se renouvelle *sans cesse* (cf. p. 361, v. 27). — 11 La fleur *gracieuse* est ouverte en forme d'*étoile*. — 12 Le fil est immobile, mais son ombre *se déplace*, et paraît *se tresser* sous les doigts.

Le songe se dévide avec une paresse
Angélique, et sans cesse, au doux fuseau crédule [13],
La chevelure ondule au gré de la caresse...

Derrière tant de fleurs, l'azur se dissimule [14],
20 Fileuse [15] de feuillage et de lumière ceinte :
Tout le ciel vert se meurt. Le dernier arbre brûle.

Ta sœur, la grande rose [16] où sourit une sainte,
Parfume ton front vague [17] au vent de son haleine
Innocente, et tu crois languir [18]... Tu es éteinte [19]

Au bleu de la croisée où tu filais la laine [20].

Librairie Gallimard, éditeur.

MONSIEUR TESTE

Peu après la vingtième année, PAUL VALÉRY traverse une crise qui l'entraîne à abandonner la poésie. Toute littérature lui est suspecte, car elle exige un certain « sacrifice de l'intellect » : « Il me semblait indigne de partir [partager] mon ambition entre le souci de l'effet à produire sur les autres, et la passion de me connaître et reconnaître tel que j'étais, sans omissions, sans simulations ni complaisances ». Se sentant *« des forces infinies »*, et pour préparer leur essor, il se met à analyser avec précision le mécanisme de son esprit.

Cette passion pour l'intellect lui dicte l'*Introduction à la méthode de Léonard de Vinci* (1895), où d'ailleurs il n'est guère question de Léonard, car pour lui ce nom est surtout le symbole d'un *esprit universel,* l'occasion d'étudier dans ses démarches une intelligence qui « avait trouvé l'attitude centrale à partir de laquelle les entreprises de la connaissance et les opérations de l'art sont également possibles » (*Note et Digression,* 1919).

C'est dans le même esprit qu'il a conçu le personnage de M. TESTE, « une sorte d'animal intellectuel », un de ces « monstres d'intelligence et de conscience de soi-même » qui représentaient alors son idéal. *La Soirée avec Monsieur Teste* (1896) fut engendrée, nous dit-il, *« pendant une ère d'ivresse de ma volonté et parmi d'étranges excès de conscience de soi ».*

La Soirée
      avec M. Teste

« La bêtise n'est pas mon fort », déclare le narrateur : aussi a-t-il été heureux de connaître M. TESTE. En apparence ce dernier était un homme quelconque et « personne ne faisait attention à lui ». Mais la vérité est que M. TESTE n'attachait de prix qu'à *l'intellect :* « Il avait tué la marionnette ».

I. « LE MAÎTRE DE SA PENSÉE ». M. Teste, c'est l'intelligence portée à la plus haute puissance, c'est un esprit universel. Il s'est assuré, par l'introspection, une connaissance lucide de ses mécanismes intellectuels et, « par dressage accompli et habitude devenue nature », il est parvenu à se rendre maître de sa mémoire et de toutes les opérations de son esprit. Il a donné à son intelligence la sûreté, la vigueur, la promptitude de *l'instinct.*

« Sa mémoire me donna beaucoup à penser. Les traits par lesquels j'en pouvais juger me firent imaginer une gymnastique intellectuelle sans exemple. Ce n'était pas chez lui une faculté

— 13 Obéissant *docilement* au fuseau que la main *assoupie* caresse encore. — 14 Le jour tombe ; toutes les teintes vont se modifier. — 15 Apostrophe à la jeune fille. — 16 Le mot *rose* peut désigner soit une *fleur* soit une *rosace* (cf. Mallarmé, *Sainte ; XIXe Siècle,* p. 538) : par un trait assez recherché, la *rosace* deviendrait une *vraie* rose. — 17 *Indistinct* (ou : *plongé dans le songe*). — 18 T'assoupir, somnoler. — 19 Tout à fait endormie. — 20 Cf. v. 1 (mais noter le *temps* du verbe). Dans une version primitive, le dernier vers était : *Mais la Morte se croit la fileuse ancienne.*

excessive, — c'était une faculté éduquée ou transformée. Voici ses propres paroles : « Il y a vingt ans que je n'ai plus de livres. J'ai brûlé mes papiers aussi. Je rature le vif... Je retiens ce que je veux. Mais le difficile n'est pas là. Il est de retenir ce dont je voudrai demain !... J'ai cherché un crible machinal... »

« A force d'y penser, j'ai fini par croire que M. Teste était arrivé à découvrir des lois de l'esprit que nous ignorons. Sûrement, il avait dû consacrer des années à cette recherche : plus sûrement, des années encore, et beaucoup d'autres années avaient été disposées pour mûrir ses inventions et pour en faire ses instincts. Trouver n'est rien. Le difficile est de s'ajouter ce qu'on trouve. [...] Il veillait à la répétition de certaines idées ; il les arrosait de nombre. Ceci lui servait à rendre finalement machinale l'application de ses études conscientes. Il cherchait même à résumer ce travail. Il disait souvent : « Maturare !... *» [*Mûrir !*]*

... J'entrevoyais des sentiments qui me faisaient frémir, une terrible obstination dans des expériences enivrantes. Il était l'être absorbé dans sa variation, celui qui se livre tout entier à la discipline effrayante de l'esprit libre, et qui fait tuer ses joies par ses joies, la plus faible par la plus forte, — la plus douce, la temporelle, celle de l'instant et de l'heure commencée, par la fondamentale — par l'espoir de la fondamentale. Et je sentais qu'il était le maître de sa pensée... »

II. PERSPICACITÉ ET MAÎTRISE DU LANGAGE.

Armé de ces qualités supérieures, M. Teste observe le monde avec une implacable lucidité et, dépassant les apparences, il saisit toutes choses dans leur réalité ; rien ne lui échappe, de ce que pense ou veut son entourage : « C'est une chose inexprimable que je puisse agir et penser absolument comme je veux, sans jamais, *jamais,* pouvoir rien penser ni vouloir qui soit imprévu, qui soit important, qui soit inédit pour M. Teste. » *(Lettre de Mme Émilie Teste.)*

Parfaitement maître de sa pensée et de ses émotions, il s'est constitué un langage d'une *rigoureuse précision : il ne disait jamais rien de vague. « Il parlait, et, sans pouvoir préciser les motifs ni l'étendue de la proscription, on constatait qu'un grand nombre de mots étaient bannis de son discours. Ceux dont il se servait étaient parfois si curieusement tenus par sa voix ou éclairés par sa phrase que leur poids était altéré, leur valeur nouvelle. Parfois, ils perdaient tout leur sens, ils paraissaient remplir uniquement une place vide dont le terme destinataire était douteux encore ou imprévu par la langue. Je l'ai entendu désigner un objet matériel par un groupe de mots abstraits et de noms propres. »*

Le narrateur nous montre M. Teste *à l'Opéra,* observant le public et prévoyant ses réactions. Puis il l'accompagne dans son « garni », meublé d'un « morne mobilier abstrait »... Mais voici que cet être presque désincarné éprouve les douleurs d'un mal interne qu'il avait d'ailleurs prévu. *Que devient* M. Teste *souffrant ?* Il ne parvient pas à se rendre insensible, mais il analyse avec curiosité le déroulement de sa crise.

III. LE VRAI GÉNIE RESTE INCONNU.

Un tel pouvoir intellectuel pourrait être redoutable : « Si cet homme avait changé l'objet de ses méditations fermées, s'il eût tourné contre le monde la puissance régulière de son esprit, rien ne lui eût résisté. » Mais M. Teste a dépassé le stade où les hommes rivalisent avec amour-propre. Il ne daigne pas s'abaisser à la comédie sans laquelle le génie reste méconnu. Selon le narrateur, en effet, les esprits les plus remarquables restent sans doute inconnus du commun des mortels.

« Ce qu'ils nomment un être supérieur est un être qui s'est trompé. Pour s'étonner de lui, il faut le voir, — et pour être vu, il faut qu'il se montre. Et il me montre que la niaise manie de son nom le possède. Ainsi, chaque grand homme est taché d'une erreur. Chaque esprit qu'on trouve puissant commence par la faute qui le fait connaître. En échange du pourboire public, il donne le temps qu'il faut pour se rendre perceptible, l'énergie dissipée à se transmettre et à préparer la satisfaction étrangère. Il va jusqu'à comparer les jeux informes de la gloire, à la joie de se sentir unique — une grande volupté particulière. »

M. Teste, lui, a préféré cette volupté. Il lui suffit d'avoir atteint en lui la pureté de l'être : « Je suis chez MOI, dit-il, je parle ma langue, je hais les choses extraordinaires. C'est le besoin des esprits faibles. Croyez-moi à la lettre : le génie est *facile,* la *divinité* est *facile...* Je veux dire simplement — que je sais comment cela se conçoit. C'est *facile.* » Il lui suffit de parfaire sa connaissance de l'intellect, de ménager ses virtualités et d'accroître sans cesse sa polyvalence. *Il peut tout,* et voilà pourquoi il se contente de ne rien faire.

« Valéry-Teste »   Paul Valéry s'est défendu d'être M. Teste, cet « instantané d'intellectuel » qui ne pourrait vivre « plus de quelques quarts d'heure ». « Teste est obtenu par le fractionnement d'un être réel dont on extrairait les moments les plus intellectuels pour en composer le tout de la vie d'un personnage imaginaire » (F. Lefèvre, *Entretiens avec P. Valéry*). Mais ces « moments les plus intellectuels » semblent être ceux que Valéry lui-même a vécus lorsque, adolescent épris d'absolu, il couvrait ses *Cahiers* de notes sur le fonctionnement de l'esprit, sur le temps, l'attention, le rêve, la vérité scientifique, etc. Par la suite, toute une série d'essais viendront compléter le portrait de son héros : *Lettre de Mme Émilie Teste* (1924), *Lettre d'un ami* (1924), *Extraits du Log-Book de M. Teste* (1925), *Promenade avec M. Teste, Dialogue, Pour un portrait de M. Teste, Quelques pensées de M. Teste, Fin de M. Teste* (posthumes, 1946). Certains articles émanent directement des *Cahiers*.

Rien d'étonnant, donc, si nous découvrons quelque *parenté* entre l'auteur et son personnage : passion pour l'introspection et la culture de l'intellect, curiosité pour la genèse des œuvres et le problème de la conscience de soi, prédilection pour la rigueur de la pensée et du langage, horreur de la « littérature ».

En fait, toute la carrière de Valéry sera sous le signe du « phénomène Teste ». Pendant vingt ans, jusqu'à *La Jeune Parque,* il semble renoncer au succès et ne publie presque rien (cf. p. 323). Tout à l'étude du mécanisme de l'esprit, il le surprend en lui-même, s'impose des exercices pour développer son « potentiel » intellectuel, tient régulièrement « le journal de ses essais ». A partir de 1917, il revient aux activités littéraires et artistiques, publie des vers, des dialogues et des essais. On a pu parler, à cette occasion, d'une « trahison de Teste » ; mais la vie réelle de Valéry continuera jusqu'au bout à être *la vie secrète de son intellect.* Le témoignage émouvant nous en est donné par les *Cahiers* où, pendant plus d'un demi-siècle, il consigna au jour le jour ses recherches et ses réflexions.

LA POÉTIQUE DE PAUL VALÉRY

Revenu à la poésie avec *La Jeune Parque* (1917), puis avec le recueil de *Charmes* (1922), Paul Valéry ne cessera d'étudier sur lui-même et sur autrui le mécanisme de la création poétique : « J'ai toujours fait mes vers en m'observant les faire » *(Calepin d'un poète).* Cette expérience, ces réflexions ont donné naissance à un cours professé au Collège de France et à toute une *Poétique* exposée dans *Variété* et *Tel Quel.* L'introduction normale à l'étude de ses poèmes, on la trouvera donc dans ses idées sur *l'essence de la poésie* et sur les conditions de *la création littéraire.* Aussi convient-il de citer Valéry lui-même.

Qu'est-ce que la poésie ?   Après Baudelaire et Mallarmé, Valéry tend à débarrasser la poésie des éléments impurs qui appartiennent à la prose ; et, dégageant la notion d'*univers poétique,* il définit l'idéal que représenterait *la poésie pure.*

I. « UN LANGAGE DANS LE LANGAGE ». La poésie ne saurait se ramener à « un discours de prose » associé à « un morceau d'une musique particulière » : loin de se réduire à exprimer une pensée, elle est « la transmission d'un état poétique qui engage tout l'être sentant » ; elle est ce qui ne saurait, sans périr, se traduire en d'autres termes (cf. p. 365).

« *Tandis que le fond unique est exigible de la prose, c'est ici la forme unique qui ordonne et survit. C'est le son, c'est le rythme, ce sont les rapprochements physiques des mots, leurs effets d'induction ou leurs influences mutuelles qui dominent, aux dépens de leur propriété de se consommer en un sens défini et certain. Il faut donc que dans un poème le sens ne puisse l'emporter sur la forme et la détruire sans retour ; c'est au contraire le retour, la forme conservée, ou plutôt exactement reproduite comme unique et nécessaire expression de l'état ou de la pensée qu'elle vient d'engendrer au lecteur, qui est le ressort de la puissance poétique. Un beau vers renaît indéfiniment de ses cendres, il redevient, — comme l'effet de son effet, — cause harmonique de soi-même* » (Commentaire de *Charmes*). La poésie est donc « un langage dans le langage ».

La poésie selon Valéry

Rembrandt, « Philosophe en méditation », 1632. (Musée du Louvre, Paris.
Ph. Hubert Josse © Photeb)

« Une fête de l'intellect »

Pour Valéry le philosophe, le modèle inaccessible est M. Teste, cet être brillant, à peine humain et souvent déconcertant (cf. **p. 326-328**). Plus modestement, il se reconnaîtrait dans le *Philosophe en méditation* de Rembrandt, ce « petit animal intellectuel » par lequel le peintre a voulu suggérer l'extrême concentration de l'être pensant (cf. **p. 366**). Quant à l'activité poétique, même si à ses yeux elle est tributaire d'une divine mais capricieuse *inspiration*, elle suppose également l'intervention lucide de l'intelligence, et il voit une suprême noblesse dans la création consciente (cf. **p. 332-333 et 362-363**). Le recueil de *Charmes* retrace sans doute cette « tragédie de l'esprit » : par le choix des thèmes et la suggestion poétique, Valéry a voulu en faire « une fête de l'intellect » (cf. **p. 341**).

II. L'UNIVERS POÉTIQUE. Le privilège de cette langue est d'éveiller « une résonance qui engage l'âme dans *l'univers poétique,* comme un son pur au milieu des bruits lui fait pressentir tout un univers musical ».

1. « VIVRE QUELQUE DIFFÉRENTE VIE ». Par une série d'analyses pénétrantes, VALÉRY nous introduit à cette « *sensation d'univers* » que crée en nous un texte de vraie poésie : « Il agit pour nous faire vivre quelque différente vie, respirer selon cette vie seconde, et suppose un état ou un monde dans lequel les objets et les êtres qui s'y trouvent, ou plutôt leurs images, ont d'autres libertés et d'autres liaisons que celles du monde pratique. [...] Tout ceci donne l'idée d'une nature enchantée, asservie, comme par un charme, aux caprices, aux prestiges, aux puissances du langage » *(Cantiques spirituels).*

2. L'UNION INTIME ENTRE LA PAROLE ET L'ESPRIT. Ce pouvoir magique ne saurait s'obtenir en rythmant artificiellement de la prose. Au contraire, « cette parole extraordinaire se fait connaître par le rythme et les harmonies qui la soutiennent et qui doivent être *si intimement et même si mystérieusement liés à sa génération que le son et le sens ne se puissent plus séparer* et se répondent indéfiniment dans la mémoire » *(Situation de Baudelaire).* L'œuvre de MALLARMÉ offre le plus bel exemple de cette magie poétique.

« Il démontra par d'étonnantes réussites que la poésie doit donner des valeurs équivalentes aux significations, aux sonorités, aux physionomies mêmes des mots, qui, heurtés ou fondus avec art, composent des vers d'un éclat, d'une plénitude, d'une résonance inouïs. Les rimes, les allitérations, d'une part, les figures, tropes, métaphores, de l'autre, ne sont plus ici des détails et ornements du discours, qui peuvent se supprimer : ce sont des propriétés substantielles de l'ouvrage : le « fond » n'est plus cause de la forme : il en est l'un des effets » *(Mallarmé).*

La poésie ne prendra donc toute sa valeur qu'au moment de sa diction, « quand nous nous serons faits l'instrument de la chose écrite, de manière que notre voix, notre intelligence et tous les ressorts de notre sensibilité se soient composés pour donner vie et présence puissante à l'acte de création de l'auteur ». Ainsi, « *c'est l'exécution du poème qui est le poème* ».

Une limite idéale : la poésie pure

Préfaçant un recueil de vers, en 1920, PAUL VALÉRY avait risqué l'expression de « *poésie pure* », sans soupçonner les excès que ce terme allait susciter, notamment sous la plume de l'abbé BREMOND. Ce dernier, qui évoquait la parenté de la poésie et de la prière, en vint à parler, à propos de Valéry, d'une poésie pure de tout élément intellectuel ou sensible *(La Poésie pure,* 1926 ; *Racine et Valéry,* 1930). Il s'ensuivit tout un *débat sur la poésie pure,* et VALÉRY fut conduit à ramener à des limites raisonnables cette notion qu'il liait étroitement à la *sensation d'univers poétique.* – THÈMES : *Littérature. Art.*

Que l'on puisse constituer toute une œuvre au moyen de ces éléments si reconnaissables, si bien distincts de ceux du langage que j'ai appelé *insensible,* — que l'on puisse, par conséquent, au moyen d'une œuvre versifiée ou non, donner l'impression d'un système complet de rapports *réciproques* entre nos idées, nos images, d'une part, et nos moyens d'expression, de l'autre, — système qui correspondrait particulièrement à la création d'un état émotif de l'âme, tel est en gros le problème de la poésie pure. Je dis *pure* au sens où le physicien parle d'eau pure. Je veux dire que la question se pose de savoir si l'on peut arriver à constituer une de ces œuvres qui soit *pure* d'éléments non poétiques.
10 J'ai toujours considéré, et je considère encore, que c'est là un objet impossible à atteindre, et que la poésie est toujours un effort pour se rapprocher de cet état purement idéal. En somme, ce qu'on appelle un *poème* se compose pratiquement de fragments de *poésie pure* enchâssés dans la matière d'un discours. Un très beau vers est un élément très pur de poésie. La comparaison banale d'un beau vers à un diamant fait voir que le sentiment de cette qualité de pureté est dans tous les esprits. L'inconvénient de ce terme de *poésie pure* est de faire songer à une pureté

La poésie selon Valéry

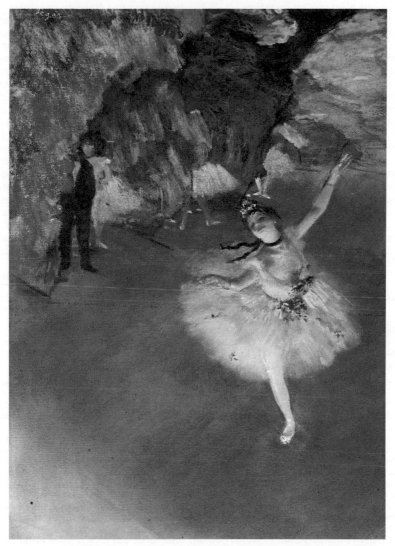

Degas, « L'Étoile ou la danseuse sur la scène », pastel, vers 1878.
(Musée d'Orsay, Paris. Ph. Guiley-Lagache © Arch. Photeb)

« Action indirecte » et « effets latéraux »

Valéry observe que, si les artistes s'adressent à l'*intellect*, ils usent, en même temps, de « moyens indirects » pour atteindre « *l'âme sensitive* » (cf. **p. 366**). Par une magie suggestive ils tentent de nous faire vivre « quelque différente vie », tout comme la danseuse qui paraît libérée de la pesanteur.

morale qui n'est pas en question ici, l'idée de poésie pure étant au contraire pour moi une idée essentiellement analytique. La poésie pure est, en somme, une fiction déduite de l'observation, qui doit nous servir à préciser notre idée des poèmes en
20　général, et nous guider dans l'étude si difficile et si importante des relations diverses et multiformes du langage avec les effets qu'il produit sur les hommes. Mieux vaudrait, au lieu de *poésie pure,* mieux vaudrait, peut-être, dire *poésie absolue,* et il faudrait alors l'entendre dans le sens d'une recherche des effets résultant des relations des mots, ou plutôt des relations de résonances des mots entre eux, ce qui suggère, en somme, *une exploration de tout ce domaine de la sensibilité qui est gouverné par le langage.* Cette exploration peut être faite à tâtons. C'est ainsi qu'elle est généralement pratiquée. Mais il n'est pas impossible qu'elle soit un jour systématiquement conduite. [...] Si ce problème paradoxal pouvait se résoudre entièrement, c'est-à-dire si le poète pouvait arriver à construire des
30　œuvres où rien de ce qui est de la prose n'apparaîtrait plus, des poèmes où la continuité musicale ne serait jamais interrompue, où les relations de significations seraient elles-mêmes perpétuellement pareilles à des rapports harmoniques, *où la transmutation des pensées les unes dans les autres paraîtrait plus importante que toute pensée,* où le jeu des figures contiendrait la réalité du sujet, — alors l'on pourrait parler de *poésie pure* comme d'une chose existante. Il n'en est pas ainsi. [...] La conception de poésie pure est celle d'un type inaccessible, d'une limite idéale des désirs, des efforts et des puissances du poète.

Calepin d'un poète. Poésie pure (Librairie Gallimard, éditeur).

Inspiration et travail

On a prétendu à tort que VALÉRY poète tournait le dos à l'inspiration. S'il a écrit que « l'enthousiasme n'est pas un état d'âme d'écrivain », c'est seulement parce qu'il trouvait indigne d'écrire « par le *seul* enthousiasme ». Mais il admet qu'il existe « une sorte d'*énergie* individuelle propre au poète », « une énergie supérieure : c'est-à-dire telle que toutes les autres énergies de l'homme ne la peuvent composer ou remplacer ».

I. LE MYTHE DU POÈTE INSPIRÉ. Être « inspiré » ne suffit malheureusement pas pour être poète, « pas plus qu'il ne suffit de voir un trésor en rêve pour le retrouver, au réveil, étincelant au pied de son lit ». C'est que la fonction du poète n'est pas de ressentir « l'état poétique », mais de le créer chez les autres, de changer le lecteur en « inspiré ». Fort de sa propre expérience, Valéry se moque du *mythe romantique du poète inspiré.*

 « *On sent bien, devant un beau poème de quelque longueur, qu'il y a des chances infimes pour qu'un homme ait pu improviser sans retours, sans autre fatigue que celle d'écrire ou d'émettre ce qui lui vient à l'esprit, un discours singulièrement sûr de soi, pourvu de ressources continuelles, d'une harmonie constante et d'idées toujours heureuses, un discours qui ne cesse de charmer, où ne se trouvent point d'accidents, de marques de faiblesse et d'impuissance, où manquent ces fâcheux incidents qui rompent l'enchantement et ruinent l'univers poétique.* »

On ne saurait nier l'existence de l'inspiration ; mais elle n'agit que « par brèves et fortuites manifestations », et elle est aussi inégale que capricieuse : « Ces moments d'un prix infini, ces instants qui donnent une sorte de dignité universelle aux relations et aux intuitions qu'ils engendrent sont non moins féconds en valeurs illusoires ou incommunicables... Dans l'éclat de l'exaltation, tout ce qui brille n'est pas or » *(Propos sur la Poésie).*

II. « CRÉER EN TOUTE CONSCIENCE ». Puisque « ces expressions jaillies de l'émoi ne sont qu'*accidentellement* pures », VALÉRY ne saurait admettre « le principe qu'à tous les coups l'on gagne » : la poésie sera le fruit d'un *choix* et d'un *labeur conscient.*

1. NÉCESSITÉ DU TRAVAIL. « *Cent instants divins ne construisent pas un poème, lequel est une durée de croissance et comme une figure dans le temps ; et le fait poétique naturel n'est qu'une rencontre exceptionnelle dans le désordre d'images et de sons qui viennent à l'esprit. Il faut donc beaucoup de patience, d'obstination et d'industrie, dans notre art, si nous voulons produire un ouvrage qui ne paraisse enfin qu'une série de coups rien qu'heureux, heureusement enchaînés ;*

et si nous prétendons encore que notre poème aussi bien séduise les sens par les charmes des rythmes, des timbres, des images, qu'il résiste et réponde aux questions de la réflexion, nous voici attablés au plus déraisonnable des jeux. » (Je disais quelquefois à Stéphane Mallarmé...).

« *Les dieux, gracieusement, nous donnent pour rien tel premier vers ; mais c'est à nous de façonner le second, qui doit consonner avec l'autre, et n'être pas indigne de son aîné surnaturel. Ce n'est pas trop de toutes les ressources de l'expérience et de l'esprit pour le rendre comparable au vers qui fut un don* » (Au sujet d'Adonis).

2. Noblesse de la création consciente. Valéry raille le poète inspiré, ce « *médium momentané* » qui n'a nul besoin de comprendre ce qu'il écrit sous une dictée mystérieuse. Au contraire, l'auteur de *Charmes* souligne la noblesse de la création volontaire, dont la formule serait : « *Essayer de retrouver avec volonté de conscience quelques résultats analogues aux résultats intéressants ou utilisables que nous livre (entre cent mille coups quelconques) le hasard mental.* » Il lui est même arrivé de déclarer : « J'aimerais infiniment mieux écrire en toute conscience et dans une entière lucidité quelque chose de faible, que d'enfanter à la faveur d'une transe et hors de moi-même un chef-d'œuvre d'entre les plus beaux » *(Lettre sur Mallarmé)*. Et à ceux qui s'indignaient de ce blasphème, il répliquait : « C'est qu'un éclair ne m'avance à rien. Il ne m'apporte que de quoi m'admirer. Je m'intéresse beaucoup plus à savoir produire à mon gré une infime étincelle qu'à attendre de projeter çà et là des éclats d'une foudre incertaine » *(Fragments des Mémoires d'un poème)*.

Le métier poétique   Il n'y a donc pas de poésie sans « métier » poétique. Les considérations de Valéry nous sont ici d'autant plus précieuses qu'elles reposent sur son expérience intime : ce métier consiste à savoir discerner et utiliser les merveilles que *l'inspiration* nous accorde « de temps à autre » et à les compléter par des *créations volontaires et lucides* qui n'en soient pas indignes.

I. « LE POÈTE EN FONCTION EST UNE ATTENTE ». La première qualité est *la patience* (cf. p. 360). Il faut savoir attendre le « GERME » qui donnera naissance au poème. « Le poète s'éveille dans l'homme par un événement inattendu, un incident extérieur ou intérieur : un arbre, un visage, un « sujet », une émotion, un mot. Et tantôt, c'est une volonté d'expression qui commence la partie, un besoin de traduire ce que l'on sent ; mais tantôt, c'est, au contraire, un élément de forme, une esquisse d'expression qui cherche sa cause, qui se cherche un sens dans l'espace de mon âme... Observez bien cette dualité possible d'entrée en jeu : parfois quelque chose veut s'exprimer, parfois quelque moyen d'expression veut quelque chose à servir » *(Poésie et pensée abstraite)*. Rien de plus instructif à ce sujet que les confidences de VALÉRY lui-même sur *La Jeune Parque* (cf. p. 334), *La Pythie* (cf. p. 349, note 2) et *Le Cimetière marin* (cf. p. 354). Il faut aussi savoir attendre les MOTS qui produiront l'enchantement : « Nous attendons le mot inattendu, — et qui ne peut être prévu, mais attendu. Nous sommes le premier à l'entendre » *(Calepin d'un poète)*.

II. « LE TÊTE-A-TÊTE ENTRE LE POUVOIR ET LE VOULOIR ». Attente, choix lucide, refus volontaires, résistance au facile, autant de manifestations de la création consciente, « tête-à-tête impitoyable entre le *pouvoir* et le *vouloir* de quelqu'un ». Essentiellement, « l'architecte de poèmes » est aux prises avec *les problèmes de l'expression* : « Ce n'est pas avec des idées que l'on fait des vers, disait déjà Mallarmé... C'est avec des *mots*. » Le poète est donc avant tout celui qui connaît, de science profonde, les ressources du langage, « les accords du son et du sens », « les effets psychiques que produisent les groupements de mots et de physionomies de mots ». — « *Je cherche un mot*, dit le poète, *qui soit : féminin, de deux syllabes, contenant P ou F, terminé par une muette, et synonyme de brisure, désagrégation ; et pas savant, pas rare. Six conditions — au moins !* » (Autres Rhumbs). Recherche infiniment minutieuse et complexe ! Et l'artiste qui peine sur ces nuances doit pourtant tenir compte des conditions, toutes différentes, dans lesquelles son œuvre sera ressentie : « Veuillez observer que la durée de composition d'un poème même très court pouvant absorber des années, l'action du poème sur un lecteur s'accomplira en quelques minutes. En quelques minutes, ce lecteur recevra le choc de trouvailles, de rapprochements, de lueurs d'expression, accumulés pendant des mois de recherche, d'attente, de patience et d'impatience » *(Poésie et pensée abstraite)*.

III. LES « GÊNES EXQUISES ». Dépasser, au prix d'un labeur conscient, le stade de l'enthousiasme ou de l'effusion à la mode romantique, tel est le secret des grands poètes. Aussi VALÉRY ne cache-t-il pas son admiration pour la perfection de *l'art classique* qu'il oppose aux faiblesses du romantisme : « *Un romantique qui a appris son art devient un classique* », ou encore : « *Tout classicisme suppose un romantisme antérieur* ». Loin de protester contre les unités, les formes fixes, les règles de prosodie, les restrictions du vocabulaire, il voit paradoxalement dans ces contraintes la source même des chefs-d'œuvre poétiques. C'est que toutes ces « *gênes exquises* », en ralentissant l'élan spontané et anarchique de l'inspiration, permettent de *contrôler lucidement* l'élaboration du poème : « *Classique est l'écrivain qui porte un critique en soi-même, et qui l'associe intimement à ses travaux* » *(Situation de Baudelaire).*

IV. « UNE ŒUVRE N'EST JAMAIS ACHEVÉE ». Tout poème est « *un état d'un travail qui peut presque toujours être repris et modifié* ». Pour VALÉRY, un « *sonnet achevé* » est en réalité un « *sonnet abandonné* », que le labeur pourrait encore transformer : « Une œuvre n'est jamais nécessairement *finie*, car celui qui l'a faite ne s'est jamais accompli, et la puissance et l'agilité qu'il en a tirées lui confèrent précisément le don de l'améliorer, et ainsi de suite... *Il en retire de quoi l'effacer et la refaire.* C'est ainsi, du moins, qu'un artiste *libre* doit regarder les choses... » *(Calepin d'un poète).* VALÉRY a fait lui-même l'expérience de cette diversité des possibles au cours de la création poétique : « Il m'est arrivé, dit-il plaisamment, de publier des textes différents des mêmes poèmes : il en fut même de contradictoires, et l'on n'a pas manqué de me critiquer à ce sujet. Mais personne ne m'a dit pourquoi j'aurais dû m'abstenir de ces variations » *(Fragment des Mémoires d'un poème).*

A ces considérations objectives, on reconnaît VALÉRY-TESTE. N'en était-il pas venu à regarder la création poétique comme un « jeu », un pur exercice dont le *produit* le plus important n'est pas l'œuvre mais le développement des aptitudes intellectuelles de son auteur et une connaissance plus profonde du mécanisme de l'esprit ?

Poésie et obscurité

On parle de l'obscurité de VALÉRY comme de l'hermétisme mallarméen (cf. *XIXᵉ Siècle*, p. 531). Pourtant il a déclaré à propos de *La Jeune Parque* que son obscurité n'était pas systématique comme celle de Mallarmé. Elle résulterait plutôt de la genèse du poème et de la nature du sujet.

I. L'AVENTURE DE LA JEUNE PARQUE. En 1913, retouchant les pièces de l'*Album de vers anciens* (cf. p. 325), VALÉRY eut le désir d'y ajouter un poème d'une quarantaine de vers, « une sorte d'adieu à ces jeux de l'adolescence ». Ce fut l'origine de *La Jeune Parque*, poème de 512 vers, « cent fois plus difficile à lire qu'il n'eût convenu ». Cet étrange phénomène s'explique, dit-il, par la « croissance naturelle d'une fleur artificielle », au cours d'un labeur qui dura quatre ans (1913-1917). En effet, découvrant qu'il avait oublié l'art des vers, VALÉRY avait d'abord considéré le poème comme un « exercice » *(Dédicace à Gide).* Puis, la guerre venue, l'exercice s'était poursuivi « dans l'anxiété et à demi contre elle » : n'étant pas mobilisable, le poète trompait son angoisse en se consacrant à une œuvre sereine en apparence et volontairement soumise à la prosodie la plus rigoureuse. Il avait fini par considérer comme un *devoir* de léguer à notre langue menacée cet ouvrage « fait de ses mots les plus purs et de ses formes les plus nobles ». « D'écart en écart, cela s'est enflé aux dimensions définitives », écrivait-il en 1917. Pour ces 512 vers, il avait rédigé plus de cent brouillons dont la reproduction occuperait 600 pages !

II. L'OBSCURITÉ DE LA JEUNE PARQUE. « Je ne veux jamais être obscur, et quand je le suis — je veux dire : quand je le suis pour un lecteur lettré et non superficiel —, je le suis par l'impuissance de ne pas l'être » *(A Aimé Lafont,* 1922). Cette obscurité résulterait d'abord de *la nature du sujet.* VALÉRY a voulu rassembler dans ce poème un grand nombre d'idées qui l'occupaient depuis longtemps. Or, selon lui, notre langage psychologique est d'une extrême pauvreté lorsqu'on prétend exprimer avec précision les états d'âme complexes d'un être vivant, et l'artiste est encore contraint de l'appauvrir « puisque le plus grand nombre des mots qui le composent est incompatible avec le ton poétique ». La difficulté se trouve redoublée, en effet, par *les conditions qui s'imposent au poète :* « S'il veut satisfaire à l'harmonie, aux prolongements de cette harmonie, à la continuité des effets plastiques, à celle de la pensée même, à l'élégance et à la souplesse de la syntaxe, et s'il veut que le tout soit contenu dans l'armature de la prosodie classique, il arrive, il doit arriver que la complexité de son effort, l'indépendance des conditions qu'il s'est assignées, l'exposent à surcharger son style, à rendre trop dense la matière de son œuvre, à user de raccourcis et d'ellipses qui déconcertent les esprits du lecteur » *(A Frédéric Lefèvre, 1917). La Jeune Parque* devrait son obscurité à sa richesse, à ses nuances, à « l'accumulation sur un texte poétique d'un travail trop prolongé ».

III. **LA THÉORIE DE L'ART DIFFICILE.** Ces explications ne sauraient justifier l'*hermétisme* de certains poèmes de *Charmes,* qui paraît voulu. « *L'obscurité d'un poème,* déclare Valéry, *est le produit de deux facteurs : la chose lue et l'être qui lit.* » Pour l'homme de la rue, Descartes et Montesquieu sont obscurs. L'auteur de *Charmes* s'adresse, lui, à une *élite,* et, disciple de Mallarmé, il a repris la théorie de *l'art difficile* dont le mérite est de stimuler l'attention de l'initié, de le rendre « actif » et d'exalter sa jouissance poétique.

Le poème devient alors une « *partition* » exécutée par l'âme et l'esprit du lecteur. « On n'y insistera jamais assez : *il n'y a pas de vrai sens d'un texte.* Pas d'autorité de l'auteur. Quoi qu'il ait *voulu dire,* il a écrit ce qu'il a écrit. Une fois publié, un texte est comme un appareil dont chacun peut se servir à sa guise et selon ses moyens : il n'est pas sûr que le constructeur en use mieux qu'un autre » *(Au sujet du Cimetière marin).*

LA JEUNE PARQUE

Ce poème, publié en 1917, devait d'abord s'intituler *Psyché* (L'Ame) : il a pour sujet « le changement d'une conscience pendant la durée d'une nuit ». Chez les Anciens, les trois PARQUES symbolisaient les étapes de la vie humaine, et si le poète a choisi la plus *jeune* c'est, sans doute, pour évoquer la *naissance* de « *la conscience de soi-même* ». « Figurez-vous, dit-il, que l'on s'éveille au milieu de la nuit, et que toute la vie se revive et se parle à soi-même... Sensualité, souvenirs, paysages, émotions, sentiment de son corps, profondeur de la mémoire et lumière ou cieux antérieurs revus, etc. ». Le poème touche donc aux divers problèmes de « *la conscience consciente* ». Pour mieux le pénétrer, c'est à nous d'explorer les mystères de notre être « en tant qu'il pense et qu'il sent » (cf. *Le Poète et la Jeune Parque :* « Qui s'égare en soi-même aussitôt me retrouve »). Le *drame intérieur* qui fait l'objet de ce monologue est en effet la crise de l'adolescence, *l'éveil de la conscience lucide,* éprise d'absolu, en lutte contre l'appel instinctif des sens. Cette poésie philosophique aurait pu verser dans l'abstraction, mais VALÉRY a su esquiver le danger en recourant au *symbole* : au sens littéral, la Parque est une jeune femme blessée par l'amour qui, s'éveillant sur le rivage, se rappelle ses rêves voluptueux, s'émeut au souvenir de son innocence, lutte contre ses désirs jusqu'à préférer la mort à la chute, puis finit par céder à l'attrait impérieux de la Nature. Le poète a voulu « sauver l'abstraction prochaine par la *musique,* ou la racheter par des *visions* ».
THÈMES : *Moi. Psychologie. Souvenir.*

> Le Ciel a-t-il formé cet amas de merveilles
> Pour la demeure d'un serpent ?
>
> Pierre CORNEILLE.

Qui pleure là, sinon le vent simple, à cette heure
Seule, avec diamants extrêmes [1] ?... Mais qui pleure,
Si proche de moi-même au moment de pleurer [2] ?

Cette main, sur mes traits qu'elle rêve effleurer,
Distraitement docile à quelque fin profonde,
Attend de ma faiblesse une larme qui fonde [3],

— 1 Les étoiles, à l'infini. — 2 Réveillée sur le rivage par une *douleur* (v. 26) qui l'a conduite au bord des larmes, la Parque prend la « plainte » du vent pour celle d'une créature affligée comme elle. — 3 Dans sa somnolence, sa main, mue par un mystérieux instinct, cherche à essuyer la larme *qui se prépare.*

Et que de mes destins lentement divisé,
Le plus pur en silence éclaire un cœur brisé [4].
La houle [5] me murmure une ombre de reproche,
10 Ou retire ici-bas, dans ses gorges de roche,
Comme chose déçue et bue amèrement,
Une rumeur de plainte et de resserrement...
Que fais-tu, hérissée [6], et cette main glacée,
Et quel frémissement d'une feuille effacée
Persiste parmi vous, îles de mon sein nu ?...
Je scintille, liée à ce ciel inconnu [7]...
L'immense grappe [8] brille à ma soif de désastres [9].

Tout-puissants étrangers [10], inévitables astres
Qui daignez faire luire au lointain temporel
20 Je ne sais quoi de pur et de surnaturel ;
Vous qui dans les mortels plongez jusques aux larmes
Ces souverains éclats, ces invincibles armes,
Et les élancements de votre éternité,
Je suis seule avec vous, tremblante, ayant quitté
Ma couche ; et sur l'écueil mordu par la merveille,
J'interroge mon cœur quelle douleur l'éveille,
Quel crime par moi-même ou sur moi consommé ?...
...Ou si le mal me suit d'un songe refermé [11],
Quand (au velours du souffle envolé l'or des lampes [12])
30 J'ai de mes bras épais environné mes tempes,
Et longtemps de mon âme attendu les éclairs [13] ?
Toute ? Mais toute à moi, maîtresse de mes chairs,
Durcissant d'un frisson leur étrange étendue,
Et dans mes doux liens, à mon sang suspendue,
Je me voyais me voir, sinueuse, et dorais
De regards en regards, mes profondes forêts [14].

J'y suivais un serpent qui venait de me mordre.

En prenant conscience de cette morsure de serpent, symbole de la volupté des sens, la PARQUE *découvre la dualité de son être, sensualité et connaissance :* « Je me sentis connue encor plus que blessée. » *Craignant que ce* dédoublement de la conscience *ne vienne détruire le plaisir des sens qu'elle goûtait jadis innocemment, elle va évoquer avec nostalgie le bonheur d'autrefois, au temps où rien ne la dissociait de la Nature.*

— 4 Elle aspire à connaître *clairement* les causes de ce réveil douloureux. — 5 Le poète suggère (v. 9-12) le bruit de la mer qui semble correspondre à l'inquiétude de la jeune Parque : reproche ou gémissement angoissé ? — 6 Elle semble s'être levée, frissonnante, pour contempler les astres (cf. v. 24-25). — 7 Le frémissement de son corps (v. 13-15) *répond* à la scintillation des étoiles. — 8 La *grappe* des constellations. — 9 Elle a soif de connaître la source de cette étrange inquiétude, même s'il doit en résulter une vive souffrance (cf. v. 27). — 10 On appréciera la portée de chaque terme, dans cette magnifique invocation aux astres qui inspirent à l'âme humaine les élans du sentiment religieux. — 11 Ou peut-être s'agit-il seulement d'un cauchemar qui continue à la hanter ? — 12 Remarquer la suggestion par la syntaxe et par les images. — 12 La lucidité de la conscience. — 14 Dédoublement du demi-sommeil, qui permet de jeter un regard en arrière vers les *profondeurs mystérieuses de l'âme.* Cette investigation a toujours passionné Valéry ; cf. *Monsieur Teste :* « Je suis étant, et me voyant ; me voyant me voir et ainsi de suite. »

Harmonieuse MOI, différente d'un songe [15],
Femme flexible et ferme aux silences suivis
D'actes purs !... Front limpide, et par ondes ravis,
Si loin que le vent vague et velu les achève [16],
Longs brins légers qu'au large un vol mêle et soulève,
Dites !... J'étais l'égale et l'épouse du jour [17],
Seul support souriant que je formais d'amour
A la toute-puissante altitude adorée...

110 Quel éclat sur mes cils aveuglément dorée,
O paupières qu'opprime une nuit de trésor,
Je priais à tâtons dans vos ténèbres d'or !
Poreuse à l'éternel [18] qui me semblait m'enclore,
Je m'offrais dans mon fruit de velours qu'il dévore ;
Rien ne me murmurait qu'un désir de mourir
Dans cette blonde pulpe au soleil pût mûrir :
Mon amère saveur ne m'était point venue.
Je ne sacrifiais que mon épaule nue [19]
A la lumière ; et sur cette gorge de miel,
120 Dont la tendre naissance accomplissait le ciel,
Se venait assoupir la figure du monde.
Puis dans le dieu brillant, captive vagabonde,
Je m'ébranlais brûlante et foulais le sol plein,
Liant et déliant mes ombres sous le lin.
Heureuse ! A la hauteur de tant de gerbes belles,
Qui laissais à ma robe obéir les ombelles,
Dans les abaissements de leur frêle fierté ;
Et si, contre le fil de cette liberté,
Si la robe s'arrache à la rebelle ronce,
130 L'arc de mon brusque corps s'accuse et me prononce,
Nu sous le voile enflé de vivantes couleurs
Que dispute ma race aux longs liens de fleurs !

Je regrette à demi cette vaine puissance...
Une avec le désir, je fus l'obéissance
Imminente [20], attachée à ces genoux polis ;
De mouvements si prompts mes vœux étaient remplis
Que je sentais ma cause à peine plus agile !
Vers mes sens lumineux nageait ma blonde argile,
Et dans l'ardente paix des songes naturels,
140 Tous ces pas infinis me semblaient éternels.
Si ce n'est, ô Splendeur, qu'à mes pieds l'ennemie [21],
Mon ombre ! la mobile et la souple momie,
De mon absence peinte effleurait sans effort

— 15 Souvenir de l'adolescente qu'elle a été, en toute innocence. — 16 Noter, dans ce vers et le suivant, la valeur expressive des allitérations. — 17 Thème cher à Valéry : la pureté de l'être *répond* à l'éclat du soleil (cf. p. 356, v. 37-40). — 18 Illusion du jeune corps qui se sentait « pénétré » d'éternité (cf. v. 140), tant que l'*amère saveur* (v. 117) de l'esprit critique n'était pas venue dissiper cette croyance naïve. — 19 Tout ce passage exprime le bonheur d'un corps libre et beau prenant part à la vie de la nature. — 20 L'acte suivait immédiatement la pensée qui en était la *cause* (v. 137). — 21 Ce thème de *l'ombre* qui rappelle le caractère transitoire de l'être humain se retrouvera dans *Le Cimetière marin* (cf. p. 356, v. 31-42).

La terre où je fuyais cette légère mort.
Entre la rose et moi, je la vois qui s'abrite ;
Sur la poudre qui danse, elle glisse et n'irrite
Nul feuillage, mais passe, et se brise partout...
Glisse ! Barque funèbre...

                     Et moi vive, debout,
Dure, et de mon néant secrètement armée [22],
150   Mais, comme par l'amour une joue enflammée,
Et la narine jointe au vent de l'oranger,
Je ne rends plus au jour qu'un regard étranger [23]...
Oh ! combien peut grandir dans ma nuit curieuse
De mon cœur séparé la part mystérieuse [24],
Et de sombres essais s'approfondir mon art !...
Loin des purs environs, je suis captive, et par
L'évanouissement d'arômes abattue,
Je sens sous les rayons, frissonner ma statue,
Des caprices de l'or, son marbre parcouru.
160   Mais je sais ce que voit mon regard disparu ;
Mon œil noir est le seuil d'infernales demeures !
Je pense, abandonnant à la brise les heures
Et l'âme sans retour des arbustes amers,
Je pense, sur le bord doré de l'univers,
A ce goût de périr qui prend la Pythonisse
En qui mugit l'espoir que le monde finisse [25].
Je renouvelle en moi mes énigmes, mes dieux,
Mes pas interrompus de paroles aux cieux [26],
Mes pauses, sur le pied portant la rêverie,
170   Qui suit au miroir d'aile un oiseau qui varie [27],
Cent fois sur le soleil joue avec le néant,
Et brûle, au sombre but de mon marbre béant [28].

O dangereusement de son regard la proie [29] !

Car l'œil spirituel sur ses plages de soie
Avait déjà vu luire et pâlir trop de jours
Dont je m'étais prédit les couleurs et le cours.
L'ennui, le clair ennui de mirer leur nuance,
Me donnait sur ma vie une funeste avance :
L'aube me dévoilait tout le jour ennemi.
180   J'étais à demi morte ; et peut-être, à demi
Immortelle, rêvant que le futur lui-même [30]

— 22 Retour à la réalité actuelle : elle se sait maintenant mortelle ; elle vibre à tous les appels qui sollicitent ses sens. — 23 Opposer le v. 107. — 24 A la limpidité de l'adolescente a succédé l'obscure complexité d'une âme adulte qui s'analyse. — 25 L'idée de la mort la rend sensible à l'attrait du néant. — 26 Toutes les démarches de son âme sont désormais soumises à une introspec- tion subtile, que suggère la délicatesse des images. — 27 Un oiseau dont on suit le vol aux *reflets* de son aile. — 28 L'oiseau qui finit par se dissiper dans l'air lui rappelle la mort, le *tombeau* déjà ouvert. — 29 Cruauté de l'introspection. Les six vers suivants expriment l'*ennui* qui résulte d'une prévision trop lucide de l'avenir. — 30 L'*immortalité* future, qui paraîtra aussi banale que les jours à venir.

Ne fût qu'un diamant fermant le diadème
Où s'échange le froid des malheurs qui naîtront
Parmi tant d'autres feux absolus [31] de mon front.

Osera-t-il, le Temps, de mes diverses tombes [32],
Ressusciter un soir favori des colombes,
Un soir qui traîne au fil d'un lambeau voyageur
De ma docile enfance un reflet de rougeur,
Et trempe à l'émeraude un long rose de honte [33] ?

La jeune PARQUE *retrouve avec honte le souvenir d'une* idylle *où elle fut sur le point de céder à la passion : « Mon cœur fut-il si près d'un cœur qui va faiblir ? » C'est la révolte de sa pudeur qui l'a sauvée : elle aurait préféré la mort au déshonneur. Mais la* tentation *des sens la guette encore. Pleine d'angoisse, elle appelle la Mort, elle songe à se précipiter dans les flots. Mais le sommeil la gagne de nouveau... Pourtant l'aurore approche, et avec le réveil la vie va retrouver ses droits.*

Mystérieuse Moi, pourtant, tu vis encore !
Tu vas te reconnaître au lever de l'aurore
Amèrement la même...
               Un miroir de la mer
Se lève... Et sur la lèvre, un sourire d'hier [34]
Qu'annonce avec ennui l'effacement des signes,
330 Glace dans l'orient déjà les pâles lignes
De lumière et de pierre, et la pleine prison
Où flottera l'anneau de l'unique horizon...
Regarde : un bras très pur est vu, qui se dénude.
Je te revois, mon bras... Tu portes l'aube...

                       O rude
Réveil d'une victime inachevée [35]... et seuil
Si doux... si clair, que flatte, affleurement d'écueil,
L'onde basse, et que lave une houle amortie !...
L'ombre qui m'abandonne, impérissable hostie [36],
Me découvre vermeille à de nouveaux désirs,
340 Sur le terrible autel de tous mes souvenirs.

Là, l'écume s'efforce à se faire visible [37] ;
Et là, titubera sur la barque sensible
A chaque épaule d'onde, un pêcheur éternel.
Tout va donc accomplir son acte solennel
De toujours reparaître incomparable et chaste,
Et de restituer la tombe [38] enthousiaste
Au gracieux état du rire universel [39].

— 31 Détachés. — 32 Blasée sur l'avenir, la jeune Parque se retourne vers ses souvenirs. — 33 Réaction de pudeur en évoquant un souvenir d'amour. — 34 Le soleil va reparaître, et les astres (lat. *signa*) pâlissent. — 35 Elle s'est arrêtée sur le seuil de la mort. — 36 Victime (cf. v. 335) qu'on immole à l'autel. — 37 Reprise par le goût de vivre, elle va assister avec émerveillement à la renaissance du jour et des activités marines. — 38 La mer, où elle a failli s'ensevelir. — 39 Cf. Eschyle : « Le sourire innombrable des flots » (*Prométhée*, 89-90).

Salut ! Divinités [40] par la rose et le sel,
Et les premiers jouets de la jeune lumière,
350　Iles !... Ruches [41] bientôt, quand la flamme première
Fera que votre roche, îles que je prédis [42],
Ressente en rougissant de puissants paradis ;
Cimes qu'un feu fécond à peine intimidées,
Bois qui bourdonnerez de bêtes et d'idées,
D'hymnes d'hommes comblés des dons du juste éther,
Iles ! dans la rumeur des ceintures de mer [43],
Mères vierges toujours, même portant ces marques,
Vous m'êtes à genoux de merveilleuses Parques :
Rien n'égale dans l'air les fleurs que vous placez,
360　Mais dans la profondeur, que vos pieds sont glacés [44] !

De nouveau envahie par la tristesse, la jeune PARQUE *regrette maintenant de n'avoir pas accompli, pour se libérer du sort incertain, cette « merveilleuse fin » à laquelle elle aspirait sincèrement tout à l'heure. Par quels enchantements, déjà à mi-chemin de la mort, est-elle* revenue vers la vie ? *Elle découvre qu'elle a été trahie par « la chair maîtresse » : elle a succombé à la fatigue qui l'a replongée dans le sommeil. Le charme du sommeil la gagne une nouvelle fois, et elle* s'assoupit doucement... — *Quand elle s'éveille dans les « délicieux linceuls » de son lit, elle savoure les attraits de l'aurore : c'est le « jeune soleil » qui la rappelle à la vie.*

...Alors, n'ai-je formé, vains adieux si je vis,
Que songes ?... Si je viens, en vêtements ravis [45],
Sur ce bord, sans horreur, humer la haute écume,
Boire des yeux l'immense et riante amertume,
L'être contre le vent, dans le plus vif de l'air,
500　Recevant au visage un appel de la mer [46] ;
Si l'âme intense souffle, et renfle furibonde
L'onde abrupte sur l'onde abattue, et si l'onde
Au cap tonne, immolant un monstre de candeur [47],
Et vient des hautes mers vomir la profondeur
Sur ce roc, d'où jaillit jusque vers mes pensées
Un éblouissement d'étincelles glacées,
Et sur toute ma peau que morde l'âpre éveil,
Alors, malgré moi-même, il le faut, ô Soleil,
Que j'adore mon cœur où tu te viens connaître,
510　Doux et puissant retour du délice de naître,
Feu vers qui se soulève une vierge de sang [48]
Sous les espèces d'or [49] d'un sein reconnaissant [50] !

Librairie Gallimard, éditeur.

— 40 Apposition à *Iles* (v. 350). — 41 L'image sera reprise au v. 354. — 42 « Le jour les montrera, qui se prépare encore. Ce passage n'est que pour exprimer la lassitude, la certitude de revoir ce que l'on sait trop qu'on reverra. La jeune héroïne les connaît bien. Elle ne les décrira pas. Plutôt les injurier un peu » (à *Mockel,* 1917). — 43 L'écume entoure les îles d'une ceinture virginale comme celle de la jeune Parque. — 44 Ainsi, sous la surface lumineuse de la conscience, sont immergées les profondeurs de l'inconscient. — 45 Retirés. — 46 Cet élan vers la vie annonce celui qui terminera *Le Cimetière marin* (cf. p. 359). — 47 La vague *sauvage* déferle en flots d'écume *blanche.* — 48 Fouettée par l'air du matin, la jeune Parque, dont le sang circule à nouveau sur un rythme plus vif, est reprise par la vie tout-puissante de la Nature, symbolisée par le Soleil. — 49 « L'or = *Soleil* se rattache au passage *Harmonieuse Moi ;* le rappelle ou réfracte dans le second aspect » (à *P. Louÿs,* 1916). — 50 Ces vers seraient venus « tout rôtis, de la Muse, sans attente ni provocation, dans la rue ».

CHARMES

Le recueil de *Charmes* (1922) rassemble 21 poèmes composés « dans un état de virtuosité aiguë » après *La Jeune Parque*. Le titre, du latin *Carmina*, signifie *Poèmes*, et *Incantations*.

« UNE FÊTE DE L'INTELLECT ». « La vie de l'intelligence constitue un univers lyrique incomparable, un drame complet où ne manquent ni l'aventure, ni les passions, ni la douleur, ni le comique, ni rien d'humain » *(Discours sur Descartes)*. Les poèmes de *Charmes* évoquent cette *Tragédie de l'Esprit*. Selon Daniel Gallois, les principaux actes de ce « drame » correspondraient aux étapes de l'itinéraire parcouru par l'auteur dans son effort de connaissance : Les espérances (cf. *Cantique des colonnes*, p. 342) — L'attente (cf. *Les Pas*, p. 341) — La tentation de la conscience (cf. *Fragments du Narcisse*, p. 344 ; *La Pythie*, p. 349) — Les mirages — La tentation de la science (cf. *Ébauche d'un serpent*, p. 353) — La méditation (cf. *Les Grenades, Le Vin perdu*, p. 349) — La tentation de la vie (cf. *Le Cimetière marin* p. 354) — L'effort — La victoire sur la durée (cf. *Palme*, p. 360).

Ces poèmes retraçant le drame de l'intelligence sont eux-mêmes, comme le voulait Valéry, *« une fête de l'intellect »*. Le climat est ici moins « musical » et plus intellectuel que dans *La Jeune Parque*. L'esprit se trouve stimulé par le jeu des symboles et la subtilité des analyses ; il est tenu en éveil par les surprises d'un vocabulaire raffiné, parfois archaïque ou retrempé à ses sources étymologiques ; il doit se défendre d'être dérouté par les flottements entre le concret et l'abstrait ou par les suggestions analogiques.

« LA FORÊT SENSUELLE ». Pourtant cette poésie intellectuelle évite l'écueil de l'abstraction et de la sécheresse. Chez Valéry l'analyste de la vie intérieure se double d'un poète *sensible à toutes les sollicitations du monde extérieur,* et doué d'une *imagination visuelle, auditive, tactile, infiniment riche*. La poésie de ce Méditerranéen nous séduit par le sens de la lumière (cf. p. 342), du mystère (cf. p. 344), ou par de radieuses évocations de la mer « toujours recommencée » (cf. p. 354) ; elle est apte à nous rendre présente l'exaltation désordonnée de la Pythie (cf. p. 349) comme à nous faire écouter l'approche à peine perceptible des pas (cf. p. 341), à évoquer la savoureuse plénitude des grenades entr'ouvertes comme à suggérer le vin qui s'évanouit dans l'eau, « rose fumée » (cf. p. 349).

« L'ENCHANTEMENT ». Cette *fête des sens* ajoute sa magie à la *« fête de l'intellect »*. Mais, connaissant le rôle mystérieux des « effets latéraux » dans un art à plusieurs dimensions (cf. p. 366), VALÉRY fait appel à tous les prestiges de ce « langage dans le langage » qui a le pouvoir d'éveiller en nous *« l'univers poétique »* (cf. p. 330). Il use des ressources de la *versification* avec une extrême souplesse et soumet le lecteur à la *suggestion* des rythmes, des rimes, des allitérations, des assonances et des modulations harmonieuses du vers. A ce degré de *perfection,* sa poésie tient de l'*incantation magique* et justifie le titre de *Charmes*.

Les Pas

On admire à juste titre les nuances subtiles par lesquelles l'auteur suggère la ferveur de *l'attente,* le charme complexe des instants qui précèdent le retour de l'être aimé. Ces vers offrent aussi, comme en surimpression, un *sens allégorique :* cette attente serait celle de *l'inspiration ;* cette douceur serait *l'émoi du poète* lorsqu'il devine, au fond de son cœur, la lente approche de la Muse.

Tes pas, enfants de mon silence,
Saintement, lentement placés,
Vers le lit de ma vigilance
Procèdent muets et glacés.

Personne pure, ombre divine,
Qu'ils sont doux, tes pas retenus !
Dieux !... tous les dons que je devine
Viennent à moi sur ces pieds nus !

Si, de tes lèvres avancées,
Tu prépares pour l'apaiser,
A l'habitant de mes pensées
La nourriture d'un baiser,

Ne hâte pas cet acte tendre,
Douceur d'être et de n'être pas,
Car j'ai vécu de vous attendre,
Et mon cœur n'était que vos pas.

Cantique des Colonnes

Passionné par l'architecture (cf. p. 362), PAUL VALÉRY dédie cet hymne à *l'harmonie* de la colonne antique. Architecture, musique, danse, mathématiques et poésie sont unies par une secrète parenté : toutes reposent sur la *science exacte* et le *travail lucide,* toutes traduisent notre élan vers une *divine perfection.* Pour évoquer la légèreté aérienne des colonnes, leur pureté dans l'air limpide, la technique du poète doit faire oublier sa rigueur : dans ce *cantique* frais et gracieux, tout est harmonie ; tantôt précieuses, tantôt baroques, les images sont autant de trouvailles et la fantaisie souriante de l'artiste s'accorde avec la *lumière* de la Grèce. – THÈMES : *Art. Beaux-arts. Antiquité. Symboles.*

Douces colonnes, aux
Chapeaux garnis de jour [1],
Ornés de vrais oiseaux
Qui marchent sur le tour,

Douces colonnes, ô
L'orchestre de fuseaux !
Chacun immole son
Silence à l'unisson [2].

« Que portez-vous si haut,
10 Égales radieuses ?
— Au désir sans défaut
Nos grâces studieuses [3] !

Nous chantons à la fois
Que nous portons les cieux !
O seule et sage voix
Qui chantes pour les yeux !

Vois quels hymnes candides !
Quelle sonorité
Nos éléments limpides
20 Tirent de la clarté [4] !

Si froides et dorées
Nous fûmes de nos lits
Par le ciseau tirées,
Pour devenir ces lys !

De nos lits de cristal
Nous fûmes éveillées,
Des griffes de métal
Nous ont appareillées [5].

Pour affronter la lune,
La lune et le soleil,   30
On nous polit chacune
Comme ongle de l'orteil !

Servantes sans genoux,
Sourires sans figures,
La belle devant nous
Se sent les jambes pures [6].

Pieusement pareilles,
Le nez sous le bandeau [7]
Et nos riches oreilles
Sourdes au blanc fardeau,   40

Un temple sur les yeux
Noirs pour l'éternité,
Nous allons sans les dieux [8]
A la divinité !

Nos antiques jeunesses,
Chair mate et belles ombres,
Sont fières des finesses
Qui naissent par les nombres [9] !

(Librairie Gallimard, éditeur).

— 1 Aux *chapiteaux* délicatement sculptés (cf. « ajourés »). Tout le long du *Cantique* les colonnes seront assimilées à des *femmes.* — 2 Correspondance, entre architecture et musique. Cf. *Eupalinos* : « *Je veux entendre le chant des colonnes, et me figurer dans le ciel pur le monument d'une mélodie.* » — 3 Leur grâce est le fruit du travail. — 4 Cf. *Eupalinos* : « Il préparait à *la lumière* un instrument incomparable qui la répandît, tout affectée de formes intelligibles et de propriétés presque *musicales* ». — 5 *Appareiller :* façonner et agencer les matériaux, mais le mot suggère aussi les colonnes *rendues pareilles* (cf. v. 37). — 6 La colonne offre, dans sa *pureté,* l'exemple d'une *jambe* « idéale ». — 7 Assise de pierre *reposant horizontalement sur les colonnes.* Le chapiteau devient ici la *tête* de la colonne, dont le *nez* et les *yeux* (v. 41) seraient recouverts par le *bandeau ;* les volutes ioniques sont comme des *oreilles* (v. 39). — 8 « Divines » par leur beauté, elles ornent le temple dont les dieux sont abandonnés. — 9 Cf. Eupalinos s'adressant aux ouvriers : « *Il ne leur donnait que des ordres et des nombres... C'est la manière même de Dieu.* »

Inspiration méditerranéenne

Temple d'Héra à Métaponte,
VIe s. av. J.-C. (Ph. © G. Dagli Orti)

Dessin de C.-P. Josso, 1923, pour
« Eupalinos ou l'Architecte ».
(Ph. © Bibl.-Nat. — Arch. Photeb © by ADAGP 1988
© by Éd. Gallimard)

Cantique des colonnes

C'est dans *Eupalinos* que Valéry a dit toute sa ferveur pour l'architecture grecque. Comme dans le *Cantique des colonnes*, il y souligne les parentés entre l'architecture et la musique (cf. **p. 362**). Dans ses dessins, Valéry s'exerçait à traduire l'harmonie des colonnes grecques. La présence de portées musicales dans cette illustration de C. Josso nous rappelle la page d'*Eupalinos* où un temple aux lignes pures est comparé à « un chant nuptial mêlé de flûtes ».

Filles des nombres d'or [10],
50 Fortes des lois du ciel,
Sur nous tombe et s'endort
Un dieu couleur de miel.

Il dort content, le Jour,
Que chaque jour offrons
Sur la table d'amour
Étale sur nos fronts [11].

Incorruptibles sœurs,
Mi-brûlantes, mi-fraîches,
Nous prîmes pour danseurs
60 Brises et feuilles sèches.

Et les siècles par dix,
Et les peuples passés,
C'est un profond jadis,
Jadis jamais assez !

Sous nos mêmes amours
Plus lourdes que le monde
Nous traversons les jours
Comme une pierre l'onde !

Nous marchons dans le temps
Et nos corps éclatants 70
Ont des pas ineffables
Qui marquent dans les fables [12]. »

Librairie Gallimard, éditeur.

FRAGMENTS DU NARCISSE

Dans ses *Métamorphoses* (III, 6), le poète latin Ovide avait traité la légende de NARCISSE, le bel adolescent qui s'éprend de son image reflétée par les eaux et, se détournant de tout autre amour, se perd, jusqu'à en mourir, dans la contemplation de lui-même. Ce sujet semble avoir hanté VALÉRY qui l'a abordé dans *Narcisse parle* (*Album...*, 1890), puis dans ces *Fragments du Narcisse* (I, 1919 ; II et III, 1922-1923), et enfin dans la *Cantate du Narcisse* (1938). Avec un admirable lyrisme, digne des plus pures harmonies de Racine et de Mallarmé, il évoque dans ces *Fragments* la pathétique aventure du beau Narcisse. Mais sa prédilection pour ce thème s'explique surtout par le *symbole* qu'il ne cesse de nous suggérer à travers le mythe : celui de la *connaissance de soi,* source de délices et de tourments pour l'esprit qui ne peut se détacher de cette investigation lucide, et que torture pourtant l'impossibilité de briser l'obstacle entre « l'Unique et l'Universel qu'il se sent être et cette personne finie et particulière qu'il se voit dans le miroir d'eau » (Walzer, *d'après l'auteur*).

Cur aliquid vidi [1] ?

Que tu brilles enfin, terme pur de ma course [2] !

Ce soir, comme d'un cerf, la fuite vers la source
Ne cesse qu'il ne tombe au milieu des roseaux,
Ma soif me vient abattre au bord même des eaux.
Mais, pour désaltérer cette amour curieuse,
Je ne troublerai pas l'onde mystérieuse :
Nymphes ! si vous m'aimez, il faut toujours dormir [3] !
La moindre âme [4] dans l'air vous fait toutes frémir ;
Même, dans sa faiblesse, aux ombres [5] échappée,
10 Si la feuille éperdue effleure la napée [6],
Elle suffit à rompre un univers dormant...
Votre sommeil importe à mon enchantement,

— 10 L'harmonie est obtenue « au moyen de nombres et de rapports de nombres » ; selon les pythagoriciens, les nombres sont d'essence divine, et le « nombre d'or » définit la proportion la plus harmonieuse. — 11 Le *jour* (la lumière du soleil), réfléchi chaque *jour* sur leur *front* est comme une *offrande* déposée sur une *table*. — 12 *Légendes*.

— 1 « *Pourquoi ai-je vu quelque chose ?* » (Ovide, *Tristes*, II, 103). — 2 La *source* est le *miroir* qui attire Narcisse. — 3 Pour que le miroir des eaux reste *pur*. Cf. « le miroir au bois dormant » (*Narcisse parle* ; cf. p. 20). — 4 Latin *anima :* souffle. — 5 Au feuillage *sombre*. — 6 Nymphe des vallons et des bocages.

Il craint jusqu'au frisson d'une plume qui plonge !
Gardez-moi longuement ce visage pour songe [7]
Qu'une absence divine [8] est seule à concevoir !
Sommeil des nymphes, ciel, ne cessez de me voir !

Rêvez, rêvez de moi !... Sans vous, belles fontaines,
Ma beauté, ma douleur, me seraient incertaines.
Je chercherais en vain ce que j'ai de plus cher,
20 Sa tendresse confuse étonnerait ma chair,
Et mes tristes regards, ignorants de mes charmes,
A d'autres que moi-même adresseraient leurs larmes [9]...

Vous attendiez, peut-être, un visage sans pleurs,
Vous calmes, vous toujours de feuilles et de fleurs,
Et de l'incorruptible altitude [10] hantées,
O Nymphes !... Mais docile [11] aux pentes enchantées
Qui me firent vers vous d'invincibles chemins,
Souffrez ce beau reflet des désordres humains [12] !

Heureux vos corps fondus, Eaux planes et profondes !
30 Je suis seul !... Si les Dieux, les échos et les ondes
Et si tant de soupirs permettent qu'on le soit !
Seul !... mais encor celui qui s'approche de soi [13]
Quand il s'approche aux bords que bénit [14] ce feuillage...
Des cimes, l'air déjà cesse le pur pillage ;
La voix des sources change, et me parle du soir [15] ;
Un grand calme m'écoute, où j'écoute l'espoir.
J'entends l'herbe des nuits croître dans l'ombre sainte,
Et la lune perfide élève son miroir
Jusque dans les secrets de la fontaine éteinte...
40 Jusque dans les secrets que je crains de savoir,
Jusque dans le repli de l'amour de soi-même,
Rien ne peut échapper au silence du soir [16]...
La nuit vient sur ma chair lui souffler que je l'aime.
Sa voix fraîche à mes vœux tremble de consentir ;
A peine, dans la brise, elle semble mentir [17],
Tant le frémissement de son temple tacite [18]
Conspire au spacieux silence d'un tel site.

— 7 Image inconsistante comme un rêve (cf. v. 17). — 8 Seule *l'absence* (c.-à-d. *l'immobilité*) des nymphes permet à l'image de se former sur les eaux. — 9 Ainsi Narcisse se détourne de l'amour pour les autres créatures et reporte sur lui-même son besoin d'aimer et de connaître. Cf. *Vigny* : « Tourmenté de s'aimer, tourmenté de se voir » *(La Maison du berger).* — 10 La profondeur et la pureté de l'eau. — 11 Renvoie librement à *me* (v. 27). — 12 Comme *l'instinct* « invincible » qui l'a attiré vers la source, ses larmes sont l'expression de la *nature humaine.* — 13 Devenir *l'objet* de sa propre observation, n'est-ce pas en effet se dédoubler, et rompre sa solitude ? — 14 Cf. p. 361 (v. 26-27). — 15 Les vers 35-39 sont repris, à peu de chose près, de *Narcisse parle.* — 16 Le mystère de la *nature,* admirablement suggéré dans ces vers, introduit à la connaissance intime du mystère de l'*âme.* — 17 Si c'est une illusion, elle est *à peine* perceptible. — 18 La forêt silencieuse.

O douceur de survivre à la force du jour [19],
Quand elle se retire enfin rose d'amour,
50   Encore un peu brûlante, et lasse, mais comblée,
Et de tant de trésors tendrement accablée
Par de tels souvenirs qu'ils empourprent sa mort,
Et qu'ils la font heureuse agenouiller dans l'or,
Puis s'étendre, se fondre, et perdre sa vendange,
Et s'éteindre en un songe en qui le soir se change.

Au lieu d'apaiser NARCISSE, *la contemplation de son image ne lui apporte qu'inquiétude
et ennui : tel est le tourment d'une introspection insatiable et décevante. Devant son
« double », il en vient à douter de l'unité de son Moi. Il voudrait retrouver l'ingénuité du
jeune homme qui, sans s'analyser, s'émerveillait du « gracieux éclat » de son corps. Mais
— symbole de l'impossibilité de se connaître parfaitement — il se lamente de ne pouvoir extraire
de l'onde cet autre lui-même qui l'attire invinciblement, « Délicieux démon, désirable et glacé ».*

Te voici, mon doux corps de lune et de rosée [20],
O forme obéissante à mes vœux opposée !
Qu'ils sont beaux, de mes bras les dons vastes et vains !
Mes lentes mains, dans l'or adorable se lassent
D'appeler ce captif que les feuilles enlacent ;
120 Mon cœur jette aux échos l'éclat des noms divins [21] !...
     Mais que ta bouche est belle en ce muet blasphème [22] !
O semblable !... Et pourtant plus parfait que moi-même [23],
Éphémère immortel [24], si clair devant mes yeux,
Pâles membres de perle, et ces cheveux soyeux,
Faut-il qu'à peine aimés, l'ombre les obscurcisse,
Et que la nuit déjà nous divise, ô Narcisse,
Et glisse entre nous deux le fer qui coupe un fruit !
Qu'as-tu ?   Ma plainte même est funeste ?...
                                          Le bruit
Du souffle que j'enseigne à tes lèvres, mon double,
130 Sur la limpide lame a fait courir un trouble [25] !...
Tu trembles !... Mais ces mots que j'expire à genoux
Ne sont pourtant qu'une âme hésitante [26] entre nous,
Entre ce front si pur et ma lourde mémoire...
Je suis si près de toi que je pourrais te boire,
O visage !... Ma soif [27] est un esclave nu...
     Jusqu'à ce temps charmant je m'étais inconnu,

— 19 Valéry considérait comme son chef-d'œuvre de *poésie pure* ce « crépuscule » symboliste figuré par l'image d'une amante qui s'endort. — 20 Les v. 115-120 sont repris presque littéralement de *Narcisse parle.* — 21 Pour *désigner* les beautés de son corps. Dans *Narcisse parle,* où le héros suppliait les dieux de libérer son *double,* il disait au contraire : « Et je crie aux échos les noms des dieux *obscurs ».* — 22 Blasphème consistant à diviniser son être. — 23 Valéry avait transcrit ce vers au bas d'une photographie le représentant à sa table de travail. — 24 Reflet éphémère d'une essence immortelle. — 25 De même, un rien suffit à altérer la claire connaissance de soi. — 26 Un *souffle* qui tremble (cf. v. 8). — 27 Cf. v. 4-5.

Valéry et les mythes

François Le Moine, « Narcisse », 1758. (Kunsthalle, Hambourg. Ph. Ralph Kleinhempel © Arch. Photeb)

Narcisse

S'inspirant de la légende de Narcisse, **Valéry** brode de séduisantes variations sur l'introspection, la contemplation émerveillée du *moi*, les tourments qu'elles réservent à ceux qui s'y abandonnent.

Et je ne savais pas me chérir et me joindre [28] !
Mais te voir, cher esclave, obéir à la moindre
Des ombres dans mon cœur se fuyant à regret,
140 Voir sur mon front l'orage et les feux d'un secret,
Voir, ô merveille, voir ! ma bouche nuancée
Trahir... peindre sur l'onde une fleur de pensée,
Et quels événements étinceler dans l'œil !
J'y trouve un tel trésor d'impuissance et d'orgueil [29],
Que nulle vierge enfant échappée au satyre,
Nulle ! aux fuites habiles, aux chutes sans émoi,
Nulle des nymphes, nulle amie [30], ne m'attire
Comme tu fais sur l'onde, inépuisable Moi [31] !...

II. « Le plus beau des mortels ne peut chérir que soi », *mais* NARCISSE *s'approche en vain de son image : ainsi l'esprit s'épuise à vouloir* « se surprendre soi-même et soi-même saisir ».

III. *Au moment où il va s'unir à cet autre lui-même, le contact avec la surface des eaux anéantit brusquement son image. La fin du poème révèle l'échec de* NARCISSE *épris de son image, et, symboliquement, l'échec de l'intelligence avide de pousser jusqu'au bout la connaissance de soi.*

O mon corps, mon cher corps, temple qui me sépares
De ma divinité [32], je voudrais apaiser
Votre bouche... Et bientôt, je briserais, baiser,
Ce peu qui nous défend de l'extrême existence,
Cette tremblante, frêle, et pieuse distance
Entre moi-même et l'onde, et mon âme, et les dieux !...
Adieu... Sens-tu frémir mille flottants adieux ?
300 Bientôt va frissonner le désordre des ombres !
L'arbre aveugle vers l'arbre étend ses membres sombres,
Et cherche affreusement l'arbre qui disparaît...
Mon âme ainsi se perd dans sa propre forêt,
Où la puissance échappe à ses formes suprêmes [33]...
L'âme, l'âme aux yeux noirs, touche aux ténèbres mêmes,
Elle se fait immense et ne rencontre rien...
Entre la mort et soi, quel regard est le sien !

Dieux ! de l'auguste jour, le pâle et tendre reste
Va des jours consumés joindre le sort funeste ;
310 Il s'abîme aux enfers du profond souvenir !
Hélas ! corps misérable, il est temps de s'unir...
Penche-toi... Baise-toi. Tremble de tout ton être !
L'insaisissable amour que tu me vins promettre
Passe, et dans un frisson, brise Narcisse, et fuit [34]...

Librairie Gallimard, éditeur.

— 28 Narcisse cède peu à peu au délice de surprendre, dans son image, la trace de ses sentiments fugitifs. — 29 Alliance de mots exprimant les délices et le tourment de la connaissance de soi. — 30 Trois syllabes. — 31 Cf. p. 337. — 32 Le corps est l'obstacle entre l'être et son essence éternelle (cf. v. 296-298). — 33 A la nuit qui enveloppe la nature correspondent les ténèbres intérieures et les mystères que ne peut pénétrer le regard perçant de la conscience (cf. v. 305-307). — 34 Ce dernier vers, qui exprime l'échec, restera *sans rime*.

Les grenades

Par la précision évocatrice du vocabulaire et la qualité expressive des vers, la description peut rivaliser ici avec « une nature morte de Cézanne ou de Matisse » (R. Monestier). Le symbole est celui de la lente maturation des idées jusqu'au moment où une force mystérieuse fait *éclater* au grand jour les richesses intérieures que cachait un *front souverain.*

Dures grenades entr'ouvertes
Cédant à l'excès de vos grains,
Je crois voir des fronts souverains
Éclatés de leurs découvertes !

Si les soleils par vous subis,
O grenades entre-bâillées,
Vous ont fait d'orgueil travaillées
Craquer les cloisons de rubis,

Et que si [1] l'or sec de l'écorce
A la demande d'une force
Crève en gemmes rouges de jus,

Cette lumineuse rupture
Fait rêver une âme que j'eus
De sa secrète architecture.

Le vin perdu

Ces quelques gouttes de vin rappellent les *libations* à la mode antique, ou l'offrande eucharistique. En apparence elles vont *se perdre* dans l'Océan et leur action semble vaine ; pourtant les ondes sont *ivres* et l'immensité est mise en mouvement. Ainsi les trouvailles des artistes et des penseurs, qui semblaient *perdues,* peuvent susciter des chefs-d'œuvre inattendus.

J'ai, quelque jour, dans l'Océan,
(Mais je ne sais plus sous quels cieux)
Jeté, comme offrande au néant [2],
Tout un peu de vin précieux...

Qui voulut ta perte, ô liqueur ?
J'obéis peut-être au devin [3] ?
Peut-être au souci de mon cœur [4],
Songeant au sang [5], versant le vin ?

Sa transparence accoutumée
Après une rose fumée
Reprit aussi pure la mer...

Perdu ce vin, ivres les ondes !...
J'ai vu bondir dans l'air amer
Les figures les plus profondes...

Librairie Gallimard, éditeur.

La Pythie

Les anciens ont souvent traité le thème de la *prêtresse* en proie au dieu : VALÉRY le reprend ici avec une admirable vigueur. C'est d'abord, au milieu d'une sarabande d'images étranges, le *désordre physique* qui fait de la Pythie un être monstrueux. Puis, peu à peu, *une autre intelligence* se substitue à la sienne ; elle a beau protester, refuser de parler ce langage bizarre et obscur, la force mystérieuse l'emporte : ses « deux natures » s'unissent, et elle révèle aux hommes le *message divin.* Cette prise de possession graduelle, par une puissance surnaturelle, d'un être qui se débat en vain, l'art du poète nous la fait *vivre* avec une intensité saisissante. Mais la *dernière strophe* nous ouvre d'autres perspectives. Le désordre de la prophétesse figure, semble-t-il, la « transe » du *poète inspiré* à la manière romantique. Or VALÉRY refuse de le réduire au rôle de « médium » (cf. p. 333) ; aussi, non sans *ironie*, l'oracle d'Apollon nous révèle la nécessité d'unir le *travail* à l'*inspiration.*
THÈMES : *Art. Beaux-arts. Réel et irréel. Antiquité. Symboles.*

La Pythie [1], exhalant la flamme
De naseaux durcis par l'encens,
Haletante, ivre, hurle !... l'âme
Affreuse, et les flancs mugissants !
Pâle, profondément mordue [2],

Et la prunelle suspendue
Au point le plus haut de l'horreur,
Le regard qui manque à son masque
S'arrache vivant à la vasque,
A la fumée, à la fureur !　　10

— 1 *Et si* (archaïsme). — 2 Elle semble perdue. — 3 A la volonté du *destin.* — 4 A quelque impulsion secrète. — 5 Comme le prêtre, versant le vin, renouvelle le sacrifice du Christ.

— 1 Assise sur le trépied, elle sent monter la *crise* qui précède le délire prophétique. — 2 Selon l'auteur, c'est ce vers qui fut à l'origine du poème *« sans qu'il ait su d'abord ni comment il serait, ni ce qu'il allait y dire »* (Gide).

Sur le mur, son ombre démente
Où domine un démon majeur,
Parmi l'odorante tourmente
Prodigue un fantôme nageur [3],
De qui la transe colossale,
Rompant les aplombs de la salle,
Si la folle tarde à hennir [4],
Mime de noirs enthousiasmes,
Hâte les dieux, presse les spasmes
20 De s'achever dans l'avenir [5] !

Cette martyre en sueurs froides,
Ses doigts sur mes doigts se crispant,
Vocifère entre les ruades
D'un trépied qu'étrangle un serpent [6] :
« Ah ! maudite !... Quels maux je souffre !
Toute ma nature est un gouffre !
Hélas ! Entr'ouverte aux esprits,
J'ai perdu mon propre mystère !... »
Une Intelligence adultère [7]
30 Exerce [8] un corps qu'elle a compris [9] ! [...]

Qui me parle, à ma place même ?
Quel écho me répond : « Tu mens ! »
Qui m'illumine ?... Qui blasphème ?
Et qui, de ces mots écumants,
Dont les éclats hachent ma langue,
La fait brandir une harangue
Brisant la bave et les cheveux
Que mâche et trame le désordre
D'une bouche qui veut se mordre
50 Et se reprendre ses aveux [10] ?

Dieu ! Je ne me connais de crime
Que d'avoir à peine vécu !...
Mais si tu me prends pour victime
Et sur l'autel d'un corps vaincu
Si tu courbes un monstre [11], tue
Ce monstre, et la bête abattue,
Le col tranché, le chef produit [12]
Par les crins qui tirent les tempes,
Que cette plus pâle des lampes
60 Saisisse de marbre la nuit [13] !

Alors, par cette vagabonde
Morte, errante, et lune à jamais,
Soit [14] l'eau des mers surprise, et l'onde
Astreinte à d'éternels sommets !
Que soient les humains faits statues,
Les cœurs figés, les âmes tues,
Et par les glaces de mon œil,
Puisse un peuple de leurs paroles
Durcir en un peuple d'idoles [15]
Muet de sottise et d'orgueil !   70

Eh ! Quoi !... Devenir la vipère
Dont tout le ressort de frissons
Surprend la chair que désespère
Sa multitude de tronçons [16] !...
Reprendre une lutte insensée !...
Tourne donc plutôt ta pensée
Vers la joie enfuie, et reviens,
O mémoire, à cette magie
Qui ne tirait son énergie
D'autres arcanes [17] que des tiens [18] ! [...] 80

Pourquoi, Puissance Créatrice,
Auteur du mystère animal,
Dans cette vierge pour matrice,
Semer les merveilles du mal ?
Sont-ce les dons que tu m'accordes ?
Crois-tu, quand se brisent les cordes
Que le son jaillisse plus beau [19] ?
Ton plectre [20] a frappé sur mon torse,
Mais tu ne lui laisses la force
Que de sonner comme un tombeau !   140

Sois clémente, sois sans oracles !
Et de tes merveilleuses mains,
Change en caresses les miracles,
Retiens les présents surhumains !
C'est en vain que tu communiques
A nos faibles tiges, d'uniques
Commotions de ta splendeur !
L'eau tranquille est plus transparente
Que toute tempête parente
D'une confuse profondeur [21] !   150

— 3 Son ombre glisse sur le mur. — 4 Elle
devient la proie d'une sorte de bestialité (cf. v.
2, 4, etc.). — 5 Dans les paroles prophétiques.
— 6 La dépouille du serpent Python. — 7 Étrangère. — 8 Tourmente. — 9 Dont elle s'est
emparée. — 10 L'enthousiasme lui arrache un
langage qu'elle ne reconnaît pas pour sien.
— 11 Elle se sent « monstrueuse » et invite
Apollon à lui trancher la tête. — 12 La tête

présentée en avant. — 13 Semblable à la tête de
Méduse dont les yeux *changeaient en pierre* ceux
qu'ils regardaient. — 14 Subj. de souhait (cf. v.
65). — 15 Images. — 16 Elle repousse l'idée d'une
mort qui ne serait pas un anéantissement.
— 17 Secrets. — 18 *La Pythie s'élève alors contre
la violence infligée à sa nature : « Il faut gémir, il faut
atteindre Je ne sais quelle extase »*. — 19 Critique
du délire inspiré (cf. p. 333). — 20 Sorte d'archet.
— 21 Supériorité de la création *lucide* (cf. p. 332).

Va, la lumière la divine
N'est pas l'épouvantable éclair [22]
Qui nous devance et nous devine
Comme un songe cruel et clair !
Il éclate !... Il va nous instruire !...
Non !... La solitude vient luire
Dans la plaie immense des airs
Où nulle pâle architecture,
Mais la déchirante rupture
160 Nous imprime de purs déserts !

N'allez donc, mains universelles,
Tirer de mon front orageux
Quelques suprêmes étincelles !
Les hasards font les mêmes jeux [23] !
Le passé, l'avenir sont frères
Et par leurs visages contraires [24]
Une seule tête pâlit
De ne voir où qu'elle regarde
Qu'une même absence hagarde
170 D'îles plus belles que l'oubli.

Noirs témoins de tant de lumières
Ne cherchez plus... Pleurez, mes yeux !...
O pleurs dont les sources premières
Sont trop profondes dans les cieux !...
Jamais plus amère demande !...
Mais la prunelle la plus grande
De ténèbres se doit nourrir !...
Tenant notre race atterrée,
La distance désespérée
180 Nous laisse le temps de mourir !

Entends [25], mon âme, entends ces fleuves !
Quelles cavernes sont ici ?
Est-ce mon sang ?... Sont-ce les neuves
Rumeurs des ondes sans merci ?
Mes secrets sonnent leurs aurores !
Tristes airains, tempes sonores,
Que dites-vous de l'avenir !
Frappez, frappez, dans une roche,
Abattez l'heure la plus proche...
190 Mes deux natures [26] vont s'unir !

O formidablement gravie,
Et sur d'effrayants échelons,
Je sens dans l'arbre de ma vie
La mort monter de mes talons !
Le long de ma ligne frileuse,
Le doigt mouillé de la fileuse [27]
Trace une atroce volonté !
Et par sanglots grimpe la crise
Jusque dans ma nuque où se brise
Une cime de volupté !   200

Ah ! brise les portes vivantes !
Fais craquer les vains scellements,
Épais troupeau des épouvantes [28],
Hérissé d'étincellements !
Surgis des étables funèbres
Où te nourrissaient mes ténèbres
De leur fabuleuse foison !
Bondis, de rêves trop repue,
O horde épineuse et crépue,
Et viens fumer dans l'or, Toison ! »   210

Telle, toujours plus tourmentée,
Déraisonne, râle et rugit
La prophétesse fomentée [29]
Par les souffles de l'or rougi.
Mais enfin le ciel se déclare !
L'oreille du pontife hilare [30]
S'aventure vers le futur :
Une attente sainte la penche,
Car une voix nouvelle et blanche
Échappe de ce corps impur :   220

Honneur des Hommes [31], Saint LANGAGE,
Discours prophétique et paré [32],
Belles chaînes en qui s'engage
Le dieu dans la chair égaré,
Illumination, largesse !
Voici parler une Sagesse
Et sonner cette auguste Voix
Qui se connaît quand elle sonne
N'être plus la voix de personne
Tant que des ondes et des bois !   230

Librairie Gallimard, éditeur.

— 22 L'éclat de la foudre, loin d'éclairer le ciel, lui laisse son mystère et ne révèle que des « déserts ». — 23 Ses prédictions n'ont pas plus de valeur que le hasard. — 24 L'homme est semblable au *Janus* des Latins qui avait deux visages : regardant à la fois vers le passé et vers l'avenir, il n'y voit que des images décevantes. — 25 Voici les signes avant-coureurs de l'inspiration prophétique. — 26 Humaine et divine. — 27 La Parque. — 28 Les paroles inspirées sont comparées à un *troupeau* de bêtes fantastiques. — 29 Échauffée. — 30 Le prêtre, heureux de recueillir l'oracle. — 31 L'oracle définit majestueusement la poésie telle que la conçoit Valéry. — 32 Il associe l'inspiration et le travail.

Valéry et les mythes

*« Ève couchée », cathédrale d'Autun
(XIIᵉ s.).* (Fragment du linteau du portail nord.
Ph. © Jean Roubier)

« Ménade dansant », peinture de vase grec.
(Atelier du « peintre de Meidias ». Badisches Landesmuseum,
Karlsruhe. Ph. © du musée — Arch. Photeb)

Lucidité et « puissances de la nuit »

Épris de lucidité et de maîtrise de soi, Valéry traite
à sa manière les mythes où l'être humain est
dépossédé de sa volonté et de sa personnalité.
• Dans *Ébauche d'un serpent*, ce sont les ruses de
Satan qui triomphent d'Ève malgré sa résistance.
L'attitude de la victime, qui cueille le fruit mortel
comme à la dérobée, suggère le conflit entre la
conscience de la faute et l'obstination victorieuse du
désir.
• Malgré ses protestations, la *Pythie* (cf. **p. 349-351**)
est subjuguée par le dieu qui va parler par sa bouche ;
de même la *Ménade* est en proie au délire dionysiaque, mais, au lieu de se débattre, elle s'y abandonne
avec volupté.

Ébauche d'un serpent

Bercé par la brise dans la ramure de l'Arbre de la Science, le démon qui a pris la forme d'un SERPENT contemple le Paradis terrestre. Il soutient qu'en créant le monde, nécessairement imparfait, Dieu a commis une faute portant atteinte à son propre Absolu, car « *l'univers n'est qu'un défaut Dans la pureté du Non-être* ». Satan se fait donc un malin plaisir de régner sur les êtres que Dieu avait créés à son image pour le servir, et c'est par *la conscience de soi* et *l'orgueil* qu'il conduit les hommes à leur perte. Dans ces strophes, il rappelle ironiquement la *tentation* qui a inspiré à ÈVE le désir de mordre aux « fruits de mort » (cf. *Moyen Age*, p. 154). Mais les trois derniers vers semblent être *la réplique victorieuse du poète* qui exalte la Science par laquelle l'homme s'élève jusqu'à l'Être suprême.
THÈMES : *Diable. Bible. Philosophie. Femme. Symboles.*

« Rien, lui soufflais-je, n'est moins sûr
Que la parole divine, Ève !
Une science vive crève
L'énormité de ce fruit mûr [1] !
N'écoute l'Être vieil et pur
Qui maudit la morsure brève !
Que si ta bouche fait un rêve,
Cette soif qui songe à la sève,
Ce délice à demi futur,
210 C'est l'éternité fondante, Ève ! »

Elle buvait mes petits mots
Qui bâtissaient une œuvre étrange ;
Son œil, parfois, perdait un ange [2]
Pour revenir à mes rameaux.
Le plus rusé des animaux
Qui te raille d'être si dure,
O perfide et grosse de maux,
N'est qu'une voix dans la verdure.
— Mais sérieuse l'Ève [3] était
220 Qui sous la branche l'écoutait !

« Ame, disais-je, doux séjour
De toute extase prohibée,
Sens-tu la sinueuse amour
Que j'ai du Père dérobée [4] ?
Je l'ai, cette essence du Ciel,
A des fins plus douces que miel
Délicatement ordonnée...
Prends de ce fruit... Dresse ton bras !
Pour cueillir ce que tu voudras
230 Ta belle main te fut donnée ! »

Quel silence battu d'un cil !
Mais quel souffle sous le sein sombre
Que mordait l'Arbre de son ombre !
L'autre brillait, comme un pistil !
— *Siffle, siffle !* me chantait-il [5] !
Et je sentais frémir le nombre [6],
Tout le long de mon fouet subtil,
De ces replis dont je m'encombre :
Ils roulaient depuis le béryl [7]
240 De ma crête, jusqu'au péril !

Génie ! O longue impatience !
A la fin, les temps sont venus,
Qu'un pas vers la neuve Science
Va donc jaillir de ces pieds nus !
Le marbre [8] aspire, l'or se cambre !
Ces blondes bases d'or et d'ambre
Tremblent au bord du mouvement !...
Elle chancelle, la grande urne,
D'où va fuir le consentement
250 De l'apparente taciturne ! [...]

Arbre, grand Arbre, Ombre des Cieux,
Irrésistible Arbre des arbres,
Qui dans les faiblesses des marbres [9],
Poursuis des sucs délicieux,
Toi qui pousses tels labyrinthes
Par qui les ténèbres étreintes
S'iront perdre dans le saphir
De l'éternelle matinée,
Douce perte, arôme ou zéphir,
280 Ou colombe prédestinée, [...]

— 1 Fruit de l'Arbre de la Science. — 2 *Qu'elle suivait du regard* (mais l'expression a aussi une valeur symbolique). — 3 Précédé de l'article, le nom propre prend une nuance familière et moqueuse. — 4 Le Serpent se présente comme une sorte de Prométhée, bienfaiteur des hommes. — 5 C'est l'appel des sens. — 6 *Le nombre... de ces replis* : les nombreux replis. — 7 Variété d'émeraudes. — 8 Les métaphores précieuses des v. 245-250 évoquent le corps prêt à se mouvoir. — 9 La *Connaissance* est symbolisée par cet *Arbre* dont les racines puisent dans les ténèbres de la terre les « sucs » que la sève élèvera jusqu'au ciel bleu.

Tu peux repousser l'infini
Qui n'est fait que de ta croissance,
Et de la tombe jusqu'au nid
Te sentir toute Connaissance !
Mais ce vieil amateur d'échecs,
Dans l'or oisif des soleils secs,
Sur ton branchage vient se tordre ;
Ses yeux font frémir ton trésor.
Il en cherra des fruits de mort,
300 De désespoir et de désordre !

Beau serpent, bercé dans le bleu,
Je siffle, avec délicatesse,
Offrant à la gloire de Dieu
Le triomphe de ma tristesse...
Il me suffit que dans les airs,
L'immense espoir de fruits amers
Affole les fils de la fange...
— Cette soif qui te fit géant,
Jusqu'à l'Être exalte l'étrange
Toute-Puissance du Néant !   310

Librairie Gallimard, éditeur.

LE CIMETIÈRE MARIN

« *Le Cimetière marin* a commencé en moi par un certain rythme, qui est celui du vers français de dix syllabes, coupé en quatre et six. Je n'avais encore aucune idée qui dût remplir cette forme. Peu à peu des mots flottants s'y fixèrent, déterminèrent de proche en proche le sujet, et le travail (un très long travail) s'imposa. » Ce cimetière qui domine la mer est celui de Sète, ville natale du poète, où il repose aujourd'hui auprès des siens ; il a voulu rassembler ici « les thèmes les plus simples et les plus constants de [sa] vie affective et intellectuelle, tels qu'ils s'étaient imposés à [son] adolescence et associés à la mer et à la lumière d'un certain lieu des bords de la Méditerranée ». Il s'agit d'une *méditation sur la vie et la mort*, dont l'idée se trouve résumée dans l'épigraphe grecque tirée de Pindare (*Pythiques,* III), qu'on pourrait ainsi traduire : « *O mon âme, n'aspire pas à la vie immortelle, mais épuise le champ du possible* ». Pour exprimer ces contrastes entre la mort et la vie, l'immobilité et le mouvement, la lumière et l'ombre, le poète a su tirer de son inspiration méditerranéenne un monde de sensations et d'images intensément évocatrices.

Thèmes : *Philosophie. Métaphysique. Mort. Bonheur. Nature. Symboles.*

Ce toit tranquille, où marchent des colombes [1],
Entre les pins palpite, entre les tombes ;
Midi le juste [2] y compose de feux [3]
La mer, la mer, toujours recommencée !
O récompense après une pensée
Qu'un long regard sur le calme des dieux !

Quel pur travail de fins éclairs consume [4]
Maint diamant d'imperceptible écume,
Et quelle paix semble [5] se concevoir !
10 Quand sur l'abîme un soleil se repose,
Ouvrages purs [6] d'une éternelle cause,
Le Temps scintille et le Songe est savoir [7].

Strophes I-IV : *Contemplation extatique : illusion de communier avec le « calme des dieux ».* 1 Mer calme, et voiles blanches. — 2 Le soleil, au zénith, divise le jour en parties *égales.* Midi symbolise l'*Être parfait.* — 3 Cf. « J'entends par *composition* un ordre de choses visibles et la transformation lente de cet ordre qui constitue tout le spectacle d'une journée » ; le soleil évoque l'idée d'un *maître unique.* — 4 Cette « *combustion* » qui produit le scintillement de la mer (v. 12) est presque immatérielle (cf. v. 55) : le poète est introduit dans le monde de l'absolu. — 5 Cette sérénité n'est peut-être qu'une illusion. — 6 Apposition à *Temps* et à *Songe* (v. 12). — 7 La contemplation du poète s'apparente à la vision divine : le temps est saisi, dans sa simultanéité, comme un éternel présent, et la connaissance résulte d'une communion intuitive.

Inspiration méditerranéenne

Paul Valéry, dessin pour « Le Cimetière marin », 1916. (Bibliothèque Nationale, Paris. Ph. © Bibl. Nat. – Arch Photeb © by SPADEM, 1988)

« Ce toit tranquille où marchent des colombes... »

Ce dessin de Valéry est la parfaite illustration des premiers vers du poème. La légende qui l'accompagne est tirée de la Strophe X :

Composé d'or, de pierre et d'arbres sombres
Où tant de marbre est tremblant sur tant d'ombres ;
La mer fidèle y dort sur mes tombeaux.

Stable trésor [8], temple simple à Minerve [9],
Masse de calme, et visible réserve,
Eau sourcilleuse, Œil qui gardes en toi [10]
Tant de sommeil sous un voile de flamme,
O mon silence !... Édifice dans l'âme,
Mais comble d'or aux mille tuiles, Toit !

Temple du Temps, qu'un seul soupir résume,
20 A ce point pur je monte et m'accoutume [11],
Tout entouré de mon regard marin ;
Et comme aux dieux mon offrande suprême,
La scintillation sereine sème
Sur l'altitude[12] un dédain souverain [13].

Comme le fruit se fond en jouissance,
Comme en délice il change son absence
Dans une bouche où sa forme se meurt,
Je hume ici ma future fumée [14],
Et le ciel chante à l'âme consumée
30 Le changement des rives en rumeur [15].

Beau ciel, vrai ciel, regarde-moi qui change [16] !
Après tant d'orgueil, après tant d'étrange [17]
Oisiveté, mais pleine de pouvoir [18],
Je m'abandonne à ce brillant espace,
Sur les maisons des morts mon ombre passe
Qui m'apprivoise à son frêle mouvoir [19].

L'âme exposée aux torches du solstice,
Je te soutiens [20], admirable justice
De la lumière aux armes sans pitié !
40 Je te rends pure à ta place première :
Regarde-toi !... Mais rendre la lumière
Suppose d'ombre une morne moitié [21].

— 8 Succession d'images évoquant les *trésors* et les *puissances* que recouvre le *calme* de la mer ; et, par correspondance, les richesses qui « sommeillent » sous le *silence* de l'âme. — 9 Déesse de la *sagesse*. — 10 La mer étincelante est un *œil* immense dont l'éclat *voile* des forces secrètes. — 11 Semblable aux dieux, le contemplateur *monte* jusqu'à ce *point d'absolu* où, affranchi de la durée, le Temps est l'instant *(soupir)* qui *résume* l'éternité. État d'exception qu'il peut croire *durable*. — 12 La *profondeur* de la mer (sens latin). — 13 Sérénité divine, dédaignant l'agitation des profondeurs de la mer et de l'âme.

STROPHES V-VIII : *Prise de conscience de l'être qui* « *change* », *éphémère et imparfait*. — 14 Il savoure d'avance le « futur » : son âme se dissipera en *fumée* quand le corps sera en cendres. — 15 La rumeur, opposée aux rives immuables, rappelle que l'être terrestre est « changeant » (cf. v. 31) et éphémère. — 16 *Beau*, *vrai* définissent l'Absolu, par opposition à l'être qui change. — 17 Cette communion avec l'Être absolu était étrangère à sa condition. — 18 Féconde en possibilités ? Exerçant sur lui sa toute-puissance ? — 19 Le poète se résigne à redevenir prisonnier de *l'espace* et du *temps,* à rentrer dans le monde des choses transitoires, rendu sensible par la vue des *tombes* et de son *ombre mouvante.* — 20 Il reçoit l'*éclat* de la lumière, et s'efforce de la réfléchir dans la *lucidité* de la conscience. — 21 Échec de l'homme qui voudrait être un esprit pur : il existe une zone d'ombre sur la connaissance et la conscience.

O pour moi seul, à moi seul, en moi-même,
Auprès d'un cœur, aux sources du poème,
Entre le vide et l'événement pur [22],
J'attends l'écho de ma grandeur interne,
Amère, sombre et sonore citerne,
Sonnant dans l'âme un creux toujours futur [23] !

Sais-tu, fausse captive des feuillages,
50 Golfe mangeur de ces maigres grillages [24],
Sur mes yeux clos, secrets éblouissants [25],
Quel corps me traîne à sa fin paresseuse,
Quel front l'attire à cette terre osseuse [26] ?
Une étincelle y [27] pense à mes absents.

Fermé, sacré, plein d'un feu sans matière,
Fragment terrestre offert à la lumière,
Ce lieu me plaît, dominé de flambeaux [28],
Composé d'or [29], de pierre et d'arbres sombres,
Où tant de marbre est tremblant sur tant d'ombres [30] ;
60 La mer fidèle y dort sur mes tombeaux !

Chienne splendide [31], écarte l'idolâtre !
Quand solitaire au sourire de pâtre,
Je pais longtemps, moutons mystérieux,
Le blanc troupeau de mes tranquilles tombes,
Éloignes-en les prudentes colombes,
Les songes vains, les anges curieux [32] !

Ici venu, l'avenir est paresse [33].
L'insecte net gratte la sécheresse [34] ;
Tout est brûlé, défait, reçu dans l'air
70 A je ne sais quelle sévère essence...
La vie est vaste, étant ivre d'absence [35],
Et l'amertume est douce, et l'esprit clair [36].

— 22 Le poète voudrait du moins tourner vers lui-même la lumière de sa conscience ; et, par une démarche qui lui est chère, saisir, dans l'acte poétique, le passage de l'indéfini *(le vide)* à la création *(l'événement pur)*. Cf. p. 363. — 23 L'attente passionnée est suivie d'une déception : la connaissance intime du Moi est toujours rejetée vers le *futur*.

STROPHES IX-XVIII : *La condition humaine : l'immortalité n'est qu'une illusion.* — 24 La mer est aperçue *à travers* les feuillages et les grillages du cimetière. — 25 Apposition à *captive* et à *golfe ?* Ne pas oublier non plus la correspondance entre le mystère des gouffres marins et les profondeurs secrètes de la conscience. — 26 Du cimetière. — 27 Représente *front*. — 28 Les cyprès (cf. v. 58). — 29 L'*or* de la lumière. — 30 Vu à travers l'air surchauffé, le marbre semble *vibrer*. — 31 Image préparée au v. précédent : *La mer fidèle...* — 32 Valéry repousse les *« songes »* spiritualistes de la vie éternelle. Cf. la *Colombe* du Saint Esprit et les *anges* gardiens figurés sur les tombes. — 33 Cf. v. 52 : sa fin *paresseuse*. — 34 Beau vers, évoquant *l'immatériel* par correspondance avec le crissement des cigales. — 35 Cf. v. 26 et 85. — 36 Au lieu d'en éprouver de *l'amertume* comme les autres hommes, le poète *lucide* accueille avec *douceur* la loi de la nature.

Les morts cachés sont bien dans cette terre
Qui les réchauffe et sèche [37] leur mystère.
Midi là-haut, Midi sans mouvement
En soi se pense et convient à soi-même [38]...
Tête complète et parfait diadème [39],
Je suis en toi le secret changement.

Tu n'as que moi pour contenir [40] tes craintes !
80　Mes repentirs, mes doutes, mes contraintes
Sont le défaut de ton grand diamant...
Mais dans leur nuit toute lourde de marbres,
Un peuple vague aux racines des arbres
A pris déjà ton parti lentement [41].

Ils ont fondu dans une absence épaisse,
L'argile rouge a bu la blanche espèce [42],
Le don de vivre a passé dans les fleurs !
Où sont des morts les phrases familières,
L'art personnel, les âmes singulières ?
90　La larve file où se formaient des pleurs.

Les cris aigus des filles chatouillées,
Les yeux, les dents, les paupières mouillées,
Le sein charmant qui joue avec le feu,
Le sang qui brille aux lèvres qui se rendent,
Les derniers dons, les doigts qui les défendent,
Tout va sous terre et rentre dans le jeu !

Et vous, grande âme, espérez-vous un songe [43]
Qui n'aura plus ces couleurs de mensonge
Qu'aux yeux de chair l'onde et l'or font ici ?
100　Chanterez-vous quand serez vaporeuse [44] ?
Allez ! Tout fuit ! Ma présence est poreuse [45],
La sainte impatience meurt aussi !

— 37 Tarit, dissipe. — 38 Cf. strophe I : Midi symbolise l'Être immuable et parfait ; contemplant sa propre essence, il se suffit à lui-même. — 39 Symboles matériels de la perfection divine. Dans cette apostrophe, et dans les v. 79-84, l'être humain se présente comme un « défaut » qui altère la perfection du grand Tout (cf. p. 352). — 40 Deux sens possibles : *a)* pour *soutenir* sans faiblesse les craintes que tu veux m'inspirer ; — *b)* pour *éprouver*, en toi, des craintes. — 41 Différant en cela des vivants, qui sont instables, les cadavres retrouvent, dans la terre où ils se dissolvent, la *stabilité* de la matière : ils prennent le parti de l'Être immuable qui se confond avec le Non-Être. — 42 *Les ossements.* Cette strophe et la suivante évoquent, avec le réalisme et la mélancolie d'un Villon, la condition de l'homme : anéantissement de ce qu'il y avait de plus haut dans l'ordre de la pensée et de plus vibrant dans l'ordre de la sensibilité. — 43 Rejet de l'idéalisme platonicien : la *grande âme* (aux aspirations *démesurées*) ne peut espérer quitter le domaine des *apparences* pour accéder au monde des idées pures, qui seraient les seules réalités. — 44 La pensée, l'activité poétique subsisteront-elles pour l'âme réduite à l'état de vapeur ? L'omission archaïque du pronom suggère cet état impalpable. — 45 Laisse « suinter » tout son contenu, même l'âme, même le désir impatient de l'immortalité (v. 102).

Maigre immortalité noire et dorée [46],
Consolatrice affreusement laurée,
Qui de la mort fais un sein maternel,
Le beau mensonge et la pieuse ruse !
Qui ne connaît, et qui ne les refuse,
Ce crâne vide et ce rire éternel !

Pères profonds, têtes inhabitées,
110 Qui sous le poids de tant de pelletées,
Êtes la terre et confondez nos pas [47],
Le vrai rongeur, le ver irréfutable
N'est point pour vous qui dormez sous la table [48],
Il vit de vie, il ne me quitte pas [49] !

Amour, peut-être, ou de moi-même haine [50] ?
Sa dent secrète est de moi si prochaine
Que tous les noms lui peuvent convenir !
Qu'importe ! Il voit, il veut, il songe, il touche !
Ma chair lui plaît, et jusque sur ma couche [51],
120 A ce vivant je vis d'appartenir [52] !

Zénon ! Cruel Zénon ! Zénon d'Élée [53] !
M'as-tu percé de cette flèche ailée
Qui vibre, vole, et qui ne vole pas !
Le son m'enfante et la flèche me tue [54] !
Ah ! le soleil... Quelle ombre de tortue
Pour l'âme, Achille immobile à grands pas [55] !

Non, non !... Debout ! Dans l'ère successive [56] !
Brisez, mon corps, cette forme pensive [57] !
Buvez, mon sein, la naissance du vent !
130 Une fraîcheur, de la mer exhalée,
Me rend mon âme... O puissance salée !
Courons à l'onde en rejaillir vivant [58] !

— 46 Strophe satirique : contraste railleur entre la réalité sensible de la mort et le rêve consolant de l'immortalité. Au v. 108, le crâne vide semble *ricaner* sur nos illusions.

STROPHES XIX-XXIV : *Conscient d'être vivant et soumis au devenir, le poète s'élance vers la vie et le mouvement.* — 47 Les morts, insensibles, *confondent* les pas de ceux qui viennent sur leur tombe et ne sentent pas la morsure des vers (v. 113). — 48 La *dalle* du tombeau. — 49 Ce *ver* est la conscience qui ronge l'être *vivant*. — 50 Cf. : « A la température de *l'intérêt passionné* ces deux états sont indiscernables » (*Variété*). — 51 Par le rêve, la conscience se mêle même à notre *sommeil*. — 52 C'est par la saisie de cette conscience qu'il se connaît comme être vivant, en continuel devenir.

— 53 Allusion aux sophismes de Zénon d'Élée qui aboutissent à nier le mouvement et, par suite, la vie. Entre l'arc et le but, la flèche serait immobile dans chaque fraction du temps divisé à l'infini ; de même Achille ne peut rejoindre la tortue. — 54 Double réfutation des arguments de Zénon. — 55 Regain d'inquiétude : l'âme est-elle, comme Achille, incapable d'atteindre son but ? Plus haut, le soleil représentait l'Être absolu (v. 3), puis la lucidité de la conscience (v. 38). — 56 Sursaut du poète qui repousse la tentation de l'immobilité : il veut vivre dans la durée, *succession* d'instants. — 57 Cette attitude de penseur, dont la méditation extatique tendait vers l'immobilité. — 58 L'agitation de la mer, qui s'anime, l'encourage à s'élancer vers la vie.

Oui ! Grande mer de délires douée [59],
Peau de panthère et chlamyde [60] trouée
De mille et mille idoles du soleil,
Hydre absolue [61], ivre de ta chair bleue,
Qui te remords l'étincelante queue [62]
Dans un tumulte au silence pareil [63],

Le vent se lève !... Il faut tenter de vivre [64] !
140 L'air immense ouvre et referme mon livre,
La vague en poudre ose jaillir des rocs !
Envolez-vous, pages tout éblouies [65] !
Rompez, vagues ! Rompez d'eaux réjouies
Ce toit tranquille où picoraient des focs [66] !

Librairie Gallimard, éditeur.

Palme

La *palme,* qui attend, dans l'azur, avec une patience inlassable, la chute de ses fruits enfin parvenus à leur *maturité,* nous dit à quel prix se conquiert la *perfection* du chef-d'œuvre : labeur persévérant, lente maturation, attente calme et confiante des circonstances favorables (cf. p. 333). La palme, *récompense du triomphateur,* représente aussi l'espérance de l'artiste au moment où il met le point final au recueil de *Charmes.* Ces vers terminent en effet l'ouvrage : dédiés « *à Jeannie* » (Mme Paul Valéry), ils constituent l'hommage du poète à l'épouse qui a su favoriser sa création littéraire, en même temps qu'ils rappellent, comme une ultime profession de foi, la *poétique* de Valéry.
THÈMES : *Art. Nature. Poète. Littérature. Symboles.*

De sa grâce redoutable [1]
Voilant à peine l'éclat,
Un ange met sur ma table
Le pain tendre, le lait plat ;
Il me fait de la paupière
Le signe d'une prière
Qui parle à ma vision :
— Calme, calme, reste calme !
Connais le poids d'une palme
10 Portant sa profusion [2] !

Pour autant qu'elle se plie
A l'abondance des biens,
Sa figure est accomplie,
Ses fruits lourds sont ses liens [3].
Admire comme elle vibre,
Et comme une lente [4] fibre
Qui divise le moment [5],
Départage sans mystère
L'attirance de la terre
Et le poids [6] du firmament !   20

— 59 Dans cette strophe, les images et l'harmonie suggèrent le mouvement de la mer. — 60 *Chlamyde :* manteau grec. *Idoles :* images (grec : *eïdôlon*). — 61 Deux sens qui se superposent : *a)* « eau déchaînée » (sens étymologique) ; — *b)* allusion à l'*hydre* antique dont les têtes renaissaient sans cesse. — 62 Le serpent qui se mord la queue symbolise à la fois le fini et l'éternel recommencement. — 63 Rumeur continue, dont *l'uniformité* « correspond » à celle du silence. — 64 A l'exemple de la mer qui se libère de sa torpeur, et dont l'agitation emplit toute la strophe, le poète refuse de prendre, comme les morts, le parti de l'immuable (cf. v. 84) : il opte pour le mouvement, pour la vie dans « l'ère successive ». — 65 La création poétique est une manifestation de l'option qui vient d'être faite. — 66 Voiles triangulaires à l'avant des bateaux.

— 1 Cette *grâce* féminine risquerait de détourner le poète de son effort créateur ; au contraire, *l'ange* va prodiguer apaisements et encouragements. — 2 De fruits. — 3 Leur poids la maintient dans sa courbure. — 4 Souple (latin : *lentus*). — 5 Comme un *balancier* qui divise le *temps.* — 6 La force attractive.

Ce bel arbitre mobile
Entre l'ombre et le soleil,
Simule d'une sibylle
La sagesse [7] et le sommeil [8].
Autour d'une même place
L'ample palme ne se lasse
Des appels ni des adieux...
Qu'elle est noble, qu'elle est tendre !
Qu'elle est digne de s'attendre
30 A la seule main des dieux [9] !

L'or léger qu'elle murmure [10]
Sonne au simple doigt de l'air,
Et d'une soyeuse armure
Charge l'âme du désert.
Une voix impérissable
Qu'elle rend au vent de sable
Qui l'arrose de ses grains,
A soi-même sert d'oracle,
Et se flatte du miracle
40 Que se chantent les chagrins [11].

Cependant qu'elle s'ignore
Entre le sable et le ciel,
Chaque jour qui luit encore
Lui compose un peu de miel [12].
Sa douceur est mesurée
Par la divine durée
Qui ne compte pas les jours,
Mais bien qui les dissimule
Dans un suc où s'accumule
50 Tout l'arôme des amours.

Parfois si l'on désespère,
Si l'adorable rigueur
Malgré tes larmes n'opère
Que sous ombre de langueur [13],
N'accuse pas d'être avare
Une Sage qui prépare
Tant d'or et d'autorité :
Par la sève solennelle [14]
Une espérance éternelle
Monte à la maturité !   60

Ces jours qui te semblent vides
Et perdus pour l'univers
Ont des racines avides
Qui travaillent les déserts.
La substance chevelue [15]
Par les ténèbres élue
Ne peut s'arrêter jamais
Jusqu'aux entrailles du monde,
De poursuivre l'eau profonde
Que demandent les sommets [16].   70

Patience, patience,
Patience dans l'azur [17] !
Chaque atome de silence
Est la chance d'un fruit mûr !
Viendra l'heureuse surprise :
Une colombe, la brise,
L'ébranlement le plus doux,
Une femme qui s'appuie,
Feront tomber cette pluie [18]
Où l'on se jette à genoux !   80

Qu'un peuple à présent s'écroule,
Palme !... irrésistiblement !
Dans la poudre qu'il se roule
Sur les fruits du firmament [19] !
Tu n'as pas perdu ces heures
Si légère tu demeures
Après ces beaux abandons ;
Pareille à celui qui pense
Et dont l'âme se dépense
90 A s'accroître de ses dons [20] !   Librairie Gallimard, éditeur.

— 7 Correspondant à *l'éclat* du soleil. — 8 La sibylle rendait ses oracles dans un sommeil extatique. — 9 La palme *divine* est la récompense des *triomphateurs*. — 10 Le bruissement de la palme. — 11 Correspondance entre le chant du poète (« sa *plainte* ») et le chant de la palme qui sera sa récompense. — 12 La douceur d'un fruit mûr. — 13 Comme les fruits, les chefs-d'œuvre sont le produit d'une lente maturation, qui leur assure l'éternité (v. 59). — 14 Qui ne monte qu'une fois l'an. — 15 Les racines. — 16 Toute la strophe évoque, par correspondance, la genèse de l'œuvre d'art. — 17 La palme se détache sur *l'azur* du ciel. — 18 Pluie de fruits mûrs, qu'un rien suffit à précipiter. — 19 Les dattes et, symboliquement, les poèmes. — 20 Selon Valéry, le poète est « enrichi » par le travail créateur.

Les Dialogues   Parmi les chefs-d'œuvre de VALÉRY prosateur, il faut
                                   citer au premier rang les DIALOGUES : *L'Ame et la danse*
(1923), *Eupalinos* (1923), *L'Idée fixe* (1932), *Le Dialogue de l'arbre* (1943), auxquels on
peut rattacher les fragments, plus dramatiques, de *Mon Faust* (1945).

La forme dialoguée se prête à l'exposé d'une *pensée complexe :* tour à tour derrière
chaque personnage, l'auteur s'entretient en réalité avec lui-même, soutient le pour et
le contre, élève des objections, nuance ses jugements. Le dialogue permet également à
VALÉRY d'enlacer aux thèmes principaux une foule d'*idées secondaires* puisées dans les
Cahiers où il notait chaque jour ses observations. Le genre admet enfin une grande *variété :*
parfois humoristiques *(L'Idée fixe),* tantôt familiers tantôt graves (cf. ci-dessous), ouverts
à la poésie comme à la dialectique, les *Dialogues* révèlent, par leur souplesse, l'admirable
maîtrise de l'écrivain.

EUPALINOS ou *L'Architecte* est, comme *L'Ame et la danse,* un dialogue « platonicien »
entre SOCRATE et PHÈDRE ; mais il a lieu aux Enfers, entre des ombres. L'entretien roule
surtout sur l'architecture, et Phèdre évoque le parfait architecte EUPALINOS DE MÉGARE. Ce
dernier ne négligeait aucun détail, car « il n'y a point de détails dans l'exécution » ; et il se
préoccupait d'avance d'élaborer « les émotions et les vibrations de l'âme du futur contemplateur de son œuvre ». A une *connaissance universelle* il unissait la *conscience* la plus *lucide.* Aussi
ses temples sont-ils « harmonieux », car il existe une analogie entre l'architecture et la
musique : il y a des édifices *muets,* il en est qui *parlent,* et d'autres qui *chantent.*

« Enchaîner une analyse à une extase »

Au cours de son entretien avec PHÈDRE — tel que celui-ci le rapporte fidèlement à
Socrate — EUPALINOS est transporté à l'idée de la « divine analogie » entre *l'architecture*
et *la musique* (cf. p. 342). Le problème qui le hante est identique à celui qui passionne
l'auteur de *Charmes.* Il rêve lui aussi d'atteindre, au fond de son être, « l'origine intime
et universelle » de la beauté ; mais il ne lui convient pas de s'abandonner aux « puissances
de l'âme » : il veut *rester libre* de son acte créateur. Ce passage est un de ceux qui nous
éclairent le mieux sur le *mécanisme de la création artistique* selon VALÉRY. Il proposera,
dans *L'Idée fixe,* le mot *Implexe* pour désigner tout ce qui est en nous, « ce en
quoi et par quoi nous sommes éventuels ». Loin d'être actif comme l'inconscient ou le
subconscient, l'*Implexe* est seulement « *capacité* » : l'artiste est d'autant plus grand qu'il
est maître d'*appeler,* parmi ces richesses disponibles, celles qui répondent à son désir
de beauté, de leur *résister* pour mieux les contrôler, et de *choisir* « en toute conscience »
(cf. p. 332). – THÈMES : *Art. Beaux-arts. Psychologie. Littérature. Critique.*

*Eupalinos répond à Phèdre qui a comparé un temple à « quelque chant nuptial mêlé de
flûtes ».*

Quand tu as parlé (le premier, et involontairement) de musique à propos
de mon temple, c'est une divine analogie qui t'a visité. Cet hymen de pensées
qui s'est conclu de soi-même sur tes lèvres, comme l'acte distrait de ta voix,
cette union d'apparence fortuite de choses si différentes, tient à une nécessité
admirable, qu'il est presque impossible de penser dans toute sa profondeur,
mais dont tu as ressenti obscurément la présence persuasive.

Imagine donc fortement ce que serait un mortel assez pur, assez raisonnable,
assez subtil et tenace, assez puissamment armé par Minerve, pour méditer
jusqu'à l'extrême de son être, et donc jusqu'à l'extrême réalité, cet étrange
10 rapprochement des formes visibles avec les assemblages éphémères des sons
successifs ; pense à quelle origine intime et universelle il s'avancerait ; à quel
point précieux il arriverait ; quel dieu il trouverait dans sa propre chair ! Et
se possédant enfin dans cet état de divine ambiguïté, s'il se proposait alors
de construire je ne sais quels monuments, de qui la figure vénérable et gracieuse

participât directement à la pureté du son musical, ou dût communiquer à l'âme l'émotion d'un accord inépuisable, — songe, Phèdre, quel homme ! Imagine quels édifices !... Et nous, quelles jouissances !

— Et toi, lui dis-je, tu le conçois ?

— Oui et non. Oui, comme rêve. Non, comme science.

— Tires-tu quelque secours de ces pensées ?

— Oui, comme aiguillon. Oui, comme jugement. Oui, comme peines... Mais je ne suis pas en possession d'enchaîner, comme il le faudrait, une analyse à une extase. Je m'approche parfois de ce pouvoir si précieux... Une fois, je fus infiniment près de le saisir, mais seulement comme on possède, pendant le sommeil, un objet aimé. Je ne puis te parler que des approches d'une si grande chose. Quand elle s'annonce, cher Phèdre, je diffère déjà de moi-même, autant qu'une corde tendue diffère d'elle-même qui était lâche et sinueuse. Je suis tout autre que je ne suis. Tout est clair, et semble facile. Alors mes combinaisons se poursuivent et se conservent dans ma lumière. Je sens mon besoin de beauté, égal à mes ressources inconnues, engendrer à soi seul des figures qui le contentent. Je désire de tout mon être... Les puissances accourent. Tu sais bien que les puissances de l'âme procèdent étrangement de la nuit... Elles s'avancent, par illusion, jusqu'au réel. Je les appelle, je les adjure par mon silence... Les voici, toutes chargées de clarté et d'erreur. Le vrai, le faux, brillent également dans leurs yeux, sur leurs diadèmes. Elles m'écrasent de leurs dons, elles m'assiègent de leurs ailes... Phèdre, c'est ici le péril ! C'est la plus difficile chose du monde !... O moment le plus important, et déchirement capital !... Ces faveurs surabondantes et mystérieuses, loin de les accueillir telles quelles, uniquement déduites du grand désir, naïvement formées de l'extrême attente de mon âme, il faut que je les arrête, ô Phèdre, et qu'elles attendent mon signal. Et les ayant obtenues par une sorte d'interruption de ma vie (adorable suspens de l'ordinaire durée), je veux encore que je divise l'indivisible, et que je tempère et que j'interrompe la naissance même des Idées...

— O malheureux, lui dis-je, que veux-tu faire pendant un *éclair* ?

— Être libre. Il y a bien des choses, reprit-il, il y a... toutes choses dans cet instant, et tout ce dont s'occupent les philosophes se passe entre le regard qui tombe sur un objet, et la connaissance qui en résulte... pour en finir toujours prématurément.

— Je ne te comprends pas. Tu t'efforces donc de retarder ces Idées ?

— Il le faut. Je les empêche de me satisfaire. Je diffère le pur bonheur.

— Pourquoi ? D'où tires-tu cette force cruelle ?

— C'est qu'il m'importe sur toute chose, d'obtenir de *ce qui va être,* qu'il satisfasse, avec toute la vigueur de sa nouveauté, aux exigences raisonnables de *ce qui a été.* Comment ne pas être obscur ?...

Eupalinos (Librairie Gallimard, éditeur).

Après un parallèle entre la musique *et* l'architecture *viennent des considérations sur leurs rapports avec les autres arts et sur la différence entre les œuvres d'art et les ouvrages de la nature. Puis* PHÈDRE *trace le portrait coloré d'un autre type de constructeur :* TRIDON *le Phénicien, expérimentateur à l'affût des secrets qui permettent de « ruser avec la nature » et de bâtir les meilleurs navires. — Et* SOCRATE *se prend maintenant à regretter de s'être limité au* connaître *et de ne laisser après soi que « le personnage d'un parleur » ; il aurait dû se consacrer à la création, par laquelle l'homme devient l'émule du Démiurge : « J'eusse bâti, chanté... O perte pensive de mes jours ! Quel artiste j'ai fait périr ! »*

VARIÉTÉ

Sous le titre de *Variété* parut en 1924 un volume qui groupait « des études ou écrits de circonstance » publiés antérieurement dans diverses revues. Ce livre fut suivi de *Variété II* (1929), *Variété III* (1936), *Variété IV* (1938), *Variété V* (1944). Le tome V contenait une liste de l'ensemble de ces articles classés par sujets. S'inspirant de ce classement, l'édition de la *Pléiade* les a rangés sous les rubriques suivantes : *Études littéraires, Études philosophiques, Essais quasi politiques, Théorie poétique et esthétique, Enseignement, Mémoires du poète*. Ajoutons que d'autres œuvres de VALÉRY mériteraient tout autant le titre de *Variété*, notamment *Tel Quel I* et *II* (composés de certains extraits des *Cahiers*), les *Regards sur le monde actuel*, et les *Pièces sur l'Art*.

ÉTUDES LITTÉRAIRES, ÉTUDES PHILOSOPHIQUES

Études littéraires   En dehors des *Études littéraires*, les réflexions sur la littérature occupent les articles des groupes *Théorie poétique et esthétique, Enseignement* et *Mémoires du poète*, groupes dont on a lu quelques extraits dans notre exposé de la *Poétique de Valéry* (cf. p. 328-334). Les *Études littéraires* proprement dites comprennent une vingtaine d'essais dont les plus importants concernent Villon, Pascal, La Fontaine *(Au sujet d'Adonis)*, Racine *(Phèdre)*, Montesquieu *(Préface aux Lettres persanes,* cf. p. 370), Voltaire, Goethe, Stendhal, Hugo, Baudelaire (cf. p. 334, III) Verlaine, Huysmans, Proust et, plus que tout autre, Mallarmé (cf. p. 330).

Toujours originales, ces études sont singulièrement stimulantes pour l'esprit, surtout celles où le poète moderne apprécie les poètes du passé, ou encore nous livre d'émouvants témoignages sur MALLARMÉ qu'il avait connu intimement. Elles nous sont précieuses à un autre titre : tout en méditant sur ses grands devanciers, VALÉRY nous confie sa prédilection pour l'*art classique* et trouve d'admirables formules pour exprimer son propre idéal poétique.

SITUATION DE BAUDELAIRE

Cette page reflète assez fidèlement la démarche habituelle des *Études littéraires*. L'auteur s'efforce de « situer » BAUDELAIRE parmi nos poètes : à ses yeux « il n'en est pas de plus important ». Quelques expressions heureuses, d'une rare densité, suggèrent son *originalité*. Il le distingue des parnassiens et plus encore des romantiques dont l'œuvre, dit-il plus haut, « supporte assez mal une lecture ralentie et hérissée des résistances d'un lecteur difficile et raffiné » ; il souligne son *influence* sur Verlaine, Rimbaud et Mallarmé dont les noms seront cités à la fin de l'article. Surtout, Valéry salue en BAUDELAIRE l'initiateur de *la poésie telle qu'il la conçoit lui-même :* d'où le jugement qu'il porte sur *Recueillement,* et la définition du « charme poétique » qui exprime *son propre idéal* autant, sinon plus, que celui de Baudelaire. THÈMES : *Art. Critique. Poète. Littérature.*

Il y a dans les meilleurs vers de Baudelaire une combinaison de chair et d'esprit, un mélange de solennité, de chaleur et d'amertume, d'éternité et d'intimité, une alliance rarissime de la volonté avec l'harmonie, qui les distinguent nettement des vers romantiques comme ils les distinguent nettement des vers parnassiens. Le Parnasse ne fut pas excessivement tendre pour Baudelaire. Leconte de Lisle lui reprochait sa stérilité. Il oubliait que la véritable fécondité d'un poète ne consiste pas dans le nombre de ses vers, mais bien plutôt dans l'étendue de leurs effets. On ne peut en juger que dans la suite des temps. Nous voyons aujourd'hui que
10 la résonance, après plus de soixante ans, de l'œuvre unique et très peu

volumineuse de Baudelaire emplit encore toute la sphère poétique, qu'elle est présente aux esprits, impossible à négliger, renforcée par un nombre remarquable d'œuvres qui en dérivent, qui n'en sont point des imitations mais des conséquences, et qu'il faudrait donc, pour être équitable, adjoindre au mince recueil des *Fleurs du Mal* plusieurs ouvrages de premier ordre et un ensemble de recherches les plus profondes et les plus fines que jamais la poésie ait entreprises. L'influence des *Poèmes Antiques* et des *Poèmes Barbares* a été moins diverse et moins étendue.

Il faut reconnaître, cependant, que cette même influence, si elle se
20 fût exercée sur Baudelaire, l'eût peut-être dissuadé d'écrire ou de conserver certains vers très relâchés qui se rencontrent dans son livre. Sur les quatorze vers du sonnet *Recueillement,* qui est une des plus charmantes pièces de l'ouvrage, je m'étonnerai toujours d'en compter cinq ou six qui sont d'une incontestable faiblesse. Mais les premiers et les derniers vers de cette poésie sont d'une telle magie que le milieu ne fait pas sentir son ineptie et se tient aisément pour nul et inexistant. Il faut un très grand poète pour ce genre de miracles.

Tout à l'heure je parlais de la production du *charme,* et voici que je viens de prononcer le nom de *miracle.* [...] Il faudrait faire voir que le langage
30 contient des ressources émotives mêlées à ses propriétés pratiques et directement significatives. Le devoir, le travail, la fonction du poète sont de mettre en évidence et en action ces puissances de mouvement et d'enchantement, ces excitants de la vie affective et de la sensibilité intellectuelle qui sont confondus dans le langage usuel avec les signes et les moyens de communication de la vie ordinaire et superficielle. Le poète se consacre et se consume donc à définir et à construire un langage dans le langage ; et son opération, qui est longue, difficile, délicate, qui demande les qualités les plus diverses de l'esprit, et qui jamais n'est achevée comme jamais elle n'est exactement possible, tend à constituer le discours d'un
40 être plus pur, plus puissant et plus profond dans ses pensées, plus intense dans sa vie, plus élégant et plus heureux dans sa parole que n'importe quelle personne réelle. Cette parole extraordinaire se fait connaître et reconnaître par le rythme et les harmonies qui la soutiennent et qui doivent être si intimement, et même si mystérieusement liés à sa génération, que le son et le sens ne se puissent plus séparer et se répondent indéfiniment dans la mémoire.   *Situation de Baudelaire* (Librairie Gallimard, éditeur).

Études philosophiques

« *Je ne suis pas à mon aise dans la philosophie* », disait paradoxalement Valéry-Teste. A ses yeux, les discussions entre philosophes ne sont que jonglerie intellectuelle favorisée par un langage abstrait, car des mots comme *Pensée, Nature, Mémoire, Temps, Espace, Infini* n'ont aucun sens précis et se prêtent à tous les jeux de l'esprit : « A la fin, rien n'a été prouvé, sinon que A est plus fin joueur que B. » On a même dénoncé le « nihilisme » de son intelligence. Pour lui, en effet, toute connaissance étant relative à notre être, notre savoir n'est « qu'un incident particulier de notre fonctionnement » : la *métaphysique* n'a jamais abouti « à une quelconque vérité » (« *Nous désirons de voir ce qui aurait précédé la lumière* ») ; la *science* elle-même n'est qu'un ensemble de recettes qui réussissent ; elle ne saurait donner l'explication du monde. Pourtant, au milieu de ce doute universel, une de nos activités trouve grâce devant VALÉRY : celle de l'Esprit. Aussi les *Études philosophiques*, qui nous offrent quelques curieuses méditations personnelles (*L'Homme et la coquille, Réflexions sur le corps, Études sur le rêve*), sont-elles consacrées à des héros de l'Intellect comme EDGAR POE et DESCARTES, en qui Valéry voyait des frères spirituels.

« *Un art à plusieurs dimensions* »

Voyageant en Hollande, VALÉRY imagine les pensées de DESCARTES, isolé et non insensible, « au milieu des Hollandais en action ». Et voilà qu'il lui oppose une autre variété de penseurs, les « petits philosophes » de Rembrandt, confinés dans leur poêle (*chambre chauffée*). *L'essayiste* se révèle ici avec toute l'ampleur de sa culture. A propos du tableau de Rembrandt, c'est tout un *type intellectuel* qui nous est suggéré. Du même coup, le *critique* pénètre le secret d'un grand peintre ; à la faveur de cette découverte, le *philosophe de l'art* définit un subtil procédé d'expression commun à la peinture et à la musique ; et le *poète*, à son tour, se prend à rêver que « *l'art d'écrire contient de grandes ressources virtuelles, des richesses de combinaisons et de composition à peine soupçonnées, si ce n'est inconnues... »*

Ces petits philosophes de Rembrandt sont des philosophes enfermés. Ils mûrissent encore dans le *poêle.* Un rayon de soleil enfermé avec eux éclaire leur chambre de pierre, ou, plus exactement, crée une conque de clarté dans la grandeur obscure d'une chambre. L'hélice d'un escalier en vis qui descend des ténèbres, la perspective d'une galerie déserte introduisent ou accroissent insensiblement l'impression de considérer l'intérieur d'un étrange coquillage qu'habite le petit animal intellectuel qui en a sécrété la substance lumineuse. L'idée de reploiement en soi-même, celle de *profondeur,* celle de la formation par l'être même de sa sphère de connaissance, sont suggérées par cette
10 disposition qui engendre vaguement, mais invinciblement, des analogies spirituelles. L'inégalité de la distribution de la lumière, la forme de la région éclairée, le domaine borné de ce soleil captif d'une cellule où il définit et situe quelques objets et en laisse d'autres confusément mystérieux, font pressentir que l'*attention* et l'*attente de l'idée* sont le sujet véritable de la composition. La figure même du petit être pensant est remarquablement située par rapport à la figure de la lumière.

J'ai longuement rêvé autrefois à cet art subtil de disposer d'un élément assez arbitraire afin d'agir insidieusement sur le spectateur, tandis que son regard est attiré et fixé par des objets nets et reconnaissables. Tandis que la conscience
20 retrouve et nomme les choses bien définies, les données significatives du tableau, — nous recevons toutefois l'action sourde, et comme latérale, des taches et des zones du clair-obscur. Cette géographie de l'ombre et de la lumière est insignifiante pour l'intellect ; elle est informe pour lui, comme lui sont informes les images des continents et des mers sur la carte ; mais l'œil perçoit ce que l'esprit ne sait définir ; et l'artiste, qui est dans le secret de cette perception incomplète, peut spéculer sur elle, donner à l'ensemble des lumières et des ombres quelque figure qui serve quelque dessein, et en somme une fonction cachée, dans l'effet de l'œuvre. Le même tableau porterait ainsi deux compositions simultanées, l'une des corps et des objets représentés, l'autre des
30 lieux de la lumière. Quand j'admirais jadis, dans certains Rembrandts, des modèles de cette action indirecte (que ses recherches d'aquafortiste ont dû, à mon avis, lui faire saisir et analyser), je ne manquais pas de songer aux effets *latéraux* que peuvent produire les harmonies divisées d'un orchestre... Wagner,

comme Rembrandt, savait attacher l'âme du patient à quelque partie éclatante et principale ; et cependant qu'il l'enchaînait et l'entraînait à ce développement tout-puissant, il faisait naître dans *l'ombre de l'ouïe,* dans les régions distraites et sans défense de l'âme sensitive, — des événements lointains et préparatoires, — des pressentiments, des attentes, des questions, des énigmes, des commencements indéfinissables... C'est là construire un art à plusieurs dimensions, ou organiser, en quelque sorte, les *environs* et les *profondeurs* des choses explicitement dites.

40   Il me souvient d'un temps fort éloigné où je m'inquiétais si des effets analogues à ceux-ci pourraient se rechercher raisonnablement en littérature.

Le Retour de Hollande (Librairie Gallimard, éditeur).

ESSAIS QUASI POLITIQUES

PAUL VALÉRY se déclarait volontiers « anarchiste » et s'est refusé à l'engagement politique. Son *esprit critique,* toujours en éveil, lui rendait suspecte toute propagande qui « combine les sentiments et les syllogismes », là où il faudrait des arguments et des faits : il y voyait « un grand mépris des humains ». Il fut pourtant un des observateurs les plus *lucides* des problèmes de son temps et certaines de ses vues se sont révélées *prophétiques.* Les *Essais quasi politiques* figurant dans *Variété* doivent être complétés par les études rédigées entre 1930 et 1940, et rassemblées dans *Regards sur le monde actuel.*

Procès de l'Histoire   Dès 1895, PAUL VALÉRY s'étonnait de « l'horrible mélange » que lui offrait l'histoire de l'Europe, « collection de chroniques parallèles » et tissu de contradictions. On trouve dans *Regards sur le monde actuel (Avant-propos ; De l'Histoire,* 1931) et dans le *Discours de l'Histoire* (1932) une critique de cette « science conjecturale » qui suscita, à l'époque, une vive controverse.

I. L'HISTOIRE EST UNE FAUSSE SCIENCE. Dans le *Discours,* Valéry considère que « l'Histoire est surtout *Muse* ». Elle ne saurait prétendre à la rigueur des sciences exactes, en raison de « *l'impossibilité de séparer l'observateur de la chose observée et l'Histoire de l'historien* ». Les témoignages du passé sont toujours incomplets ; mais même quand on s'accorde sur les faits, les historiens les interprètent et jugent de leur importance d'après « leurs personnalités, leurs instincts, leurs intérêts, leur vision singulière, — sources d'erreurs et puissances de falsification ». Ainsi s'expliquent leurs divergences sur la Révolution : « Chaque historien de l'époque tragique nous tend une tête coupée qui est l'objet de ses préférences. » Parmi les *sources d'erreurs,* VALÉRY signale encore l'interprétation du passé selon les cadres de pensée actuels, la confusion entre succession chronologique et causalité, et surtout la tendance à négliger, au profit des événements saillants, les influences qui s'exercent à la longue, par exemple celle de la découverte de l'électricité.

II. « LEÇONS » ET DANGERS DE L'HISTOIRE. « L'Histoire justifie ce que l'on veut. Elle n'enseigne rigoureusement rien, car elle contient tout, et donne des exemples de tout » *(Regards...).* Il est d'ailleurs vain de prétendre « déduire de la connaissance du passé quelque prescience du futur », car « *l'Histoire est la science des choses qui ne se répètent pas* » *(Discours...).* Il faut en effet tenir compte du changement d'échelle et de la complexité croissante du monde moderne, où « rien ne se fera plus sans que le monde entier ne s'en mêle ». Énumérant, dans le *Discours de l'Histoire,* les bouleversements imprévisibles de la science de la vie, VALÉRY a une formule saisissante pour souligner la vanité des prophéties historiques : « *Nous entrons dans l'avenir à reculons* ».

Il est donc dangereux de se fonder sur les prétendues « leçons » du passé : « *L'Histoire est le produit le plus dangereux que la chimie de l'intellect ait élaboré. Ses propriétés sont bien connues. Il fait rêver, il enivre les peuples, leur engendre de faux souvenirs, exagère leurs réflexes, entretient leurs vieilles plaies, les tourmente dans leur repos, les conduit au délire des grandeurs ou à celui de la persécution, et rend les nations amères, superbes, insupportables et vaines* ».

III. LES ENSEIGNEMENTS DU PASSÉ. « L'Histoire, je le crains, ne nous permet guère de prévoir ; mais associée à l'indépendance de l'esprit, elle peut nous aider à mieux voir. » Selon VALÉRY, ce n'est pas sans fruit que l'on médite le passé en ce qu'il a de révolu : « Il nous montre, en particulier, l'échec fréquent des prévisions trop précises ; et, au contraire, les grands avantages d'une préparation générale et constante, qui, sans prétendre créer ou défier les événements, lesquels sont invariablement des surprises, ou bien développent des conséquences surprenantes, — permet à l'homme de manœuvrer au plus tôt contre l'imprévu. » (Discours de l'Histoire.)

« *Le monde actuel* »   Tout jeune, devant les victoires du Japon sur la Chine (1894) et des États-Unis sur l'Espagne (1898), PAUL VALÉRY voyait dans ces succès de nations équipées à l'européenne les premiers indices d'une *menace contre l'Europe* elle-même. D'autre part, la guerre de 1914 lui révéla les dangers que représente pour notre civilisation le « merveilleux instrument » qu'est « *l'intelligence disciplinée »*, mis au service d'ambitions sans scrupules. L'Europe lui parut menacée de mort : dans *La Crise de l'Esprit* (1919), il lança alors un cri d'alarme qui connut un grand retentissement.

I. NOS CIVILISATIONS SONT MORTELLES : « *Nous autres, civilisations, nous savons maintenant que nous sommes mortelles. Nous avions entendu parler de mondes disparus tout entiers, d'empires coulés à pic avec tous leurs hommes et tous leurs engins ; descendus au fond inexplorable des siècles avec leurs dieux et leurs lois, leurs académies et leurs sciences pures et appliquées, avec leurs grammaires, leurs dictionnaires, leurs classiques, leurs romantiques et leurs symbolistes, leurs critiques et les critiques de leurs critiques. Nous savions bien que toute la terre apparente est faite de cendres, que la cendre signifie quelque chose. Nous apercevions, à travers l'épaisseur de l'histoire, les fantômes d'immenses navires qui furent chargés de richesse et d'esprit. Nous ne pouvions pas les compter. Mais ces naufrages, après tout, n'étaient pas notre affaire.*

Elam, Ninive, Babylone étaient de beaux noms vagues, et la ruine totale de ces mondes avait aussi peu de signification pour nous que leur existence même. Mais France, Angleterre, Russie... ce seraient aussi de beaux noms. [...] Et nous voyons maintenant que l'abîme de l'histoire est assez grand pour tout le monde. Nous sentons qu'une civilisation a la même fragilité qu'une vie. Les circonstances qui enverraient les œuvres de Keats et celles de Baudelaire rejoindre les œuvres de Ménandre ne sont plus du tout inconcevables : elles sont dans les journaux. »

II. LES ERREURS DE L'EUROPE. Après la guerre, VALÉRY mesure le désastre : d'immenses destructions, d'irréparables pertes humaines, l'anéantissement de cette fleur de civilisation que représentait, dans sa riche complexité, l'esprit européen d'avant 1914.

Pourtant *l'Europe pourrait encore se relever*. Elle est ce territoire très limité et privilégié dont les hommes ont donné au monde la plupart des inventions et des progrès techniques. Mais son avenir est menacé par la faute de ses politiques dont le génie a été inférieur à celui de ses savants. La sagesse commandait *d'unir l'Europe* pour sauvegarder sa suprématie intellectuelle et matérielle. « Les misérables Européens ont mieux aimé jouer aux Armagnacs et aux Bourguignons que de prendre sur toute la terre le grand rôle que les Romains surent prendre et tenir pendant des siècles dans le monde de leur temps » *(Regards...)*. Bien plus, leur rivalité les a conduits à « exporter les procédés et les engins qui faisaient de l'Europe la suzeraine du monde » et à préparer ainsi son asservissement.

III. SAUVER L'ESPRIT EUROPÉEN. « Dans l'ordre de la puissance, et dans l'ordre de la connaissance précise, l'Europe pèse encore aujourd'hui beaucoup plus que le reste du globe. Je me trompe, ce n'est pas l'Europe qui l'emporte, c'est l'Esprit européen dont l'Amérique est une création formidable. Partout où l'Esprit européen domine, on voit apparaître le maximum de *besoins,* le maximum de *travail,* le maximum de *capital,* le maximum de *rendement,* le maximum d'*ambition,* le maximum de *puissance,* le maximum de *modifications de la nature extérieure,* le maximum de *relations* et d'*échanges.* Cet ensemble de maxima est Europe, ou image de l'Europe » *(L'Européen,* 1922).

Où va l'Europe ?

En deux phrases, qui furent aussitôt célèbres, VALÉRY pose le problème du *destin de l'Europe*. Dès 1919, avec une clairvoyance remarquable, il montre comment, par l'imprévoyance de ses gouvernants, elle risque d'être écrasée ou réduite au second rang. La question dépasse celle de la domination exercée par une minorité sur le reste du monde : VALÉRY définit les qualités qui ont assuré cette prééminence, et nous sommes invités à nous demander si, avec l'Europe, ce ne sont pas les valeurs d'un *esprit* hors de pair et d'une *civilisation* sans égale qui, pour le malheur de l'humanité, se trouvent menacées de mort. THÈMES : *Histoire. Civilisation. Humanisme. Science. Progrès.*

L'idée de culture, d'intelligence, d'œuvres magistrales est pour nous dans une relation très ancienne, — tellement ancienne que nous remontons rarement jusqu'à elle, — avec l'idée d'Europe.

Les autres parties du monde ont eu des civilisations admirables, des poètes du premier ordre, des constructeurs, et même des savants. Mais aucune partie du monde n'a possédé cette singulière propriété *physique :* le plus intense pouvoir *émissif* uni au plus intense pouvoir *absorbant.*

Tout est venu à l'Europe et tout en est venu. Ou presque tout.

Or, l'heure actuelle comporte cette question capitale : l'Europe va-t-elle
10 garder sa prééminence dans tous les genres ?

L'Europe deviendra-t-elle *ce qu'elle est en réalité,* c'est-à-dire : un petit cap du continent asiatique ?

Ou bien l'Europe restera-t-elle *ce qu'elle paraît,* c'est-à-dire : la partie précieuse de l'univers terrestre, la perle de la sphère, le cerveau d'un vaste corps ?

Qu'on me permette, pour faire saisir toute la rigueur de cette alternative, de développer ici une sorte de théorème fondamental.

Considérez un planisphère. Sur ce planisphère, l'ensemble des terres habitables. Cet ensemble se divise en régions, et dans chacune de ces régions, une certaine densité de peuple, une certaine qualité des hommes. A chacune
20 de ces régions correspond aussi une richesse naturelle, — un sol plus ou moins fécond, un sous-sol plus ou moins précieux, un territoire plus ou moins irrigué, plus ou moins facile à équiper pour les transports, etc.

Toutes ces caractéristiques permettent de classer à toute époque les régions dont nous parlons, de telle sorte qu'à toute époque, *l'état de la terre vivante peut être défini par un système d'inégalités entre les régions habitées de sa surface.* A chaque instant, *l'histoire* de l'instant suivant dépend de cette inégalité donnée.

Examinons maintenant non pas cette classification théorique, mais la classification qui existait hier encore dans la réalité. Nous apercevons un fait bien remarquable et qui nous est extrêmement familier :
30 La petite région européenne figure en tête de la classification, depuis des siècles. Malgré sa faible étendue, — et quoique la richesse du sol n'y soit pas extraordinaire, — elle domine le tableau. Par quel miracle ? — Certainement, le miracle doit résider dans la qualité de sa population. Cette qualité doit compenser le nombre moindre des hommes, le nombre moindre des milles carrés, le nombre moindre des tonnes de minerai, qui sont assignés à l'Europe. Mettez dans l'un des plateaux d'une balance l'empire des Indes ; dans l'autre le Royaume-Uni. Regardez : le plateau chargé du poids le plus petit penche !

Voilà une rupture d'équilibre bien extraordinaire. Mais ses conséquences sont plus extraordinaires encore : *elles vont nous faire prévoir un changement*
40 *progressif en sens inverse.*

Nous avons suggéré tout à l'heure que la qualité de l'homme devait être le déterminant de la précellence de l'Europe. Je ne puis analyser en détail cette qualité ; mais je trouve par un examen sommaire que l'avidité active, la curiosité ardente et désintéressée, un heureux mélange de l'imagination et de la rigueur logique, un certain scepticisme non pessimiste, un mysticisme non résigné... sont les caractères plus spécifiquement agissants de la Psyché européenne.

C'est l'Europe qui a préparé son propre abaissement en communiquant ses moyens de puissance à des pays plus vastes et plus peuplés qui n'avaient pas su les découvrir seuls : « Nous avons étourdiment rendu les forces proportionnelles aux masses ! »

Variété. La Crise de l'Esprit, II (Librairie Gallimard, éditeur).

Les deux visages de la science

Grâce à la science moderne, quantité de rêves fabuleux de l'humanité sont entrés dans notre réalité quotidienne : VALÉRY s'amuse à énumérer les avantages que l'homme ordinaire possède aujourd'hui sur le roi Louis XIV. Nous sommes donc fiers, à juste titre, de notre civilisation matérielle. Pourtant *la science contient aussi des germes de « barbarie »*, par son pouvoir de destruction et par des *dangers plus insidieux* qui menacent l'humanité.

Dans *La Politique de l'Esprit* (1932), il observe que notre intelligence, prisonnière des idées et des croyances du passé, n'évolue pas au même rythme que la science : d'où la *confusion* du monde moderne, incapable de se donner une politique, une morale, un idéal, des lois en harmonie avec ses connaissances nouvelles et avec les modes de vie qu'il a créés. On peut même redouter, à longue échéance, *une dégradation de l'intelligence*. L'homme moderne s'habitue en effet à vivre dans le désordre mental ; on le dispense de raisonner ; on tue son esprit critique par la publicité et la propagande ; on ne lui laisse plus le loisir de penser. Sa *sensibilité* elle-même est émoussée par la vitesse, la lumière, les bruits... Valéry termine son *Bilan de l'intelligence* (1935) par l'éloge du « sport intellectuel » : l'homme doit développer les facultés de son esprit comme un virtuose fait des gammes.

De l'ère du fait au règne des mythes

Dans sa *Préface* aux *Lettres persanes*, VALÉRY souligne le *rôle des conventions sociales*, seules capables de donner quelque stabilité aux choses humaines.

« *Une société s'élève de la brutalité jusqu'à l'ordre. Comme la barbarie est l'ère du* fait, *il est donc nécessaire que l'ère de l'ordre soit l'empire des* fictions — *car il n'y a point de puissance capable de fonder l'ordre sur la seule contrainte des corps par les corps. Il y faut des forces fictives.* » Le progrès vers la civilisation exige que les instincts, seuls maîtres dans *l'ère du fait,* soient vaincus peu à peu par tout un système de *conventions* qui définissent le *sacré*, le *juste*, le *légal*, le *décent*, le *louable :* ainsi « l'on s'éloigne insensiblement de l'âge où le fait dominait ». « Le monde social nous semble alors aussi naturel que la nature, lui qui ne tient que par magie. N'est-ce-pas, en effet, un édifice d'enchantements que ce système qui repose sur des écritures, sur des paroles obéies, des promesses tenues, des images efficaces, des habitudes et des conventions observées — fictions pures ? » Le règne de l'ordre est donc celui de ces *Choses vagues*, de ces symboles et ces signes, dont nous n'apercevons plus le caractère fictif, parce qu'ils sont entrés dans nos instincts. Le bienfait le plus remarquable de cet ordre est l'éclosion de *la liberté d'esprit*, dès que le fait n'exerce plus sa contrainte.

Or c'est justement cette *liberté* qui va tout remettre en question. « Dans l'ordre peu à peu les têtes s'enhardissent. A la faveur des sûretés établies, et grâce à l'évanouissement des raisons de ce qui se fait, les esprits qui se relèvent et qui s'ébrouent ne perçoivent que les gênes ou la bizarrerie des façons de la société. » L'esprit critique s'éveille et ruine les conventions, provoquant la révolution ou la guerre, en d'autres termes le retour à l'état du fait, c'est-à-dire à la barbarie. Mais si l'ordre pesait à l'individu, le désordre à son tour lui fait désirer « la police ou la mort ». Ainsi s'amorce *un nouveau cycle évolutif*.

La solidité des sociétés dépend donc d'un ensemble de mythes qui règlent les relations humaines. Le scepticisme de VALÉRY aboutit, on le voit, à un art de vivre, et celui qu'on a appelé parfois « le Descartes moderne » n'est pas si loin, en somme, de Montaigne.

L'AGE DU SURRÉALISME

L'explosion   Lorsqu'en 1918 meurt GUILLAUME APOLLINAIRE, les
      surréaliste   milieux littéraires et artistiques sont animés d'une profu-
                          sion d'idées, dont le poète d'*Alcools* avait été comme le
miroir de concentration. En peinture, le *cubisme* triomphe et c'est Apollinaire qui en avait
écrit le premier la « défense et illustration ». La musique, avec ERIK SATIE (1866-1925),
qui disait avoir appris plus de musique auprès des peintres que des musiciens, participe
à cette même *recherche de nouveauté technique* et d'*exaltation spirituelle,* et c'est en 1916
que fut représenté *Parade,* ballet de SATIE monté en collaboration avec JEAN COCTEAU
par le maître des Ballets russes, DIAGHILEV, dans des décors de PICASSO. Bientôt, le cinéma,
encore dans l'enfance pourtant, va à son tour entrer dans le mouvement avec MARCEL
L'HERBIER (*L'Inhumaine,* en collaboration avec FERNAND LÉGER, qui donne aussi, en
1924, le *Ballet mécanique),* RENÉ CLAIR (*Entr'acte,* musique d'Érik Satie, 1924), et, peu
après, les films proprement surréalistes de LUIS BUÑUEL, *Le Chien andalou* (1928) et *L'Age
d'or* (1930). La peinture tentait au même moment son expérience surréaliste, avec MAX
ERNST et FRANCIS PICABIA.

Le SURRÉALISME n'est donc pas un mouvement exclusivement littéraire : faisant écho
à l'évolution générale de l'esprit moderne, héritier, tout aussi bien, des expériences
esthétiques qui se sont succédé depuis le romantisme, profondément marqué enfin par
les répercussions sociales, psychologiques et morales de la Grande Guerre, il concerne
toutes les formes de l'expression artistique, car il prétend remettre en question à la fois la
matière, le langage et la signification de l'Art.

Rupture et révolte

Dans l'aventure surréaliste, la POÉSIE était cependant
appelée à jouer ce rôle de *pilote* que lui avait déjà assigné
APOLLINAIRE (cf. p. 36). Mais à la différence de la plupart des écoles poétiques antérieures,
cette poésie-pilote n'est qu'*un moyen* d'expérimenter et d'exprimer ce que le chef du
mouvement, ANDRÉ BRETON, nomme *« la vraie vie »* (*Entretiens radiophoniques,* 1952) :
la poésie est alors comme une introduction et *un préambule expérimental à la conquête
effective d'une manière d'exister* assumant tous les aspects de la vie, ce qu'avaient pressenti
LAUTRÉAMONT et RIMBAUD (cf. *XIXᵉ Siècle,* pp. 517 et 539). GUILLAUME APOLLINAIRE
devait inventer le mot et commencer d'énoncer l'art poétique du surréalisme :

Profondeurs de la conscience	*La Victoire avant tout sera*
On vous explorera demain	*De bien voir au loin*
Et qui sait quels êtres vivants	*De tout voir*
Seront tirés de ces abîmes	*De près*
Avec des univers entiers	*Et que tout ait un nom nouveau*
(Calligrammes. Les Collines).	(Calligrammes. La Victoire).

Un nom nouveau... On se souvient inévitablement de Baudelaire *(Au fond de l'Inconnu
pour trouver du nouveau),* de Rimbaud et de Mallarmé. C'est que le surréalisme,
mouvement de révolte et de rupture, ranime une tradition qui remonte jusqu'au
romantisme. Il est la pointe extrême de ce « néo-romantisme » dont la recherche a
tourmenté la poésie française depuis Baudelaire. Les surréalistes se sont reconnu des
maîtres proches comme RIMBAUD et LAUTRÉAMONT, ou plus lointains comme WILLIAM
BLAKE (1757-1827) et GÉRARD DE NERVAL. De l'époque surréaliste date la résurrection
de l'auteur d'*Aurélia* (cf. la *Nadja* d'ANDRÉ BRETON, p. 375, et Nerval eût pu faire sienne
la formule de JEAN COCTEAU : *« Accidents du mystère et fautes de calculs — Célestes, j'ai
profité d'eux, je l'avoue ».* De même un des animateurs du groupe surréaliste, PHILIPPE
SOUPAULT, contribua largement à introduire en France l'influence de William Blake.

Fécondité
de l'insolite

Ce qui fonde la valeur poétique et humaine du surréalisme, ce qui en explique le rayonnement, c'est la pratique de l'art comme *technique d'exploration de l'Inconnu* et de tous les « *ailleurs* » qu'enferment conjointement, selon de mystérieuses correspondances, l'univers et la conscience humaine. Ainsi se trouve repris dans le surréalisme, mais largement amplifié, le thème nervalien et baudelairien du *voyage*. BLAISE CENDRARS (cf. p. 33 et 398), qui partage avec APOLLINAIRE le rôle d'annonciateur du surréalisme, ne s'était-il pas donné pour devise : « *Bourlinguer* » ? Dès 1913, sa *Prose du Transsibérien* est bien l'une des premières œuvres annonciatrices du surréalisme (cf. p. 34) ; il découvre l'exotisme surréaliste du folklore nègre (son *Anthologie nègre* paraît en 1921) ; et c'est lui encore qui, dès 1917, avait exalté les immenses possibilités que peut offrir au poète bourlingueur et explorateur ce nouveau langage qu'est le cinéma. Inversement, l'influence du cinéma devait s'exercer sur CENDRARS lui-même (cf. son scénario : *La Vénus noire*, 1923) et sur bien des aspects du langage surréaliste. Cette liaison organique entre *poésie* et *cinéma* trouvera son achèvement dans l'œuvre de JEAN COCTEAU.

Le *cinéma* apparaît en effet comme une des techniques du voyage aux pays de l'*insolite*. Ces techniques, il en est bien d'autres : le *rêve*, spontané ou provoqué, par exemple, mais aussi la *démence*, authentique comme chez ANTONIN ARTAUD, ou bien simulée ou provoquée ; et de même le rêve ou la démence au niveau du langage, l'inconscient de l'homme ou l'inconscient de ses mots, toutes recherches dont la pratique de *l'écriture automatique* n'est qu'un aspect.

Révolte et
communion humaine

Ainsi le surréalisme, qui prétend pousser jusqu'à ses extrêmes conséquences une expérience de liberté et de *libération*, est-il impossible à enfermer dans les limites d'un art poétique, au sens traditionnel ; et, malgré l'existence de ses *Manifestes*, il n'est pas non plus une école, son but étant de *transformer en art la pratique individuelle du* « *défoulement* » *freudien* [1]. Ses principaux représentants se sont certes associés pour mettre en commun leur *révolte* et leurs *expériences techniques,* mais ils se sont progressivement affirmés chacun dans sa singularité, comme en témoigne leur *évolution souvent divergente*. Car les surréalistes n'en sont pas moins des hommes. Engagés d'abord dans une *aventure de violence*, ils s'attaquaient souvent à ce qui jusque-là paraissait l'essentiel du langage humain : aussi le surréalisme fut-il, dans un premier état, une explosion de violence pure, et même, à beaucoup d'égards, le caprice virulent d'esprits qui peuvent « s'offrir le luxe » de la révolte ! Mais les grands surréalistes, les poètes authentiques, dès qu'ils éprouvent une *souffrance personnelle*, dès qu'ils participent à une *émotion collective*, rendent à la poésie *une autre raison d'être que la révolte pure* et reviennent alors à des thèmes d'inspiration et à des modes d'expression plus « traditionnels » et plus riches de *communion humaine*.

Influence
du surréalisme

Dans le même temps, le surréalisme créait un *climat littéraire nouveau* qui fut la caractéristique dominante, du moins en ce qui concerne la poésie, des années 1920-1930. Il n'a pas cessé depuis d'imprégner les œuvres les plus diverses. De leur côté, nombre de poètes parmi les meilleurs, sans appartenir le moins du monde au groupe surréaliste, ont poursuivi, souvent dans la solitude, des expériences parallèles et forment ainsi, *autour du surréalisme proprement dit*, une zone indépendante riche en œuvres du premier rang. La *poésie contemporaine* apparaît comme la suite et l'héritière à la fois du surréalisme et de ces poètes indépendants, sans que soit néanmoins abolie l'influence de la *génération antérieure*, celle de Péguy, de Valéry et de Claudel.

— 1 Selon Freud, l'inconscient recueille les impulsions *refoulées* par la conscience sous l'influence des interdictions morales ou sociales ; lorsque ce refoulement devient pathologique, la *psychanalyse* intervient comme moyen de *libération* de l'inconscient et utilise le rêve comme une sorte de « défoulement » naturel.

LE MOUVEMENT SURRÉALISTE

Dadaïsme   DADA. Dès 1918 va s'affirmer un mouvement qui se
et surréalisme   propose une révolte pure et totale, aboutissant à une
complète désagrégation du langage et de la vie de l'esprit.
Le nom de Dada choisi par ce mouvement illustre sa volonté de soumettre le contenu
et la forme de la poésie à *l'irruption incontrôlée de la violence.* Et pour mieux affirmer
la sincérité de son expérience, le *dadaïsme* veut que rien ne puisse lui échapper et s'attaque
aux sources mêmes de la pensée et du langage : « *Je détruis les tiroirs du cerveau et ceux
de l'organisation sociale : démoraliser partout et jeter la main du ciel en enfer, les yeux de
l'enfer au ciel, rétablir la roue féconde d'un cirque universel dans les puissances réelles et la
fantaisie de chaque individu* » (Tristan Tzara, *Manifeste dada*, 1918). Entreprise de type
anarchiste, mais qui, à travers la violence anarchique, espère obtenir, pour ainsi dire sous
forme de résidu, *l'authentique brut,* désormais matière et forme de la poésie ; c'est un
peu comme si le poète se disait : Détruisons tout, et voyons ce qui reste ; telle sera la
vraie réalité, celle qu'aucune organisation ne sera venue fausser. — De cette entreprise
à la fois héroïque et désespérée, qui prétend pourtant être positive par les « révélations »
qu'elle provoque, l'œuvre de TRISTAN TZARA reste le meilleur témoignage : « Liberté :
DADA, DADA, DADA, *hurlement des couleurs crispées, entrelacement des contraires et de toutes
les contradictions, des grotesques, des inconséquences : LA VIE.* » (*Manifeste*, 1918). Voici
un de ses poèmes :

Hirondelle végétale

*Confluent des deux sourires vers
l'enfant — une roue de ma ferveur
le bagage de sang des créatures
incarnées dans les légendes physiques — vit
les cils agiles des orages se troublent
la pluie tombe sous les ciseaux du
coiffeur obscur — de grandes allures
nageant sous les arpèges disparates*

*dans la sève des machines l'herbe
pousse autour des yeux aigus
ici le partage de nos caresses
mordues et parties avec les flots
s'offre au jugement des heures
séparées par le méridien des chevelures
midi sonne dans nos mains
les piments des plaisirs humains.*

De nos oiseaux (1914-1922).

LE GROUPE SURRÉALISTE. Pendant la Grande Guerre, un jeune étudiant en
médecine mobilisé en 1915 à dix-neuf ans, ANDRÉ BRETON, est affecté à divers centres
neuro-psychiatriques et s'initie ainsi aux travaux de Sigmund Freud. Imprégné d'autre
part de l'influence de Baudelaire et de Mallarmé, il découvre les possibilités offertes à
l'art par une *exploration systématique de l'inconscient.* En 1919, le futur groupe surréaliste
commence à se constituer lorsque BRETON fonde, avec LOUIS ARAGON (lui aussi médecin)
et PHILIPPE SOUPAULT, la revue *Littérature,* où paraît le premier texte proprement
surréaliste, *Les Champs magnétiques* (écrit en collaboration par BRETON et SOUPAULT).

Le Manifeste   Voulant dépasser la négation dadaïste par une « explora-
du surréalisme   tion du domaine de l'automatisme psychique », le *groupe
surréaliste,* où se rencontrent poètes et artistes peintres
(Breton, Soupault, Crevel, Desnos, Éluard, Aragon, Péret, Ernst, Picabia), affirme son
unité d'orientation, qui s'exprime dans le *Manifeste du surréalisme* (1924). On y lit par
exemple cette définition :

« SURRÉALISME, n.m. *Automatisme psychique pur par lequel on se propose d'exprimer,
soit verbalement, soit par écrit, soit de toute autre manière, le fonctionnement réel de la pensée.
Dictée de la pensée, en l'absence de tout contrôle exercé par la raison, en dehors de toute
préoccupation esthétique ou morale* ».

Cette dernière phrase définit le procédé de *l'écriture automatique* qui est, avec le *compte rendu de rêves*, l'organe essentiel de l'expérimentation surréaliste : c'est pour en exploiter les résultats que le groupe ouvre alors, rue de Grenelle, à Paris, un « bureau de recherches surréalistes » ; la revue du mouvement prendra pour titre : *La Révolution surréaliste*.

Surréalisme   En 1930 paraîtra un *Second Manifeste du surréalisme ;*
et Révolution   et le titre de la revue devient : *Le Surréalisme au service de la Révolution*. Alors se pose *le problème d'une politique surréaliste*, et en particulier des *rapports du surréalisme avec le communisme* (1935 : *Position politique du surréalisme*, par André Breton). Ce problème amènera la désagrégation du groupe, provoquée aussi par l'évolution divergente des personnalités littéraires de ses membres : Louis Aragon et Paul Éluard iront vers l'engagement et le communisme ; André Breton se consacrera au contraire au maintien de l'intégrité surréaliste. Mais le groupe aura animé un grand « moment » d'histoire littéraire, comme en témoignent les « expositions surréalistes », organisées à Paris, dont la huitième eut lieu en 1959.

Le grand théoricien du mouvement est André Breton, soutenu principalement par Benjamin Péret et Philippe Soupault, ainsi que par les peintres Max Ernst et Francis Picabia. Le groupe attira dans son sein nombre d'artistes et de poètes dont les œuvres sont fort inégales, son activité créatrice étant surtout caractérisée par celles d'André Breton, Robert Desnos, Louis Aragon et Paul Éluard.

ANDRÉ BRETON

L'intégrité   André Breton (1896-1966) est né à Tinchebray (Orne).
surréaliste   Après ses études de médecine et ses expériences de la guerre, il fait partie du cercle de Guillaume Apollinaire (1917-1918). De 1919 à 1924 il est le chef du groupe surréaliste dont en 1926, dans *Légitime Défense*, il affirme l'irréductible *indépendance* à l'égard de tout « contrôle extérieur, même marxiste », et dont il se fait le théoricien avec ses deux *Manifestes* (1924-1930). Son œuvre atteint sa maturité et son apogée avec la publication de *Nadja* (1928), puis des *Vases communicants* (1932) et de *L'Amour fou* (1937). Au cours de la Seconde Guerre mondiale, Breton séjourne aux États-Unis où il écrit *Arcane 17* (1945). Après la fin de la guerre, il continuera de militer pour la défense du *surréalisme intégral :* polémique à propos de *L'Homme révolté* de Camus, dans la revue *Arts* (1952) ; expositions surréalistes (1947-1959) ; fondation de la revue *Le Surréalisme, même* (1956) ; *Clair de terre* (1966).

Art poétique

Dans les deux *Manifestes du surréalisme*, André Breton rassemble l'essentiel de ce qui, selon lui, constitue la *seule voie radicalement nouvelle* vers une transformation décisive de l'homme et du monde ; et il y voit en même temps le principe de la vraie poésie, qui est *libération inconditionnelle des « produits de la vie psychique »* grâce au caractère spontanément créateur de *« l'automatisme verbo-visuel »* (*Point du Jour, Le Message automatique*, 1934). Voici un des textes où André Breton décrit le processus surréaliste de la création poétique. – THÈMES : *Art. Littérature. Poète. Psychologie.*

On sait assez ce qu'est l'inspiration. Il n'y a pas à s'y méprendre ; c'est elle qui a pourvu aux besoins suprêmes d'expression en tout temps et en tous lieux. On dit communément qu'elle y *est* ou qu'elle n'y est pas et, si elle n'y est pas, rien de ce que suggère auprès d'elle l'habileté humaine, qu'oblitèrent l'intérêt, l'intelligence discursive et le talent qui s'acquiert par le travail, ne

peut nous guérir de son absence. Nous la reconnaissons sans peine à cette prise
de possession totale de notre esprit qui, de loin en loin, empêche que pour
tout problème posé nous soyons le jouet d'une solution rationnelle plutôt que
d'une autre solution rationnelle, à cette sorte de court-circuit qu'elle provoque
10 entre une idée donnée et sa répondante (écrite par exemple). Tout comme
dans le monde physique, le court-circuit se produit quand les deux « pôles »
de la machine se trouvent réunis par un conducteur de résistance nulle ou
trop faible. En poésie, en peinture, le surréalisme a fait l'impossible pour
multiplier ces courts-circuits. Il ne tient et il ne tiendra jamais à rien tant qu'à
reproduire artificiellement ce moment idéal où l'homme, en proie à une émotion
particulière, est soudain empoigné par ce « plus fort que lui » qui le jette, à
son corps défendant, dans l'immortel. Lucide, éveillé, c'est avec terreur qu'il
sortirait de ce mauvais pas. Le tout est qu'il n'en soit pas libre, qu'il continue
à parler tout le temps que dure la mystérieuse sonnerie : c'est, en effet, par
20 où il cesse de s'appartenir qu'il nous appartient. Ces produits de l'activité
psychique, aussi distraits que possible de la volonté de signifier, aussi allégés
que possible des idées de responsabilité toujours prêtes à agir comme des freins,
aussi indépendants que possible de tout ce qui n'est pas *la vie passive de
l'intelligence,* ces produits que sont l'écriture automatique et les récits de rêves
présentent à la fois l'avantage d'être seuls à fournir des éléments d'appréciation
de grand style à une critique qui, dans le domaine artistique, se montre
étrangement désemparée, de permettre un reclassement général des valeurs
lyriques et de proposer une clé qui, capable d'ouvrir indéfiniment cette boîte
à multiple fond qui s'appelle l'homme, le dissuade de faire demi-tour, pour des
30 raisons de conservation simple, quand il se heurte dans l'ombre aux portes
extérieures fermées de « l'au-delà », de la réalité, de la raison, du génie et de
l'amour. Un jour viendra où l'on ne se permettra plus d'en user cavalièrement,
comme on l'a fait, avec ces preuves palpables d'une existence autre que celle
que nous pensons mener. On s'étonnera alors que, serrant *la vérité* d'aussi près
que nous l'avons fait, nous ayons pris soin dans l'ensemble de nous ménager
un alibi littéraire ou autre plutôt que sans savoir nager de nous jeter à l'eau,
sans croire au phénix d'entrer dans le feu pour atteindre cette vérité.

Second Manifeste du surréalisme, 1930 (Kra, éditeur).

Nadja

Le personnage de Nadja, dont le livre publié sous ce titre en 1928 est, pour ainsi
dire, *le portrait-diagnostic,* est imaginé par Breton comme le miroir privilégié de la
« surréalité » telle qu'elle est *éprouvée,* dans son expérience continue, par un être vivant,
une femme située au-delà des prétendues frontières entre raison et folie, entre rêve et
bon sens. Breton tente ici de continuer jusqu'à son terme l'expérience psychologique
et littéraire amorcée par Nerval dans *Aurélia.* C'est au moment où il vient d'apprendre
« que Nadja était folle » que Breton cherche à dégager le sens de cette « folie ».

Nadja était forte, enfin, et très faible, comme on peut l'être, de cette idée
qui toujours avait été la sienne, mais dans laquelle je ne l'avais que trop
entretenue, à laquelle je ne l'avais que trop aidée à donner le pas sur les autres :
à savoir que la liberté, acquise ici-bas au prix de mille et des plus difficiles
renoncements, demande à ce qu'on jouisse d'elle sans restrictions dans le temps
où elle nous est donnée, sans considération pragmatique d'aucune sorte et cela

parce que l'émancipation humaine, conçue en définitive sous sa forme révolutionnaire la plus simple, qui n'en est pas moins l'émancipation humaine *à tous égards,* entendons-nous bien, *selon les moyens dont chacun dispose,* demeure
10 la seule cause qu'il soit digne de servir. Nadja était faite pour la servir, ne fût-ce qu'en démontrant qu'il doit se fomenter autour de chaque être un complot très particulier qui n'existe pas seulement dans son imagination, dont il conviendrait, au simple point de vue de la connaissance, de tenir compte, et aussi, mais beaucoup plus dangereusement, en passant la tête, puis un bras entre les barreaux ainsi écartés de la logique, c'est-à-dire de la plus haïssable des prisons. C'est dans la voie de cette dernière entreprise, peut-être, que j'eusse dû la retenir, mais il eût fallu tout d'abord que je prisse conscience du péril qu'elle courait. Or, je n'ai jamais pensé qu'elle pût perdre ou qu'elle eût déjà perdu le minimum de sens pratique qui fait qu'après tout mes amis et moi,
20 par exemple, *nous nous tenons bien* [1]. [...] Les lettres de Nadja, que je lisais de l'œil dont je lis toutes sortes de textes surréalistes, ne pouvaient non plus présenter pour moi rien d'alarmant. Je n'ajouterai, pour ma défense, que quelques mots. L'absence bien connue de frontière entre la *non-folie* et la folie ne me dispose pas à accorder une valeur différente aux perceptions et aux idées qui sont le fait de l'une ou de l'autre. Il est des sophismes infiniment plus significatifs et plus lourds de portée que les vérités les moins contestables : les révoquer en tant que sophismes est à la fois dépourvu de grandeur et d'intérêt. Si sophismes c'étaient il faut avouer que ceux-ci ont du moins contribué plus que tout à me faire jeter à moi-même, à celui qui du plus loin vient à la rencontre de
30 moi-même [2], le cri, toujours pathétique, de « Qui vive ? » Qui vive ? Est-ce vous, Nadja ? Est-il vrai que l'*au-delà,* tout l'au-delà soit dans cette vie [3] ? Je ne vous entends pas. Qui vive ? Est-ce moi seul ? Est-ce moi-même ?

Nadja (Librairie Gallimard, éditeur).

« *BEAUTÉ SANS DESTINATION* »

Le surréalisme se lance volontiers à la recherche de l'*insolite* dont il a largement contribué à faire un des grands thèmes de la littérature, de l'art et du cinéma contemporains. Aussi est-ce pour en déceler le secret que BRETON jette son regard sur la *réalité quotidienne* ou sur les *paysages de la nature.* Suivant une piste ouverte par Baudelaire qui, dans ses *Poèmes en prose,* avait chanté la poésie *bizarre* des *villes énormes,* BRETON voit ainsi l'éveil de Paris. THÈMES : *Réel et irréel. Moi. Symboles.*

Il faut aller voir de bon matin, du haut de la colline du Sacré-Cœur, à Paris, la ville se dégager lentement de ses voiles splendides, avant d'étendre les bras [1]. Toute une foule enfin dispersée, glacée, déprise et sans fièvre, entame comme un navire la grande nuit [2] qui sait ne faire qu'un

---

— 1 L'auteur vient d'apprendre que Nadja a dû être internée dans un asile « à la suite d'excentricités auxquelles elle s'était livrée dans les couloirs de son hôtel ». — 2 Le vrai « moi-même », la personnalité profonde — 3 Cf.

l'*Aurélia* de Nerval (*XIXe Siècle,* p. 280). Mais l'*au-delà* est ici intérieur à « cette vie » : il est de caractère *psychique,* et non *mystique.*
— 1 Comparaison de la ville avec une personne qui s'éveille. — 2 La nuit est entamée par la foule comme la mer par l'étrave du navire.

de l'ordure et de la merveille. Les trophées orgueilleux [3], que le soleil s'apprête à couronner d'oiseaux ou d'ondes, se relèvent mal de la poussière des capitales enfouies. Vers la périphérie les usines, premières à tressaillir, s'illuminent de la conscience de jour en jour grandissante des travailleurs. Tous dorment, à l'exception des derniers scorpions à
10 face humaine qui commencent à cuire, à bouillir dans leur or [4]. La beauté féminine se fond une fois de plus dans le creuset de toutes les pierres rares. Elle n'est jamais plus émouvante, plus enthousiasmante, plus folle, qu'à cet instant où il est possible de la concevoir unanimement détachée du désir de plaire à l'un ou à l'autre, aux uns ou aux autres. Beauté sans destination immédiate, sans destination connue d'elle-même, fleur inouïe faite de tous ces membre épars dans un lit qui peut prétendre aux dimensions de la terre ! La beauté atteint à cette heure à son terme le plus élevé, elle se confond avec l'innocence, elle est le miroir parfait dans lequel tout ce qui a été, tout ce qui est appelé à être, se baigne
20 adorablement en ce qui va être *cette fois*. La puissance absolue de la subjectivité universelle, qui est la royauté de la nuit, étouffe les impatientes déterminations au petit bonheur.

Les Vases communicants (Librairie Gallimard, éditeur).

Le jeu du langage
et du hasard

La revue *Littérature*, qui fut l'organe du « bureau de recherches surréalistes », publiait les *textes expérimentaux* grâce auxquels les membres du groupe inventaient le langage accordé à leur nouvel art poétique. On y trouve l'application des deux grandes techniques surréalistes, *l'écriture automatique* et *le compte rendu de rêve*, les deux formes de *l'enregistrement incontrôlé des états d'âme, des images et des mots* que font surgir les hasards, accueillis ou provoqués, de la vie et du monde. Techniques qui furent aussi des modes littéraires, capables de donner naissance au charme ou au fantastique de *l'inattendu*. Un certain style se développe ainsi jusqu'à devenir même une sorte de préciosité dont un bon exemple est fourni par ce « jeu d'esprit » de RENÉ CLAIR, le cinéaste, dans son récit *Adams* (1926) :
  « *Les Tuileries recèlent des nids d'amour, des divans de pierre plus doux que la plume, des gardiens qui sont l'image du temps, des chérubins aux cerceaux d'argent, des balles blanches, des balles orange, astres entrecroisés, ballet céleste du plaisir* ».

Ambiguïté
de l'automatisme

ANDRÉ BRETON, en même temps qu'il luttait contre les déviations politiques du surréalisme, luttait aussi contre ses éventuelles *déviations esthétiques* : il sera toujours le défenseur vigilant du *sérieux* de la Révolution surréaliste. Ce sérieux n'exclut cependant ni le jeu, ni l'humour, et il cultive même parfois *l'affinité de la mystification et du mystère* ; mais le jeu, l'humour, la mystification doivent collaborer avec les autres techniques d'accès au *mystère insolite du langage en liberté*. Cette ambiguïté de « l'automatisme psychique » intéresse particulièrement certains poètes surréalistes, et c'est à cet aspect que se rattache un indépendant comme JEAN COCTEAU. Parmi les surréalistes eux-mêmes, le représentant typique de cette tendance est ROBERT DESNOS qui, né en 1900, devait mourir en 1945 dans un camp de concentration en Allemagne.

―――――

— 3 Les monuments. — 4 Les riches « fêtards » comparés à des animaux nuisibles.

ROBERT DESNOS

Robert Desnos (1900-1945) était parisien (du quartier de la Bastille) et considérait cette qualité comme un des « hasards objectifs » qui le firent poète. Dès 1919 il participe au mouvement *Dada*, puis, après la rencontre de Benjamin Péret, s'associe aux premières manifestations du groupe surréaliste. Il y exerce une influence capitale, car il y apparaît aussitôt, en particulier au cours des « séances de sommeil » organisées par Breton et Péret, comme doué d'un *véritable génie de l'automatisme verbal* et comme le plus authentique *témoin de la délivrance poétique* par *l'improvisation appuyée sur le rêve.* Et cette complicité du *hasard* et du *langage poétique* est bien ce qui fait la profonde unité de son œuvre.

Liberté du rêve

Spécialiste du compte rendu de rêve, Desnos se comporte à l'égard de ses propres rêves en collectionneur. L'écriture obéit à *la dictée du songe* selon la plus pure exigence surréaliste, et la poésie réside, aux yeux de Desnos et de ses amis, dans la pureté même de cette authenticité. Car le rêve et son compte rendu se doivent d'être *authentiques,* comme une œuvre d'art. Ainsi Desnos s'adonne-t-il, selon les hasards de l'improvisation onirique, à une *poésie du merveilleux automatique,* comme dans le passage ci-dessous où il s'agit de *rêves à l'état brut* :

En 1916. — *Je suis transformé en chiffre. Je tombe dans un puits qui est en même temps une feuille de papier, en passant d'une équation à une autre avec le désespoir de m'éloigner de plus en plus de la lumière du jour et d'un paysage qui est le château de Ferrières (Seine-et-Marne) vu de la voie du chemin de fer de l'Est.*

Durant l'hiver 1918-1919. — *Je suis couché et me vois tel que je suis en réalité. L'électricité est allumée. La porte de mon armoire à glace s'ouvre d'elle-même. Je vois les livres qu'elle renferme. Sur un rayon se trouve un coupe-papier de cuivre (il y est aussi dans la réalité) ayant la forme d'un yatagan. Il se dresse sur l'extrémité de la lame, reste en équilibre instable durant un instant puis se recouche lentement sur le rayon. La porte se referme. L'électricité s'éteint.*

En août 1922. — *Je suis couché et me vois tel que je suis en réalité. André Breton entre dans ma chambre, le Journal officiel à la main. « Cher ami, me dit-il, j'ai le plaisir de vous annoncer votre promotion au grade de sergent-major »,* puis il fait demi-tour et s'en va.

Littérature n° 5, 1922.

Les gorges froides

Dans ce document surréaliste, *c'est le langage lui-même qui rêve,* ce sont les *associations insolites* de mots et d'images qui surgissent de l'inconscient du poète et de sa parole pour transgresser les lois du temps et de l'espace. Le texte porte à dessein, comme pour mystifier le lecteur inattentif, le *masque* du sonnet et de la rime ; et le titre lui-même, inverse de : *faire des gorges chaudes* (railler ouvertement), sert à caractériser cet *humour à froid.*

A la poste d'hier tu télégraphieras [1]
que nous sommes bien morts avec les hirondelles.
Facteur triste facteur un cercueil sous ton bras [2]
va-t-en porter ma lettre aux fleurs à tire d'elle.

La boussole est en os mon cœur tu t'y fieras
quelque tibia marque le pôle et les marelles
pour amputés ont un sinistre aspect d'opéras [3].
Que pour mon épitaphe un dieu taille ses grêles !

— 1 Le rapport paradoxal entre le verbe au *futur* et son complément au *passé* équivaut à un renversement et même à une négation du temps.

— 2 Image analogue à celles des films surréalistes.

— 3 Exemple d'humour noir : mélange d'images sinistres et de visions heureuses.

C'est ce soir que je meurs ma chère Tombe-Issoire [4].
Ton regard le plus beau ne fut qu'un accessoire
de la machinerie étrange du bonjour :

Adieu ! je vous aimai sans scrupule et sans ruse,
ma Folie-Méricourt ma silencieuse intruse.
Boussole à flèche torse annonce le retour.

C'est les bottes de sept lieues cette phrase : « Je me vois », 1926 (Librairie Gallimard, éditeur).

LES PROFONDEURS DE LA NUIT

A partir de 1926 environ, DESNOS affirme progressivement son originalité à l'égard du *système* surréaliste, dans le temps même où Breton se fait de plus en plus théoricien (ce qui provoquera en 1930 une rupture provisoire entre les deux poètes). Il découvre le *cinéma* et compose un nombre considérable de scénarios, la plupart inédits. Il s'intéresse à la *radio* et invente le genre du *poème radiophonique.* Mais plus que jamais il suit à la trace la « surréalité » que dégagent les rencontres à la fois les plus insolites et les plus spontanées. Et cette *conjonction de l'insolite et de la spontanéité, du naturel et du surréel,* est désormais, chez DESNOS, le ressort essentiel de la poésie. Ainsi de ce texte où s'imbriquent, avec une sorte de rigueur alliée à l'humour, les images du *rêve* et celles de la *réalité.*
THÈMES : *Littérature. Réel et irréel. Humour.*

Un jour d'octobre, comme le ciel verdissait, les monts dressés sur l'horizon virent le léopard, dédaigneux pour une fois des antilopes, des mustangs et des belles, hautaines et rapides girafes, ramper jusqu'à un buisson d'épines. Toute la nuit et tout le jour suivant il se roula en rugissant. Au lever de la lune il s'était complètement écorché et sa peau, intacte, gisait à terre. Le léopard n'avait pas cessé de grandir durant ce temps. Au lever de la lune il atteignait le sommet des arbres les plus élevés, à minuit il décrochait de son ombre les étoiles.

Ce fut un extraordinaire spectacle que la marche du léopard écorché
10 sur la campagne dont les ténèbres s'épaississaient de son ombre gigantesque. Il traînait sa peau telle que les Empereurs romains n'en portèrent jamais de plus belle, eux ni le légionnaire choisi parmi les plus beaux et qu'ils aimaient.

Processions d'enseignes et de licteurs, processions de lucioles, ascensions miraculeuses ! rien n'égala jamais en surprise la marche du fauve sanglant sur le corps duquel les veines saillaient en bleu.

Quand il atteignit la maison de Louise Lame la porte s'ouvrit d'elle-même et, avant de crever, il n'eut que la force de déposer sur le perron, aux pieds de la fatale et adorable fille, le suprême hommage
20 de sa fourrure. [...]

Du haut d'un immeuble, Bébé Cadum magnifiquement éclairé [1],

---

— 4 La femme porte le nom d'une rue de Paris. De même, v. 13 : *ma Folie-Méricourt.*
 — 1 *Publicité lumineuse.* Passage brusque du rêve à la réalité. « Mélange psychique » des objets, des temps et des lieux. Ici encore on pense aux images des films surréalistes.

annonce des temps nouveaux. Un homme guette à sa fenêtre. Il attend. Qu'attend-il ?

Une sonnerie éveille un couloir. Une porte cochère se ferme.

Une auto passe.

Bébé Cadum magnifiquement éclairé reste seul, témoin attentif des événements dont la rue, espérons-le, sera le théâtre.

La Liberté ou l'Amour, 1927 (Kra, éditeur).

DEMAIN

Pendant la guerre et l'Occupation, DESNOS pense rester fidèle à lui-même en entrant dans la Résistance, dont il se fera le poète comme Aragon et Éluard, venus eux aussi du surréalisme (cf. ci-dessous), et il paiera de sa vie cet engagement. Il retrouve des accents et un style plus « classiques » pour chanter *le grand thème lyrique de l'espoir.* THÈMES : *Histoire. Guerre. Poète. Moi. Temps.*

Agé de cent mille ans, j'aurais encor la force
De t'attendre, ô demain pressenti par l'espoir.
Le temps, vieillard souffrant de multiples entorses,
Peut gémir : Le matin est neuf, neuf est le soir.

Mais depuis trop de mois nous vivons à la veille,
Nous veillons, nous gardons la lumière et le feu,
Nous parlons à voix basse et nous tendons l'oreille
A maint bruit vite éteint et perdu comme au jeu.

Or, du fond de la nuit, nous témoignons encore
De la splendeur du jour et de tous ses présents.
Si nous ne dormons pas c'est pour guetter l'aurore
Qui prouvera qu'enfin nous vivons au présent.

État de veille, 1943 (Librairie Gallimard, éditeur).

Du surréalisme à l'engagement   Parmi les « poètes nouveaux » dont la revue *Littérature* publiait les audaces se trouvaient au premier rang, auprès d'André Breton et de Robert Desnos, PAUL ÉLUARD et LOUIS ARAGON. Très différents de sensibilité et de style, ils devaient suivre le même itinéraire et passer, au long des années, de la poésie *expérimentale* à la poésie *engagée.* Pour eux, le surréalisme fut une étape dont ils ont toujours reconnu d'ailleurs l'importance capitale, puisque ÉLUARD, dans une conférence en 1937, déclarait encore qu'André Breton « avait été et restait pour lui un des hommes qui lui avaient le plus appris à penser ».

ÉLUARD et ARAGON, qui figuraient en bonne place dans le tableau où Max Ernst peignit en 1922 les animateurs du groupe *(Au rendez-vous des amis),* penseront devoir opérer, au-delà du surréalisme, un retour aux sources de la sensibilité individuelle et collective. Les événements politiques et sociaux de 1936, puis la Seconde Guerre mondiale produiront sur eux un effet de choc, amplifié par la sensibilité ou la passion idéologique.

Dès 1930 s'était posée au surréalisme la question de son *engagement politique :* André Breton, dans son refus absolu de tout « contrôle », y répondit par la négative. ARAGON le premier, ÉLUARD ensuite, y répondirent au contraire par leur adhésion au communisme. Au-delà même de cet engagement politique précis, ils allaient aussi redécouvrir la puissance *lyrique* du sentiment national et d'une mystique de la liberté, et devenir ainsi les deux grands poètes de la Résistance. C'est que les deux hommes, chacun à sa manière, avaient cru ressentir, dans les années qui suivirent 1930, la vanité d'un certain surréalisme et voulurent désormais *rétablir le lien entre la liberté du langage et la présence de l'événement.*

Victoire
de la sincérité

Ils restauraient ainsi la communication avec *les réalités concrètes* du monde et de l'humanité, et leur langage retrouve « les mots de tous les jours ». C'est comme si le surréalisme ouvrait sur une découverte qui le rend partiellement caduc, bien qu'il en ait été un *préalable* nécessaire. Aussi ÉLUARD peut-il s'écrier dans *La Rose publique* (1934) : *« Tout est nouveau, tout est futur ».*

Ce *nouveau,* ce *futur,* ce sont *les thèmes éternels du lyrisme :* l'amour et la mort, la patrie et la liberté ; leur restauration, à travers la sincérité de l'expérience intérieure et sociale, dans un langage libéré des entraves conventionnelles par la révolte surréaliste, leur confère désormais une nouvelle virginité : tel est du moins le sentiment des poètes eux-mêmes, émerveillés de ce qu'ils ont à dire.

PAUL ÉLUARD

Né à Saint-Denis, PAUL ÉLUARD (pseudonyme d'Eugène Grindel, 1895-1952) gardera toujours à l'esprit la *mélancolie* des paysages de banlieue. Il a subi, au cours de son adolescence, l'influence des poètes unanimistes (cf. p. 31). Malade et contraint d'interrompre ses études, il a recueilli de bonne heure des impressions qui laisseront leur empreinte sur une sensibilité partagée entre les images du malheur et du bonheur, dont la confrontation révèle de fécondes correspondances.

La période
surréaliste

A vingt ans, il est à la recherche d'un langage. Le surréalisme lui fournit les techniques de la rénovation verbale : son lyrisme y puisera une *science du mot* dont il cherchera à étendre le domaine en se consacrant plus tard à l'étude de la « poésie involontaire » ou de la « sémantique du proverbe et du lieu commun ». Il veut être aussi l'héritier de toute la tradition poétique française dont il explore les richesses méconnues : il travaille à une *Anthologie de la poésie du passé* qui sera publiée en 1951. En 1926 paraît son premier recueil important, *Capitale de la douleur,* suivi, en 1929, de *L'Amour la Poésie.* C'est la période proprement surréaliste, qui se clôt en 1934 avec *La Rose publique.*

Secret et simplicité

Une nouvelle période commence avec *Les Yeux fertiles* (1936) où s'opère le retour à la simplicité concrète du langage, sans que le songe ou l'imaginaire y perdent leurs droits ; et cette *réconciliation du secret et de la simplicité* marque désormais toute l'œuvre d'Éluard ; elle l'incite à retrouver, par la poésie, le contact avec l'humanité commune. Il épanouit alors le don poétique qui fait son originalité : *les images en liberté* remplissent et même constituent le poème et y composent *une vivante harmonie de clarté et de mystère.*

La poésie engagée

A propos de la guerre civile espagnole, il s'engage définitivement (*Guernica,* dans *Cours naturel,* 1938) ; en 1936, il écrit : « Le temps est venu où tous les poètes ont le droit et le devoir de soutenir qu'ils sont profondément enfoncés dans la vie des autres hommes, dans la vie commune. » En 1938, *Cours naturel* vient illustrer cette déclaration, et la Guerre Mondiale pousse ÉLUARD encore plus avant dans cette voie : *Le Livre ouvert* (1942), *Poésie et Vérité* (1942-1943), *Au rendez-vous allemand* (1944). Mais l'engagement n'exclut pas la recherche parallèle de la perfection du langage, effort dont témoigne en particulier *Poésie ininterrompue* (1946), tandis que les *Poèmes politiques* (1948) sont de la poésie de circonstance. A la fin de sa vie, ÉLUARD reviendra au lyrisme amoureux avec *Le Phénix* (1951).

Le miroir d'un moment

Les surréalistes et les poètes apparentés — Jean Cocteau par exemple — ont été véritablement fascinés par le thème du *miroir*. Ils voient en effet dans le *reflet* de multiples analogies avec le rêve, et ils y trouvent, sous la forme d'un « hasard objectif », la *métamorphose des êtres et des objets* qui attire particulièrement la sensibilité nostalgique d'Éluard.

Il dissipe le jour,
Il montre aux hommes les images déliées
    de l'apparence,
Il enlève aux hommes la possibilité de se distraire [1].
Il est dur comme la pierre,
La pierre informe,
La pierre du mouvement et de la vue [2],
Et son éclat est tel que toutes les armures,
    tous les masques en sont faussés.
Ce que la main a pris dédaigne même de prendre
    la forme de la main,
Ce qui a été compris n'existe plus,
L'oiseau s'est confondu avec le vent,
Le ciel avec sa vérité,
L'homme avec sa réalité.

Capitale de la douleur, 1926 (Librairie Gallimard, éditeur).

« La courbe de tes yeux... »

Au cœur même de sa période surréaliste, ÉLUARD n'a cessé d'être fidèle à la tradition qui fait de l'amour un thème poétique par excellence : un recueil de 1929 s'intitule *L'Amour la Poésie*. Images, mots, rythmes s'accordent pour suggérer *l'évidence intérieure,* l'évidence d'un paradis d'amour tranquille et sûr. – THÈMES : *Amour. Bonheur. Symboles.*

La courbe de tes yeux fait le tour de mon cœur,
Un rond de danse et de douceur,
Auréole du temps, berceau nocturne et sûr,
Et si je ne sais plus tout ce que j'ai vécu
C'est que tes yeux ne m'ont pas toujours vu.

Feuilles de jour et mousse de rosée,
Roseaux du vent, sourires parfumés,
Ailes couvrant le monde de lumière,
Bateaux chargés du ciel et de la mer,
Chasseurs des bruits et sources des couleurs,

Parfums éclos d'une couvée d'aurores
Qui gît toujours sur la paille des astres,
Comme le jour dépend de l'innocence
Le monde entier dépend de tes yeux purs
Et tout mon sang coule dans leurs regards.

Capitale de la douleur, 1926 (Librairie Gallimard, éditeur).

— 1 Pouvoir de *fascination* du miroir. — 2 Le reflet est comme l'*image solide* de l'objet.

Finir

C'est le malheur des temps qui, à partir de 1936, éloigne ÉLUARD du surréalisme pur. Son langage continue de rêver, mais en se nourrissant des émotions et des images que lui inspire *son intense participation à la misère du monde*. Ainsi se trouve libéré un lyrisme à la fois tendre et violent qui proclame la présence au monde du langage poétique. Ce monde, le poème ne va pas le *décrire*, mais lui trouver une *équivalence verbale et rythmique* en joignant étroitement les unes aux autres les *images spontanées* que suscite chez le poète sa conscience du mal et du malheur ; et ces images s'associent en *figures monstrueuses ou insolites* comme dans un cauchemar capricieux et pathétique. – THÈME : *Société*.

Les pieds dans des souliers d'or fin
Les jambes dans l'argile froide
Debout les murs couverts de viandes [1] inutiles
Debout les bêtes mortes

Voici qu'un tourbillon gluant
Fixe à jamais rides grimaces
Voici que les cercueils enfantent
Que les verres sont pleins de sable
Et vides
10 Voici que les noyés s'enfoncent
Le sang détruit [2]
Dans l'eau sans fond de leurs espoirs passés [3]

Feuille morte molle [4] rancœur
Contre le désir et la joie
Le repos a trouvé son maître
Sur des lits de pierre et d'épines

La charrue des mots [5] est rouillée
Aucun sillon d'amour n'aborde plus la chair
Un lugubre travail est jeté en pâture
20 A la misère dévorante
A bas les murs [6] couverts des armes émouvantes [7]
Qui voyaient clair dans l'homme
Des hommes noircissent de honte
D'autres célèbrent leur ordure
Les yeux les meilleurs s'abandonnent

Même les chiens sont malheureux.

Le Livre ouvert, I, 1938 (Librairie Gallimard, éditeur).

— 1 Nourritures (sens étymologique et ancien). C'est là, comme *les bêtes mortes*, le symbole d'un monde devenu inhabitable à l'homme. — 2 Comprendre : *leur sang étant détruit*. — 3 Le poème, sous son apparence volontairement anarchique, se construit, en *crescendo*, sur l'association obsédante des images de froid, de mort et de destruction. — 4 Noter le chiasme et l'allitération qui renforcent la signification convergente des deux adjectifs. — 5 Difficulté de la poésie dans un monde privé d'amour. Comparaison du langage avec la charrue qui rend la terre féconde. — 6 Cf. v. 3-4. — 7 Peut-être allusion à la sensibilité humaine *armée* d'amour.

ANNIVERSAIRE

La place du lyrisme amoureux grandit au fur et à mesure qu'ÉLUARD s'attache à refléter la profonde simplicité des émotions élémentaires : autour du thème amoureux, il englobe la totalité du temps, de la nature et du « monde entier ». Ses principales inspiratrices furent successivement, de 1912 à 1919, GALA (qui le quitta pour Salvador Dali), puis NUSH, qui mourut en 1946, enfin DOMINIQUE. – THÈMES : *Amour. Nature. Temps.*

Je fête l'essentiel je fête ta présence
Rien n'est passé la vie a des feuilles nouvelles
Les plus jeunes ruisseaux sortent dans l'herbe fraîche

Et comme nous aimons la chaleur il fait chaud
Les fruits abusent du soleil les couleurs brûlent
Puis l'automne courtise ardemment l'hiver vierge

L'homme ne mûrit pas il vieillit ses enfants
Ont le temps de vieillir avant qu'il ne soit mort
Et les enfants de ses enfants il les fait rire

Toi première et dernière tu n'as pas vieilli
Et pour illuminer mon amour et ma vie
Tu conserves ton cœur de belle femme nue.

Le lit, la table. — A celle qui répète ce que je dis, VII, 1944 (Les Trois Collines, Genève).

Nous deux

La mort de NUSH, en 1946, réduit ÉLUARD au désespoir et son lyrisme semble tari. Trois ans plus tard, en 1949, il rencontre DOMINIQUE et, avec le réveil de l'amour, renaît aussi le lyrisme : « *Tu es venue le feu s'est alors ranimé — L'ombre a cédé le froid d'en bas s'est étoilé — Et la terre s'est recouverte — De ta chair claire et je me suis senti léger — Tu es venue la solitude était vaincue [...]* ». Ainsi DOMINIQUE est celle par qui le « phénix » est ressuscité de ses cendres, d'où le titre du dernier recueil d'Éluard, *Le Phénix : La Mort, l'Amour, la Vie*, paru en 1951, un an avant sa mort. – THÈMES : *Amour. Bonheur.*

Nous deux nous tenant par la main
Nous nous croyons partout chez nous
Sous l'arbre doux sous le ciel noir
Sous tous les toits au coin du feu
Dans la rue vide en plein soleil
Dans les yeux vagues de la foule
Auprès des sages et des fous
Parmi les enfants et les grands
L'amour n'a rien de mystérieux
Nous sommes l'évidence même
Les amoureux se croient chez nous.

Le Phénix (Seghers, éditeur).

Liberté

Pendant la guerre, engagé dans la Résistance, ÉLUARD participe au grand mouvement qui entraîne alors la poésie française (cf. p. 380). Le recueil *Poésie et Vérité* (1942) s'ouvre sur un *Hymne à la Liberté* qui reste l'un des chefs-d'œuvre de la poésie de la Résistance. On y voit réapparaître les formes traditionnelles de la *litanie* et du *refrain* : ÉLUARD redécouvre les lois de la *poésie orale* qui le conduisent à une sorte d'*éloquence concise* fort originale ; la *musique mélodique* des mots et de leurs rythmes reprend aussi tous ses droits. – THÈMES : *Histoire. Liberté. Littérature (Engagement). Poète. Symboles.*

Sur mes cahiers d'écolier
Sur mon pupitre et les arbres
Sur le sable sur la neige
J'écris ton nom

Sur toutes les pages lues
Sur toutes les pages blanches
Pierre sang papier ou cendre
J'écris ton nom

Sur les images dorées
10 Sur les armes des guerriers
Sur la couronne des rois
J'écris ton nom

Sur la jungle et le désert
Sur les nids sur les genêts
Sur l'écho de mon enfance
J'écris ton nom

Sur les merveilles des nuits
Sur le pain blanc des journées
Sur les saisons fiancées
20 J'écris ton nom

Sur tous mes chiffons d'azur
Sur l'étang soleil moisi
Sur le lac lune vivante
J'écris ton nom

Sur les champs sur l'horizon
Sur les ailes des oiseaux
Et sur le moulin des ombres
J'écris ton nom

Sur chaque bouffée d'aurore
30 Sur la mer sur les bateaux
Sur la montagne démente
J'écris ton nom

Sur la mousse des nuages
Sur les sueurs de l'orage
Sur la pluie épaisse et fade
J'écris ton nom

Sur les formes scintillantes
Sur les cloches des couleurs
Sur la vérité physique [1]
J'écris ton nom   40

Sur les sentiers éveillés
Sur les routes déployées
Sur les places qui débordent [2]
J'écris ton nom

Sur la lampe qui s'allume
Sur la lampe qui s'éteint
Sur mes maisons réunies
J'écris ton nom

Sur le fruit coupé en deux
Du miroir et de ma chambre   50
Sur mon lit coquille vide
J'écris ton nom

Sur mon chien gourmand et tendre
Sur ses oreilles dressées
Sur sa patte maladroite
J'écris ton nom [3]

Sur le tremplin de ma porte
Sur les objets familiers
Sur le flot du feu béni
J'écris ton nom   60

Sur toute chair accordée
Sur le front de mes amis
Sur chaque main qui se tend
J'écris ton nom

— 1 La vérité de la *nature*, développée dans les strophes précédentes par la succession des images. — 2 Passage de la *nature* à l'*humanité*. — 3 Son amour pour les animaux était célèbre.

Sur la vitre des surprises
Sur les lèvres attentives
Bien au-dessus du silence
J'écris ton nom

Sur la santé revenue
Sur le risque disparu
Sur l'espoir sans souvenirs
J'écris ton nom   80

70 Sur mes refuges détruits
Sur mes phares écroulés
Sur les murs de mon ennui
J'écris ton nom

Et par le pouvoir d'un mot
Je recommence ma vie
Je suis né pour te connaître
Pour te nommer

Sur l'absence sans désirs
Sur la solitude nue
Sur les marches de la mort
J'écris ton nom

Liberté.

Poésie et Vérité, 1942
(Éditions de Minuit).

LOUIS ARAGON

Les débuts
surréalistes

En 1920 paraissait *Feu de joie*, suivi, en 1926, du *Mouvement perpétuel*, deux recueils qui marquèrent dans l'histoire du surréalisme. Leur auteur, LOUIS ARAGON (1897-1982 ; cf. p. 559), avait fait des études médicales. Il s'associe au mouvement surréaliste, mais en y voyant surtout un moyen de libération et en y cherchant une révolution positive ; dès *Feu de joie*, il écrit : *Le monde à bas, je le bâtis plus beau.* Et ainsi le surréalisme est pour lui un point de départ plutôt qu'un système ou une doctrine.

Pour demain

Les poèmes de la période surréaliste sont caractérisés par l'*aisance du jeu verbal* qui souvent relève d'une sorte de *préciosité*. Conformément à l'une des tendances du surréalisme, la poésie est alors, pour ARAGON, surtout un *exercice*. Mais, à travers cet exercice, se fait jour un *authentique lyrisme* qui chante, en liberté, les charmes et les métamorphoses féeriques de la nature, des êtres et des objets. – THÈME : *Symboles*.

Vous que le printemps opéra
Miracles ponctuez ma stance
Mon esprit épris du départ
Dans un rayon soudain se perd
Perpétué par la cadence

Les quais gais comme en carnaval
Vont au-devant de la lumière
Elle visite les palais
Surgis selon ses jeux ou lois
Moi je l'honore à ma manière

La Seine au soleil d'Avril danse
Comme Cécile au premier bal
Ou plutôt roule des pépites
Vers les ponts de pierre ou les cribles
10 Charme sûr La ville est le val [1]

La seule école buissonnière
Et non Silène m'enseigna
Cette ivresse couleurs de lèvres
Et les roses du jour aux vitres
Comme des filles d'Opéra [2]   20

Feu de joie, 1917-1919 (Au Sans Pareil, éditeur).

— 1 Métamorphose champêtre de la ville par | la magie du printemps (*miracles... charme*). — | 2 Noter l'écho verbal avec le v.1.

Du surréalisme à l'engagement

Paul Colin, affiche pour la Libération de Paris, 1944.

Liberté

Comme la plupart des poètes, les artistes ont éprouvé dès la *Guerre d'Espagne* (1936), et surtout pendant la *Seconde Guerre mondiale*, la nécessité de manifester leur engagement par des créations directement accessibles au grand public (cf. **p. 380-381**). C'est ici un projet pour l'affiche qui couvrait déjà les murs de Paris lors des derniers combats de la Libération. A rapprocher des poèmes de douleur et d'espérance d'**Éluard** et d'**Aragon**.

Les débuts du fugitif

Fuyant « un pays de blessures » et rêvant d'un « Paradis », le poète affirme son refus d'obéir aux « capitaines de l'habitude ». – THÈMES : *Réel et irréel. Liberté. Symboles.*

Que le ciel est petit à la fin des journées
Ses horizons sont faux ses portes condamnées
La lune croit vraiment que les chiens vont la mordre
Je chasse les étoiles avec la main
Mouches nocturnes ne vous abattez pas sur mon cœur
Vous pouvez toujours me crier Fixe [1]
Capitaines de l'habitude et de la nuit
Je m'échappe indéfiniment sous le chapeau de l'infini
Qu'on ne m'attende jamais à mes rendez-vous illusoires

Les Destinées de la poésie, 1925-1926 (Librairie Gallimard, éditeur)

L'amour et l'action

ARAGON porte en lui un *tempérament d'homme d'action :* il sera communiste, homme de parti et directeur de journal (cf. p. 559). Sa poésie admet la rhétorique : il se place volontiers sous le patronage de Hugo et il redécouvre et renouvelle les pouvoirs rythmiques de l'alexandrin. Surréaliste, il prend pour tremplin de son œuvre *l'alchimie du verbe* chère à Rimbaud ; mais, homme d'action et orateur, il est tourmenté d'un *besoin d'humanité* qui lui impose un *virage poétique* confirmé dans les poèmes de guerre et de résistance. — Cf. ses romans, p. 559-563.

En 1941, *Le Crève-Cœur,* inspiré par la guerre, l'exode et l'armistice de 1940, connaît un succès de librairie exceptionnel pour un recueil de poèmes. ARAGON apparaît alors comme un poète facile et fécond, et publie, au cours de ces années, recueil sur recueil : *Cantique à Elsa* (1942), *Les Yeux d'Elsa* (1942), *Brocéliande* (1942), *Le Musée Grévin* (1943), *Je te salue, ma France* (1944), *La Diane française* (1944) : poésie qui retient encore, du surréalisme, la liberté syntaxique et rythmique, mais développe, selon une rhétorique souvent très traditionnelle, les thèmes jumelés de l'amour et du patriotisme. Après 1945, ARAGON a publié *En étrange pays dans mon pays lui-même* (1945-1947), *Le Nouveau Crève-Cœur* (1948), *Le Fou d'Elsa* (1963), *Les Chambres, poèmes du temps qui ne passe pas* (1969), *Les Adieux et autres poèmes* (1982).

CE QUE DIT ELSA

Les événements de 1940 seront l'occasion du *revirement poétique* d'ARAGON. Le choc provoqué par la guerre, la défaite et l'occupation, cristallise en lui ce besoin de *validité humaine* que l'homme d'action inspire au poète. Le surréalisme connaît alors une évolution comparable à celle du romantisme après 1830 : la conversion à l'humain, le retour à l'inspiration politique et sociale. Chez Aragon intervient aussi l'amour de sa femme, Elsa, et les deux thèmes de l'amour et de la France se trouvent unis sous le signe de l'espoir. THÈMES : *Amour. Femme. Poète. Littérature (Engagement). Symboles.*

Tu me dis Notre amour s'il inaugure un monde
C'est un monde où l'on aime à parler simplement
Laisse-là Lancelot Laisse la Table Ronde
    Yseut Viviane Esclarmonde
Qui pour miroir avait un glaive déformant [1] [...]

— 1 A ce commandement, les soldats s'immobilisent aux ordres du capitaine.

— 1 Cf. dans *Brocéliande,* le désir d'oublier les malheurs présents par une poésie « médiévale ».

Si tu veux que je t'aime apporte-moi l'eau pure
A laquelle s'en vont leurs désirs ² s'étancher
Que ton poème soit le sang de ta coupure
    Comme un couvreur sur la toiture
10 Chante pour les oiseaux qui n'ont où se nicher

Que ton poème soit l'espoir qui dit A suivre
Au bas du feuilleton sinistre de nos pas
Que triomphe la voix humaine sur les cuivres
    Et donne une raison de vivre
A ceux que tout semblait inviter au trépas

Que ton poème soit dans les lieux sans amour
Où l'on trime où l'on saigne où l'on crève de froid
Comme un air murmuré qui rend les pieds moins lourds
    Un café noir au point du jour
20 Un ami rencontré sur le chemin de croix

Pour qui chanter vraiment en vaudrait-il la peine
Si ce n'est pas pour ceux dont tu rêves souvent
Et dont le souvenir est comme un bruit de chaînes
    La nuit s'éveillant dans tes veines
Et qui parle à ton cœur comme au voilier le vent

Tu me dis Si tu veux que je t'aime et je t'aime
Il faut que ce portrait que de moi tu peindras
Ait comme un ver vivant au fond du chrysanthème
    Un thème caché dans son thème
Et marie à l'amour le soleil qui viendra

        Cantique à Elsa, 1942 (Pierre Seghers, éditeur).

« *Je vous salue ma France...* »

Écrit en 1943, *Je vous salue ma France...* s'adresse aux prisonniers et aux déportés *au-delà du déluge;* l'image de la France y est la garantie de l'*espérance,* dont la poésie épouse le rythme ascendant en utilisant à nouveau toutes les ressources de l'alexandrin, l'alexandrin de Ronsard et de Hugo. Le recueil d'où ce poème est extrait fut publié clandestinement. – THÈMES : *Littérature (Engagement). Histoire. Guerre. Poète.*

Lorsque vous reviendrez car il faut revenir
Il y aura des fleurs tant que vous en voudrez
Il y aura des fleurs couleur de l'avenir
Il y aura des fleurs lorsque vous reviendrez

— 2 Les *désirs* des « pauvres gens » évoqués dans les strophes précédentes.

Vous prendrez votre place où les clartés sont douces
Les enfants baiseront vos mains martyrisées
Et tout à vos pieds las redeviendra de mousse
Musique à votre cœur calme où vous reposer

Haleine des jardins lorsque la nuit va naître
10 Feuillages de l'été profondeur des prairies
L'hirondelle tantôt qui vint sur la fenêtre
Disait me semble-t-il Je vous salue Marie

Je vous salue ma France arrachée aux fantômes
O rendue à la paix Vaisseau sauvé des eaux
Pays qui chante Orléans Beaugency Vendôme [1]
Cloches cloches sonnez l'angélus des oiseaux

Je vous salue ma France aux yeux de tourterelle
Jamais trop mon tourment mon amour jamais trop
Ma France mon ancienne et nouvelle querelle [2]
20 Sol semé de héros ciel plein de passereaux

Je vous salue ma France où les vents se calmèrent
Ma France de toujours que la géographie
Ouvre comme une paume aux souffles de la mer
Pour que l'oiseau du large y vienne et se confie

Je vous salue ma France où l'oiseau de passage
De Lille à Roncevaux de Brest au Mont-Cenis
Pour la première fois a fait l'apprentissage
De ce qu'il peut coûter d'abandonner un nid

Patrie également à la colombe ou l'aigle
30 De l'audace et du chant doublement habitée
Je vous salue ma France où les blés et les seigles
Mûrissent au soleil de la diversité

Je vous salue ma France où le peuple est habile
A ces travaux qui font les jours émerveillés
Et que l'on vient de loin saluer dans sa ville
Paris mon cœur trois ans vainement fusillé

Heureuse et forte enfin qui portez pour écharpe
Cet arc-en-ciel témoin qu'il ne tonnera plus [3]
Liberté dont frémit le silence des harpes
Ma France d'au-delà le déluge salut

           Août-Septembre 1943. — *Le Musée Grévin* (Éditions de Minuit).

— 1 Citation d'un carillon du XVIe siècle : *Orléans, Beaugency, Notre-Dame de Cléry, Vendôme, Vendôme,* qui avait connu une grande célébrité littéraire quand l'abbé Bremond l'avait présenté comme un modèle de « poésie pure » (cf. p. 330). — 2 Cf. le sens ancien de *plainte* (Du Bellay : *ma triste querelle,* dans *XVIe Siècle,* p. 111). — 3 Le drapeau tricolore.

Du surréalisme à l'engagement

Henri Rousseau, « La Guerre ou la chevauchée de la discorde », 1894. —
(Musée d'Orsay, Paris. Ph. Hubert Josoo © Photeb)

Pablo Picasso, « Guernica », 1937. (Museo del Prado, Madrid. Ph. Oroñoz © Arch.
Photeb © by SPADEM 1988)

L'horreur de la guerre

La Guerre, d'Henri Rousseau, est de 1894 ; mais cette terrible allégorie de l'absurdité et de la barbarie de la guerre résume la protestation des hommes à travers les siècles. De même l'immense toile de Picasso dictée par l'atroce bombardement de Guernica, au Pays basque, nous apparaît désormais comme une des plus puissantes dénonciations de la guerre. Par les moyens propres à la poésie, **Éluard** et **Aragon** joignent leur voix à celle de ces grands peintres.

La Rose et le Réséda

Paru d'abord dans *Le Mot d'ordre* [1] en 1942, puis repris en 1945 dans *La Diane française,* ce poème est inspiré par le double sacrifice, au service d'une commune Résistance, de l'officier de marine catholique Honoré d'Estienne d'Orves et du communiste Gabriel Péri : symbole de la fusion dans l'unité nationale de ce que Barrès [2] appelait « *les diverses familles spirituelles de la France* » (titre d'un livre du temps de l'autre guerre, 1917).
THÈMES : *Histoire. Guerre. Société. Poète. Littérature. Despotisme. Liberté.*

Celui qui croyait au ciel
Celui qui n'y croyait pas
Tous deux adoraient la belle [3]
Prisonnière des soldats
Lequel montait à l'échelle
Et lequel guettait en bas
Celui qui croyait au ciel
Celui qui n'y croyait pas
Qu'importe comment s'appelle
10 Cette clarté sur leur pas
Que l'un fût de la chapelle
Et l'autre s'y dérobât
Celui qui croyait au ciel
Celui qui n'y croyait pas
Tous les deux étaient fidèles
Des lèvres du cœur des bras
Et tous les deux disaient qu'elle
Vive et qui vivra verra
Celui qui croyait au ciel
20 Celui qui n'y croyait pas
Quand les blés sont sous la grêle
Fou qui fait le délicat
Fou qui songe à ses querelles
Au cœur du commun combat
Celui qui croyait au ciel
Celui qui n'y croyait pas
Du haut de la citadelle
La sentinelle tira
Par deux fois et l'un chancelle
30 L'autre tombe qui mourra
Celui qui croyait au ciel
Celui qui n'y croyait pas

Ils sont en prison Lequel
A le plus triste grabat
Lequel plus que l'autre gèle
Lequel préfèrent les rats
Celui qui croyait au ciel
Celui qui n'y croyait pas
Un rebelle est un rebelle
Nos sanglots font un seul glas   40
Et quand vient l'aube cruelle
Passent de vie à trépas
Celui qui croyait au ciel
Celui qui n'y croyait pas
Répétant le nom de celle
Qu'aucun des deux ne trompa
Et leur sang rouge ruisselle
Même couleur même éclat
Celui qui croyait au ciel
Celui qui n'y croyait pas   50
Il coule il coule et se mêle
A la terre qu'il aima
Pour qu'à la saison nouvelle
Mûrisse un raisin muscat
Celui qui croyait au ciel
Celui qui n'y croyait pas
L'un court et l'autre a des ailes
De Bretagne ou du Jura
Et framboise ou mirabelle
Le grillon rechantera   60
Dites flûte ou violoncelle
Le double amour qui brûla
L'alouette et l'hirondelle
La rose et le réséda

La Diane française, 1944 (Seghers, éditeur).

— 1 Journal « résistant » publié à Marseille par L.-O. Frossard. — 2 Barrès, le maître de la jeunesse d'Aragon. Lors du « procès » fictif intenté à Barrès par le groupe surréaliste le 13 mai 1922, Aragon assuma le rôle d'avocat-défenseur. Quant à Barrès *écrivain,* Aragon, déplorant ce qu'il appelle « *le désossement progressif de la prose française* », déclarait : « *S'il faut choisir, je me dirai barrésien.* » — 3 La France.

L'univers du surréalisme

*Max Ernst, « Au rendez-vous des amis »,
1922.* (Wallraf-Richartz Museum, Cologne.
Ph. © Giraudon © by SPADEM 1988)

*Man Ray, frontispice du n° 3 et 4
de la revue « Le Minotaure », 1934.*
(Bibliothèque littéraire Jacques Doucet, Paris. Ph. Jean-Loup
Charmet © Arch. Photeb © by ADAGP 1988)

Peintres et poètes

Au rendez-vous des amis. Debout (de gauche
à droite) : Soupault (2), Arp (3), Morise (5),
Rafaele Sanzio (7), Éluard (9), Aragon (12),
Breton (13), Chirico (15), Gala Éluard (16). –
Assis : Crevel (1), Ernst (4), *Fedor Dostoïevski*
(6), Fraenkel (8), Paulhan (10), Péret (11),
Baargeld (14), Desnos (17).

René Magritte, « La Clé des champs », 1936. (Coll. Thyssen-Bornemisza, Lugano. Ph. Luc Joubert © Arch. Photeb © by ADAGP 1988)

Réalité et merveilleux

Pour **Magritte,** c'est à partir de la réalité que l'artiste créateur peut faire surgir l'élément poétique qui ouvrira sur un monde mystérieux.

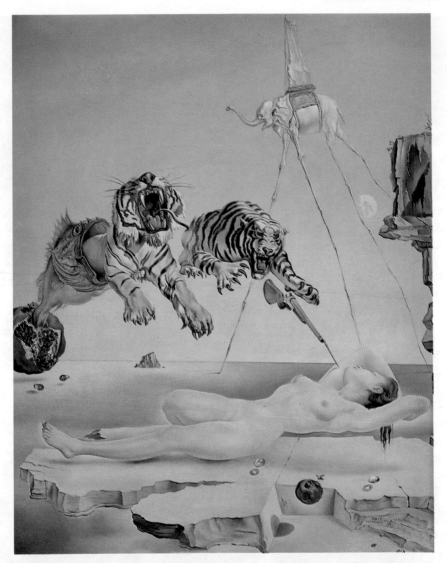

Salvador Dali, « Rêve causé par le vol d'une abeille autour d'une pomme-grenade, une seconde avant l'éveil », 1944. (Coll. Thyssen-Bornemisza, Lugano. Ph. Luc Joubert © Arch. Photeb © by ADAGP 1988)

Rêve et psychanalyse

Le compte rendu de rêve devient matière poétique pour un poète surréaliste comme **Desnos** (cf. **p. 378**). De même, il arrive à **Dali** de s'inspirer non seulement des songes, mais des hallucinations et des délires « paranoïaques ».

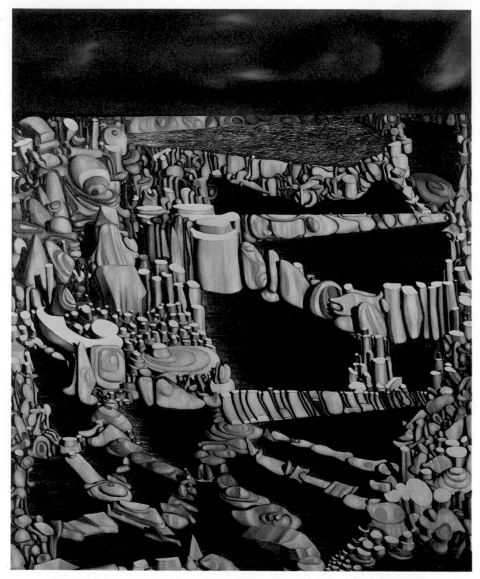

Yves Tanguy, « Nombres imaginaires », 1954. (Coll. Thyssen-Bornemisza, Lugano.
Ph. Luc Joubert © Arch. Photeb © by SPADEM 1988)

Une création absolue

A la découverte de mondes inconnus, **Tanguy** se détourne ici entièrement des formes du réel : c'est alors une création absolue qui naît de son imagination.

EN MARGE DU SURRÉALISME

L'aventure poétique   Le surréalisme avait été une *aventure* plus qu'une doctrine : aussi assiste-t-on après la période militante à une dispersion du groupe. Mais pour la même raison, l'essentiel du surréalisme — cet esprit d'aventure poétique — se retrouve chez la plupart des poètes indépendants de la même génération. Les uns, comme CENDRARS ou REVERDY, furent en contact avec le groupe sans cependant y être jamais vraiment intégrés ; d'autres, comme COCTEAU ou MAX JACOB, ne furent pas sans liens avec lui, mais en poursuivant une expérience personnelle qui tantôt s'en éloigne et tantôt s'en approche ; d'autres enfin, comme JULES SUPERVIELLE, méritent pleinement le titre d'indépendants. Le problème poétique se pose alors en termes tels que les esprits les plus divers se rencontrent ou s'opposent sur la question d'*une essence autonome de la poésie*, comme en témoigne *la querelle de la poésie pure*, contemporaine du surréalisme (cf. p. 330), et cette coïncidence est révélatrice : l'ambition de cet âge poétique est bien de *saisir la poésie dans sa pureté*, mais les voies de cette ambition sont multiples, et l'aventure poétique reste pour beaucoup une *aventure individuelle*.

A la recherche de l'inouï   Tous ces poètes se sont lancés à la quête de *l'inouï*, puisé aux correspondances secrètes du sensible. Telle est leur aventure, que tout ce qui est, et qui peut être *nommé*, s'organise, dans leurs rêves ou sous leur regard, en *une fantasmagorie de rapports neufs*, comme il arrive à la même époque dans la peinture, des Cubistes aux Abstraits, dont l'aventure est parallèle à celle des poètes. Peintres et poètes ont d'ailleurs formé alors un milieu unique et entre eux se sont constitués de nombreux liens d'amitié personnelle. Certains de ces poètes, CENDRARS, COCTEAU, REVERDY, demanderont à l'expression graphique, comme déjà William Blake ou Gérard de Nerval, d'accompagner ou de compléter l'aventure du langage.

Car *l'esprit d'aventure* motive les plus libres et les plus audacieuses expériences verbales : c'est une autre analogie de ces poètes « indépendants » avec le surréalisme, comme l'est aussi l'intérêt passionné qu'ils portent à *tout ce qui est langage*, c'est-à-dire à tout ce qui est élargissement, enrichissement et multiplication du *pouvoir d'expression* de l'esprit. Ainsi s'explique la participation d'un CENDRARS ou d'un COCTEAU à l'évolution poétique du cinéma alors muet, et leur volonté de ne pas être seulement des « poètes ».

Primauté de l'image   Jusque dans le langage verbal, ils sont les poètes de cette *civilisation de l'image* si caractéristique du XXᵉ siècle : l'image, qu'elle soit onirique ou réaliste, précise ou confuse, consciente ou inconsciente, sensorielle ou intérieure, est la maîtresse du poème ; *c'est l'image qui commande*, et rien ne mérite de lui résister, ni règles ni conventions, ni syntaxe ni métrique. Mais règles et conventions, métrique et syntaxe, peuvent être restaurées si au contraire elles se révèlent capables de soutenir ou de renforcer le pouvoir suggestif ou expressif de l'image. Car ces poètes ne sont pas des négateurs, ou en tout cas ils ne le sont que provisoirement et méthodiquement ; ils sont nourris de culture poétique, linguistique, parfois même philologique (Cendrars met dans ses bagages « un dictionnaire de Darmesteter » !) ; ils ont le sentiment de poursuivre l'aventure commencée dès les origines de la poésie et se réfèrent volontiers à Orphée, mais en instaurant une telle *libération de l'image et de ses langages* que tout un monde infiniment riche surgit alors, où se mêlent le familier et l'insolite, le quotidien et l'extraordinaire, le tragique et l'humour. C'est même souvent le sentiment d'une intime et inépuisable *unité des contradictoires* qui déclenche la fécondité poétique, au point qu'on pratiquera systématiquement, et jusqu'à la provocation, l'association — ironique ou absurde, humoristique ou aberrante — des mots, pour susciter l'apparition de l'image, sésame irremplaçable de l'aventure poétique. Selon P. Reverdy, « *L'image est une création pure de l'esprit. Elle ne peut naître d'une comparaison, mais du rapprochement de deux réalités plus ou moins éloignées. Plus les rapports de deux réalités rapprochées seront lointains et justes, plus l'image sera forte* » (*Le Gant de crin*, 1927).

Aventure vécue et   La poésie de cette époque se nourrit parfois de l'*aventure*
aventure spirituelle   *vécue :* le poète est alors un authentique aventurier ; elle
se nourrit parfois aussi de l'*aventure spirituelle :* il y a de
la mysticité chez la plupart de ces poètes, et elle pourra aller, chez MAX JACOB, jusqu'à
la conversion au catholicisme et à la pratique d'une vie quasi monastique. Car l'image,
si elle est parfois recherchée pour elle-même — et, dans ce cas, la poésie penche vers
la préciosité —, est le plus souvent la voie vers un « surmonde » dont la découverte
est la raison d'être du poème. Il arrivera qu'on se trouve en présence d'une *ambiguïté*
entre préciosité et spiritualité qui s'exprime par l'humour et les apparences ou la réalité
de la mystification. Humour et mystification qui sont eux-mêmes des techniques de
révélation du « secret » inlassablement pourchassé, par tous les moyens. Car l'aventure
peut être, tout aussi bien, la naïveté ou la tendresse, le simple lyrisme du cœur ou des
sens, le libre abandon du poète à lui-même, à la nature, à l'humanité. C'est *l'infinie variété*
des registres simultanés qui fait la richesse et l'originalité de cette poésie.

BLAISE CENDRARS

A bien des égards, BLAISE CENDRARS (1887-1961) fait figure de précurseur. On se
reportera donc à la biographie et aux extraits d'ensemble groupés dans le chapitre sur
la *Poésie avant 1914* (cf. p. 33-35). Mais, comme ses recueils poétiques sont autant d'étapes
qui jalonnent une route parallèle à celle des surréalistes (cf. p. 372), on ne pouvait omettre
de le citer ici et de définir les caractères de sa poésie « *en marge du surréalisme* ».

« Bourlinguer »   L'œuvre de CENDRARS se confond, on l'a vu, avec sa
vie ; un mot les résume ensemble, qu'il donnera pour titre
à l'une de ses autobiographies : *« Bourlinguer »* (1948). Sa poésie, comme sa vie, est
faite de *la notation, à l'état brut, des images fulgurantes et hétérogènes,* qui s'inscrivent sur
la rétine et dans la mémoire du voyageur d'un grand express : rythme plus
cinématographique que proprement littéraire, qui élimine les éléments statiques de
l'écriture (dès 1912, dans ses *Pâques à New York,* il supprime en partie la ponctuation,
incitant Apollinaire à en faire autant sur les épreuves d'*Alcools*). En 1921, Cendrars
collabore au film d'Abel Gance, *La Roue :* le rythme de la roue de locomotive, illustré
d'autre part par la musique de Honegger *(Pacific 231),* contient en germe l'essentiel de
sa poésie (cf. p. 34).

Poésie brute   CENDRARS nourrit sa poésie de son *sens aigu de*
et dynamique   *l'hétéroclite,* encore accru par une prodigieuse *mémoire,*
constamment et consciemment confondue avec le *rêve* et
l'*imagination.* Ainsi se crée une *poésie spontanée du chaos.* Par exemple, dans un poème
intitulé *Bagage,* la malle, objet *réaliste* par excellence, devient un symbole *surréaliste :*
pour le voyageur-poète, le bagage est un *microcosme insolite ;* les choses s'y agglutinent
selon ce que les surréalistes appellent un « hasard objectif », et le catalogue du bagage
est l'*image concentrée des aventures possibles,* dont il suffira de dresser la liste dans un
vocabulaire lui-même hétéroclite. Dans ce constant échange de réalisme apparent et de
surréalisme implicite, la poésie des choses peut alors être saisie *à l'état naissant.* Chez
CENDRARS cette *poésie brute et dynamique* nourrit tout aussi bien l'œuvre du romancier
et ses témoignages autobiographiques.

JEAN COCTEAU

Étonner... « *Jean, étonne-moi !* », tel était le cri adressé par Diaghilev à JEAN COCTEAU en 1913. Avec ce cri, un personnage était né, qui allait poursuivre, du cabaret du *Bœuf sur le toit* à l'Académie française, une carrière unique dans l'histoire littéraire du XXᵉ siècle. JEAN COCTEAU (1889-1963) avait écrit quelques divertissements littéraires, mais la rencontre de Diaghilev et l'influence du *Sacre du printemps* de Stravinsky le déterminèrent à se reconsidérer lui-même ; il subit alors une crise dont témoigne *Le Potomak* (publié en 1919) : c'est une sorte de confession allégorique destinée à « déniaiser l'esprit ». L'écrivain entreprend ensuite, sous le signe du « calcul céleste » et du « décalque de l'invisible » (cf. p. 400), *d'accorder l'exercice poétique et la vie intérieure*. La guerre de 1914 lui fut l'occasion d'aventures étonnantes, et en particulier l'amena à se lier d'amitié avec Roland Garros ; il n'est pas indifférent que le poète ait pratiqué, avec un « as » de l'aviation des temps héroïques, l'exercice de l'acrobatie aérienne. Ariel en effet ne fut pas seulement pour lui un mythe, et c'est à Roland Garros que seront dédiés les poèmes de *Cap de Bonne-Espérance* (1919). Autre rencontre : la même année, il écrivait son *Ode à Picasso*.

Poésie du paradoxe Mais COCTEAU redécouvre, tout aussi bien, la Grèce, ses mythes et sa tragédie, et surtout *Orphée*, dont il fera une pièce (1927) et deux films (1951 et 1959). Orphée constitue d'ailleurs le thème central d'une œuvre infiniment diverse. Toute la poésie de Jean Cocteau est issue en effet de *l'exercice du pouvoir magique de la parole* et de *l'expérience de ses conséquences*. Or toute magie est étonnante et tout étonnement est magique : la poésie est comme le courant qui passe entre ces deux pôles et qui circule dans l'un et l'autre sens. La magie confond aussi l'apparence et la réalité, l'objet et son reflet dans le miroir, l'illusoire et le vrai : « *Je suis*, dit le poète, *un mensonge qui dit toujours la vérité.* » Jean Cocteau consacrera sa vie et son œuvre à incarner dans son langage la présence de ces *échanges nécessaires entre termes incompatibles*. Aussi apparaît-il de prime abord comme *le poète du paradoxe :* mais le paradoxe est à la fois un *masque* (masques et miroirs sont chers à Cocteau) et une *révélation ;* il est donc doublement étonnant.

Expansion de Touche-à-tout, le poète l'est par vocation et par goût.
la magie poétique Il touche à *tous les registres* du réel et du surréel, de la sensation raffinée à l'exaltation spirituelle, et il aura des velléités mystiques dont témoignent ses relations avec Claudel, Maritain ou Mauriac. Mais surtout, le sortilège ne le laisse jamais indifférent : il l'introduira dans la *tragédie* (*Œdipe Roi*, 1928 ; *La Machine infernale*, 1934, cf. p. 456 ; *Renaud et Armide*, 1948), dans le *ballet* (*Phèdre*, 1950 ; *La Dame à la Licorne*, 1953), dans le *film* (*Le Sang d'un poète*, 1932 ; *La Belle et la Bête*, 1945 ; *Orphée*, 1951 ; *Le Testament d'Orphée*, 1959) et le *roman* (*Thomas l'Imposteur*, 1923 ; *Les Enfants terribles*, 1929) ; et enfin, il est passé maître dans ce qu'il appelle lui-même la *poésie graphique*.
Mais le royaume de prédilection du sortilège reste le POÈME : ses premiers poèmes paraissent en 1920, suivis de *Vocabulaire* (1922), *Plain-chant* (1923), *L'Ange Heurtebise* (1925) et *Opéra* (1927), qui marque l'aboutissement d'une première période, au cours de laquelle se forment l'art poétique et le langage de Cocteau. Après une sorte d'entr'acte consacré au théâtre, au roman, au cinéma, au dessin, sans que la poésie ait jamais été abandonnée, le sortilège se fait plus serein mais non moins envoûtant dans *Allégorie* (1941), *Le Chiffre Sept* (1952), *Appoggiatures* (1953), *Clair-obscur* (1954), *Requiem* (1962).
Une sorte de *légende* n'a cessé, depuis sa jeunesse, d'entourer JEAN COCTEAU, et ce qu'il y a de préciosité dans sa poétique de l'étonnement a contribué à l'entretenir. Mais ses poèmes et ses films ne cessent de manifester, auprès du personnage et de sa légende, la présence du poète dans sa vérité : la complexité et le mystère de sa poésie naissent de cette ambiguïté, tantôt spontanément avouée tantôt savamment camouflée.

PAR LUI-MÊME

Voici l'*art poétique* de Jean Cocteau : le poète y apparaît comme une sorte de *médium*, et en cela l'auteur est proche des surréalistes. Dans cet *autoportrait*, il nous révèle les traits distinctifs de son expérience : métamorphose du monde, irruption du mystère, communication magique avec la mort, risques et chances de la découverte de l'invisible. Thèmes : *Art. Littérature. Moi. Réel et irréel.*

> Accidents du mystère et fautes de calculs
> Célestes, j'ai profité d'eux, je l'avoue.
> Toute ma poésie est là : Je décalque
> L'invisible (invisible à vous).
> J'ai dit : « Inutile de crier, haut les mains ! »
> Au crime déguisé en costume inhumain ;
> J'ai donné le contour à des charmes [1] informes ;
> Des ruses de la mort la trahison m'informe [2] ;
> J'ai fait voir en versant mon encre bleue en eux,
> 10 Des fantômes soudain devenus arbres bleus.
> Dire que l'entreprise est simple ou sans danger
> Serait fou. Déranger les anges [3] !
> Découvrir le hasard apprenant à tricher
> Et des statues en train d'essayer de marcher [4].
> Sur le belvédère des villes que l'on voit
> Vides, et d'où l'on ne distingue plus que les voix
> Des coqs, les écoles, les trompes d'automobile,
> (Ces bruits étant les seuls qui montent d'une ville)
> J'ai entendu descendre des faubourgs du ciel,
> Étonnantes rumeurs, cris d'une autre Marseille [5].

Opéra, 1925-1927 (Stock, éditeur).

Jeune fille endormie

L'image d'une jeune fille endormie suscite une *méditation poétique sur le sommeil et sur le rêve :* rupture avec l'humanité ordinaire, incertitude de l'itinéraire et du but, danger de mort même ; mais ivresse de la surprise, chances de libération. D'ailleurs, engagé sans retour dans les risques et les chances du songe, le poète *saisi* n'a pas le choix : comme il arrive à sa dormeuse, *plus rien d'autre ne l'intéresse.* – Thème : *Réel et irréel.*

> Rendez-vous derrière l'arbre à songe [1] ;
> Encore faut-il savoir auquel aller,
> Souvent on embrouille les anges
> Victime du mancenillier [2]...

— 1 La poésie est aussi *magie.* — 2 Cf. le rôle de la Mort dans les films de Cocteau (*Orphée* et *Le Testament d'Orphée*). — 3 Cf. *L'Ange Heurtebise,* titre de poème et personnage de film. — 4 Cocteau réalisera ces images dans des « truquages » cinématographiques. — 5 *Rumeurs* et *cris :* appositions à un sujet non exprimé de *descendre.*

— 1 Élément essentiel du paysage magique, qui symbolise l'ambiguïté des rencontres de la nature et du rêve. — 2 Arbre à poison d'Amérique (cf. le *danger* de la poésie magique). *Victime* renvoie à « *on* embrouille. »

Nous qui savons ce que ce geste attire :
Quitter le bal et les buveurs de vin,
A bonne distance des tirs,
Nous ne dormirons pas en vain.

Dormons sous un prétexte quelconque,
10 Par exemple : voler en rêve ;
Et mettons-nous en forme de quinconce,
Pour surprendre les rendez-vous.

C'est le sommeil qui fait ta poésie,
Jeune fille avec un seul grand bras paresseux ;
Déjà le rêve t'a saisie
Et plus rien d'autre ne t'intéresse.

Opéra (Stock, éditeur).

« *Le septième ange...* »

COCTEAU, si marqué soit-il par une certaine *sensibilité baroque,* entend aussi rester fidèle à la *tradition classique :* il ressuscite, comme des nouveautés, le souvenir de la Grèce et la pratique de l'alexandrin régulier. Il aime également mêler les sources et les traditions : l'Apocalypse, la Grèce, Rome, ce qui permet des confrontations d'images et des ruptures de rythme. C'est sur ce *contrepoint complexe* que s'exécutent, par exemple, ses variations sur le thème du *Combat avec l'Ange,* qui lui est particulièrement cher.
THÈMES : *Antiquité. Bible. Mythologie. Réel et irréel.*

Le septième ange [1] qui sonnait de la trompette [2]
Lança ses foudres d'or sur le char d'Apollon.
Le Dieu (dont le sourcil ressemble à la houlette)
Excitait son quadrige en frappant du talon [3].

Mais les chevaux cabrés et ligotés de veines
L'un l'autre s'insultaient et se mordaient le col.
Et les rois se jetaient sur les bûchers des reines,
Et le char du soleil se fracassait au sol.

Il y eut là quelques minutes étonnantes
10 Où les îles sombraient, où tonnaient les volcans,
Où l'ange assassinait les bêtes et les plantes,
Les soldats des Césars endormis dans les camps...

Voilà comment en nous peut se rompre une artère,
Voilà comment en nous un cycle s'interrompt.
La trompette a sonné, l'ange n'a qu'à se taire.
Ce que l'ange a défait, d'autres le referont.

Le Chiffre Sept, 1952 (Pierre Seghers, éditeur).

— 1 Le chiffre sept joue un rôle important dans *L'Apocalypse* (par exemple : sept Églises, sept Anges, sept Sceaux). — 2 *Apocalypse,* XI, 14. — 3 Ce vers — ainsi que quelques autres — ressemble singulièrement à un pastiche de Nerval.

MAX JACOB

Humour
et mystique
Israélite né en Bretagne en 1876, MAX JACOB appartint
d'abord à la faune bizarre de la bohème montmartroise ;
mais, un jour de 1909, il vit le Christ illuminer sa chambre,
ce qui entraîna sa conversion (il eut pour parrain Pablo Picasso), puis, plus tard, sa retraite
à l'ombre de l'abbaye bénédictine de Saint-Benoît-sur-Loire. Il n'en fut tiré que par la
police allemande et ce fut pour aller mourir en 1944 au camp de Drancy.

HASARD ET BURLESQUE. La poésie chez lui est comme saisie au vol dans le *caprice*
et le *hasard* des rencontres de mots et d'images. Il commence sa carrière en manifestant
son goût pour le *burlesque* et même le « loufoque » (il trouvera même le moyen de faire
du *burlesque religieux !*) : ce sont les *Œuvres burlesques et mystiques du frère Matorel, mort
au couvent de Barcelone* (1912). Il a lui-même souligné la part qui revient, dans la poésie,
aux initiatives du hasard, par un titre significatif : *Le Cornet à dés* (1917).

ARDEUR ET FANTAISIE. Obsédé par l'idée de la mort, comme le prouve déjà la
méditation qui figure dans *Défense de Tartufe* (1919), MAX JACOB fait face à son obsession
à la fois par *la fantaisie de l'humour* et par *l'ardeur du mysticisme*. D'autre part, dès 1909,
il avait déclaré que la poésie était pour lui « *un instantané même manqué de ce fragment
de monde qui passait* » (Lettre à Apollinaire, 23 juin 1909) : son œuvre est faite de ces
« instantanés » parfois poétiques à force d'insignifiance, parfois pénétrés de cynisme bon
enfant, ou des échos inattendus de visions mystiques et de méditations douloureuses.

Tel est le caractère bariolé d'une œuvre qui comprend *Le Cornet à dés* (1917), *Le
Laboratoire central* (1921), *Sacrifice impérial* (1929), *Ballades* (1938), *Derniers Poèmes*
(posthume, 1945), *Poèmes de Morven le gaélique* (posthume, 1950), et un nombre encore
important d'inédits. MAX JACOB fut aussi essayiste, romancier, moraliste (*Le Phanérogame*,
1918 ; *Le Cinématoma*, 1920-1929 ; *Le Roi de Béotie*, 1921 ; *Tableau de la bourgeoisie*, 1930) ;
c'est enfin un écrivain et dessinateur mystique (*Visions des souffrances et de la mort de
Jésus, Fils de Dieu*, 1928 ; *Méditations religieuses*, publication posthume, 1947).

POÈME

Le XXe siècle a particulièrement aimé le *poème en prose*, genre dont la liberté convenait
à sa poétique. MAX JACOB le pratique avec prédilection : il a moins le sens de la mélodie
verbale et rythmique que de la *narration capricieuse et insolite*. Il aime raconter des histoires
sorties de son « cornet à dés », un peu à la manière d'un prestidigitateur. Acrobate de
l'esprit et du langage, il a sur le monde des points de vue *inattendus* et *inquiétants*.

Quand le bateau fut arrivé aux îles de l'Océan Indien, on s'aperçut
qu'on n'avait pas de cartes. Il fallut descendre ! Ce fut alors qu'on connut
qui était à bord : il y avait cet homme sanguinaire qui donne du tabac
à sa femme et le lui reprend. Les îles étaient semées partout. En haut
de la falaise, on aperçut de petits nègres avec des chapeaux melon [1] : « Ils
auront peut-être des cartes [2]. » Nous prîmes le chemin de la falaise : c'était
une échelle de corde ; le long de l'échelle, il y avait peut-être des cartes !
des cartes même japonaises ! Nous montions toujours. Enfin, quand
il n'y eut plus d'échelons (des cancres en ivoire, quelque part), il

---

— 1 C'est, avant la lettre, une image comme | le symbolisme de la *carte :* le monde est un
en proposeront les rêves surréalistes. — 2 Noter | labyrinthe d'inconnu et de bizarrerie.

10 fallut monter avec le poignet. Mon frère l'Africain s'en acquitta très
bien, quant à moi, je découvris des échelons où il n'y en avait pas. Arrivés
en haut, nous sommes sur un mur ; mon frère saute. Moi, je suis à la
fenêtre ! Jamais je ne pourrai me décider à sauter : c'est un mur de planches
rouges : « Fais le tour », me crie mon frère l'Africain. Il n'y a plus ni étages,
ni passagers, ni bateau, ni petit nègre ; il y a le tour qu'il faut faire. Quel
tour ? c'est décourageant [3].   *Le Cornet à dés,* 1917 (Librairie Gallimard, éditeur).

PASSÉ ET PRÉSENT

Sous la forme légère de la *chanson,* la poésie se fait aussi *confidentielle :* la fantaisie
se mêle à la gravité pour retracer l'itinéraire du poète et de son œuvre, du chant lyrique
et de la divulgation enivrée du « secret » jusqu'au silence de la contemplation mystique.

Poète et ténor
L'oriflamme au nord
Je chante la mort.

Poète et tambour
Natif de Colliour [4]
Je chante l'amour.

Poète et marin
Versez-moi du vin
Versez ! Versez ! Je divulgue
Le secret des algues.

Poète et chrétien
Le Christ est mon bien
Je ne dis plus rien.

Le Laboratoire central, 1921 (Au Sans-pareil, éditeur).

Péché, 2 heures 35

La *méditation mystique,* abordée sous forme de journal, prend bientôt la forme du *poème
en prose,* avec retours et refrains, symboles d'obsession. Quant au sentiment religieux
et à la conscience du péché, on pourrait songer à Verlaine (cf. *Sagesse, XIXᵉ Siècle,*
p. 512-514) : MAX JACOB appartenait à la même famille spirituelle.

Qui pense ici au péché ? un homme abruti justement par le péché, débordant
de péché et débordé par lui... Quoi ? alors que j'aurai l'audace de m'approcher
demain des plus saintes espèces [5] — O Dieu dont la main passe sur la cime des bois,
sur l'océan — Je suis le nid même du mal et du péché, sans pouvoir jamais m'en
dépêtrer. Sans essayer même de sortir de ce filet infernal, de cette empoisonnante
glu. O péché, que tu pèses lourdement sur l'arc de mes épaules velues. O péché,
que tu courbes violemment jusqu'à le déformer l'arc bientôt brisé de mes épaules
fragiles. Sur cet arc où jadis passait la main de Dieu, le poids, le poids tranchant
du péché — le péché ! — fait d'abord jaillir un sang noir. Prêtre, tu pardonnes
trop vite ! Tu émousses trop tôt la blessure sanglante du péché — O Dieu, dont
la main passe sur la cime des bois, sur l'océan, il pardonne trop vite ! il émousse
trop tôt la blessure sanglante du péché ! Celui qui pense ici au péché est un homme
abruti par le péché, débordé par lui.   *Méditations* (Librairie Gallimard, éditeur).

— 3 Transposition humoristique de « l'angoisse
d'être au monde. » — 4 Suppression fantaisiste
du *e* pour la rime, comme dans les chansons
populaires. En fait Max Jacob était breton. Mais

Collioure (Pyrénées-Orientales) fut, dans les
années 1920, un célèbre rendez-vous d'artistes et
de poètes. — 5 Max Jacob pratiquait la communion quotidienne.

PIERRE REVERDY

Pureté et réalité   Né à Narbonne, PIERRE REVERDY (1889-1960) devait, en
1926, se retirer auprès de la célèbre abbaye de Solesmes, mais
plutôt par goût de la solitude que pour obéir à une impulsion religieuse (il a écrit, toutefois,
dans *Le Gant de crin* en 1927 : « Je choisis Dieu librement »). Bien qu'il ait, comme Max Jacob,
habité Montmartre et fréquenté les milieux littéraires et artistiques d'avant-garde, PIERRE
REVERDY est sans doute le plus secret et le plus solitaire des poètes de sa génération.

Seul au monde donc, et ressentant l'univers comme une « impossibilité d'adaptation »,
REVERDY demande à la poésie d'opérer cette *purification des choses et de lui-même* qui
le libérera de sa *timidité métaphysique ;* mais sa *solitude* et sa *pureté* ne conduisent pas
à la désincarnation ni à la désespérance. REVERDY utilise les éléments de la nature et
les réactions de sa propre sensibilité pour se créer à lui-même le *sentiment de réalité* dont
il est tragiquement privé, et ainsi la poésie est pour lui une manière de salut : « L'art
tend à une réalité particulière ; s'il l'atteint, il s'incorpore au réel, qui participe de l'éternel,
et il s'incorpore dans le temps. » *(Le Gant de crin)*. Poésie souvent difficile, tant sont
diverses les voies de cette *incorporation*. « Ce qui importe, pour le poète, c'est d'arriver
à mettre au net ce qu'il y a de plus inconnu en lui, de plus secret, de plus caché, de
plus difficile à déceler, d'unique ». Son œuvre est en effet dominée par *la double recherche
du secret et de la netteté : Poèmes en prose* (1915), *La Lucarne ovale* (1916), *La Guitare
endormie* (1919), *Étoiles peintes* (1921), *Épaves du ciel* (1924), *Grande Nature* (1925), *Sources
du vent* (1929), *Ferraille* (1937), *Plupart du temps* (1945), *Chant des morts* (1948),
Main-d'œuvre (1949), *Cette émotion appelée Poésie* (1974), *La Liberté des mers. Sable
mouvant et autres poèmes* (1978).

Tendresse

Solitude, retraite et concentration n'excluent pas la tendresse du cœur. La poésie naît
aussi de ce débat intérieur de *l'appétit d'absolu* et de *l'abandon au sentiment,* qui informe
les images, les souvenirs, les sensations. Il n'est pas jusqu'à la tentation romantique du
désespoir qui ne puisse être vaincue par la création poétique, devenue ainsi *acte héroïque*
par excellence, en dépit de la pression d'un univers plein de menaces.

Mon cœur ne bat que par ses ailes [1]
Je ne suis pas plus loin que ma prison
O mes amis perdus derrière l'horizon [2]
Ce n'est que votre vie cachée que j'écoute
Il y a le temps roulé sous les plis de la voûte
Et tous les souvenirs passés inaperçus
Il n'y a qu'à saluer le vent qui part vers vous
Qui caressera vos visages
Fermer la porte aux murmures du soir
10 Et dormir sous la nuit qui étouffe l'espace
Sans penser à partir
Ne jamais nous revoir
Amis enfermés dans la glace
Reflets de mon amour [3] glissés entre les pas
Grimaces du soleil dans les yeux qui s'effacent
Derrière la doublure plus claire des nuages

— 1 Spiritualité suggérée par l'image de *l'oiseau* *spirituel* avec ses amis restés à Paris. — 3 Thème
ou des ailes de *l'ange*. — 2 Liaison entre *horizon* du *miroir*, qui accueille et conserve les images (cf.
et *ailes :* dans sa solitude, le poète établit le contact Éluard, p. 382).

Ma destinée pétrie de peurs et de mensonges
Mon désir retranché du nombre
Tout ce que j'ai oublié dans l'espoir du matin
20 Ce que j'ai confié à la prudence de mes mains
Les rêves à peine construits et détruits
Les plus belles ruines des projets sans départs
Sous les lames du temps présent qui nous déciment [4]
Les têtes redressées contre les talus noirs
Grisées par les odeurs du large de la terre
Sous la fougue du vent qui s'ourle
A chaque ligne des tournants
Je n'ai plus assez de lumière
Assez de peau assez de sang
30 La mort gratte mon front
Et la même matière
S'alourdit vers le soir autour de mon courage
Mais toujours le réveil plus clair dans la flamme
    de ses mirages [5] *Ferraille*, 1937 (Mercure de France, éd.).

SUR LA POINTE DES PIEDS

La création poétique, véritable *ascèse,* conduit aussi à une sorte de *stoïcisme,* caractéristique de la spiritualité solitaire de REVERDY. Le thème du *dénuement* occupe une place importante dans son œuvre, où il est comme le contrepoids d'une sensibilité entraînée par le vertige d'élans incontrôlés. Quand il ne reste plus rien, il reste encore *le poème* dont la valeur suprême est alors la *discrétion.*

Il n'y a plus rien qui reste
   entre mes dix doigts
Une ombre qui s'efface
   Au centre
   un bruit de pas
Il faut étouffer la voix qui monte trop
Celle qui gémissait et qui ne mourait pas
Celle qui allait plus vite
C'est vous qui arrêtiez ce magnifique élan
   L'espoir et mon orgueil [1]
   qui passaient dans le vent
Les feuilles sont tombées
   pendant que les oiseaux comptaient
   les gouttes d'eau [2]
Les lampes s'éteignaient derrière les rideaux
Il ne faut pas aller trop vite
Crainte de tout casser en faisant trop de bruit
   Sources du vent, 1947 (Éditions des Trois Collines).

— 4 Tentation du désespoir face à l'expérience du « temps perdu ». — 5 Image de la *flamme* créatrice du mirage poétique et symbole de purification.

— 1 Tentations lyriques : le gémissement du désespoir, et l'orgueilleuse précipitation de l'espoir. — 2 Symbolisme romantique de l'automne.

JULES SUPERVIELLE

A la recherche des présences perdues
Issu d'une famille de grande bourgeoisie, JULES SUPER-VIELLE est né à Montevideo en 1884 ; après un séjour en France, au cours duquel meurent ses parents, il retourne en Uruguay à deux ans avec son oncle et sa tante. Il possède, avec la nationalité française, la nationalité uruguayenne et c'est en Uruguay qu'en 1939 la guerre le surprend. Ce poète fut ainsi, tout au long de sa carrière littéraire, le symbole des *liens spirituels* qui unissent la France et l'Amérique latine. Il meurt à Paris le 17 mai 1960.

Faut-il attribuer à sa condition d'orphelin et à son sentiment d'appartenir simultanément à deux patries sa recherche d'un « point fixe », son expérience et son *angoisse de l'absence,* son besoin irrépressible de mettre au jour, par une communication secrète, *les présences inconnues* qu'elle recèle ? Ce n'est pas certain ; mais en tout cas, il sera, tout au long de sa vie, celui qui cherche la vraie réalité à travers les mots, les rythmes, les images, les souvenirs, au-delà même de leur instabilité et de leur fugacité.

« Des ponts dans l'espace »
Certes JULES SUPERVIELLE, selon ses propres paroles, s'est « toujours refusé à écrire de la poésie pour spécialistes du mystère », mais il veut que du poème « le mystère soit le parfum, la récompense ». Il reste donc fidèle à une poésie faite de *spontanéité* et de *simplicité.* Il a d'abord subi, aux environs de sa vingtième année, les influences du symbolisme, et particulièrement de Jules Laforgue, né comme lui à Montevideo (cf. *XIX*^e *Siècle,* p. 541). Plus tard, il tirera bénéfice de la libération du langage opérée par la poésie moderne ; mais il reste soucieux d'autonomie, et il s'absente volontiers du monde littéraire, comme de l'univers tout entier, pour tâcher de retrouver, au sein de cette absence même, des *présences mystérieuses,* surprenantes parce qu'elles n'ont point coutume d'être ainsi révélées. Au reçu de son recueil *Gravitations,* Rainer Maria Rilke pouvait donc lui écrire : « Cela crée une continuité par-dessus des abîmes, je sens que cela ne s'arrête nulle part ; vous êtes grand constructeur de ponts dans l'espace, vos arches sont vivantes comme les pas de Saint Christophe, ce grand précurseur des ponts et de la poésie, qui, par sa démarche, était un des premiers à rythmer l'infranchissable » (28 novembre 1925).

« Rien qui pèse ou qui pose »
Mais il a sa manière propre d'obéir à cette vocation de révélateur et de constructeur : il aime les fantômes et les apparitions, la légèreté des formes vaporeuses, « sans rien qui pèse ou qui pose », comme disait Verlaine (cf. *XIX*^e *Siècle,* p. 510). Il a lui aussi, comme Reverdy, le sens aigu des mystères du Temps, mais pour y puiser des visions, des rêves, ou des sensations qui peuplent le vide apparent d'une absence universelle dont la figure la plus douloureuse est la Mort, et communiquent, au-delà de la Mort et du Temps, avec une Réalité parfois nommée Dieu.

SUPERVIELLE débuta très jeune dans la poésie avec une plaquette publiée hors commerce en 1900 : *Brumes du passé.* Il se fit connaître par ses *Poèmes de l'humour triste* (1919), titre à la Jules Laforgue, et surtout par *Débarcadères* (1922) et *Gravitations* (1925). Il devait ensuite publier, principalement, *Le Forçat innocent* (1930), *La Fable du monde* (1938), *Poèmes de la France malheureuse* et *Ciel et Terre* (1942), *Orphée* (1946), *A la Nuit* (1947), *Oublieuse Mémoire* (1949), *Le Corps tragique* (1959). Signalons aussi ses romans et contes, qui baignent dans une délicieuse atmosphère poétique (*L'Homme de la pampa,* 1923 ; *Le Voleur d'enfants,* 1926 ; *L'Enfant de la Haute Mer,* 1931 ; *L'Arche de Noé,* 1938 ; *Premiers pas de l'univers,* 1950), et son théâtre : *La Belle-au-Bois* (1932) ; *Comme il vous plaira,* adaptation de Shakespeare (1935) ; *Bolivar* (1936) ; *Robinson* et *Schéhérazade* (1949).

Prophétie

Le rêve d'une absence qui se saisirait du monde lui-même suscite une « *poésie de l'humour triste* » qui pénètre le vocabulaire, les images et le rythme. La simplicité technique du poème confère un singulier pouvoir aux présences en forme d'apparitions qui surgissent alors pour constituer *le paysage inattendu* de cette « prophétie ».
THÈMES : *Littérature. Humour. Réel et irréel.*

Un jour la Terre ne sera
Qu'un aveugle espace qui tourne
Confondant la nuit et le jour [1].
Sous le ciel immense des Andes [2]
Elle n'aura plus de montagnes.
Même pas un petit ravin.

De toutes les maisons du monde
Ne durera plus qu'un balcon
Et de l'humaine mappemonde [3]
10 Une tristesse sans plafond.

De feu l'océan Atlantique [4]
Un petit goût salé dans l'air,
Un poisson volant et magique
Qui ne saura rien de la mer.

D'un coupé de mil-neuf-cent-cinq
(Les quatre roues et nul chemin !)
Trois jeunes filles de l'époque
Restées à l'état de vapeur
Regarderont par la portière
Pensant que Paris n'est pas loin   20
Et ne sentiront que l'odeur
Du ciel qui vous prend à la gorge.

A la place de la forêt
Un chant d'oiseau s'élèvera
Que nul ne pourra situer,
Ni préférer, ni même entendre,
Sauf Dieu qui, lui, l'écoutera
Disant : « C'est un chardonneret. »

Gravitations, 1925 (Librairie Gallimard, éditeur).

SOLEIL

Antique interrogation de l'homme face à l'univers, antique silence de la nature ; ce thème se trouve ici renouvelé par la *mélancolie moderne* qui suggère *l'analogie de l'homme et du monde* confondus dans le dialogue de leur commune faiblesse. Ainsi *l'apostrophe au Soleil* se transforme en une confidence, où se mêlent lyrisme intime et poésie cosmique.
THÈMES : *Nature. Providence. Moi.*

Soleil, un petit d'homme est là sur ton chemin
Et tu mets sous ses yeux ce qu'il faut de lointains [1].
Ne sauras-tu jamais un peu de ce qu'il pense ?
Ah ! tu es faible aussi, sans aucune défense,
Toi qui n'as que la nuit pour sillage, pour fin.
Et peut-être que Dieu partage notre faim
Et que tous ces vivants et ces morts sur la terre
Ne sont que des morceaux de sa grande misère,
Dieu toujours appelé, Dieu toujours appelant [2],
10 Comme le bruit confus de notre propre sang.

— 1 Cf. v. 2 : *aveugle.* — 2 L'imagination de Supervielle a été fortement marquée par sa terre d'adoption, l'Amérique du Sud. — 3 Le monde tel que le voient les hommes. — 4 Noter l'humour de l'expression.

— 1 Image concrète de l'infini de la nature, souvenir aussi des paysages de la pampa. — 2 Religiosité caractéristique de Supervielle : Dieu compense, en y participant, la nostalgie et la faiblesse humaines (cf. *Prophétie*, v. 27).

Soleil, je suis heureux de rester sans réponse,
Ta lumière suffit qui brille sur ces ronces.
Je cherche autour de moi ce que je puis t'offrir,
Si je pouvais du moins te faire un jour chérir
Dans un matin d'hiver ta présence tacite [3],
Ou ce ciel dont tu es la seule marguerite,
Mais mon cœur ne peut rien sous l'os, il est sans voix.
Et toujours se hâtant pour s'approcher de toi,
Et toujours à deux doigts obscurs de ta lumière,
Elle qui ne pourrait non plus le satisfaire.

Le Forçat innocent, 1930 (Librairie Gallimard, éditeur).

Oublieuse mémoire

L'expérience intérieure de l'*absence* est essentielle à l'homme, dans les fluctuations du souvenir et de l'oubli. Mais la *mémoire* sécrète tout aussi bien, au cœur même de l'absence, des présences éphémères et émouvantes. La fonction du poète, nourri des découvertes de BERGSON et de PROUST (cf. p. 237 et 267 ; cf. aussi REVERDY, p. 404), ne serait-elle pas de se faire *le secrétaire de la mémoire ?* – THÈMES : *Souvenir. Temps. Moi.*

Mais avec tant d'oubli comment faire une rose [1],
Avec tant de départs comment faire un retour ?
Mille oiseaux qui s'enfuient n'en font un qui se pose
Et tant d'obscurité simule mal le jour [2].

Écoutez, rapprochez-moi cette pauvre joue [3],
Sans crainte libérez l'aile de votre cœur
Et que dans l'ombre enfin notre mémoire joue,
Nous redonnant le monde aux actives couleurs.

Le chêne redevient arbre et les ombres, plaine,
10 Et voici donc ce lac sous nos yeux agrandis ?
Que jusqu'à l'horizon la terre se souvienne
Et renaisse pour ceux qui s'en croyaient bannis [4] !

Mémoire, sœur obscure et que je vois de face
Autant que le permet une image qui passe...

Oublieuse Mémoire, 1949 (Librairie Gallimard, éditeur).

— 3 La sensation visuelle (faible éclat du soleil d'hiver) est transposée dans l'ordre sonore (*tacite ;* cf. *sans réponse*, v. 11).

— 1 Cf. le symbolisme traditionnel de la rose, figure de la perfection fragile. — 2 Difficulté du souvenir, contradiction essentielle du « temps perdu » et de sa résurrection dans la mémoire. — 3 Ce baiser symbolise le rôle du sentiment dans l'éveil de la mémoire (cf. v. 6-7). — 4 La mémoire est le remède de l'absence, de l'exil et de l'abolition du monde (cf. *Prophétie,* p. 407).

LE THÉÂTRE DE 1919 À 1939

La mise en scène   De 1919 à 1939, la cause du théâtre fut servie par de fervents *animateurs,* toujours en quête de nouveaux talents ou de progrès dans l'interprétation et la mise en scène. A LUGNÉ-POE (1869-1940), fondateur du théâtre de l'*Œuvre*, revient l'honneur d'avoir « découvert » Sarment, Crommelynck, Passeur, Salacrou. L'idéal, tout classique, de JACQUES COPEAU (1879-1949) subordonne à la *mise en valeur du texte* le jeu des comédiens et le décor, évocateur dans sa simplicité ; acteur, directeur, conférencier, il répand d'autant mieux son influence que sa troupe du *Vieux-Colombier* a compté Dullin et Jouvet parmi ses membres.

D'origine russe, GEORGES PITOEFF (1886-1939) est l'apôtre du *drame symboliste ;* avec sa femme Ludmilla, il joue Ibsen, Pirandello, Strindberg, la *Sainte Jeanne* de Shaw, l'*Œdipe* de Gide. CHARLES DULLIN (1885-1949) crée à l'*Atelier* des pièces de J. Romains, Achard, Passeur, Salacrou. LOUIS JOUVET (1887-1951) est l'admirable interprète de Giraudoux, à la *Comédie des Champs-Élysées* puis à l'*Athénée ;* son nom reste lié aussi au *Knock* de J. Romains et au *Jean de la Lune* de M. Achard. A l'opposé de Copeau, GASTON BATY (1885-1952) favorise la *mise en scène* plus que le texte ; une grande actrice, Marguerite Jamois, l'aide à illustrer brillamment ses théories, au théâtre *Montparnasse.*

Si différentes que fussent leurs tendances, Pitoëff, Dullin, Jouvet et Baty s'unirent en un « *Cartel des quatre* » pour mieux défendre les intérêts supérieurs de leur art, et contribuèrent avec Édouard Bourdet à la rénovation de la Comédie-Française (cf. p. 419).

A la limite   HENRI-RENÉ LENORMAND (1882-1950), qui avait débuté
de l'humain   au théâtre en 1909 avec *Les Possédés,* eut son heure de célébrité vers 1920-1925, depuis *Le Temps est un songe* (1919) jusqu'à *Mixture* (1927). Influencé par le freudisme, par Ibsen et Pirandello, par un aspect de Dostoïevsky (recherche d'une grandeur dans l'abaissement), il explore *les confins de la psychologie pathologique,* en peignant des êtres livrés à leurs instincts, déséquilibrés (par exemple une « demeurée », dans *L'Innocente,* 1928), ou la *déchéance* d'un couple parmi des « cabots » en tournée (*Les Ratés,* 1920). Ce « clinicien » ne manque pas de probité, mais ses « planches d'anatomie » (R. de Beauplan) ont généralement un caractère *trop didactique ;* il est fâcheux que le triste héros des *Ratés* prononce lui-même des formules comme : « Qui peut savoir ce que veulent en nous nos sales instincts ? » ou « Ah ! le fond de l'âme est un joli marécage ! Il y vit des monstres... plutôt fétides ! »

Les héros de STEVE PASSEUR (1899-1966) sont moins élémentaires et moins lamentables. Cet auteur se plaît à analyser des tendances inquiétantes, en particulier *l'instinct de domination ;* il agit sur nos nerfs en mettant aux prises, dans des situations *presque insupportables* (et dont on peut parfois contester la vraisemblance), des êtres *cyniques* qui échangent des répliques *cinglantes.* Le comique, lorsqu'il apparaît, est du genre *grinçant.* Outre ses deux pièces les plus significatives : *Suzanne* (1929, cf. p. 410) et *L'Acheteuse* (1930), nous citerons *A quoi penses-tu ?* (1928), *La Chaîne* (1931), *Les Tricheurs* (1932).

Quant à PAUL RAYNAL (1885-1964), c'est par un excès inverse qu'il pèche, poussant le surhumain jusqu'à l'*inhumain.* Animé de *nobles desseins,* il a voulu resserrer l'action (trois personnages), transposer à notre époque la tragédie grecque et exalter le *dépassement* qui conduit à la parfaite *maîtrise de soi* et au *sacrifice.* Il n'a pas craint d'aborder les plus grands sujets historiques : *Le Tombeau sous l'Arc de triomphe* (1924), *La Francerie* (1929), *Le Matériel humain* (1935) — pièces inspirées toutes trois par la guerre de 1914 — ; *Napoléon unique ; A souffert sous Ponce Pilate.* Mais l'écueil de la *grandiloquence* n'est pas toujours évité, les changements de rythme et de ton laissent une impression de disparate ; enfin la tension morale, l'exercice de la volonté confinent à la *gratuité* quand il s'agit d'un drame intime (*Le Maître de son cœur, Au Soleil de l'instinct*).

« *Mater les fauves* »

Le riche et brutal DUVERNON, qui a été le bourreau d'une première femme, vient de déclarer à une jeune veuve, SUZANNE SALANIÉ, qu'il l'aimait... « comme une brute ». Elle lui rit au nez, mais Duvernon n'a pas l'habitude de céder ; quant à Suzanne, tout en l'insultant, elle commence à concevoir le plaisir et l'orgueil qu'elle trouverait à *mater ce fauve*. Il n'est pas rare, chez PASSEUR, de voir une femme asservir un homme ; mais ici, quand Suzanne épousera Duvernon, nous ne saurons pas *lequel des deux domptera l'autre*. THÈMES : *Amour. Femme. Moi.*

DUVERNON : Ma patience a des limites, vous savez.

SUZANNE : La mienne aussi et pourtant je ne vous ai pas encore donné la paire de gifles que vous réclamez avec tant d'acharnement. Non, mais je n'en suis pas encore revenue : Duvernon, l'immonde Duvernon a jeté son dévolu sur moi pour devenir sa petite maîtresse.

DUVERNON : Vous venez d'aborder un sujet sur lequel je ne permettrai à personne de plaisanter, même pas vous. Vous ne serez pas ma maîtresse, vous serez ma femme.

SUZANNE : Vraiment, vous me faites beaucoup trop d'honneur. Et, est-ce que
10 je peux savoir quand cet événement se produira ?

DUVERNON : Le plus tôt possible. Je vous jure que je vous épouserai. Je vous ferai céder ou je me tuerai.

SUZANNE : On m'a déjà dit ça ou presque ça et on l'a presque fait. Méfiez-vous.

DUVERNON : Rassurez-vous, vous céderez, je ne me tuerai pas.

SUZANNE : Ce sera un grand malheur pour l'humanité.

DUVERNON : Jamais on ne m'a fait souffrir comme vous le faites en ce moment. Vous n'avez donc aucune pitié, vous ne voyez pas que je suis à bout de forces. Qu'est-ce que vous avez à me regarder comme ça ?

SUZANNE : Je me demandais si vous étiez encore plus hideux physiquement
20 que moralement. Ce serait un record.

DUVERNON : Vous êtes trop dure... vous ne pouvez pas être sincère. C'est de l'affectation.

SUZANNE : Vous croirez probablement que c'est aussi par affectation que je vous le dis, mais vous possédez les trois qualités que j'abomine le plus chez un homme. Vous êtes épouvantablement orgueilleux, colossalement riche et très intelligent.

DUVERNON : Ma chère Suzanne, comme vous allez souffrir quand vous serez...

SUZANNE, *poursuivant :* Madame Duvernon ?

DUVERNON : Oui, parce que je vous forcerai à m'aimer, vous entendez, je vous y forcerai.

30 SUZANNE : Vous me parlez comme si j'étais une forteresse, ça ne m'impressionne pas du tout ; d'ailleurs...   DUVERNON : D'ailleurs ?

SUZANNE : Je ne croyais pas que les conquérants montaient à l'assaut en disant à la place ennemie : « Vous céderez, vous entendez, je vous forcerai. »

DUVERNON : Vous avez parfaitement raison. *(Il s'approche d'elle)*.

SUZANNE : Faites un pas de plus et vous recevrez la paire de claques que je vous annonçais à l'instant. *(Regardant Duvernon qui s'est brusquement arrêté)*. Non, vous ne bougez plus ? Vous avez peur ?   DUVERNON : De vous oui.

SUZANNE : C'est dommage, ça m'aurait fait joliment plaisir de gifler Duvernon. Le magnat de l'industrie. L'homme aux trois cent soixante millions. C'est même
40 curieux, je ne me connaissais pas de telles dispositions pour mater les fauves.

Suzanne, I, 8 (Librairie Gallimard, éditeur).

Fantaisie,
rêve et farce

Au lendemain de la guerre, le *genre léger* connaît la grande vogue auprès des habitués du Boulevard, peu cultivés, amateurs de rire et d'évasion plutôt que d'idées ou d'observations concernant l'homme et la société (cf. p. 64).

SACHA GUITRY (1885-1957), fils de l'acteur Lucien Guitry, fut lui-même acteur. Déjà connu avant 1914 avec *Le veilleur de nuit* (1911), *La prise de Berg-op-Zoom* (1912), *La Pèlerine écossaise* (1913), il devint après 1918 l'idole d'un large public. Il a écrit plus de cent comédies, parmi lesquelle *Faisons un rêve* (1916), *Mon père avait raison* (1919), *Je t'aime* (1920), *Désiré* (1927), *Quadrille* (1937). Il est aussi l'auteur de pièces librement inspirées de la vie des hommes célèbres : *Jean de La Fontaine* (1916), *Pasteur* (1919), *Mozart* (1925). Cette œuvre inégale a mal résisté au temps. Une intrigue très mince, parfois même inexistante, y met en présence de jolies femmes, coquettes et frivoles, et des viveurs sans moralité, oisifs, dépensiers, dont l'unique souci est la conquête amoureuse et le plaisir des sens. Le succès de ces pièces s'expliquait par l'art des situations, des péripéties et rebondissements, et surtout par la vivacité d'un *dialogue souvent étincelant* d'esprit et de drôlerie, parsemé de boutades, de paradoxes, de mots d'auteur. Mais GUITRY sacrifie trop à l'éclat d'une réplique, sans s'interdire les calembours et les plaisanteries faciles ; son observation des caractères et des mœurs est tout à fait superficielle. On peut, selon les goûts, être séduit ou agacé par son « Moi » toujours présent, son impertinence, son immoralité, sa philosophie nonchalante et désabusée.

Citons à ses côtés JACQUES DEVAL (1894-1972), qui était particulièrement doué pour la satire des mœurs (*Étienne*, 1930 ; *Mademoiselle*, 1932), mais a préféré le théâtre du boulevard (*La manière forte*, 1926 ; *Tovaritch*, 1933 ; *Ce soir à Samarcande*, 1950).

Quant à HENRI DUVERNOIS (1875-1937), c'était le spécialiste de la pièce en un acte, tantôt acide et gaie, tantôt émouvante (*Seul*, *Chabichou*, *Devant la porte*).

JEAN SARMENT (1897-1976) fut considéré comme l'auteur le plus doué de la nouvelle génération, avec *La Couronne de carton* (1920), *Le Pêcheur d'ombres* (1921), *Le mariage d'Hamlet* (1922), *Je suis trop grand pour moi* (1924), *Les plus beaux yeux du monde* (1925), *Léopold le Bien-Aimé* (1927). Ces comédies néo-romantiques teintées de grâce et de poésie sont d'un *charme délicat*, mais on y sent trop l'influence de Shakespeare, Musset, Laforgue ou Pirandello : partout le même héros mélancolique, nouvel Hamlet, *aux confins de la raison et du rêve ou de la folie*, qui passe son temps à s'analyser et à se découvrir ; partout des personnages nébuleux qui ne vivent à l'aise que dans l'idéal ou l'illusion et ne peuvent subir sans désenchantement le choc de la réalité. Ainsi Léopold, qui a vieilli sans amour, croit découvrir qu'il a été aimé autrefois : rajeuni par cette révélation, il veut jouer les don Juan jusqu'au jour où il est trahi par toutes ses « conquêtes ».

MARCEL ACHARD (1899-1974) fut d'abord l'auteur d'une farce de cirque, *Voulez-vous jouer avec moâ ?* (1923) ; puis, après *Malbrough s'en va-t-en guerre* (1924), *Je ne vous aime pas* (1926) et *La vie est belle* (1928), il connut le triomphe en 1929 avec *Jean de la Lune*. Ensuite, son étoile avait pâli, malgré quelques œuvres estimables (*La Belle Marinière*, 1929 ; *Domino*, 1931 ; *Pétrus*, 1933 ; *Noix de Coco*, 1935 ; *Le Corsaire*, 1938), mais il retrouvera le succès avec *Patate* (1957). Pour ses pièces où se mêlent la farce, le rêve et la fantaisie, il continue à puiser ses personnages, en les humanisant, dans le monde des clowns et des types de la Comédie italienne ; les femmes y sont coquettes, infidèles, perverses, sans toutefois devenir méchantes ni antipathiques. Mais ce qui lui appartient en propre, c'est un *héros « lunaire »*, naïf et tendre, amoureux malhabile mais optimiste et confiant comme ce Jean de la Lune, flottant entre ciel et terre, ridicule et touchant, dont on ne savait, dans l'interprétation de Jouvet, s'il était niais ou roué, « épatant » ou imbécile (cf. p. 412).

La farce l'emporte chez ROGER VITRAC (1899-1952), auteur de pièces ubuesques et surréalistes (*Les Mystères de l'amour*, 1927 ; *Victor* ou *Les Enfants au pouvoir*, 1928 ; *Le Coup de Trafalgar*, 1934) ; elle tend au drame avec FERNAND CROMMELYNCK (1886-1970), qui, dans son lourd comique flamand, nous rappelle Molière (*Le Cocu magnifique*, 1921).

Un « *type épatant* » ou un « *imbécile* » ?

Jean de la Lune est l'histoire d'un rêveur dont l'*amour aveugle* et la *confiance obstinée* finissent par désarmer une femme volage, menteuse et perfide. Un jour que la frivole MARCELINE, abandonnée par un amant, était en plein désarroi, JEF a eu malgré tout confiance en elle et l'a épousée. Depuis cinq ans, elle a eu de nombreuses liaisons à l'insu de son mari. Mais la voici une fois de plus au désespoir, car GASTON, le dernier amant en titre, l'abandonne. Elle a chargé son frère, le cynique et complaisant CLOCLO, de lui téléphoner pour le persuader de revenir ; mais la communication avec Gaston ayant tardé, c'est Jef qui la reçoit et entend une voix grave s'écrier : « *Vous direz à Cloclo que j'en ai plein le dos de lui et de sa famille et que dans un quart d'heure je serai parti pour le Brésil.* » Cloclo persuade son beau-frère que cette voix masculine est celle... d'une amie avec qui il vient de rompre. Jef rapporte l'incident à Marceline qui éclate en sanglots incompréhensibles. Il s'efforce de la consoler. – THÈMES : *Femme. Amour.*

JEF : Personne ne te comprend mieux que moi. Souvent, tu l'as remarqué, je commence une phrase que tu allais dire. Ou nous la disons ensemble. Nous sommes tellement amis que j'ai renoncé à tous mes anciens camarades. Je t'ai raconté toutes mes histoires. Je te confie toutes mes affaires. Et nous nous amusons tellement ensemble que ce ne serait vraiment pas chic de me cacher tes ennuis. Je t'assure que, si j'en avais, je n'hésiterais pas. Allons, raconte.

MARCELINE : Tu connais Gaston ? *(Précisant.)* Gaston Lancelot ?

JEF : Oui. C'est le petit blond qui t'a fait danser l'autre soir.

MARCELINE : Eh bien... *(Elle s'était laissé gagner par la douceur des paroles de Jef
10 et par le plaisir de parler de « Lui ». Mais elle s'interrompt brusquement en s'apercevant de ce qu'elle allait faire).* Mais qu'est-ce que je fais ? Mais je suis folle...

JEF : Allons, voyons, continue, tu avais commencé.

MARCELINE, *avec égarement :* Non, non.

JEF : Eh bien, Lancelot ?

MARCELINE : Rien ! Je ne t'ai rien dit. Je ne peux rien te dire.

JEF : Raconte. Personne ne peut mieux te comprendre que moi.

MARCELINE : N'insiste pas !

JEF : Je ne vois pas ce que ce Lancelot peut avoir à faire avec toi. Tu le connais à peine.

20   MARCELINE, *saisissant cette diversion :* Aussi, ce n'est pas avec moi.

JEF : Alors, qu'est-ce que c'est ?

MARCELINE : Puisque tu tiens absolument à le savoir ! *(Très vite).* Lancelot a quitté une de mes amies et, ce soir, elle voulait se tuer.

JEF : Ah ! c'est ça. C'est pour aller chez elle que tu es sortie ?

MARCELINE : Oui, n'en parlons plus, veux-tu ?

JEF : Qui est-ce ?

MARCELINE, *énervée :* Je ne peux pas te dire : c'est une femme mariée.

JEF : Je parie que c'est ce pauvre Ganneron !...

MARCELINE : Mais non !

30   JEF : Tant mieux ! Et elle veut se tuer ?

MARCELINE : Oui.

JEF : Penses-tu !

MARCELINE : Si tu savais... Ce qu'elle l'aimait ! C'était toute sa vie, cet homme. Lui parti, que va-t-elle devenir ? *(A cette pensée, ses yeux se mouillent.)*

JEF : Ah ! là là !...

MARCELINE : Pourquoi ricanes-tu ?

JEF : Je ne ricane pas. Pauvre chou ! Tu as vu ton amie désolée, elle t'a dit qu'elle voulait mourir et, avec ton bon cœur, tu l'as déjà crue morte...

MARCELINE : Mais...

40   JEF : Écoute, je ne voudrais pas manquer de tact... et te rappeler une chose... enfin... qui, peut-être... Pardonne-moi. Mais te rappelles-tu le chagrin que tu as eu quand Richard t'a quittée ? Toi aussi tu étais désespérée ? Toi aussi tu as voulu mourir. Et maintenant, te souviens-tu encore de lui ? Je m'étonne que tu n'aies pas pensé à citer ton exemple à ton amie.

MARCELINE, *très frappée :* C'est vrai.

JEF : Tu as pourtant terriblement souffert, à ce moment-là. Est-ce qu'aujourd'hui ça t'empêche d'être heureuse ?

MARCELINE : Non.

JEF : Vois-tu, les femmes devraient compter avec leur inconstance.

50   MARCELINE : Oui, oui.

JEF : D'ailleurs, je ne vois pas le rapport qui existe entre ce Lancelot et l'amie de Cloclo.

MARCELINE : Aucun, naturellement, aucun. Tout m'exaspère, aujourd'hui. Alors, j'ai très mal pris la réponse de cette petite. Mais c'est fini, je vais beaucoup mieux.

JEF : Je suis bien content.   *Il lui prend les mains très gentiment.*
                                             Elle s'installe sur le divan, un silence.

MARCELINE, *d'une drôle de voix vague :* C'est drôle ce que tu m'as dit à propos de Richard.

60   JEF : Tu ne m'en veux pas de t'avoir rappelé ces mauvaises minutes ?

MARCELINE : Qu'est-il devenu, Richard ?

JEF : Je ne sais pas. On m'a dit qu'il était parti pour le Brésil tout de suite après notre mariage.

MARCELINE, *avec un franc sourire :* Pour le Brésil ! Lui aussi ?

JEF, *content de la voir plus gaie :* Oui, lui aussi. Comme l'amie de Cloclo.

MARCELINE, *considère Jef longuement :* Tu es un drôle de type. [...]

JEF : Je n'ai pas dit de choses extraordinaires.

MARCELINE : Oh ! si !

JEF : Quand ?

70   MARCELINE : Ne joue pas au plus fin avec moi. J'ai compris l'allusion à Richard. C'était très fort. J'ai compris aussi : « Comme l'amie de Cloclo ! »

JEF : Qu'as-tu compris ? *(Marceline le regarde.)* Il n'y a rien à comprendre.

MARCELINE : Ah ? *(Silence.)* Tant pis !

JEF : Tu as l'air déçu ?

MARCELINE : Je ne te comprends pas. Tu es tellement maladroit. Es-tu un type épatant ? Es-tu un imbécile ?

JEF : Je suis un type épatant qui t'aime comme un imbécile.

                    Jean de la Lune, II, 8 (Librairie Gallimard, éditeur).

Au dernier acte, MARCELINE *est de nouveau* décidée à fuir. *Elle ne reproche rien à son mari, sinon de l'aimer trop paisiblement : pour elle, l'amour doit être une passion jalouse et orageuse. Elle a beau avouer à* JEF *toutes ses infidélités, il n'en veut rien croire : il est persuadé qu'auprès de lui elle est devenue une autre femme ! Et de la dépeindre telle qu'il la voit à travers ses illusions :* « Tu es la droiture même. Il n'y a rien de louche en toi, rien de trouble... La femme que tu étais avant ton mariage te fait horreur, j'en suis sûr... Tu voudrais me quitter maintenant que tu ne le pourrais pas. » *Séduite par* cette image idéale *d'elle-même, vaincue par tant d'amour, de bonté et de confiance,* MARCELINE *finira par aimer son* JEAN DE LA LUNE.

LE THÉÂTRE INTIMISTE

Les années 1920-1925 ont vu triompher le *théâtre intimiste,* avec « l'école du silence » ou « de l'inexprimé ». C'est une réaction contre les intrigues savantes, le style déclamatoire, les longues analyses où des oisifs dissèquent de subtils états d'âme. La nouvelle école a voulu présenter, au cours d'une *action brève et sobre,* des personnages « *comme tout le monde* » saisis dans leurs occupations quotidiennes et s'exprimant avec *naturel.* La vie profonde et complexe des âmes est plutôt *suggérée* qu'exprimée : d'où le rôle des attitudes, des silences, des monosyllabes, des réticences, des demi-teintes. Certes, depuis Racine et Marivaux nul n'ignorait la vertu dramatique et pathétique de l'*inexprimé ;* mais la formule intimiste a donné quelques chefs-d'œuvre, quand elle a su éviter l'écueil du genre : la pièce grise, où des êtres timides et hésitants sont voués à l'échec ou à la résignation.

Charles Vildrac

Fondateur du groupe de l'Abbaye (cf. p. 468) avec son beau-frère Duhamel, CHARLES VILDRAC (1882-1971) a débuté comme poète ; puis, après le succès mondial du *Paquebot Tenacity* (1920), il s'est surtout consacré au théâtre. Il choisit ses personnages dans le *peuple,* « inépuisable réserve de valeur humaine » : ouvriers, contremaîtres, petits bourgeois qu'il observe avec sympathie et sait faire parler naturellement. Leurs *sentiments profonds* se révèlent sans fausse note, en une langue simple, discrète et suggestive, à l'occasion d'une *crise intérieure :* l'hésitation entre deux voies (*Le Paquebot Tenacity,* cf. p. 415 ; *Michel Auclair,* 1922) ; l'appel de l'aventure (*Le Pèlerin,* 1923) ; l'infériorité de la tendresse sur la vraie passion (*Mme Béliard,* 1925) ; une querelle entre amis (*La Brouille,* 1930). D'ailleurs VILDRAC a foi dans l'homme : sans oublier ses laideurs, il souligne sa noblesse et la vertu des humbles.

Paul Géraldy

PAUL GÉRALDY (1885-1983) fut d'abord, pour le public féminin, le poète adulé de *Toi et Moi* (1913). Il s'est ensuite imposé par ses « tragédies légères » : *Les Noces d'argent* (1917), *Aimer* (1921), *Robert et Marianne* (1925), *Christine* (1932), *Duo* (1938). Son grand sujet est le *drame du couple,* menacé ou brisé par la monotonie de la vie commune et l'insatisfaction. Sa psychologie est fine et pénétrante, et c'est dans la mesure où il rappelle l'art de MARIVAUX et ses nuances délicates que son dialogue, d'ailleurs concis, elliptique, se rattache à l'esthétique intimiste (cf. p. 416) ; mais lorsque les cœurs se déchaînent, bien que le ton devienne « racinien », les bons sentiments l'emportent artificiellement sur les passions en fureur.

Jean-Jacques Bernard

JEAN-JACQUES BERNARD (1888-1972) est le fils de Tristan Bernard. Il se révéla, après 1918, avec deux pièces inspirées par les circonstances : *La Maison épargnée* (1919) et *Le feu qui reprend mal* (1921 ; un prisonnier rapatrié jaloux à tort de l'officier américain hébergé par sa femme).

Son chef-d'œuvre, *Martine* (1922), est la meilleure illustration du « théâtre du silence » (cf. p. 417) ; citons aussi *Le Printemps des autres* et *L'Invitation au voyage* (1924).

J.-J. BERNARD est l'auteur qui a dégagé le plus lucidement *le principe de l'intimisme :* « Il y a, sous le dialogue entendu, comme un dialogue sous-jacent qu'il s'agit de rendre sensible. Aussi le théâtre n'a-t-il pas de pire ennemi que la littérature. Elle exprime et dilue ce qu'il ne devrait que suggérer... Un sentiment commenté perd sa force. C'est pourquoi un « couplet » en dit toujours moins qu'une réplique en apparence indifférente. » Par le jeu des silences, des regards, des mots échappés, des paroles révélatrices, J.-J. BERNARD, peintre des souffrances cachées, sait éveiller des émotions contenues mais intenses.

Denys Amiel

DENYS AMIEL (1884-1977) reste surtout l'auteur (avec André Obey) de *La souriante Madame Beudet* (1921), tragi-comédie et peinture des mœurs bourgeoises. Ses autres pièces, consacrées surtout à la *psychologie féminine* et au problème du *couple,* sont plus inégales : *Le Voyageur* (1912), *Le Couple* (1923), *Décalage* (1931), *La Femme en fleur* (1935), *Ma Liberté* (1936), *Famille* (1937). Il a sa conception personnelle de « l'inexprimé » ; ses personnages « *se taisent en parlant* » : ils dissimulent leurs sentiments profonds sous un bavardage artificiel.

LES « *COMBINAISONS MYSTÉRIEUSES* » *DE LA VIE*

Dans *Le Paquebot Tenacity,* CHARLES VILDRAC nous présente une « tranche de vie ». Deux ouvriers typographes, BASTIEN et SÉGARD, ont décidé de tenter leur chance au Canada, mais le *Tenacity* a une avarie et son départ est retardé de quinze jours ; ils descendent alors dans une auberge et s'embauchent en ville pour de durs travaux. Ségard qui s'est blessé à la main reste à l'auberge et fait la cour à THÉRÈSE, la jeune servante. C'est un timide, un rêveur qui s'est laissé entraîner par Bastien. Il reconnaît son caractère *indécis* et tente de l'analyser à sa manière, pour que Thérèse devine son *débat intérieur :* il hésite entre l'aventure lointaine et le bonheur tout simple, à portée de sa main. Sa timidité justifie la *concision du dialogue,* et son tempérament rêveur ajoute cette note de *poésie discrète* caractéristique du réalisme de Vildrac. – THÈMES : *Amour. Femme. Bonheur.*

THÉRÈSE : Vous êtes tout de même d'âge à savoir ce que vous voulez !

SÉGARD : Oui, je choisis la place que je préfère, là où je me trouve. Mais là où je me trouve, ce n'est jamais moi qui ai décidé d'y venir. Et vous ?

THÉRÈSE : Ah ! moi, je n'ai jamais pensé à tout ça...

SÉGARD : Trouver, choisir ce qu'on aime le mieux au milieu de tout ce qui vous est offert, de tout ce qui vous retient au passage, eh bien ! Thérèse, je vous assure que même cela, c'est difficile, c'est terrible.

THÉRÈSE : Je trouve qu'on n'a guère le choix. On est bien obligé d'accepter ce qui vous arrive...

10 SÉGARD : Mais si, on aurait le choix ! — Moi, je voudrais tout prendre et je sens tellement que je regretterai justement ce que je n'aurai pas pris, que je le pleure d'avance.

THÉRÈSE : Moi, je le regrette après. Ça m'arrive. Par exemple, j'hésitais hier au dernier moment entre des souliers jaunes et des noirs, vernis. J'ai pris les jaunes à cause de la saison ; mais tout de même les noirs...

SÉGARD : Oui, mais je ne pensais pas à des objets, à des chaussures.

THÉRÈSE : Bien entendu.

SÉGARD : La vie est remplie de combinaisons mystérieuses, Thérèse : je quitte Paris pour le Canada avec Bastien. Depuis un mois je ne pensais

20 qu'au Canada. Dans le train je voyais le bateau et puis le Canada dont je me suis fait un tableau dans ma tête. Nous arrivons ici. Le départ ne se fait pas comme il était prévu. Me voici depuis quinze jours à l'hôtel Cordier. Et alors vous croyez que je ne pense qu'au départ, comme Bastien ? que je ne quitte pas des yeux le but, comme il dit ? Non. Je... Par exemple, je vous regarde ; je suis tout au plaisir de me trouver avec vous ; je me prends d'amitié pour la maison, pour vous... pour vous...

THÉRÈSE, *levant la tête et riant :* Vrai ?

SÉGARD : Je me dis : voilà ; tu vas partir et tu aurais peut-être pu vivre très heureux dans ce pays-ci, qui sait ? Si tu voulais bien... Tout à l'heure,

30 vous racontiez que vous aviez été chez un éleveur. Alors là-dessus — voyez comme je suis — voilà mon imagination qui part. Je vois une petite maison au soleil, quelque chose comme une maison de garde-barrière ; pas au Canada. Il y a un enclos où l'on élève de la volaille et un jardin avec la jolie Thérèse qui rit. Car vous avez parlé aussi de jardin, dites ?

THÉRÈSE : Oui.

SÉGARD : C'est pour dire, n'est-ce-pas ?... C'est pour dire comme c'est troublant de sentir, à chaque pas qu'on fait, tout ce qui serait possible si l'on s'arrêtait là ; d'entrevoir comme aisément on aurait de quoi remplir sa vie et son cœur...

40   THÉRÈSE : C'est vrai ce que vous dites. *(Silence.)* La petite maison avec les poules et les fleurs... Ah ! Vous allez me faire travailler les idées et me donner le cafard.

SÉGARD, *lui posant la main sur l'épaule :* Mais non, mais non...

THÉRÈSE : J'entends Mme Cordier qui descend ; il faut faire les tables.

SÉGARD : Je vous ai ennuyée, Thérèse, avec mes histoires.

THÉRÈSE, *se levant :* Oh ! non ; vous m'avez dit des choses si gentilles !

Le Paquebot Tenacity, II, 1 (Librairie Gallimard, éditeur).

Le destin *sera plus capricieux encore. L'entreprenant* BASTIEN *fait lui aussi la cour à* THÉRÈSE *et la décide aisément à s'enfuir avec lui. Ainsi, paradoxalement,* BASTIEN *l'aventureux restera en France et* SÉGARD *l'indécis s'embarquera avec mélancolie pour le Canada.*

Un aveu à demi sincère

Aimer, de PAUL GÉRALDY, est le type de la pièce à trois personnages. HÉLÉNE et HENRI, mariés depuis dix ans, vivent seuls dans une magnifique demeure provinciale. La passion des débuts s'est muée en une tendre affection et leur vie s'écoule, tout unie. Il suffit pourtant qu'un châtelain des environs fasse discrètement la cour à Hélène pour qu'elle ressente *le vide de son existence.* Elle se confie à son mari, afin de conjurer le danger. La *scène de l'aveu* est assez piquante car Henri, que l'amour rend perspicace, a tout deviné. Il a noté les signes révélant l'intérêt de CHALLANGE pour sa femme et compris qu'Hélène n'était pas indifférente à cet amour. C'est comme si le poète de *Toi et Moi* s'amusait à esquisser la *Carte de Tendre* de la conquête amoureuse selon l'esthétique intimiste. En révélant la situation à son mari, Hélène voudrait lui dissimuler ses propres sentiments, mais *tout la trahit,* sa surprise, sa feinte impuissance devant Challange, sa coquetterie inhabituelle, en un mot sa *demi-sincérité.* – THÈMES : *Amour. Femme.*

HÉLÈNE : Et si j'avais une raison, moi, pour ne pas le recevoir !

HENRI : Si tu avais une raison, tu me la dirais.

HÉLÈNE : J'ai une raison.

HENRI : Voyons ?

HÉLÈNE : Challange me fait la cour.

HENRI : Je le sais bien.

HÉLÈNE, *très étonnée :* Comment ? Tu t'en es aperçu ?

HENRI : Évidemment, je m'en suis aperçu.

HÉLÈNE : Non ! C'est vrai ? Mais... à quoi t'en es-tu aperçu ?

10   HENRI : Et toi ?

HÉLÈNE : Oh ! ça, c'est extraordinaire !... Et quand ça a-t-il commencé ?

HENRI : Il y a un mois, dès qu'il est arrivé ici, la première fois qu'il a dîné à la maison.

HÉLÈNE : Ce soir-là, c'était très peu de chose.

HENRI : Oui, un rien d'excessif dans l'amabilité, quelques sourires...

HÉLÈNE : Tu as vu ça ?

HENRI : Comme je te vois. La semaine suivante, chez les Tancin, une nuance de plus, des prévenances plus marquées...

HÉLÈNE, *intéressée, amusée :* Mais comment as-tu pu voir ça ?

20 HENRI : Enfin avant-hier, ici, tout un petit jeu d'attitudes, une voix un peu spéciale pour s'adresser à toi, une certaine éloquence aussi, et surtout la façon dont il t'a dit au revoir.

HÉLÈNE, *baissant les yeux :* Et alors, qu'est-ce que tu en penses ?

HENRI : Et toi ?

HÉLÈNE : Moi ?... Je ne peux pas empêcher cela !

HENRI, *très doucement :* Tu l'aurais empêché si tu l'avais voulu.

HÉLÈNE : Je me demande comment, par exemple !

HENRI : Tu es très belle... Mais si, Hélène, tu es très belle. Et tu le sais bien ! Cependant, jusqu'ici, les hommes les moins timides s'étaient toujours 30 montrés parfaitement réservés devant toi.

HÉLÈNE : Je ne leur plaisais peut-être pas.

HENRI : Tu leur plaisais. Mais jusqu'ici, il y avait dans ton attitude quelque chose de si pur, de si parfaitement net, que chacun comprenait tout de suite l'inconvenance, l'inutilité d'une tentative.

HÉLÈNE : Alors, je ne suis plus pure ? Je ne suis plus nette ?

HENRI : Tu l'es, mais avec moins de rigueur... Tu as été un peu coquette avec Challange.

HÉLÈNE : Tu t'en es aperçu aussi !... Eh bien, oui, j'ai été un peu coquette, c'est vrai. Je vais t'expliquer. Je voulais savoir. Tu me dis toujours que je suis 40 belle, et dans les salons cependant c'est toujours aux autres femmes que vont les compliments.

HENRI : Les compliments des hommes cachent toujours une vague intention d'offensive. Les hommes les plus hardis ne s'attaquent qu'à des femmes qu'ils soupçonnent vulnérables.

HÉLÈNE : Allons ! Les hommes n'ont pas toujours cette arrière-pensée !

HENRI : Mais si, Hélène !   *Aimer,* I, 1 (Julliard, éditeur).

HENRI *laisse à* HÉLÈNE *le soin de se défendre et la liberté de décider.* CHALLANGE *est si empressé que, tout en criant son désespoir de faillir, elle s'éprend de lui. Sur le point de fuir et de devenir sa maîtresse, elle* s'attendrit *pourtant sur les années passées dans cette demeure, sur le souvenir d'un enfant qu'elle a perdu, et* finit *par rester auprès de son mari.*

Douleur silencieuse

Martine, qui connut un succès mondial, est « l'histoire d'une petite paysanne qui aime et qui souffre mais ne peut confier à personne son amour ni sa souffrance ». Une idylle pleine de fraîcheur s'est en effet nouée entre MARTINE et JULIEN, jeune journaliste venu vivre à la campagne chez sa grand-mère. Pour Julien c'était une amourette sans importance, et il se fiance bientôt avec JEANNE qui appartient à son milieu. Pour Martine, il s'agit au contraire d'un *sentiment profond et vite douloureux.* Pendant une absence de Julien, les deux jeunes filles se recherchent et s'entretiennent volontiers, *l'une* parce qu'elle aime évoquer devant témoin son bonheur futur, sans se douter de la torture qu'elle inflige à Martine, *l'autre* parce qu'en dépit de sa souffrance elle a besoin d'entendre parler de celui qu'elle aime en silence. J.-J. Bernard a voulu, dit-il, « saisir cette vie secrète par les moyens les plus simples, écrire en quelque sorte de la vie » : le dialogue, tout en réticences, en phrases inachevées ou insignifiantes en apparence, contribue par sa *simplicité* et sa discrétion à créer un *pathétique poignant.* – THÈMES : *Amour. Femme.*

MARTINE, *avec anxiété :* Est-ce que... monsieur Julien va revenir bientôt ?

JEANNE : Dans huit jours. Cela fait trois semaines d'absence... Trois longues semaines qui ne m'ont pas fait grâce d'un seul jour... Mais je vous ennuie... Parlons plutôt de vous...

MARTINE : Non, non, ne parlons pas de moi... Vous disiez que... Dans huit jours...

JEANNE : Oui, nous sommes plus près de son retour que de son départ maintenant.

MARTINE, *vivement* : Oh ! oui...

10   JEANNE, *lui serrant la main* : Vous êtes bien gentille... Quand on lui a proposé de faire une enquête en Allemagne pour le compte de son journal, je n'ai voulu voir que les avantages : les belles impressions qu'il allait rapporter de là-bas et sa situation au journal après cela... Je ne pensais pas manquer de courage. Car c'est ridicule ; une semaine, ça va passer vite...

MARTINE : Une semaine... ça... ce n'est plus rien...

JEANNE : Oh ! n'est-ce pas... Répétez-le-moi.

MARTINE : Oui, mademoiselle, il ne faut pas... *(Elle ne peut achever.)*

JEANNE : Allez, ce sera bon de le voir revenir... Nous illuminerons ce jour-là...

MARTINE, *convaincue* : Oh ! oui...

20   JEANNE : Vous serez du premier dîner chez grand'mère... Oh ! ce premier dîner... Et puis le mariage dans la petite église de Grandchin... Ensuite nous serons tranquilles jusqu'à la rentrée des Chambres... A ce moment il fera le voyage de Paris presque tous les jours... Mais les journées ne seront pas tristes, puisqu'il y aura du bonheur au bout... Seulement, c'est alors que mon amie Martine sera la bienvenue dans la maison... Vous viendrez souvent, j'espère...

MARTINE : Je viendrai, oui... souvent... très souvent, je vous le jure...

JEANNE, *rêveuse* : Je sais bien qu'il vaudrait mieux que nous allions habiter Paris... Mais pour grand'mère... Et puis il y a la question matérielle — vous comprenez — au moins pour l'instant... Paris, ce sera pour plus tard... dans
30   quelques mois, j'espère... Qu'est-ce qu'il y a ?... Vous avez froid ?...

MARTINE : Non, non...

JEANNE, *les yeux au loin, après un silence* : Évidemment, ici, nous serons toujours un peu dans le provisoire... Le rêve, ce sera de créer un foyer nouveau... Des meubles à nous... Une table familiale... le père... la mère... les enfants... Mais vous frissonnez... Décidément vous mourez de froid. Il fait presque nuit. Nous allons partir.

MARTINE, *épouvantée* : Oui, oui... *(Elles se lèvent toutes les deux.)*

JEANNE *la regarde avec surprise et puis l'attire à elle* : Vous êtes triste... Ah ! Je parle de moi et je vous oublie... Vous avez quelque chose sur le cœur que
40   vous allez me raconter. Est-ce que je vous ai fait de la peine tout à l'heure ?

MARTINE, *vivement* : Je n'ai rien, non, je n'ai rien, je n'ai rien.

JEANNE : Eh bien ! vous me direz ce que vous voudrez. Voulez-vous rentrer par les petits chemins ? Nous serons plus longtemps ensemble... Oui ?... Non, vous préférez la route ?

MARTINE, *s'accrochant à son bras* : Si, si... par les petits chemins... Et vous me parlerez de... de... puisque... ça vous fait du bien... *(Elles s'éloignent bras-dessus bras-dessous, les têtes presque jointes. – Rideau.)*

                                                  Martine, III (Albin Michel, éditeur).

JULIEN *épouse* JEANNE ; *alors* MARTINE *se résigne à devenir la femme d'un paysan, le cœur toujours blessé, toujours plein de son rêve brisé. La dernière scène est particulièrement cruelle : par vanité,* JULIEN, *quittant définitivement le village, veut faire avouer à* MARTINE *qu'elle l'aimait et la malheureuse s'efforce vainement de garder pour elle son pauvre secret.*

LA SATIRE DES MŒURS

ÉDOUARD BOURDET

LE SATIRIQUE. ÉDOUARD BOURDET (1887-1945) débute au théâtre dès 1910 mais n'atteint la grande notoriété qu'en 1956, avec *La Prisonnière,* sujet délicat qui exigeait alors beaucoup de doigté. En 1927 *Vient de paraître,* comédie très parisienne, affirme sa maîtrise ; cette fois, c'est la satire des milieux de l'édition et des belles-lettres, de la « cuisine » qui interviendrait parfois dans l'attribution des prix littéraires, et de la déformation qui amène les écrivains à considérer toutes choses comme une matière à exploiter (la comédie de mœurs rejoignant par là la comédie psychologique). *Le Sexe faible* (1929) raille un aspect piquant des mœurs contemporaines : c'est du sexe *masculin* qu'il s'agit ou plutôt de ses représentants d'un certain monde, à la recherche d'une femme riche qui les entretienne, dans le mariage ou hors du mariage... *La Fleur des pois* (1932) fait pendant à *La Prisonnière :* pour Bourdet comme pour Molière, il n'est pas de vices privilégiés ; en outre, dans la mesure où telle perversion est favorisée par la mode, la comédie peut jouer un rôle bienfaisant. *Les Temps difficiles* (1934) révèlent des ambitions élevées, mais, peut-être du fait de son objet (la cupidité en temps de crise économique), la satire y est moins gaie. D'ailleurs Bourdet revient au franc comique avec *Fric-Frac* (c'est-à-dire *Le Cambriolage,* 1936), incursion légère et plaisante dans le « milieu » et sa « langue verte ».

L'ANIMATEUR. Servi par un grand acteur, VICTOR BOUCHER (le Marc Fournier-Evenos de *Vient de paraître*), Bourdet fut non seulement un auteur fécond mais un animateur du théâtre. *Administrateur de la Comédie-Française* (1936-1940), il la rénova avec l'aide des membres du « cartel », Pitoëff, Dullin, Jouvet, Baty, et il contribua à orienter François Mauriac vers la scène (cf. p. 666), mettant lui-même l'accent, dans ses dernières pièces, sur la psychologie ou sur le pathétique (*Hyménée,* 1941 ; *Père,* 1942).

Édouard Bourdet savait admirablement construire une action, en vrai technicien de la comédie. Il avait le sens de la réplique, du dialogue animé. Avec lui l'éventail de la satire s'ouvre largement, la comédie de mœurs découvre des terres inexplorées. Ses principaux personnages sont plausibles et vivants, car il discernait la vérité des êtres sous la déformation des mœurs. Enfin, un *tact parfait* s'allie chez lui à une *réelle hardiesse.*

Lauréat malgré lui

VIENT DE PARAÎTRE... Le rideau se lève sur le bureau de l'éditeur parisien Moscat. Celui-ci a si bien « travaillé » le jury du prix Zola qu'il tient pour assuré le succès de son candidat, Maréchal. Mais à la dernière minute une indiscrétion vient tout remettre en question : Maréchal l'a trahi en traitant avec un autre éditeur pour ses prochains livres. Cela crie vengeance ! Contre-ordre aux amis du Zola : Maréchal n'aura pas le prix. Désorienté, le jury couronne un parfait inconnu, un certain Evenos. Voilà une valeur à suivre : Moscat entend mettre la main, avant ses confrères, sur cet Evenos. Il n'est pas chez lui mais on ramène sa femme, Jacqueline. On apprend par elle qu'Evenos n'est autre qu'un ancien camarade de régiment de Moscat, Marc Fournier, visiteur assidu de sa maison d'édition, qu'on vient d'éconduire une fois de plus, sur l'ordre du patron ! Mais on le rattrape : « Dans mes bras ! » s'écrie Moscat en l'étreignant ; stupéfait, Marc n'est pas au bout de ses surprises... – THÈMES : *Littérature (Satire). Société. Argent.*

JACQUELINE : Mon chéri, c'est fou ! Tu as le prix Zola !
MARC : Quoi ?
JACQUELINE : Le prix Zola pour *L'Éveil du cœur.*
MARC : Qu'est-ce que c'est que cette plaisanterie ?

JACQUELINE : J'avais écrit à Guillaumin [1] de le présenter sans rien te dire, puisque tu ne voulais pas, et il a eu le prix !

MARC : Allons donc !   JACQUELINE : Demande à monsieur Moscat !

MOSCAT : Par six voix contre quatre au troisième tour de scrutin.

JACQUELINE : Hein ! qu'est-ce que je t'avais dit depuis le début ?... Tu te
10 souviens ?

MARC : Ah ! bien, ça, alors... *(Il s'assied, abruti.)* Vous êtes sûrs que ça ne peut pas être une erreur ?   JACQUELINE : Mais non, voyons ! [...]

MARC : Je ne peux pas y croire.

MOSCAT : Faut-il qu'on aille te chercher les premières éditions des journaux du soir ?

MARC, *se relevant, inquiet :* Ça va être dans les journaux ?

MOSCAT : Ça y est déjà, sois-en sûr !

MARC : Ah ! mais c'est très ennuyeux, alors...

MOSCAT : Comment ?

20 MARC : A cause de mon chef de bureau ! S'il apprend jamais que c'est moi, il est capable de me faire des tas d'ennuis !

MOSCAT : Et après ? J'espère bien que tu vas lui flanquer ta démission, à ton chef de bureau, et sans tarder ?   MARC : Ma démission !

MOSCAT : Tu ne vas pas aller perdre ton temps dans un ministère quand tu vas déjà toucher les quinze mille francs du prix...

MARC : Quinze mille francs ?

MOSCAT : Plus les dix mille francs que je vais te verser tout de suite, en avance sur tes droits...   MARC : Quels droits ?

MOSCAT : Tes droits d'auteur, pardi !   MARC : Mais, c'est que...

30 MOSCAT : Oui je sais : Guillaumin. Tout est arrangé de ce côté-là. Je lui ai racheté tous ses droits, par téléphone. Demain, à la première heure, les éditions suivantes seront sous presse. On tirera à vingt mille pour commencer.

MARC : A vingt mille !

MOSCAT : Et puis, tu sais, ici, ce sont des vrais mille... des mille de cinq cents !

MARC : Comment ?

MOSCAT : Oui, parce que chez Chamillard [2], par exemple, les mille sont de deux cent cinquante.   MARC : Ah ?

MOSCAT : Tu vas donc toucher vingt-cinq mille tout de suite et beaucoup plus si le livre se vend bien. Et je ne parle pas des droits de traduction, ni
40 des droits cinématographiques : la littérature nourrit son homme, maintenant !

MARC : Tu entends ça, Jacqueline ? Vingt-cinq mille francs !

JACQUELINE : Qui est-ce qui avait raison ? Veux-tu le dire ?

MOSCAT : Alors, je crois que tu peux, sans inconvénient, lâcher ton administration, hein ?... D'autant plus que tu n'auras pas trop de temps : il faut te mettre tout de suite au travail ! Je veux pouvoir d'ici trois mois annoncer ton prochain ouvrage.

MARC : Tu peux l'annoncer tout de suite si tu veux : le voilà. *(Il lui tend son manuscrit.)*

MOSCAT : Non ?

50 MARC : C'est pour celui-là, justement, que je voulais te voir.

MOSCAT : Mais, alors, c'est parfait ! *(Feuilletant le manuscrit.)* Dis-moi, est-ce que c'est... aussi bien que l'autre ?

— 1 Le libraire d'Orléans chez qui Marc a | publié, à compte d'auteur, *L'Éveil du cœur.* | — 2 Éditeur rival de Moscat.

JACQUELINE : Ce n'est pas le même genre...

MARC : Non, *L'Éveil du cœur,* c'est un roman.

MOSCAT : Eh bien, et ça ?

MARC : Ce sont des souvenirs... des souvenirs sur la guerre.

MOSCAT : Des souvenirs sur la guerre... Ah ! ah !

MARC : Je crois que ça te plaira.

MOSCAT : Mais, j'en suis sûr que ça me plaira !... Seulement, des souvenirs
60 sur la guerre... tu ne trouves pas qu'il y en a déjà eu beaucoup ? Tu feras ce
que tu voudras, mais, moi, je te conseille de garder ça pour plus tard.

MARC : Pour plus tard ?

MOSCAT : Oui, jusqu'à la prochaine guerre, par exemple. Là, ce serait tout
différent : au lieu d'être en retard sur les autres, tu serais en avance. Tu arriverais
bon premier, comprends-tu ? Non, ce que tu dois publier maintenant, c'est
un second roman.

MARC : Un second roman ?

MOSCAT : Oui. Si tu changes ton genre, tu déçois le public, tu perds ta
clientèle ; c'est connu.

70 MARC : Ah ! Oui, mais c'est que, malheureusement...

JACQUELINE, *l'interrompant :* Quoi ? Qu'est-ce que tu vas dire ?

MARC : Eh bien, j'ai peur que...

JACQUELINE : De quoi as-tu peur ?... Écoute donc M. Moscat, au lieu de
faire des objections ! Il a l'expérience de ces choses-là.

MOSCAT : Elle a raison, mon vieux ! Si tu suis mes conseils, tu t'en trouveras
bien, je te le garantis !

MARC : Mais je ne demande pas mieux, moi, seulement...

JACQUELINE : Ne l'écoutez pas, monsieur Moscat ! Il va vous dire qu'il n'a
pas de sujet pour un autre roman. *(A Marc.)* C'est ça, n'est-ce-pas ? [...]

80 MOSCAT : Attendez !... J'ai une idée !... Une idée de premier ordre !... Tu vas
tout simplement écrire une suite à *L'Éveil du cœur.* Hein ? Qu'est-ce que tu
dis de ça ?

MARC : Une suite à *L'Éveil du cœur ?*

MOSCAT : Oui.

JACQUELINE : Ah ! oui, c'est une idée.

MOSCAT : Qu'est-ce que tu as fait de tes personnages à la fin du roman ?...
Tu ne les as pas tués, j'espère ?

MARC : Tués ? Mais non...

MOSCAT : A la bonne heure ! Il ne faut jamais tuer ses personnages. On ne
90 sait pas ce qui peut arriver... La preuve, tu vois !... Eh bien, alors, c'est parfait !
Tu n'as plus besoin de chercher un sujet. En voilà un tout trouvé !

Vient de paraître, acte I (Stock, éditeur).

*Le nouveau roman n'avance pas, et Moscat s'impatiente. Marc finit par lui avouer qu'il
n'a pas d'imagination ; c'est le journal de jeune fille de Jacqueline qui lui a fourni le sujet
de son premier livre. Sans le lui dire, bien entendu, l'éditeur trouve aussitôt le moyen de lui
procurer un autre sujet : il va favoriser une idylle entre Jacqueline et Maréchal, grand séducteur
et rival malheureux de Marc pour le prix Zola. Or Jacqueline n'est que trop disposée à aimer
Maréchal... L'intrigue se déroule donc selon les plans de Moscat ; la jeune femme ne succombe
pas, mais, poussée à bout, elle crie à son mari qu'elle veut le quitter et qu'elle aime Maréchal.
Cependant celui-ci ne pousse pas ses avantages, pour une raison que Jacqueline ignore : pas
de scandale, s'il veut obtenir le grand prix du Roman de l'Académie française !*

Une curieuse espèce : les hommes de lettres

Deux mois passent ; Marc et Jacqueline ne se sont pas séparés mais leur union paraît bien compromise. De plus, renonçant à la littérature, Marc a repris le chemin du ministère, et c'est la gêne. En son absence, Jacqueline reçoit deux visites surprenantes par leur objet... Mais voici Marc de retour : ils ont l'un et l'autre quelque chose à se confier. THÈMES : *Littérature. Société. Femme.*

JACQUELINE : Viens t'asseoir ici, près de moi. Là... écoute... J'ai eu... deux visites depuis que tu es parti.

MARC : Bourgine ¹...

JACQUELINE : Oui. ? Et puis un autre, avant Bourgine.   MARC : Qui ?

JACQUELINE : Maréchal.   MARC, *sursautant :* Quoi ?

JACQUELINE : Tu m'as promis de ne pas t'emporter !

MARC : Il a osé venir chez moi ?... *(Un temps.)* Et tu l'as reçu ?

JACQUELINE : Oui.   MARC : Ah ?

JACQUELINE : Ne le regrette pas.   MARC, *ironique :* Vraiment ?

10   JACQUELINE : Je me sentirais moins près de toi en ce moment si je ne l'avais pas reçu.   MARC : Pourquoi ?

JACQUELINE : J'ai perdu quelques illusions, cet après-midi...

MARC : Sur lui ?

JACQUELINE : Sur lui... et puis sur une espèce de gens décidément bien curieux qui s'appellent les hommes de lettres.

MARC : Explique-toi.

JACQUELINE : Sais-tu ce qu'ils ont fait, chacun de leur côté, avec un ensemble charmant, lui et Bourgine ?... Eh bien, il faut croire que cette malheureuse histoire d'il y a deux mois était un sujet bien passionnant, car l'un en a fait

20   une nouvelle et l'autre une pièce !

MARC : Hein ?   JACQUELINE : Oui, mon chéri !

MARC : Comment le sais-tu ? Ils te l'ont dit ?

JACQUELINE : Maréchal m'a même apporté le manuscrit de sa nouvelle pour que je la lise ² !

MARC : Où est-il, ce manuscrit ?

JACQUELINE : J'ai refusé de le lire, il l'a emporté.

MARC : Mais enfin, tu n'as pas protesté ? Tu ne leur as pas dit que tu trouvais ça dégoûtant, abominable ?

JACQUELINE : Je leur ai dit surtout que je ne savais pas comment, toi, tu

30   prendrais la chose.

MARC : Ça, ils vont le voir ! Ils auront de mes nouvelles, je te le garantis ! Il faudra que je me décide à lui casser la figure, à M. Maréchal ! C'est comme cela que ça finira !... Où a-t-il l'intention de publier sa nouvelle ?

JACQUELINE : Chez Moscat, je crois.

MARC : Bon, parfait !... *(Il marche de long en large.)* Eh bien, nous allons voir !... Il ne manquerait plus que ça, par exemple ! Ça serait le comble !

JACQUELINE : Oui, mon chéri, tu as raison, je comprends très bien que tu sois furieux, seulement...   MARC : Je ne suis pas furieux, je suis indigné !

—1 Écrivain plus âgé, membre du jury du prix « Zola », tout dévoué à Moscat, et qui a joué | le rôle de confident. —2 Elle avait cru qu'il venait la voir pour lui parler d'amour...

JACQUELINE : Oui, je le comprends, mais calme-toi, maintenant ! Et viens
40 te rasseoir ici, veux-tu ?... Là... Je voudrais que tu me dises maintenant si tu
comprends pourquoi je t'ai raconté ça.

MARC : Mais je l'aurais bien su !

JACQUELINE : Oui, mais pourquoi j'ai voulu te le dire moi-même, et tout de
suite, sans attendre... Moi aussi, en l'apprenant, j'ai trouvé comme toi que c'était
tout de même un peu fort que toute cette histoire, qui a abîmé tant de choses
ici, nous soit arrivée pour que ça leur serve à eux !... J'ai pensé ça d'abord, et
puis, à la réflexion, je trouve qu'il faut en rire et hausser les épaules... Qu'est-ce
que ça nous fait, en somme ?   MARC : Comment, ce que ça nous fait ?

JACQUELINE : Je t'assure que ça n'a pas une bien grande importance !
50 Laissons-les donc écrire leurs petites histoires si ça leur fait plaisir... Sais-tu
ce qui me fait plaisir, à moi ? Eh bien, c'est de penser qu'au moins il y en
a un qui n'a rien fabriqué avec cette aventure, qui s'est contenté d'en souffrir,
lui ! Et je me sens une très grande tendresse pour celui-là... *(Elle appuie sa tête
contre l'épaule de Marc.)* Je t'assure que ces gens ont plus fait pour me rapprocher
de toi que tous nos efforts réunis depuis deux mois. Ils m'ont appris la différence
qu'il y a entre eux et nous, entre l'amour d'un homme de lettres et celui d'un
homme tout court qui ne pense pas toujours à écrire quelque chose sur ce
qui lui arrive... J'aime que tu n'écrives rien, toi, mon chéri !... *(Marc a écouté,
les yeux fixes, un pli en travers du front, mal à son aise. Il écarte doucement sa tête de celle
60 de Jacqueline.)* Eh bien, pourquoi fais-tu cette figure ?... Dis ?

MARC : Jacqueline...   JACQUELINE : Quoi ?

MARC : Je t'ai menti...   JACQUELINE : Comment ?

MARC : Moi aussi, j'ai écrit quelque chose...

JACQUELINE : Toi ? *(Marc fait signe que oui.)* Non ?

MARC : Si.

JACQUELINE : Mais qu'est-ce que tu as écrit ?

MARC : Oh ! ce sont seulement des notes... J'ai écrit ça pour moi.

JACQUELINE : Mais quand ? Tu ne travaillais jamais !

MARC : Si... au ministère [3].   JACQUELINE : C'est vrai ?
70 MARC : Je n'ai pas pu faire autrement ! Ç'a été plus fort que moi ! J'ai résisté
tant que j'ai pu, je ne voulais pas... et puis, un jour, j'ai commencé, et alors,
ç'a été l'engrenage. Je n'ai pas pu m'arrêter. C'était comme une espèce de fièvre !
Les idées se pressaient dans ma tête, j'avais à peine le temps de les écrire !...
Tu comprends, pendant deux ans j'avais tellement souffert de n'avoir rien à
dire, et voilà que, tout à coup, j'avais énormément à dire !... Alors, le matin,
en arrivant, je commençais par expédier ce que j'avais à faire pour le ministère,
et puis, aussitôt que c'était fini, je me mettais au travail !

Vient de paraître, Acte IV (Stock, éditeur).

*Ainsi Marc lui-même est atteint par le virus... Qu'est devenue sa candeur du premier acte ?
Nous le voyons imposer à Moscat, sous la menace de traiter avec Chamillard, un nouveau
contrat, très avantageux pour lui. Jacqueline est-elle déçue, heureuse (car elle a de l'ambition
pour son mari, et aime la vie large) ou résignée ? Sa dernière réplique nous laisse rêveurs :
puisque Marc « n'est vraiment bon que dans la douleur », sans doute le fera-t-elle souffrir,
par devoir, pour l'inspirer... Cependant Marc commence à lui dicter son nouveau roman :
« Dans la pénombre du wagon qui les ramenait vers Paris, Bernard Mareuil regardait
sa femme. Sur le fin et délicat visage du romancier se lisait une âpre souffrance... »*

— 3 Revenu à la littérature, Marc ne quittera plus, | cette fois, le ministère des Finances : *c'est le seul
endroit où il puisse travailler !*

JULES ROMAINS

Une œuvre variée   Poète et romancier (cf. p. 31 et 478), JULES ROMAINS
(1885-1972) occupe aussi une place importante dans le
théâtre des années 1920-1930, avec une production allant du drame lyrique à la farce
débridée. Après *L'Armée dans la ville* (1911), essai de tragédie moderne monté par Antoine,
son *unanimisme* trouve une meilleure expression dans *Cromedeyre-le-Vieil* (1920), drame
en vers libres qui tente de saisir l'âme collective d'un village de montagne. Mais c'est
1923 qui marque la date décisive de sa carrière : coup sur coup, cette année-là, Jules
Romains inaugure une série féconde avec *M. Le Trouhadec saisi par la débauche*, et
remporte un succès retentissant avec *Knock ou le Triomphe de la médecine*, farce satirique
mise en scène et interprétée par Louis Jouvet. Puis il donne *Le Mariage de M. Le Trouhadec*
(1926) et *Donogoo*, qui couronne la trilogie de Le Trouhadec (1930) : pour que ce distingué
géographe puisse entrer à l'Institut, il faut que naisse et prospère, en Amérique du Sud,
une ville, Donogoo-Tonka, dont il a eu le tort de parler longuement alors qu'elle n'existait
pas ! De 1930 également datent *Musse ou L'École de l'Hypocrisie* (remaniement de *Jean
le Maufranc*) et *Boën ou la Possession des Biens ;* mais cette dernière pièce, plus sérieuse,
est aussi moins enlevée, de même que *Le Dictateur* (1926).

Dignité de la farce   Au théâtre, Jules Romains reste essentiellement l'auteur
de *Donogoo* et surtout de *Knock*, c'est-à-dire de grandes
farces, d'un style vigoureux, animées d'une *verve satirique* très efficace, qui illustrent par
le rire des vérités dignes d'être méditées. Ce normalien a le sens du « canular » : il l'a
bien montré dans *Les Copains* (cf. p. 478). Mais chez lui le « canular » atteint au *grandiose*
lorsqu'il vise, dans la meilleure *tradition moliéresque*, le charlatanisme de certains médecins
et l'insondable crédulité de leurs clients ; et il accède à la dignité du *mythe* lorsque nous
voyons, dans *Donogoo*, la fiction devenir créatrice, le néant d'une erreur initiale faire
naître la réalité vivante d'une cité.

Une vocation

Le bon vieux docteur Parpalaid a vendu à KNOCK sa clientèle d'un village de montagne,
Saint-Maurice. Dans l'automobile du docteur, véhicule antédiluvien dont Knock ferait
volontiers un « bahut breton » (!), Parpalaid, sa femme, Knock et le chauffeur tentent,
non sans peine, de gagner Saint-Maurice. Au cours de la conversation, Knock découvre
qu'apparemment il n'a pas fait une bonne affaire : la clientèle en question est presque
inexistante. Mais la scène révèle surtout, chez Knock, *une précoce et singulière vocation
médicale*. Ayant déjà exercé ses talents (comme simple bachelier ès lettres !) à bord d'un
navire, il brûle, maintenant que le voici « doctoralement docteur », d'appliquer ses
méthodes « sur la terre ferme et en grand ». – THÈMES : *Société. Humour. Littérature.*

LE DOCTEUR : Mais vous n'avez jamais exercé.

KNOCK : Autre erreur [1].

LE DOCTEUR : Comment ? Ne m'avez-vous pas dit que vous veniez de passer
votre thèse l'été dernier ?

KNOCK : Oui, trente-deux pages in-octavo : *Sur les prétendus états de santé*,
avec cette épigraphe, que j'ai attribuée à Claude Bernard : « Les gens bien
portants sont des malades qui s'ignorent. »

— 1 Parpalaid a commis une première erreur | quarante ans. Mes rêves, si j'en ai, ne sont pas
en parlant des *rêves de jeunesse* de Knock : « J'ai | des rêves de jeunesse ».

LE DOCTEUR : Nous sommes d'accord, mon cher confrère.

KNOCK : Sur le fond de ma théorie ?

10 LE DOCTEUR : Non, sur le fait que vous êtes un débutant.

KNOCK : Pardon ! Mes études sont, en effet, toutes récentes. Mais mon début dans la pratique de la médecine date de vingt ans. [...]

LE DOCTEUR : Vous avez donc pratiqué sans titres et clandestinement ?

KNOCK : A la face du monde, au contraire, et non pas dans un trou de province, mais sur un espace d'environ sept mille kilomètres.

LE DOCTEUR : Je ne vous comprends pas.

KNOCK : C'est pourtant simple. Il y a une vingtaine d'années, ayant dû renoncer à l'étude des langues romanes, j'étais vendeur aux « Dames de France » de Marseille, rayon des cravates. Je perds mon emploi. En me promenant sur
20 le port, je vois annoncé qu'un vapeur de 1 700 tonnes à destination des Indes demande un médecin, le grade de docteur n'étant pas exigé. Qu'auriez-vous fait à ma place ? LE DOCTEUR : Mais... rien, sans doute.

KNOCK : Oui, vous, vous n'aviez pas la vocation. Moi, je me suis présenté. Comme j'ai horreur des situations fausses, j'ai déclaré en entrant : « Messieurs, je pourrais vous dire que je suis docteur, mais je ne suis pas docteur. Et je vous avouerai même quelque chose de plus grave : je ne sais pas encore quel sera le sujet de ma thèse. » Ils me répondent qu'ils ne tiennent pas au titre de docteur et qu'ils se fichent complètement de mon sujet de thèse. Je réplique aussitôt : « Bien que n'étant pas docteur, je désire, pour des raisons de prestige
30 et de discipline, qu'on m'appelle docteur à bord. » Ils me disent que c'est tout naturel. Mais je n'en continue pas moins à leur expliquer pendant un quart d'heure les raisons qui me font vaincre mes scrupules et réclamer cette appellation de docteur à laquelle, en conscience, je n'ai pas droit. Si bien qu'il nous est resté à peine trois minutes pour régler la question des honoraires.

LE DOCTEUR : Mais vous n'aviez réellement aucune connaissance ?

KNOCK : Entendons-nous ! Depuis mon enfance, j'ai toujours lu avec passion les annonces médicales et pharmaceutiques des journaux, ainsi que les prospectus intitulés « mode d'emploi » que je trouvais enroulés autour des boîtes de pilules et des flacons de sirop qu'achetaient mes parents. Dès l'âge de neuf ans, je savais
40 par cœur des tirades entières sur l'exonération imparfaite du constipé. Et encore aujourd'hui, je puis vous réciter une lettre admirable, adressée en 1897 par la veuve P..., de Bourges, à la Tisane américaine des Shakers. Voulez-vous ?

LE DOCTEUR : Merci, je vous crois.

KNOCK : Ces textes m'ont rendu familier de bonne heure avec le style de la profession. Mais surtout ils m'ont laissé transparaître le véritable esprit et la véritable destination de la médecine, que l'enseignement des Facultés dissimule sous le fatras scientifique. Je puis dire qu'à douze ans j'avais déjà un sentiment médical correct. Ma méthode actuelle en est sortie.

LE DOCTEUR : Vous avez une méthode ? Je serais curieux de la connaître.

50 KNOCK : Je ne fais pas de propagande. D'ailleurs, il n'y a que les résultats qui comptent. Aujourd'hui, de votre propre aveu, vous me livrez une clientèle nulle.

LE DOCTEUR : Nulle... pardon ! pardon !

KNOCK : Revenez voir dans un an ce que j'en aurai fait. La preuve sera péremptoire. En m'obligeant à partir de zéro, vous accroissez l'intérêt de l'expérience. [...]

MADAME PARPALAID : Mais, quand vous avez été sur votre bateau, comment vous en êtes-vous tiré ?

KNOCK : Les deux dernières nuits avant de m'embarquer, je les ai passées à réfléchir. Mes six mois de pratique à bord m'ont servi à vérifier mes
60 conceptions. C'est un peu la façon dont on procède dans les hôpitaux [2].

MADAME PARPALAID : Vous aviez beaucoup de gens à soigner ?

KNOCK : L'équipage et sept passagers, de condition très modeste. Trente-cinq personnes en tout.   MADAME PARPALAID : C'est un chiffre.

LE DOCTEUR : Et vous avez eu des morts ?

KNOCK : Aucune. C'était d'ailleurs contraire à mes principes. Je suis partisan de la diminution de la mortalité.   LE DOCTEUR : Comme nous tous.

KNOCK : Vous aussi ? Tiens ! Je n'aurais pas cru. Bref, j'estime que, malgré toutes les tentations contraires, nous devons travailler à la conservation du malade.

MADAME PARPALAID : Il y a du vrai dans ce que dit le docteur.
70 LE DOCTEUR : Et des malades, vous en avez eu beaucoup ?

KNOCK : Trente-cinq.   LE DOCTEUR : Tout le monde alors ?

KNOCK : Oui, tout le monde.

MADAME PARPALAID : Mais comment le bateau a-t-il pu marcher ?

KNOCK : Un petit roulement à établir [3].

Knock, acte I, scène unique (Librairie Gallimard, éditeur).

KNOCK EN ACTION

Aussitôt arrivé à Saint-Maurice, KNOCK *passe à l'action.* Le tambour de ville annoncera une consultation gratuite, pour appâter une population avare. L'instituteur servira de propagandiste bénévole (du même coup, Knock inquiète déjà les deux hommes quant à leur état de santé) ; le pharmacien sera son associé... ou son complice. Mais la consultation gratuite commence. Voici la DAME EN NOIR, solide paysanne de quarante-cinq ans. Knock l'ausculte d'abord financièrement (elle a de quoi payer) puis médicalement ; sur le ton d'une voyante extralucide, il lui apprend qu'elle a dû, étant petite, tomber d'une échelle, d'une grande échelle, d'une échelle de trois mètres cinquante. « C'est la fesse gauche, heureusement, qui a porté », mais cependant... — On va le voir, la scène est *digne de Molière,* sous le patronage duquel l'auteur se place ouvertement.
THÈMES : *Société. Humour. Littérature.*

KNOCK *la fait asseoir :* Vous vous rendez compte de votre état ?

LA DAME : Non.

KNOCK *(il s'assied en face d'elle) :* Tant mieux. Vous avez envie de guérir, ou vous n'avez pas envie ?

LA DAME : J'ai envie.

KNOCK : J'aime mieux vous prévenir tout de suite que ce sera très long et très coûteux.

LA DAME : Ah ! mon Dieu ! Et pourquoi ça ?

KNOCK : Parce qu'on ne guérit pas en cinq minutes un mal qu'on
10 traîne depuis quarante ans.

LA DAME : Depuis quarante ans ?

KNOCK : Oui, depuis que vous êtes tombée de votre échelle.

— 2 Ici la satire est presque féroce ; cf. Bridoye, | (*XVIe Siècle*, p. 76). — 3 Il en sera de même à dans Rabelais : « comme vous autres, Messieurs » | Saint-Maurice (Cf. analyse, p. 429).

Knock

« Knock » de Jules Romains, au Théâtre de Louis Jouvet : la consultation (Louis Jouvet, Odette Talazac). (Ph. © Lipnitzki – Viollet – Arch. Photeb)

Retour aux sources

On retrouve les effets irrésistibles de la farce moliéresque dans la satire de la médecine lorsque Knock, magistralement interprété par Louis Jouvet, ausculte la Dame en noir.

LA DAME : Et combien est-ce que ça me coûterait ?

KNOCK : Qu'est-ce que valent les veaux, actuellement ?

LA DAME : Ça dépend des marchés et de la grosseur. Mais on ne peut guère en avoir de propres à moins de quatre ou cinq cents francs.

KNOCK : Et les cochons gras ?

LA DAME : Il y en a qui font plus de mille.

KNOCK : Eh bien ! ça vous coûtera à peu près deux cochons et deux veaux.

20 LA DAME : Ah ! là là ! Près de trois mille francs ? C'est une désolation, Jésus, Marie !

KNOCK : Si vous aimez mieux faire un pèlerinage, je ne vous en empêche pas.

LA DAME : Oh ! un pèlerinage, ça revient cher aussi et ça ne réussit pas souvent. *(Un silence.)* Mais qu'est-ce que je peux donc avoir de si terrible que ça ?

KNOCK, *avec une grande courtoisie :* Je vais vous l'expliquer en une minute au tableau noir. *(Il va au tableau et commence un croquis.)* Voici votre moelle épinière, en coupe, très schématiquement, n'est-ce pas ? Vous reconnais-
30 sez ici votre faisceau de Türck et ici votre colonne de Clarke. Vous me suivez ? Eh bien ! quand vous êtes tombée de l'échelle, votre Türck et votre Clarke ont glissé en sens inverse *(Il trace des flèches)* de quelques dixièmes de millimètre. Vous me direz que c'est très peu. Évidemment. Mais c'est très mal placé. Et puis vous avez ici un tiraillement continu qui s'exerce sur les multipolaires. *(Il s'essuie les doigts.)*

LA DAME : Mon Dieu ! Mon Dieu !

KNOCK : Remarquez que vous ne mourrez pas du jour au lendemain. Vous pouvez attendre.

LA DAME : Oh ! là là ! J'ai bien eu du malheur de tomber de cette
40 échelle !

KNOCK : Je me demande même s'il ne vaut pas mieux laisser les choses comme elles sont. L'argent est si dur à gagner. Tandis que les années de vieillesse, on en a toujours bien assez. Pour le plaisir qu'elles donnent !

LA DAME : Et en faisant ça plus... grossièrement, vous ne pourriez pas me guérir à moins cher ?... à condition que ce soit bien fait tout de même.

KNOCK : Ce que je puis vous proposer, c'est de vous mettre en observation. Ça ne vous coûtera presque rien. Au bout de quelques jours,
50 vous vous rendrez compte par vous-même de la tournure que prendra le mal, et vous vous déciderez.

LA DAME : Oui, c'est ça.

KNOCK : Bien. Vous allez rentrer chez vous. Vous êtes venue en voiture ?

LA DAME : Non, à pied.

KNOCK, *tandis qu'il rédige l'ordonnance, assis à sa table :* Il faudra tâcher de trouver une voiture. Vous vous coucherez en arrivant. Une chambre où vous serez seule, autant que possible. Faites fermer les volets et les

rideaux pour que la lumière ne vous gêne pas. Défendez qu'on vous
parle. Aucune alimentation solide pendant une semaine. Un verre d'eau
60 de Vichy toutes les deux heures, et, à la rigueur, une moitié de biscuit,
matin et soir, trempée dans un doigt de lait. Mais j'aimerais autant que
vous vous passiez de biscuit. Vous ne direz pas que je vous ordonne
des remèdes coûteux ! A la fin de la semaine, nous verrons comment
vous vous sentez. Si vous êtes gaillarde, si vos forces et votre gaieté
sont revenues, c'est que le mal est moins sérieux qu'on ne pourrait croire,
et je serai le premier à vous rassurer. Si, au contraire, vous éprouvez
une faiblesse générale, des lourdeurs de tête et une certaine paresse
à vous lever, l'hésitation ne sera plus permise, et nous commencerons
le traitement. C'est convenu ?
70   LA DAME, *soupirant :* Comme vous voudrez.
    KNOCK, *désignant l'ordonnance :* Je rappelle mes prescriptions sur ce bout
de papier. Et j'irai vous voir bientôt.   *Knock*, II, 4 (Librairie Gallimard, éditeur).

La scène se reproduit avec des variantes : bon psychologue, le charlatan a plus d'un tour
dans son sac. *Pour* LA DAME EN VIOLET, *« une dame Pons, née demoiselle Lempoumas »*
que ses actions des charbonnages n'empêchent pas de profiter d'une consultation gratuite,
quelques mots suffisent : une solide vocation de malade imaginaire se dessine aussitôt et Knock
n'a plus qu'à se laisser supplier. Avec LES DEUX GARS *venus histoire de rire, il est laconique,*
inquiétant, funèbre, et les deux rieurs ressortent avec des mines « hagardes et terrifiées ».
    Quand Parpalaid revient, au bout de trois mois, il trouve Saint-Maurice transformé...
en hôpital. *Knock célèbre son triomphe, sur le mode lyrique : dans le canton « il y a deux*
cent cinquante chambres où quelqu'un confesse la médecine, deux cent cinquante lits où un
corps étendu témoigne que la vie a un sens, et grâce à moi un sens médical ».
    Parpalaid échangerait volontiers sa récente clientèle de Lyon contre ce pactole, mais
Saint-Maurice laisserait-il partir son bienfaiteur ? D'ailleurs — c'est l'apothéose — Knock
persuade son confrère *lui-même, le pauvre Parpalaid,* qu'il est malade !

MARCEL PAGNOL

LA SCÈNE. MARCEL PAGNOL (1895-1974), né à Aubagne, surveillant puis professeur,
débute au théâtre, en collaboration avec PAUL NIVOIX, par une comédie-bouffe, *Tonton*
(1922), suivie en 1925 par *Les Marchands de gloire,* âpre satire de ceux qui exploitent
la mémoire des morts au champ d'honneur. Dans *Jazz* (1926), il cherche sa voie et révèle
des dons poétiques ; c'est l'histoire d'un professeur de Faculté dont toute l'œuvre, fondée
sur des hypothèses fragiles, se trouve ruinée par une découverte fortuite : il s'aperçoit
alors qu'en poursuivant des chimères, il a oublié de vivre. En 1928, *Topaze* remporte
un très grand succès : on y voit un nouveau *Turcaret,* mais un *Turcaret* moins cruel (cf.
XVIIIe Siècle, p. 39-43). Succès mérité, car la pièce vient à son heure et renouvelle le
thème éternel du *pouvoir corrupteur de l'argent* en dénonçant, à notre époque, la
prévarication et le trafic d'influence au niveau de la politique municipale ; peut-être le
style manque-t-il parfois de densité, mais *Topaze* abonde en *traits* qui portent.
    Dans le même temps, ce méridional enjoué élève les histoires marseillaises à la
dignité d'un genre, avec la trilogie de *Marius, Fanny* et *César* (1928-1936). L'humour
gai des joueurs de belote et de pétanque, « l'assent » et l'atmosphère colorée du
Vieux-Port s'y nuancent d'une émotion un peu facile, mais contagieuse. En 1986, la

représentation de *La Femme du boulanger* (posthume) a confirmé avec éclat son talent de dramaturge.

L'ÉCRAN. *Topaze* et les comédies marseillaises ayant obtenu à l'écran un plein succès, Pagnol se consacre ensuite au cinéma. C'est encore son cher Midi qui prête, parmi les bonnes histoires et les bons mots, un discret parfum de poésie à des films tels que *Angèle, Regain, La Femme du boulanger* (tous trois d'après Giono) ; *La Fille du puisatier ; Les Lettres de mon moulin* (d'après Daudet), ou *Manon des sources.*

Entré à l'Académie française en 1946, Marcel Pagnol a publié à partir de 1957 d'agréables *souvenirs* alliant librement le lyrisme à l'humour (*La Gloire de mon père*, 1957 ; *Le Château de ma mère*, 1958 ; *Le Temps des secrets*, 1960 ; *Le Temps des amours*, posthume, 1977).

TOPAZE

Professeur à la pension Muche, « dans une grande ville » TOPAZE *se trouve congédié pour avoir été trop franc avec une mère d'élève dont la richesse méritait plus de ménagements, et pour avoir, de surcroît, osé prétendre à la main de M*ᴵˡᵉ *Muche. Le hasard veut qu'un conseiller municipal véreux,* CASTEL-BÉNAC, *ait précisément besoin d'un homme de paille pour mener à bien ses escroqueries. Présenté par* SUZY, *maîtresse de Castel-Bénac et tante d'un de ses élèves, Topaze fera l'affaire : n'est-il pas le parfait idiot, honnête jusqu'à la niaiserie, qu'il n'est même pas besoin d'acheter cher ! Quand Topaze est mis au fait par le complice habituel de Castel-Bénac, il veut rompre le marché ; mais Suzy fait du charme, l'émeut, et il cède. Pendant quelque temps, il est torturé par les remords ; les belles maximes morales qu'il enseignait à ses élèves l'empêchent de dormir ; il est terrorisé par une menace de chantage à laquelle Castel-Bénac, fort bien armé, coupe court. D'ailleurs tout sourit à Topaze depuis qu'il est malhonnête : Mlle Muche, dont il ne veut plus, tombe dans ses bras avec l'approbation paternelle, et surtout... il reçoit les Palmes académiques vainement espérées lorsqu'il n'était qu'un professeur consciencieux.*

« Le coup du chimpanzé »

Au début de l'acte IV, CASTEL-BÉNAC, qui attend TOPAZE pour leur règlement de comptes mensuel, exprime ses inquiétudes à SUZY : le « sympathique idiot » semble se transformer d'une façon qui lui fait redouter le pire. De fait, Topaze paraît et du premier coup d'œil nous mesurons son changement : il a sacrifié sa barbe, porte des lunettes d'écaille et « un complet du bon faiseur ». Mais sa *métamorphose* n'est pas seulement physique : les craintes de Castel-Bénac étaient fondées ; pris à son propre piège, il a trouvé son maître. – THÈMES : *Argent. Morale. Société. Littérature.*

TOPAZE, *très calme et très familier :* Mon cher ami, je veux vous soumettre un petit calcul. Cette agence vous a rapporté en six mois sept cent quatre-vingt-cinq mille francs de bénéfices nets. Or le bureau vous a coûté dix mille francs pour le bail, vingt mille pour l'ameublement, en tout trente mille. Comparez un instant ces deux nombres : sept cent quatre-vingt-cinq mille et trente mille.

CASTEL-BÉNAC : Je ne vois pas l'intérêt de cette comparaison.

TOPAZE : Il est très grand. Cette comparaison prouve que vous avez fait une excellente affaire, même si elle s'arrêtait aujourd'hui.

CASTEL-BÉNAC : Pourquoi s'arrêterait-elle ?

10   TOPAZE, *souriant :* Parce que j'ai l'intention de garder ce bureau pour travailler à mon compte. Désormais, cette agence m'appartient, les bénéfices qu'elle produit sont à moi. S'il m'arrive encore de traiter des affaires avec vous, je veux bien vous abandonner une commission de six pour cent... C'est tout.

CASTEL-BÉNAC, *à Suzy, avec effort :* Je vous l'avais toujours dit. Notre ami Topaze est un humoriste.

TOPAZE : Tant mieux si vous trouvez cela drôle. Je n'osais pas l'espérer.

Topaze

« *Topaze* », *au Théâtre du Gymnase*
(1956), avec Marie Daëms,
Henri Vilbert, Fernand Gravey.
(Ph. © Agence Bernand – Arch. Photeb)

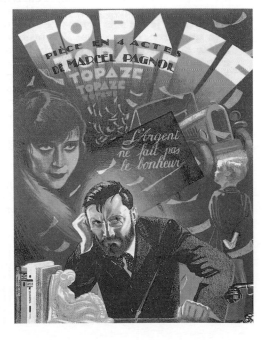

Affiche pour des représentations en
province de « *Topaze* ». (Coll. particulière.
Ph. Jean-Loup Charmet © Arch. Photeb-D.R.)

« Le coup du chimpanzé »

Des pièces de Marcel Pagnol, la plus irrésistible est sans doute *Topaze* . Le comique de farce,
dans les scènes de la pension Muche, y demeure
efficace, et, lorsqu'il s'agit de la collusion entre
les affaires et la politique, la satire des mœurs
y reste percutante. C'est ici le comique du
brusque renversement de situation : Topaze,
métamorphosé, balaie tout à coup ses scrupules
et dépouille Castel-Bénac de son agence pour
la faire prospérer à grande échelle : c'est « le
coup du chimpanzé ».

SUZY : Monsieur Topaze, parlez-vous sérieusement ?...

TOPAZE : Oui, madame. D'ailleurs en affaires je ne plaisante jamais.

CASTEL-BÉNAC : Vous vous croyez propriétaire de l'agence ?

20 TOPAZE : Je le suis. L'agence porte mon nom, le bail est à mon nom, je suis légalement chez moi...

CASTEL-BÉNAC : Mais ce serait un simple vol...

TOPAZE : Adressez-vous aux tribunaux.

SUZY, *elle est partagée entre l'indignation, l'étonnement et l'admiration :* Oh !...

CASTEL-BÉNAC, *il éclate :* J'ai vu bien des crapules, je n'en ai jamais vu d'aussi froidement cyniques.

TOPAZE : Allons, pas de flatterie, ça ne prend pas. [...]

CASTEL-BÉNAC, *après un tout petit temps :* Topaze, il y a certainement un malentendu.

30 SUZY : Vous êtes incapable de faire une chose pareille...

TOPAZE : Vous niez l'évidence.

CASTEL-BÉNAC : Allons, réfléchissez. Sans moi, vous seriez encore à la pension Muche... C'est moi qui vous ai tout appris.

TOPAZE : Mais vous avez touché sept cent quatre-vingt-cinq mille francs. Jamais un élève ne m'a rapporté ça...

CASTEL-BÉNAC : Non, non, je ne veux pas le croire. Vous êtes un honnête homme. *(Topaze rit !)* Vous pour qui j'avais de l'estime... Et même de l'affection... Oui, de l'affection... Penser que vous me faites un coup pareil, pour une sale question d'argent... J'en aurais trop de peine, et vous aussi... N'est-ce pas Suzy ?

40 Dites-lui qu'il en aura de la peine... Qu'il le regrettera... *(Elle regarde Castel-Bénac avec mépris. Dans un grand élan.)* Tenez, je vous donne dix pour cent.

TOPAZE : Mais non, mais non... Voyez-vous, mon cher Régis, je vous ai vu à l'œuvre et je me suis permis de vous juger. Vous n'êtes pas intéressant. Vous êtes un escroc, oui, je vous l'accorde, mais de petite race. Quinze balayeuses, trente plaques d'égout, six douzaines de crachoirs émaillés [1]... Peuh... Le jeu n'en vaut pas la chandelle. Quant aux spéculations comme celle de la pissotière à roulettes [2], ça, mon cher, ce ne sont pas des affaires : c'est de la poésie toute pure. Non, vous n'êtes qu'un bricoleur, ne sortez pas de la politique.

CASTEL-BÉNAC, *à Suzy :* Eh bien, ça y est. C'est le coup du chimpanzé [3].

50 SUZY : Voilà tout ce que vous trouvez à dire ?

CASTEL-BÉNAC : Que peut-on dire à un bandit ? *(A Topaze)* Vous êtes un bandit.

SUZY, *hausse les épaules :* Allez, vous n'êtes pas un homme.

Topaze, acte IV, scène 2 (Fasquelle, éditeur).

On s'en doute bien, Suzy passera de Castel-Bénac à Topaze, consacrant ainsi son triomphe. Et la pièce se termine sur une note assez amère, car nous voyons le brave Tamise, l'incorruptible Tamise, ancien collègue de Topaze à la pension Muche, sur le point de succomber à son tour à la tentation de l'argent.

— 1 Conseiller municipal, Castel-Bénac fait acheter par la ville un équipement qu'il fournit lui-même, sous des noms d'emprunt, à des prix exorbitants. — 2 La « spéculation » consiste à déplacer de terrasse de café en terrasse de café l'édicule en question, en touchant chaque fois la somme que le propriétaire du café doit verser pour être délivré d'un voisinage malodorant ! — 3 Cf. Castel-Bénac à Suzy (IV, 1) : « C'est exactement l'histoire du chimpanzé de ma mère. Quand elle l'a acheté, il était maigre, il puait la misère, mais je n'ai jamais vu un singe aussi affectueux. On lui a donné des noix de coco, on l'a gavé de bananes ; il est devenu fort comme un turc ; il a cassé la gueule à la bonne. Il a fallu appeler les pompiers... »

ARMAND SALACROU

Sa carrière   Né au Havre, fils d'un pharmacien élu en 1912 conseiller municipal, ARMAND SALACROU (1899-1989) se passionne dès l'enfance pour les questions sociales; le sort d'un militant syndicaliste condamné injustement et devenu fou en prison marquera pour toujours sa sensibilité (cf. *Boulevard Durand,* 1960). Il commence à Paris des études de médecine, puis passe la licence de philosophie, et collabore à *L'Humanité.* Mais à 22 ans il quitte ce journal et le parti communiste. « Seul m'animait un désir de justice. [...] Non seulement je ne pouvais pas, mais je ne voulais pas oublier les problèmes individuels » (*Mes certitudes et incertitudes*).

Dès 1923, Salacrou *s'oriente vers le théâtre;* ses premiers essais, de tonalité surréaliste, attirent l'attention des connaisseurs (Jouvet, Dullin) sans lui gagner une large audience. Vers 1930, il fait fortune dans une entreprise de publicité, ce qui lui permet, au théâtre, de suivre sa voie, sans concessions aux goûts du grand public. Il donne en 1931 sa première pièce vraiment solide : *Atlas-Hôtel,* où s'opposent l'action et le rêve. Puis ce sont, entre autres titres, *L'Inconnue d'Arras* (1935), *Un homme comme les autres* (1936), *La Terre est ronde* (1938, drame tiré de l'histoire de Savonarole), une comédie gaie, *Histoire de rire* (1939), *Les Nuits de la colère* (1946), *L'Archipel Lenoir* (1947), *Dieu le savait* (1950), *Boulevard Durand* (1960), *Une femme trop honnête* (1961).

Farce, satire   ARMAND SALACROU a le sens du *comique,* de la *farce* en ***et métaphysique***   particulier, des situations et des remarques paradoxales : ainsi, dans *Histoire de rire,* l'amant est piteux tandis que le mari a le beau rôle. D'autre part c'est un écrivain *engagé,* qui critique âprement la société bourgeoise et milite pour la justice sociale. Reconnaissant dans son *Boulevard Durand* « un côté *image d'Épinal* », il ajoute : « Je n'ai pas cherché à éviter cet écueil. Dans un combat, il n'y a pas de nuances ».

Mais l'intérêt de son œuvre dépasse largement les attraits de la farce, de la satire ou du réquisitoire. Salacrou est hanté par *l'énigme de la souffrance* et par *le mystère tragique de la vie, de la mort et de la condition humaine* (cf. p. 434), le scandale du mal dans le monde lui rendant inconcevable l'existence de Dieu. Il est fasciné par le temps irréversible, par les actes irréparables : « Le passé, voilà le véritable enfer, on n'en sort jamais » (*Les Frénétiques,* 1934) ; « L'homme est, sans un seul moment de repos, créateur de choses définitives » (*L'Inconnue d'Arras*) ; dans un « psychodrame », *Sens interdit* (1953), la vie est vécue à rebours, remontée de la mort à la naissance ; dans *L'Inconnue d'Arras,* le héros revit toute son existence — la subissant comme un destin fatal — entre l'instant où il se tire une balle dans le cœur et celui où il expire.

La farce même s'en trouve transfigurée (cf. nos extraits) : le rire tourne au *vertige* (cf. p. 436, l. 17) ; des méditations angoissées s'allient étrangement au réalisme et au burlesque. S'il professe le déterminisme matérialiste le plus strict, c'est pourtant à l'*inquiétude métaphysique* que Salacrou doit la profondeur et les accents tragiques de son théâtre.

L'Archipel Lenoir   Cette comédie est particulièrement représentative des tendances de l'auteur. D'un fait divers qui l'avait frappé (un petit commerçant « exécuté » par sa famille parce qu'il voulait fermer boutique et fuir les siens) Salacrou a tiré une *farce débridée,* une *satire incisive* de la bourgeoisie riche, et l'occasion de scruter à nouveau *l'abîme de la vie et de la mort.* Si son *Histoire de rire* est une « farce dramatique », on pourrait parler ici de *farce philosophique.*

PAUL-ALBERT LENOIR, *le respectable ancêtre, le grand patron de la distillerie Lenoir,* va être arrêté. *Il a séduit, depuis son veuvage, une mineure, Liliane, dont le père n'a accepté aucun arrangement (pas même le mariage, offert par le vieillard), car il tient à ce que M. Lenoir aille en prison.* Comment éviter le déshonneur, et peut-être la ruine ? *Tel est le problème que se pose la famille, scandalisée et affolée.*

EST-CE UN CAUCHEMAR ?

Voici le grand-père LENOIR aux prises avec les siens : son fils Victor, sa fille Marie-Thérèse, son gendre Adolphe, sa petite-fille Marie-Blanche — autant d'*îles* de l'*archipel Lenoir* —, sans compter une parente plus éloignée, princesse de fraîche date, et son époux. Celui-ci, aventurier, philosophe et pince-sans-rire, va jouer le rôle du tentateur, en suggérant une solution aussi logique qu'épouvantable. Porte-parole de l'auteur, il révélera du même coup l'*abîme* que masquait d'abord l'aspect de farce, de comédie bourgeoise et satirique.

THÈMES : *Société. Famille. Morale. Bonheur. Mort. Littérature.*

LE PRINCE : Résumons-nous : le procès est inévitable et vous voulez l'éviter ?

LE GRAND-PÈRE : Voilà !

LE PRINCE : Alors, la solution est simple.

LE GRAND-PÈRE : Simple ?

LE PRINCE : Elle évite le procès et M. Lenoir n'ira pas en prison.

LE GRAND-PÈRE : Vous êtes magnifique ! *(Aux autres)* Là, Bobo [1] est magnifique.

VICTOR : Quelle est cette solution ?

10 LE PRINCE, *glacé :* C'est la mort de M. Paul-Albert Lenoir.

LA PRINCESSE, *dans un silence :* Bobo !

LE GRAND-PÈRE, *essaie de rire, puis, hurlant :* Valentine ! Valentine [2] !

LE PRINCE : Non, monsieur Lenoir, vous n'êtes pas dans un cauchemar. A moins que vous ne considériez la vie, l'ensemble de notre existence, le passage de l'homme sur la terre, comme un cauchemar. Alors, là, nous sommes tous en plein cauchemar depuis l'instant où nous avons compris que nous étions vivants. Vous souvenez-vous, monsieur Lenoir, de l'instant précis où, tout à coup, petit garçon, vous avez eu cette révélation : « Je suis un vivant, j'aurais pu ne pas exister, et je vais mourir. » Non ? moi, si. Et je me suis 20 évanoui. C'était une charge intolérable sur les épaules de ce petit enfant.

LA PRINCESSE : Bobo est l'homme le plus déprimant de la société européenne [3]. Regardez-le : il est calme comme un château historique, mais il attire la foudre. Partout où se dresse Bobo, la tristesse tombe.

ADOLPHE : Et nous en sommes toujours au même point.

LE VICOMTE[4] : Pas tout à fait, une solution a été proposée.

VICTOR : De quoi vous mêlez-vous, jeune homme ?

LE VICOMTE : Excusez-moi : je ne desserrerai plus les dents. Vous me pardonnerez, je l'espère, de ne pas pouvoir boucher mes oreilles.

Tandis que la famille continue à discuter de son sort, le vieillard... s'est endormi.

— 1 Le prince Boresku, pour les intimes. — 2 Sa femme, morte depuis 18 mois. Cf. « Quand j'avais des cauchemars, j'appelais *Valentine ! Valentine !* Ta mère me pinçait, je soupirais, elle me disait : *Mais non, c'est de la bêtise !* et je me rendormais. » — 3 Depuis qu'elle est princesse Boresku elle a adopté, par souci de couleur locale, « un terrible accent roumain » ! — 4 Fiancé de Marie-Blanche, petite-fille de Paul-Albert Lenoir.

LE PRINCE : Regardez cet homme que le sommeil éloigne. Oubliez
30 de penser à vous en croyant penser à lui. Vous ne vous demandez pas
avec moi : « A quoi donc peut encore servir cette vieille petite chose ? »
LA PRINCESSE : Bobo !
LE PRINCE : A quoi a-t-elle jamais pu servir, cette vieille petite chose ?
MARIE-THÉRÈSE : Mais, monsieur, mon père a été heureux...
LE PRINCE : Et voilà bien ce qui est incompréhensible, que cette vieille
petite chose inutile ait pu être heureuse.
LA PRINCESSE : Il y a des idées immobiles auxquelles il ne faut pas
toucher [5], Bobo, sinon elles se mettent à remuer et c'en est fini de notre
repos... Personne ne peut plus les calmer.
40 LE PRINCE : Qu'un illusionniste vienne et escamote ce vieillard...
LE VICOMTE : Il n'y a plus de procès.
LE PRINCE : C'est un détail...
HORTENSE [6] : Vous trouvez !
VICTOR : Un détail ?
LE PRINCE : On vit chacun pour soi. Vous ne sentez pas combien
la vie est individuelle ? Vous dites que ce vieillard a été heureux. Il
a aussi été malheureux. Il est malheureux. Il va redevenir malheureux.
Et qu'il meure en ce moment, il ne saura même plus qu'il a vécu !
HORTENSE : Ça, ce serait un bien pour tout le monde !
50 MARIE-THÉRÈSE : Mais il va se réveiller...
VICTOR : Quel est le pronostic exact du docteur Bouchon [7] ?
LE GRAND-PÈRE *bâille :* Eh bien ! mes amis, le bridge est déjà fini ? Je crois
que je me suis laissé aller à faire un petit somme. Quelle heure est-il donc ?
Minuit ? Vous allez excuser un vieillard qui n'est plus d'âge à danser...
HORTENSE : Monsieur Lenoir !
LE GRAND-PÈRE : Danscz, dansez ! Je n'entends rien de ma chambre.
(A Victor) Je rêvais que ta mère voulait me donner le baptême de l'air.
Je n'osais pas lui dire non, et j'avais peur... Ah ! zut ! *(Il retombe assis).*
J'avais tout oublié de l'autre histoire. *(Au Prince).* Je vous en supplie...
60 C'est au-dessus de mes forces et voici que tout recommence. Non, non,
je ne peux pas continuer à vivre ainsi.
HORTENSE : Vous voyez : lui-même le reconnaît !
LE GRAND-PÈRE : Je n'aurais pas dû me réveiller.
LE VICOMTE : Ça arrangeait tout !
VICTOR : Tout ? non. Mais le procès n'avait pas lieu.

L'Archipel Lenoir, 1re partie (Librairie Gallimard, éditeur).

*Finalement, le conseil de famille décide de supprimer le grand-père, pour l'honneur de
la famille et la prospérité de la maison de commerce. C'est au gendre, Adolphe, qu'échoit la
pénible mission ; il ne se résigne pas à tirer lui-même, tend le revolver au grand-père,... et
le rideau se baisse sur une lutte terminée par un coup de feu.*

— 5 Cf. le sous-titre de la pièce : *Il ne faut pas
toucher aux choses immobiles.* — 6 Belle-sœur du
vicomte. — 7 Selon ce médecin, le grand-père,
atteint d'une maladie de cœur, est « condamné »
à brève échéance.

Grand-père « a rebondi »...

Au début de la IIe partie, pas de cadavre sur la scène : Joseph, le maître d'hôtel, a dû « faire le ménage » (cf. p. 437, l. 50). On ne voit pas non plus Adolphe. La famille, soulagée, peut maintenant déplorer le triste sort du grand-père. Mais soudain une porte s'ouvre, et « lentement apparaît, à quatre pattes, M. Lenoir ». La princesse essaie de comprendre...
Sous le comique énorme de cette scène se dessine toute une philosophie. Si la vie humaine débouche sur le néant, elle n'est *rien* ou elle est *tout*. Pour l'auteur, sans doute est-elle à la fois tout et rien, notre unique chance et un rêve illusoire. Mais, sur le plan des réactions spontanées, c'est la vie *des autres* qui ne compte pas ; pour l'intéressé, surtout s'il possède la vitalité débordante du grand-père Lenoir, la vie est tout : elle mérite d'être sauvagement défendue et goûtée avec ivresse. Ainsi, candide et cynique, la *fureur de vivre* du vieillard a quelque chose de bouffon, d'atroce et de grandiose. Le spectateur est gêné de son propre rire, compromis par l'angoisse, jusqu'au moment où tout se résout en *pure farce* (cf. analyse, p. 437). – THÈMES : *Mort. Bonheur. Morale. Philosophie. Providence.*

LA PRINCESSE : Mais, grand-père, vous avez tué Adolphe !

LE GRAND-PÈRE : C'est une vue particulière de la situation. J'en ai une autre.

LA PRINCESSE : Laquelle ?

LE GRAND-PÈRE : Adolphe ne m'a pas tué.

LA PRINCESSE : Mais la famille va hurler de douleur.

LE GRAND-PÈRE : C'est naturel. Tout le monde aimait bien Adolphe. Moi aussi. Pauvre Adolphe ! Mais il était si malheureux [1], j'en avais le cœur brisé, maintenant il est en paix !

LA PRINCESSE : Bobo [2], expliquez au grand-père... *(Au grand-père).* Grand-père,
10 mais vous avez estourbi votre gendre !

LE GRAND-PÈRE : Il y a environ dix minutes. *(Il s'assied).* Ici. Ah ! Mon doux fauteuil, qu'il est moelleux ! *(Il se relève.)* Le fauteuil était entre nous, et tout était noir. J'ai tiré. Et dans le noir, c'est vite fait. Oh ! Et depuis, c'est curieux, il me semble que je vis pour lui et pour moi. Oui, comme si je vivais deux vies à la fois. Je pense ce que je pense et je pense ce qu'il penserait s'il pensait encore. Oh !... il ne serait pas content du tout...

LA PRINCESSE : Bobo, dites quelque chose : le grand-père me donne le vertige.

LE GRAND-PÈRE : Je n'avais pas le choix. C'était lui ou moi. Il a tout fait pour que ce soit moi. J'ai tout fait pour que ce soit lui. Et j'ai gagné ! C'est
20 une vieille habitude. Valentine [3] la connaissait. Elle m'envoyait toujours choisir les billets de loterie.

LA PRINCESSE : Bobo, ne trouvez-vous pas que ma propre existence a été très calme [4] ? *Retour de Joseph [5].*

LE GRAND-PÈRE : Je ne suis pas responsable des lois de la nature. L'araignée mange la mouche. Et l'oiseau mange l'araignée. Et nous mangeons l'oiseau. Et le bon Dieu nous mange. Joseph ! Dans la série, arrêtons-nous juste avant le bon Dieu. Vous me ferez un perdreau pour midi.

JOSEPH : Ce n'est pas la saison, monsieur.

LE GRAND-PÈRE : Je n'aime plus les saisons, Joseph. Elles me rappellent le temps
30 qui coule et qui, tout à coup, s'arrête ! Joseph, cette nuit le bon Dieu m'a raté,

---

— 1 Du déshonneur qui menace la famille. — | a été, pourtant, très mouvementée !... — 5 Le
2 Cf. p. 434, n. 1 et 3. — 3 Sa femme. — 4 Elle | maître d'hôtel.

comme il m'arrive, à la chasse, de rater mon perdreau. Cette nuit, le bon Dieu m'a raté. Il a tiré, — et c'est l'autre qui est tombé ! Le bon Dieu m'a raté [6].

LA PRINCESSE : Et vous dansez, monsieur Lenoir !

LE GRAND-PÈRE : Je ne danse pas, je bondis. Comme un lièvre qui vient d'échapper à la mise en pâté ! Dieu m'a raté !

LA PRINCESSE : Bobo, le grand-père est devenu fou !

LE GRAND-PÈRE : Je ne suis pas fou ! Je suis vivant ! Je devrais être raide sur un lit. *(Il s'agite)*. Et je remue. Je devrais être sans mouvement... et si je savais chanter, je pourrais chanter. Vous ne comprenez donc pas que je respire
40 avec mon cadavre. Le ciel est bleu. Les fleurs sont belles, les oiseaux chantent...

LA PRINCESSE : Et c'est Adolphe qui est figé.

LE GRAND-PÈRE : Ah ! Raide ! Pauvre Adolphe. J'en suis très sincèrement désolé. Si j'avais pu arranger la chose autrement ! Mais l'existence est une suite d'impasses. Chaque fois, il faut, dans ce labyrinthe, sauter le mur. Ce matin, moi, j'ai encore sauté. Adolphe a manqué son coup. Il est retombé au pied du mur. C'est fini pour lui. Il ne sautera plus.

LE PRINCE : Et qu'avez-vous fait du corps ?

LE GRAND-PÈRE : Prout ! disparu dans le soleil.

LA PRINCESSE : Dans le soleil, Bobo ?

50 LE GRAND-PÈRE : Joseph est parfait : quand il fait le ménage, rien ne traîne derrière lui !

LA PRINCESSE : Et que comptez-vous dire à votre fille, à Victor, à vos petits-enfants ?

LE GRAND-PÈRE : Moi ? Rien du tout.

LA PRINCESSE : Mais ils vont tous beaucoup parler, et vous aurez beaucoup à entendre.

LE GRAND-PÈRE : Je n'écouterai personne. Joseph ! Joseph ! Appelez-moi mon policier [7].

JOSEPH : Il dort, monsieur.

LE GRAND-PÈRE : Je vous en prie, réveillez-le tout de suite.

60 JOSEPH : Cette nuit, en vous attendant, il « en [8] » a bu deux bouteilles et demie.

LE GRAND-PÈRE : Le malheureux ! Je n'aurai jamais le temps de l'attendre. Téléphonez, Joseph, qu'on m'envoie tout de suite un autre policier. S'il le faut, allez le chercher vous-même en Bugatti. Je suis très pressé, très pressé. *(Joseph sort)*. Vous me comprenez, princesse ?

LA PRINCESSE : Non.

LE GRAND-PÈRE : Je ne veux pas recommencer à discuter avec tout le monde et être obligé d'abattre, l'un après l'autre, tous les membres de ma famille.

LA PRINCESSE : Bobo, grand-père est devenu une force de la nature !

LE GRAND-PÈRE : Et quand ça doit éclater, faut que ça éclate !

L'Archipel Lenoir, IIe partie (Librairie Gallimard, éditeur).

Nouveau coup de théâtre : Adolphe reparaît à son tour, le bras en écharpe, à peine endommagé par la balle du grand-père. Ainsi personne n'est mort !... Ou plutôt si, il y a un mort, mais c'est l'accusateur obstiné, le père de Liliane, emporté cette même nuit par la maladie. Le drame burlesque se termine donc selon les meilleures traditions comiques : tout s'arrange à merveille. Promu au rôle de meneur de jeu ou de « deus ex machina », Joseph (moyennant finance, bien entendu !) épousera Liliane et disculpera pleinement Paul-Albert Lenoir.

— 6 De toute évidence, l'auteur ne croit pas en Dieu, mais, emportée par l'élan burlesque de la scène, sa pensée s'exprime en images délirantes qui traduisent la vertigineuse joie de vivre du grand-père. — 7 Le policier qui a consenti à attendre le matin pour arrêter le grand-père. — 8 De la célèbre *liqueur Lenoir,* qui fait la fortune de la famille.

LE THÉÂTRE DE GIRAUDOUX

**De Bellac
au Quai d'Orsay**

JEAN GIRAUDOUX — Jean comme La Fontaine, disait-il plaisamment — naît à Bellac en 1882. Il est fils d'un percepteur, ce qui ne paraît pas étranger, par une légère transposition, à sa sympathie pour les contrôleurs des poids et mesures... (cf. p. 443). Élève du lycée de Châteauroux puis du lycée Lakanal, il entre en 1903 à l'École normale supérieure où il opte pour les études germaniques ; sa connaissance de l'Allemagne, de la littérature et de l'âme allemandes, ses réflexions sur les rapports franco-allemands marqueront profondément plusieurs de ses œuvres : *Siegfried et le Limousin, Siegfried, La guerre de Troie..., Ondine*. Puis il voyage, en Allemagne, en Amérique, fréquente à Paris les milieux littéraires, aborde le journalisme et publie un premier ouvrage, *Provinciales*, en 1909. L'année suivante, il embrasse la carrière diplomatique.

Mobilisé comme sergent en 1914, après deux blessures Giraudoux est chargé de missions au Portugal, puis aux États-Unis. Ses souvenirs de guerre lui inspirent trois ouvrages, légers en apparence mais surtout pudiques : *Lectures pour une ombre* (1917), *Amica America* (1919) et *Adorable Clio* (1920).

La guerre finie, il poursuit une double carrière de haut fonctionnaire et d'écrivain. Admirateur de Briand, ami du secrétaire général des Affaires étrangères, Philippe Berthelot, il accède, au Quai d'Orsay, à des postes élevés. Dans l'ordre des lettres, d'abord romancier (cf. p. 496), la rencontre de LOUIS JOUVET l'aide à découvrir, relativement tard, sa véritable vocation : *le théâtre*. De *Siegfried et le Limousin* il tire une première pièce, *Siegfried* (1928), très supérieure au roman. Désormais, presque chaque année, Jouvet va monter et interpréter une nouvelle œuvre de Giraudoux : *Amphitryon 38* (1929), *Judith* (1931), *Intermezzo* (1933), *Tessa* (1934, adaptation d'une pièce anglaise de Margaret Kennedy), *La guerre de Troie n'aura pas lieu* (1935), *Électre* (1937), *Ondine* (1939). En outre, Giraudoux se révèle brillant conférencier (*Les Cinq Tentations de La Fontaine*, 1938), critique fin et spirituel (*Littérature*, 1941).

Au début de la Seconde Guerre mondiale, il devient commissaire à l'Information, fonctions auxquelles avaient pu le préparer ses réflexions de *Pleins Pouvoirs* (1939) et dont il dressera le bilan, après la défaite, dans *Sans pouvoirs* (posthume, 1946). Dans la retraite, Giraudoux se consacre de nouveau au théâtre, donnant *Sodome et Gomorrhe* en 1943. Il meurt en janvier 1944 sans avoir pu voir la libération de la France. Jouvet présentera encore une comédie de son ami disparu : *La Folle de Chaillot* (1945) ; mais une autre pièce posthume, *Pour Lucrèce* (1953), que l'auteur aurait peut-être remaniée, ne sera pas accueillie avec la même faveur.

Humour et diversité

Diversité, esprit, fantaisie : telle est la première impression que donne l'œuvre de Giraudoux, et l'on conçoit qu'il ait choisi La Fontaine comme parrain. Il passe, dans ses récits, des temps homériques (*Elpénor*) à l'actualité ; dans son théâtre, des sujets modernes (*Siegfried, Intermezzo, La Folle de Chaillot*) aux sujets antiques (*Amphitryon, La guerre de Troie..., Électre*) ou bibliques (*Judith, Sodome et Gomorrhe*), sans parler de la légende germanique (*Ondine*). La tragédie alterne avec la comédie ; bien plus, au sein d'une même œuvre, Giraudoux mêle les genres et les tons.

Sa *fantaisie* est multiforme : « préciosité » (cf. p. 496), humour, paradoxe, parodie, gratuité (du moins apparente) ; dans *Ondine* règne un fantastique auquel nous ne croyons pas tout à fait ; ou bien c'est l'aimable déraison des *Folles* de Chaillot, de Passy, de Saint-Sulpice et de la Concorde. Parfois, la parodie va jusqu'au « canular » : dans *Combat avec l'Ange*, il est question d'un « modeste amour terrestre et *jamais* menacé » ; dans *La guerre de Troie...*, Pâris l'inconstant s'écrie : « Un seul être vous manque, et tout est repeuplé » ! Pourtant les « Folles », qui vivent dans un monde à elles, entre le réel et l'imaginaire, nous donnent une leçon de *sagesse*. Quelle est donc cette sagesse ? Après le détour de la *fantaisie spirituelle*, c'est le détour du *tragique* qui nous permettra de la découvrir.

**Tragique
ou anti-tragique ?**   On a salué en Giraudoux un *rénovateur de la tragédie.* Des titres comme *La guerre de Troie...*, *Électre*, *Judith*, *Sodome et Gomorrhe* sont par eux-mêmes révélateurs ; en outre, Giraudoux a consacré des pages remarquables à l'analyse de la tragédie racinienne. Mais n'aurait-il pas tenté, en fait, *d'exorciser le tragique*, de *délivrer l'homme de la fatalité ?* On pourrait soutenir que, dans son théâtre et dans toute son œuvre, il a cherché à nous « purger », non pas de nos « passions », mais de *la hantise du tragique* : nouvel avatar, et non le moindre, de la fameuse *catharsis* aristotélicienne. Le tragique n'existerait, aux yeux de Giraudoux, que dans la mesure où nous y croyons, où nous le suscitons.

Déjà *Siegfried* tendait à concevoir les rapports franco-allemands hors de la perspective tragique, en dissipant de prétendues *fatalités* géographiques, historiques ou raciales : le héros, un Français amnésique, était devenu un fort bon Allemand, avant de retrouver, avec son identité, sa vraie patrie. Dans *Amphitryon 38*, Alcmène considère comme « un jour trouble », sur lequel « il plane quelque chose de louche qui [l'] oppresse » et qu'elle veut oublier, le jour où Jupiter est venu s'immiscer entre elle et son cher époux. *Judith* semble dénoncer la mystification par laquelle on forge une héroïne tragique (et ç'est la seule de ses pièces que Giraudoux ait qualifiée de *tragédie...*). Dans *Électre*, Égisthe s'efforce de tenir les dieux à l'écart, châtiant sans pitié quiconque les alerte (cf. p. 452, n. 2). — Et pourtant nous verrons se dessiner parallèlement, dans ce théâtre, *une montée du tragique.*

**Un humanisme
souriant**   « FAIRE BIEN L'HOMME ». La sagesse heureuse de Giraudoux réside dans un humanisme souriant et poétique, qui rejoint celui de Montaigne. On pourrait considérer son œuvre comme une illustration originale de ces formules des *Essais* (III, 13) : « Il n'est rien si beau et légitime que de faire bien l'homme et dûment. [...] C'est une absolue perfection, et comme divine, de savoir jouir loyalement de son être. »

Giraudoux *choisit* d'être homme : son Alcmène refuse l'immortalité (cf. p. 441) ; son Ondine, divinité des eaux, opte pour la condition humaine avec ses misères pour pouvoir aimer un homme... qui ne saura pas répondre à son amour. Alcmène chérit avant tout Amphitryon pour sa loyauté, son bon vouloir « à jouer [son] rôle d'homme », sa « façon consciencieuse de recevoir le vent, de manger [sa] proie ou de conduire [sa] nage ». Le Contrôleur d'*Intermezzo* pense qu'« après une vie consciencieuse » il fera un très bon mort. Jupiter s'aperçoit que les dieux ont beaucoup à apprendre des hommes, en particulier l'amitié ; mais puissent-ils ne pas intervenir dans les affaires humaines ! Le surhumain semble être surtout l'inhumain ; l'héroïsme même paraît un peu suspect : « Oui, je préférais Nausicaa à Antigone » *(Juliette au pays des Hommes).*

Giraudoux ne risque-t-il pas ainsi de limiter l'homme, sinon de le mutiler ? En fait, il sait découvrir dans la vie quotidienne une diversité, une richesse infinies. Pour rappeler à la vie Isabelle, un moment prisonnière de l'au-delà, rien de plus efficace que les bruits « de la petite ville et du printemps » *(Intermezzo).* Lorsque Giraudoux célèbre la poésie de la vie de fonctionnaire, il est sérieux sous son humour (cf. p. 443). D'ailleurs *humour et poésie* sont parties intégrantes du bonheur humain, en même temps qu'ils préservent de toute fadeur l'optimisme de Giraudoux. Enfin, nous le verrons, cet optimisme n'est ni aveugle ni naïf : la *grandeur du bonheur humain* tient pour une part à ce qu'il se sait menacé.

LE COUPLE. D'autre part, ce bonheur n'a rien d'égoïste, étant lié à l'amour qui est don de soi et fusion de deux êtres. Écoutons Ondine répondre aux juges qui veulent savoir si elle aime le chevalier Hans, amour qu'elle nie pour le sauver ; voici comment se trahit son amour : « Quand cet homme-là a couru, que fais-tu ? — Je perds le souffle. [...] — Quand il s'est cogné, pris le doigt. — Je saigne. [...] — Quand il parle, quand il ronfle, dans son lit [...] — J'entends chanter. » Le bonheur est possible : ce qui le prouve, ce n'est pas un être heureux, c'est *un couple uni* : Alcmène et Amphitryon, Andromaque et Hector. Un couple qui s'aime sauverait le monde *(Sodome et Gomorrhe)* ; si Pâris et Hélène formaient un *vrai* couple, la guerre de Troie ne serait plus absurde (cf. 447). Du théâtre de Giraudoux s'élève un admirable chant du couple, pudique et fervent.

Évolution

Siegfried, Amphitryon 38, Intermezzo rayonnent d'optimisme ; c'est l'époque où l'on pouvait encore croire à la paix. Mais dès 1933 l'hitlérisme fait peser sur l'Europe une menace mortelle, le danger de guerre devient évident. Le bonheur humain ne serait-il qu'un intermède entre deux malheurs, la paix une courte trêve entre deux guerres ? Progressivement, le ton de Giraudoux va changer ; le tragique, qu'il voulait nier, va s'imposer à lui. *La guerre de Troie n'aura pas lieu :* c'est le titre tragique par excellence, qui traduit en même temps l'espoir quand même, la révolte de la liberté humaine. Les fabricants de tragédie : vieillards qui, eux, ne se battront pas, juristes tatillons, nationalistes exaltés, semblent réduits à l'impuissance par la volonté de paix des anciens combattants, par l'estime réciproque des deux chefs, Hector et Ulysse. Et pourtant la guerre aura lieu. Par la faute de Démokos, ce fantoche ? N'est-ce pas, plutôt, qu'Ulysse avait raison ? La guerre éclate parce qu'elle était *mûre,* et la bonne volonté des hommes reste impuissante (cf. p. 449-451).

Dans *Électre,* il ne s'agit même plus de bonne volonté : pour écarter la tragédie, peut-on sacrifier la *justice,* pactiser avec le crime en laissant régner un assassin ? L'auteur ne prétend pas résoudre le problème : il le pose dans l'angoisse (cf. p. 453). *Sodome et Gomorrhe,* écrit sous l'Occupation, sera plus sombre encore : un monde périt faute d'un couple uni, un seul, qui le rachèterait. Enfin *La Folle de Chaillot,* qui est à maints égards une comédie gaie, révèle pourtant un *raidissement* de Giraudoux : celui-ci prend à partie, sans feinte ni déguisement, *les puissances d'argent,* les « mecs » qui font marché de tout, souillent tout, véritable lèpre du monde moderne ; et, pour nous débarrasser d'eux, nous ne disposons ni du merveilleux expédient ni de la bonne conscience imperturbable de la Folle qui les escamote tous par une trappe !...

Vertus du style

Riche de substance, ce théâtre poétique et spirituel nous apporte un plaisir constant ; il répond à la formule de Valéry : « Un fruit est nourriture, mais il ne paraît que délice. On ne perçoit que du plaisir, mais on reçoit une substance. » Dans son *Impromptu de Paris* (1937), Giraudoux défend les droits du « beau langage » et de l'imagination, qui d'ailleurs se confondent, car c'est aux *images* que son propre style, caractérisé par une *invention perpétuelle,* doit avant tout sa qualité. Il raille le « patois », les « poncifs » qui déshonorent la scène, le réalisme naïf qui avait sévi parfois au Théâtre libre : « On disait « il est cinq heures », et il y avait une vraie pendule qui sonnait cinq heures. La liberté d'une pendule, ça n'est quand même pas ça ! » Le théâtre doit donner à la fois à penser et à rêver ; il doit susciter l'*émerveillement.*

Les nécessités de la scène ont obligé Giraudoux à mieux dégager le sujet, à éviter les longs méandres — fussent-ils délicieux — où risque parfois de se perdre le lecteur de ses romans, à donner à sa phrase un rythme plus vif. Heureuse contrainte ! car s'il gagner en efficacité, le *style* ne perd rien de son éclat chatoyant, ni du pouvoir de nous surprendre toujours et de toujours nous charmer.

*

AMPHITRYON 38

Voici, selon l'auteur, la *trente-huitième* version d'*Amphitryon* ! Giraudoux renouvelle et le mythe et les sources du comique. Renonçant à exploiter le dédoublement de Sosie (cf. *XVIIe Siècle,* p. 182), il place en revanche le maître des dieux dans une posture assez ridicule. Épris d'ALCMÈNE, JUPITER s'est substitué à l'époux de celle-ci, AMPHITRYON ; mais il est victime à son tour de son déguisement : au matin, il s'entend dire des choses peu agréables par la très innocente Alcmène qui, à travers son amant divin, n'a pas cessé une seconde d'aimer son mari humain. Ainsi chacun de ses mots est humiliant pour Jupiter. Dans le théâtre de Giraudoux, Alcmène est une femme idéale, qui, *pleinement femme,* refuse d'être autre chose qu'*une simple femme.* Ainsi le *mélange des tons,* d'un effet comique très sûr, n'est nullement gratuit : il traduit la façon naturelle et familière dont Alcmène résout le problème de la *condition humaine.* – THÈMES : *Femme. Mort. Humanisme. Antiquité.*

« *IMMORTELLE ? A QUOI BON ?* »

ALCMÈNE : Je n'ai pas à nourrir de reconnaissance spéciale à Jupiter sous prétexte qu'il a créé quatre éléments au lieu des vingt qu'il nous faudrait, puisque de toute éternité c'était son rôle, tandis que mon cœur peut déborder de gratitude envers Amphitryon, mon cher mari, qui a trouvé le moyen, entre ses batailles, de créer un système de poulies pour fenêtres et d'inventer une nouvelle greffe pour les vergers. Tu as modifié pour moi le goût d'une cerise, le calibre d'un rayon : c'est toi mon créateur. Qu'as-tu à me regarder, de cet œil ? Les compliments te déçoivent toujours. Tu n'es orgueilleux que pour moi. Tu me trouves
10 trop terrestre, dis ?

JUPITER, *se levant, très solennel :* Tu n'aimerais pas l'être moins ?

ALCMÈNE : Cela m'éloignerait de toi.

JUPITER : Tu n'as jamais désiré être déesse, ou presque déesse ?

ALCMÈNE : Certes non. Pourquoi faire ?

JUPITER : Pour être honorée et révérée de tous.

ALCMÈNE : Je le suis comme simple femme, c'est plus méritoire.

JUPITER : Pour être d'une chair plus légère, pour marcher sur les airs, sur les eaux.

ALCMÈNE : C'est ce que fait toute épouse, alourdie d'un bon mari.
20 JUPITER : Pour comprendre les raisons des choses, des autres mondes.

ALCMÈNE : Les voisins ne m'ont jamais intéressée.

JUPITER : Alors, pour être immortelle !

ALCMÈNE : Immortelle ? A quoi bon ? A quoi cela sert-il [1] ?

JUPITER : Comment, à quoi ! Mais à ne pas mourir !

ALCMÈNE : Et que ferai-je, si je ne meurs pas ?

JUPITER : Tu vivras éternellement, chère Alcmène, changée en astre ; tu scintilleras dans la nuit jusqu'à la fin du monde.

ALCMÈNE : Qui aura lieu ?

JUPITER : Jamais.
30 ALCMÈNE : Charmante soirée ! Et toi, que feras-tu ?

JUPITER : Ombre sans voix, fondue dans les brumes de l'enfer, je me réjouirai de penser que mon épouse flamboie là-haut, dans l'air sec.

ALCMÈNE : Tu préfères d'habitude les plaisirs mieux partagés... Non, chéri, que les dieux ne comptent pas sur moi pour cet office... L'air de la nuit ne vaut d'ailleurs rien à mon teint de blonde... Ce que je serais crevassée, au fond de l'éternité !

JUPITER : Mais que tu seras froide et vaine, au fond de la mort !

ALCMÈNE : Je ne crains pas la mort. C'est l'enjeu de la vie [2]. Puisque ton Jupiter, à tort ou à raison, a créé la mort sur la terre, je me solidarise

---

— 1 Cf. III, 5 : « JUPITER : Pourquoi ne veux-tu pas être immortelle ? — ALCMÈNE : Je déteste les aventures ; c'est une aventure, l'immortalité ! » — | 2 Cf. III, 5 : « Je sais ce qu'est un avenir heureux. Mon mari aimé vivra et mourra. Mon fils chéri naîtra, vivra et mourra. Je vivrai et mourrai. »

40 avec mon astre. Je sens trop mes fibres continuer celles des autres hommes, des animaux, même des plantes, pour ne pas suivre leur sort. Ne me parle pas de ne pas mourir tant qu'il n'y aura pas un légume immortel. Devenir immortel, c'est trahir, pour un humain. D'ailleurs, si je pense au grand repos que donnera la mort à toutes nos petites fatigues, à nos ennuis de second ordre, je lui suis reconnaissante de sa plénitude, de son abondance même... S'être impatienté soixante ans pour des vêtements mal teints, des repas mal réussis, et avoir enfin la mort, la constante, l'étale mort, c'est une récompense hors de toute proportion... Pourquoi me regardes-tu soudain de cet air respectueux ?

50   JUPITER : C'est que tu es le premier être vraiment humain que je rencontre...

   ALCMÈNE : C'est ma spécialité, parmi les hommes ; tu ne crois pas si bien dire. De tous ceux que je connais, je suis en effet celle qui approuve et aime le mieux son destin. Il n'est pas une péripétie de la vie humaine que je n'admette, de la naissance à la mort, j'y comprends même les repas de famille. J'ai des sens mesurés et qui ne s'égarent pas. Je suis sûre que je suis la seule humaine qui voie à leur vraie taille les fruits, les araignées, et goûte les joies à leur vrai goût. Et il en est de même de mon intelligence. Je ne sens pas en elle cette part de jeu

60 ou d'erreur, qui provoque, sous l'effet du vin, de l'amour, ou d'un beau voyage, le désir de l'éternité.

   JUPITER : Mais tu n'aimerais pas avoir un fils moins humain que toi, un fils immortel ?

   ALCMÈNE : Il est humain de désirer un fils immortel.

Amphitryon 38, acte II, scène 2 (Grasset, éditeur).

Vraiment conquis par Alcmène, Jupiter est prêt à garder le silence sur l'aventure de la nuit ; mais il est trop tard : Mercure a proclamé sa passion et annoncé sa visite. Lorsque Amphitryon revient, Alcmène, le prenant pour Jupiter, demande à Léda de la remplacer en secret dans les bras... d'Amphitryon. Il apparaît donc qu'on ne triche pas avec le destin ! Mais ce nouveau quiproquo a aussi un autre sens : innocemment coupables l'un et l'autre, les deux époux ne pourront s'adresser aucun reproche. Jupiter paraît alors, en majesté ; Alcmène refuse décidément d'être immortelle (cf. notes 1 et 2), convertit Jupiter à l'amitié et, devinant ce qui s'est passé, obtient de lui la faveur d'oublier cette aventure.

INTERMEZZO

Dans cette petite ville, il se passe des choses étranges *depuis que* Mlle ISABELLE *remplace l'institutrice et qu'un spectre rôde, dit-on, aux alentours. Le plus pauvre gagne le gros lot, ce sont les plus âgés et les moins sympathiques qui meurent, on répond sincèrement aux questionnaires officiels et Isabelle, dit-on, a des rendez-vous avec le spectre !...* De Limoges arrive *l'*INSPECTEUR *chargé de mettre fin à ces désordres intolérables ; ce personnage caricatural incarne un rationalisme étroit, imperméable à l'imagination, et la routine administrative dans ce qu'elle peut avoir de plus inhumain. Il n'est pas moins scandalisé par l'enseignement fort peu orthodoxe qu'Isabelle dispense aux fillettes, dans la classe en plein air, que par ce* SPECTRE *qui se permet d'exister, et qu'Isabelle fréquente bel et bien ! Mais sa courte philosophie est impuissante contre le Spectre, comme les coups de pistolet. D'ailleurs une aimable complicité règne autour d'Isabelle, favorisée par le* DROGUISTE *et par le* CONTRÔLEUR *des poids et mesures, amoureux d'elle en secret.*

Lyrisme et imprévu de la vie de fonctionnaire

Les fonctionnaires travaillent un peu, mais pas trop ! d'ailleurs ils sont mal payés — mais leur vie se déroule sous le signe de l'imprévu et de la poésie !... Giraudoux jongle avec le *lieu commun* et le *paradoxe ;* mais ne soyons pas dupes : il *transfigure* l'un et l'autre. Il s'agit en effet de tracer la route fleurie du *bonheur humain,* entre la tentation de l'au-delà et le positivisme borné représenté par l'Inspecteur. — THÈMES : *Société. Amour. Bonheur. Mort.*

*Apprenant qu'*ISABELLE *attend la visite du Spectre, le* CONTROLEUR *se décide à lui* demander sa main. *Elle ne le repousse pas, mais se montre surprise qu'il vienne « à un tel moment ».*

LE CONTROLEUR : J'ai choisi ce moment. Je l'ai choisi parce que je n'en suis pas indigne, parce qu'il m'est venu tout à coup à l'esprit que, plus heureux que ce spectre qui ne va vous apporter encore que confusion et angoisse, je pouvais le combattre devant vous, lui montrer son impuissance à vous aider, et vous offrir ensuite la seule route, le seul acheminement normal vers la mort et vers les morts...

ISABELLE : Voyons ! Y en a-t-il d'autres que d'aller vers eux ?

LE CONTROLEUR : Celui-là va à eux lentement, doucement, mais sûrement. Il nous y porte...

ISABELLE : Et quel est-il ?

10   LE CONTROLEUR : La vie.

ISABELLE : La vie avec vous ?

LE CONTROLEUR : Avec moi ? Ne parlons pas de moi, Mademoiselle... Je suis bien peu en cause. Non... La vie avec un fonctionnaire. Car c'est mon métier, dans cette affaire, qui importe... Vous ne me comprenez pas ?

ISABELLE : Si fait, je vous comprends ! Vous voulez dire que seul le fonctionnaire peut regarder la mort en face, en camarade ; qu'il n'est pas comme le banquier, le négociant, le philosophe ; qu'il n'a rien fait pour se dérober à elle ou pour la masquer ?

LE CONTROLEUR : Voilà !

20   ISABELLE : La contradiction entre la vie et la mort, c'est l'agitation humaine qui la crée. Or, le fonctionnaire a travaillé, mais justement sans agitation...

LE CONTROLEUR : Oui, sans excès trop grave.

ISABELLE : Il a vécu, mais sans exploitation forcenée de sa personnalité...

LE CONTROLEUR : Trop forcenée, non.

ISABELLE : Et il a dédaigné les richesses, parce que son traitement lui arrive sans attente, sans effort spécial, comme si des arbres lui donnaient en fruits mensuels des pièces d'or.

LE CONTROLEUR : C'est cela même, en fruits mensuels sinon en pièces d'or. Et s'il n'a pas eu le luxe, il s'est épuré à tout ce que son métier comporte d'imagination.

30   ISABELLE : D'imagination ? Figurez-vous que sur ce point j'avais des doutes. Sur ce point la vie avec un fonctionnaire m'effrayait un peu. Le métier de Contrôleur des Poids et Mesures comporte beaucoup d'imagination ?

LE CONTROLEUR : En pouvez-vous douter ?

ISABELLE : Donnez-moi un exemple.

LE CONTROLEUR : Mille, si vous voulez. Chaque soir, quand le soleil se couche et que je reviens de ma tournée, il me suffit d'habiller le paysage avec le vocabulaire du contrôleur du moyen âge, de compter soudain les routes en lieues, les arbres en pieds, les prés en arpents, jusqu'aux vers luisants en pouces, pour que les fumées et les brouillards montant des tours et des maisons fassent

40 de notre ville une de ces bourgades que l'on pillait sous les guerres de religion, et que je me sente l'âme d'un reître ou d'un lansquenet.

ISABELLE : Oh! je comprends!

LE CONTROLEUR : Et le ciel même, Mademoiselle. La voûte céleste elle-même...

ISABELLE : Laissez-moi achever : il suffit que vous leur appliquiez, à ce ciel, à cette voûte, la nomenclature grecque ou moderne, que vous estimiez en drachmes ou en tonnes le poids des astres, en stades ou en mètres leur course, pour qu'ils deviennent à votre volonté le firmament de Périclès ou celui de Pasteur !

LE CONTROLEUR : Et c'est ainsi que le lyrisme de la vie de fonctionnaire n'a d'égal que son imprévu !

50 ISABELLE : Pour l'imprévu je vous assure que je ne vois pas très bien. Et c'est fâcheux, car c'est justement ce que j'adore par-dessus tout. Votre vie comporte un imprévu ?

LE CONTROLEUR : Un imprévu de qualité rare, discrète, mais émouvante. Songez, Mademoiselle Isabelle, que nous changeons tous les trois ans à peu près de résidence...

ISABELLE : Justement, c'est long, trois ans.

LE CONTROLEUR : Mais voici où intervient l'imprévu : dès le début de ces trois ans, l'administration prévoyante nous a donné le nom des deux villes entre lesquelles elle choisira notre prochain poste...

60 ISABELLE : Vous savez déjà dans quelle ville vous irez en nous quittant ?

LE CONTROLEUR : Je sais et je ne sais pas. Je sais seulement que ce sera Gap ou Bressuire. L'une d'elles, hélas, m'échappera, mais j'aurai l'autre ! Saisissez-vous la délicatesse et la volupté de cette incertitude ?

ISABELLE : Oh certes ! je saisis que pendant trois ans, et au-dessus même de nos bruyères et de nos châtaigneraies, votre pensée va vous balancer sans arrêt entre Gap...

LE CONTROLEUR : C'est-à-dire les sapins, la neige, la promenade après le bureau au milieu des ouvrières qui ont passé leur journée à monter en broche l'étoile des Alpes...

70 ISABELLE : Et Bressuire...

LE CONTROLEUR : C'est-à-dire des herbages, c'est-à-dire — vous pensez si je sais déjà par cœur le Joanne [1] — la belle foire du 27 août, et quand septembre rougit jusqu'aux roseaux des anguillères [2] dans l'eau du marais vendéen, le départ en victoria pour les courses au trot à l'angle des rues Duguesclin et Général-Picquart. Est-ce du prévu, tout cela ? Entre votre méthode et la mienne, entre Gap, Bressuire et la mort immédiate, avouez, il n'y a pas à hésiter !

Intermezzo, III, 3 (Grasset, éditeur).

Isabelle est conquise, en effet ; mais le Spectre paraît et elle consent à l'écouter une dernière fois ; au moment où il la quitte, indigné de se voir préférer un vulgaire vivant, de surcroît Contrôleur des poids et mesures, elle se jette même dans ses bras. Or, dût-elle acquérir ainsi de mystérieux pouvoirs, il n'est pas sans danger pour une jeune fille de fréquenter un spectre : elle tombe évanouie tandis que disparaît le visiteur de l'au-delà. Elle semble flotter entre la vie et la mort. Heureusement, le Droguiste qui connaît, lui, les secrets de la vie, vient au secours du Contrôleur : il dirige si bien le chœur des joueurs de manille, des fillettes récitant leur leçon de géographie et de tous les bruits familiers, qu' Isabelle revient à la vie. Tout rentre dans l'ordre : au tirage de la loterie, c'est le cul-de-jatte qui gagne la motocyclette et le millionnaire le gros lot en espèces ! « L'épisode Isabelle est clos. [...] Et fini l'intermède ! »

— 1 Guide touristique. — 2 Viviers à anguilles.

Giraudoux ou la diversité

« *Intermezzo* » :
*Isabelle et le Contrôleur
(Valentine Tessier,
Louis Jouvet), Comédie
des Champs-Élysées (1933).*
(Ph. © Lipnitzki – Viollet –
Arch. Photeb)

« *La Folle de Chaillot* » :
*Marguerite Moreno
et Louis Jouvet,
Théâtre de l'Athénée (1945).*
(Ph. © Agence Bernand – Arch. Photeb)

Fantaisie et réalisme

• *Intermezzo* nous transporte dans un monde aérien, entre ciel et terre. Le merveilleux et le fantastique y sont toujours présents, même lorsque le Contrôleur y fait l'éloge de la vie de fonctionnaire.
• *La Folle de Chaillot* est plus réaliste : une vieille folle qui divague et un chiffonnier cynique y stigmatisent la cupidité des puissances d'argent. Mais le sujet est traité avec fantaisie, et le merveilleux l'emporte au dénouement. Un pan de mur s'ouvre par magie, et les « mecs » qui souillent le monde sont enfermés dans un souterrain, tandis que par un mouvement inverse on voit remonter à la surface les bienfaiteurs de la terre, ceux qui ont protégé « les êtres qui en valent la peine », comme dit la Folle, c'est-à-dire les plantes et les animaux.

Giraudoux ou la diversité

Dominique Blanchar et Louis Jouvet dans « Ondine » (Théâtre de l'Athénée, 1949). (Ph. © Agence Bernand – Photeb)

Le merveilleux

Dans *Ondine,* l'action tout entière est sous le signe du merveilleux. Le filet qui entoure les deux personnages nous rappelle qu'Ondine est une fée des eaux sortie du lac et adoptée autrefois par un couple de pêcheurs qui la prenaient pour une fillette. Elle s'éprend d'un rude chevalier errant, Hans, au point d'abandonner son immortalité et ses pouvoirs surnaturels pour devenir une simple femme et épouser son beau chevalier. Le filet qui emprisonne Ondine est donc également symbolique : il sépare du monde les deux êtres qui s'aiment. L'aventure leur sera fatale. Ondine aura beau se débattre pour sauver son amour, elle sera ramenée dans les eaux par ses sœurs ; Hans sera tué par le roi des Ondins et – selon la loi de sa condition – Ondine perdra jusqu'au souvenir d'avoir aimé un humain.

LA GUERRE DE TROIE...   *Hector revient de guerre, victorieux et surtout épris de paix. Mais un nouveau conflit menace : son frère Pâris a enlevé Hélène que les Grecs sont prêts à réclamer de force. Soutenu par les femmes, en particulier Andromaque son épouse et sa mère Hécube, Hector fait taire les fauteurs de guerre, vieillards, juristes et surtout le poète nationaliste, Démokos ; il a même obtenu d'Hélène la promesse qu'elle regagnerait de bon gré son pays.*

SI SEULEMENT ILS S'AIMAIENT !...

Plus intuitive qu'Hector, ANDROMAQUE sent confusément que le conflit est peut-être inévitable. Mais qu'au moins cette guerre *ne soit pas absurde !* Si Hélène et Pâris s'aimaient, à supposer même que leur amour ne puisse pas conjurer la guerre, il lui donnerait un sens, et de la grandeur. Cette foi de Giraudoux dans l'amour humain, dans *le couple* (cf. p. 439), Andromaque est particulièrement digne de l'exprimer, elle qui incarne, depuis Homère, la tendresse conjugale. Aussi sa révolte contre le mensonge et l'absurde trouve-t-elle des accents d'une admirable humanité. Hélas ! le vrai couple qu'elle forme avec Hector est condamné, et l'instrument du destin c'est le faux couple de Pâris et d'Hélène, c'est cette HÉLÈNE à la fois redoutable et insignifiante (l'auteur la fait parler ici, à dessein, comme une midinette). Songer aussi à l'angoisse de Giraudoux devant le conflit menaçant, entre la France et l'Allemagne : si la guerre doit avoir lieu, puisse-t-elle ne pas naître d'idées toutes faites, de faux semblants et de malentendus !
THÈMES : *Femme. Amour. Guerre. Philosophie. Antiquité. Hellénisme.*

ANDROMAQUE : Que vous partiez ou non, ce n'est plus la question, Hélène.

HÉLÈNE : Dites cela à Hector. Vous faciliterez sa journée.

ANDROMAQUE : Oui, Hector s'accroche à l'idée de votre départ. Il est comme tous les hommes. Il suffit d'un lièvre pour le détourner du fourré où est la panthère. Le gibier des hommes peut se chasser ainsi. Pas celui des dieux.

HÉLÈNE : Si vous avez découvert ce qu'ils veulent, les dieux, dans toute cette histoire, je vous félicite.

ANDROMAQUE : Je ne sais si les dieux veulent quelque chose. Mais l'uni-
10 vers veut quelque chose. Depuis ce matin, tout me semble le réclamer, le crier, l'exiger, les hommes, les bêtes, les plantes... Jusqu'à cet enfant en moi...

HÉLÈNE : Ils réclament quoi ?

ANDROMAQUE : Que vous aimiez Pâris.

HÉLÈNE : S'ils savent que je n'aime point Pâris, ils sont mieux renseignés que moi.

ANDROMAQUE : Vous ne l'aimez pas ! Peut-être pourriez-vous l'aimer. Mais, pour le moment, c'est dans un malentendu que vous vivez tous deux.

HÉLÈNE : Je vis avec lui dans la bonne humeur, dans l'agrément, dans l'accord. Le malentendu de l'entente, je ne vois pas très bien ce que
20 cela peut être.

ANDROMAQUE : Vous ne l'aimez pas. On ne s'entend pas, dans l'amour. La vie de deux époux qui s'aiment, c'est une perte de sang-froid perpétuelle. La dot des vrais couples est la même que celle des couples faux : le désaccord originel. Hector est le contraire de moi. Il n'a aucun de mes goûts. Nous passons notre journée ou à nous vaincre l'un l'autre ou à nous sacrifier. Les époux amoureux n'ont pas le visage clair.

HÉLÈNE : Et si mon teint était de plomb, quand j'approche Pâris, et mes yeux blancs, et mes mains moites, vous pensez que Ménélas en serait transporté, les Grecs épanouis ?

30 ANDROMAQUE : Peu importerait alors ce que pensent les Grecs !

HÉLÈNE : Et la guerre n'aurait pas lieu ?

ANDROMAQUE : Peut-être, en effet, n'aurait-elle pas lieu ! Peut-être, si vous vous aimiez, l'amour appellerait-il à son secours l'un de ses égaux, la générosité, l'intelligence... Personne, même le destin, ne s'attaque d'un cœur léger à la passion... Et même si elle avait lieu, tant pis !

HÉLÈNE : Ce ne serait sans doute pas la même guerre ?

ANDROMAQUE : Oh ! non, Hélène ! Vous sentez bien ce qu'elle sera, cette lutte. Le sort ne prend pas tant de précautions pour un combat vulgaire. Il veut construire l'avenir sur elle, l'avenir de nos races, de nos peuples, de nos
40 raisonnements. Et que nos idées et notre avenir soient fondés sur l'histoire d'une femme et d'un homme qui s'aimaient, ce n'est pas si mal. Mais il ne voit pas que vous n'êtes qu'un couple officiel[1]... Penser que nous allons souffrir, mourir, pour un couple officiel, que la splendeur ou le malheur des âges, que les habitudes des cerveaux et des siècles vont se fonder sur l'aventure de deux êtres qui ne s'aimaient pas, c'est là l'horreur[2].

HÉLÈNE : Si tous croient que nous nous aimons, cela revient au même.

ANDROMAQUE : Ils ne le croient pas. Mais aucun n'avouera qu'il ne le croit pas. Aux approches de la guerre, tous les êtres sécrètent une nouvelle sueur, tous les événements revêtent un nouveau vernis, qui est le
50 mensonge. Tous mentent[3]. Nos vieillards n'adorent pas la beauté[4], ils s'adorent eux-mêmes, ils adorent la laideur. Et l'indignation des Grecs est un mensonge. Dieu sait s'ils se moquent de ce que vous pouvez faire avec Pâris, les Grecs ! Et leurs bateaux qui accostent là-bas dans les banderoles et les hymnes, c'est un mensonge de la mer. Et la vie de mon fils, et la vie d'Hector vont se jouer sur l'hypocrisie et le simulacre, c'est épouvantable !

HÉLÈNE : Alors ?

ANDROMAQUE : Alors je vous en supplie, Hélène. Vous me voyez là pressée contre vous comme si je vous suppliais de m'aimer. Aimez Pâris ! Ou dites-moi que je me trompe ! Dites-moi que vous vous tuerez s'il mourait !
60 Que vous accepterez qu'on vous défigure pour qu'il vive !... Alors la guerre ne sera plus qu'un fléau, pas une injustice. J'essaierai de la supporter.

La guerre de Troie n'aura pas lieu, II, 8 (Grasset, éditeur).

Hector accueillera Ulysse et lui remettra Hélène. Mais un soudard grec à moitié ivre, Oiax, insulte Hector et le gifle ; le Troyen reste impassible : « Vous n'aurez pas la guerre. »

— 1 Dans *Sodome et Gomorrhe*, Lia préférera être anéantie avec toute sa cité par le feu du ciel, plutôt que de poser au « couple officiel » avec un mari qu'elle n'aime plus. — 2 Il apparaît, dans l'*Iliade*, qu'Hélène a cessé d'aimer Pâris : ces réflexions amères renouvellent, en le dépassant, le mythe antique. — 3 Giraudoux tient le *mensonge* pour l'un des maux les plus odieux qu'entraîne la guerre. — 4 Comme dans l'*Iliade*, ils vénèrent en Hélène *la beauté incarnée*.

Hector et Ulysse pourront-ils « déjouer la guerre » ?

Voilà les deux chefs face à face ; ce « combat d'où sortira ou ne sortira pas la guerre » a commencé par une « *pesée* » des deux êtres et des deux peuples. HECTOR « pèse un homme jeune, une femme jeune, un enfant à naître [...], la joie de vivre, la confiance de vivre » ; ULYSSE « pèse l'homme adulte, la femme de trente ans », un fils qui grandit, « la volupté de vivre et la méfiance de la vie ». La balance va-t-elle pencher ? Hector espère toujours, mais Ulysse évoque ces rencontres de chefs d'État qui se comprennent, sympathisent... et ne peuvent empêcher la guerre d'éclater entre leurs peuples. A l'entendre, la guerre est *inévitable*, la décision ne dépend plus des hommes. Et pourtant il va *tenter l'impossible*. – THÈMES : *Guerre. Philosophie. Antiquité. Hellénisme.*

HECTOR : C'est une conversation d'ennemis que nous avons là ?

ULYSSE : C'est un duo avant l'orchestre. C'est le duo des récitants avant la guerre. Parce que nous avons été créés justes et courtois, nous nous parlons, une heure avant la guerre, comme nous nous parlerons longtemps après, en anciens combattants. Nous nous réconcilions avant la lutte même, c'est toujours cela. Peut-être d'ailleurs avons-nous tort. Si l'un de nous doit un jour tuer l'autre et arracher pour reconnaître sa victime la visière de son casque, il vaudrait peut-être mieux qu'il ne lui donnât pas un visage de frère [1]... Mais l'univers le sait, nous allons nous battre.

10 HECTOR : L'univers peut se tromper. C'est à cela qu'on reconnaît l'erreur, elle est universelle.

ULYSSE : Espérons-le. Mais quand le destin, depuis des années, a surélevé deux peuples, quand il leur a ouvert le même avenir d'invention et d'omnipotence, quand il a fait de chacun, comme nous l'étions tout à l'heure sur la bascule, un poids précieux et différent pour peser le plaisir, la conscience et jusqu'à la nature, quand par leurs architectes, leurs poètes, leurs teinturiers, il leur a donné à chacun un royaume opposé de volumes, de sons et de nuances, quand il leur a fait inventer le toit en charpente troyen et la voûte thébaine, le rouge phrygien et l'indigo grec, l'univers sait bien qu'il n'entend pas préparer ainsi aux hommes deux chemins
20 de couleur et d'épanouissement, mais se ménager son festival, le déchaînement de cette brutalité et de cette folie humaines qui seules rassurent les dieux. C'est de la petite politique, j'en conviens. Mais nous sommes Chefs d'État, nous pouvons bien entre nous deux le dire : c'est couramment celle du Destin.

HECTOR : Et c'est Troie et c'est la Grèce qu'il a choisies cette fois [2] ?

ULYSSE : Ce matin j'en doutais encore. J'ai posé le pied sur votre estacade, et j'en suis sûr.   HECTOR : Vous vous êtes senti sur un sol ennemi ?

ULYSSE : Pourquoi toujours revenir à ce mot ennemi ! Faut-il vous le redire ? Ce ne sont pas les ennemis naturels qui se battent. Il est des peuples que tout désigne pour une guerre, leur peau, leur langue et leur odeur, ils se jalousent,
30 ils se haïssent, ils ne peuvent pas se sentir... Ceux-là ne se battent jamais. Ceux qui se battent, ce sont ceux que le sort a lustrés et préparés pour une même guerre : ce sont les adversaires.

— 1 Voici comment Hector en est venu à haïr la guerre : c'était « au moment où, penché sur un adversaire de mon âge, j'allais l'achever. Auparavant ceux que j'allais tuer me semblaient le contraire de moi-même. Cette fois j'étais agenouillé sur un miroir. Cette mort que j'allais donner, c'était un petit suicide » (I, 3). — 2 On pense ici au « couple » France-Allemagne.

HECTOR : Et nous sommes prêts pour la guerre grecque ?

ULYSSE : A un point incroyable. Comme la nature munit les insectes dont elle prévoit la lutte, de faiblesses et d'armes qui se correspondent, à distance, sans que nous nous connaissions, sans que nous nous en doutions, nous nous sommes élevés tous deux au niveau de notre guerre. Tout correspond de nos armes et de nos habitudes comme des roues à pignon. Et le regard de vos femmes, et le teint de vos filles sont les seuls qui ne suscitent en nous ni la brutalité, ni le désir, mais
40 cette angoisse du cœur et de la joie qui est l'horizon de la guerre. Frontons et leurs soutaches d'ombre et de feu, hennissements des chevaux, péplums disparaissant à l'angle d'une colonnade, le sort a tout passé chez vous à cette couleur d'orage qui m'impose pour la première fois le relief de l'avenir [3]. Il n'y a rien à faire. Vous êtes dans la lumière de la guerre grecque.

HECTOR : Et c'est ce que pensent aussi les autres Grecs ?

ULYSSE : Ce qu'ils pensent n'est pas plus rassurant. Les autres Grecs pensent que Troie est riche, ses entrepôts magnifiques, sa banlieue fertile. Ils pensent qu'ils sont à l'étroit sur du roc. L'or de vos temples, celui de vos blés et de votre colza, ont fait à chacun de nos navires, de vos promontoires, un signe qu'il n'oublie pas.
50 Il n'est pas très prudent d'avoir des dieux et des légumes trop dorés [4].

HECTOR : Voilà enfin une parole franche... La Grèce en nous s'est choisi une proie. Pourquoi alors une déclaration de guerre ? Il était plus simple de profiter de mon absence pour bondir sur Troie. Vous l'auriez eue sans coup férir.

ULYSSE : Il est une espèce de consentement à la guerre que donne seulement l'atmosphère, l'acoustique et l'humeur du monde. Il serait dément d'entreprendre une guerre sans l'avoir. Nous ne l'avions pas.

HECTOR : Vous l'avez maintenant !   ULYSSE : Je crois que nous l'avons.

D'après Ulysse, il ne faut chercher ni justice ni morale *dans les arrêts du destin : ils obéissent seulement à une logique* absurde *aux yeux des hommes, et* implacable. *Les peuples ne se perdent pas par des crimes, mais par des* fautes, *et les Troyens ont commis une faute en enlevant Hélène, car « elle est une des rares créatures que le destin met en circulation sur la terre pour son usage personnel ».*

HECTOR : Eh bien, le sort en est jeté, Ulysse ! Va pour la guerre ! A mesure que j'ai plus de haine pour elle, il me vient d'ailleurs un désir plus incoercible
60 de tuer [5]... Partez, puisque vous me refusez votre aide...

ULYSSE : Comprenez-moi, Hector !... Mon aide vous est acquise. Ne m'en veuillez pas d'interpréter le sort. J'ai voulu seulement lire dans ces grandes lignes que sont, sur l'univers, les voies des caravanes, les chemins des navires, le tracé des grues volantes et des races. Donnez-moi votre main. Elle aussi a ses lignes. Mais ne cherchons pas si leur leçon est la même. Admettons que les trois petites rides au fond de la main d'Hector disent le contraire de ce qu'assurent les fleuves, les vols et les sillages. Je suis curieux de nature, et je n'ai pas peur. Je veux bien aller contre le sort. J'accepte Hélène. Je la rendrai à Ménélas. Je possède beaucoup plus d'éloquence qu'il n'en faut pour faire croire un mari à la vertu de sa femme.
70 J'amènerai même Hélène à y croire elle-même. Et je pars à l'instant, pour éviter toute surprise. Une fois au navire, peut-être risquons-nous de déjouer la guerre.

HECTOR : Est-ce là la ruse d'Ulysse, ou sa grandeur ?

— 3 De même, Hélène *voit* l'incendie de Troie et « le groupe Andromaque pleurant sur le corps d'Hector », mais elle ne *voit* pas la paix (I, 9). | — 4 Après les signes du destin, le mobile humain : la convoitise. — 5 Cela annonce tragiquement la suite (cf. Analyse, p. 451).

ULYSSE : Je ruse en ce moment contre le destin, non contre vous. C'est mon premier essai et j'y ai plus de mérite. Je suis sincère, Hector... Si je voulais la guerre, je ne vous demanderais pas Hélène, mais une rançon qui vous est plus chère [6]... Je pars... Mais je ne peux me défendre de l'impression qu'il est bien long, le chemin qui va de cette place à mon navire.

HECTOR : Ma garde vous escorte.

80 ULYSSE : Il est long comme le parcours officiel des rois en visite quand l'attentat menace [7]... Où se cachent les conjurés ? Heureux nous sommes, si ce n'est pas dans le ciel même... Et le chemin d'ici à ce coin du palais est long... Et long mon premier pas... Comment va-t-il se faire, mon premier pas, entre tous ces périls... Vais-je glisser et me tuer ?... Une corniche va-t-elle s'effondrer sur moi de cet angle ? Tout est maçonnerie neuve ici, et j'attends la pierre croulante... Du courage... Allons-y. *(Il fait un premier pas.)*

HECTOR : Merci, Ulysse.

ULYSSE : Le premier pas va... Il en reste combien ?

HECTOR : Quatre cent soixante.

ULYSSE : Au second ! Vous savez ce qui me décide à partir, Hector...

90 HECTOR : Je le sais. La noblesse.

ULYSSE : Pas précisément... Andromaque a le même battement de cils que Pénélope [8].   *La guerre de Troie n'aura pas lieu*, II, 13 (Grasset, éditeur).

A chaque pas d'Ulysse, l'espoir grandit. Mais Oiax, de plus en plus ivre, insulte Andromaque ; Hector, violemment tenté de l'abattre, parvient à retenir son bras, et Oiax se retire. Alors paraît Démokos qui appelle les Troyens aux armes : pour le faire taire, Hector, à bout de patience (cf. p. 450, l. 59), le frappe de ce javelot qui avait épargné le Grec. Avant d'expirer, Démokos clame que c'est Oiax qui l'a tué : les Troyens se jettent sur Oiax... « Voilà... Ils tiennent Oiax... Voilà. Ils l'ont tué ! » Le destin l'emporte : la guerre aura lieu.

ÉLECTRE   *Trois étranges fillettes, qui prononcent des paroles sibyllines, s'entretiennent avec un Jardinier et un Étranger en qui nous reconnaîtrons plus tard Oreste revenu d'exil. « Elles prétendent s'appeler les petites Euménides » et grandissent à vue d'œil, à mesure que se précipite le destin d'Oreste.* ÉGISTHE *veut donner pour femme au Jardinier [1]* ÉLECTRE, *fille d'Agamemnon mort depuis longtemps dans des circonstances mystérieuses. Singulière union, qui inquiète le* PRÉSIDENT, *parent du* JARDINIER, *car il soupçonne Électre d'être « une femme à histoires ».*

Électre va-t-elle « se déclarer » ?

Soudain un MENDIANT, qui semblait jusque-là parler à tort et à travers, intervient avec une franchise brutale et une étonnante lucidité. Si ce n'est pas un dieu, quel don de *perspicacité*, ou plutôt de *voyance !* – THÈMES : *Femme. Philosophie. Réel et irréel.*

LE MENDIANT : On va la voir ?

ÉGISTHE : Voir qui ?

LE MENDIANT : Électre... Je voudrais bien la voir avant qu'on la tue.

— 6 Cette *rançon* serait évidemment Andromaque.
— 7 La pièce date de 1935 : en 1934, le roi Alexandre de Yougoslavie avait été assassiné à Marseille. — 8 Ainsi c'est peut-être un détail infime qui a décidé Ulysse à choisir la paix.
— 1 Cf. la tragédie d'Euripide, où Électre est unie, par un mariage blanc, à un *laboureur*.

ÉGISTHE : Tuer Électre ? Qui parle de tuer Électre ?

LE MENDIANT : Vous.

LE PRÉSIDENT : Jamais il n'a été question de tuer Électre !

LE MENDIANT : Moi, j'ai une qualité. Je ne comprends pas les paroles des gens. Je n'ai pas d'instruction. Je comprends les gens... Vous voulez tuer Électre.

LE PRÉSIDENT : Vous ne comprenez pas du tout, inconnu. Cet homme est
10 Égisthe, le cousin d'Agamemnon, et Électre est sa nièce chérie.

LE MENDIANT : Est-ce qu'il y a deux Électre ? Celle dont il a parlé, qui va tout gâter, et une seconde, qui est sa nièce chérie ?

LE PRÉSIDENT : Non ! il n'y en a qu'une.

LE MENDIANT : Alors, il veut la tuer ! Il n'y a aucun doute. Il veut tuer sa nièce chérie.

LE PRÉSIDENT : Je vous assure que vous ne comprenez pas !

LE MENDIANT : Moi, je roule beaucoup. Je connaissais une famille Narsès... Elle, bien mieux que lui... Elle était malade, elle avalait de l'air... Mais bien mieux que lui... Aucune comparaison.

20 LE JARDINIER : Il a bu, c'est un mendiant.

LE PRÉSIDENT : Il rabâche, c'est un dieu.

LE MENDIANT : Non. C'est pour vous dire qu'on leur avait donné une petite louve. C'était leur petite louve chérie. Mais un jour, à midi, les petites louves, tout à coup, deviennent de grandes louves... Ils n'ont pas su prévoir le jour... A midi moins deux, elle les caressait. A midi une, elle les étranglait. [...]

« Où est le rapport ? » demandent Égisthe, puis le Président, au Mendiant qui bavarde comme un ivrogne. Mais soudain il va répondre.

LE MENDIANT : Le voilà, le rapport. Si donc cet homme se méfie de sa nièce, s'il sait qu'un de ces jours, tout à coup, elle va faire son signal, comme il dit [2], elle va commencer à mordre et à mettre la ville sens dessus dessous, et monter le prix du beurre, et faire arriver la guerre, et cætera, il n'a pas à hésiter. Il
30 doit la tuer raide avant qu'elle se déclare... Quand se déclare-t-elle ?

LE PRÉSIDENT : Comment ?

LE MENDIANT : Quel jour, à quelle heure se déclare-t-elle ? Quel jour devient-elle louve ? Quel jour devient-elle Électre ?

LE PRÉSIDENT : Mais rien ne dit qu'elle deviendra louve.

LE MENDIANT, *désignant Égisthe :* Si ! Lui le pense. Lui le dit.

LE JARDINIER : Électre est la plus douce des femmes.

LE MENDIANT : La louve Narsès était la plus douce des louves.

LE PRÉSIDENT : Cela ne signifie rien, votre mot « se déclarer ! »

LE MENDIANT : Il ne signifie rien, mon mot se déclarer ? Qu'est-ce que vous
40 comprenez, alors, dans la vie ! Le vingt-neuf de mai, quand vous voyez tout à coup les guérets grouillant de mille petites boules jaunes, rouges et vertes, qui voltigent, qui piaillent, qui se disputent chaque ouate de chardon et qui ne se trompent pas, et qui ne volent pas après la bourre du pissenlit, il ne se déclare pas, le chardonneret ? Et le quatorze de juin, quand, dans les coudes de rivière, vous voyez sans vent et sans courant deux roseaux remuer, toujours les mêmes, remuer sans arrêt, jusqu'au quinze de juin, – et sans bulle, comme pour la

---

— 2 Égisthe a dit, un peu plus haut : « Dans la cité, j'ai mené une guerre sans merci à ceux qui *faisaient signe aux dieux* » ; puis : « Et je ne monte pas mes supplices en évidence... ; moi je crucifie au fond des vallées » (cf. 1. 53-55).

tanche et la carpe –, il ne se déclare pas, le brochet ? Et ils ne se déclarent
pas, les juges comme vous, le jour de leur première condamnation à mort, au
moment où le condamné sort, la tête distraite, quand ils sentent passer le goût
50 du sang sur leurs lèvres. Tout se déclare, dans la nature ! Jusqu'au roi. Et même
la question, aujourd'hui, si vous voulez m'en croire, est de savoir si le roi se
déclarera dans Égisthe avant qu'Électre ne se déclare dans Électre. Il faut donc
qu'il sache le jour où cela arrivera pour la petite, afin de pouvoir la tuer la
veille, au fond d'une vallée, comme il dit, ou au fond de la plus petite vallée,
c'est le plus commode et le moins visible, dans sa baignoire [8]...

Électre, I, 3 (Grasset, éditeur).

ÉLECTRE OU LA JUSTICE IMPLACABLE

ÉLECTRE *hait sa mère ;* sans *savoir* que Clytemnestre a assassiné Agamemnon avec l'aide
d'Égisthe son amant, elle le *sent*. Elle armera donc le bras d'Oreste (cf. p. 707). Mais
ÉGISTHE « se déclare » à son tour : dans un danger pressant qui menace Argos, voici
que se révèle en lui l'âme d'un grand roi. Qu'Électre lui laisse du moins un jour pour
sauver la cité, demain le coupable « avouera publiquement son crime. Il fixera lui-même
son châtiment ». Mais la *justice absolue,* incarnée par Électre, ne transige pas et ne saurait
attendre... Cette métamorphose d'Égisthe, *imaginée par Giraudoux,* déplace et renouvelle
le *tragique* du dénouement. Et il ne s'agit pas seulement d'un débat d'idées : le tragique
pénètre *au cœur même de l'homme.* Comme Phèdre aime en Hippolyte cette *pureté* qui
le sépare d'elle à jamais, de même, n'est-ce pas à *Électre* qu'Égisthe, ainsi transformé,
doit ce sens de la grandeur ? – à Électre par qui il va périr et qu'il appellera en mourant,
dans un grand cri d'amour. – THÈMES : *Femme. Moi. Justice. Morale. Philosophie.*

ÉGISTHE : Et cette justice qui te fait brûler ta ville, condamner ta
race, tu oses dire qu'elle est la justice des dieux ?

ÉLECTRE : Je m'en garde. Dans ce pays qui est le mien on ne s'en remet
pas aux dieux du soin de la justice. Les dieux ne sont que des artistes.
Une belle lueur sur un incendie, un beau gazon sur un champ de bataille,
voilà pour eux la justice. Un splendide repentir sur un crime, voilà le
verdict que les dieux avaient rendu dans votre cas. Je ne l'accepte pas.

ÉGISTHE : La justice d'Électre consiste à ressasser toute faute, à rendre
tout acte irréparable ?

10 ÉLECTRE : Oh ! non ! Il est des années où le gel est la justice pour
les arbres, et d'autres l'injustice. Il est des forçats que l'on aime, des
assassins que l'on caresse. Mais quand le crime porte atteinte à la dignité
humaine, infeste un peuple, pourrit sa loyauté, il n'est pas de pardon.

ÉGISTHE : Sais-tu même ce qu'est un peuple, Électre !

ÉLECTRE : Quand vous voyez un immense visage emplir l'horizon et vous
regarder bien en face, d'yeux intrépides et purs, c'est cela un peuple.

— 3 Allusion à l'assassinat d'Agamemnon, par
Égisthe et Clytemnestre, dans la *piscine* du palais.

Le Mendiant ajoutera : « C'est assez facile à tuer,
une femme de jardinier. Beaucoup plus facile
qu'une princesse en son palais. »

ÉGISTHE : Tu parles en jeune fille, non en roi. C'est un immense corps à régir, à nourrir.

ÉLECTRE : Je parle en femme. C'est un regard étincelant, à filtrer, à dorer.
20 Mais il n'a qu'un phosphore, la vérité. C'est ce qu'il y a de si beau, quand vous pensez aux vrais peuples du monde, ces énormes prunelles de vérité.

ÉGISTHE : Il est des vérités qui peuvent tuer un peuple, Électre.

ÉLECTRE : Il est des regards de peuple mort qui pour toujours étincellent. Plût au Ciel que ce fût le sort d'Argos ! Mais, depuis la mort de mon père, depuis que le bonheur de notre ville est fondé sur l'injustice et le forfait, depuis que chacun, par lâcheté, s'y est fait le complice du meurtre et du mensonge, elle peut être prospère, elle peut chanter, danser et vaincre, le ciel peut éclater sur elle, c'est une cave où les yeux sont inutiles. Les enfants qui naissent sucent le sein en aveugles.

30 ÉGISTHE : Un scandale ne peut que l'achever.

ÉLECTRE : C'est possible. Mais je ne veux plus voir ce regard terne et veule dans son œil.

ÉGISTHE : Cela va coûter des milliers d'yeux glacés, de prunelles éteintes.

ÉLECTRE : C'est le prix courant. Ce n'est pas trop cher.

ÉGISTHE : Il me faut cette journée. Donne-la moi. Ta vérité, si elle l'est, trouvera toujours le moyen d'éclater un jour mieux fait pour elle.

ÉLECTRE : L'émeute [1] est le jour fait pour elle.

ÉGISTHE : Je t'en supplie. Attends demain.

ÉLECTRE : Non. C'est aujourd'hui son jour. J'ai déjà trop vu de vérités
40 se flétrir parce qu'elles ont tardé une seconde. Je les connais, les jeunes filles qui ont tardé une seconde à dire non à ce qui était laid, non à ce qui était vil, et qui n'ont plus su leur répondre ensuite que par oui et par oui [2]. C'est là ce qui est si beau et si dur dans la vérité, elle est éternelle mais ce n'est qu'un éclair.

ÉGISTHE : J'ai à sauver la ville, la Grèce.

ÉLECTRE : C'est un petit devoir. Je sauve leur regard... Vous l'avez assassiné, n'est-ce pas ?

Électre, II, 8 (Grasset, éditeur).

Clytemnestre finit par avouer sa haine *pour Agamemnon. Comment, avec Égisthe, elle l'a assassiné, nous l'apprenons à la scène suivante, par le Mendiant qui voit aussi, à mesure qu'elle se déroule loin de nos yeux, l'exécution des assassins. Oreste frappe d'abord Clytemnestre ; s'accrochant au bras droit d'Égisthe, celle-ci, symboliquement, le paralyse et le livre sans défense aux coups d'Oreste. Égisthe ne résiste plus, mais secoue son bras, dans un vain effort pour se débarrasser de sa complice et de son crime ; il meurt en criant le nom d'Électre.*
« Le palais brûle »... « La ville meurt »... Oreste est voué aux Euménides qui « ne le lâcheront plus, jusqu'à ce qu'il délire et se tue, maudissant sa sœur ». Chaque fois Électre répète, comme hallucinée : « J'ai la justice. J'ai tout ». Enfin, à la femme Narsès qui demande comment cela s'appelle quand « tout est saccagé, et que l'air pourtant se respire, et qu'on a tout perdu, [...] que les innocents s'entretuent, mais que les coupables agonisent, dans un coin du jour qui se lève », le Mendiant répond : « Cela a un très beau nom, femme Narsès. Cela s'appelle l'aurore. »

— 1 Les Corinthiens, qui attaquent Argos, ont | — 2 Cf. l'intransigeance des héroïnes d'Anouilh, des complices dans la ville où l'émeute gronde. | *Antigone* (cf. p. 643), et *La Sauvage* (cf. p. 638).

Giraudoux ou la diversité

« *Électre* », *Comédie-Française (1959) : Renée Faure* (Électre), *François Chaumette* (Égisthe), *Pierre Dux* (Le Mendiant), *Georges Chamarat* (Le Président). (Ph. © Agence Bernand – Arch. Photeb)

Le tragique

Avec *La guerre de Troie n'aura pas lieu,* et surtout avec *Électre,* nous entrons dans le climat de la tragédie, même si Giraudoux, fidèle à lui-même, y introduit le sourire – et parfois le rire – par la fantaisie du langage, les répliques spirituelles, le ridicule de certains personnages.

Cocteau : La Machine infernale

Comme Giraudoux, et à la même époque, JEAN COCTEAU (cf. p. 399) conçoit aussi des variations sur les mythes grecs. On connaît la *légende d'Œdipe*. Fils de Laïos, roi de Thèbes, et de la reine Jocaste, mais ignorant son origine, il est poussé par le destin à tuer son père sans le savoir ; puis, pour avoir libéré Thèbes en devinant les énigmes du Sphinx qui terrorisait la ville, il épouse Jocaste sans savoir qu'elle est sa mère. Beaucoup plus tard, apprenant les crimes qu'il a commis à son insu, il se crève les yeux et s'exile, conduit par sa fille, la petite Antigone (cf. p. 643). Dans *La Machine infernale* (1934), COCTEAU s'inspire de l'*Œdipe Roi* de Sophocle, mais avec de libres innovations poétiques. C'est ainsi que le Sphinx se présente sous les traits d'une jeune fille avant de revêtir son apparence monstrueuse. On verra d'autre part qu'au dénouement, si ANTIGONE, modèle de piété filiale, croit guider les pas de son père aveugle, ŒDIPE est conduit en réalité par le fantôme de JOCASTE, sa mère et son épouse, qui s'est donné la mort et ne voit plus en lui que son pauvre enfant aux yeux crevés.

THÈMES : *Famille. Société. Réel et irréel. Antiquité. Hellénisme.*

Œdipe aveugle apparaît avec Antigone. — TIRÉSIAS *(le devin aveugle)* : Halte !

CRÉON *(beau-frère d'Œdipe)* : Je deviens fou. Pourquoi, pourquoi a-t-il fait cela ? Mieux valait la mort.

TIRÉSIAS : Son orgueil ne le trompe pas. Il a voulu être le plus heureux des hommes, maintenant il veut être le plus malheureux.

ŒDIPE : Qu'on me chasse, qu'on m'achève, qu'on me lapide, qu'on abatte la bête immonde.

ANTIGONE : Père !

ŒDIPE : Laisse-moi... ne touche pas mes mains, ne m'approche pas.

10 TIRÉSIAS : Antigone ! Mon bâton d'augure. Offre-le-lui de ma part. Il lui portera chance. *(Antigone embrasse la main de Tirésias et porte le bâton à Œdipe.)*

ANTIGONE : Tirésias t'offre son bâton.

ŒDIPE : Il est là ?... J'accepte, Tirésias... J'accepte... Souvenez-vous, il y a dix-huit ans, j'ai vu dans vos yeux que je deviendrais aveugle et je n'ai pas su comprendre. J'y vois clair, Tirésias, mais je souffre... J'ai mal... La journée sera rude.

CRÉON : Il est impossible qu'on le laisse traverser la ville, ce serait un scandale épouvantable.

TIRÉSIAS, *bas* : Une ville de peste ? Et puis, vous savez, ils voyaient le roi 20 qu'Œdipe voulait être ; ils ne verront pas celui qu'il est.

CRÉON : Vous prétendez qu'il deviendra invisible parce qu'il est aveugle.

TIRÉSIAS : Presque.

CRÉON : Eh bien, j'en ai assez de vos devinettes et de vos symboles. J'ai ma tête sur mes épaules, moi, et les pieds par terre. Je vais donner des ordres.

TIRÉSIAS : Votre police est bien faite, Créon ; mais où cet homme se trouve, elle n'aurait plus le moindre pouvoir.

CRÉON : Je... *(Tirésias l'empoigne par le bras et lui met la main sur la bouche... Car Jocaste paraît dans la porte. Jocaste morte, blanche, belle, les yeux clos. Sa longue écharpe enroulée autour du cou.)*

30 ŒDIPE : Jocaste ! Toi ! Toi vivante !

JOCASTE : Non, Œdipe. Je suis morte. Tu me vois parce que tu es aveugle ; les autres ne peuvent plus me voir.

ŒDIPE : Tirésias est aveugle...

JOCASTE : Peut-être me voit-il un peu... mais il m'aime, il ne dira rien...

Cocteau le magicien

« La Machine infernale », Théâtre des Bouffes-Parisiens (1954) : Jeanne Moreau et Jean Marais. (Ph. © Agence Bernand – Arch. Photeb)

Magie du langage

Avant de reprendre sa forme animale, le Sphinx de Cocteau a d'abord l'apparence d'une jeune fille qui, lasse de tuer ceux qui ne peuvent résoudre ses énigmes, voudrait se faire aimer d'Œdipe et lui livre la réponse qui le sauvera. Par les arabesques du langage qu'il lui prête, Cocteau suggère les mille ruses qui lui permettent de subjuguer ses victimes :

Le Sphinx : Et je parle, je travaille, je dévide, je déroule, je calcule, je médite, je tresse, je vanne, je tricote, je natte, je croise, je passe, je repasse, je noue et dénoue et renoue, retenant les moindres nœuds qu'il me faudra te dénouer ensuite sous peine de mort ; et je serre, je desserre, je me trompe, je reviens sur mes pas, j'hésite, je corrige, enchevêtre, désenchevêtre, délace, entrelace, repars ; et j'ajuste, j'agglutine, je garrotte, je sangle, j'entrave, j'accumule, jusqu'à ce que tu te sentes, de la pointe des pieds à la racine des cheveux, vêtu de toutes les boucles d'un seul reptile, dont la moindre respiration coupe la tienne et te rende pareil au bras inerte sur lequel un dormeur s'est endormi.

Œdipe, *d'une voix faible* : Laissez-moi ! Grâce...

ŒDIPE : Femme ! ne me touche pas...

JOCASTE : Ta femme est morte pendue, Œdipe. Je suis ta mère. C'est ta mère qui vient à ton aide... Comment ferais-tu rien que pour descendre seul cet escalier, mon pauvre petit ?

ŒDIPE : Ma mère !

40   JOCASTE : Oui, mon enfant, mon petit enfant... Les choses qui paraissent abominables aux humains, si tu savais, de l'endroit où j'habite, si tu savais comme elles ont peu d'importance.

ŒDIPE : Je suis encore sur la terre.

JOCASTE : A peine...

CRÉON : Il parle avec des fantômes, il a le délire, la fièvre, je n'autoriserai pas cette petite...

TIRÉSIAS : Ils sont sous bonne garde.

CRÉON : Antigone ! Antigone ! je t'appelle...

ANTIGONE : Je ne veux pas rester chez mon oncle ! Je ne veux pas, je ne 50 veux pas rester à la maison. Petit père, petit père, ne me quitte pas ! Je te conduirai, je te dirigerai...

CRÉON : Nature ingrate.

ŒDIPE : Impossible, Antigone. Tu dois être sage... je ne peux pas t'emmener.

ANTIGONE : Si ! si !

ŒDIPE : Tu abandonnerais Ismène ?

ANTIGONE : Elle doit rester auprès d'Étéocle et de Polynice. Emmène-moi, je t'en supplie ! Je t'en supplie ! Ne me laisse pas seule ! Ne me laisse pas chez mon oncle ! Ne me laisse pas à la maison.

JOCASTE : La petite est si fière. Elle s'imagine être ton guide. Il faut le lui 60 laisser croire. Emmène-la. Je me charge de tout.

ŒDIPE : Oh !... *(Il porte la main à sa tête.)*

JOCASTE : Tu as mal ?

ŒDIPE : Oui, dans la tête et dans la nuque et dans les bras... C'est atroce.

JOCASTE : Je te panserai à la fontaine.

ŒDIPE, *abandonné* : Mère...

JOCASTE : Crois-tu ! cette méchante écharpe et cette affreuse broche ! L'avais-je assez prédit.

CRÉON : C'est im-pos-si-ble. Je ne laisserai pas un fou sortir en liberté avec Antigone. J'ai le devoir...

70   TIRÉSIAS : Le devoir ! Ils ne t'appartiennent plus ; ils ne relèvent plus de ta puissance.

CRÉON : Et à qui appartiendraient-ils ?

TIRÉSIAS : Au peuple, aux poètes, aux cœurs purs.

JOCASTE : En route ! Empoigne ma robe solidement... n'aie pas peur...

ANTIGONE : Viens, petit père... partons vite... *(Ils se mettent en route.)*

ŒDIPE : Où commencent les marches ?

JOCASTE ET ANTIGONE : Il y a encore toute la plate-forme... *(Ils disparaissent... On entend Jocaste et Antigone parler exactement ensemble.)* Attention... compte les marches... Un, deux, trois, quatre, cinq...

80   CRÉON : Et en admettant qu'ils sortent de la ville, qui s'en chargera, qui les recueillera ?...

TIRÉSIAS : La gloire.

CRÉON : Dites plutôt le déshonneur, la honte...

TIRÉSIAS : Qui sait ?   *La Machine infernale*, IV, fin (Grasset, éditeur).

LE ROMAN DE 1919 A 1939

**La tradition
du roman-fleuve**   C'est à une longue et ancienne tradition que se rattache le « roman-fleuve » (ou roman cyclique) du XXᵉ siècle. Qu'il suffise de rappeler l'étendue des romans précieux du XVIIᵉ siècle ; plus près de nous, Balzac devait progressivement découvrir qu'une sorte de loi acheminait le roman à s'organiser en épisodes successifs ou simultanés, avec retour cyclique des personnages, et ainsi naquit, comme on sait, *La Comédie humaine*.

Enfin la continuité de cette tradition s'affirme, au début du XXᵉ siècle, avec le *Jean-Christophe* de Romain Rolland (cf. p. 105).

**Vérité sociale
et accents épiques**   Depuis Balzac, le réalisme romanesque tend à souligner les affinités du roman avec l'*histoire* des individus et des sociétés, ce qui n'exclut nullement une tendance à faire du roman l'équivalent moderne de l'*épopée*. Ainsi les années 1920-1940, particulièrement fécondes, ont vu paraître des œuvres qui, par-delà les différences de tempérament et d'intentions, présentent certains traits communs : tout d'abord une *forme*, celle du roman cyclique ; ensuite une *signification*, englobant, dans les méandres du « fleuve », l'analyse psychologique des caractères, la grande fresque historique et sociale, et le symbolisme moral ou philosophique. Le roman reste donc *réaliste* dans la mesure où il se fonde sur une documentation détaillée et se préoccupe de faire vivre la réalité sociale d'une époque, mais il déborde aussi ce réalisme, soit en s'élevant jusqu'à l'amplification épique, soit en suggérant une véritable interprétation philosophique de l'histoire individuelle et collective.

Trois grandes « séries » romanesques dominent à cet égard la production de 1920-1940 ; *Les Thibault* de ROGER MARTIN DU GARD, *La Chronique des Pasquier* de GEORGES DUHAMEL, et *Les Hommes de bonne volonté* de JULES ROMAINS, œuvres qui témoignent de la vitalité du genre. Cette vitalité s'est maintenue grâce à Charles Plisnier (1896-1952), avec les cycles de *Mariages*, de *Meurtres* et de *Mères ;* à Philippe Hériat (1898-1971), avec la « geste » de *La Famille Boussardel ;* ou encore à H. Troyat (cf. p. 847), M. Druon (cf. p. 845), B. Clavel (cf. p. 815), H. Bazin (cf. p. 783), R. Sabatier (cf. p. 784), P. Guth (cf. p. 775), A. Cohen (cf. p. 810), R. Ikor (cf. p. 814).

ROGER MARTIN DU GARD

**Formation
et carrière**   ROGER MARTIN DU GARD (1881-1958) sentit, dès l'adolescence, naître en lui la vocation d'écrivain. Au cours d'études banales, il découvre les séductions de la littérature lorsqu'en 1896 sa famille le confie à un professeur, Louis Mellerio, qui lui apprend que l'écrivain doit être un constructeur : et sans doute faut-il voir là le point de départ de cette esthétique architecturale qui caractérise son œuvre. Un peu plus tard, il découvre le roman russe et en particulier *Guerre et Paix* de Tolstoï ; cette influence sera sur lui déterminante. Enfin, en attendant de pouvoir réaliser ses ambitions littéraires, il entre, en 1899, à l'École des chartes, et il devra aux études qu'il y poursuit la précision minutieuse et scientifique de sa documentation et de ses descriptions.

A la veille de la guerre de 1914 paraît son premier livre important, *Jean Barois* (1913). Après la guerre, il se lie avec André Gide et avec Jacques Copeau ; il est tenté un instant par le théâtre, mais, en 1920, il conçoit le plan détaillé d'un vaste roman cyclique qui s'intitulera LES THIBAULT : il y consacre désormais l'essentiel de son temps, et, même, afin de mieux y travailler, se retire de Paris pour vivre, pendant la plus grande partie de l'année, dans sa propriété du Tertre en Normandie. La publication des *Thibault* en est à son avant-dernier volume en 1937, année où Martin du Gard reçoit la consécration du prix Nobel de littérature. Pendant la guerre de 1939-1945, il vit principalement à Nice et prépare un roman qui restera inachevé, les *Souvenirs du colonel de Maumort*. Ses dernières années seront assombries par la maladie qui l'emportera en 1958.

L'authentique Cette œuvre est avant tout une *œuvre de conscience*, vouée à la recherche de ce que l'auteur appelle *l'authentique*. « Secrétaire » de lui-même et archiviste de son temps, il conçoit le roman, sous sa forme cyclique, comme un moyen d'extraire, du chaos de la réalité psychologique et sociale, les *thèmes* majeurs qui l'expliquent et l'animent : Martin du Gard est peut-être, de tous les romanciers du XXe siècle, celui qui a le plus cherché à rapprocher le roman de l'histoire, dans ses aspects à la fois analytiques et synthétiques.

Une somme romanesque C'est dans *Les Thibault* que l'auteur a pleinement réalisé sa volonté. Une famille, des individus nettement typés, des milieux sociaux divers peints avec une rigueur exemplaire, la présence aussi du romancier à travers les obsessions et les inquiétudes de ses personnages, tout cela transforme le roman en une *somme*, selon le modèle du roman tolstoïen. Martin du Gard y apparaît surtout comme un *historien moraliste* qui tient le journal d'une génération (celle qui avait 30 ans en 1914), mais aussi son propre journal, avec le retour de ses grands thèmes de méditation : le destin, la justice, le dialogue de l'esprit et du cœur, et enfin le mystère de la mort. Car Martin du Gard n'a pu trouver dans son agnosticisme aucune sérénité, aucun réconfort : au cœur de son œuvre vibre, avec pudeur et discrétion, mais avec une intensité d'autant plus dramatique, la hantise du néant et de la vanité universelle.

Ainsi l'imbrication réciproque du destin collectif et des destins individuels donne au roman cyclique son ossature essentielle : le style relève de l'objectivité la plus positive, mais la sensibilité se fait jour à chaque instant. Et c'est ce *contrepoint d'objectivité historique et de sensibilité contenue* qui confère à cette somme romanesque son épaisseur et sa densité, en assurant l'unité d'un ensemble monumental de huit volumes : *Le Cahier gris* (1922), *Le Pénitencier* (1922), *La Belle Saison* (1923), *La Consultation* (1928), *La Sorellina* (1928), *La Mort du père* (1929), *L'Été 14* (1936), *Épilogue* (1940).

LES THIBAULT Le Cahier gris *introduit les personnages principaux du roman :* LE « PÈRE » THIBAULT, *bien-pensant, sévère et orgueilleux, et ses deux fils,* ANTOINE, *l'aîné, interne des hôpitaux, et* JACQUES, *quatorze ans, qui est en révolte contre son milieu et fait une fugue avec son ami Daniel de Fontanin.*

Le Pénitencier, *c'est la « maison de redressement » fondée par le Père Thibault, où il enferme son fils malgré l'insistance d'Antoine. Cinq ans après, dans* La Belle Saison, *Jacques fait l'expérience de l'amitié et de l'amour, tandis qu'Antoine commence de s'engager dans une carrière médicale, devenue particulièrement brillante et absorbante, trois ans plus tard, au moment où débute* La Consultation.

Découverte de la charité

ANTOINE THIBAULT est tout entier occupé par l'exercice de sa profession et c'est à peine si, tout en se penchant sur elle avec passion, il est vraiment en contact avec la misère humaine qu'il a entrepris de soigner et de guérir. C'est ici une sorte de rupture, car, au-delà de la conscience professionnelle, Antoine *découvre*, presque contre son gré, *la valeur de l'amitié et de la charité.* — THÈMES : *Enfance. Société. Pauvreté. Morale.*

Midi et demie, rue de l'Université [1]. Antoine sauta du taxi et s'engouffra sous la voûte. « Lundi : mon jour de consultation », songea-t-il.

— « Bonjour, M'sieur. »

Il se retourna : deux gamins semblaient s'être mis à l'abri du vent dans l'encoignure. Le plus grand avait retiré sa casquette, et dressait vers Antoine sa tête de moineau, ronde et mobile, son regard hardi. Antoine s'arrêta.

—————

— 1 Antoine, grand bourgeois, habite le Faubourg Saint-Germain.

— « C'est pour voir si vous ne voudriez pas donner un remède à... à lui, qui est malade. »

Antoine s'approcha de « lui », resté à l'écart.

10   — « Qu'est-ce que tu as, petit ? »

Le courant d'air, soulevant sa pèlerine, découvrit un bras en écharpe.

— « C'est rien », reprit l'aîné avec assurance. « Pas même un accident du travail. Pourtant, c'est à son imprimerie qu'il a attrapé ce sale bouton-là. Ça le tire jusque dans l'épaule. »

Antoine était pressé : « De la température ? — Plaît-il ?

— A-t-il de la fièvre ? — Oui, ça doit être ça », fit l'aîné, balançant la tête, et scrutant d'un œil soucieux le visage d'Antoine.

— « Il faut dire à tes parents de le conduire, pour la consultation de deux heures, à la Charité ; le grand hôpital, à gauche, tu sais ? »

20   Une contraction, vite réprimée, du petit visage trahit la déception de l'enfant. Il eut un demi-sourire engageant : « Je pensais que vous auriez bien voulu... ».

Mais il se reprit aussitôt, et, sur le ton de quelqu'un qui sait depuis longtemps prendre son parti devant l'inévitable :

— « Ça ne fait rien, on s'arrangera. Merci, M'sieur. Viens, Loulou. »

Il sourit sans arrière-pensée [2], agita gentiment sa casquette, et fit un pas vers la rue.

Antoine, intrigué, hésita une seconde : « Vous m'attendiez ? — Oui, M'sieur. »

— « Qui vous a... ? » Il ouvrit la porte qui menait à l'escalier. « Entrez là, ne restez pas dans le courant d'air. Qui vous a envoyés ici ? »

30   — « Personne. » La frimousse de l'enfant s'éclaira. « Je vous connais bien, allez ! C'est moi, le petit clerc de l'étude... L'étude, au fond de la cour ! »

Antoine se trouvait à côté du malade et lui avait machinalement pris la main. Le contact d'une paume moite, d'un poignet brûlant, suscitait toujours en lui un émoi involontaire.

— « Où habitent tes parents, petit ? »

Le cadet tourna vers l'aîné son regard las : « Robert ! »

Robert intervint : « On n'en a pas, M'sieur. » Puis, après une courte pause : « On loge rue de Verneuil. — Ni père, ni mère ? — Non. — Des grands-parents, alors ? — Non, M'sieur. »

40   La figure du gamin était sérieuse ; le regard franc ; aucun désir d'apitoyer ni même d'intriguer ; aucune menace de mélancolie non plus. C'était l'étonnement d'Antoine qui pouvait sembler puéril.

« Quel âge as-tu ? — Quinze ans. — Et lui ? — Treize ans et demi. »

« Le diable les emporte ! » se dit Antoine. « Une heure moins le quart, déjà ! Téléphoner à Philip [3]. Déjeuner. Monter là-haut. Et retourner au faubourg Saint-Honoré avant ma consultation... C'est bien le jour !... »

— « Allons », fit-il brusquement, « viens me montrer ça. » Et, pour ne pas avoir à répondre au regard radieux, nullement surpris d'ailleurs, de Robert, il passa devant, tira sa clef, ouvrit la porte de son rez-de-chaussée, et poussa

50 les deux gamins à travers l'antichambre jusqu'à son cabinet...

Un bras malingre sous des linges à peu près propres. Au-dessus du poignet, un phlegmon superficiel, bien circonscrit, semble déjà collecté [4]. Antoine, qui

---

—2 Noter la valeur psychologique de ces deux | son confrère et son ami. — 4 Se dit d'un abcès sourires successifs. — 3 Maître d'Antoine, devenu | où le pus s'est accumulé en un point de fixation.

ne songe plus à l'heure, pose l'index sur l'abcès ; puis, avec deux doigts de l'autre main, il fait mollement pression sur un autre point de la tumeur. Bon : il a nettement senti sous son index le déplacement du liquide.

— « Et là, ça te fait mal ? » Il palpe l'avant-bras gonflé, puis le bras jusqu'aux ganglions enflammés de l'aisselle.

— « Pas très... » murmure le petit, qui s'est raidi et ne quitte pas son aîné des yeux.

60　　— « Si », fait Antoine, d'un ton bourru. « Mais je vois que tu es un bonhomme courageux. » Il plante son regard dans le regard troublé de l'enfant : l'étincelle d'un contact, une confiance qui semble hésiter, puis jaillir vers lui. Alors seulement il sourit. L'enfant aussitôt baisse la tête. Antoine lui caresse la joue et doucement relève le menton, qui résiste un peu.

— « Écoute. Nous allons faire une légère incision là-dedans, et, dans une demi-heure, ça ira beaucoup mieux... Tu veux bien ?... Suis-moi par ici. »

Le petit, subjugué, fait bravement quelques pas ; mais, dès qu'Antoine ne le regarde plus, son courage vacille : il tourne vers son frère un visage qui appelle au secours : « Robert... Viens aussi, toi ! »

70　　La pièce voisine — carreaux de faïence, linoléum, autoclave, table émaillée sous un réflecteur — servait au besoin pour de petites opérations...

Quelques minutes plus tard, le phlegmon était franchement incisé.

— « Encore un peu de courage... Là... Encore... Ça y est ! » fit Antoine, reculant d'un pas. Mais le petit, devenu blanc, défaillait à demi dans les bras raidis de son frère.

— « Allô, Léon ! » cria gaiement Antoine. « Un peu de cognac pour ces gaillards-là ! » Il trempa deux morceaux de sucre dans son doigt d'eau-de-vie. « Croque-moi ça. Et toi aussi. » Il se pencha vers l'opéré : « Ça n'est pas trop fort ? — C'est bon », murmura l'enfant qui parvint à sourire.

80　　— « Donne ton bras. N'aie pas peur, je t'ai dit que c'était fini. Lavage et compresse, ça ne fait pas mal. »

Sonnerie du téléphone. La voix de Léon dans l'antichambre : « Non, Madame, le docteur est occupé... Pas cet après-midi, c'est le jour de consultation du docteur... Oh, guère avant le dîner... Bien, Madame, à votre service. »

— « Une mèche, à tout hasard », marmonna Antoine, penché sur l'abcès. « Bon. Et la bande un peu serrée, il faut ça... Maintenant, toi, le grand, écoute : tu vas ramener ton frère à la maison, et tu vas dire qu'on le couche, pour qu'il ne remue pas son bras. Avec qui habitez-vous ?... Il y a bien quelqu'un qui s'occupe du petit ? — Mais moi. »

90　　Le regard était droit, flambant de crânerie, dans un visage plein de dignité. Il n'y avait pas de quoi sourire. Antoine jeta un coup d'œil vers la pendule et refoula encore une fois sa curiosité. « Quel numéro, rue de Verneuil ? »

— « Au 37 bis. — Robert quoi ? — Robert Bonnard. »

Antoine nota l'adresse, puis leva les yeux. Les deux enfants étaient debout, fixant sur lui de limpides regards. Nul indice de gratitude, mais une expression d'abandon, de sécurité totale.

— « Allez, mes petits, sauvez-vous, je suis pressé... Je passerai rue de Verneuil, entre six et huit, pour changer la mèche. Compris ? »

— « Oui, M'sieur, » dit l'aîné, qui paraissait trouver la chose toute naturelle.

100　« Au dernier étage, la porte 3, juste en face de l'escalier. »

La Consultation (Librairie Gallimard, éditeur).

LE DÉMON DE LA LIBERTÉ

Tandis que M. Thibault père est atteint d'une maladie qui ne pardonne pas, JACQUES, à la veille d'entrer à l'École normale, a disparu. Nouvelle fugue ? ou même suicide ? Dans le volume suivant, *La Sorellina*, Antoine découvre la trace de son frère en lisant dans une revue suisse une nouvelle signée d'un pseudonyme qui révèle son auteur, comme le révèle aussi son contenu autobiographique. Antoine retrouve ainsi son frère à Lausanne et le ramène à Paris au chevet de leur père. C'est à Lausanne que se situe, au cours d'une conversation avec Antoine, la confession où JACQUES *explique l'influence qu'a eue sur lui une visite faite à l'un de ses professeurs*, JALICOURT : celui-ci, admiré de ses étudiants comme un éveilleur d'idées et comme un Maître, commence par décevoir Jacques en lui donnant des conseils conformistes, puis soudain, tout change...
THÈMES : *Liberté. Moi. Société. Littérature.*

« Il s'est calmé d'un coup », poursuivit Jacques. « Je crois qu'il a eu peur d'être entendu. Il a ouvert une porte, et il m'a poussé dans une sorte d'office qui sentait l'orange et l'encaustique. Il avait le rictus d'un homme qui ricane, mais un regard cruel et l'œil congestionné derrière le monocle. Il s'était accoudé à une planche où il y avait des verres, un compotier ; je ne sais pas comment il n'a rien fichu par terre. Après trois ans, j'ai encore son accent, ses mots dans l'oreille. Il s'était mis à parler, d'une voix sourde : « Tenez. La vérité, la voilà. Moi aussi, à votre âge. Un peu plus âgé, peut-être : à ma sortie de l'École. Moi aussi, cette vocation
10 de romancier. Moi aussi, cette force qui a besoin d'être libre pour s'épanouir ! Et moi aussi, j'ai eu cette intuition que je faisais fausse route. Un instant. Et moi aussi, j'ai eu l'idée de demander conseil. Seulement, j'ai cherché un romancier, moi. Devinez qui ? Non, vous ne comprendriez pas, vous ne pouvez plus vous imaginer ce qu'il représentait pour les jeunes en 1880 ! J'ai été chez lui, il m'a laissé parler, il m'observait de ses yeux vifs, en fourrageant dans sa barbe ; toujours pressé, il s'est levé sans attendre la fin. Ah, il n'a pas hésité, lui ! Il m'a dit, de sa voix chuintante [1], où les *s* devenaient des *f* : *N'y a qu'un feul apprentiffage pour nous : le vournalifme !* Oui, il m'a dit ça. J'avais vingt-trois ans. Eh bien,
20 je suis parti comme j'étais venu, Monsieur : comme un imbécile ! j'ai retrouvé mes bouquins, mes maîtres, mes camarades, la concurrence, les revues d'avant-garde, les parlottes, — un bel avenir ! Un bel avenir ! »
Pan ! la main de Jalicourt s'abat sur mon épaule. Je verrai toujours cet œil, cet œil de cyclope qui flambait derrière son carreau [2]. Il s'était redressé de toute sa taille, et il me postillonnait dans la figure : « Qu'est-ce que vous voulez de moi, Monsieur ? Un conseil ? Prenez garde, le voilà ! Lâchez les livres, suivez votre instinct ! Apprenez quelque chose, Monsieur : si vous avez une bribe de génie, vous ne pourrez jamais croître que du dedans, sous la poussée de vos propres forces !... Peut-être, pour vous,
30 est-il encore temps ? Faites vite ! Allez vivre ! N'importe comment, n'im-

— 1 Ce détail permet d'identifier Émile Zola. — 2 Le monocle.

porte où ! Vous avez vingt ans, des yeux, des jambes ? Écoutez Jalicourt. Entrez dans un journal, courez après les faits divers. Vous m'entendez ? Je ne suis pas fou. Les faits divers ! Le plongeon dans la fosse commune ! Rien d'autre ne vous décrassera. Démenez-vous du matin au soir, ne manquez pas un accident, pas un suicide, pas un procès, pas un drame mondain !... Ouvrez les yeux, regardez tout ce qu'une civilisation charrie derrière elle, le bon, le mauvais, l'insoupçonné, l'in-inventable [3]. Et peut-être qu'après ça vous pourrez vous permettre de dire quelque chose sur les hommes, sur la société, — sur vous ! »

40 « Mon vieux, je ne le regardais plus, je le buvais, j'étais totalement électrisé. Mais tout est retombé d'un coup. Sans un mot, il a ouvert la porte, et il m'a presque chassé, devant lui, à travers le vestibule, jusque sur le palier. Je ne me suis jamais expliqué ça. S'était-il repris ?... Regrettait-il cette flambée ?... A-t-il eu peur que je raconte ?... Je vois encore trembler sa longue mâchoire. Il bredouillait, en étouffant sa voix : « Allez... allez... allez !... Retournez à vos bibliothèques, Monsieur ! »

« La porte a claqué. Je m'en foutais. J'ai dégringolé les quatre étages, j'ai gagné la rue, je galopais dans la nuit comme un poulain qu'on vient de mettre au pré ! » *La Sorellina* (Librairie Gallimard, éditeur).

L'agonie du père

C'est pour assister à l'agonie de leur père qu'Antoine et Jacques reviennent ensemble à Paris. Personnage secondaire en un certain sens, OSCAR THIBAULT, le père, n'en domine pas moins le roman : aussi un volume entier est-il consacré, sous le titre *La Mort du père*, à son agonie, à sa mort, et aux réflexions d'Antoine sur cette étonnante et secrète personnalité, tandis que Jacques, devenu un *étranger*, ne songe qu'à regagner la Suisse au plus tôt. Les pages les plus vigoureuses de ce volume, qui sont aussi un des sommets du roman, sont consacrées à la description de l'agonie du père. – THÈMES : *Mort. Religion. Providence.*

M. Thibault semblait s'être assoupi. Avant l'arrivée de l'abbé Vécard, il avait fait, ainsi, plusieurs plongées dans l'inconscient. Mais ses subites absences étaient brèves [1] ; il remontait à la surface, d'un seul coup, retrouvait son épouvante et recommençait, avec des forces neuves, à se démener.

L'abbé eut l'intuition que la trêve serait courte et qu'il fallait la mettre à profit. Une bouffée de chaleur lui vint au visage : de tous les devoirs de son ministère, l'assistance aux mourants était celui qu'il avait toujours le plus redouté.

Il s'approcha du lit : « Vous souffrez, mon ami... Vous traversez une heure
10 cruelle... Ne restez pas seul avec vous-même : ouvrez votre cœur à Dieu... ».

M. Thibault, se tournant, fixa sur son confesseur un regard si anxieux que le prêtre battit des cils. Mais déjà l'œil du malade se chargeait de colère, de haine, de mépris. Une seconde seulement : l'effroi y reparut aussitôt. Et, cette fois, l'expression d'angoisse était à ce point insoutenable que l'abbé dut baisser les paupières et se détourner à demi.

— 3 Martin du Gard a toujours voulu rester fidèle à ce réalisme fondamental.

— 1 Son mal est caractérisé par de violentes et fréquentes crises d'urémie convulsive.

Le moribond claquait des dents. Il bégaya : « Oh là là... Oh là là... J'ai peur... »
Le prêtre se ressaisit.

— « Je suis venu pour vous aider », fit-il avec douceur... « Prions, d'abord...
Appelons en nous la présence de Dieu... Prions ensemble, mon ami. »

20 M. Thibault lui coupa la parole : « Mais ! Regardez ! Je... Je suis... Je vais... »
(Il n'avait pas le courage de braver la mort avec les mots précis.)

Il plongea dans les coins obscurs de la chambre un regard extravagant. Où
trouver du secours ? Les ténèbres s'épaississaient autour de lui. Il poussa un
cri qui explosa dans le silence et fut presque un soulagement pour l'abbé. Puis,
de toutes ses forces, il appela : « Antoine ! Où est Antoine ? » Et, comme l'abbé
avait fait un mouvement des mains : « Laissez-moi, vous !... Antoine ! »

Alors l'abbé changea de tactique. Il se redressa, regarda douloureusement
son pénitent, puis, d'un grand geste du bras, comme s'il exorcisait un
énergumène, il le bénit une seconde fois.

30 Ce calme acheva d'exaspérer M. Thibault. Il se souleva sur un coude, malgré
la douleur qui lui déchirait les reins, et tendit le poing :

— « Les scélérats ! les salauds !... Et vous, vos histoires !... Assez ! » Puis,
avec désespoir : « Je vais... mourir, je vous dis ! Au secours ! »

L'abbé, debout, le considérait, sans le contredire ; et, si persuadé que fût,
cette fois, le vieillard, d'être aux confins de sa vie, ce silence lui porta le dernier
coup. Secoué de frissons, sentant ses forces faiblir, incapable même de retenir
la salive qui mouillait son menton, il répétait, sur un ton suppliant, comme
s'il était possible que le prêtre n'eût pas bien entendu, ou pas compris :

— « Je vais mou-rir.. Je vais mou-rir... ».

40 L'abbé soupira, mais il ne fit pas un geste de dénégation. Il pensait que la
véritable charité n'est pas toujours de prodiguer aux mourants d'inconsistantes
illusions, et que, lorsque vraiment approche la dernière heure, le seul remède
à la terreur humaine, ce n'est pas de nier cette mort qui vient et devant laquelle
l'organisme, secrètement averti, se cabre déjà : c'est, au contraire, de la regarder
en face et de se résigner à l'accueillir.

Il laissa passer quelques secondes, puis, rassemblant son courage, il prononça
distinctement :

— « Et quand ce serait, mon ami, est-ce une raison pour avoir si grand-peur ? »

Le vieillard, comme s'il eût été frappé au visage, retomba sur l'oreiller en
50 gémissant : « Oh là là... Oh là là... »

C'était fini : arraché par le tourbillon, roulé sans merci, il se sentait sombrer
définitivement, et sa dernière lueur de conscience ne lui servait qu'à mieux
mesurer le néant. Pour les autres, la mort, c'était une pensée courante,
impersonnelle : un mot entre les mots. Pour lui, c'est tout le présent, c'est
le réel. C'est lui-même. De ses yeux ouverts sur le gouffre et agrandis par le
vertige, il aperçoit, très loin, séparé de lui par l'abîme, le visage du prêtre,
ce visage vivant, — étranger. Être seul, exclu de l'univers. Seul, avec son
effroi. Toucher le fond de la solitude absolue !

Dans le silence, s'élevait la voix du prêtre :

60 — « Voyez : Dieu n'a pas voulu que la mort fondît sur vous à l'improviste,
sicut latro, comme un voleur. Eh bien, il faut être digne de cette grâce, car
c'en est une, — et la plus grande que Dieu puisse nous faire, à nous
pécheurs, — que cet avertissement au seuil de la vie éternelle... »

M. Thibault entendait, de très loin, ces phrases qui venaient en vain, comme
des vagues contre un rocher, battre son cerveau pétrifié par la peur. Un instant,

par routine, sa pensée chercha, pour y trouver refuge, à évoquer l'idée de Dieu ;
mais cet élan se brisa au départ. La Vie éternelle, la Grâce, Dieu — langage
devenu inintelligible : vocables vides, sans mesure avec la terrifiante réalité !
— « Remercions Dieu », continuait l'abbé. « Heureux ceux qu'Il arrache
70 à leur propre volonté, pour les attacher à la Sienne. Prions. Prions ensemble,
mon ami... Prions de toute notre âme, et Dieu vous viendra en aide. »
M. Thibault tourna la tête. Au fond de sa terreur bouillonnait un reste de
violence. Il aurait volontiers assommé le prêtre, s'il avait pu. Le blasphème
lui monta aux lèvres : « Dieu ? Quoi ? Quelle aide ? C'est idiot, à la fin. Est-ce
que ce n'est pas Lui, justement ? Est-ce que ce n'est pas Lui qui veut ?... »
Il s'étranglait. « Alors, quoi, quelle aide ? » cria-t-il rageusement.
Le goût de la dispute l'avait repris, au point qu'il oubliait que, une minute
plus tôt, son angoisse avait nié Dieu. Il poussa un gémissement :
— « Ah, comment Dieu me fait-il ça ! »
80 L'abbé hocha la tête : « *Quand vous vous croyez bien loin de moi*, dit *l'Imitation*,
c'est souvent alors que je suis le plus proche de vous... ».
M. Thibault avait écouté. Il demeura quelques secondes silencieux. Puis,
se tournant vers son confesseur, mais cette fois avec un geste de détresse :
— « L'abbé, l'abbé », supplia-t-il, « faites quelque chose, priez, vous !... Ce
n'est pas possible, dites ?... Empêchez-moi de mourir ! »

La Mort du Père (Librairie Gallimard, éditeur).

RÉFLÉCHIR ? AGIR ?

Après la mort du père, c'est bientôt l'attentat de Sarajevo et la guerre de 1914. JACQUES
tantôt en Suisse, tantôt en France, milite dans les mouvements révolutionnaires et pacifistes.
Il assiste à Paris à l'assassinat de Jaurès, et, dès la mobilisation, décide de passer en Suisse
pour y poursuivre son action politique, devenue pour lui une sorte d'obsession. Déçu par
ce qu'il considère comme la trahison des chefs responsables, Jacques se décide pour une
action individuelle : le 10 août 1914, il part en avion, avec son ami Meynestrel, pour jeter
sur le front des tracts pacifistes rédigés en français et en allemand. Mais l'appareil tombe
en flammes : tandis que Meynestrel meurt brûlé, Jacques, pris pour un espion, est abattu
par un gendarme français. De son côté, en attendant d'être mobilisé, ANTOINE avait continué
dans les jours de crise à exercer son métier : sa dernière rencontre avec Jacques, en juillet
1914, à Paris, lui avait été l'occasion de *réfléchir sur leurs deux destinées.*
THÈMES : *Philosophie. Psychologie. Moi. Morale. Société.*

« Je suis terriblement esclave de ma profession, voilà la vérité,
songeait-il. Je n'ai plus jamais le temps de réfléchir... Réfléchir, ça n'est
pas penser à mes malades, ni même à la médecine ; réfléchir, ce devrait
être : méditer sur le monde... Je n'en ai pas le loisir... Je croirais voler
du temps à mon travail... Ai-je raison ? Est-ce que mon existence
professionnelle est vraiment toute la vie ? Est-ce même toute *ma* vie ?...
Pas sûr... Sous le docteur Thibault, je sens bien qu'il y a quelqu'un
d'autre : *moi*... Et ce quelqu'un là, il est étouffé... Depuis longtemps...
Depuis que j'ai passé mon premier examen, peut-être... Ce jour-là, crac !
la ratière s'est refermée... L'homme que j'étais, l'homme qui préexistait
10 au médecin, — l'homme que je suis encore après tout, — c'est comme

un germe enseveli, qui ne se développe plus, depuis longtemps... Oui, depuis le premier examen... Et tous mes confrères sont comme moi... Les meilleurs, justement... Car ce sont toujours les meilleurs qui font le sacrifice d'eux-mêmes, qui acceptent l'exigence dévorante du travail professionnel... Nous sommes un peu comme des hommes libres qui se seraient vendus... »

Sa main, au fond de la poche, jouait avec le petit agenda qu'il portait toujours sur lui. Machinalement, il le sortit et parcourut d'un regard distrait la page du lendemain 20 juillet [1], qui était chargée de noms et de signes.

20 « Pas de blague », se dit-il brusquement : « c'est demain que j'ai promis à Thérivier d'aller revoir sa gosse, à Sceaux... Et j'ai ma consultation à deux heures... ».

Il écrasa sa cigarette dans le cendrier, et s'étira.

« Voilà le docteur Thibault qui reparaît », fit-il en souriant. « Eh bien ! Vivre, c'est agir, après tout ! Ça n'est pas philosopher... Méditer sur la vie ? A quoi bon ? [...] La cause est entendue une fois pour toutes [2]... Vivre, ça n'est pas remettre toujours tout en question... ».

Il se souleva d'un énergique coup de reins, sauta sur ses pieds, et fit quelques pas qui le conduisirent à la fenêtre.

30 « Vivre, c'est agir [3]... », répéta-t-il, en promenant un regard distrait sur la rue déserte, les façades mortes, la pente des toits où le soleil couchait l'ombre des cheminées. Il continuait à tripoter l'agenda au fond de sa poche. « Demain, c'est lundi : nous allons sacrifier le cobaye du petit 13 [4]... Mille chances pour que l'inoculation soit positive... Sale affaire. Perdre un rein à quinze ans... Et puis, il y a cette sacrée gosse de Thérivier... Je n'ai pas de veine, cette année, avec ces pleurésies à *streptos* [5]... Encore deux jours, et, si ça ne va pas, on fera sauter la côte... Eh quoi ! » fit-il brusquement, en laissant retomber le rideau de vitrage. « Faire son travail proprement, est-ce que ça n'est pas déjà quelque 40 chose ?... Et laisser la vie courir... ! »

Il revint au milieu de la pièce et alluma une autre cigarette. Amusé par la consonance, il s'était mis à chantonner, comme un refrain :

« Laisser la vie courir... Et Jacques discourir... Laissez la vie courir... ».

L'Été 14 (Librairie Gallimard, éditeur).

Le roman se termine par un Épilogue *consacré aux derniers mois de la vie d'*ANTOINE, *unique survivant des Thibault. Celui-ci est atteint par les gaz à la fin de 1917 sur le front de Champagne. Le mal, provisoirement écarté, n'en est pas moins incurable et, au cours d'une visite pathétique à son maître et ami le Docteur Philip, Antoine acquiert la conviction qu'il est condamné. Progressivement, ses souffrances deviennent intolérables, et il y met fin par une piqûre, le 18 novembre 1918, une semaine après l'armistice.*

— 1 C'est le 20 juillet 1914. — 2 Antoine, en effet, s'est fait une conception définitive de la vie : mélange *saugrenu* — c'est son propre terme — de joies et de peines. — 3 Jacques pourrait aussi accepter cette formule ; mais les deux frères ne se font pas la même idée de l'action : d'où leur incompréhension réciproque ; cette question des rapports entre pensée et action a particulièrement préoccupé Martin du Gard. — 4 Désignation d'un enfant malade par le numéro de son lit. — 5 Abréviation de *streptocoques*.

GEORGES DUHAMEL

Formation et expérience GEORGES DUHAMEL (1884-1966) appartient, comme Roger Martin du Gard et Jules Romains, à cette génération — celle aussi de Giraudoux, de Mauriac, de Chardonne, de Maurois — dont on a pu dire qu'elle avait fait, des années 1920-1940, « *un âge d'or du roman* » (Robert Kanters).

Comme Jules Romains, Georges Duhamel fut, dans sa jeunesse, profondément marqué par l'expérience de l'Abbaye de Créteil (1906 ; cf. p. 31), que transposera l'un des volumes de la série des *Pasquier : Le Désert de Bièvres*. Mais l'unanimisme l'avait surtout attiré parce qu'il portait en lui *un tempérament d'humaniste*, de plus en plus attentif, autant qu'à ses propres problèmes, aux risques et aux chances du monde moderne. Humaniste d'abord *par la sensibilité*, Duhamel n'est pas, initialement, un professionnel de la littérature, encore moins un « intellectuel » au sens péjoratif que prend parfois ce terme. Biologiste et médecin, engagé à titre de chirurgien militaire dans l'horreur de la Grande Guerre, il conserve de cette expérience une immense et profonde *compassion* pour les hommes, qui n'a d'égale que sa *virulente sévérité* pour tout ce qui entame l'intégrité humaine, pour tout ce qui défigure *le corps et l'âme de l'humanité*. Il est aussi humaniste par la *culture* : attentif à la poésie, amateur de théâtre et surtout de musique, Georges Duhamel voit le monde et la société comme le milieu hétérogène et disparate où s'affrontent, se heurtent, ou bien s'allient en de curieuses et dramatiques complicités, les forces matérielles et spirituelles entre lesquelles l'homme se trouve divisé et parmi lesquelles il est tenu de trouver son chemin. Mais il s'y trace aussi, selon des figures tantôt pathétiques, tantôt ironiques, le dessin d'une humanité aspirant à la fois à la *rectitude de l'action*, au *règne du cœur*, et à l'*équilibre de l'esprit* : difficile accord des nostalgies dominantes de l'auteur, dont la lucidité s'applique à éviter les pièges de l'illusion et de la duperie. Y réussit-il toujours ? En tout cas, cette œuvre reste une œuvre de bonne foi et, pour reprendre la formule de Jules Romains, *de bonne volonté*.

Réalisme et idéalisme Le roman de Duhamel va donc tenter de *concilier réalisme et idéalisme* : la rigueur même du réalisme (où s'affirment à la fois l'impitoyable regard du clinicien et l'attachement de l'écrivain à la tradition balzacienne) sera comme la caution des « idées » et des « thèses » qu'il développe, implicitement ou explicitement, avec une chaleur où survit l'« unanimiste » de 1906. Son œuvre littéraire, en effet, prend son vrai départ avec des souvenirs de guerre qui sont aussi des réquisitoires contre la violence meurtrière d'une nouvelle « barbarie » et des plaidoyers pour le salut de l'homme : *Vie des martyrs* (1917) et *Civilisation* (1918) qui restent parmi les témoignages les plus bouleversants inspirés par la guerre de 1914 ; et, comme tout se tient, le réalisme de la description et la chaleur de la dénonciation s'attaqueront aussi bien aux abattoirs de Chicago qu'aux charniers de la Grande Guerre *(Scènes de la vie future)*. Avec *La Possession du monde* (1919), ces œuvres forment un ensemble complet de *littérature d'action* et proposent les thèmes d'un moderne *humanisme spirituel* : pacifisme raisonnable et vigilant ; « règne du cœur », domination sur la civilisation mécanique, défense et promotion de la culture, sous le signe d'une générosité, qui peut parfois s'égarer dans l'utopie ou l'incompréhension, mais qui n'en confère pas moins à cette œuvre une force de conviction peu commune.

Aussi peut-on pardonner à Duhamel de n'avoir pas compris assez tôt les promesses du cinéma, et d'avoir écrit que ce n'était qu'un « divertissement d'ilote ! »

Salavin (1920-1932) Le futur romancier se formait ainsi en apprenant à faire, de ses générosités et de ses fureurs, des forces disciplinées au service d'une authentique *création*. Bientôt naît un *personnage*, qui incarne la condition à la fois dérisoire et sympathique, souffrante et ridicule, de l'homme abandonné à sa faiblesse et cependant conscient, dans sa nostalgie, d'une grandeur qu'il ne sait où chercher : le cycle comprend *La Confession de minuit* (1920), *Deux Hommes* (1924), *Journal de Salavin* (1927), *Le Club des Lyonnais* (1929), *Tel qu'en lui-même* (1932).

L'ÉTERNELLE MISÈRE DE SALAVIN

Le personnage de Louis Salavin, héros du premier « cycle » romanesque de Duhamel, prend les proportions d'un véritable *mythe* : mythe de la faiblesse pitoyable et de l'impuissance, mais aussi d'une *nostalgie* irrépressible. S'il est dérisoire (Duhamel annonce ici la littérature du dérisoire, à la mode vingt ans plus tard), Salavin n'est pas méprisable ; car il a valeur d'exemple et de symbole : sa faiblesse réside dans son incapacité de s'accepter tel qu'il est, et, croyant se sauver en tentant de se changer, il oublie qu'il ne pourrait se sauver qu'en s'acceptant. – THÈMES : *Psychologie. Moi. Morale.*

Employé d'une compagnie distributrice de lait pasteurisé et oxygéné, Louis Salavin occupe une position sociale non pas humiliante mais banale. Il voudrait s'arracher à cette banalité de sa condition, de sa personnalité et de son milieu ; il rêve d'une sainteté laïque, car il n'a pas la foi, mais il ne cesse de ressentir, douloureusement et ironiquement, une sorte de permanent échec intérieur. Dans son journal, c'est surtout de ce sentiment de rechute constante dans l'échec, malgré ses tentatives pour faire une « cure d'âme », qu'il s'entretient lui-même. Voici, à la date du 15 octobre, la page consacrée à ses réflexions intimes sur un soir de 15 août où, parce qu'il pleuvait, il était entré par hasard dans un cinéma.

Je n'avais pas payé mon billet très cher et me trouvais au dernier rang du paradis [1]. Moins de cinq minutes et je regrettais ma faiblesse. On donnait cependant un film documentaire non sans intérêt : la vie des bêtes au fond d'un aquarium. Une espèce de salamandre, grossie par la projection à la taille d'un cachalot, ouvrait la gueule en regardant le public. Juste à ce moment l'orchestre jouait une vieille romance langoureuse : « Pourquoi ne pas m'aimer [2] ?... » Personne dans la salle n'avait l'air de remarquer cette discordance grotesque entre le spectacle et la musique. Pour moi, j'en étais indisposé. Vint ensuite un interminable film sentimen-
10 tal, une histoire niaise à pleurer, avec faux effets de lune, espions dans les bosquets, mouchoirs agités, torsions de bouche et battements de pau-pières, bref, tout ce que je déteste. Je m'efforçais de penser à autre chose. Pas commode : l'image est là qui vous tire l'œil et le blesse. La pensée, comme un papillon de nuit, va se coller à l'écran. Je commençais à m'ennuyer ferme, à maudire ma faiblesse, la pluie, le cinéma, le public, l'immense sottise de tout et de tous. Et voilà qu'à ce moment l'image disparaît. Une âcre odeur chimique se répand dans la salle et quelqu'un crie, sur les gradins : « Au feu ! »

Avant d'aller plus loin, il faut que je fasse une parenthèse. Ce genre
20 d'accidents est de ceux auxquels, toujours, je m'attends. J'y avais donc pensé mille et mille fois, réglant la conduite à tenir. Je serais calme et résigné. Je monterais sur un banc et crierais, dominant les clameurs de la foule : « Ne poussez pas. Ne craignez rien. Sortez en bon ordre. Tout le monde sera sauvé. » Je devais — encore mon programme — at-tendre avec le plus grand sang-froid, contenir les brutes, protéger les femmes, me porter aux points dangereux, me dévouer, sortir après tous les autres ou périr dans la fumée. Voilà comme, depuis longtemps, j'avais arrangé les choses, dans ma tête. Bon ! revenons aux faits.

— 1 Terme populaire : au théâtre ou au ci- | néma, les dernières galeries. — 2 Vers 1920, le film muet était accompagné par un orchestre.

A peine eus-je entendu le cri, je fis, par-dessus les banquettes, un bond
30 dont je ne me serais jamais cru capable. Ce bond, il me parut que tous les
gens des derniers gradins l'avaient fait en même temps que moi. L'obscurité n'était pas totale : quelques petites lampes de secours, disposées de
place en place, versaient sur la multitude une lueur de mauvais rêve. Un
énorme cri confus s'éleva, comme une tornade, et je m'entendis crier, avec
les autres, plus fort que les autres, des paroles incohérentes : « Sortez !
Sortez donc ! plus vite ! Poussez ! Poussez ! » Je ne peux dire exactement
ce qui se passa pendant les minutes qui suivirent. Quelques souvenirs
farouches : je trébuche dans un escalier, je perds mes lunettes, j'enfonce
mes coudes et mes genoux dans une épaisse pâte humaine, j'écarte, des
40 deux poings, un visage obscur qui me mord, je marche sur quelque chose
de mou, j'aperçois, devant moi, portant un gosse à bout de bras, une femme
qui pleure. Mais j'avance, à n'en pas douter, j'avance ; je suis porté de
couloir en couloir et, tout d'un coup, l'air, humide et chaud, l'air du
dehors, le trottoir gras, une foule qui fuse et prend la course. Une vieille
dame qui appelle : « Henri ! Henri ! »

Je pris ma course, comme les autres. La perte de mes lunettes m'avait
presque ébloui. Je ne saurais dire, aujourd'hui, combien de temps je
courus et par quelles rues je passai. Je repris mon allure normale sur
un boulevard fort calme où quelques passants attardés me regardaient
50 curieusement. Je n'avais plus de chapeau. J'étais griffé, courbatu, mes
vêtements déchirés.

Je rentrai chez moi, j'entends rue Lacépède [3], tout tremblant. Non
plus la peur : le désespoir. Le lendemain, j'ouvris le journal comme
peut le faire un malfaiteur qui craint d'y trouver son portrait. Quelques
lignes, dans un coin. J'eus bien du mal à les découvrir. Rien de grave,
somme toute : quatre ou cinq blessés. Une simple bousculade.

Mais moi, moi, moi ? Quelle chute ! Quel déshonneur ! Et quelle sentence ! J'avais tout prévu, dans mon esprit, sauf moi, sauf mon éternelle
misère. Ah ! Dieu, si tu existes, fais-moi revivre, quelque jour, dans la peau
60 d'un homme courageux, courageux à la façon des bêtes, courageux d'instinct comme lâche me voici d'instinct. Ce doit être si bon d'être naturellement courageux. De quoi me servent les résolutions ? Je ne peux dominer
mes nerfs. L'événement n'approche pas avec la lenteur des limaces : il fond,
il tombe du ciel, il est semblable au vautour. Il m'aveugle et me déchire.

Tel je suis et, pourtant, tel je ne m'accepte pas. Je ne prends pas mon parti
d'être Salavin pour l'éternité. Il faut que l'on m'aide et que ça change.

Journal de Salavin, 15 octobre (Mercure de France, éditeur).

Salavin ne pourra pas changer ; à travers les illusions, les chimères, les vains appels au secours,
il restera lui-même, et d'ailleurs, jusque dans sa congénitale faiblesse, sympathique. Le titre du
dernier volume de ce cycle dit bien quel est son destin : Tel qu'en lui-même (1932).

— 3 Aspirant à la « solitude » et prétextant des | l'appartement où il vivait avec sa femme et sa
nécessités professionnelles, Salavin avait quitté | mère, et pris une chambre rue Lacépède.

Les Pasquier
(1933-1941)

Le roman demandait à se dégager de cette forme un peu étroite de la confession, même élargie ; il demandait aussi à surmonter l'obsession d'un personnage unique, même entouré d'un univers riche de bien d'autres épisodes humains. Certes Duhamel ne pourra jamais se priver de donner au roman une *dominante autobiographique :* telle est sa nature d'homme et d'écrivain. Mais, en écrivant *La Chronique des Pasquier,* dont la structure essentielle est bien *le journal du médecin-biologiste Laurent Pasquier* (parfois même sous la forme du roman par lettres), Duhamel développe une conception de plus en plus musicale du roman cyclique : il réussit le complexe contrepoint de ce journal avec *l'évocation vivante et précise d'une société en état de crise,* et aussi avec l'analyse minutieuse et vivante d'une *galerie de caractères et de types,* qui « font concurrence à l'état-civil ».

Cyclique, le roman ne l'est pas seulement dans sa forme, sa technique et son ambition ; il l'est aussi par *ce riche enveloppement social et psychologique* de l'histoire personnelle qui lui sert de fil conducteur, chaque volume conservant cependant son unité et son intérêt propres. *La Chronique des Pasquier* compte dix titres : *Le Notaire du Havre* (1933) ; *Le Jardin des bêtes sauvages* (1934) ; *Vue de la Terre promise* (1934) ; *La Nuit de la Saint-Jean* (1935) ; *Le Désert de Bièvres* (1936) ; *Les Maîtres* (1937) ; *Cécile parmi nous* (1938) ; *Le Combat contre les ombres* (1939) ; *Suzanne et les jeunes hommes* (1941) ; *La Passion de Joseph Pasquier* (1941) . A travers ces dix volumes se tisse une tapisserie romanesque, d'une technique noble et classique, parfois même traditionnelle et conservatrice, où se manifestent, sans équivoque ni forfanterie, le réalisme robuste, l'habileté littéraire et l'intransigeance morale d'un des *témoins* les plus lucides de la première moitié du XXᵉ siècle.

Pour être savant, on n'en est pas moins homme

LAURENT PASQUIER, aussi idéaliste et fervent que son frère Joseph est cupide et opportuniste, s'est lancé avec passion dans la recherche médicale. Faute de pouvoir se référer, dans l'ordre moral ou religieux, à des valeurs transcendantes, il pense trouver auprès des grands savants ses « patrons » de véritables *Maîtres* (titre du sixième volume des *Pasquier*) ; mais il devra bientôt déchanter, car, admis dans l'intimité de ces grands hommes, il découvrira la petitesse de leur caractère : de là cette sorte d'*humour amer* derrière lequel se cache la *désillusion* du héros et de l'auteur. – THÈMES : *Société. Science. Psychologie.*

M. CHALGRIN, *le « patron » de* LAURENT, *est en rivalité avec son collègue* ROHNER *à propos de recherches sur l'origine de la vie. Il a critiqué un ouvrage de Rohner sans publier cette critique, mais il a fait copier son propre texte par un ami de Laurent,* SÉNAC ; *or, l'une de ces copies est parvenue entre les mains de Rohner, qui en a publié la réfutation. Ainsi se manifeste, dans le conflit entre les deux « Maîtres », l'inextricable mélange des motifs nobles (scientifiques et philosophiques) et des motifs bas (concurrence et vanité) ; ne pouvant discerner, parmi ces motifs, ceux qui ont la priorité, Laurent éprouve un malaise précurseur de la désillusion.*

D'une voix plus basse, plus réticente, le patron s'est remis à parler :
— Je n'aime pas l'ouvrage de M. Rohner. Soyez persuadé, mon ami, que je me suis gardé de lui en rien dire. Je crois même lui avoir écrit une lettre des plus élogieuses. Je n'en réservais pas moins mon indépendance critique : M. Rohner est de ces biologistes gâtés par la contagion mathématicienne. M. Rohner, avec son rigorisme, est de ces rêveurs qui s'imaginent qu'un jour ils feront passer dans un tube de l'hydrogène, du carbone et le reste de la recette, qu'ils mettront le tube à l'étuve et que, vingt-quatre heures après, ils trouveront dans leur cuisine quelque chose qui sera très exactement l'hématozoaire de Laveran ou peut-être,
10 qui sait ? sa majesté le bacille de Koch en personne. Ces messieurs sont très sérieux, mais il y a de quoi rire... C'est un retour offensif et scientifiquement moderne de la génération spontanée. Imaginez-vous, Pasquier, que j'ai rédigé

pendant l'automne, à propos du livre de M. Rohner, un mémoire que je n'ai pas la moindre intention de publier. Je ne suis pas un polémiste. C'est pour moi, pour moi seul, que j'ai composé ce mémoire, pour la satisfaction de ma conscience. Et je n'en parle à personne. Voilà justement pourquoi je ne comprends pas le ton de cet article de M. Rohner dans le dernier numéro de la *Presse médicale.*

Comme le patron ne se décidait pas à s'exprimer plus clairement, j'ai pris sur moi de lui dire, avec beaucoup de respect :

20　　— Monsieur, je ne comprends pas.

— Évidemment, vous ne pouvez pas comprendre. Croyez bien, mon bon ami, que si je vous parle, à vous, en particulier à vous, de cette pénible affaire, ce n'est pas seulement par amitié ; c'est parce que vous connaissez M. Sénac [1], parce qu'il est de vos amis et, je crois, depuis longtemps. Je dois vous dire, Pasquier, que j'ai fait copier le manuscrit de mon texte par M. Sénac, en trois exemplaires.

Le patron venait encore une fois de s'arrêter. Avec la pointe du médius, il s'écrasait la lèvre supérieure, ce qui est chez lui signe de grande perplexité. J'écoutais, plein d'angoisse.

— Attendez, Pasquier. Attendez, mon ami. M. Sénac a fait cette copie à la
30　maison. En trois exemplaires, je vous l'ai dit. Les trois exemplaires sont entre mes mains et ils n'en sont point sortis. Ils n'en sortiront qu'après ma mort, si même il ne m'arrive pas de les détruire avant. Vous le voyez, je suis sur une fausse piste. M. Sénac est hors de cause et j'aurais mieux fait de ne pas prononcer son nom. Reconnaissez quand même que la conjoncture est troublante. Dans ce fameux article de la *Presse médicale,* M. Rohner répond à toutes mes critiques. Il ne saurait me mettre en cause, puisque je n'ai rien publié, mais il imagine un contradicteur idéal auquel il prête des pensées et des paroles qui sont les miennes, termes pour termes. Je suis provisoirement seul à comprendre ce qu'il y a de blessant dans cette manœuvre et de venimeux dans cette rhétorique.
40　　Le professeur Chalgrin, petit à petit, s'échauffait à parler ainsi. Mais il ne rougissait pas, tout au contraire. De grandes plaques couleur d'os se formaient sur ses joues et sur son front. Oui, je dis bien, il semblait que l'on aperçût, à travers la peau diaphane, la substance élémentaire, minérale, de l'armature.

Les Maîtres, chap. X (Mercure de France, éditeur).

Sénac avait fait une copie supplémentaire qu'il a transmise à Rohner. Voilà donc Laurent engagé dans une sorte de roman policier. Cette aventure ne laisse pas de discréditer quelque peu le milieu scientifique où il avait cru pouvoir trouver la pureté dont la nostalgie le tourmente ; mais la grandeur authentique n'en subsiste pas moins, et Sénac lui-même a des circonstances atténuantes. Ainsi apparaît cette ambiguïté essentielle à la condition humaine qui fait tout le pathétique des Maîtres, *la recherche de l'absolu dans l'homme se heurtant à la réalité et à la constance de la nature humaine.*

LAURENT *poursuit son expérience du monde des* Maîtres. *Il le fait sous forme d'un journal adressé à son ami Justin Weil (et ainsi Duhamel retrouve, pour en tirer d'heureux effets, la formule du roman par lettres) ; il peut donc joindre au récit des événements qui intéressent le lecteur ses réflexions personnelles sur le sens de ces événements. La « chronique » proprement dite rejoint de la sorte le « roman à idées », et, dans* Les Maîtres, *l'auteur aborde, pour ainsi dire sur le vif, le grand problème des rapports entre science et humanisme, qui occupe, dans l'ensemble de son œuvre, une place de premier plan. Ce problème correspond d'ailleurs à l'une des grandes préoccupations du XX*[e] *siècle (cf. p. 61).*

— 1 Sénac est un des meilleurs amis de Laurent Pasquier, pour qui cette affaire sera d'au- tant plus grave qu'elle met en cause l'idée qu'il se fait de l'amitié.

« UNE INTELLIGENCE PURE... »

Laurent travaille dans le service d'hôpital de M. Rohner. Une pauvre malade y sert de « cobaye » au « grand patron » dont l'attitude inhumaine le révolte. Mais le problème n'est pas si simple... – THÈMES : *Société. Science. Morale. Psychologie. Littérature (Portrait).*

M. Rohner est en train de me faire comprendre que la plus belle des vertus, c'est la charité, dont il est cruellement dépourvu. Je devrais être reconnaissant à M. Rohner pour cette leçon paradoxale. Je devrais même éprouver à son endroit une juste indulgence, je devrais me montrer charitable avec cet homme dur. Eh bien, non ! Je commence à détester Rohner, sentiment d'autant plus curieux que Rohner m'étonne, m'intimide et continue de m'inspirer une réelle admiration. C'est une intelligence pure. Le monde affectif, pour lui, se limite à sa personne qui est douillette, irritable, susceptible de certains sentiments et de certaines
10 passions ou émotions comme la rancune, le mépris, la haine, la colère. Que le reste du monde soit tourmenté par l'amour, le désir, la tristesse, la rage, le désespoir, voilà ce qu'il ne peut même pas comprendre. Les penchants, les passions et les émotions des autres sont de curieux phénomènes, presque toujours gênants et désagréables, dont il se fait une représentation intellectuelle et strictement objective. Jamais il ne bénéficie du miracle de la sympathie, jamais il ne hante, en pensée, l'âme et la chair des autres êtres, et s'il s'efforce, une minute, de le faire en vue de quelque démonstration, il a l'air de résoudre un problème d'algèbre et non de communier.

Il ne semble pas comprendre que Catherine est très malade. Il s'écrie
20 simplement : « Pas d'endocardite ! Pas de néphrite ! C'est tout à fait anormal. » Si je lui dis : « Elle souffre », il répond sèchement : « Mais oui, on souffre toujours dans des histoires comme cela. Qu'on lui donne des calmants. Pas de morphine, surtout. Je veux une néphrite pathologique et non médicamenteuse. »

Je ne sais si tu comprends. C'est assez épouvantable. Rohner pense que la morphine pourrait donner de l'albuminurie. Or, l'albuminurie qu'il attend, je devrais même dire qu'il espère, ne doit être due qu'au microbe et non au médicament. Pour lui, cette grave maladie n'est qu'une expérience qu'il ne faut point laisser corrompre par des éléments accessoires.
30 La pauvre Catherine a dû subir une petite opération à cause de la pleurésie. Il a fallu ouvrir la poitrine. J'ai peur, depuis deux jours, que l'un des genoux ne soit pris. Il est gros et douloureux. La fièvre demeure élevée.

Catherine accepte toutes ces disgrâces avec une résignation qui me confond et me déchire mieux que les cris et les doléances. Elle est là, toute blanche, dans son lit, ses beaux cheveux divisés en deux grosses nattes qu'elle ramène sur sa poitrine. Tu ne connais pas l'hôpital Pasteur. Ce sont des pavillons tout neufs, construits selon les idées du maître. Les chambres, très claires, sont vitrées du côté du couloir, en sorte que

40 les malades sont exposés aux regards dans des cages transparentes . Ce n'est pas trop intime pour ceux qui souffrent, mais cela permet une surveillance attentive. A l'intérieur, et dès la porte, sont pendues des blouses qui ne quittent pas la chambre du malade et que les médecins revêtent quand ils viennent faire leur visite.

J'arrive donc, et, chaque jour, j'aperçois, avant d'entrer, Catherine dans sa verrière. Elle fait un sourire mélancolique et pourtant heureux. Je suis son seul ami. Roch et Vuillaume [1] viennent parfois jeter un coup d'œil. Ils singent le professeur et discutent longuement, au pied du lit, sur ce que Rohner appelle dès maintenant les localisations anormales. Car, je dois
50 te le dire, cette maladie est la propriété de Rohner, ce microbe, mal connu jusqu'à la récente épidémie, est le microbe de Rohner. Il le désigne, dans ses papiers, sous le nom de *S. Rohneri,* ce qui signifie : streptocoque de M. Nicolas Rohner. Propriété rigoureusement exclusive.

Si Rohner attrapait demain une belle angine, avec ou sans endocardite, avec ou sans néphrite, ce serait un grand malheur pour la science ; mais enfin, ce serait dans l'ordre. Nous avons choisi cette carrière et nous en connaissons les risques. M. Rohner recevrait la plaque de grand officier de la Légion d'honneur ou quelque chose de ce genre et tous les journaux publieraient ses bulletins de santé. Mais Catherine ! Elle ne voulait pas
60 la gloire. Elle ne l'aura d'ailleurs pas. C'est une martyre très obscure. Je respecte le général qui meurt à l'ennemi. C'est le but qu'il avait choisi, librement, à son existence. Devant l'humble laboureur qu'on appelle et qu'on jette au feu, il me semble que le respect ne suffit pas. Il faudrait s'agenouiller et se frapper la poitrine [2]. [...]

Cette maladie de Catherine m'aura quand même éclairé sur le caractère de mon maître Rohner. Si je m'abandonnais à mon penchant naturel, cet homme extraordinaire me ferait prendre en horreur l'intelligence pure, les œuvres et les pompes de l'intelligence pure. Ce serait injuste. L'intelligence est un des signes de l'homme et notre guide ordinaire dans la cohue des
70 phénomènes. Pourtant, je commence à saisir les sentences mystérieuses de Chalgrin qui dit souvent : « La raison ne saurait tout expliquer... Il faut se servir de la raison avec prudence, comme d'un instrument admirable, mais exceptionnel dans la nature, et parfois même dangereux. » M. Chalgrin, c'est clair, marche dans le même sens que Bergson [3]. Il est intéressant de voir des esprits venus de régions différentes de la connaissance cheminer, dans le même temps, vers le même point de l'horizon. Les phrases de M. Chalgrin, que je viens de citer, ne signifient aucunement qu'il faille renier la raison. Elles signifient que la vie elle-même reste inexpliquée et que vouloir, par exemple, déboucher une bouteille avec
80 une lunette d'approche, serait une manœuvre maladroite ou, justement,

---

— 1 Assistants de Rohner comme Laurent. — 2 Duhamel attribue ici à Laurent les sentiments que lui a inspirés à lui-même son expérience de la guerre. — 3 Sur Bergson et l'orientation de sa pensée, en particulier face à l'intellectualisme, cf. p. 79. Cf. aussi Romain Rolland (p. 106), Péguy (p. 185) et Paul Claudel (p. 232).

déraisonnable. Toute la position de M. Chalgrin s'explique en quelques mots : « La raison, instrument admirable, est-elle un instrument universel, est-elle notre seul instrument ? »

Les Maîtres, chap. XV (Mercure de France, éditeur).

Le père extravagant

Le « clan » Pasquier, selon l'expression de Laurent, fut engendré par le Dr RAYMOND PASQUIER, le père. Ce personnage haut en couleurs, au pittoresque à la fois pathétique et réjouissant, fournit à la fresque sérieuse et grave qu'est la chronique son contrepoint d'extravagance. Le voici en liberté. – THÈMES : *Moi. Société. Science. Littérature.*

Tu me feras l'amitié de croire, dit le Dr Raymond Pasquier, comme Laurent se préparait à replier sa serviette, tu me feras l'amitié de croire que si je t'ai prié de venir, ce n'est pas pour te raconter des balivernes. Ne te hâte point. Nous n'avons pas fini. Que serait un repas sans fromage, mon cher ? Il me semble que je t'ai dit cent fois mon sentiment sur ce point. Tu es un biologiste, mon expérience devrait te séduire, et pourtant je crois que tu n'y comprends pas grand-chose : la vie t'intéresse moins que les doctrines. Fâcheux, fâcheux, mon ami.

10 Le Dr Pasquier souleva délicatement la cloche à fromage, la fit vibrer d'une chiquenaude pour en éprouver le cristal, considéra d'un œil avivé le plat qu'elle recouvrait et dit, avec un sourire qui faisait frémir ses belles moustaches félines :

— Il paraît que les vignerons du Bordelais parlent, pour le raisin, de la pourriture noble. A mon avis, le mot est faible. Pourriture sacrée me conviendrait mieux.

— Ram [1] ! dit Mme Pasquier d'un air contrarié. On dirait que tu prends plaisir à mettre ensemble des mots qui ne devraient jamais se rencontrer.

M. Pasquier choisissait et disposait avec soin sur son assiette, dans un ordre calculé, de petits morceaux de fromage. Il dit, la voix gravement jubilante :

— La vie est une pourriture sacrée. Nous ne pouvons vivre sans faire alliance avec les forces souveraines de la putréfaction. Seulement, nous disons fermen-
20 tation, par décence, peut-être par peur. Moi, je n'ai pas peur. J'aime la vie, donc j'aime la pourriture sacrée. Regarde bien ce que je mange et sers-toi, mon garçon, si le cœur t'en dit et si tu n'es pas une mauviette comme mon gendre... comment l'appelles-tu ? Faubert, Fouchet [2]... Je ne saurai jamais. Le mari de Cécile, enfin. Regarde, il y a là des fromages de vache, de chèvre et de brebis. Les uns sont diffluents, larmoyants, pressés de se répandre. D'autres sont ambrés, translucides, réduits déjà par une sévère consomption. En voilà qui sont cornés, secs et durs comme des pierres savoureuses. Non, mais regarde, compare et sers-toi, ne serait-ce que pour me donner une opinion avantageuse de ma progéniture. Les fromages les plus frais ne sont pas nécessairement les plus naïfs.
30 Il y a en a qui sont, dès l'égouttoir, dès le lait, si l'on peut dire, touchés, hantés par une effervescence démoniaque. D'autres attendent l'extrême vieillesse pour s'abandonner aux microbes rares et précieux. Et tout cela rivalise de parfum, d'imprévu, de fantaisie, d'invention. Pense, Laurent, les microbes ! Des milliards d'êtres vivants qui ont tous une certaine façon de vivre, des habitudes et de l'imagination, à leur manière. Eh ! Eh ! Les gens qui ne comprennent rien au

— 1 Diminutif familier du prénom du Dr Pasquier. — 2 Le nom du mari de Cécile est | Fauvet. Le Dr Pasquier, qui ne l'aime pas, affecte de ne pouvoir se rappeler ce nom.

fromage parlent de délicatesse... Ce n'est pas de leur côté qu'est la délicatesse, mais du mien.

Le gourmet venait de lamper un trait de vin et reposait sa timbale. Il fit claquer sa langue et dit :

40 — Je n'ai pas encore eu le moyen de me constituer une cave. On en parlera plus tard, si mes projets portent fruit et je ferai vieillir des vins.

— Ram, fit Mme Pasquier d'un air inquiet, tu ne m'as pas encore parlé de ces projets. Ne vas-tu pas te lancer dans quelque nouvelle extravagance ?

Le Dr Pasquier se leva, remplit sa poitrine d'air, se donna deux ou trois coups de poing dans les côtes pour faire sonner la cage thoracique et se prit à moduler diverses onomatopées et clameurs.

— Extravagance ! Houm ! Humm ! Extravagance ! criait-il. Voilà comme vous parlez, gens de peu de foi. Vous dites extravagance et moi je dis esprit d'entreprise, initiative, courage, innovation, curiosité, vitalité. Vous-mêmes, les enfants, qui
50 devriez me bénir, vous me considérez avec une circonspection toute voisine de l'ingratitude. Et, puisque j'ai l'occasion de vous le dire, eh bien ! je le dis. Tout le monde m'a trouvé ridicule quand l'idée m'est venue de recommencer des études et d'apprendre *rosa-la-rose* à quarante-cinq ans passés [3]... Je sais, je comprends : j'ai moyennement réussi jusqu'à l'heure actuelle. Mais si je ne m'étais pas décidé une bonne fois, si je n'avais pas commencé mes études..., où seriez-vous aujourd'hui, vous autres ? Toi, Laurent, tu serais peut-être employé de commerce et ta sœur Cécile serait dans la nouveauté, dans la mode, ou dans quelque chose du genre. Elle montrerait un certain talent sur la mandoline et on dirait d'elle : « Avec un peu de travail, elle aurait gagné du renom. » Il faut
60 qu'à certain moment quelqu'un donne le signal et se dispose à partir. C'est ce que j'ai fait. Après, le reste marche tout seul. D'ailleurs, je considère que, pour moi, tout n'est encore qu'au commencement. Tu verras ! Tu verras ! Vous verrez tous !

Cécile parmi nous, chap. III (Mercure de France, éditeur).

« *Cette pesante raison...* »

Parmi les enfants Pasquier, CÉCILE la musicienne, la « princesse », est sans doute la plus belle création de Duhamel. Mariée à un intellectuel snob, personnage finalement assez vain, Richard Fauvet, elle devient de plus en plus l'image vivante d'un autre monde, un être d'essence supérieure, et ainsi s'explique le titre, presque exclamatif, du volume : *Cécile parmi nous.* Son frère LAURENT éprouve pour elle une affection tourmentée, et entre eux se développe un *pathétique dialogue* à partir du moment où Cécile a eu la révélation de Dieu, tandis que Laurent, « grandi dans les laboratoires du nouveau siècle », reste attaché à son agnosticisme rationaliste. Alors que Cécile vient de perdre son fils âgé de deux ans et qu'elle a décidé de se séparer de son mari, elle retrouve Laurent pour un ultime dialogue, qui est aussi un affrontement. – THÈMES : *Religion. Métaphysique. Science. Déterminisme.*

Le jeune homme, une fois de plus, saisit le bras de sa sœur. Il parlait maintenant si bas que Cécile l'entendait à peine.

— Qu'es-tu venue faire parmi nous, Cécile ? Qu'es-tu venue faire au milieu de nos misères ?

Cécile ne répondit pas tout de suite à cette question surprenante, mais elle dit, après un moment :

— 3 Il avait fait preuve d'originalité en entreprenant fort tardivement ses études de médecine.

— Ne va pas t'imaginer, Laurent, que ceux qui cherchent Dieu, c'est qu'ils ne veulent plus souffrir. Je ne cherche plus. J'ai trouvé. Je suis sûre d'avoir trouvé. Pourtant, je n'ai jamais tant souffert que depuis cette rencontre. Je
10 souffre autrement, voilà tout. C'est presque inexplicable. C'est une façon nouvelle d'endurer toute souffrance.

Laurent montra soudain ce regard pressant et naïf qui, dans l'homme accompli, laissait refleurir l'enfant.

— Penses-tu, demandait-il, que la douleur puisse avilir une âme ?

— Moins que la joie, fit Cécile, sûrement moins que la joie.

Un peu plus tard, elle dit encore :

— Je ne suis en aucune façon une âme métaphysicienne. Je ne demande pas à mon Dieu d'avoir créé ce monde incohérent. Tu vois, Laurent, je ne suis pas selon les livres des docteurs. Mais ils ne me rejetteront pas, j'en suis sûre. Je
20 ne demande à mon Dieu que de me permettre de l'aimer. Je lui demande aussi la grâce de souffrir sans honte et sans désespoir et, plus tard, demain peut-être, une autre grâce : celle de mourir sans regret. Je ne suis pas bien savante. Je sens que mon cœur est encore tout plein de contradictions. Mais qu'on me laisse chercher, trébucher, faire mes faux-pas. Je finirai par suivre ma route.

— Nous autres, murmurait Laurent, nous autres, gens de la science, nous avons aussi nos dieux, nos rites, nos dogmes, nos lois et d'étonnantes liturgies. Les hommes se sont imaginé qu'ils pourraient vivre sans dieux, mais les plus sages commencent à comprendre que c'est impossible [1].

30 Les deux jeunes gens, ainsi devisant, venaient de s'arrêter devant une petite église, basse, humble, presque villageoise, serrée sur les deux flancs par de hautes bâtisses moroses [2].

— Je connais cette maison, dit Laurent. Sœur, je t'y ai suivie un soir, et tu ne le savais pas. J'ai fait cela parce que je t'aime.

— Entre avec moi, s'écria Cécile.

— Non, sœur, ce n'est pas possible. Oh ! j'y ai songé cent fois. Cent fois, je t'ai dit, en rêve : « Prends-moi, emporte-moi. » Mais non, ce n'est pas possible. J'ai bu, dès le commencement, des breuvages qui m'ont empoisonné pour le restant de mes jours. Il faut maintenant que je me débatte avec cette pesante raison
40 qui ne me comble pas, mais qui m'a donné des habitudes tyranniques et dont je sens bien que jamais je ne pourrai me délivrer. Mais je t'envie, sœur, je t'envie. Il me semble que je vois s'élancer un beau navire et que je reste seul, sur le quai, en agitant un mouchoir.

Cécile avait saisi la main de son frère et la balançait lentement, comme font les enfants pour s'inviter à la course.

— Non, répéta Laurent, non, Cécile. Nous allons nous séparer. Nous sommes déjà séparés.

— N'en crois rien, dit la jeune femme. Je vais entrer seule dans l'église, puisque tu ne veux pas m'y suivre ; mais je ne me sépare pas de toi. Rien ne peut, à
50 l'avenir, me séparer de toi.

Laurent fit avec les épaules un geste de lassitude, puis il se détourna sans hâte et s'en alla, suivant comme au temps de son enfance, la bordure du trottoir, pendant que l'éternelle serviette pleine de papiers et de livres lui battait contre le flanc.

Cécile parmi nous, chap. XXVIII (Mercure de France, éditeur).

— 1 Allusion possible à Bergson (cf. p. 474). — 2 Saint-François-de-Sales, près du parc Monceau.

JULES ROMAINS

Sa carrière Louis Farigoule (1885-1972) est né à Saint-Julien-Chapteuil, dans le Velay de ses ancêtres ; mais son père était déjà instituteur à Paris. Naissance provinciale, enfance parisienne : celui qui deviendra Jules Romains en littérature unit dans sa personne ces deux traits qu'il répartira, dans *Les Hommes de bonne volonté*, entre Jean Jerphanion et Pierre Jallez (cf. p. 481, 486, 489).

LA VIE UNANIME. C'est Paris qui lui apporte, dès 1903, la révélation de l'*unanimisme*, et il amorce, avant d'avoir vingt ans, une carrière de poète (cf. p. 31). En 1905, il est reçu à l'École normale supérieure où il poursuit des études philosophiques tout en marquant un grand intérêt pour les sciences naturelles (il publiera en 1920 de curieuses *Recherches sur la vision extra-rétinienne*). Agrégé en 1909, il enseignera la philosophie dans divers lycées jusqu'en 1919. Cependant sa vocation littéraire l'absorbe de plus en plus. Dès 1906, son service militaire à Pithiviers lui a inspiré un récit, *Le Bourg régénéré*, dont le sujet préfigure le roman de *Donogoo-Tonka* et la farce satirique de *Donogoo* (1930) : c'est déjà la mystification créatrice, l'influence des fantaisies de l'imagination sur la vie collective. Nouvelle mystification dans *Les Copains* (1913) : une joyeuse bande d'amis monte un énorme « canular » qui tire de leur torpeur deux bonnes vieilles sous-préfectures d'Auvergne .

Dans l'intervalle, *Mort de quelqu'un* (1911) constitue un véritable *exercice unanimiste* (cf. p. 479). La vie collective y prend beaucoup plus de réalité que la vie individuelle : ainsi, dans une diligence, un vieillard se rendant à l'enterrement de son fils se fond dans le *groupe* des voyageurs qui devient un être autonome : « Le groupe ne sentait rien d'extérieur. [...] Le groupe s'irritait de ne pouvoir remuer par lui-même. [...] Le groupe, soudain, exista vers la femme qui avait parlé. » *Sur les quais de La Villette* (1914) rassemble des récits également unanimistes, moins significatifs mais plus détendus (titre définitif : *Le Vin blanc de La Villette*).

L'ŒUVRE MAÎTRESSE. Après la Première Guerre mondiale, pendant laquelle il est mobilisé dans le service auxiliaire, Jules Romains se consacre surtout au théâtre, dans les années 1920-1930 qui virent le triomphe de *Knock* (cf. p. 424). Il fait paraître peu de romans (*Lucienne*, en 1922, premier titre de la trilogie de *Psyché*, complétée par *Le Dieu des corps*, en 1928, et *Quand le navire...*, en 1929) ; mais c'est durant cette période que s'élabore son œuvre maîtresse, *Les Hommes de bonne volonté*.

Les quatre premiers volumes de ce « roman-fleuve » original dans sa conception paraissent en 1932 ; suivent, jusqu'en 1939, deux tomes par an. Après le désastre de mai 40, Jules Romains gagne les États-Unis, puis le Mexique ; il est de ceux qui n'acceptent pas la défaite et préparent les temps meilleurs. Il publie les tomes XIX-XXIV à New York et les trois derniers volumes des *Hommes de bonne volonté* à son retour en France, où l'attend un fauteuil à l'Académie française (1946). Après la guerre ont paru un beau récit du Moyen Âge, *Bertrand de Ganges*, puis *Violation de frontières*, *Interviews avec Dieu*, *Le Fils de Jerphanion* (1956), *Un grand honnête homme* (1961), *Marc Aurèle* (1968), *Amitiés et Rencontres* (1970).

Les Hommes de bonne volonté LE DESSEIN. Dessein grandiose que celui de Jules Romains composant *Les Hommes de bonne volonté* : il s'agit en effet de brosser une vaste fresque de la vie politique, économique et sociale entre 1908 et 1933. Le cadre déborde même la France : ainsi sera évoquée la naissance du régime soviétique en Russie (tome XIX, *Cette grande lueur à l'Est*). Mais les individus, replacés dans le courant de l'histoire, ne seront pas submergés : ils conserveront l'autonomie d'une vie authentique.

On songe à *La Comédie humaine*. Pourtant Jules Romains ne suivra pas les traces de Balzac ; il explique pourquoi dans sa Préface. Au romancier qui veut peindre le monde de son temps, la tradition offre deux procédés. Le premier, celui de Balzac, « consiste à traiter, dans des romans séparés, un certain nombre de sujets convenablement choisis, de sorte qu'à la fin la juxtaposition de ces peintures particulières donne plus ou moins l'équivalent d'une peinture d'ensemble » ; mais, selon Jules Romains, « nous gardons l'impression que l'unité de la série reste extérieure et par surcroît se complique d'un artifice ». Le second procédé consiste à écrire un long roman comme *Les Misérables* ou *Jean-Christophe* (cf. p. 105), dont l'unité est assurée par « la personne et la vie du héros principal » ; il sera également écarté, car il risque soit de sacrifier la peinture de la société, soit de réduire le héros à n'être qu'un simple prétexte. Et l'auteur inaugure un troisième procédé, *unanimiste* : pas de héros « miraculeusement élu », pas d'« action rectiligne », ni même d'« harmonie trop simple entre des actions multiples » ; mais « une diversité de destinées individuelles qui cheminent chacune pour leur compte, en s'ignorant la plupart du temps. »

L'EXÉCUTION. Le don majeur de Jules Romains, c'est de *susciter notre intérêt* pour les êtres et les milieux les plus divers, pour des activités dont certaines, dans la vie, n'attirent nullement notre attention. Il nous fait connaître des ouvriers à leur travail (cf. p. 491), des « humbles » comme l'abbé Jeanne, des puissances de la politique, de l'Église, de la finance, sans parler du chien Macaire, avec son humour et son plaisir à s'encanailler... Nous suivons aussi « passionnément » les spéculations d'Haverkamp que les rêves du petit Bastide poussant son cerceau dans une rue de Montmartre ; la camionnette d'un électricien ambulant réveille en nous un atavisme d'artisanat que nous ignorions ; nous sommes initiés à des intrigues de toute sorte ; nous lisons tels épisodes (*Le Crime de Quinette*, *Journées dans la montagne*) comme des romans policiers qu'ils sont en effet. C'est un foisonnement de vie, individuelle et collective, qui s'estompe parfois dans un halo de poésie, poésie secrète de Paris (cf. p. 481), poésie plus colorée, plus offerte, de Nice où il fait bon vivre (cf. p. 486).

Cet intérêt soutenu s'explique par une technique sûre et par des qualités intellectuelles remarquables. Animé d'une *curiosité universelle*, l'auteur complète par une *documentation rigoureuse*, d'une précision scientifique, sa connaissance de milieux très variés. Il a *le goût de l'humain* et un sens lucide de son inépuisable *diversité*.

On ne « raconte » pas Les Hommes de bonne volonté. *Disons simplement que, si ces vingt-sept volumes ne sont pas dominés par un héros, ils s'organisent autour de* deux personnages *qui ne sont pas sans parenté avec leur créateur ; « hommes de bonne volonté », les normaliens* JALLEZ *et* JERPHANION, *camarades de la promotion 1908, partagent l'idéal de Jules Romains : ils rêvent d'une large « confrérie des honnêtes gens » qui ferait* régner la paix entre les hommes *(cf. p. 486 et 490).*

Existence posthume

Un homme est mort, un certain Godard, cheminot retraité, qui « existait modérément par lui-même » et « n'existait qu'à peine par les autres ». *C'est la mort qui lui donne un regain d'existence,* car il devient la pensée commune, la raison d'être du *groupe* qui va se constituer autour de son cercueil. Tandis que sa chair se dissout, le mort se révèle au contraire *pôle d'attraction,* force de *regroupement.* Nous passons sans transition de Paris en Auvergne et d'Auvergne à Paris : ce « simultanéisme » tend à nous faire *sentir concrètement cette attraction* qui abolit les distances. Ainsi Godard continuera d'exister tant que vivra un être qui se souvienne de lui. – THÈMES : *Mort. Société. Littérature.*

A Paris, dans la chambre, au quatrième, la chair du cadavre se débattait contre le néant. Après le dernier hoquet de l'agonie, elle avait éprouvé d'abord comme une espèce de délivrance. Mais la mort qui venait d'engloutir l'homme rongeait maintenant morceau par morceau la chair de l'homme.

Au deuxième étage de la maison, une femme était sortie de chez elle, tenant dans sa main droite les clefs bruissantes, et avait frappé à la porte voisine : « Qu'en dites-vous ? j'ai une idée. Si les locataires offraient une couronne à ce vieux qui est mort ce matin, une petite couronne par souscription ? »

Pendant ce temps, sur le chemin, le père approchait du bourg. C'était le soir.
10 La lumière pour s'en retourner à l'ouest avec le soleil se détachait des choses ; elle n'était plus appliquée comme en plein jour, si étroitement qu'on ne distingue plus la chose de sa lumière. Elle flottait à quelque distance, elle était un voile que la respiration des choses avait l'air de soulever.

Le mort essayait de se concentrer vers la maison de Paris. Comme un escargot, lentement, visqueusement, il ramenait ses extrêmes antennes, et tout son être peu à peu sous sa coquille.

Il avait abandonné le cadavre ; cette chair qu'il avait possédée soixante ans, qu'il avait crue son inséparable, il la laissait à un millier d'âmes inconnues. Toutes ces âmes, elles surgissaient de la chair.

20 Quand la chair était à lui, il ne s'était jamais douté qu'il y en eût tant, tant de soumises et de patientes, mais déjà en embuscade, guettant l'occasion. Il ne leur disputait plus ce corps.

Mais alors le vieillard entrait dans le bourg [1] ; des familles allumaient leurs lampes ; malgré les rideaux on apercevait les intérieurs, car le jour les maisons voient la rue et pensent vers elle ; le soir, c'est la rue qui voit les maisons et qui pense vers les lampes.

Il traversa le pont en trébuchant un peu à cause de l'ombre, le pont où l'enfant avait couru le matin pour porter la nouvelle.

A Paris, une femme avait dit, en réglant la mèche d'une lampe : « Eh bien !
30 c'est entendu, madame ; ma petite fille ira avec la vôtre chez les locataires ; on ne refuse jamais à des fillettes. »

Le vieillard longeait la berge ; la boutique du cordonnier était sombre ; Godard s'en réjouit ; il n'était pas forcé de deviner qu'il y eût quelqu'un, et il pouvait continuer sa route sans détourner la tête, sans se faire interroger par les bavards. Puis il réfléchit : « Au fond, ils n'en savent rien ; la dépêche est arrivée tout de suite là-haut. » Dans la boulangerie, une grosse carcel[2] créait des formes jaunes. Le marchand debout dans l'embrasure avait son ombre sur le chemin.

— Bonsoir !

40 — Bonsoir !

Le vieux se mit à pleurer. Le besoin lui en venait soudainement. Si l'homme ne lui avait rien dit, il n'aurait pas pleuré. Tant qu'il était seul sur le chemin, il se sentait encore juste assez de joie, de cette vieille joie qu'on a de vivre, pour mater son chagrin nouveau. Mais quand l'homme avait crié : « Bonsoir ! » et que lui s'était arrêté devant la porte, toute la sérénité de son cœur l'avait fui ; il n'avait gardé que le désespoir.

Mort de quelqu'un, IV. (Librairie Gallimard, éditeur).

— 1 C'est le père du défunt. Prévenu par | conduira à la gare la plus proche. — 2 Lampe télégramme, il va prendre une diligence qui le | à huile (du nom de son inventeur).

LES « SIGNAUX » DE PIERRE ET D'HÉLÈNE

En lui confiant des souvenirs d'enfance au cours de leurs longues promenades, le Parisien JALLEZ initie Jerphanion, provincial du Velay, à la *poésie de la grande ville* et à celle des *amours enfantines* chantées par Baudelaire. Cette page qu'on va lire révèle en outre le vif intérêt qu'inspirent à l'auteur les *sociétés secrètes* et leurs *rites ésotériques*, qu'il s'agisse de la franc-maçonnerie, de telle organisation internationale secrète, de certains aspects de l'Église catholique, des Compagnons du Tour de France ou des chemineaux. Ici ce sont deux enfants, Pierre Jallez et Hélène Sigeau, qui, perdus dans la « ville tentaculaire », se sont créé ce *monde clos* dont rêvent sans doute tous les enfants et tous les amoureux ; inspirés par leur tendresse, par le goût du mystère et d'une innocente complicité, ils ont inventé *des signes de communication intelligibles pour eux seuls ;* ils ont aussi retrouvé, en imaginant ces *idéogrammes,* la démarche qui permit à nos lointains ancêtres d'inventer l'*écriture.* – THÈMES : *Enfance. Amour. Bonheur.*

Tu n'imagines pas comme elle était attachante à considérer quand nous marchions le long d'une rue comme celle-ci, vers ces mêmes heures. Son air à l'aise ; son abandon total, sa confiance dans le flot. On en revient toujours à ces mêmes images. Dans notre première promenade, je t'ai parlé du « bon nageur [1] ». Tu es allé à la mer ? Non. Tu aurais vu ces enfants qui ont appris à nager tout petits, et qui ont une façon charmante de se laisser, de longs moments, porter, balancer par l'eau. On dirait qu'ils dorment dessus, un bras replié sous la tête.

10 Je ne lui ai jamais demandé si elle aimait Paris. Elle n'aurait pas compris ma question. Nous étions trop spontanés pour réfléchir à ça. Mais maintenant je pense à ma belle petite nageuse, qui me montrait si bien la façon de dormir sur le flot... En somme j'ai été ingrat avec elle. [...]

Jallez se juge ingrat *parce qu'il croyait avoir oublié son amie d'enfance. « Ma petite Hélène... Où peut elle bien être en ce moment-ci ? »*

Nos rendez-vous, en général, nous nous les donnions de vive voix, d'une fois sur l'autre. Mais comme il pouvait se produire des empêchements, des changements d'heure ou de lieu, nous avions conservé, en le développant, notre système de signaux. Il était devenu d'une grande subtilité, et d'une grande souplesse. Nous étions arrivés à tout exprimer par de petits dessins. Sans user de mots, ni de chiffres. Nos signaux restaient ainsi davantage notre propriété. Ils risquaient moins d'être effacés ou altérés par une main étrangère. Surtout, personne ne pouvait en soupçonner le sens. Pour les

20 inscrire, nous changions d'endroits. Mais plusieurs endroits nous servaient en même temps. Deux principaux : l'un plus près de chez moi, l'autre plus près de chez elle [2]. Il était convenu que celui de nous deux qui avait à donner ou à modifier un rendez-vous, bref à faire le signal, devait autant que possible aller l'inscrire à l'endroit le plus rapproché du domicile de l'autre. Par exemple, en sortant de chez moi, je passais devant le premier endroit

---

— 1 Cf. Baudelaire : « Et, comme un *bon nageur* | — 2 Il habitait rue Blanche, au bas de Montmartre ; qui se pâme dans l'onde... » (*Élévation*). | Hélène, près de la gare du Nord.

de signal, qui était à un moment donné rue de Navarin [3]. Si je n'apercevais
rien j'allais au rendez-vous. Mais si par extraordinaire je n'y trouvais pas
Hélène, après l'avoir un peu attendue j'allais à l'autre endroit de signal,
30 celui qui était tout près de chez elle.

— Pourquoi ces complications ?

— Mais si. Hélène pouvait avoir eu un empêchement à la dernière
minute, n'avoir pas eu le temps de courir jusqu'à la rue de Navarin. Un
rendez-vous manqué, c'est déjà très pénible. Mais s'il faut s'en retourner
sans explications, sans compter sur un autre rendez-vous, c'est encore bien
plus douloureux. Les signaux me donnaient une explication sommaire, et
un nouveau rendez-vous. Nous en avions d'autres qui ne répondaient à
aucune utilité, qui ne servaient qu'à la tendresse. Sept ou huit emplace-
ments convenus, en des lieux de Paris assez distants, où nous pouvions
40 avoir l'occasion de passer l'un sans l'autre. Comme il s'agissait là non
d'indications matérielles, mais de sentiments, il n'était pas grave et il
pouvait même être délicieux que le destinataire ne rencontrât qu'avec un
retard de plusieurs jours, ou parfois de deux ou trois semaines, le signal qui
lui était fait. Par exemple, un dimanche, j'accompagnais mes parents qui
allaient en visite dans la Plaine-Monceau. Je m'arrangeais pour leur faire
prendre la rue de Lévis [4] ; ou bien je m'écartais d'eux sous un prétexte. Alors
j'apercevais sur un étroit pan de mur, entre une fruiterie et une cordonne-
rie, quelque chose qui ressemblait vaguement à un entrelacement de
triangles ou de cercles, et qui me disait pour moi tout seul : « Je suis passée
50 ici lundi. Je pensais bien à toi, et je t'ai envoyé un baiser. » Tu imagines la
figure que ce pan de mur de la rue de Lévis, que la rue de Lévis elle-même
prenait pour moi ?

— Vous arriviez à vous dire tant de choses par un petit dessin ?

— Mais oui, comme dans les caractères chinois, où un tout petit détail
ajoute, par accumulation, une idée de plus. Les enfants adorent les
subtilités et le mystère. Les difficultés de notre langage symbolique ne nous
rebutaient nullement. Et Paris, outre tout ce qu'il était déjà pour nous, nous
devenait encore comme un clavier de communications occultes [5]. Tu me
diras que de petits amoureux auraient pu faire la même chose sur l'écorce
60 des arbres d'un chemin de campagne, ou d'une forêt. Non. Ce n'aurait pas
été la même chose. Autour de ces amoureux-là, il y aurait eu tellement de
silence et de solitude... Il faut te représenter la rumeur de Paris déferlant
sur nos signaux imperceptibles. Cette multitude, où nous arrivions à être
soudain présents l'un à l'autre. Songe à la force de « séparation » que
déploie une ville pareille.

Les Hommes de bonne volonté, III,
Les Amours enfantines, chap. XXIII (Flammarion, éditeur).

— 3 Tout près de la rue Blanche. — 4 A proximité du parc Monceau. — 5 Au tome XXV,
chap. 4 et 5, Vidal initiera le petit Charles Xavier
(cf. p. 491) au *langage secret des vagabonds :*
« Un rond, tout vide, ça voulait dire : *Rien
à faire. Inutile d'insister. On ne vous donnera*

pas de travail. On ne vous fera pas l'aumône. Si
le rond était traversé d'une flèche pointée vers
le bas, ça voulait dire : *Déguerpissez du patelin.
Il y aura des ennuis.* [...] A Paris aussi les mecs
se servaient quelquefois de signes sur les murs.
Mais pas les mêmes. »

VERDUN, 21 FÉVRIER 1916

Quoiqu'il n'ait pas connu le front, Jules Romains a su rendre avec une *vérité* admirable les combats de la guerre de 1914-1918. A la façon dont le récit anecdotique se fond dans l'atmosphère générale de la bataille, on reconnaîtra l'*unanimisme* de l'auteur. Le naturel des propos échangés, puis les comparaisons empruntées aux activités du temps de paix donnent à la guerre une *présence* étonnante : il nous semble que nous faisons corps avec la bataille, comme les combattants. Dépouillement et grandeur : c'est le plus bel hommage aux soldats de Verdun. – THÈMES : *Histoire. Guerre. Mort.*

Au cours d'une inspection des avant-postes, le commandant Gastaldi et son adjoint, le sous-lieutenant Mazel, sont surpris par un bombardement. Ils se réfugient dans un abri enterré. Mais il faudrait établir le contact avec l'arrière ; pas de téléphone ; on envoie un agent de liaison : passera-t-il ?.. Voici une nouvelle phase : après la préparation d'artillerie, l'attaque.

Ils se turent quelques instants. Le bombardement semblait bien s'être reporté plus au sud.

— Pour en revenir aux téléphonistes, dit le chef de bataillon, ç'a toujours été des farceurs. Tenez, je me rappelle une histoire qui m'est arrivée en Oranie du Sud, du temps que j'étais simple lieutenant sous les ordres de Lyautey. Le téléphone de campagne en était encore à ses débuts, pour ainsi dire. Et là-bas, ça n'avait peut-être pas une grande nécessité. Mais Lyautey — il n'avait pas encore fait son chemin — adorait qu'on soit moderne en tout. Il avait beaucoup d'amour-propre
10 pour les troupes coloniales. Il disait souvent : « Est-ce que vous vous prenez pour des épaves du Second Empire ?... » Alors, un jour...

Gastaldi s'interrompit brusquement. Il regarda Mazel, la bouche ouverte.

— Hein ?

— Oui...

— Chut !...

Ils écoutaient, comme ils avaient écouté, quelques heures plus tôt, le cœur de Raoul devenu imperceptible [1].

Il n'y avait pas de doute. On n'entendait plus rien. Ce n'était pas
20 simplement une accalmie, approximative ou locale. Plus rien jusqu'au fond de l'horizon, strictement plus rien. Le bombardement s'était arrêté d'un coup, comme certains orages.

— Mauvais, ça, murmura Mazel. Il regarda sa montre : 16 heures. Le silence durait depuis une minute. Il se glissa vers l'ouverture de l'abri, avec un reste de précautions. Il vit le sous-bois encore plein de poussière et de fumée. Des brindilles achevaient de tomber des branches. Tout sentait la ruine fraîche. Cela ressemblait à la minute qui suit l'effondrement d'une maison. Le silence était jeté là-dessus comme un drap sur un mort.

— 1 Le lieutenant Raoul commandait la | tout proche d'un obus de 77, il est dans le Grand'Garde I ; commotionné par l'éclatement | coma.

Pendant ce temps, Gastaldi avait rampé jusqu'au trou du fond de la
30   sape. Il regarda attentivement la portion du ravin et l'étroite bande des
lignes ennemies que son œil pouvait atteindre. Rien ne bougeait encore
dans le jour déjà déclinant.

Les deux hommes se retrouvèrent au milieu de l'abri.

— Ils sortent ?

— Je n'ai rien vu.

— Qu'est-ce qu'on fait, nous ?

Le commandant haussa les épaules :

— Si je pensais que nous ayons le temps de rentrer...

Il retourna au fond de la sape :

40   — Venez ! Venez, cria-t-il, les voilà !... Passez-moi un fusil. Il y a les
fusils de ces pauvres bougres [2], dans l'encoignure en face de vous.
Donnez-m'en un. Quand le magasin sera vidé, vous me passerez l'autre.
Est-ce que vous voyez assez clair pour recharger ?

— Vous ne croyez pas, dit Mazel en lui tendant le premier fusil, que
nous serions plus utiles là-bas ?

Mais Gastaldi venait d'entrer dans une sorte d'exaltation :

— Allez-y si vous voulez. Moi, je tire... Il n'y a personne pour les
recevoir. Tout le monde est mort. Je ne les laisserai pas monter comme ça.

*
* *

A la première ligne du Bois d'Haumont, du Bois des Caures, du Bois
50   de Ville, de la Montagne, de l'Herbebois, il y avait, çà et là, des gens qui
par hasard n'étaient pas morts. Par paquets de deux ou trois, dans une
tranchée, dans un abri. Quelquefois même, dans une plus parfaite solitude,
celle d'un homme réellement seul, au milieu d'une terre éboulée et de
camarades morts. Chacun pensait comme Gastaldi qu'à gauche ou à droite
tout le monde était mort.

Chacun de ces survivants solitaires voyait ainsi de petites silhouettes,
couleur de sauterelle grise, sortir là-bas de la tranchée ennemie ; sortir
non par un jaillissement dru, mais peu à peu, presque une à une. Sans
aucune précipitation. Comme des ouvriers de la voie qui ayant fini leur
60   travail verraient arriver le train de plates-formes qui doit les ramener,
et se dirigeraient vers lui en traînant leurs souliers sur le ballast.

Des silhouettes courbées ; avec un bras droit ballant, lequel tenait
un instrument assez court, qui était un fusil ; avec une tête surbaissée
par le casque, rendue pareille à une enflure pustuleuse, à un bubon.

Les silhouettes ne montaient pas vite ; ne montaient même pas droit.
Elles avaient l'air de choisir leur chemin. Cela ne ressemblait nullement
à un assaut. On aurait dit des gens qu'on a chargés de recueillir des choses

---

— 2 Des deux soldats qui se trouvaient dans │ l'abri, l'un a tenté d'établir la liaison, l'autre a dû
│ périr sous le bombardement.

« *Vie des martyrs* »

François Flameng, « À Souchez (Artois) – 18 décembre 1915 ». (Aquarelle.
Musée de l'Armée, Paris. Ph. Hubert Josse © Arch. Photeb – D.R.)

La guerre des tranchées

   Parmi les témoignages des combattants de cette guerre de la longue souffrance (cf. **p. 558**), le plus remarqué fut *Les Croix de bois* (1919) de ROLAND DORGELÈS, engagé dès 1914. On ne peut oublier l'épisode du Mont Calvaire où l'on voit, dans une tranchée, les hommes d'une escouade écouter dans l'anxiété les coups de pioches des sapeurs allemands qui poussent dans leur direction une galerie souterraine pour faire sauter leur position. L'angoisse redouble quand la pioche s'interrompt : « *Ils doivent bourrer la mine... [...] Toc... Toc... Toc... Elle creusait toujours... Toc... Toc... Puis elle s'arrêtait... Nous écoutions alors, plus angoissés. Non. Toc... Toc... Toc...* ».
   L'escouade est enfin relevée par des inconnus condamnés à attendre, eux aussi, dans la terreur. Les rescapés venaient d'atteindre le premier village de l'arrière quand « *brusquement, venu de loin, un bruit sourd ébranla la nuit* ». La mine venait de sauter. « *La colonne, comme au commandement, s'était arrêtée. Plus une voix. On écoutait encore, le cœur serré, comme si on avait pu, de cette rive, entendre les cris. Les canons aussi s'étaient tus, pour écouter. Mais non, plus rien, c'était fini...*
   — *Combien qu'ils étaient ? demanda dans le rang une voix étranglée.*
   — *Dix, répondit quelqu'un. Et quatre mitrailleurs* ».

tombées ; ou qui cherchent des champignons dans l'herbe, des escargots
dans les buissons.

70   Chacun des survivants était donc persuadé qu'il était seul, ou qu'ils
étaient deux ou trois camarades seuls, tout seuls en première ligne, à voir
venir ces visiteurs un peu lents, et gris sauterelle. Que pouvait-il faire à
lui seul ? Que pouvaient-ils faire à deux ou à trois dans les décombres de
leur tranchée ? Pourtant ils se mettaient à tirer en écartant le camarade
mort qui les empêchait de s'appuyer au parapet, comme trois heures plus
tôt ils en avaient écarté un autre pour casser la croûte. Et quand il leur
restait une mitrailleuse que le bombardement n'avait pas démolie, l'un des
survivants pointait la mitrailleuse, et l'autre passait les bandes.

        Alors ils étaient tout surpris d'entendre que de loin en loin, le long de la
80   première ligne, d'autres fusils tiraient ; que d'autres mitrailleuses faisaient
tac-tac-tac-tac... « Tiens ! ils ne sont pas tous morts ! » se disaient-ils. A
quoi ils ajoutaient aussitôt : « Mais en arrière, qu'est-ce qu'ils font ?
Qu'est-ce qu'ils attendent pour venir nous aider ? Qu'est-ce qu'ils attendent pour demander l'artillerie [3] ? »   *Les Hommes de bonne volonté*, XVI,
                                                 Verdun, chap. VII (Flammarion, éditeur).

Douceur d'un monde habitable

        Dans cette *lettre* de Nice, JALLEZ annonce à son ami Jerphanion qu'il le retrouvera bientôt
à Paris, avant de gagner Genève où l'attend un poste à la Société des Nations. La *douceur de
la vie*, que son séjour à Nice lui apprend à mieux goûter, donne tout leur sens aux fonctions
qu'il va exercer désormais : il s'agit en effet de travailler pour la paix, pour la préservation
de cette merveilleuse et fragile réussite humaine qu'est *une civilisation*, « un monde habitable ». Ce texte illustre d'abord l'esprit d'une époque, de ces années 20 qui virent s'épanouir
une « mystique de la S.D.N. » ; mais il déborde largement cet intérêt documentaire. Lorsque
ces lignes parurent, la Seconde Guerre mondiale était commencée : ainsi les réflexions de
Jallez, tout en prenant une saveur *amère*, invitaient le lecteur à *espérer, malgré tout,* et
révélaient chez l'auteur le ferme propos de poursuivre, en dépit de la guerre, *le grand combat
pour la paix* (cf. p. 489). – THÈMES : *Histoire. Guerre. Civilisation. Bonheur.*

Nous ferons deux ou trois grandes balades, au moins, à travers Paris. Je
pense aux vieilles rues de Ménilmontant, dans le haut, à celles qui courent
à flanc de colline, avec leurs petites maisons de 1830 à l'enduit craquelé. Nous
cheminerons interminablement pour aller finir du côté de la Seine, à Bercy.
Qu'en dis-tu ?

        Chemin faisant, je te parlerai de Nice, que tu es un criminel de ne pas connaître.
Je suis sûr que tu adorerais cette ville. Elle est plus précieuse que jamais à des
gens comme nous.

        Ce qui me plaît dans mon histoire de la S.D.N. [4], c'est que, sans me faire trop
10   d'illusions sur les vertus *actuelles* de l'institution elle-même, ou sur le rôle
évidemment modeste que j'y pourrai jouer, j'aurai du moins cette consolation de
travailler dans le sens du bien, dans le sens de « Dieu ». Cette S.D.N. n'est
sans doute qu'un commencement, mais un commencement grandiose. Le plus

---

— 3 Si les artilleurs ne déclenchent pas le tir de   barrage, c'est que, faute de liaison, ils ne savent sur
quoi tirer. — 4 Société Des Nations.

« *Vie des martyrs* »

Marcel Gromaire, « La Guerre », 1925. (Musée d'Art moderne de la Ville
de Paris. Ph. Léonard de Selva © Arch. Photcb © by SPADEM 1988)

Les morts-vivants

Cette puissante évocation de la « vie des martyrs », selon le titre de Georges Duhamel (cf. **p. 558**), est à rapprocher des textes de Jules Romains (cf. **p. 483**), Roland Dorgelès (cf. **p. 485**), Henry de Montherlant (cf. **p. 533**), Henri Barbusse (cf. **p. 558**), et, pour la Seconde Guerre mondiale, des témoignages d'André Malraux (cf. **p. 541** et **545**) et de Robert Merle (cf. **p. 699**).

lointain avenir — si l'avenir ne nous est pas refusé, si notre monde ne périt pas
— partira de là. C'est le baraquement, à la place où se construira l'Église
Universelle. Oui, je sens cela comme une Église, comme la naissance d'une
Église [1]. Et je voudrais le faire sentir aux autres. S'il tenait à moi, j'aimerais
travailler à susciter et à répandre une mystique de la S.D.N.

20   Je crois à l'universel ; et je crois aussi de plus en plus à ce qui dans l'univers
est floraison, faveur du sort, enclos préservé, réussite, éminence, grâce exceptionnelle de la nature et du temps ; et il ne me semble pas que ceci soit en
contradiction avec cela.

    La terre est une faveur du sort, un enclos préservé, une réussite. L'humanité
en est une, en dépit de toutes ses misères. Notre civilisation en est une, en était
une hier, du moins.

    Mon hiver à Nice m'a fait sentir tout cela encore un peu plus fort. Nice est une
rencontre insolente de faveurs. Le long des rues de Ménilmontant, qui ce jour-là
je l'espère sauront se procurer en notre honneur un gentil soleil d'avant-
printemps, je tâcherai de t'expliquer pourquoi tu aimerais Nice comme moi, s'il
30 t'arrivait d'y passer quelques semaines.

    Une baie qui vaut celle de Naples, dans un style plus simple et plus grand ; des
collines plus belles, plus variées, plus riches de détails et d'excitations que celles
de Florence ; à dix kilomètres de la place Masséna, de ses cafés, de ses arcades,
un village comme Aspremont qui pourrait être l'un des plus sauvages de la Corse
ou des Balkans ; à quarante kilomètres de la Promenade des Anglais, de ses jeunes
femmes, de ses ombrelles, Peira-Cava, comblée de neige, environnée de cimes
alpestres et de glaciers, et d'où l'on voit, comme du Trophée de la Turbie [2], la
mer briller au loin et en bas. La vieille ville, qui est un concentré d'antique
civilisation méditerranéenne dans sa bonhomie de chaque jour et sa ténacité de
40 chaque siècle ; la ville nouvelle qui me plaît par sa richesse bien avouée, point
honteuse d'elle-même, sa facilité, son absence de morgue, par la dose de mauvais
goût qui sied à la surabondance, par le résumé et le témoignage qu'elle est
d'une longue époque heureuse, celle qui s'étend de la fin du cauchemar
napoléonien au début du cauchemar de 14 : ce cher XIXe siècle qui, pour nous
faire plaisir, pour nous permettre à nous autres de savoir ce que c'est qu'un
monde habitable, avait fait un enjambement d'un peu plus de dix ans sur le
calendrier.

    Mais plus que tout, une saveur de la vie, en chaque recoin répandue, et que
l'on sent dans la plus banale rue traversière, dans la dernière ruelle des vieux
50 quartiers ou des vallons de banlieue, comme on sent l'odeur d'un feu de bois courir
partout dans une maison propre.

    Propre et saine. Car tout cela se porte bien. Tout cela ne gémit pas d'être né,
n'accepte ni davantage n'attire la malédiction. Tout cela, dans la bonne
conscience et comme religieusement, atteste la douceur de la vie.

    Le reste du monde ne semble pas être de la même humeur, vas-tu me dire. Oh !
je sais, je suis payé pour le savoir [3]... Et c'est peut-être le reste du monde, ravagé
par les sombres délires, qui finira par avoir raison. Mais ce jour-là, c'est « Dieu »
lui aussi (quel que soit le sens qu'on donne à ce mot) qui sera battu.

    Les Hommes de bonne volonté, XVIII, *La Douceur de la vie*, chap. XIX (Flammarion, éditeur).

— 1 Cf. le titre du tome VII des « Hommes de bonne volonté » : *Recherche d'une Église.*
— 2 Monument romain qui domine la mer.

— 3 Au sens propre !... si Jallez va être *payé* comme fonctionnaire de la S.D.N., c'est parce que la guerre menace.

Pèlerinage aux toits de l'École

Au nombre des traditions normaliennes figure la promenade sur les toits de l'École, exercice presque acrobatique du temps où n'existaient pas encore les nouveaux bâtiments et leurs accueillantes terrasses. Ancien combattant, marié, père d'un petit garçon, secrétaire d'un homme politique et bientôt député lui-même (les élections de 1924 sont proches), « l'archicube » JERPHANION accomplit donc un « pèlerinage » sur ces hauts lieux. D'abord humoristique, le ton devient grave lorsque Jerphanion mûri se compare au jeune homme qu'il fut, se demande s'il a su conserver « l'élan initial ». Le bilan est triste, de tant d'efforts vainement déployés *pour faire régner la paix.* Mais cet *homme de bonne volonté* ne renoncera pas : il veut croire qu'il réussira peut-être ou qu'un autre réussira quelque jour là où tous, jusqu'ici, ont échoué. Cette page est un peu la « prière sur l'Acropole » de Jerphanion et de Jules Romains.

THÈMES : *Guerre. Civilisation. Progrès. Souvenir. Temps. Amitié.*

Il dit au caïman [1] Belplanque :
— Je voudrais aller faire un tour sur les toits.
— Vraiment ?... Vous croyez ?
— Pourquoi pas ?
— C'est tout de même assez dangereux.
— Pas plus qu'autrefois, je suppose.
— Oui, mais...
— Vous insinuez que je ne suis plus aussi jeune ?
— Plus aussi habitué.
10 — Je prends la responsabilité sur moi.
Ils montèrent aux étages supérieurs. Jerphanion s'aperçut qu'il avait oublié le chemin. Belplanque le conduisit jusqu'à une petite porte. Jerphanion eut l'impression de la reconnaître. Il se retourna :
— Merci, cher monsieur. Maintenant je vais me débrouiller tout seul. Je vous ai assez dérangé.
— Mais non. Je n'ai rien à faire. Je vous accompagnerai.
« Me voilà joli » pensa Jerphanion. Il dit :
— Écoutez, mon cher camarade... si cela ne vous ennuie pas trop. Je préfère être seul. Pour moi, c'est un peu un pèlerinage.
20 L'autre fit un regard inquiet.
« Il s'imagine peut-être que j'ai l'intention de me jeter dans la cour. »

*
*   *

Jerphanion fut accueilli aussitôt par le Panthéon, la Tour d'Henri IV, le Val de Grâce, et une masse de souvenirs dont la cohésion et le mordant étaient inattendus.
Il revit la pèlerine de Caulet [2], la tête un peu penchée de Caulet. Il réentendit sa voix : « Comme un vol de gerfauts hors du charnier natal... » Les propos de

---

— 1 Dans l'argot de la rue d'Ulm, un *caïman* est | élève de l'École. — 2 Camarade de Jerphanion à un agrégé répétiteur, un *archicube* est un ancien | l'École normale.

Caulet, arrivant soudain du passé, vinrent l'éclabousser comme une vague. Il lui sembla que rien n'avait jamais été dit d'aussi amusant, d'aussi jeune ; que plus rien jamais ne serait dit. Le monde, depuis ce jour rougeâtre de l'automne 1908, avait perdu de la sève.

30 « Rare Caulet ! Combien de fois l'ai-je revu depuis la guerre ? Nous sommes tous des gâcheurs... Le monde, comme un four noir. Une ponctuation d'amitiés, une chaîne à la fois secrète et flamboyante comme Cassiopée ; seule excuse peut-être pour une telle quantité d'abîme. Quand je m'apercevrai que c'est ça, la vérité, la moitié de mes amis seront morts, et par négligence j'aurai perdu les autres. »

Il avait grimpé les marches ajourées, atteint la plate-bande striée de minces traverses. « J'ai un petit peu peur... comme jadis... ni plus ni moins. Haudromont[3] n'a rien enlevé à la peur, rien ajouté. »

« Un bon promenoir pour la rêverie ambitieuse... » Il avait pensé cela jadis, en ce même lieu ; textuellement ces mots-là.

40 « Qu'est-ce que je suis venu faire au juste ?... Retrouver l'élan initial... Les jours uniques, où l'on est foudroyé par sa propre vérité. Retrouver. Ressaisir. Faire comme si l'on était de nouveau ce jour-là... Alors ?... Comme si rien ne s'était passé ? [...]

« Je suis venu chercher ici l'élan initial, oui, mais pour retrouver une ardeur, et non des formules ; pour mettre mon ardeur d'alors au service de ma foi de maintenant. Je serai bientôt un homme de quarante ans, hélas... Ne nous vieillissons pas. J'ai trente-sept ans. Quand je ferai mes débuts à la Chambre, j'en aurai trente-huit. Je ne veux pas que la foi de cet homme de bientôt quarante ans se projette avec moins d'énergie que si elle sortait d'un homme de vingt ans. 50 Voilà tout. Bien sûr, j'aimerais mieux avoir en avant de moi, de nous, un monde nouveau à construire que ce monde-ci d'abord à sauver. Mais c'est l'histoire qui a choisi pour nous. Et nous ne construirons ensuite que si nous avons d'abord sauvé. D'ailleurs, le salut ne s'obtiendra lui-même que par construction. L'homme qui dresse la digue couvrant un village menacé est plus constructeur à lui seul que tous les maçons du village. L'homme qui construirait la paix pour au moins deux générations — et ensuite l'habitude de la paix serait la plus forte — abriterait de son envergure les fabricants de lois, les réparateurs et rajeunisseurs de sociétés, comme les poètes et les savants, le souk de la beauté comme le souk de la justice, les rangées en long et en large d'artisans myopes 60 et ingrats qui oublient que tout leur bazar serait soufflé par la catastrophe.

« J'en suis sûr. J'en suis sûr. »

En même temps qu'il se le répétait, il se sentait approché par une pensée anxieuse :

« D'autres en ont été sûrs avant moi : parce qu'étant nés plus tôt ils avaient déjà réuni assez de réflexion et d'expérience ; ou parce que leur clairvoyance était plus précoce que la mienne — comme Laulerque. Alors pourquoi ont-ils été impuissants, mon Dieu ? Pourquoi ne m'ont-ils pas empêché d'aller au ravin d'Haudromont ? Pourquoi n'ont-ils pas réussi à faire que sept ans après Verdun je ne tremble pas pour mon petit garçon, pour le petit garçon du paysan qui 70 m'interrogeait dans la montagne [4], pour cette masse de ville en face de moi avec ses cheminées et ses dômes, pour tous les vivants, pour toutes les maisons ?

« Alors, c'est qu'ils n'ont pas su ? Il faut que je me dise qu'ils n'ont pas su. Et il faut que je sache pourquoi ils n'ont pas su. Il faut que je questionne ceux que

---

— 3 L'un des champs de bataille de Verdun. — 4 Au cours d'une tournée électorale.

je peux atteindre ; comme l'explorateur qui part à la découverte du pôle
questionne ceux qui ont essayé avant lui, et qui ont raté. Il faut que je me
rende compte si c'est la foi qui leur a manqué, ou les moyens, ou une atmosphère
favorable. Qu'une chose n'ait jamais encore été réussie ne prouve rien. Toutes
les inventions de l'homme ont commencé par être des échecs de l'homme. Tant
qu'un fléau n'a pas été vaincu, les hommes de peu de foi prétendent qu'il est
80 invincible. Chaque fois que je me sentirai découragé, ou douteur, j'évoquerai
cet endroit où je suis, cette minute. »

Les Hommes de bonne volonté, XXII,
Les Travaux et les Joies, chap. III (Flammarion, éditeur).

VIDAL A L'OUVRAGE

Le petit Charles XAVIER est élevé dans un orphelinat ; son père a été tué en 1918,
sa mère l'a abandonné à sa naissance. Un jour son « correspondant » VIDAL, électricien
ambulant, obtient de l'emmener avec lui en tournée. Ancien voyou, Vidal s'est battu
bravement et la guerre l'a transformé. En outre, avant la mort du sergent Xavier, il lui
a promis de veiller sur Charles. Celui-ci, qui a quatorze ans, est émerveillé par l'ingénieux
agencement de la camionnette de Vidal. Il lie amitié avec la chienne Vivette, d'abord
un peu jalouse. Mais la tournée est commencée, et c'est maintenant la dextérité de
l'électricien qui va susciter l'admiration de l'enfant, comme celle de l'auteur et la nôtre.
Dans le vaste panorama de notre époque constitué par *Les Hommes de bonne volonté*,
Jules Romains réserve une place importante au *travail manuel*. Ici *l'éminente dignité du
travail* apparaît d'autant mieux si l'on songe au passé de Vidal.
THÈMES : *Société. Peuple. Psychologie. Littérature (Portrait).*

Viens avec moi à la camionnette. Tu tâcheras de bien te rappeler
où je prends mes affaires. Ça pourra te servir pour une autre fois.
La visite à la camionnette fut l'occasion d'un petit dialogue entre
Vidal et la chienne.
— « Ne bouge surtout pas » disait Vidal. « Je vais rester longtemps. »
Il appuyait sur le mot longtemps, et il l'accompagnait d'un hochement de
tête lent, plusieurs fois répété, avec lequel la chienne devait être familière.
Elle répondit par des gestes des oreilles et de la queue, et par un faible
gloussement. Le tout voulait dire, à l'évidence : « Compris. On ne bouge
10 pas. Ce n'est pas spécialement drôle. Mais on y est habituée. »
Le travail s'engagea et se poursuivit sans incident notable. Charles
avait admiré l'adresse de Vidal dans sa façon de parler aux gens. Il
l'admira de nouveau dans son traitement de l'ouvrage. Le jeune garçon
ne connaissait pas le métier d'électricien, mais il avait vu souvent des
camarades, ou des adultes, travailler auprès de lui. Il savait déjà qu'il
existe plus d'une manière de travailler gauchement, et qu'elles se
trahissent dès les premiers gestes. Il y a l'homme, jeune ou vieux, qui
semble n'avoir rien prévu, rien calculé, qui change perpétuellement
d'avis, qui a des repentirs, qui recommence. Il y a celui qui semble
20 n'avoir pas de mémoire ; s'il remonte une pièce, il s'aperçoit en terminant

qu'il en a oublié une autre qui doit se fixer au-dessous. Il y a celui qui n'a jamais l'outil qu'il lui faut sous la main ; quand il est en haut de son échelle, c'est toujours son marteau qu'il trouve au moment d'arracher un clou, ses tenailles au moment d'en planter un. Alors il ne cesse de trotter, en maugréant, du haut en bas de son échelle, persuadé que la guigne s'attache à lui. Il y a celui qui est constamment affolé, comme si la petite difficulté qu'il rencontre se présentait pour la première fois dans l'histoire du monde. Celui qui est constamment en sueur, comme si l'immensité de la besogne le débordait. Et dix autres
30 qui vous jouent chacun, avec une conviction que rien n'entame, leur comédie particulière.

Vidal, lui, était beau à regarder. Il glissait à travers son travail, sans accrocher jamais, comme s'il eût repéré d'avance tous les chemins. Il ne semblait pas pressé. On eût dit qu'il acceptait une occasion comme une autre d'occuper ses mains pour se distraire l'esprit. Sa longue habitude de travailler sans aide lui avait donné en effet des élégances d'acrobate ou de prestidigitateur. A la seconde même où le besoin s'en faisait sentir, l'on voyait de dessous son bras, d'entre ses jambes, d'une poche de sa veste, on avait envie de dire : de sa manche, sortir un
40 tournevis, une vrille, une pince, un marteau, une mignonne paire de tenailles. Soudain apparaissait entre son pouce et son index le boîtier d'un double-mètre en métal élastique. Le ruban de métal filait le long du mur, puis rentrait brusquement, comme l'immense langue d'une bestiole. Jamais la mesure n'était fausse. Jamais l'on n'entendait Vidal grogner des « Zut ! » ou des « Sacré ceci ou cela ». Il prenait toute la responsabilité de l'affaire. Il n'accusait point les clous de se tordre exprès, ni le bois de se fendre, ni le plâtre du mur d'éclater par morceaux. Tout ce qu'il se permit en ce sens fut de dire une fois : « Les murs ne sont pas fameux. » Dans son attitude à l'égard du travail il restait même, peut-être, quelque
50 chose de l'ancien voyou : le refus de prendre la chose trop au sérieux, d'être trop servilement absorbé ; de s'étonner de ce qui étonne ou déconcerte les autres ; une trace de mépris ; l'affectation de loisir au sein de l'attention et de l'effort. Quand il regardait l'ouvrage, de ses longs yeux plissés, de son visage mince et fripé, il tenait à mettre les distances.

De temps en temps, il descendait de l'escabeau, allumait une cigarette, se reculait, examinait ce qui restait à faire. Puis il coupait une longueur de fil, renouvelait la provision de pointes dans sa poche, changeait sous son bras un outil contre un autre. Charles n'avait guère à l'aider. Quelquefois Vidal s'en excusait :
60 — Tu t'embêtes ? Je ne te fais rien faire.
— Oh non ! Je regarde. Ça m'intéresse.
— Tiens. Voici un tournevis. Démonte-moi le vieil interrupteur. C'est facile.

Les Hommes de bonne volonté, XXV, *Le Tapis magique*, chap. VI (Flammarion, éditeur).

LE ROMAN PSYCHOLOGIQUE

Tel s'en va chercher l'homme sur les routes du monde et sacrifie, au moins provisoirement, à l'attrait des contrastes : ainsi Louis Chadourne (*Le Pot au noir,* 1923) et son frère Marc (*Vasco,* 1927) ; les frères Jérôme et Jean Tharaud, dans leurs enquêtes vivantes et compréhensives (*La Rose de Saron,* 1927) ; Paul Morand, qui cultivait alors un aimable cosmopolitisme (cf. p. 771). L'évasion par le rêve (Francis de Miomandre) ou par l'intrigue romanesque (Pierre Benoit : *L'Atlantide,* 1919) ne laisse pas de contribuer, elle aussi, à cette vaste enquête. Bref, tout roman est *psychologique* à quelque titre ; mais sous cette rubrique nous grouperons les *analystes* qui, joignant l'introspection à l'observation, ont voulu avant tout, sans mettre l'accent sur les problèmes métaphysiques, approfondir notre connaissance de la *nature humaine* et se sont inscrits de la sorte, après une Madame de La Fayette, un Benjamin Constant, dans l'illustre lignée de nos *moralistes.*

RAYMOND RADIGUET

Un génie adolescent   Au lendemain de la Première Guerre mondiale, c'est à un adolescent, RAYMOND RADIGUET, que revient l'honneur de renouveler la tradition française du ROMAN D'ANALYSE. Sa trop brève carrière se présente sous le signe d'un *double prodige :* une étonnante *précocité* qui rappelle Rimbaud, et, chez un jeune homme qui appartenait à l'avant-garde cubiste et dadaïste, une parfaite *maîtrise* des sentiments, de la pensée et du style, aboutissant à cette *banalité supérieure* qui, selon Gide, caractérise le *classicisme.*

Né au Parc Saint-Maur en 1903, Radiguet écrit des vers dès l'âge de quatorze ans ; à quinze ans, il collabore à des revues (*Sic,* puis *Littérature, Aujourd'hui,* etc.) ; à seize ans, il correspond avec André Breton, Tristan Tzara et commence à écrire un roman, *Le Diable au corps,* qui paraîtra en 1923. Devenu l'ami de Max Jacob et de Jean Cocteau, il publie en 1920 un recueil de poèmes, *Les Joues en feu,* donne en 1921 une comédie loufoque, *Les Pélican* (c'est-à-dire « la famille Pélican »), et rédige la même année un conte, *Denise.* Il meurt de la typhoïde, en décembre 1923, sans avoir vu paraître son second roman, *Le Bal du comte d'Orgel* (1924).

LE DIABLE AU CORPS serait une « fausse confession » comme celles « où l'on se charge de méfaits non commis, par orgueil ». « Le roman exigeant un relief qui se trouve rarement dans la vie, il est naturel que ce soit justement une fausse autobiographie qui semble la plus vraie. » Pendant la guerre de 1914-1918, un adolescent devient l'amant d'une jeune femme dont le mari combat sur le front... Écoutons encore l'auteur : « On y voit la liberté, le désœuvrement, dus à la guerre, façonner un jeune garçon et tuer une jeune femme » ; devant les responsabilités qu'il aurait à assumer, il apparaît que le héros n'est pas encore un homme, et Marthe, sa maîtresse, meurt... ; le mari élèvera l'enfant qui n'est pas le sien.

Quant au BAL DU COMTE D'ORGEL, c'est une version moderne de *La Princesse de Clèves :* l'héroïne, Mahaut d'Orgel, lutte désespérément contre la passion qui l'entraîne vers François de Séryeuse — jusqu'à tout avouer à son mari. Chez un auteur si jeune, la pénétration psychologique tient de la *divination,* mais l'analyse tend à devenir *une fin en soi,* au lieu d'aboutir à la communion ; ce qui était pudeur dans le roman de Mme de La Fayette risque de paraître ici froideur et détachement. Le lecteur est partagé entre l'admiration et une sorte de gêne devant cette *lucidité implacable.*

DÉTRESSE ET JOIE D'ÊTRE AIMÉE

Mahaut d'Orgel vient d'écrire à la mère de celui qu'elle aime : elle lui avoue son amour, lui demande son aide (« Il faut donc que François ne me voie plus. ») ; mais elle affirme que cet amour n'est point partagé. « Elle me cache la vérité, pensait Mme de Séryeuse [...] Elle me ménage. » Mahaut a écrit cette lettre pour obtenir du secours contre elle-même ; elle le croit du moins, mais, *inconsciemment*, n'a-t-elle pas aussi trouvé là un moyen de faire savoir à François qu'elle l'aime, et d'obtenir la preuve qu'elle est aimée ? Admirable exemple de l'*ambiguïté* des actes humains et des sentiments secrets, surtout lorsqu'un être, si pur soit-il, est *envahi par la passion*. L'entrevue de Mme DE SÉRYEUSE avec MAHAUT illustre cette même ambiguïté, compliquée par le malentendu initial, la « maladresse » des deux femmes et cette contagion de l'amour qui transforme Mme de Séryeuse. — On reconnaîtra dans cette page l'influence de Stendhal. THÈMES : *Femme. Amour. Psychologie.*

Ce fut dans sa chambre que Mahaut reçut Mme de Séryeuse. Elle avait fait dire qu'elle n'était là pour personne, sauf pour elle. Les deux femmes parlèrent d'abord de choses indifférentes.

Mme d'Orgel ne savait comment aborder un tel sujet. Devant ce silence Mme de Séryeuse se dit : « Il faut que ce soit plus grave encore que j'imagine. » Et, persuadée de ses torts, elle commença, timide, comme si c'était elle qui eût été en faute :

— Je n'ose vous apporter mes excuses au sujet de mon fils...

— Oh ! Madame ! Quelle bonté ! s'écria Mahaut. Et, mue par son
10 cœur, elle prit les mains de la mère.

Sur ce terrain glissant, comme des patineuses novices, ces deux femmes pures rivalisèrent de maladresse.

« Non, non, disait Mahaut, je vous affirme que François est étranger à ce drame. »

Mme de Séryeuse, convaincue que c'étaient là les derniers scrupules de Mahaut, s'écria qu'elle savait à quoi s'en tenir sur les sentiments de François.

— Que vous a-t-il dit ? demanda Mme d'Orgel. — Mais je le sais, enfin ! répliqua Mme de Séryeuse. — Mais quoi ? — Qu'il vous aime.
20 Mme d'Orgel poussa un cri. Mme de Séryeuse eut vraiment le spectacle d'une détresse humaine. Tout le courage de Mahaut venait-il d'une espèce de certitude que François ne l'aimait pas ? Une joie folle éclaira une seconde son visage, avant que Mme de Séryeuse pût voir cet être déraciné, secoué par la douleur. François arrivant en cet instant, elle était à lui. Rien n'aurait pu l'empêcher de tomber dans ses bras, pas même la présence de sa mère.

Mme de Séryeuse comprit tout. Effrayée, elle chercha vite à se reprendre.

— Je vous en conjure, s'écria Mahaut, ne m'arrachez pas ma seule joie, ce qui me fera supporter mon devoir. Je ne savais pas qu'il m'aimât. Heureusement mon sort ne m'appartient plus. Je vous demande donc

Le Diable au corps

« *Le Diable au corps* », *film de Claude Autant-Lara (1947), d'après le roman de Raymond Radiguet.* (Ph. © Coll. Cahiers du Cinéma)

« Les amoureux sont seuls au monde »

Une image émouvante du *Diable au corps* (cf. **p. 493**). C'est l'armistice et la rue est pleine de soldats en liesse. Seuls dans leur détresse, l'adolescent (Gérard Philipe) et sa maîtresse (Micheline Presle), dont le mari va rentrer du front, se serrent l'un contre l'autre : leur rêve va s'écrouler.

30   encore davantage de me cacher François. S'il m'aime, inventez ce que vous voudrez, mais ne lui dites pas ce qui est vrai ; nous serions perdus.

A parler de son amour, et à la mère de celui qu'elle aimait, Mme d'Orgel se complaisait presque. Après ses premiers transports :

— Il doit venir, ce soir, à notre dîner, dit-elle d'une voix plus assurée. Comment l'en empêcher ? Je ne pourrai le revoir sans m'évanouir.

Au fond Mme de Séryeuse préférait agir sans retard. Encore sous l'influence de cette scène, elle convaincrait mieux François. Elle le trouverait sans doute à sept heures chez les Forbach.

— Il ne viendra pas, dit-elle. Je vous le promets.

40   Ce qui, dans cette scène, n'eût pas le moins stupéfait Séryeuse, eût été l'attitude de sa mère, qu'il croyait froide. Le spectacle de cette passion réveillait chez elle la femme endormie. Elle avait les larmes aux yeux. Elle embrassa Mahaut. Toutes deux sentirent leurs joues brûlantes et mouillées. Quelque chose de presque théâtral grisait Mme de Séryeuse. — C'est une sainte, se disait-elle, en face du calme que donnait à Mahaut la certitude d'être aimée.

Le Bal du comte d'Orgel (Grasset, éditeur).

Comme la princesse de Clèves, Mahaut en sera réduite à avouer à son mari qu'elle aime un autre homme ; *mais, soucieux avant tout de sauvegarder les apparences mondaines, le comte d'Orgel, avec « une frivolité grandiose », entend bien que François de Séryeuse paraisse au bal qu'ils vont donner...*

JEAN GIRAUDOUX

Avant de trouver sa voie au théâtre (cf. p. 438), JEAN GIRAUDOUX fut connu comme romancier, depuis un recueil de nouvelles, *Provinciales*, paru en 1909, jusqu'à *Églantine* (1927). Dans l'intervalle, outre trois livres concernant la guerre (cf. p. 438, § 2), il avait publié *Simon le Pathétique* (1918) ; *Elpénor* (1919) ou l'*Odyssée* vécue par le moins courageux et le moins brillant des compagnons d'Ulysse ; *Suzanne et le Pacifique* (1921, cf. p. 497) ; *Siegfried et le Limousin* (1922), d'où naîtra sa première pièce, *Siegfried ; Juliette au pays des hommes* (1924, cf. p. 499), et *Bella* (1925). Ses succès à la scène ne mirent d'ailleurs pas une terme à sa production romanesque, et il donna encore les *Aventures de Jérôme Bardini* en 1930, *Combat avec l'Ange* en 1934 (une jeune femme tente vainement d'introduire le tragique dans sa vie et dans son amour), enfin *Choix des élues* en 1939.

LA TENTATION DU ROMAN A CLÉS. Ses fonctions au Quai d'Orsay, les hommes politiques qu'il y connut ont laissé une trace dans certains de ses romans. Ainsi, dans *Bella*, Philippe Berthelot (cf. p. 438, § 3) lui inspire la belle figure de Dubardeau, tandis que Raymond Poincaré est injustement maltraité sous le nom de Rebendart ; dans *Combat avec l'Ange* nous voyons mourir un Briand idéalisé, Brossard. Louange ou satire, cet aspect de roman à clés, s'il pique notre curiosité, n'est pas le meilleur de son œuvre.

PRÉCIOSITÉ OU POÉSIE ? Loin de la satire, plus loin encore de tout « réalisme », Giraudoux emprunte d'ordinaire les sentiers de la *fantaisie* et de l'*humour* où nous aimons à le suivre. Sentiers si charmants qu'il semble parfois oublier le but, parmi *les méandres de son imagination et les arabesques de sa phrase*. Ce sont des romans peu consistants, des aventures peu croyables et qui ne cherchent pas à l'être, des figures — surtout féminines — aimables dans leur gratuité. Détours, chatoiement des images, quintessence d'impressions ou de sentiments, n'est-ce point là une nouvelle *préciosité* ? Mais on pourrait dire de

Giraudoux ce que Brunetière disait de Marivaux : « Il est singulier dans l'exécution parce qu'il est neuf dans l'invention ». De fait, flirtant avec le romanesque, fouillant les analyses, toujours piquant, Giraudoux rappelle Marivaux romancier, mais son amour de la vie s'étend à *toute la nature*, qu'il évoque avec une *poésie* subtile.

SITUATION DE L'ŒUVRE. Les romans de Giraudoux sont aujourd'hui éclipsés, non sans raison, par son théâtre. Ils illustrent pourtant, avec moins de vigueur et plus de désinvolture, le même *humanisme souriant* (cf. p. 439). On peut trouver qu'ils « datent » un peu, déjà ; et certains pardonneront mal à l'humoriste d'avoir ri du « monologue intérieur » (cf. p. 499). Cependant ne serait-il pas juste de considérer comme un *précurseur* l'auteur de romans où l'intrigue compte si peu et dont les personnages servent surtout de support ou de prétexte à de délicates analyses psychologiques ? (cf. le « *nouveau roman* », p. 762).

Suzanne et ses noyés

Quelque temps avant la guerre de 1914, une jeune fille de Bellac, Suzanne, échappe seule à un naufrage et trouve refuge dans une île déserte, mais accueillante, du Pacifique où elle vit agréablement, parmi les oiseaux. Mais un jour elle entend au loin tonner le canon (c'est le combat de Coronel, du 1ᵉʳ novembre 1914) ; puis un noyé aborde à son île, et bientôt sa solitude va être peuplée de corps rejetés par la mer...

Quel *tact* ne fallait-il pas pour jouer ainsi avec la mort, sans une fausse note, sans nous choquer jamais, sans même donner dans l'humour noir ! Étonnant Giraudoux à qui les morts parlent encore le doux langage de la vie, comme les noyés apportent à Suzanne le message des vivants et le témoignage que la vie des hommes continue là-bas loin d'elle, toujours aimable et attirante, en dépit même de la guerre.

THÈMES : *Guerre. Mort. Femme. Psychologie.*

Soudain (j'eus la terreur d'un philosophe qui sentirait sa pensée non se poursuivre par chaînons et écluses mais se reproduire en grouillant comme une culture), je vis des cadavres aborder de partout. Ils abordaient là où eussent abordé des hommes vivants ; ils étaient une vingtaine épars à cet assaut ; de toutes les petites criques par où je sortais de mon bain, sortait en ce moment un homme. D'autres pris dans le courant passaient au large, chacun avec sa nage propre, champion dans la mort de l'overarm [1], des épaules hors de l'eau et des bras dressés, là une tête, là une main, là-bas un pied, et en rasant la mer à niveau on eût eu de quoi me refaire le corps entier de Johnny [2]. Mais
10 la plupart collés au rivage s'usaient, inlassables, à la pierre ponce ou à la nacre, avec ces saccades enfantines que nous donnent à nous les poussées de la mer.

Comme les hommes sont dissemblables, — si légers, si pesants, si fins, si grossiers, si vulgaires et si dignes jusque dans la mort, que je devinai dans ces cadavres les reconnaissants et les ingrats ! Après chaque sauvetage, je me reposais, mais déjà presque modelée par une demi-heure de contact ou d'étreinte à certaine forme d'homme, désorientée quelques minutes devant le corps suivant, corps habillé alors que l'autre était nu, souple quand l'autre était raide, forçant mes bras et ma piété à épouser vingt formes différentes. Parfois la lune éclairait le noyé, je m'habituais à son visage ; parfois je repêchais un corps dans
20 l'ombre, et plus tard, sur le rivage, je ne le reconnaissais pas, il me semblait venu sans moi. Parfois une vague inattendue poussait le corps, j'avais l'im-

---

— 1 Sorte de *crawl*. — 2 Le premier naufragé découvert par Suzanne.

pression qu'il s'aidait... Le soleil revint. A chaque corps retiré de la mer, elle avait changé de couleur..., pourpre à l'avant-dernier, rouge au dernier, et soudain vide de mort, toute bleue. Premier jour cependant où, depuis des années, je ne me baignai pas...

Je les comptai ; j'en trouvai d'abord dix-sept, puis seize ; puis le disparu revint. Les uns avaient la tête, les autres les pieds tournés vers la mer. De la tête s'envolait toujours quelque oiseau, plus curieux que sont les oiseaux des visages que des corps. L'un avait un grelot dans sa poche, et sonnait. Deux avaient
30 des alliances : j'eus désormais deux alliances au même doigt. Le plus jeune, imberbe, avait un veston noir avec des boutons d'or comme les collégiens chez nous ; rien n'y manquait, ni la cravate, ni la montre, comme aux collégiens un jour de grande rentrée ; c'était des vêtements faits sur mesure, de ceux que la mer n'arrive pas à enlever au corps, la ceinture était fixée au drap par des boutons-agrafes, et le midship [3] retenait de la main sa casquette, seul objet qu'il eût pu perdre dans le désastre. Toute la douce peur de perdre sa casquette, mélangée à la confiance en son col, en ses brodequins, illuminait et sanctifiait ce visage. Mais à mesure que le soleil chauffait, cette troupe que je croyais d'abord uniforme, je la vis se diviser en deux. L'alliance que tous les noyés
40 ont contre la nuit était rompue. Il y avait deux sortes de tricots, deux sortes de bérets ; c'est qu'il y avait eu deux navires ; il y avait deux sortes de têtes, de mains, même dans la mort deux attitudes ; il y avait deux coupes de cheveux : c'est qu'il y avait deux races... Alors je vis la guerre.

D'abord la compagnie de sept géants à chair blanche, jeunes tous et de taille égale comme un peuple mythique, les plus défigurés et les plus gonflés, comme s'ils n'avaient pas, eux, l'habitude de cette mort dans l'Océan, le visage si gras et leurs petites moustaches blondes si pommadées que l'eau restait sur eux en gouttelettes et n'avait pas désuni un poil, l'un avec un maintient-moustache, tous avec des instruments dans leur poche dont on n'a rien à faire au fond des eaux, des harmonicas, de petites flûtes, tous avec leur nom gravé à l'encre indélébile
50 sur leurs tricots, mais sans tatouages et anonymes dès qu'ils étaient nus, les ongles faits au polissoir, chacun rapportant sur son visage non pas, comme d'habitude les morts, une ressemblance avec quelque inconnu entrevu dans un orchestre ou une diligence, mais la ressemblance exacte avec le camarade d'à côté ; et dix corps en basane et en muscles, avec des cous d'otarie, avec des fils de laiton pour cheveux, de la corne pour ongles, de l'or pour dents, tous divers ressemblant tous (avais-je donc oublié à quoi ressemblent les hommes ?) à des chiens, à des chevaux, à des dogues, l'un à un chat, le midship à une femme, avec des poches toujours vides si ce n'est de tabac et de pipes, mais dont presque tous les corps
60 portaient le nom et les aventures, l'un avec la même Molly de Dakar [4], l'autre avec toute la bataille de Hastings, un troisième sa vie décrite depuis le cou en cinq ou six lignes, naissance, engagement, naufrage du *Sunbeam,* naufrage du *Lady-Grey,* et il restait pour inscrire sa mort toute une place réservée jalousement, sans doute pour des noms de femmes, tout le sternum.

Bref, « c'était sept matelots allemands contre dix de la Grande-Bretagne. » — Lorsque Suzanne peut enfin regagner la France, le Prince Charmant qui éveille cette Belle au bois dormant lui dit : « Je suis le contrôleur des poids et mesures, Mademoiselle... Pourquoi pleurer ?... » (cf. p. 443).

Suzanne et le Pacifique, chap. VIII (Grasset, éditeur).

— 3 Aspirant. — 4 Son nom figurait déjà parmi les tatouages de Johnny.

Juliette et le monologue intérieur

Avant d'épouser, à Aigueperse, son cher fiancé Gérard, JULIETTE accomplit un voyage d'un mois « au pays des hommes ». Elle veut retrouver ou connaître les hommes qui l'ont frappée, l'espace d'un instant, fût-ce pour avoir simplement entendu prononcer leur nom ; son dessein est « de voir, de toucher les sept ou huit existences qui eussent été sans Gérard ses existences possibles ». Ce voyage lui confirmera qu'elle n'a rien à regretter : la vie qui l'attend est plus belle que ses rêves d'adolescente. Comme elle l'espérait, elle a bien *délivré* la vraie Juliette, qui est venue « redonner du goût à [la] nuit et à [la] nature ». — A l'occasion de sa visite à l'écrivain Lemançon, Giraudoux raille le *monologue intérieur* mis à la mode par JAMES JOYCE (cf. p. 142) avec son *Ulysse ;* mais il ne raille pas seulement un engouement littéraire : cette page illustre *le combat* constant mené par Giraudoux *contre la montée des ténèbres,* qu'il s'agisse de la fatalité tragique ou des « monstres » qui sommeillent en nous. THÈMES : *Littérature (Monologue intérieur). Humour. Psychologie.*

Ainsi c'était cela le Monologue intérieur ! Ainsi il différait si peu des phrases que prononcent les vieillards qui parlent tout seuls. Lemançon donnait seulement à Juliette l'impression d'une vieillesse précoce. Comme elle avait eu raison depuis qu'elle savait parler de ne jamais vouloir prononcer un mot qu'en présence d'une autre personne ! Il y avait un témoin dans le monde à tout ce qu'elle avait dit. Ce n'est pas elle qui eût adressé la parole à un arbre, à une statue, mais quel bavardage dès qu'apparaissait un cantonnier vivant ! Une fois évidemment... et encore l'on pourrait discuter si parler devant un lapin de garenne, c'est du Monologue intérieur... Ainsi, alors qu'elle se donnait
10 au contraire à sa pensée pour s'épurer, pour n'avoir pas à avaler à chaque instant cette bouillie du langage, nourriture qui ne nourrit pas, voilà donc, sous le manteau du silence, les monstres qui se battaient en elle !... Lemançon continuait, et par son monologue, simplement en décrivant sa maîtresse, répondait tristement à toutes les questions que lui avait posées Juliette au début de la consultation : la vie c'était une suite d'irruptions de Fedora ; la mort, c'était Fedora, avec cette haine qu'elle a des ongles longs, coupant chaque soir jusqu'à la mise en bière les ongles du cadavre de Lemançon ; l'amour, c'était l'amour de Fedora, ce n'était rien, ce n'était pas du tout inespéré, ni curieux, ni spécial, c'était attendu, cela faisait mal. Tuer Fedora ! Ou la forcer à mesurer ses chevilles avec un mètre
20 de tailleur [1] !... Juliette aperçut soudain au fond d'elle-même, immobiles, tous ces monstres que déchaîne la confession, tous les contraires à tout ce qu'elle croyait savoir et aimer, monstres endormis, mais existants [2] : le contraire à son amour pour Gérard, à son affection pour son oncle, à son goût pour les crêpes, à sa modestie. Elle sentit tout ce qu'un être garde et défend en se taisant vis-à-vis de soi-même, et que tout humain qui n'est pas doublé à l'intérieur par un sourd-muet est la trappe par laquelle le mal inonde le monde. Elle se doubla de silence. Recouverts par cette couverture, les monstres qu'avait déchaînés Lemançon, le dégoût des hommes, l'appétit pour les chenilles, le désir de casser le service Empire de son oncle, se contentèrent de l'agiter doucement, comme des enfants sous une toile pour faire la mer.

Juliette au pays des hommes, chap. V (Grasset, éditeur).

— 1 « Vraiment la cheville de cette jeune visiteuse est fine. Autrement fine que celle de Fedora Brandès » (Monologue de Lemançon).

— 2 Selon Giraudoux, cette intimité avec soi-même conduit les rares écrivains français qui la pratiquent aux *transports* et à la *désolation.*

JACQUES CHARDONNE

BARBEZIEUX. Jacques BOUTELLEAU (1884-1968), JACQUES CHARDONNE en littérature, est né à Barbezieux. Descendant de marchands de cognac qui « soignaient amoureusement un produit parfait et le cédaient avec tout l'appareil des antiques coutumes de l'honneur », il a hérité d'eux un art de vivre qui tempère son inquiétude, un sens délicat des vertus de la bourgeoisie française et ce *goût aristocratique de la perfection* qu'il a manifesté dans son métier d'éditeur et surtout dans son œuvre. A ses origines il doit aussi la nostalgie du « bonheur de Barbezieux », d'une sagesse provinciale aujourd'hui menacée, qui se fondait sur des traditions séculaires et sur des échanges féconds, sans exaltation romantique, entre l'homme et la nature.

LE ROMAN DU COUPLE. Dès son premier ouvrage, *L'Épithalame* (1921), Jacques Chardonne a trouvé sa voie : il sera *l'analyste du couple*. « Quand j'écrivais mon premier roman, dira-t-il, je ne me doutais pas que, dans la suite, tous mes livres auraient à peu près le même sujet. Aujourd'hui, je sais que je ne pourrais décrire un personnage d'homme s'il n'est en contact avec une femme dans le mariage. Là seulement, il me paraît vivant et complexe. » De fait, après *Le Chant du Bienheureux* (1927), *Les Varais* (1929), *Éva* (1930) et *Claire* (1931) reprennent ce sujet, sous une forme plus linéaire que dans *L'Épithalame ;* puis c'est l'élargissement marqué par *Les Destinées sentimentales (La Femme de Jean Barnery, Pauline, Porcelaine de Limoges,* 1934-1936) ; mais le thème conjugal se retrouve à l'état pur dans *Romanesques* (1937). Après la guerre, Chardonne a publié encore *Chimériques* (1948), *Vivre à Madère* (1953), *Matinales* (1956), *Demi-jour* (1964), *Catherine* (1905-1964).

LE « CHANT DE L'AME ». *Moraliste* autant et plus que romancier, comme le montrent ses « mélanges » : *L'Amour du Prochain* (1932) et *L'Amour, c'est beaucoup plus que l'amour* (1937), ou *Le Bonheur de Barbezieux* (1938), Chardonne trouve son équilibre « entre ces deux pôles : émotivité et maîtrise de soi » (Maurice Delamain). Persuadé, comme un de ses héros, que « l'homme change très peu », qu'« il n'y a jamais eu qu'un homme sur terre », il fonde sur l'introspection ses analyses scrupuleuses, généralement mélancoliques ; il a voulu « montrer cette diversité dans l'identique : le même décor, presque les mêmes personnages, mais une nuance dans l'éclairage [transforme] tout, chaque fois. »

Ce *styliste* cherche la perfection dans *le dépouillement et l'harmonie* : « La simplicité ne permet pas une faute. » André Rousseaux discerne dans son œuvre « une sorte de chant de l'âme, un lyrisme qui n'a rien de sonore parce que sa tension est tout intérieure, une musique psychologique où l'on entend le cœur qui se brise à force de se connaître avec trop de lucidité. »

Autour de Chardonne   Jacques Chardonne est trop individualiste pour avoir jamais songé à faire école. C'est pourtant autour de lui que semble graviter un petit groupe, discret et raffiné, que l'on pourrait nommer *le groupe de Barbezieux :* Jacques Delamain, l'ami des oiseaux ; Germaine Delamain, traductrice du romancier anglais Charles Morgan qui sut chanter dans *Le Voyage* cette vieille et fine sagesse charentaise ; GENEVIÈVE FAUCONNIER *(Claude,* prix Fémina 1933 ; *Pastorales) ;* enfin HENRI FAUCONNIER, qui révéla, dans l'exotisme de *Malaisie* (prix Goncourt 1930), un goût de l'humain, un sens de la nature et du style comparables à ceux de son ami Chardonne.

« L'AMOUR INHABITABLE »

« Le principal pour un homme, écrit Jacques Chardonne, est la femme qu'il aime : il en retire tout le bonheur et toute la souffrance possibles. Elle donne à tout un goût fade, âcre ou délicieux » ; ou encore : « N'attendez pas que l'amour pour un être vous donne le bonheur. C'est un amour trop grave. » Ainsi, dans *Romanesques,* Octave a beau se plaindre d'Armande et se demander avec angoisse si elle l'aime ou ne l'aime pas, elle emplit sa vie, *elle lui est indispensable.* L'amour, avec l'analyse de soi et de l'être aimé qu'il entraîne, est à la fois la plaie de ces personnages et leur *dignité,* leur *richesse inépuisable.* Cette analyse appelle d'ailleurs la constante mise au point formulée par le héros d'*Éva :* « Si je n'écrivais pas, il y a bien des choses dans ma vie dont je ne m'apercevrais point. Je les remarque afin de les noter et, en les écrivant, je leur donne un relief qui les déforme. »
THÈMES : *Amour. Femme. Bonheur. Psychologie. Nature. Réel et irréel.*

Mon cher, elle est tout bonnement de ces romanesques qui ne s'enflamment que pour un personnage imaginaire. Elle te dira qu'elle m'a aimé d'un amour suprême, seulement cet homme aimé ce n'était pas moi. Bien sûr, elle m'aime encore ; son sentiment est attiédi, mais subsiste. Malheureusement, l'homme réel qu'elle croit encore chérir un peu, ce n'est pas moi non plus. Le premier personnage me surpassait ; le second m'est très inférieur. C'est un muet, sans figure, sans caractère particulier, je ne sais quoi d'édulcoré, réduit à l'état de symbole. Elle te dira qu'elle a souffert au début de notre union, que j'étais infidèle,
10 froid, égoïste, agressif. Ce n'est pas vrai. Elle a inventé cette déception. Les femmes de cette sorte ont une faculté d'invention inouïe ; elles adorent en vous un être merveilleux, mais la plus légère contrariété, un heurt du réel détruit cette image. Vous voilà costumé en personnage de l'enfer. C'est triste de n'être jamais vu tel qu'on est... c'est dommage. Au fond, ces imaginatives sont des inconscientes. Tout ce que j'ai fait pour Armande, elle ne l'a pas vu. Cela n'a jamais compté pour elle. Un homme rejette sa vie passée, abandonne en partie un métier qu'il aime, sacrifie une sécurité financière très douce, accepte la solitude et mille ennuis ; enfin, pour tout dire d'un mot qu'il faut entendre en plusieurs sens, se ruine
20 pour se vouer à une femme jour et nuit ; tu crois qu'elle s'en apercevra ? Il entendra les reproches de la femme éternelle qui se plaint d'être délaissée par un homme autoritaire, cruel, infidèle, absent. Reste à portée de vue, mets cinq lieues entre tous vivants et toi, dans un désert la femme est jalouse ! Tes complaisances infinies sont inutiles. Tu ne connaîtras que les larmes d'une enfant gâtée, la barbarie d'un être à qui on a trop donné...
Je m'aperçus qu'Octave avait conscience de ses sacrifices. Pourtant il ne concevait pas toute sa dévotion pour Armande. Justement, ses renoncements pour elle n'étaient pas un sacrifice. Il demeurait ici, parce qu'il ne pouvait plus en partir, voyager sans elle, s'intéresser à rien dont
30 elle fût absente. Je ne reconnaissais plus l'homme d'autrefois ; je ne trouvais plus trace de ses manies si ancrées, de ses penchants que j'avais crus définitifs ; il était entièrement soumis à sa femme.

Mais je ne pouvais croire les reproches d'Armande si chimériques :

— Tu étais peu doué pour l'amour et, jusqu'à trente-huit ans, tu n'as pu t'accommoder d'une femme. Un tel renversement t'a surpris et tu as très bien senti tout ce que tu donnais. Au début, tu as pu te reposer trop sur de grands témoignages.

— Non, mon vieux, Armande n'a pas d'excuse. Elle m'a prouvé que le bonheur est impossible. Voilà son crime... Ce n'est pas sa faute... C'est
40 la nature humaine qui est ainsi... C'est l'amour qui est inhabitable comme disait le bon Faguet... Non, je ne reproche rien à Armande... Que puis-je reprocher à un être exquis et qui est pour moi la perfection ?...

Harmonies   Caractéristiques du *psychologue,* de telles analyses ne sauraient pourtant illustrer tout l'*art* de Chardonne ; elles paraîtraient amères dans leur lucidité, si on les détachait d'un ensemble dont le *charme indéfinissable* tient en particulier à la notation subtile de poétiques *accords* entre l'âme et la nature. — C'est d'abord le narrateur qui parle ; ami d'Octave, il est devenu le voisin du couple, à « Dimours », sur une colline dominant la Seine.

L'air eut un goût âpre ; sans un souffle, sans pluie, les feuilles tombèrent et ce fut une autre saison, comme plus fixée, plus sombre, mais non pas dépouillée et au contraire toute enveloppée de brumes qui vous enferment dans des gris délicats, des tons de métal patiné où le vol des mouettes revenues sur le fleuve fait des éraflures blanches. Je me rappelais une impression semblable ; je l'éprouverai chaque année à cette place au début de l'hiver, et devant cette image répétée, si prévisible, je crus sentir l'affreuse stagnation de l'éternel.

Et voici des réflexions d'Octave. Ce site qui lui est cher, il devra le quitter pourtant...

D'où vient un attachement si fort ?... L'air, peut-être... Je ne sais quoi de pur, de savoureux dans l'air, de lumineux dans la maison... le fleuve... cette
10 ligne des bois... Tout cela, en réalité, je l'ai peu regardé... J'étais si distrait !... Cela me comblait le cœur et je n'y prenais pas garde. Les biens vraiment précieux, indispensables, nous les discernons à peine... Je me rappelle certains matins de mai, l'aubépine en fleur sous sa grosse dentelle, le tamaris avec ses plumes de corail rose et la vieille soie du fleuve entre les branches... Il y avait tant de choses colorées, odorantes, ailées, à respirer, à chérir, que je les négligeais, comme si j'avais pensé : c'est beaucoup trop... je ne pourrai pas tout retenir... Ce tamaris, cette aubépine, c'est assez pour le souvenir.

Romanesques, II, V et VI (Librairie Stock, éditeur).

MARCEL ARLAND

Un analyste   MARCEL ARLAND (1899-1986), ami de Jacques Chardonne, est lui aussi un *analyste* autant qu'un romancier. Né à Varennes-sur-Armance (Haute-Marne), il manifeste dès l'abord cette double vocation, en publiant presque simultanément un recueil de nouvelles, *Terres étrangères* (1923, suivi d'un roman, *Monique*) et un essai critique et psychologique, *Sur un nouveau mal du siècle* (1924). Ce sont ces réflexions sur le « mal » de la jeunesse contemporaine qui lui inspireront *L'Ordre,* roman austère auquel il doit la célébrité (prix Goncourt 1929).

Arland se montre ensuite plus détendu, et, sans renoncer au roman (*Terre natale,* 1938 ; *Zélie dans le Désert,* 1944), s'oriente de préférence vers la nouvelle : *Antarès* (1932), *Les Vivants* (1934), *Les Plus Beaux de nos jours* (1937), *Il faut de tout pour faire un monde* (1947), *L'Eau et le Feu* (1956), *A perdre haleine* (1960). Ce genre met en valeur ses qualités de *styliste* : aucune recherche, mais une maîtrise, une pureté et une discrétion de grand prosateur. Comme le souligne André Billy, il réalise lui-même le vœu formulé dans son essai *Sur un nouveau mal du siècle,* en créant « dans le désordre et le tumulte des esprits, une nouvelle harmonie » qui est aussi « une simplicité nouvelle », celle de l'homme qui « se penche sur son propre drame [...] avec l'enivrante misère de penser et d'être ému ».

Rédacteur en chef de la N.R.F. (avec Jean Paulhan) après la Libération, titulaire du Grand Prix de littérature de l'Académie française (1952), Marcel Arland a tenu une place importante dans la *critique,* avec son *Marivaux* (1950) et ses *Essais critiques* (1931), augmentés en 1952 de *Nouveaux Essais critiques.*

« *Qu'est-ce qui peut me satisfaire ?...* »

Au moment de quitter le collège de « Vendeuvre », GILBERT VILLARS, le héros de *L'Ordre, se recueille* avant de tourner la page, de l'adolescence à l'âge d'homme. Nature riche mais exigeante et inquiète , Gilbert est à la fois orgueilleux et timide, égoïste et ouvert à l'idéal le plus élevé ; choisissant la *révolte,* il manquera sa vie, fera son propre malheur et infligera de cruelles souffrances à son demi-frère Justin et à la femme de celui-ci, Renée, partagée entre les deux hommes. « Que de beaux dons gâchés ! », dira Justin, « comme si tout ne devait pas fatalement rentrer dans l'ordre ! » Marcel Arland peint ses personnages sans complaisance, mais avec une remarquable *compréhension* et un sens aigu de leur *complexité* : ainsi Gilbert, quels que soient ses torts, est beaucoup plus attirant que Justin, raidi dans sa probité glaciale et qui pourtant accède, par la souffrance et le pardon, à une réelle grandeur.

THÈMES : *Adolescence. Moi. Bonheur. Morale. Religion. Psychologie.*

A peine délivré de son collège, c'était encore à ce collège que songeait Villars, tandis que, une main dans la poche, l'autre tenant son goûter, il suivait le chemin de ronde qui longe les remparts. L'ombre des cours était légère, quand il s'y promenait après une lecture, et qu'il se sentait peuplé d'un monde épars de pensées, de rythmes et de fantômes. Le silence était doux, dans les salles d'études et dans les dortoirs, quand, penché sur un livre, ou le regard perdu dans les ténèbres blafardes, il imaginait la vie et déjà en goûtait la saveur délicieuse. Ses voisins pouvaient bâiller d'ennui ou, sitôt couchés, s'endormir, il voulait être, lui, celui que tiennent éveillé les besoins de
10 l'âme.

L'hiver, les rafales gémissaient, imploraient, hurlaient, en s'engouffrant sous les portes ou dans les égouts ; rien ne troublait Gilbert plus que ne faisaient ces voix amères. Parfois aussi, dans les longues soirées d'été, quand les enfants, assis sur les bancs ou couchés le dos au sol, voyaient dans le silence le ciel se dorer, puis bleuir jusqu'à ce que naquît enfin, entre deux toits, une étoile, on entendait une gamme hésitante de piano, et ces sons malhabiles étaient plus émouvants que la plus belle mélodie ; Gilbert y voyait l'image même de sa vie, confuse encore, où s'élevaient une à une des voix nouvelles, et qui bientôt, sans doute, allait s'affermir et multiplier ses rumeurs.
20 Deux fois par semaine, sous la conduite d'un surveillant, les élèves partaient en promenade : marches maussades dans des terrains vagues, près de casernes à demi abandonnées ou le long d'un canal monotone. Gilbert s'y enivrait de détresse et d'ardeur contenue. Ses camarades organisaient des jeux ; lui, cherchait le

terrain le plus aride, s'y couchait, et, lisant ou rêvant, se glorifiait de n'avoir pour compagnon que ce grand ciel livide ou brûlant, à perte de vue, éternellement.

Il était entré au collège en 1912. La guerre venue, il ne lui resta comme professeurs que des vieillards, un peu honteux d'être à l'abri dans leurs salles de classe, et de parler d'autre chose que de combats. La guerre le bouleversa. Souvent il percevait le grondement des canons. L'image de la mort le hantait ;
30 devant elle, il rougissait de ses préoccupations quotidiennes, et n'osait soumettre à ses maîtres les questions qui l'obsédaient. Il lui arrivait d'envier son frère, qui combattait aux tranchées ; d'autres fois, tendu de cynisme ou écœuré par les déclamations patriotiques : « Cette tuerie ne m'intéresse pas », s'affirmait-il.

Il avait coutume de faire, bien qu'irrégulièrement, des examens de conscience. Cette habitude, ce besoin, lui venait peut-être de ses anciennes confessions. Depuis sa première communion, il n'avait plus eu recours à un prêtre ; une sorte de pudeur l'en avait d'abord empêché ; puis de l'indifférence ; enfin, vers sa quinzième année, une crise religieuse l'avait ébranlé, au point qu'une année
40 durant, il fut un des élèves les plus indisciplinés et les plus inégaux du collège. Ce fut peut-être l'orgueil qui le sauva. A présent Gilbert n'avait plus que méfiance pour la religion ; rien n'avait remplacé son ancienne croyance ; presque toutes ses pensées l'y ramenaient ; il en était irrité, découragé parfois ; il luttait contre son passé.

A ses examens de conscience, il apportait encore un scrupule religieux. Il s'efforçait de se connaître, examinait ses acquisitions et ses pertes, et terminait en se fixant certaines règles de conduite ; le tout était consigné dans un journal intime, en termes à la fois recherchés et naïfs. S'il n'accomplissait pas les prescriptions... qu'il s'était imposées, il s'en punissait par des châtiments :
50 corporels (se lever une heure plus tôt qu'à l'ordinaire), ou spirituels (se réconcilier avec un adversaire, ne pas lire un livre dont il avait envie). Mais il arrivait que prescriptions comme châtiments, un découragement subit ou même une soudaine indifférence les lui faisait abandonner. Et pendant quelque temps il vivait au hasard, se méprisant, mais goûtant un plaisir à se laisser dériver.

A l'un des coudes du chemin, Gilbert s'appuya au rempart. Devant lui, au pied de la muraille, était une vallée, où de l'herbe sombre et une double ligne d'arbres indiquaient le cours d'une rivière. L'horizon était borné par des collines boisées. Une fois encore, Gilbert voulut se recueillir, et, prenant une pose sévère, donner à sa pensée une lucide sécheresse. C'étaient surtout ces attitudes, assez courantes
60 chez lui, qui indisposaient ses camarades, et, non sans raison, les poussaient à la raillerie.

« J'ai dix-huit ans, se dit Villars, et certes plus de connaissances que la plupart des jeunes gens de mon âge. Plus de connaissances, et, je crois, plus de valeur. La question est celle-ci (il me semble l'avoir lue quelque part) : que peut faire un homme ? — Il y a le pouvoir. Oui... oui. Mais d'abord le véritable pouvoir, celui d'un Alexandre ou d'un Néron, est impossible aujourd'hui. Alors ? Faire de la politique, être nommé député ?... euh ! Disons plutôt : la gloire ; elle me semble une des ambitions les moins niaises qu'un homme puisse se proposer. Mais suffit-elle à une complète satisfaction ? Satisfaction, le mot est bon,
70 meilleur que le mot bonheur, que je vois partout employé et qui ne veut rien dire. J'aurais dû commencer par me demander : Qu'est-ce qui peut me satisfaire ?... »

L'Ordre, I, I (Librairie Gallimard, éditeur).

JACQUES DE LACRETELLE

Vie intérieure   Né dans le Mâconnais, fils d'un diplomate, J. DE
et drames cachés   LACRETELLE (1888-1985) connut une « éducation européenne » et fut un grand voyageur (*Lettres espagnoles ;*
Histoire de Paola Ferrani ; Le Demi-Dieu ou Le Voyage de Grèce) ; mais le cosmopolitisme
et l'exotisme ont eu pour cet admirateur de Rousseau moins d'attrait que *l'introspection* et
l'analyse des âmes . La Vie inquiète de Jean Hermelin (1920) évoque en demi-teintes sa propre
adolescence ; *Silbermann* (1922) est une étude nuancée de l'âme israélite, étude qui
deviendra pathétique dans *Le Retour de Silbermann* (1930). Dans *La Bonifas* (1925), aux dons
de l'analyste subtil et mélancolique s'ajoute une réelle *vigueur :* il s'agit du destin d'une
femme que la fatalité de sa nature, favorisée par les incidents de sa vie, écarte de la voie
normale. En 1928, Lacretelle publie un recueil au titre révélateur : *L'Âme cachée ;* ce sont
en effet quatre drames secrets que relatent ces quatre récits, avec un art sûr et discret. Enfin,
un long roman, *Les Hauts Ponts* (4 volumes, 1932-1935), vient couronner sa carrière.

    L'œuvre de Lacretelle est empreinte d'une *tristesse,* non pas violente — l'art et la sagesse
de l'auteur opérant une purification toute classique —, mais pénétrante et inguérissable, car
ce pessimisme sans révolte est fait avant tout de *lucidité.* Hautement civilisé, Lacretelle
discerne dans la vie moderne le pouvoir intact de la *fatalité,* et dans les passions la persistance
d'*instincts* véritablement *primitifs* par leur nature et leur violence. Dans la seconde nouvelle
de *L'Âme cachée,* une jeune femme qui aime *trop,* qui aime *mal* son mari, en arrive, pour
ne pas être séparée de lui, à empoisonner sa propre mère. Dans *Les Hauts Ponts,* c'est
l'attachement au domaine familial qui devient, pour le principal personnage, une *passion*
dévorante, une *idée fixe* comme celles qui font vivre et mourir les héros de Balzac.

Une passion dévorante

    Au terme d'une lutte farouche, LISE DAREMBERT était parvenue à racheter LES HAUTS
PONTS, domaine vendéen perdu par ses parents et qu'elle chérit d'un amour exclusif. Mais
il a fallu *tout vendre* de nouveau pour payer les dettes de son fils Alexis qui maintenant, détaché
des biens de ce monde, part pour l'Orient comme missionnaire. Lise ressent cette vocation
comme une trahison et, dans la mesure où elle s'est installée pour ne pas s'éloigner du château,
elle vieillit solitaire, *en proie à une obsession* aussi insurmontable qu'un *tropisme* ou que
l'instinct animal (1. 11-15 et 39). Un nouveau coup l'a frappée : pendant la belle saison, elle
travaillait aux Hauts Ponts comme domestique, seul moyen de pénétrer encore dans la
demeure bien-aimée, — et on vient de la congédier. Il lui reste cependant un dernier espoir :
quand les nouveaux maîtres auront regagné la ville, elle pourra aller rôder dans le parc...
THÈMES : *Femme. Psychologie.*

Quand j'irai là-bas... Il faudra que je revoie cela... se disait-elle. Et, par
un étonnant mirage de son esprit affaibli, ce n'était pas seulement la grille et
le parc qu'elle se représentait, mais l'intérieur des pièces, comme si elle dût
s'y installer librement.

    Par avarice, elle avait réduit sa nourriture à rien. Du lait, qui lui était apporté
chaque jour, et une provision de sucre, qu'elle grignotait morceau par morceau,
lui suffisaient. Ses poules étaient mortes et elles ne les avait pas remplacées.
« Plus tard... plus tard... » se répétait-elle en pensant à la basse-cour des Hauts
Ponts.

10   A ce régime elle maigrit, perdit sa taille, et sa poitrine plate se creusa comme
celle d'une enfant infirme. Tout le bas de son visage, desséché et pointu,
ressemblait à un museau. Quand on passait près de la Huttière, et qu'on
apercevait, à travers la haie, cette silhouette immobile dans une robe d'un noir
délavé, on pensait à ces petites bêtes qui s'abritent tout le jour pour rêver à
leurs grands cheminements nocturnes.

Un après-midi d'octobre, elle était là, derrière la fenêtre, tapie sous la pente du chaume, et regardait la pluie tomber, lorsque le gamin qui lui portait ses pots de lait, lui fit un signe.

— Paraît qu'ils partent aujourd'hui, au château.

20 — Hein ! fit-elle avec un sursaut. Mais on disait que c'était après la Toussaint seulement.

— C'est changé. Ils trouvent qu'il tombe trop d'eau... et pour ça... reprit-il en relevant sur son front une frange rousse trempée de pluie. En tout cas, tout est déjà bouclé, et la voiture ronfle.

Elle se leva et ses mains tremblaient en prenant le pot de lait. [...]

Quand elle vit le jour décliner sous le ciel bas, elle n'y tint plus, avança jusqu'au premier tournant, hésita, puis le dépassa, et s'arrêta encore. Enfin, arrivée à quelque distance de l'entrée, elle aperçut de fraîches traces de roues, marquées sur le sol dans la direction de la ville. Rassurée alors et voulant 30 rattraper le temps perdu, elle courut vers la grille.

Tout était fermé, en effet, mais il venait encore quelque chose de chaud de cette habitation déserte et silencieuse. Une émotion folle étreignit Lise. Dans la nuit qui tombait, elle crut voir au loin une grande figure qui ne pouvait parler, mais s'était gardée pour elle et l'attendait, lèvres closes. Sans bien savoir ce qu'elle faisait, elle ébranla les barreaux, la serrure, monta sur une borne. Puis elle se rappela soudain que deux de ces barreaux étaient plus espacés à l'extrémité de la grille et que dans son enfance elle parvenait à se glisser par là. Elle se fit menue, toute menue, rentrant ses omoplates l'une après l'autre, luttant contre le fer qui meurtrissait ses seins. Un instant, elle crut qu'elle resterait prise au piège, et elle 40 sentit la rouille s'incruster sur ses joues. Mais un dernier effort, un déhanchement souple, pareil à une ruse d'amoureuse, la libéra, et elle passa.

Elle fit quelques pas incertains. Où irait-elle d'abord ? Sur la pelouse, sur la terrasse, au potager ? Indécise, elle s'arrêta, levant les yeux comme pour interroger la demeure ; et l'ardoise du toit, lisse et inclinée, lui parut aussi belle que l'aile des anges. Soudain, ces questions devinrent de grands coups de marteau qui assourdirent toutes ses pensées. Elle vacilla, chercha un appui, et, dans le moment même, heurta du front le sol.

Quand la lune se leva sur les Hauts Ponts, elle éclaira le corps jeté là. Il gisait en long dans l'allée, les deux bras lancés en avant. La bouche était grande ouverte et paraissait manger la terre, mais le visage avait pris une expression apaisée.

Les Hauts Ponts, Épilogue (Librairie Gallimard, éditeur).

Félix de Chazournes

Quoiqu'il n'ait brillé qu'un moment au firmament littéraire, FÉLIX DE CHAZOURNES mérite d'être cité parmi les analystes les plus délicats qui, dans la lignée du *Grand Meaulnes,* ont uni la poésie du rêve au charme discret de la réalité quotidienne. D'une famille languedocienne fixée à Aurec (Haute-Loire), il parcourt le monde, puis se retire dans la région lyonnaise où il meurt pendant l'Occupation. Si *Jason, portrait des Tropiques* (1935) brille des couleurs de l'exotisme, c'est aux nuances des sentiments et à une communion intime avec la Nature de nos climats que les *romans* de Chazournes doivent leur pénétrante séduction (*Caroline ou Le Départ pour les Îles,* prix Fémina 1938 ; *Agnès ou Le Rivage de Bohême,* 1940).

CAROLINE *est l'histoire d'une fillette qui, à treize ans, s'éprend de* MICHEL, *ami de son frère. Elle ne cesse de penser à lui jusqu'à son retour, six ans plus tard. Mais cette idylle accède à la grandeur mélancolique des amours malheureuses, car si, pendant la guerre, Caroline sauve la vie de Michel, c'est pourtant une autre femme qu'il épousera.*

L'INQUIÉTUDE SPIRITUELLE

FRANÇOIS MAURIAC

**Naissance
d'un talent** FRANÇOIS MAURIAC (1885-1970) est né à Bordeaux, dans une famille de la bourgeoisie catholique, et il tient à ses origines par de profondes attaches, ce qui ne sera pas pour déplaire à Maurice Barrès, auteur des *Déracinés,* son premier « intercesseur ». Ayant perdu son père prématurément, il fut élevé par une mère très pieuse dans le climat moral qui sera, un peu idéalisé, celui du *Mystère Frontenac* (cf. p. 514).

UN REGARD ATTENTIF. Comme il devait l'écrire lui-même dans *Le Romancier et ses personnages,* « l'artiste, dans son enfance, fait provision de visages, de silhouettes, de paroles ; une image le frappe, un propos, une anecdote... et cela, sans qu'il en sache rien, fermente, vit d'une vie cachée et surgira au moment venu. »

Aussi faut-il sans doute l'imaginer sous les traits de « cet enfant inconscient de sa traîtrise, qui captait, enregistrait, retenait à son insu la vie de tous les jours dans sa complexité obscure ». Des vacances un peu sauvages, propices aux longues rêveries, ramenaient régulièrement la famille de François Mauriac parmi les pinèdes et les étangs ; le futur écrivain y développa un sentiment profond et délicat de la *Nature,* dont il a toujours aimé les refuges, les mystères et les symboles. On sait, du reste, l'affection fidèle qu'il réservait à son domaine de Malagar, avec ses vignobles, dans la région bordelaise.

Après ses études secondaires dans un collège de Marianites, il vint à Paris où il passa une licence de lettres. Il se destinait à l'École des chartes, mais sa vocation littéraire se déclara de très bonne heure et l'occupa tout entier.

**« Votre carrière
sera glorieuse »** Voilà en quels termes Barrès promit le succès au jeune auteur qui lui soumettait son premier recueil de vers, *Les Mains jointes* (1909) ; mais c'est dans le roman que ces dons poétiques allaient trouver à s'épanouir. Dès avant 1914, *L'Enfant chargé de chaînes* et *La Robe prétexte* dessinaient le domaine propre à François Mauriac : *l'âme de l'homme,* royaume divisé contre lui-même dans *les combats sans fin de la chair et de l'esprit.*

LA MAÎTRISE. En 1921, dénonçant dans *Préséances* un certain pharisaïsme bourgeois qui semble le hanter, le romancier s'affirmait comme un observateur pénétrant *des mœurs et des milieux de province ;* mais c'est avec *Le Baiser au lépreux* (1922) que Mauriac trouve sa dimension romanesque, son *style* et son véritable accent. Les quatre œuvres qui suivent, *Le Fleuve de feu, Genitrix, Le Désert de l'amour,* et *Thérèse Desqueyroux* (cf. p. 509-512), parues de 1923 à 1927, confirment son talent, et il atteint la grande célébrité que sanctionne, en 1933, son élection à l'Académie française.

VERS L'ESPÉRANCE. S'il s'est défendu d'avoir voulu donner dans *La Fin de la nuit* (1935) une suite à *Thérèse Desqueyroux,* Mauriac n'en a pas moins fait de ce livre la seconde étape d'une destinée et d'une sorte d'ascension spirituelle. D'ailleurs, depuis 1930, avec *Ce qui était perdu,* suivi en 1931 de *Souffrances et bonheur du chrétien,* une autre lumière se fait jour en lui. Malgré les noires apparitions qui attestent encore la puissance du mal (*Le Nœud de vipères,* 1932), *la paix et l'espérance* éclairent plus souvent une œuvre jusque-là *très sombre.*

En 1933, *Le Mystère Frontenac* (cf. p. 514) semble une sorte d'oasis après des étendues brûlantes. Et plus tard, en 1941, l'auteur de *La Pharisienne* laissera entrevoir *grâce et salut* pour cette femme orgueilleuse qu'il nommera Brigitte Pian.

PARALLÈLEMENT. Toute la décennie 1928-1938 est jalonnée chez Mauriac d'ouvrages apparentés à ses romans par la profondeur et par le ton, mais différents par leur objet. Ainsi, *La Vie de Jean Racine* (1928), *Dieu et Mammon* (1929), *Blaise Pascal et sa sœur Jacqueline* (1931), *La Vie de Jésus* (1936), les premiers des cinq volumes du *Journal* (1934, 1937 ; puis 1940, 1950, 1953).

D'autre part, François Mauriac faisait à la scène de tardifs mais éclatants débuts avec *Asmodée* (1938), suivis d'autres œuvres théâtrales, comme *Les Mal Aimés* (cf. p. 666).

TÉMOIGNAGES. La guerre venue, le chrétien qui, déjà, aux côtés de Bernanos, avait témoigné hautement contre les cruautés de la guerre civile espagnole, prit le parti de la Résistance. Durant l'occupation allemande il écrivit, sous le pseudonyme de Forez, un journal de guerre, *Le Cahier noir*. Toutefois, il sut, en 1944, garder une attitude généreuse envers ceux qui n'avaient pas partagé son patriotisme (cf. p. 516).

Dès 1939, Jean-Paul Sartre mettait en cause l'auteur de *La Fin de la nuit*, à propos de la *liberté* des personnages de roman. Quelque temps on put craindre que l'après-guerre, où le goût du public se déclarait pour l'absurde et le désespoir, ne détournât Mauriac de la production romanesque ; il n'en fut rien. Plus resserrés dans leur écriture comme dans leur composition, *Le Sagouin* (1951) et *Galigaï* (1952) révélaient chez lui des ressources nouvelles. En 1952, le Prix Nobel de littérature vint consacrer son talent. Par la suite, François Mauriac s'est révélé, dans divers journaux ou périodiques, *polémiste* brillant et convaincu, non sans susciter, chez certains de ses lecteurs, des réserves et même des emportements (cf. *Bloc-Notes,* p. 516). Après *Ce que je crois* (1962), *De Gaulle* (1964), *Les Autres et moi* (1966), il donna en 1967 ses *Mémoires politiques* (cf. p. 516), mais la fin de sa vie fut aussi marquée par son dernier roman, *Un adolescent d'autrefois* (1969), et surtout par ses *Mémoires intérieurs* (1959, cf. p. 515), suivis des *Nouveaux Mémoires intérieurs* (1965).

Fleuves de feu

FRANÇOIS MAURIAC ne veut pas être un « romancier catholique » mais *un catholique qui écrit des romans*. Il écarte ainsi le pesant appareil des œuvres à thèse, où les visées moralisantes déforment parfois la réalité pour les besoins de la cause. Rien n'est plus étranger au christianisme de Mauriac que le ton « édifiant », si ce n'est le conformisme confortable : l'univers de ses personnages est le plus souvent *une terre de malédiction qu'arrosent des fleuves de feu.* Aussi la *passion* apparaît-elle chez lui non une excuse mais une grandeur. Ce sont les tièdes qu'il « vomit », selon le mot terrible de l'Écriture, et sa préférence est toujours allée aux brebis perdues, aux *âmes égarées,* comme en témoignent ces lignes des *Anges noirs* (1936) : « Ceux qui semblent voués au mal, peut-être étaient-ils élus avant les autres, et la profondeur de leur chute donne la mesure de leur vocation. »

« *Sainte Locuste* »

Dans l'avant-propos de *Thérèse Desqueyroux* l'auteur en appelle à sa propre créature, celle qui a tenté de supprimer par le poison un mari qu'elle hait : « J'aurais voulu que la douleur, Thérèse, te livre à Dieu ; et j'ai longtemps désiré que tu fusses digne du nom de Sainte Locuste. Mais plusieurs, qui pourtant croient à la chute et au rachat de nos âmes tourmentées, eussent crié au sacrilège ». (On sait que le nom de Locuste est celui de l'empoisonneuse qui prépara pour Néron le breuvage funeste à Britannicus.)

En fait, les personnages de Mauriac ont *soif,* soif de solitude, de pureté, d'amour, et la fin du roman le dira, lorsque Thérèse, seule dans les rues de Paris, « au moment de s'y jeter, de s'y débattre », imagine « un retour au pays secret et triste..., l'aventure intérieure, la recherche de Dieu ». Mais son heure n'est pas venue.

Une double postulation   Nourri des *Pensées* de Pascal, Mauriac a sondé profondément la « misère de l'homme sans Dieu ». Grand lecteur de Baudelaire, il a vu « dans tout homme, à toute heure, deux postulations simultanées, l'une vers Dieu, l'autre vers Satan », et il en a fait le drame essentiel de ses créatures. Il sait bien que les cœurs sont troubles et mêlés. Mais lui-même, en tant que romancier, doit aussi faire face à une *double exigence* et, pour y parvenir, résoudre une contradiction quasi insurmontable, car, si l'art demande harmonie et unité, *la vie,* toujours tumultueuse, n'offre que mouvance et chaos. Comme tout véritable créateur, comme Stendhal, Balzac, ou Flaubert, Mauriac a donc réfléchi aux *problèmes de la création romanesque* et il les a formulés dans un ouvrage court mais essentiel, *Le Romancier et ses personnages* (1933), où abondent les formules suggestives sur les difficultés à vaincre « pour exprimer cet immense monde enchevêtré, toujours changeant, jamais immobile qu'est une seule conscience humaine ».

L'art de Mauriac   Au reste, quels que soient les dons de l'observateur et du psychologue, si François Mauriac se classe parmi les plus grands écrivains français de notre temps, il le doit aux sortilèges de son *style*. Depuis Chateaubriand, personne peut-être, même Barrès, cet autre « enchanteur », n'a mieux su faire monter de la prose française *ce chant aux longues résonances* par lequel, selon le mot de Baudelaire, « la pauvre humanité est rendue à sa patrie ». Publiés en 1959, les *Mémoires intérieurs* (cf. p. 515) sont parés de ces images à la fois secrètes et somptueuses, telle, au temps de Noël, « dans l'hiver humide et doux de Bordeaux » la vision du fleuve sombre « au lieu où il est près d'embrasser l'Océan et de s'anéantir dans ses abîmes, avec tout ce qu'il a reflété de coteaux, de maisons et de visages ». Penché sur son passé, l'auteur des *Mémoires* l'évoque avec une sensibilité poétique et une profondeur dans la réflexion qui transfigurent le souvenir.

THÉRÈSE DESQUEYROUX   *Intelligente et sensible mais « renfermée »,* THÉRÈSE LARROQUE, *d'Argelouse, a épousé, très jeune,* BERNARD DESQUEYROUX, *un voisin de campagne : « leurs propriétés semblaient faites pour se confondre et le sage garçon était, sur ce point, d'accord avec tout le pays. » Très vite elle a pris en horreur cet homme fruste, trop différent d'elle, et* elle tente *de l'empoisonner. Par égard pour les deux familles et grâce aux déclarations de Bernard lui-même, soucieux avant tout de « faire le silence », la jeune femme bénéficie d'un non-lieu. Elle regagne alors la petite gare de Saint-Clair, qui dessert sa maison, et, au rythme du train, elle revit les heures de son passé, partagées avec la jeune sœur de son mari, Anne, qui fut l'amie tendrement aimée de son adolescence.*

Terre sans eaux

Cette page, caractéristique du talent de MAURIAC, exprime deux aspects essentiels du roman : le *conflit* d'une âme dont la nature assoiffée d'affection se heurte à une destinée tragiquement solitaire, et une véritable *nostalgie de la pureté*.
THÈMES : *Adolescence. Amitié. Solitude. Souvenir. Nature.*

Du fond d'un compartiment obscur, Thérèse regarde ces jours purs de sa vie — purs mais éclairés d'un frêle bonheur imprécis ; et cette trouble lueur de joie, elle ne savait pas alors que ce devait être son unique part en ce monde. Rien ne l'avertissait que tout son lot tenait dans un salon ténébreux, au centre de l'été implacable , — sur ce canapé de reps rouge, auprès d'Anne dont les genoux rapprochés soutenaient un album de photographies. D'où lui venait ce bonheur ? Anne avait-elle un seul des goûts de Thérèse ? Elle haïssait la lecture, n'aimait que coudre, jacasser et rire. Aucune idée sur rien, tandis que

Thérèse dévorait du même appétit les romans de Paul de Kock, les *Causeries*
10 *du Lundi,* l'*Histoire du Consulat,* tout ce qui traîne dans les placards d'une
maison de campagne. Aucun goût commun, hors celui d'être ensemble durant
ces après-midi où le feu du ciel assiège les hommes barricadés dans une
demi-ténèbre. Et Anne parfois se levait pour voir si la chaleur était tombée.
Mais, les volets à peine entrouverts, la lumière pareille à une gorgée de métal
en fusion, soudain jaillie, semblait brûler la natte, et il fallait, de nouveau, tout
clore et se tapir. [...] En septembre, elles pouvaient sortir après la collation
et pénétrer dans le pays de la soif : pas le moindre filet d'eau à Argelouse ;
il faut marcher longtemps dans le sable avant d'atteindre les sources du ruisseau
appelé la Hure. Elles crèvent, nombreuses, un bas-fond d'étroites prairies entre
20 les racines des aulnes. Les pieds nus des jeunes filles devenaient insensibles
dans l'eau glaciale, puis, à peine secs, étaient de nouveau brûlants. Une de
ces cabanes qui servent en octobre aux chasseurs de palombes les accueillait
comme naguère le salon obscur. Rien à se dire ; aucune parole : les minutes
fuyaient de ces longues haltes innocentes sans que les jeunes filles songeassent
plus à bouger que ne bouge le chasseur lorsqu'à l'approche d'un vol, il fait
le signe du silence. Ainsi leur semblait-il qu'un seul geste aurait fait fuir leur
informe et chaste bonheur. Anne, la première, s'étirait — impatiente de tuer
des alouettes au crépuscule ; Thérèse, qui haïssait ce jeu, la suivait pourtant,
insatiable de sa présence. Anne décrochait dans le vestibule le calibre 24 qui
30 ne repousse pas [1]. Son amie, demeurée sur le talus, la voyait au milieu du seigle
viser le soleil comme pour l'éteindre. Thérèse se bouchait les oreilles ; un cri
ivre s'interrompait dans le bleu, et la chasseresse ramassait l'oiseau blessé, le
serrait d'une main précautionneuse et, tout en caressant de ses lèvres les plumes
chaudes, l'étouffait.
« Tu viendras demain ?
— Oh ! non ; pas tous les jours. »
Elle ne souhaitait pas de la voir tous les jours ; parole raisonnable à laquelle
il ne fallait rien opposer ; toute protestation eût paru, à Thérèse même,
incompréhensible. Anne préférait ne pas revenir ; rien ne l'en eût empêchée
40 sans doute ; mais pourquoi se voir tous les jours ? « Elles finiraient, disait-elle,
par se prendre en grippe. » Thérèse répondait : « Oui... oui... surtout ne t'en
fais pas une obligation : reviens quand le cœur t'en dira... quand tu n'auras
rien de mieux. » L'adolescente à bicyclette disparaissait sur la route déjà sombre
en faisant sonner son grelot.
Thérèse revenait vers la maison ; les métayers la saluaient de loin ; les enfants
ne l'approchaient pas. C'était l'heure où les brebis s'épandaient sous les chênes
et soudain elles couraient toutes ensemble, et le berger criait. Sa tante [2] la guettait
sur le seuil et, comme font les sourdes, parlait sans arrêt pour que Thérèse ne
lui parlât pas. Qu'était-ce donc que cette angoisse ? Elle n'avait pas envie de lire ;
50 elle n'avait envie de rien ; elle errait de nouveau : « Ne t'éloigne pas : on va
servir. » Elle revenait au bord de la route, vide aussi loin que pouvait aller son
regard. La cloche teintait au seuil de la cuisine. Peut-être faudrait-il, ce soir,
allumer la lampe. Le silence n'était pas plus profond pour la sourde immobile
et les mains croisées sur la nappe, que pour cette jeune fille un peu hagarde.

Thérèse Desqueyroux (Grasset, éditeur).

—————————

— 1 Fusil sans recul. — 2 Vieille fille, peu avenante, mais très attachée à Thérèse.

DESTINÉE SANS ISSUE

Dans le train, cependant, la jeune fille poursuit sa songerie. Elle évoque sa belle-famille, les conversations banales ou médisantes, le prêtre sans communication avec ses paroissiens qui le trouvent « fier » : « ce n'est pas le genre qu'il faut ici ». Thérèse aurait-elle trouvé près de lui un réconfort ? — Elle revoit aussi ce Jean Azévédo qui s'intéressait à elle : « Je sens dans toutes vos paroles, lui disait-il, une faim et une soif de sincérité. » Mais voici la gare de Saint-Clair où l'attend une carriole. Et Thérèse tremble devant les explications devenues imminentes. Le « non-lieu » est acquis certes, mais en famille, à huis clos, *le vrai procès va commencer,* un procès *interminable et sans espoir.* – THÈMES : *Femme. Moi. Solitude. Souvenir. Psychologie. Providence. Bonheur.*

Non : rien à dire pour sa défense ; pas même une raison à fournir ; le plus simple sera de se taire ou de répondre seulement aux questions. Que peut-elle redouter ? Cette nuit passera comme toutes les nuits ; le soleil se lèvera demain : elle est assurée d'en sortir, quoi qu'il arrive. Et rien ne peut arriver de pire que cette indifférence, que ce détachement total qui la sépare du monde et de son être même. Oui, la mort dans la vie : elle goûte la mort autant que la peut goûter une vivante.

Ses yeux accoutumés à l'ombre reconnaissaient, au tournant de la route, cette métairie où quelques maisons basses ressemblent à des bêtes
10 couchées et endormies. Ici Anne, autrefois, avait peur d'un chien qui se jetait toujours dans les roues de sa bicyclette. Plus loin, des aulnes décelaient un bas-fond ; dans les jours les plus torrides, une fraîcheur fugitive, à cet endroit, se posait sur les joues en feu des jeunes filles. Un enfant à bicyclette, dont les dents luisent sous un chapeau de soleil, le son d'un grelot, une voix qui crie : « Regardez ! je lâche les deux mains ! », cette image confuse retient Thérèse, tout ce qu'elle trouve, dans ces jours finis, pour y reposer un cœur à bout de forces. Elle répète machinalement des mots rythmés sur le trot du cheval : « Inutilité de ma vie — néant de ma vie — solitude sans bornes — destinée sans
20 issue. » Ah ! le seul geste possible, Bernard ne le fera pas. S'il ouvrait les bras pourtant, sans rien demander ! Si elle pouvait appuyer sa tête sur une poitrine humaine, si elle pouvait pleurer contre un corps vivant !

Elle aperçoit le talus du champ où Jean Azévédo, un jour de chaleur, s'est assis. Dire qu'elle a cru qu'il existait un endroit du monde où elle aurait pu s'épanouir au milieu d'êtres qui l'eussent comprise, peut-être admirée, aimée ! Mais sa solitude lui est attachée plus étroitement qu'au lépreux son ulcère : « Nul ne peut rien pour moi ; nul ne peut rien contre moi. » *Thérèse Desqueyroux* (Grasset, éditeur).

Séquestrée désormais dans Argelouse, Thérèse songera au suicide, mais « elle se cabre devant le néant ». Est-il un Dieu ? « S'il existe cet Être... et si c'est sa volonté qu'une pauvre âme aveugle franchisse le passage, puisse-t-Il, du moins, accueillir avec amour ce monstre, sa créature. » Ce qui l'arrêtera dans son geste, ce n'est pas la pensée de sa fille (Marie, qu'on retrouve dans La Fin de la nuit*), c'est la mort imprévue de la vieille tante.*

Cependant Thérèse s'enferme dans une telle prostration que son mari s'en effraie ; il décide de lui rendre sa liberté et la conduit à Paris, « Paris, non plus les pins déchirés, mais les êtres redoutables, la foule des hommes après la foule des arbres ».

Vers l'inconnu

Voici la fin du roman. Thérèse a essayé sans succès une dernière explication avec Bernard son mari. Il la quitte dans un café, et va regagner Argelouse. Elle va donc rester parmi cette foule anonyme et y tenter, en une semi-inconscience, une sorte de « plongée ». Il y a quelque chose de si douloureux dans *ses espoirs, toujours déçus, d'une communion humaine* que cette dernière page semble encore bien éloignée d'une *Fin de la nuit*.
THÈMES : *Femme. Moi. Bonheur. Solitude. Société.*

Il fit signe à un taxi, revint sur ses pas pour rappeler à Thérèse que les consommations étaient payées.

Elle regarda longtemps la goutte de porto au fond du verre de Bernard ; puis de nouveau dévisagea les passants. Certains semblaient attendre, allaient et venaient. Une femme se retourna deux fois, sourit à Thérèse (ouvrière, ou déguisée en ouvrière ?). C'était l'heure où se vident les ateliers de couture. Thérèse ne songeait pas à quitter la place [1] ; elle ne s'ennuyait ni n'éprouvait de tristesse. Elle décida de ne pas aller voir, cet après-midi, Jean Azévédo, — et poussa un soupir de délivrance : elle n'avait pas envie de le voir : causer encore ! chercher des formules ! Elle connaissait Jean Azévédo ; mais les êtres dont elle
10 souhaitait l'approche, elle ne les connaissait pas ; elle savait d'eux seulement qu'ils n'exigeraient guère de paroles. Thérèse ne redoutait plus la solitude. Il suffisait qu'elle demeurât immobile : comme son corps, étendu dans la lande du Midi, eût attiré les fourmis, les chiens, ici elle pressentait déjà autour de sa chair une agitation obscure, un remous. Elle eut faim, se leva, vit dans une glace d'Old England [2] la jeune femme qu'elle était : ce costume de voyage très ajusté lui allait bien. Mais, de son temps d'Argelouse, elle gardait une figure comme rongée : ses pommettes trop saillantes, ce nez court. Elle songea : « Je n'ai pas d'âge. » Elle déjeuna (comme souvent dans ses rêves) rue Royale. Pourquoi rentrer à l'hôtel puisqu'elle n'en avait pas envie ? Un chaud contentement lui venait, grâce à cette
20 demi-bouteille de Pouilly. Elle demanda des cigarettes. Un jeune homme, d'une table voisine, lui tendit son briquet allumé, et elle sourit. La route de Villandraut, le soir, entre ces pins sinistres, dire qu'il y a une heure à peine, elle souhaitait de s'y enfoncer aux côtés de Bernard ! Qu'importe d'aimer tel pays ou tel autre, les pins ou les érables, l'Océan ou la plaine ? Rien ne l'intéressait que ce qui vit, que les êtres de sang et de chair. « Ce n'est pas la ville de pierres que je chéris, ni les conférences, ni les musées, c'est la forêt vivante qui s'y agite, et que creusent des passions plus forcenées qu'aucune tempête. Le gémissement des pins d'Argelouse, la nuit, n'était émouvant que parce qu'on l'eût dit humain. »

Thérèse avait un peu bu et beaucoup fumé. Elle riait seule comme une
30 bienheureuse. Elle farda ses joues et ses lèvres, avec minutie ; puis, ayant gagné la rue, marcha au hasard.

Thérèse Desqueyroux (Grasset, éditeur).

— 1 Le café où son mari vient de la quitter. — 2 Magasin de confection.

Paysage de François Mauriac

Forêt de pins dans les Landes. (Ph. © X-D.R.-coll. René-Jacques – Arch. Photeb)

Emmanuelle Riva dans « Thérèse Desqueyroux », film de Georges Franju (1962). (2 ph. © Coll. Cinémathèque française – Photeb)

Nature et paysage d'âme

La forêt landaise occupe une place essentielle dans le roman de Mauriac (cf. **p. 512**). Mais ce qui, plus que tout, intéresse le moraliste, ce sont « les êtres de sang et de chair » et « la forêt vivante qui s'y agite et que creusent des passions plus forcenées qu'aucune tempête ». Dans le film de Franju, Emmanuelle Riva excelle à composer le visage tantôt songeur tantôt ravagé de l'empoisonneuse.

« *DANS LEURS BRANCHES UNIES* »

Au terme du *Mystère Frontenac,* consacré à l'unité spirituelle de la famille, un des frères, Yves, le plus sensible et le plus doué, se trouve à Paris malade et seul. L'aîné, Jean-Louis, lui apporte, avec sa présence, celle de tous les siens et l'odeur même de la pinède qui les a vus grandir sous ses branches unies. Yves ressemble à l'auteur, qui donne à sa méditation une tonalité très ample et très douce, *d'un recueillement quasi religieux.*
Thèmes : *Famille. Bonheur. Nature. Temps.*

Et là-bas, au pays des Frontenac et des Péloueyre, au-delà du quartier perdu où les routes finissent, la lune brillait sur les landes pleines d'eau ; elle régnait surtout dans cette clairière que les pignadas [1] ménagent à cinq ou six chênes très antiques, énormes, ramassés, fils de la terre et qui laissent aux pins déchirés l'aspiration vers le ciel. Des cloches de brebis assoupies tintaient brièvement dans ce parc appelé « Parc de l'Homme » où un berger de Frontenac passait cette nuit d'octobre. Hors un sanglot de nocturne, une charrette cahotante, rien n'y interrompait la plainte que depuis l'Océan les pins se transmettent
10 pieusement dans leurs branches unies. Au fond de la cabane abandonnée par le chasseur jusqu'à l'aube, les palombes aux yeux crevés et qui servent d'appeaux, s'agitaient, souffraient de la faim et de la soif. Un vol de grues grinçait dans la clarté céleste. La Téchoueyre, marais inaccessible, recueillait dans son mystère de joncs, de tourbe et d'eau les couples de biganons [2] et de sarcelles dont l'aile siffle. Le vieux Frontenac ou le vieux Péloueyre qui se fût réveillé d'entre les morts en cet endroit du monde, n'aurait découvert à aucun signe qu'il y eût rien de changé au monde. Et ces chênes, nourris depuis l'avant-dernier siècle des sucs les plus secrets de la lande, voici qu'ils vivaient, à cette
20 minute, d'une seconde vie très éphémère, dans la pensée de ce garçon, étendu au fond d'une chambre de Paris et que son frère veillait avec amour. C'était à leur ombre, songeait Yves, qu'il eût fallu creuser une profonde fosse pour y entasser, pour y presser les uns contre les autres les corps des époux, des frères, des oncles, des fils Frontenac. Ainsi la famille tout entière eût-elle obtenu la grâce de s'embrasser d'une seule étreinte, de se confondre à jamais dans cette terre adorée, dans ce néant.

A l'entour, penchés du même côté par le vent de mer et opposant à l'Ouest leur écorce noire de pluie, les pins continueraient d'aspirer au ciel, de s'étirer, de se tendre. Chacun garderait sa blessure — sa blessure
30 différente de toutes les autres (chacun de nous sait pour quoi il saigne). Et lui, Yves Frontenac, blessé, ensablé comme eux, mais créature libre et qui aurait pu s'arracher du monde, avait choisi de gémir en vain, confondu avec le reste de la forêt humaine. Pourtant, aucun de ses gestes qui n'ait été le signe de l'imploration ; pas un de ses cris qui n'ait été poussé vers quelqu'un. *Le Mystère Frontenac* (Grasset, éditeur).

— 1 Pinèdes. — 2 Petits canards sauvages au plumage multicolore.

LE DÉMON
DE LA POLÉMIQUE

A partir de 1950, outre l'achèvement de son œuvre romanesque, Mauriac poursuit conjointement son examen de conscience de chrétien et de romancier, dont rendent compte les *Mémoires intérieurs* (1959) et *Nouveaux Mémoires intérieurs* (1965), et sa tâche d'*observateur politique quotidien* et de *polémiste*, dont témoignent ses *écrits politiques : De Gaulle* (1964), *Mémoires politiques* (1967) et les cinq volumes du *Bloc-Notes* (1958-1974).

Mémoires intérieurs   La dédicace à son fils Claude, lui-même écrivain, définit clairement le caractère original de ces *Mémoires ;* c'est en méditant sur ses préférences littéraires que Mauriac fait retour sur lui-même : « *Si nous renonçons à une approche directe de l'être que nous fûmes, il nous reste d'en rechercher le reflet dans les livres qu'il a aimés.* » Et, dans le cas de Mauriac, *le reflet de l'être qu'il fut* est aussi *le reflet de l'œuvre* et de son essence originelle. De sorte que les *Mémoires intérieurs* éclairent la relation profonde entre la spiritualité mauriacienne, les préférences littéraires et l'œuvre romanesque.

« *LA CONNAISSANCE MÉTAPHYSIQUE DU MAL* »

Lorsqu'il aborde Baudelaire, l'un de ses poètes préférés, Mauriac révèle, à la lumière de son interprétation personnelle, l'importance dans son œuvre de la référence à « la connaissance métaphysique du mal ». Il le fait à partir de sa réflexion sur la « controverse » concernant le « christianisme » de Baudelaire, réflexion elle-même déclenchée par les dernières lignes d'un des *Petits Poèmes en prose :* « O Créateur ! peut-il exister des monstres aux yeux de Celui-là seul qui sait pourquoi ils existent, comment ils *se sont faits* et comment ils auraient pu *ne pas se faire ?* » *(Mademoiselle Bistouri).*
THÈMES : *Philosophie. Métaphysique. Religion. Christianisme. Morale. Littérature.*

Vanité de toute controverse ! Si ce que Baudelaire a cru est vrai, son destin échappe à la dialectique athée et la psychanalyse n'aura atteint en lui que des épiphénomènes. Qui nous départagera sinon, au dernier jour, la trompette de l'ange [1].

Sur un seul point, nous sommes d'ores et déjà assurés, nous, les esprits religieux, d'avoir eu raison : le poète des *Fleurs du mal* nous appartient, et qui nous le disputera, cet amant de Jeanne Duval dont l'amitié faisait honte au vertueux Sainte-Beuve ? La connaissance métaphysique du mal, il n'est rien qui soit plus étranger aux hommes d'aujourd'hui ni
10 qui leur répugne davantage dans ses derniers détenteurs chrétiens.

Ah ! Seigneur ! donnez-moi la force et le courage
De contempler mon cœur et mon corps sans dégoût ! [2]

Qui a besoin de ce courage et de cette force, désormais ? Ils se regardent, ils se plaisent et, s'ils ont appris à le faire, ils se décrivent. L'insecte humain n'a de compte à rendre à personne pour avoir suivi les lois de son espèce — non, aucun compte de tous ces corps et de tous ces cœurs dont il se sera servi, et puis qu'il aura rejetés.

—— 1 L'ange du Jugement dernier. — 2 Cf. *Un voyage à Cythère (XIXe Siècle,* p. 450).

Mais cela ne va pas sans conséquence d'ordre esthétique. L'entomolo-
gie a ses méthodes. Appliquées à l'histoire de l'homme, renouvelleront-
20 elles le genre romanesque ? Si l'homme n'est rien qu'une imposture,
s'il n'y a rien d'autre en lui que cette imposture, il est vrai que le roman
dit psychologique aura, jusqu'aujourd'hui, vécu d'un mensonge et qu'il
ne reste plus aux romanciers qu'à devenir des peintres de néant.

Mais peut-être les poètes et les saints ne furent-ils ni des imposteurs
ni des dupes. Peut-être existe-t-il au-dedans de nous, ce royaume auquel
nous avons cru, sur la foi de ce qu'ils nous ont rapporté, et qui recoupait
ce que nous découvrions en nous-mêmes.

Charles Baudelaire avait la passion de la chose telle qu'elle est et
du mot qui la cerne, au point, si hideuse qu'elle soit, de nous obliger
30 à la toucher, à la sentir. Or l'affreuse juive pareille à un cadavre, la
vieillarde insultée des gamins, la charogne, le vampire ne portent pas
ici un autre témoignage que l'albatros aux ailes de géant, ou que la
jeune femme accoudée à ce balcon ancré dans les vapeurs roses d'un
soir de Bordeaux [3]. Grandeur de l'âme humaine, en dépit de toutes les
souillures !

Mémoires intérieurs, IV (Flammarion, éditeur).

Mémoires politiques et Bloc-Notes

Les *Mémoires politiques* (1967) sont précédés d'une
Préface où Mauriac analyse son cheminement politique
depuis sa jeunesse. C'est surtout à partir de 1933, date
de l'avènement de Hitler, qu'il fut, dit-il, « *à même d'observer les prodromes de ce que le
désastre de 40 allait susciter en France dans certains secteurs de la société française* ». Le
déclenchement de la guerre civile espagnole en juillet 1936 fut l'occasion pour Mauriac
de prendre parti publiquement contre le général Franco, de même qu'il avait dénoncé
l'année précédente l'agression de Mussolini contre l'Éthiopie. Mais, à ses yeux, ces
événements ne sont que les symptômes d'une menace et d'un mal plus profonds : « *Je
ne crois pas qu'on pût être plus conscient que je ne le fus alors de ce qu'allait attirer sur
nous la lâcheté des démocraties.* » Aussi choisit-il de se faire journaliste et polémiste, mais
un journaliste « pas comme les autres », puisque, dit-il, il est « *tout entier dans le moindre
article de journal* », comme en témoignent les articles réunis dans les *Mémoires politiques*,
qui couvrent la période de 1933 à 1953 et dans le *Bloc-Notes* (5 vol., 1958-1974) où,
jusqu'à sa mort, nous le voyons à l'écoute de ce qu'il appelle « le clapotis du quotidien ».

Lors du désastre de 1940, Mauriac réagit, dit-il, « *d'instinct, sans calcul, sans réflexion
dans le sens de la Résistance* » ; en 1943, il publia clandestinement *Le Cahier noir* sous
le pseudonyme de Forez ; après la Libération, une polémique oppose les articles de
Mauriac dans *Le Figaro* à ceux de Camus dans *Combat* à propos des problèmes de
l'« épuration » et de la « justice » exercée à l'encontre des « collaborateurs » ; Mauriac
obtient la grâce d'Henri Béraud, mais non celle de Robert Brasillach, demandée aussi
par Camus. Le départ de De Gaulle en janvier 1946 le laisse désemparé, mais l'attribution
du prix Nobel en 1952 le réveille de son « assoupissement ». Dès lors, il reprend avec
vigueur son rôle d'observateur, de commentateur et de polémiste. En publiant le recueil
de ses articles, il respectera scrupuleusement ce qu'il appelle la « règle du jeu » : « *La
règle du jeu, dans un recueil comme celui-ci, est de s'interdire toute retouche : ce que j'ai
écrit, je l'ai écrit. Je n'ai pas cru pouvoir effacer des propos inspirés par le démon de la
polémique* » (Préface des *Mémoires politiques*).

— 3 cf. « *Une nuit que j'étais près d'une affreuse │ Vampire* et *Les Métamorphoses du vampire ; L'Alba-
Juive...* » *; Les Petites Vieilles ; Une Charogne ; Le │ tros ; Le Balcon.*

L'engagement de l'écrivain

Mauriac s'est opposé à la guerre d'Indochine ; il a milité en faveur d'une entente entre la France et le Maghreb dans le cadre de l'indépendance ; il a enfin soutenu la politique algérienne du général de Gaulle. C'est à propos de sa prise de position pour une politique libérale en Afrique du Nord qu'en avril 1953, répondant à ses détracteurs, il élargit son propos afin d'exposer les raisons profondes de son engagement et d'en montrer la cohérence. – THÈMES : *Autobiographie. Moi. Histoire. Littérature. Justice. Morale.*

Beaucoup de gens considèrent qu'un écrivain doit se garder d'intervenir dans la politique et qu'il est fait pour raconter des histoires. Ce n'est pas quelqu'un de sérieux. Il n'y a de sérieux au monde que les affaires. De nombreux écrivains se jugent eux-mêmes invités par vocation à ne se mêler que de l'éternel. Je l'ai cru moi-même, à certaines époques. Mais notre génération a payé cher cette connaissance que nous sommes tous engagés, que nous sommes tous embarqués dans la même tragique aventure, tous solidaires, tous responsables, et que, de tous les partis pris, le refus de prendre parti est sans doute le seul qui ne puisse trouver, ni devant Dieu ni devant les hommes, de
10 justification.
Que le drame de l'Afrique du Nord nous concerne tous, et pas seulement ceux d'entre nous qui y vivent, que nous ayons le droit et l'urgent devoir de le suivre et d'y être attentifs, des étrangers nous le rappellent. *Le Figaro* reproduisait ces jours-ci un article du *Journal de Genève* que j'avais lu précisément à Genève, article fort aigre à notre adresse, dont le ton enchifrené est d'un pédagogue penché sur le puits où l'écolier se débat [1]. Entre autres critiques, j'y relève ceci : « La France ne donne pas la preuve que ses investissements outre-mer répondent à beaucoup mieux qu'au désir de fuir le fisc métropolitain. » Si cette semonce est méritée, je ne saurais en décider.
20 [...] Quoi qu'il en soit, ce qui m'intéresse ici c'est que notre confrère genevois n'a pas dénoncé certains Français d'Afrique. Il accuse la France. Et que lui opposer ? Nous ne sommes pas libres d'attribuer à la France tout ce qui s'est accompli d'admirable en Afrique du Nord et de rejeter nos fautes sur quelques individus : car les abus qu'ils commettent, l'État les souffre et donc nous les souffrons, puisque, dans une démocratie, l'État c'est nous. [...]
Et sans doute n'ai-je pas répondu à la question : « De quoi vous mêlez-vous ? » que s'attire sans cesse l'écrivain engagé. Je n'aurais quant à moi que trop tendance à suivre Julien Green écrivant dans son *Journal* du 15 octobre 1931 : « Que signifient dans l'éternité le putsch de Hitler, les mutineries à bord des croiseurs
30 anglais, la chute de la livre ? Tout est ailleurs. Rien n'est vrai que le balancement d'une branche dans le ciel. » Mais au-delà de la branche, et par-delà le ciel, nous retrouvons, éternellement vivantes, une exigence de justice, et, si indignes que nous soyons, la nécessité de rendre témoignage dans l'intervalle de temps et d'espace où nous sommes au monde. Vous me direz que d'autres chrétiens ont estimé juste et légitime ce dont nous nous sommes indignés. Cela est vrai, et je ne les juge ni ne les condamne. Mais je demeure du côté de ceux qui se méfient des prétextes et des excuses que la force invente pour assurer son règne et pour faire croire qu'elle est le droit. *Mémoires politiques* (Grasset éditeur).

— 1 Allusion approximative à *L'Enfant et le* | réprimande l'enfant tombé dans la Seine, avant *Maître d'école,* de La Fontaine, où le pédagogue | de songer à le sauver.

GEORGES BERNANOS

L'homme   D'ascendance lorraine et bourgeoise par son père,
et son œuvre   paysanne et berrichonne du côté maternel, GEORGES
                     BERNANOS (1888-1948) est né à Paris ; mais la consonance
de son nom, les légendes familiales et son sens de la grandeur auréolent sa figure d'une
sorte d'hispanisme héroïque. Son enfance a eu pour cadre, à Fressin (Pas-de-Calais),
« une vieille chère maison dans les arbres, un minuscule hameau du pays d'Artois, plein
d'un murmure de feuillage et d'eau vive ». Élève de collèges religieux où il fit de bonnes
« humanités », il aborda spontanément Balzac et Dostoïevsky, Barbey d'Aurevilly et Zola.
    De 1906 à 1913, il partage son temps entre la préparation à deux licences, lettres et
droit, et les activités remuantes de l'_Action française_. Il rencontre Sorel et Drumont,
Maurras et Daudet, publie des articles, écrit des poèmes aujourd'hui perdus, et songe
à une œuvre théâtrale. D'ailleurs, ses dons de dramaturge et en particulier son _art du
dialogue_ devaient apparaître dans ses romans, ses essais et jusque dans le journal posthume
intitulé _Les Enfants humiliés._
    Août 1914 : quoique réformé, Bernanos s'engage et fait toute la guerre de tranchées.
Après l'armistice, il devient inspecteur d'assurances et traverse des années financièrement
assez difficiles : marié en 1917, il aura six enfants de 1918 à 1933. « J'ai mené alors,
dira-t-il plus tard, non pas une chienne de vie, mais une vie de chien. »
    Cependant, alors qu'il approche de la quarantaine, il va connaître, pour ses vrais débuts
littéraires, un éclatant succès avec un roman d'inspiration très haute, _Sous le soleil de
Satan_ (1926). Henri Massis et Léon Daudet s'attachent à sa renommée naissante, et Paul
Claudel salue dans le nouveau livre « cette qualité royale, la force ». Viendront ensuite
L'Imposture (1927) et _La Joie_ (1929).
    Mais diverses difficultés et un grave accident vont décider Bernanos à quitter la France.
Il s'installe avec tous les siens aux Baléares où il vivra, en témoin et en juge, les
déchirements de la guerre civile espagnole tout en composant son chef-d'œuvre, le _Journal
d'un curé de campagne_ (1936) suivi de la _Nouvelle histoire de Mouchette_, également datée
de Majorque.
    Après avoir manifesté des sympathies « franquistes », il prendra violemment à partie
doctrinaires, sermonnaires et tortionnaires dans un livre promis à un retentissement
considérable : _Les Grands Cimetières sous la lune_ (1938). Au lendemain de Munich, après
un court séjour en France, Bernanos part avec sa famille pour le Brésil où il terminera
Monsieur Ouine. Dès juin 1940, il collabore aux bulletins de la France libre et publie, à
Rio, sa _Lettre aux Anglais_ (1942). Revenu à Paris en 1945, il multiplie articles et conférences,
et il achève ses _Dialogues des carmélites_ (publiés en 1949) quelques mois avant que la mort
ne l'enlève, le 5 juillet 1948, à un public fervent qui n'avait cessé de s'élargir. Ses _Essais
et écrits de combat_ ont paru dans la Bibliothèque de la Pléiade en 1972.

L'honneur chrétien   Passionnément épris de _grandeur_ et de _liberté_, GEORGES
                            BERNANOS s'inscrit dans la lignée spirituelle de Péguy qu'il
a si souvent évoqué et invoqué. Étranger au compromis et à la transaction, _aristocrate_
et _chevaleresque_, il a refusé toute aliénation de son indépendance mais revendiqué l'héritage
entier de sa civilisation : « Il y a un honneur chrétien, écrit-il dans _Les Grands Cimetières
sous la lune_ : il est la fusion mystérieuse de l'honneur humain et de la charité du Christ. »
    Une telle formule se situe au cœur même d'une œuvre qui s'est déclarée avec éclat
contre tout ce qui blesse ou avilit l'être humain dans son âme et dans sa personne, et
qui, profondément engagée, ne fut jamais _ni enrôlée, ni sectaire._

L'esprit d'enfance   Placée sous le double signe de l'*espoir* et de la *grâce*, l'œuvre de Bernanos est constamment éclairée de ce que l'auteur lui-même nommait « l'esprit d'enfance » et qui plane jusque sur ces pages viriles et batailleuses où il a retrouvé la fougue polémique d'un Léon Bloy. En effet, pour Bernanos comme pour le Montherlant de *La Relève du matin*, l'enfant n'est pas cette espèce d'ébauche de l'homme, qu'on regarde avec indulgence, mais, par la pureté, par le goût de l'absolu, *son modèle idéal.*

Naturellement et surnaturellement, « l'esprit d'enfance » accède aux plus hautes valeurs sans s'y dérober jamais, ni les trahir ; les martyrs et les saints y participent (un abbé Donissan, dans *Sous le soleil de Satan,* une sœur Constance dans les *Dialogues des carmélites*). Tandis que, pour l'avoir perdu, Mouchette devient la proie de Satan (cf. p. 520). Il est, enfin, assez frappant de constater que c'est parmi des pages pamphlétaires, dans *Les Grands Cimetières sous la lune,* qu'on trouve cette évocation qui est aussi une profession de foi : « Qu'importe ma vie ? je veux seulement qu'elle reste jusqu'au bout fidèle à l'enfant que je fus ; oui, ce que j'ai d'honneur et ce peu de courage, je le tiens de l'être pour moi mystérieux, qui trottait sous la pluie de septembre, à travers les pâturages ruisselants d'eau, le cœur plein de la rentrée prochaine, des préaux funèbres, des interminables grand-messes à fanfares où une petite âme harassée ne saurait rien partager avec Dieu que l'ennui, de l'enfant que je fus et qui est à présent pour moi comme un aïeul. »

Frères humains

Dans cette page *lyrique,* écrite à Majorque en 1937, les accents *fraternels* de BERNANOS font écho à ceux de Charles Péguy. « Toute vocation est un appel, *vocatus,* dit l'auteur, et tout appel veut être transmis. Ceux que j'appelle ne sont évidemment pas nombreux. Ils ne changeront rien aux affaires de ce monde, mais c'est pour eux, c'est pour eux que je suis né. » – THÈMES : *Enfance. Christianisme. Morale. Mort. Temps. Littérature.*

Compagnons inconnus, vieux frères, nous arriverons ensemble, un jour, aux portes du royaume de Dieu. Troupe fourbue, troupe harassée, blanche de la poussière de nos routes, chers visages durs dont je n'ai pas su essuyer la sueur, regards qui ont vu le bien et le mal, rempli leur tâche, assumé la vie et la mort, ô regards qui ne se sont jamais rendus ! Ainsi vous retrouverai-je, vieux frères. Tels que mon enfance vous a rêvés. Car j'étais parti à votre rencontre, j'accourais vers vous. Au premier détour, j'aurais vu rougir les feux de vos éternels bivouacs ; mon enfance n'appartenait qu'à vous. Peut-être, un certain jour, un jour que je sais, ai-je été digne de prendre la tête de votre troupe
10 inflexible. Dieu veuille que je ne revoie jamais les chemins où j'ai perdu vos traces, à l'heure où l'adolescence étend ses ombres, où le suc de la mort, le long des veines, vient se mêler au sang du cœur.

Chemins du pays d'Artois, à l'extrême automne, fauves et odorants comme des bêtes, sentiers pourrissants sous la pluie de novembre, grandes chevauchées des nuages, rumeurs du ciel, eaux mortes... j'arrivais, je poussais la grille, j'approchais du feu mes bottes rougies par l'averse. L'aube venait bien avant que fussent rentrés dans le silence de l'âme, dans ses profonds repaires, les personnages fabuleux encore à peine formés, embryons sans membres, Mouchette [1] et Donissan [2], Cénabre [3], Chantal [4], et vous, vous seul de mes

---

— 1 Voir *Sous le soleil de Satan* et *Nouvelle histoire de Mouchette.* — 2 Le saint abbé Donissan, protagoniste de *Sous le soleil de Satan.* — 3 L'abbé Cénabre apparaît dans *L'Imposture.* — 4 Chantal de Clergerie figure dans *L'Imposture* et dans *La Joie.*

20 créatures dont j'ai cru parfois distinguer le visage, mais à qui je n'ai pas osé donner de nom — cher curé d'un Ambricourt [5] imaginaire. Étiez-vous alors mes maîtres ? Aujourd'hui même, l'êtes-vous ? Oh ! je sais bien ce qu'a de vain ce retour vers le passé.

Certes, ma vie est déjà pleine de morts. Mais le plus mort des morts est le petit garçon que je fus. Et pourtant, l'heure venue, c'est lui qui reprendra sa place à la tête de ma vie, rassemblera mes pauvres années jusqu'à la dernière, et comme un jeune chef ses vétérans, ralliant la troupe en désordre, entrera le premier dans la Maison du Père. Après tout, j'aurais le droit de parler en son nom. Mais justement, on ne parle pas au nom de l'enfance, il faudrait 30 parler son langage. Et c'est ce langage oublié, ce langage que je cherche de livre en livre, imbécile ! Comme si un tel langage pouvait s'écrire, s'était jamais écrit. N'importe ! Il m'arrive parfois d'en retrouver quelque accent... et c'est cela qui vous fait prêter l'oreille, compagnons dispersés à travers le monde, qui par hasard ou par ennui avez ouvert un jour mes livres. Singulière idée que d'écrire pour ceux qui dédaignent l'écriture !

Amère ironie de prétendre persuader et convaincre alors que ma certitude profonde est que la part du monde encore susceptible de rachat n'appartient qu'aux enfants, aux héros et aux martyrs.

Les Grands Cimetières sous la lune (Plon, éditeur).

SATAN, « CRUEL SEIGNEUR »

Sous le soleil de Satan fait apparaître la première figure sacerdotale dessinée par Bernanos : l'abbé Donissan, passionné pour le salut des âmes. Par contraste et avec une sorte d'effroi, l'auteur a dressé en face de lui une toute jeune fille, MOUCHETTE, en qui s'incarne la révolte. Meurtrière de son amant, désespérée, elle s'apprête au *suicide ;* mais il ne s'agit pas là d'une banale démission. C'est avec l'élan de l'amour et une *mystique ferveur* que la jeune fille *invoque Satan.* Il y a dans cette page une présence du démoniaque au même titre que, dans le *Journal d'un curé de campagne,* une présence du divin (cf. p. 522). Vocabulaire et accent y témoignent de l'influence profonde exercée sur Bernanos par Baudelaire et par Barbey d'Aurevilly.

THÈMES : *Religion. Christianisme. Diable. Morale. Mort. Providence. Psychologie.*

C'est alors qu'elle appela, du plus profond, du plus intime, d'un appel qui était comme un don d'elle-même, Satan.

D'ailleurs, qu'elle l'eût nommé ou non, il ne devait venir qu'à son heure et par une route oblique. L'astre livide, même imploré, surgit rarement de l'abîme. Aussi n'eût-elle su dire, à demi-consciente, quelle offrande elle faisait d'elle-même, et à qui. Cela vint tout à coup, monta moins de son esprit que de sa pauvre chair souillée. La componction [1] que l'homme de Dieu [2] avait en elle suscitée un moment n'était plus qu'une

---

— 5 Paroisse du curé de campagne dont il ne veut être que l'*anonyme* desservant.

— 1 Profond regret d'avoir offensé Dieu (le mot s'emploie souvent dans un sens relâché). — 2 L'abbé Donissan.

souffrance entre ses souffrances. La minute présente était toute angoisse.
10 Le passé était un trou noir. L'avenir un autre trou noir. Le chemin
où d'autres vont pas à pas, elle l'avait déjà parcouru : si petit que fût
son destin, au regard de tant de pécheurs légendaires, sa malice secrète
avait épuisé tout le mal dont elle était capable — à une faute près — la
dernière. Dès l'enfance, sa recherche s'était tournée vers lui, chaque
désillusion n'ayant été que prétexte à un nouveau défi. Car elle l'aimait.

Où l'enfer trouve sa meilleure aubaine, ce n'est pas dans le troupeau
des agités qui étonnent le monde de forfaits retentissants. Les plus grands
saints ne sont pas toujours des saints à miracles, car le contemplatif vit
et meurt le plus souvent ignoré. Or, l'enfer aussi a ses cloîtres.

20 La voilà donc sous nos yeux, cette mystique ingénue, petite servante
de Satan, sainte Brigitte du néant [3]. Un meurtre excepté, rien ne
marquera ses pas sur la terre. Sa vie est un secret entre elle et son maître
ou plutôt le seul secret de son maître. Il ne l'a pas cherchée parmi les
puissants, leurs noces ont été consommées dans le silence. Elle s'est
avancée jusqu'au but, non pas à pas, mais comme par bonds, et le touche
quand elle ne le croyait pas si proche. Elle va recevoir son salaire. Hélas !
il n'est pas d'homme qui, sa décision prise et le remords d'avance
accepté, ne se soit, au moins une minute, rué au mal avec une claire
cupidité, comme pour en tarir la malédiction, cruel rêve qui fait geindre
30 les amants, affole le meurtrier, allume une dernière lueur au regard du
misérable décidé à mourir, le col déjà serré par la corde et lorsqu'il
repousse la chaise d'un coup de pied furieux... C'est ainsi, mais d'une
force multipliée, que Mouchette souhaite dans son âme, sans le nommer,
la présence du cruel Seigneur.

Il vint aussitôt, tout à coup, sans nul débat, effroyablement paisible
et sûr. Si loin qu'il pousse la ressemblance de Dieu, aucune joie ne saurait
procéder de lui, mais, bien supérieure aux voluptés qui n'émeuvent que
les entrailles, son chef-d'œuvre est une paix muette, solitaire, glacée,
comparable à la délectation du néant.

Sous le soleil de Satan (Plon, éditeur).

Journal d'un curé   *Issu d'une famille pauvre, un* JEUNE PRÊTRE *a été nommé*
de campagne   *curé d'Ambricourt, village qui lui est apparu « tassé, misérable*
sous le ciel hideux de novembre ». Cependant, pour son
réconfort, il entend monter, proche de lui, la vigoureuse voix du curé de Torcy, bon pasteur
soucieux des « brebis perdues ». Sur l'autre versant d'un bois planté d'ormes, et tournant le
dos au village, s'élève le château. Si le curé de la paroisse y est souvent convié comme il se
doit, ce jour-là il va s'y rendre pour remplir son ministère. Il vient d'avoir, en effet, la visite
de la jeune Chantal, la fille des châtelains, ombrageuse et passionnée, qui accuse son père
de faire la cour à son institutrice. Mais ce n'est pas là le plus grand chagrin de la COMTESSE.
Elle pleure un fils mort tout enfant et, comme Rachel dans la Bible, ne veut pas être consolée.

— 3 Sainte Brigitte, mystique du XIVe siècle, | de *révélations ;* ici la jeune fille ne trouve, dans
fut, en méditant sur la Passion du Christ, l'objet | sa propre souffrance, ni grâce ni lumière.

L'ordre de Dieu

Au cours de cette scène *dramatique*, le jeune prêtre va, selon le mot de l'Évangile, « chercher et *sauver* ce qui était *perdu* ». On verra que les éléments mêmes du décor deviendront *symboliques* : encadré par l'immense pelouse qui, au-delà des fenêtres, « semble un étang d'eau croupissante », l'entretien se déroule auprès de la cheminée où la châtelaine attise les bûches ; ainsi, par l'image du tisonnier, se dessine le rôle du prêtre qui, en portant dans la plaie le *fer* et le *feu*, va conduire cette souffrance révoltée vers sa *rédemption*.
THÈMES : *Femme. Famille. Mort. Religion. Christianisme. Providence.*

« Monsieur le Curé, a-t-elle repris, je ne doute pas que vos intentions soient bonnes, excellentes même. Puisque vous reconnaissez volontiers votre inexpérience, je n'y insisterai pas. Il est d'ailleurs certaines conjonctures auxquelles, expérimenté ou non, un homme ne comprendra jamais rien. Les femmes, seules, savent les regarder en face. Vous ne croyez qu'aux apparences, vous autres, et il est de ces désordres...

— Tous les désordres procèdent du même père et c'est le père du mensonge.

— Il y a désordre et désordre. — Sans doute, lui dis-je, mais nous savons qu'il n'est qu'un ordre, celui de la charité. » Elle s'est mise à rire, d'un rire
10 cruel, haineux. « Je ne m'attendais certes pas... », a-t-elle commencé. Je crois qu'elle a lu dans mon regard la surprise, la pitié ; elle s'est dominée aussitôt. « Que savez-vous ? Que vous a-t-elle raconté ? Les jeunes personnes sont toujours malheureuses, incomprises. Et on trouve toujours des naïfs pour les croire... » Je l'ai regardée bien en face. Comment ai-je eu l'audace de parler ainsi ? « Vous n'aimez pas votre fille, ai-je dit. — Osez-vous !... — Madame, Dieu m'est témoin que je suis venu ici ce matin dans le dessein de vous servir tous. Et je suis trop sot pour avoir rien préparé par avance. C'est vous-même qui venez de me dicter ces paroles et je regrette qu'elles vous aient offensée.

— Vous avez le pouvoir de lire dans mon cœur, peut-être ? — Je crois que
20 oui, madame », ai-je répondu. J'ai craint qu'elle ne perdît patience, m'injuriât. Ses yeux gris, si doux d'ordinaire, semblaient noircir. Mais elle a finalement baissé la tête, et de la pointe du tisonnier, elle traçait des cercles dans la cendre. [...]

Je me suis levé. Elle s'est levée en même temps que moi, et j'ai lu dans son regard une espèce d'effroi. Elle semblait redouter que je la quittasse et, en même temps, lutter contre l'envie de tout dire, de livrer son pauvre secret. Elle ne le retenait plus. Il est sorti d'elle enfin, comme il était sorti de l'autre, de sa fille. « Vous ne savez pas ce que j'ai souffert. Vous ne connaissez rien de la vie. A cinq ans, ma fille était ce qu'elle est aujourd'hui. Tout, et tout de suite, voilà sa devise. Oh ! vous vous faites de la vie de famille, vous autres
30 prêtres, une idée naïve, absurde. Il suffit de vous entendre — (elle rit) — aux obsèques. Famille unie, père respecté, mère incomparable, spectacle consolant, cellule sociale, notre chère France, et patati, et patata... L'étrange n'est pas que vous disiez ces choses, mais que vous imaginiez qu'elles touchent, que vous les disiez avec plaisir : la famille, Monsieur... »

La mère de Chantal poursuit ses confidences... Pour mieux remplir son devoir, le prêtre décide de se couper toute retraite, de s'engager à fond. « Mais elle ? Il lui était si facile, je crois, de me déconcerter, un certain sourire aurait probablement suffi... » *En fait, ce sont des instants d'entière sincérité :* « C'était vrai que je désirais passionnément un fils, je l'ai eu. Il n'a vécu que dix-huit mois. Sa sœur, déjà, le haïssait ; oui, si petite qu'elle fût, elle le haïssait. Quant à son père... » Elle a dû reprendre son souffle avant de poursuivre. »

Le prêtre selon Bernanos

Donissan et Mouchette (M. Garel et C. Salviat), dans « Sous le soleil de Satan », téléfilm de Pierre Cardinal (1970).
(Ph. © Télé 7 jours – Scoop – Arch. Photeb).

Le curé d'Ambricourt (Claude Laydu), dans « Journal d'un curé de campagne », film de Robert Bresson (1951).
(Ph. © Coll. Cinémathèque française – Arch. Photeb)

Foi, abnégation, persévérance

Dans sa lutte contre Satan, qui s'est emparé de l'âme de Mouchette, l'abbé Donissan va jusqu'à offrir sa propre souffrance pour racheter la faute de la malheureuse (cf. **p. 520**). En plaçant le curé d'Ambricourt au cœur d'un paysage désolé, Robert Bresson suggère sa solitude ; par sa persévérance le jeune prêtre saura ramener à Dieu l'âme de la comtesse (cf. **p. 522-526**).

Le prêtre est alors partagé entre la compassion et un ardent désir d'arracher cette âme à son enfer : « C'est vrai que je la voyais ou croyais la voir, en ce moment, morte. Et sans doute l'image qui se formait dans mon regard a dû passer dans le sien. »

L
a patience m'échappait. « Dieu vous brisera ! » m'écriai-je. Elle a poussé une sorte de gémissement, oh, non pas un gémissement de vaincu qui demande grâce, c'était plutôt le soupir, le profond soupir d'un être qui recueille ses forces avant de porter un défi. « Me briser ? Il m'a déjà brisée. Que peut-il désormais contre moi ? Il m'a pris mon fils. Je ne le crains plus. — Dieu l'a éloigné de
40 vous pour un temps, et votre dureté... — Taisez-vous ! — La dureté de votre cœur peut vous séparer de lui pour toujours. — Vous blasphémez, Dieu ne se venge pas. — Il ne se venge pas, ce sont des mots humains, ils n'ont de sens que pour vous. — Mon fils me haïrait peut-être ? Le fils que j'ai porté, que j'ai nourri ! — Vous ne vous haïrez pas, vous ne vous connaîtrez plus. — Taisez-vous ! — Non, je ne me tairai pas, madame. Les prêtres se sont tus trop souvent, et je voudrais que ce fût seulement par pitié. Mais nous sommes lâches. Le principe une fois posé, nous laissons dire. Et qu'est-ce que vous avez fait de l'enfer, vous autres ? Une espèce de prison perpétuelle, analogue aux vôtres, et vous y enfermez sournoisement par avance le gibier
50 humain que vos polices traquent depuis le commencement du monde — les ennemis de la société. Vous voulez bien y joindre les blasphémateurs et les sacrilèges. Quel esprit sensé, quel cœur fier accepterait sans dégoût une telle image de la justice de Dieu ? » [...]
Elle ne me quittait pas des yeux : « Reposez-vous un moment. Vous n'êtes pas en état de faire dix pas, je suis plus forte que vous. Allons ! tout cela ne ressemble guère à ce qu'on nous enseigne. Ce sont des rêveries, des poèmes. Je ne vous prends pas pour un méchant homme. Je suis sûre qu'à la réflexion, vous rougirez de ce chantage abominable. Rien ne peut nous séparer, en ce monde ou dans l'autre, de ce que nous avons aimé plus que nous-mêmes, plus
60 que la vie, plus que le salut. — Madame, lui dis-je, même en ce monde, il suffit d'un rien, d'une pauvre petite hémorragie cérébrale, de moins encore, et nous ne connaissons plus des personnes jadis très chères. — La mort n'est pas la folie ! — Elle nous est plus inconnue, en effet. — L'amour est plus fort que la mort, cela est écrit dans vos livres. — Ce n'est pas nous qui avons inventé l'amour. Il a son ordre, il a sa loi. — Dieu en est maître. — Il n'est pas le maître de l'amour, il est l'amour même. Si vous voulez aimer, ne vous mettez pas hors de l'amour. » [...]
Sans doute la femme qui se tenait devant moi, comme devant un juge, avait réellement vécu bien des années dans cette paix terrible des âmes refusées,
70 qui est la forme la plus atroce, la plus incurable, la moins humaine du désespoir. Mais une telle misère est justement de celles qu'un prêtre ne devrait aborder qu'en tremblant. J'avais voulu réchauffer d'un coup ce cœur glacé, porter la lumière au dernier recès d'une conscience que la pitié de Dieu voulait peut-être laisser encore dans de miséricordieuses ténèbres. Que dire ? Que faire ? J'étais comme un homme qui, ayant grimpé d'un trait une pente vertigineuse, ouvre les yeux, s'arrête ébloui, hors d'état de monter ou de descendre.
C'est alors — non ! cela ne peut s'exprimer — tandis que je luttais de toutes mes forces contre le doute, la peur, que l'esprit de prière rentra en moi. Qu'on m'entende bien : depuis le début de cet entretien extraordinaire, je n'avais cessé
80 de prier, au sens que les chrétiens frivoles donnent à ce mot. Une malheureuse

bête, sous la cloche pneumatique, peut faire tous les mouvements de la respiration, qu'importe ! Et voilà que soudain l'air siffle de nouveau dans ses bronches, déplie un à un les délicats tissus pulmonaires déjà flétris, les artères tremblent au premier coup de bélier du sang rouge — l'être entier est comme un navire à la détonation des voiles qui se gonflent.

Elle s'est laissée tomber dans son fauteuil, la tête entre ses mains. Sa mantille déchirée traînait sur son épaule, elle l'arracha doucement, la jeta doucement à ses pieds. Je ne perdais aucun de ses mouvements, et cependant j'avais l'impression étrange que nous n'étions ni l'un ni l'autre dans ce triste petit
90 salon, que la pièce était vide.

Je l'ai vue tirer de son corsage un médaillon, au bout d'une simple chaîne d'argent. Et toujours avec cette même douceur, plus effrayante qu'aucune violence, elle a fait sauter de l'ongle le couvercle dont le verre a roulé sur le tapis, sans qu'elle parût y prendre garde. Il lui restait une mèche blonde au bout des doigts, on aurait dit un copeau d'or.

— Vous me jurez..., a-t-elle commencé. Mais elle a vu tout de suite dans mon regard que j'avais compris, que je ne jurerais rien. « Ma fille, lui ai-je dit (le mot est venu de lui-même à mes lèvres), on ne marchande pas avec le bon Dieu, il faut se rendre à lui sans condition. Donnez-lui tout, il vous rendra plus
100 encore. Je ne suis ni un prophète, ni un devin, et de ce lieu où nous allons tous, Lui seul est revenu. » Elle n'a pas protesté, elle s'est penchée seulement un peu plus vers la terre, et à chaque parole, je voyais trembler ses épaules. « Ce que je puis affirmer néanmoins, c'est qu'il n'y a pas un royaume des vivants et un royaume des morts, il n'y a que le royaume de Dieu, vivants ou morts, et nous sommes dedans. » J'ai prononcé ces paroles, j'aurais pu en prononcer d'autres, cela avait à ce moment si peu d'importance ! Il me semblait qu'une main mystérieuse venait d'ouvrir une brèche dans on ne sait quelle muraille invisible et la paix rentrait de toutes parts, prenait majestueusement son niveau, une paix inconnue de la terre, la douce paix des morts, ainsi qu'une eau profonde.

Journal d'un curé de campagne (Plon, éditeur).

Dans un geste de sacrifice éperdu, la malheureuse mère va jeter le médaillon parmi les flammes. Le prêtre qui a voulu sauver cette relique s'est brûlé les doigts jusqu'au sang ; alors, dit-il, « elle a déchiré un mouchoir et m'a pansé. Nous n'échangions aucune parole. La paix que j'avais appelée sur elle était descendue sur moi. »

LA PAIX DU SOIR

Le jeune curé d'Ambricourt, requis par quelques démarches, tarde un peu à regagner son presbytère, mais il sait désormais qu'il a fait entrer une âme dans ce que Pascal nomme « *l'ordre de la Charité.* »
THÈMES : *Femme. Famille. Bonheur. Mort. Religion. Christianisme. Société.*

Je suis rentré chez moi très tard et j'ai croisé sur la route le vieux Clovis qui m'a remis un petit paquet, de la part de Madame la Comtesse. Je ne me décidais pas à l'ouvrir, et pourtant *je savais* ce qu'il contenait. C'était le petit médaillon, maintenant vide, au bout de sa chaîne brisée.

Il y avait aussi une lettre. La voici. Elle est étrange.

« Monsieur le Curé, je ne vous crois pas capable d'imaginer l'état dans lequel vous m'avez laissée, ces questions de psychologie doivent vous laisser parfaitement indifférent. Que vous dire ? Le souvenir désespéré d'un petit enfant me tenait éloignée de tout, dans une solitude effrayante, et il me semble qu'un autre enfant m'a tirée de cette solitude. J'espère ne pas vous froisser en vous traitant ainsi d'enfant ? Vous l'êtes. Que le bon Dieu vous garde tel, à jamais !

« Je me demande ce que vous avez fait, comment vous l'avez fait, ou plutôt, je ne me le demande plus. Tout est bien. Je ne croyais pas la résignation possible. Et ce n'est pas la résignation qui est venue, en effet. Elle n'est pas dans ma nature, et mon pressentiment là-dessus ne me trompait pas. Je ne suis pas *résignée*, je suis heureuse. Je ne désire rien.

« Ne m'attendez pas demain. J'irai me confesser à l'abbé X..., comme d'habitude. Je tâcherai de le faire avec le plus de sincérité, mais aussi avec le plus de discrétion possible, n'est-ce pas ? Tout cela est tellement simple ! Quand j'aurai dit : « J'ai péché volontairement contre l'espérance, à chaque heure du jour, depuis onze ans », j'aurai tout dit. L'espérance ! Je l'avais tenue morte entre mes bras, par l'affreux soir d'un mars venteux, désolé... j'avais senti son dernier souffle sur ma joue, à une place que je sais. Voilà qu'elle m'est rendue. Non pas prêtée cette fois, mais donnée. Une espérance bien à moi, rien qu'à moi, qui ne ressemble pas plus à ce que les philosophes nomment ainsi, que le mot amour ne ressemble à l'être aimé. Une espérance qui est comme la chair de ma chair. Cela est inexprimable. Il faudrait des mots de petit enfant.

« Je voulais vous dire ces choses dès ce soir. Il le fallait. Et puis, nous n'en reparlerons plus, n'est-ce pas ? plus jamais ! Ce mot est doux. Jamais. En l'écrivant, je le prononce tout bas, et il me semble qu'il exprime d'une manière merveilleuse, ineffable, la paix que j'ai reçue de vous. »

J'ai glissé cette lettre dans mon *Imitation*[1], un vieux livre qui appartenait à maman et qui sent encore la lavande, la lavande qu'elle mettait en sachet dans son linge, à l'ancienne mode. Elle ne l'a pas lue souvent car les caractères sont petits, et les pages d'un papier si fin que ses pauvres doigts, gercés par les lessives, n'arrivaient pas à les tourner.

« Jamais, plus jamais », pourquoi cela ? C'est vrai que ce mot est doux. J'ai envie de dormir. Pour achever mon bréviaire, il m'a fallu marcher de long en large : mes yeux se fermaient malgré moi. Suis-je heureux ou non, je ne sais.

Six heures et demie.

Madame la Comtesse est morte cette nuit.

Journal d'un curé de campagne (Plon, éditeur).

— 1 *L'Imitation de Jésus-Christ*, chère à Bernanos comme à son héros.

MARCEL JOUHANDEAU

De « Chaminadour »
à Paris
MARCEL JOUHANDEAU (1888-1979) a passé une jeunesse studieuse et réfléchie à Guéret, où ses parents étaient commerçants et qu'il devait, « quitte à voir s'en assombrir le ciel », dépeindre sans indulgence sous le nom de *Chaminadour*. En 1908, il entre en Première supérieure au lycée Henri IV ; étudiant assez secret, il note toutes sortes de réflexions, qu'il brûlera en 1914, au cours d'une violente crise de conscience. Après une fugitive activité de secrétaire aux tournées théâtrales Baret, Marcel Jouhandeau fait, en 1912, ses débuts de professeur au collège Saint-Jean de Passy, pour y enseigner le latin et le français durant trente-sept années, sans autre interruption que la guerre de 1914.

Le rendez-vous
chez Gallimard
Un jour de juillet 1920, il quitta discrètement la distribution des prix, « en se coulant, dit-il, à travers les planches de l'estrade ». C'est qu'il avait un rendez-vous important dont la suite allait être la publication, dans la *Nouvelle Revue française*, de sa première œuvre notoire : *Les Pincengrain*. Le fait de livrer ainsi, sous son vrai nom, une famille de Guéret aux commentaires de Guéret faillit susciter dans la ville une révolution. L'écrivain dira plus tard de quel prestige était pour lui le patronyme réel de ses personnages... « Ensuite, il s'agissait d'inventer, et de substituer à celui-là un vocable qui eût la même musicalité, la même puissance d'évocation. » En 1927 paraîtra *Prudence Hautechaume* (cf. p. 528). « C'est l'histoire des *familles* qui m'attire », déclare le romancier ; pour cela, il va pouvoir puiser continûment à deux sources intarissables, la *chronique locale*, et une *sensibilité intuitive* proche de la divination : « Quel théâtre, la face humaine ! »

Richesse et diversité
Ainsi se constituera toute une somme, réaliste, psychologique et poétique : *scènes de la vie provinciale* d'abord, puis *confidences personnelles*, grâce à la création de Monsieur GODEAU, véritable double de l'auteur. Marié en 1929, pour échapper peut-être à un certain ordre de tentations, Marcel Jouhandeau n'a pas craint de décrire sa propre vie de ménage auprès de celle qu'il nomme ÉLISE. En 1933 paraît *M. Godeau marié* ; en 1938 *Chroniques maritales* ; en 1948 *Scènes de la vie conjugale*. Sous l'Occupation il vit dans la retraite, et J. Paulhan n'eut pas trop de peine à le démontrer lors des malentendus qui accompagnèrent la Libération.

Cependant, il a régulièrement poursuivi, avec *Chaminadour* (3 vol., 1934-1941), *Images de Paris* (1934 et 1956), *Portraits de famille*, *Carnets du Professeur*, etc., le tracé de domaines divers, et parfois interdits. On ne saurait, d'ailleurs, distinguer entre les aspects d'une œuvre qui est celle d'un romancier et aussi d'un moraliste (certains diront : d'un immoraliste) car c'est l'*âme*, toujours, qui l'appelle vers ses plus secrètes profondeurs. Citons encore : *Journaliers I à XXVI* (1961-1978), dont *La Possession* (1970) et *La Mort d'Élise* (1978) ; *Chronique d'une passion* (1944 et 1964) ; *Lettres d'une mère à son fils* (1971).

ALGÈBRE DES VALEURS MORALES. Personnalité très complexe, l'auteur d'*Astaroth* (1929) est vraiment descendu aux enfers, comme en témoigne, parmi d'autres livres, son *Algèbre des valeurs morales* (1935), mais il s'est établi, pour son usage, une *échelle de critères*, subtile alliance d'égotisme et d'un christianisme graduellement affranchi du dogme : « Ce ne sont pas nos actes qui nous classent, dit-il, mais la qualité de notre cœur. » Une telle éthique, étrangère à la morale au sens banal du terme, n'en apparaît pas moins comme une ascèse dont les exigences s'exprimeront dans le remarquable *Essai sur moi-même* (1946) et dans le traité *De la grandeur* (1952).

UN STYLE. Comme écrivain, Marcel Jouhandeau dispose d'un style à la fois net et nuancé, qui joint la grâce du conteur à la profondeur de l'essayiste. Dans son *Journal*, André Gide en a dit « la tendre beauté » et, dans une lettre à l'auteur lui-même, « l'accent si particulier de tendresse déçue, d'élan mystique et de méchanceté diabolique ».

MANSARDE OU TOUR DE GUET ?

PRUDENCE HAUTECHAUME, veuve Chauderon, « plus volubile qu'aucune femme de Chaminadour », vit solitaire et misérable dans son dérisoire « magasin de nouveautés » qu'elle nettoie seulement la semaine de Pâques. Le reste de l'année, elle disparaît sous la même poussière que ses cinq mannequins affublés d'oripeaux vétustes. Mais si les journées s'écoulent sans surprise, le soir Prudence connaît des heures *passionnées* à *épier* du haut de sa mansarde-observatoire les faits et gestes de ses concitoyens. — Par un jeu gradué du grossissement optique, l'auteur nous fait voir CHAMINADOUR à travers ces regards aigus et insatiables, et souligne les proportions toutes *relatives* de l'univers humain. THÈMES : *Solitude. Psychologie. Société. Littérature (Portrait).*

L e monde n'avait jamais cessé d'être jeune autour d'une Prudence vieille comme la coquetterie des femmes que son quintette de mannequins savait surprendre encore par quelque détour, s'il faisait sourire les hommes et rire les enfants. Ses mannequins étaient sa plus intime joie. Elle vivait au milieu d'eux, avec eux ; elle partageait leurs vies ; ils étaient le centre de la sienne ; ils étaient son âme. Elle les avait toujours vus dans le magasin de sa grand-mère et s'était dès le berceau attachée à eux, comme à ses propres rêves. Ils avaient porté dans ses yeux toutes les toilettes du siècle. [...]

10 Les Hautechaume avaient connu autrefois une certaine gloire dont le mobilier de Prudence rappelait le souvenir. A travers son actuelle misère et jusque dans la mansarde où elle dormait, Prudence recherchait toujours obstinément le loisir ancien de ses aïeules. Quelques beaux fauteuils de serge rouge apparaissaient comme des Ministres en disgrâce sous les combles. Une armoire à glace de jeune fille les y avait suivis, que Prudence ne pouvait pas ouvrir, sans soulever d'abord le châssis d'une lucarne en tabatière ; aussi ne lui était-il pas permis, quand il pleuvait ni durant tout l'hiver, de changer de linge. Les *Œuvres complètes* de Voltaire, dix volumes in-quarto reliés de carton rouge, lui restaient 20 de la somptueuse bibliothèque anticléricale de son grand-père. Elle les avait drapés d'un châle et Voltaire servait à Prudence de table de nuit.

Dès que les portes des autres se fermaient, elle fermait la sienne et montait dans sa mansarde qui dominait tout le quartier.

Rien n'était plus délectable à Prudence que ce moment et l'on eût dit qu'elle n'acceptait tous les sacrifices du jour que pour ne rien faire, depuis dix heures jusqu'à minuit, dans ce cadre si près des étoiles, que de surveiller âprement sa ville qu'elle connaissait, comme une reine son empire, comme un sage l'univers, jusqu'à la moindre pierre de la plus humble encoignure. Les cinq ruelles qui rayonnaient du rond-point de la Grande Place, avenues secrètes de son âme, lui livraient toutes les démarches des autres, et plus de cent croisées s'éclairaient et 30 s'éteignaient tour à tour avec régularité sous ses yeux. Les rideaux de mousseline avaient beau vouloir lui dérober le mystère des troglodytes qui se cachaient dans les petits trous des chambres, elle les perçait à force de désir et, si son lorgnon de Prudence ne suffisait pas à conduire son regard jusqu'où elle voulait, elle appelait en renfort la jumelle de théâtre de son père, qui, si elle défaillait elle-même, voyait venir à son secours la longue-vue de grand-père Hautechaume. Ainsi, aucun jeu des silhouettes ni des chandelles, aucun rendez-vous des autres n'échappait à Prudence, friande de ce spectacle, comme si le Diable eût animé devant elle, pour l'amuser toute seule avec Dieu, ses cinq Poupées de bois.

Prudence Hautechaume (Librairie Gallimard, éditeur).

« Le château intérieur »

Dans une telle page, où s'éclaire la *genèse* même de la *création littéraire*, l'auteur n'a-t-il pu se rappeler, en la tirant à lui, cette formule de sainte Thérèse dont la lecture lui fut familière dès l'adolescence, comme celle d'un saint Jean de la Croix ?
THÈMES : *Autobiographie. Littérature. Moi. Psychologie. Réel et irréel. Religion. Symboles.*

L'œuvre que j'avais rêvé de construire, je n'en aperçus les grandes lignes que beaucoup plus tard, comme il se devait, je veux dire la chose faite. Je n'étais pas dans mon propre secret, heureusement. Je ne savais pas où j'allais. Je ne savais guère ce que je faisais. Quelqu'un sans doute me tenait la main. Le voyageur qui chemine de nuit sur une montagne, à mesure que le jour approche, aperçoit un arbre, puis un autre, une maison, un clocher qui sortent du brouillard comme d'une gangue ouatée ; enfin l'horizon se fend et se dessine, partageant le ciel et la terre, et quand le soleil luit, se dissipe la dernière ombre.
10 Mais sans doute, ce monde que j'ai construit, j'avais dû l'imaginer d'avance, l'appeler au moins de mes vœux, je ne pouvais pas ne pas me l'être de loin représenté, comme une Écriture Sainte et une église, comme une cathédrale et une parabole où je logerais Dieu et mon âme et tous les miens et les étrangers. Et peu importait que « ce monde » eût la moindre existence, la moindre valeur pour les autres : il devait n'être qu'à mon usage, valable d'abord pour moi seul, seulement pris à ma taille.
Les plans de cette demeure préexistaient sans doute quelque part : il s'agissait d'en dégager à la longue la perspective, de faire surgir l'un après l'autre de la masse un peu confuse maints détails particuliers et pittoresques, de mettre en relief, parmi le foisonnement des êtres qui en peuplaient les carrefours, les
20 figures maîtresses qui l'orneraient de leur majesté ou de leur grâce, en se gardant d'y ajouter quoi que ce fût d'artificiel, sans rien oublier, c'est-à-dire qu'il n'était question toujours pour moi que de connaître l'Éternel et de me situer en face de Lui dans l'espace et le temps, de reconnaître mes limites et, s'il était possible, de les étendre en profondeur, en hauteur, en largeur, sans laisser d'atteindre par surprise, à force de curiosité, par intuition de deviner à de certains symptômes dont j'établirais l'échelle graduée, le mystère aussi des âmes des autres, en quoi toutes se ressemblent et chacune diffère, se distingue, et de les installer à leur place respective dans le concert. « La mesure ineffable » de mon âme découverte, je n'avais qu'à recourir à elle pour les connaître toutes.

Essai sur moi-même (Marguerat, éditeur).

JULIEN GREEN

Un écrivain franco-américain Né à Paris de parents américains d'origine écossaise et irlandaise, JULIEN GREEN (1900-1998) poursuivit après la Première Guerre Mondiale, où il s'était engagé volontairement, des études supérieures aux États-Unis. Romancier français (il manie l'anglais avec une égale maîtrise), il donnait, avant sa trentième année, trois romans d'une belle structure : *Mont Cinère* (1926), *Adrienne Mesurat* (1927), *Leviathan* (1929). Puis viendront *Le Visionnaire* (1934), *Minuit* (1936), *Varouna* (1940), *Si j'étais vous* (1947), *Moïra* (1950), *Le Malfaiteur* (1956), *Chaque homme dans sa nuit* (1960), *Partir avant le jour* (1963), *Mille Chemins ouverts* (1964), *L'Autre* (1971), *Jeunesse* (1974), *Dans la gueule du temps* (1978), *Frère François* (1983) et une saga sudiste : *Les Pays lointains* (1987), *Les Étoiles du Sud* (1989). Souvenirs autobiographiques : *Jeunes années* (1984 : de l'enfance à l'âge d'homme), *La Fin d'un monde* (1992 : la France de 1940). — Enfin, *Dixie* (roman, 1995).

« LA VRAIE VIE EST ABSENTE ». Dans son *Journal*, une vingtaine de volumes parus depuis 1938 (années 1926 et suiv.), Julien Green n'a pas visé l'actualité, mais plutôt sa propre vie intérieure et la réalité qui pour lui a toujours été la plus précieuse, *l'invisible*. Au théâtre où il est venu, comme Mauriac et Montherlant, vers la maturité de son âge, ses personnages semblent chercher presque toujours à « fuir la persécution de cet inexorable ennui qui fait le fond de la vie humaine depuis que l'homme a perdu le goût de Dieu ». Cette formule de Bossuet se retrouvera sous de multiples formes dans le monde d'un Julien Green dont une des créatures les plus douloureuses est bien ce lieutenant Wicziewski, le protagoniste de *Sud* (1953) qui, se sentant à jamais isolé des autres par ses tendances « particulières », ne trouve d'appui et de confident que chez un enfant étonné, avant de se jeter dans la mort.

« EXPLORATEUR MYSTIQUE DE LA NUIT ». D'origine protestante, devenu catholique à seize ans pour traverser ensuite une longue période d'agnosticisme, puis, vers la quarantaine, faisant profession d'un retour à l'Église, JULIEN GREEN s'est montré sensible à *toutes les formes de spiritualité*, notamment au bouddhisme. Dans le monde moderne battu par l'indifférence, il apparaît, selon le mot de P.-H. Simon, comme « un explorateur mystique de la nuit ». Par certains aspects il est très proche de Bernanos, mais chez lui le rôle de la grâce coopératrice de la grâce est laissé au second plan. Ses personnages ballottés, désespérés, semblent souvent *prisonniers* d'eux-mêmes et d'une condamnation sans appel. Enfin, il n'est pas indifférent de noter que ce peintre des médiocres ou des criminels a poussé le goût de l'absolu jusqu'à inscrire en épigraphe à l'un de ses romans, *Moïra*, cette pensée de saint François de Sales : « *La pureté ne se trouve qu'en paradis ou en enfer.* »

ADRIENNE MESURAT *Le roman se situe, au début du siècle, dans une petite ville provinciale, La Tour-l'Évêque. La jeune fille, qui a perdu sa mère, vit d'une existence médiocre et monotone entre une sœur malade (bientôt réfugiée chez des religieuses) et un père âgé, esclave de ses habitudes. Amoureuse d'un médecin récemment installé près de là, elle s'enferme dans ses chimères et prend en haine ce père qu'elle juge incompréhensif et borné. Un soir, à demi-inconsciente, elle le pousse violemment dans l'escalier et on le retrouvera mort au bas des marches. Adrienne se mure dans une solitude qui la conduira, au terme du récit, à la limite de l'égarement. Pour se fuir elle-même, elle tente une diversion, un court voyage. Sous une pluie désespérante, elle débarque d'abord à Montfort-l'Amaury puis à Dreux, où la voici, désorientée, errant à travers le labyrinthe de ces rues vides.*

SUR LA PLACE VIDE

Par une admirable *correspondance* de noirs et de blancs, GREEN a rendu ici perceptible la solitude vraiment *tragique* de cette âme, qui ne retrouve le souvenir de la paix que pour la sentir irrémédiablement *perdue*. – THÈMES : *Souvenir. Solitude. Bonheur.*

Adrienne descendit la rue sans rencontrer personne. Parvenue à la place du Marché, elle s'arrêta, saisie à la vue du changement que l'heure apportait à cet endroit qui lui avait paru d'abord si morne et si laid. Toutes les baraques des merciers et des marchands de légumes avaient été enlevées ; les voitures étaient parties. La place était vide, couverte de grandes mares dans lesquelles la lune voyageait lentement. Un bâtiment moderne la limitait au nord, puis de petites maisons et des arbres lui faisaient une sorte de ceinture jusqu'à l'édifice qu'Adrienne avait pris pour une église, à cause des sculptures dont il était orné, mais
10 qui n'était que le reste d'un ancien hôtel de ville ; il présentait l'aspect d'une tour de donjon coiffée d'une poivrière et, dans le clair de lune, donnait à cette place un air romantique dont la jeune fille fut frappée.

La beauté du lieu la saisit et lui procura un moment de paix pendant lequel elle oublia ses soucis. Une minute, elle se tint immobile pour ne pas rompre du bruit de ses pas le merveilleux silence de la nuit. Et, par un subit retour sur elle-même, elle se souvint de certaines journées d'enfance. Il y avait des heures où elle avait été heureuse, mais elle ne s'en était pas rendu compte et il avait fallu qu'elle attendît cet instant de sa vie pour le savoir ; il avait fallu que sa mémoire lui rappelât cent choses oubliées,
20 devant cette tour en ruines que la lune éclairait, des promenades qu'elle avait faites dans les champs, ou des conversations qu'elle avait eues avec des camarades, dans le jardin du cours Sainte-Cécile. Ces souvenirs lui revinrent sans ordre, mais si brusquement qu'elle en éprouva un choc, et, ce soir, elle se sentait si faible qu'il suffisait de peu pour l'attendrir. Pourquoi donc ne connaissait-elle plus ce bonheur si largement dispensé à d'autres ? Et elle eut un douloureux élan vers cette chose qu'elle ne possédait plus et que le souvenir rendait si belle et si désirable.

Elle poussa un soupir et fit quelques pas sur le trottoir qui contournait la place. L'horloge de la mairie sonna neuf heures, puis celle de l'église.
30 Des chiens aboyèrent au loin. Elle s'arrêta et, levant la tête, regarda les étoiles. Il y en avait tant que, même en choisissant une petite portion du ciel, elle ne parvenait pas à en dénombrer les astres. Ces myriades de points tremblaient devant ses yeux comme des poignées de minuscules fleurs blanches à la surface d'une eau toute noire. Elle se rappela une chanson qu'on lui faisait chanter en classe : ... *le ciel semé d'étoiles...*

Il fallait que la voix montât tout d'un coup pour le mot *étoiles* et ces trois notes, si difficiles à attraper, si lointaines, exprimaient une sorte de nostalgie si douce qu'en s'en souvenant elle eut le cœur déchiré. Elle porta ses mains à ses yeux et pleura.   *Adrienne Mesurat,* II, 5 (Plon, éditeur).

LE ROMAN DE LA GRANDEUR HUMAINE

« *Les faiblesses, les abandons, les déchéances de l'homme, nous les connaissons de reste*, écrivait GIDE dans sa *Préface* à *Vol de nuit* (1931), *mais ce surpassement de soi qu'obtient la volonté tendue, c'est là surtout ce que nous avons besoin qu'on nous montre.* » Trois grands écrivains ont réintroduit dans le roman des *thèmes* et des *sentiments* qui, sauf dans les œuvres inspirées par la guerre de 1914-1918 (cf. p. 483 et 558), semblaient être oubliés depuis longtemps : Montherlant, Malraux, Saint-Exupéry.

HENRY DE MONTHERLANT

« JE VIVAIS DANS LA VIOLENCE ». HENRY DE MONTHERLANT, né à Paris en 1896, gardera de l'année passée en 1912 à Sainte-Croix de Neuilly la nostalgie de l'*atmosphère religieuse*, de l'esprit *communautaire* et des *amitiés* de collège. Dans *Service inutile* (1935), il évoquera sa jeunesse partagée entre la guerre, le stade et l'arène. Simple *soldat* dans l'infanterie, il est grièvement blessé en 1918 ; redevenu civil, il retrouve le climat viril dans la pratique des *sports* et de la *tauromachie*. Après *La Relève du matin* (1920), un second livre qui, par la psychologie et les prestiges de la forme, compte parmi les plus beaux « romans de guerre », *Le Songe* (1922), ouvre le cycle de *La Jeunesse d'Alban de Bricoule ;* il sera complété par *Les Bestiaires* (1926), roman où la tauromachie fournit à Alban une perpétuelle occasion de victoire sur lui-même. Les deux *Olympiques (Le Paradis à l'ombre des épées* et *Les Onze devant la porte Dorée)* coïncident avec les Jeux Olympiques de 1924 : combinant le *récit* et le *poème*, elles expriment la pureté et la noblesse de l'*effort* dans la solennité quasi religieuse des stades.

DES « VOYAGEURS TRAQUÉS » AUX « JEUNES FILLES ». Après 1925, pendant dix ans, MONTHERLANT, avide de « féerie », voyage en Espagne, en Afrique du Nord, en Italie. Il abandonne la violence : ses héros sont des voyageurs *« traqués »* par eux-mêmes. Du sentiment que *« tout ce qui est atteint est détruit »* par la satiété, il en vient à l'idée que l'unique volupté est dans le *refus* du plaisir qu'on *pourrait* prendre (cf. « pouvant, de n'avoir pas voulu », *Aux fontaines du désir*, 1927), ou au contraire dans la passion de « prendre, prendre, prendre, pour n'être pas pris » (*La Petite Infante de Castille*, 1929).

Pourtant, ce désir de jouissance égoïste est souvent corrigé par l'idée que *« le Souverain Bien est d'aimer quelqu'un »*, même sans retour, car *« tout vient des êtres » :* ainsi de *L'Histoire d'amour de La Rose de Sable* (1954). Si pour ce « chevalier du Néant » l'erreur est de « croire que l'homme a quelque chose à faire ici-bas », toutefois « le bien faire ne s'y perd pas, quelle que soit son inutilité... parce que, ce bien, c'est à nous que nous l'avons fait » : telle est la justification de l'activité sans illusion qu'il appelle « *la feinte* ».

L'aboutissement serait une *abnégation presque chrétienne* si elle ne s'accompagnait d'un orgueilleux sentiment de *lucidité* et de *supériorité*. Cette hauteur satisfaite d'elle-même apparaît dans *Les Célibataires* (1934), où il nous dépeint avec ironie et pitié deux gentilshommes déchus. Dans le cycle des *Jeunes Filles* (4 volumes, 1936-1939), le romancier COSTALS s'emploie à tourmenter sans plaisir et à dominer les *âmes féminines*, tout en compensant cette attitude irritante par une paradoxale leçon de « sacrifice » devant les tentations de la tendresse et de l'enlisement dans le bonheur.

RÉSURGENCE DU ROMAN. A partir de 1942, l'œuvre romanesque paraît faire place à l'œuvre dramatique (cf. p. 651) où se retrouveront les thèmes les plus élevés de MONTHERLANT et son *admirable variété* de ton et de style. Mais le romancier ne s'est pas tu. Encadrant la publication *in extenso* de *La Rose de Sable* (1968), toujours retardée depuis 1932, *Le Chaos et la Nuit* (1963) illustre encore une fois sa hantise de l'âme espagnole, et *Les Garçons* (1969) le font revenir sur son adolescence exaltée, tout en témoignant pour l'unité de son œuvre, puisqu'un épisode en avait été adapté au théâtre dans *La ville dont le prince est un enfant*. Montherlant a été élu à l'Académie française en 1962. Menacé de cécité totale, il s'est donné la mort en septembre 1972.

« ELLE ÉTAIT PAREILLE A LA NEF ARGO... »

Les héros de Montherlant lui ressemblent toujours un peu, aspirent à « *devenir extrêmes* » et, contre la médiocrité, ou l'abandon, à « *faire progresser quelque chose dans le monde* ». Ainsi ALBAN DE BRICOULE a demandé à partir pour le front le jour où, dans le bulletin de son collège, il a lu le nom d'un de ses camarades tué à la guerre, et pensé « Je suis jaloux de ce mort. » Considérant la vie du combattant comme une *ascèse*, il écarte volontairement la vaillante et noble jeune fille qui occupe son cœur : l'univers guerrier doit rester celui des hommes *seuls devant la mort*. La comparaison avec la *nef Argo* et ses guerriers fabuleux, la large salutation à « ceux qui vont mourir » et le procédé de répétition confèrent au récit un caractère *épique*.

THÈMES : *Histoire. Guerre. Adolescence. Morale. Littérature. Antiquité. Hellénisme.*

Elle était pareille à la nef Argo, la profonde voiture où dans l'ombre on ne voyait briller que les reflets bleus des fusils, les boîtes de métal des masques, les têtes casquées qui, face à face, émergeaient des fenêtres comme dans un dessin de coupe grecque les têtes des héros hors les hublots de la nef ; elle était une belle chose guerrière qui, dans le silence de la nuit finissante, roulait vers la dure bataille. La lune, qui avait suivi pendant un temps les camions, définitivement dépassée, s'était posée sur un toit pour y mourir. Peu à peu alentour les masses des arbres prenaient forme, on discernait les meules et les bas hameaux solitaires ; soudain tout l'Orient éclata en
10 musique. C'était plein d'incandescences et de lave qui de seconde en seconde allaient chacune attisant sa couleur, brillant en brillant, sombre en sombre, et cela restituait des acropoles de Titans, des querelles de Dieux au-dessus d'Iliades, de fabuleux passages de Mer Rouge, avec, dans le fond, par derrière ces nuées barbares, des cités d'orangers qui descendaient. Puis tout s'apaisa. Alors le soleil vint dehors, blanc et net comme une hostie ou comme une perle, et il roula sur la route à la façon d'un avion qui roule avant de s'enlever ; enfin se détacha et monta. Les premiers paysans apparurent. Arrêtés au bord de la route, ils regardaient les braves hommes qui s'en allaient vers la dure bataille et, levant leurs mains, ils les saluaient. [...]
20 C'était une bénédiction qui renaissait à l'infini, qui gagnait de proche en proche comme une flamme. Les femmes et les enfants bénissaient les braves hommes partant pour la dure bataille. Il y eut deux vieilles qui, une fois que les camions s'arrêtèrent, coururent à leurs jardins et coupèrent toutes les roses ; il y en eut une, bien plus ancienne encore, qui souleva sa main sans l'agiter et tout le temps que passa la file elle tint sa main immobile dans l'air, et parfois sa main faiblissait de fatigue, mais vite elle la levait plus haut pour que ces garçons-ci ne crussent pas qu'on les aimait moins que les autres ; il y eut une jeune mère qui souleva son enfant dans ses bras ; il y eut un vieil homme qui fit le salut militaire ; il y eut un petit garçon qui
30 détacha une pensée de devant sa porte, tandis que la file était arrêtée, mais d'abord il n'osa pas l'offrir, et sa mère le poussa, et quand les voitures repartirent il courut derrière et jeta dans l'une d'elles la petite fleur en

rougissant, et ce fut Alban qui la prit, remué dans son cœur. Et les braves hommes songeaient : « Nous avons vu cela. Nous étions des petits paysans et des petits fonctionnaires, nous n'avions jamais pensé que nous pourrions compter à ce point. Si nous revenons, nous nous souviendrons toujours de cette heure où on nous aimait tant. Si nous mourons, eh bien ! nous savons que nous ne mourrons pas abandonnés. Tous, toutes, nous vous remercions de ce que vous nous donnez là. Acceptez le merci du soldat qui va se battre avec courage ».

Le Songe (Librairie Gallimard, éditeur).

L'heure de vérité

Remontant dans la vie du jeune héros, *Les Bestiaires* montrent ALBAN, encore adolescent, qui se livre passionnément à la *tauromachie* avec une « âme romaine ». Il va dominer ici le « Mauvais Ange », redoutable bête de combat. Une jeune fille coquette et inconsciente, SOLEDAD, lui a imposé cette *preuve d'amour* chevaleresque. Mais, la victoire acquise, ALBAN s'éloignera farouchement : aucune sentimentalité ne doit compromettre sa « gloire ».
THÈMES : *Adolescence. Moi. Animaux.*

Et voici que peu à peu la lutte changeait d'aspect, cessait d'être heurtée et dramatique. Comme dans tout art, la maîtrise engendrait enfin la simplicité. Les passes rituelles se firent posées et majestueuses, semblèrent faciles comme les actes qu'on fait dans les rêves, douées de la noblesse et de la liberté surhumaines qu'ont les mouvements filmés au ralenti. Il apparut à tous qu'au centre de l'arène une puissance souveraine agissait, qui seule était capable de ce détachement presque nuancé de dédain : la souveraineté de l'homme apparut à tous. Ce n'était plus un combat, c'était une incantation religieuse qu'élevaient ces gestes purs, plus beaux que ceux de l'amour, voisins de ceux qui domptent
10 avec le taureau de grossiers spectateurs, et leur font venir les larmes aux yeux. Et celui qui les dessinait, soulevé de terre comme les mystiques par un extraordinaire bonheur corporel et spirituel, se sentait vivre une de ces hautes minutes délivrées où nous apparaît quelque chose d'accompli, que nous tirons de nous-même et que nous baptisons Dieu.

Ensemble, tellement ils étaient appareillés dans cette lutte, cette danse, cet embrassement, le taureau et l'homme s'arrêtèrent. Et chacun d'eux faisait son souffle contre l'autre. La possession n'avait pas son sceau, et pourtant elle était accomplie. Rouler la muleta, se profiler, pointer, fut fait avec une rapidité qui rendit la chose à peine perceptible, parce qu'Alban voulait que tout fût lié,
20 que la domination ne tombât pas. Un instant, il vit le chemin de soleil entre sa main et le garrot étincelant d'un sang doré, l'épée comme ce rayon plus long qui, sortant du soleil, vint frapper le corps même de Mithra[1]. Le choc lui retourna le corps sur le flanc gauche, retentit dans le poignet à croire qu'il l'avait cassé. Il roula sur le sol, se releva en se tenant le poignet. L'épée avait heurté un os et vacillait, mais elle était bien située.

— Ne touchez pas à ce taureau ! Personne !

La bête rejeta l'épée. Il la ramassa sans désarroi, sachant qu'il n'y avait là qu'un contretemps, que la prochaine estocade serait décisive. Tout ce qui est du domaine de la volonté, il le pouvait.

Les Bestiaires (Librairie Gallimard, éditeur).

— 1 Dieu oriental tueur de taureaux, confondu avec le Soleil, mais d'abord vaincu par lui.

ANDRÉ MALRAUX

Témoin et acteur La vie d'ANDRÉ MALRAUX (1901-1976) a fait de cet étudiant à l'École des langues orientales, déjà passionné d'archéologie en 1922, non seulement un *témoin* important, mais un *acteur,* tantôt caché, tantôt découvert, des grands drames de l'époque. Entre 1923 et 1927 il a vécu en Extrême-Orient et participé à des expéditions archéologiques, des mouvements révolutionnaires, de vrais combats aussi, sous le drapeau du Kuomintang. Il a, dès 1933, milité contre le fascisme et l'hitlérisme, puis lutté dans l'aviation aux côtés des républicains espagnols à partir de 1936. Évadé d'un camp de prisonniers après l'armistice de 1940, blessé dans les rangs du « maquis », il a commandé la célèbre brigade « Alsace-Lorraine » pendant la libération du sol français. Armé par tant d'*expériences* et considéré comme possédant au plus haut point *« le sens du monde actuel »,* il a, après 1945, abandonné le « mythe de la Révolution » pour le « primat de la nation » — le terme appartient aux *Antimémoires* — et suivi la voie du général de Gaulle, avant de l'imiter dans la retraite qu'il évoquera dans *Les chênes qu'on abat* (1971). Titulaire de Ministères à la mesure de son rayonnement (Information, 1945-1946 ; Affaires culturelles après 1958), il a, dans ses dernières années, orienté sa méditation vers « l'éternité » de l'Art (cf. p. 542) et publié divers tomes du *Miroir des limbes* (cf. p 545).

Une littérature S'il voit dans l'Art « la part victorieuse du seul animal
de « salut » qui sache qu'il doit mourir », MALRAUX consacre aussi
l'ensemble de son œuvre romanesque aux seules affirmations que l'homme puisse, selon lui, opposer à la mort et aux servitudes de sa condition. Cette œuvre, en dehors de productions épisodiques *(Lunes en papier, Royaume farfelu),* et de *La Tentation de l'Occident* (1926), est faite de quelques romans désormais fixés à leur date comme une étape du genre : *Les Conquérants* (1928), *La Voie royale* (1930), *La Condition humaine* (prix Goncourt, 1933), *Le Temps du mépris* (1935), *L'Espoir* (1937). Mutilés par la Gestapo, *Les Noyers de l'Altenburg* (1943) restent à part.

Rapportant des événements qui sont aujourd'hui devenus historiques, ces livres ne se bornent pas à une *chronique romancée* par un grand écrivain ; Malraux ne s'y attache pas non plus à « l'élucidation de l'individu ». Il considère le roman comme *« un moyen d'expression privilégié du tragique de l'homme » :* il lui confère le même rôle qu'à la *tragédie antique* et il le consacre à des héros qui, incarnant une *attitude significative,* témoignent pour *la noblesse de l'espèce* et contribuent à son « salut » dans la patrie terrestre.

Le courage, la mort, Aussi cet écrivain, qui pourrait à première vue
la fraternité apparaître comme « politique », ne s'emploie-t-il pas à
décider du bien-fondé philosophique ou des chances de victoire des *idéologies révolutionnaires :* il décide seulement entre ce qui *élève* l'homme ou l'*abaisse.* Il étudie donc surtout les différentes passions qui conduisent ses héros à lutter et à mourir pour un idéal, et il met progressivement l'accent sur ce qui est soit *protestation* contre la condition humaine, soit *promesse* de son amélioration par la seule communion fraternelle.

« Le courage aussi est une patrie », pense un anarchiste dans *L'Espoir.* MALRAUX, qui excelle à évoquer des *groupes mêlés* où paysans, ouvriers, intellectuels de différentes nationalités luttent ensemble *sans souci de leurs origines ni de leurs différences,* exalte d'abord la communion du COURAGE. Constamment menacés, parce qu'ils sont des hommes, d'être vaincus « par la chair, par les viscères », tous savent surmonter l'effroi naturel et offrir au groupe leur part d'*abnégation virile.* La MORT qui « élève son intarissable orchestre » est forcément le partenaire commun à tant de héros voués à l'action violente ; outre la faiblesse du corps, elle trouve des alliés dans la fureur aveugle, la torture humiliante ou la famine des foules immenses. Mais « il est facile de mourir quand on ne meurt pas seul ». Dans l'univers sans Dieu de MALRAUX, la FRATERNITÉ est la plus certaine victoire. S'il est un « progrès » dans sa pensée, c'est sur ce point qu'il se manifeste : *La Condition humaine, Le Temps du mépris* et *L'Espoir* évoquent la naissance et la force d'une *fraternité vécue.*

Un authentique romancier

Ni la nécessité d'aborder certains débats idéologiques, ni l'expression inévitable d'une « philosophie » personnelle ne font perdre à de tels livres leur caractère de *romans*. Le rôle de MALRAUX a au contraire consisté à faire admettre l'incorporation d'éléments *par nature non-romanesques* à des récits qui restent captivants pour l'imagination et la sensibilité. Sur un point surtout sa priorité s'affirme. Dès *La Voie royale* (1930), devant les êtres et les choses brutes, ses héros connaissent la brusque illumination du « sentiment de l'existence » ; insistant sans cesse sur la présence de la mort, il y parle aussi de « l'irréductible accusation du monde qu'est un mourant qu'on aime » ; il sait dire encore que cette accusation « ne tend pas à la lamentation mais à l'absurde » ; enfin, dans *L'Espoir* (1937), il écrit déjà que « la mort transforme la vie en destin ». Bien des thèmes et des formules mêmes que l'Existentialisme répandra (cf. p. 701) figurent déjà chez lui.

Mais, plus proche en cela de CAMUS que de Sartre, MALRAUX ne recourt pas à un vocabulaire spécialisé et sa pensée philosophique ne se devine pas en perpétuel filigrane. Ses récits, où la place du *dialogue pressé* va grandissant, sont construits sur un rythme coupé et haletant. Avant même de faire de *L'Espoir* un film célèbre, il a su manier tous les procédés que le cinéma a proposés à la narration romanesque. Par-dessus tout, la qualité de sa langue et de son style, aptes au *réalisme le plus sobre* comme aux instants de *lyrisme contenu* et d'*intense poésie*, fixe, dans la magie d'une *puissante prose*, la richesse de sa longue et généreuse méditation sur la condition humaine.

Le cycle d'Extrême-Orient

Trois romans évoquent d'abord, loin d'Europe, le pouvoir révélateur des luttes idéologiques. Prélude à la présentation plus large des différents types de révolutionnaires que *La Condition humaine* achèvera, *Les Conquérants* situent leur action en 1925, entre Hong-Kong et Canton. HONG, comme Tchen (cf. p. 537), est le pur terroriste, dangereux par son action individuelle. BORODINE, strict exécutant des consignes du parti communiste, le fera mettre à mort, alors que GARINE, le héros principal, le soutient jusqu'au bout, par sympathie. GARINE, lui aussi individualiste et plus passionné que doctrinaire, semble mériter le reproche que Trotsky adressait aux *Conquérants* en disant qu'il manquait à l'auteur « une bonne inoculation de marxisme ». Le livre vaut surtout par les notations d'atmosphère fiévreuse dans un climat hostile aux Européens et par la lutte que GARINE, physiquement affaibli, est obligé de soutenir contre sa « machine » pour garder libre sa pensée.

La Voie royale est celle qui conduit l'archéologue CLAUDE VANNEC vers les temples khmers enfouis sous la jungle. Il y est accompagné par PERKEN, aventurier qui possède les secrets politiques de ces confins. Tous deux partent à la recherche de GRABOT, prisonnier des Moïs qui l'ont réduit à l'état d'épave humaine. La souffrance et la mort fournissent à Malraux les premières variations sur ses thèmes les plus frappants. L'unité de son œuvre se révèle déjà ici. En effet, VANNEC professe par avance la théorie des *Voix du silence* (cf. p. 544) : « *On dirait qu'en art le temps n'existe pas. Ce qui m'intéresse, voyez-vous, c'est la décomposition, la transformation de ces œuvres, leur vie la plus profonde, qui est faite de la mort des hommes. Toute œuvre d'art, en somme, tend à devenir un mythe.* »

La Condition humaine

Ce roman, qui domine l'œuvre de MALRAUX, rassemble avec plus de force encore les thèmes antérieurs et s'enrichit de celui de la *fraternité* qui désormais va dominer.

Nous sommes à Shanghaï, le 21 mars 1927. Les « généraux du Nord », inféodés aux puissances étrangères et capitalistes que personnifie l'homme de finances FERRAL, *tiennent la ville. Sans attendre l'arrivée des troupes du Kuomintang, rassemblement mêlé des forces nationalistes et républicaines, commandées par Chang-Kaï-Shek, les syndicalistes, les terroristes et les militants de base, peu éclairés sur la « ligne générale » du Parti, ont* déclenché l'action. *Toute une galerie de portraits défile :* KATOW, *lutteur chevronné qui a connu la révolution russe de 1917 ;* HEMMELRICH, *qui est retenu par sa femme et ses enfants misérables ;* TCHEN, *le terroriste qui veut se sauver du désarroi par l'action furieuse ; le métis* KYO GISORS, *mari de la doctoresse* MAY, *qui se bat au nom d'un idéal déterminé. Le vieux* GISORS, *intellectuel communiste, maître à penser de Tchen et de son propre fils, domine avec angoisse la mêlée. Une suite d'épisodes précipités évoque l'action confuse des différents groupes qui prennent possession de la ville.*

L'AGONIE DU TRAIN BLINDÉ

Kyo, Katow et Tchen regardent le *train blindé* des « gouvernementaux » qui, *bloqué* sur la voie coupée, tire ses *dernières salves*. Cette page, dans *son intense brièveté*, associe à une *vision* qui devient *fantastique* le tragique de *scènes cachées* mais que peuvent imaginer, en pleine « sympathie », ceux qui connaissent la mort. – THÈMES : *Guerre. Mort.*

Un vacarme formidable les surprit tous trois : par chaque pièce, chaque mitrailleuse, chaque fusil, le train tirait. Katow avait fait partie d'un des trains blindés de Sibérie ; son imagination lui faisait suivre l'agonie de celui-ci. Les officiers avaient commandé le feu à volonté. Que pouvaient-ils faire dans leurs tourelles, le téléphone d'une main, le revolver de l'autre ? Chaque soldat devinait sans doute ce qu'était ce martèlement. Se préparaient-ils à mourir ensemble, ou à se jeter les uns sur les autres, dans cet énorme sous-marin qui ne remonterait jamais ?
Le train même entrait dans une transe furieuse. Tirant toujours de
10 partout, ébranlé par sa frénésie même, il semblait vouloir s'arracher de ses rails, comme si la rage désespérée des hommes qu'il abritait eût passé dans cette armure prisonnière et qui se débattait elle aussi. Ce qui, dans ce déchaînement, fascinait Katow, ce n'était pas la mortelle saoulerie dans laquelle sombraient les hommes du train, c'était le frémissement des rails qui maintenaient tous ces hurlements ainsi qu'une camisole de force : il fit un geste du bras en avant, pour se prouver que lui n'était pas paralysé. Trente secondes, le fracas cessa. Au-dessus de l'ébranlement sourd des pas et du tic-tac de toutes les horloges de la boutique, s'établit un grondement de lourde ferraille : l'artillerie de l'armée révolutionnaire.
20 Derrière chaque blindage, un homme du train écoutait ce bruit comme la voix même de la mort.   *La Condition humaine* (Librairie Gallimard, éditeur).

Victorieux et chef de forces organisées, CHANG-KAÏ-SHEK *a ordonné aux groupes révolutionnaires de* livrer leurs armes. *Dans une scène où l'opposition doctrinale se traduit en un simple dialogue plein de vie et d'accent,* KYO, *désorienté par cette mesure, affronte à Han-Kéou le représentant de Moscou, le dur et froid* VOLOGUINE. *Mais Moscou,* par tactique, *ordonne d'obéir à l'ordre de* CHANG. *Le terroriste* TCHEN *est lui aussi accouru à Han-Kéou. Repoussé à son tour, il accomplira* seul *le geste qu'il projette, en dépit des objurgations de Kyo.*

La mystique du terrorisme

Tchen « *ne pouvait vivre d'une idéologie qui ne se transformât pas immédiatement en actes* ». Possédé par le sens d'un *héroïsme désespéré,* il a décidé de s'affirmer et de mourir en jetant une *bombe* sous l'auto de Chang-Kaï-Shek qui, d'ailleurs, échappera à l'attentat. — Les pensées de TCHEN, si précipitées et si nettement rendues, semblent cependant se fondre ici dans un *décor fantastique ;* tout est hallucinant dans cette *attente consciente et embrumée* dont la solennité lugubre semble appeler l'image même du DESTIN.
THÈMES : *Histoire. Guerre. Moi. Solitude. Mort. Société. Morale. Psychologie.*

Cette nuit de brume était sa dernière nuit, et il en était satisfait. Il allait sauter avec la voiture, dans un éclair en boule qui illuminerait une seconde cette avenue hideuse et couvrirait un mur d'une gerbe de sang. La plus vieille

légende chinoise s'imposa à lui : les hommes sont la vermine de la terre. Il fallait que le terrorisme devînt une mystique. Solitude, d'abord : que le terroriste décidât seul, exécutât seul ; toute la force de la police est dans la délation ; le meurtrier qui agit seul ne risque pas de se dénoncer lui-même. Solitude dernière, car il est difficile à celui qui vit hors du monde de ne pas rechercher les siens. Tchen connaissait les objections opposées au terrorisme : répression
10   policière contre les ouvriers, appel au fascisme. La répression ne pourrait être plus violente, le fascisme plus évident. Et peut-être Kyo et lui ne pensaient-ils pas pour les mêmes hommes. Il ne s'agissait pas de maintenir dans leur classe, pour la délivrer, les meilleurs des hommes écrasés, mais de donner un sens à leur écrasement même : que chacun s'instituât responsable et juge d'un maître. Donner un sens immédiat à l'individu sans espoir et multiplier les attentats, non par une organisation mais par une idée : faire renaître des martyrs. Peï [1], écrivant, serait écouté parce que lui, Tchen, allait mourir : il savait de quel poids pèse sur toute pensée le sang versé pour elle. Tout ce qui n'était pas son geste résolu se décomposait dans la nuit derrière laquelle restait embusquée
20   cette automobile qui arriverait bientôt. La brume, nourrie par la fumée des navires, détruisait peu à peu au fond de l'avenue les trottoirs pas encore vides : des passants affairés y marchaient l'un derrière l'autre, se dépassant rarement, comme si la guerre eût imposé à la ville un ordre tout-puissant. Le silence général de leur marche rendait leur agitation presque fantastique. Ils ne portaient pas de paquets, d'éventaires, ne poussaient pas de petites voitures ; cette nuit, il semblait que leur activité n'eût aucun but. Tchen regardait toutes ces ombres qui coulaient sans bruit vers le fleuve, d'un mouvement inexplicable et constant ; n'était-ce pas le Destin même, cette force qui les poussait vers le fond de l'avenue où l'arc allumé d'enseignes à peine visibles devant les ténèbres du
30   fleuve semblait les portes mêmes de la mort ? Enfoncés en perspectives troubles, les énormes caractères se perdaient dans ce monde tragique et flou comme dans les siècles ; et, de même que si elle fût venue, elle aussi, de l'état-major mais des temps bouddhiques [2], la trompe militaire de l'auto de Chang-Kaï-Shek commença à retentir sourdement au fond de la chaussée presque déserte. Tchen serra la bombe sous son bras avec reconnaissance. Les phares seuls sortaient de la brume. Presque aussitôt, précédée de la Ford de garde, la voiture entière en jaillit ; une fois de plus il sembla à Tchen qu'elle avançait extraordinairement vite. Trois pousses obstruèrent soudain la rue, et les deux autos ralentirent. Il essaya de retrouver le contrôle de sa respiration. Déjà
40   l'embarras était dispersé. La Ford passa, l'auto arrivait : une grosse voiture américaine, flanquée des deux policiers accrochés à ses marchepieds ; elle donnait une telle impression de force que Tchen sentit que, s'il n'avançait pas, s'il attendait, il s'en écarterait malgré lui. Il prit sa bombe par l'anse comme une bouteille de lait. L'auto du général était à cinq mètres, énorme. Il courut vers elle avec une joie d'extatique, se jeta dessus, les yeux fermés.

La Condition humaine (Librairie Gallimard, éditeur).

La répression a jeté presque tous les héros du livre dans les prisons d'où on ne sort que pour être brûlé vif *dans la chaudière d'une locomotive.* KYO *lui-même, qui aurait pu être sauvé, a été perdu par le retard de l'inconsistant* CLAPPIQUE. *Par un trait symbolique, celui-ci a oublié l'heure d'un message urgent en luttant devant une table de jeu contre le hasard absurde.*

— 1 Jeune intellectuel, qui admire Tchen. — 2 Comme si elle sortait de la nuit des temps.

Le don du cyanure

Outre l'exemple du sacrifice de KATOW qui donne « plus que sa vie » en offrant à de jeunes camarades sa part de *cyanure*, les pages montrant les prisonniers dans *la morne attente du supplice* apportent une explication définitive au titre même de l'œuvre. On songe, en effet, à la célèbre *Pensée* de PASCAL : « *Qu'on s'imagine un nombre d'hommes dans les chaînes et tous condamnés à la mort... Ceux qui restent voient leur propre condition dans celle de leurs semblables.* » Mais voici l'instant vraiment « fraternel » pour KATOW allongé près du cadavre de Kyo. – THÈMES : *Solitude. Amitié. Morale. Bonheur. Mort.*

Malgré la rumeur, malgré tous ces hommes qui avaient combattu comme lui, Katow était seul, seul entre le corps de son ami mort et ses deux compagnons épouvantés, seul entre ce mur et ce sifflet [1] perdu dans la nuit. Mais un homme pouvait être plus fort que cette solitude et même, peut-être, que ce sifflet atroce : la peur luttait en lui contre la plus terrible tentation de sa vie. Il ouvrit à son tour la boucle de sa ceinture. Enfin :

— Hé, là, dit-il à voix très basse. Souen, pose ta main sur ma poitrine, et prends dès que je la toucherai : je vais vous donner mon cyanure [2]. Il n'y en a'bsolument [3] que pour deux.

10 Il avait renoncé à tout sauf à dire qu'il n'y en avait que pour deux. Couché sur le côté, il brisa le cyanure en deux. Les gardes masquaient la lumière, qui les entourait d'une auréole trouble ; mais n'allaient-ils pas bouger ? Impossible de voir quoi que ce fût ; ce don de plus que sa vie, Katow le faisait à cette main chaude qui reposait sur lui, pas même à des corps, pas même à des voix. Elle se crispa comme un animal, se sépara de lui aussitôt. Il attendit, tout le corps tendu. Et soudain, il entendit l'une des deux voix : « C'est perdu. Tombé ».

Voix à peine altérée par l'angoisse, comme si une telle catastrophe n'eût pas été possible, comme si tout eût dû s'arranger. Pour Katow aussi, c'était impossible. Une colère sans limites montait en lui mais retombait, combattue 20 par cette impossibilité. Et pourtant ! Avoir donné *cela* pour que cet idiot le perdît !

— Quand ? demanda-t-il.

— Avant mon corps. Pas pu tenir quand Souen l'a passé : je suis aussi blessé à la main.

— Il a fait tomber les deux, dit Souen.

Sans doute cherchaient-ils entre eux. Ils cherchèrent ensuite entre Katow et Souen, sur qui l'autre était probablement presque couché, car Katow, sans rien voir, sentait près de lui la masse de deux corps. Il cherchait lui aussi, s'efforçant de vaincre sa nervosité, de poser sa main à plat, de dix centimètres en dix centimètres, partout où il pouvait atteindre. Leurs mains frôlaient la 30 sienne. Et tout à coup une des deux la prit, la serra, la conserva.

— Même si nous ne trouvons rien... dit une des voix.

Katow, lui aussi, serrait la main, à la limite des larmes, pris par cette pauvre fraternité sans visage, presque sans vraie voix (tous les chuchotements se ressemblent) qui lui était donnée dans cette obscurité contre le plus grand don qu'il eût jamais fait, et qui était peut-être fait en vain. Bien que Souen continuât à chercher, les deux mains restaient unies. L'étreinte devint soudain crispation :

— Voilà.

O résurrection !...   *La Condition humaine* (Librairie Gallimard, éditeur).

— 1 De la sinistre locomotive. — 2 Poison foudroyant que portent souvent sur eux ceux qui risquent d'être exposés à un supplice atroce. — 3 Katow a un défaut de prononciation.

« *QUELQUE PART LA-HAUT DANS LA LUMIÈRE...* »

Le vieux théoricien Gisors s'est trouvé, par la mort de son fils Kyo, devant une pauvre et simple vérité, mais plus forte que n'importe quelle pensée : « *Il faut neuf mois pour faire un homme, et un seul jour pour le tuer.* » Tout lui paraît vain désormais. Réfugié à Kobé, il refuse à May de la suivre en Russie pour préparer de nouvelles luttes. — Cette page sereine, qui s'enlève sur un fond d'estampe japonaise, montre à quelle *poésie* peut atteindre Malraux. L'opium, puis la musique favorisent « l'accord serein » du vieil homme avec la vie du monde. *Le vent qui passe dans les pins de Kobé vient caresser sa rêverie.*

Il sembla à Gisors que ce vent passait à travers lui comme un fleuve, comme le Temps même, et, pour la première fois, l'idée que s'écoulait en lui le temps qui le rapprochait de la mort ne le sépara pas du monde, mais l'y relia dans un accord serein. Il regardait l'enchevêtrement des grues au bord de la ville, les paquebots et les barques sur la mer, les taches humaines sur la route. « Tous souffrent, songea-t-il, et chacun souffre parce qu'il pense. Tout au fond, l'esprit ne pense l'homme que dans l'éternel, et la conscience de la vie ne peut être qu'angoisse. Il ne faut pas penser la vie avec l'esprit, mais avec l'opium. Que de souffrances éparses dans cette
10 lumière disparaîtraient, si disparaissait la pensée... » [...]
        Cinquante sirènes à la fois envahirent l'air : ce jour était veille de fête, et le travail cessait. Avant tout changement du port, des hommes minuscules gagnèrent, comme des éclaireurs, la route droite qui menait à la ville, et bientôt la foule la couvrit, lointaine et noire, dans un vacarme de klaxons : patrons et ouvriers quittaient ensemble le travail. Elle venait comme à l'assaut, avec le grand mouvement inquiet de toute foule contemplée à distance. Gisors avait vu la fuite des animaux vers les sources, à la tombée de la nuit : un, quelques-uns, tous, précipités vers l'eau par une force tombée avec les ténèbres ; dans son souvenir, l'opium donnait à leur ruée cosmique
20 une sauvage harmonie, alors que les hommes perdus dans le lointain vacarme de leurs socques lui semblaient tous fous, séparés de l'univers dont le cœur battant quelque part là-haut dans la lumière palpitante les prenait et les rejetait à la solitude, comme les grains d'une moisson inconnue. Légers, très élevés, les nuages passaient au-dessus des pins sombres et se résorbaient peu à peu dans le ciel ; et il lui sembla qu'un de leurs groupes, celui-là précisément, exprimait les hommes qu'il avait connus ou aimés, et qui étaient morts. L'humanité était épaisse et lourde, lourde de chair, de sang, de souffrance, éternellement collée à elle-même comme tout ce qui meurt ; mais même le sang, même la chair, même la douleur, même la mort
30 se résorbaient là-haut dans la lumière comme la musique dans la nuit silencieuse : il pensa à celle de Kama [1], et la douleur humaine lui sembla monter et se perdre comme le chant même de la terre ; sur la paix frémissante et cachée en lui comme son cœur, la douleur possédée refermait lentement ses bras inhumains.   *La Condition humaine* (Librairie Gallimard, éditeur).

———————

— 1 Beau-frère japonais du vieux Gisors qui recourt à la musique orientale de ce grand artiste.

Du « Temps du mépris »
à « L'Espoir »
L'œuvre de MALRAUX semble suivre la marche des grands mouvements idéologiques à travers l'Europe. Le *Temps du mépris* dénonce les atteintes à la dignité humaine dont l'hitlérisme et ses prisons restent à jamais coupables. Mais le *courage farouche* des victimes y rachète, pour l'honneur des hommes, l'humiliation imposée par les tortionnaires. Sacrifice égal à celui de Katow, un prisonnier accepte d'être conduit à la mort à la place d'un camarade. La leçon reste la même : « *Il est difficile d'être un homme. Mais pas plus en approfondissant sa communion qu'en cultivant sa différence.* »
L'Espoir (1937) nous présente une grande variété de scènes dans l'Espagne déchirée. Sur un rythme de film, trépidant et heurté, on y assiste à l'embrasement progressif de *la guerre* puis à la mise en ordre de la *résistance* chez les républicains. « *L'espoir* » tient en effet à deux raisons. D'abord, la *discipline* et la *technique* doivent et peuvent « organiser l'Apocalypse » : de nombreux dialogues, où les conceptions s'opposent, constituent un véritable « cours », passionné et vivant, de tactique révolutionnaire. Ensuite, l'*afflux des volontaires* de tous pays est le signe d'une « juste cause » : l'évocation des « brigades internationales », composées d'hommes très divers, mais tous déterminés et solidaires dans leur sacrifice, aboutit encore une fois à un *chant de fraternité confiante*. Le rôle de MAGNIN, organisateur de l'aviation, rappelle incontestablement celui de MALRAUX dans cette lutte.

Grandeur et éternité

Une des plus grandes pages de MALRAUX, une des belles séquences de son film *Sierra de Teruel*. Après avoir évoqué un *décor d'éternité,* elle atteint, dans sa seconde partie, à une *grandeur épique :* en effet, le défilé des civières, portées et escortées par la foule anonyme, revêt la *majesté d'une scène antique.* Mais ici la fresque funèbre n'est peuplée que de *pauvres montagnards,* immédiatement accourus au secours, dans la région sauvage de Linares. — MAGNIN, *qui était parti avec une caravane muletière relever les blessés et le mort d'un avion abattu, retrouve à la descente l'image qui l'avait déjà frappé à la montée : celle d'un* pommier *et de ses* fruits tombés, *seule image de vie dans la pierraille « vivant de la vie indéfiniment renouvelée des plantes dans l'indifférence géologique ».*

Sur quelle forêt ruisselait une telle averse, de l'aute côté du roc ? Magnin mit son mulet au trot, les dépassa tous, arriva au tournant. Pas d'averse : c'était le bruit des torrents dont le rocher l'avait séparé, ainsi que d'une perspective, et qu'on n'entendait pas de l'autre versant ; il montait de Linares, comme si les ambulances et la vie retrouvée eussent envoyé du fond de la vallée ce bruit allongé de grand vent sur des feuilles. Le soir ne venait pas encore, mais la lumière perdait sa force. Magnin, statue équestre de travers sur son mulet sans selle, regardait le pommier debout au centre de ses pommes mortes. La tête en blaireau sanglant de Langlois [1] passa devant les branches. Dans le silence
10 empli tout à coup de ce bruissement d'eau vivante, cet anneau pourrissant et plein de germes semblait être, au-delà de la vie et de la mort des hommes, le rythme de la vie et de la mort de la terre. Le regard de Magnin errait du tronc aux gorges sans âge. L'une après l'autre, les civières passaient. Comme au-dessus de la tête de Langlois, les branches s'étendaient au-dessus du roulis des brancards, au-dessus du sourire cadavérique de Taillefer, du sourire enfantin de Mireaux, du pansement plat de Gardet, des lèvres fendues de Scali, de chaque corps ensanglanté porté dans un balancement fraternel. Le cercueil passa, avec sa mitrailleuse tordue comme une branche [2]. Magnin passa.
Sans qu'il comprît trop bien comment, la profondeur des gorges où ils
20 s'enfonçaient maintenant comme dans la terre même, s'accordait à l'éternité

— 1 Nom d'un blessé, comme les suivants. — 2 Mitrailleuse arrachée aux débris de l'avion.

des arbres. Il pensa aux carrières où on laissait jadis mourir les prisonniers. Mais cette jambe en morceaux mal attachés par des muscles, ce bras pendant, ce visage arraché, cette mitrailleuse sur un cercueil, tous ces risques consentis, cherchés ; la marche solennelle et primitive de ces brancards, tout cela était aussi impérieux que ces rocs blafards qui tombaient du ciel lourd, que l'éternité des pommes éparses sur la terre. De nouveau, tout près du ciel, des rapaces crièrent. Combien de temps avait-il encore à vivre ? Vingt ans ?

— Pourquoi qu'il est venu, l'aviateur arabe ?

L'une des femmes revenait vers lui, avec deux autres.

30 Là-haut, les oiseaux tournaient, leurs ailes immobiles comme celles des avions.

— C'est vrai que ça s'arrange les nez maintenant ?

A mesure que la gorge approchait de Linares, le chemin devenait plus large ; les paysans marchaient autour des civières. Les femmes noires, fichu sur la tête et panier au bras, s'affairaient toujours dans le même sens autour des blessés, de droite à gauche. Les hommes, eux, suivaient les civières sans jamais les dépasser ; ils avançaient de front, très droits comme tous ceux qui viennent de porter un fardeau sur l'épaule. A chaque relais, les nouveaux porteurs abandonnaient leur marche rigide pour le geste prudent et affectueux par lequel ils prenaient les brancards, et repartaient avec le han ! du travail quotidien, comme s'ils voulaient

40 cacher aussitôt ce que leur geste venait de montrer de leur cœur. Obsédés par les pierres du sentier, ne pensant qu'à ne pas secouer les civières, ils avançaient au pas, d'un pas ordonné et ralenti à chaque rampe ; et ce rythme accordé à la douleur sur un si long chemin semblait emplir cette gorge immense où criaient là-haut les derniers oiseaux, comme l'eût emplie le battement solennel des tambours d'une marche funèbre...   L'Espoir (Librairie Gallimard, éditeur).

Les Écrits sur l'art

La méditation sur l'art, qui pour Malraux « compte essentiellement », est présente dans la plupart de ses œuvres. Elle est au cœur des deux vastes ensembles magnifiquement illustrés dans lesquels, avec de multiples remaniements, il a regroupé les écrits où, au fil des ans, s'est élaborée sa doctrine personnelle. Ce sont : d'une part *Les Voix du silence* (1951) où sont réunis les trois volumes antérieurs de *La Psychologie de l'art* (*Le Musée imaginaire*, 1947 ; *La Création artistique*, 1948 ; *La Monnaie de l'absolu*, 1949) ; et d'autre part *La Métamorphose des dieux*, dont le tome I, *Le Surnaturel* (1957), rassemble les trois volumes du *Musée imaginaire de la sculpture mondiale* (*La Statuaire*, 1952 ; *Des Bas-reliefs aux grottes sacrées*, 1954 ; *Le Monde chrétien*, 1955), et représente le premier volet d'un vaste triptyque, les deux autres étant intitulés *L'Irréel* (1974) et *L'Intemporel* (1976). Enfin *Saturne, essai sur Goya* (1949) et *La Tête d'obsidienne* (1974, entretiens avec Picasso).

Son entreprise, dit-il, « n'a pour objet ni une histoire de l'art [...] ni une esthétique, mais bien la signification que prend la présence d'une éternelle réponse à l'interrogation que pose à l'homme sa part d'éternité » (*La Métamorphose des dieux*). Au point de départ de ses réflexions, l'idée qu'à notre époque, pour la première fois, la multitude des reproductions photographiques permet de confronter les œuvres d'art de tous les temps et de toutes les civilisations. Ce « musée imaginaire », où les œuvres se trouvent « séparées de leur fonction » culturelle et contingente, fait apparaître l'existence d'un univers de l'art, et favorise la « métamorphose » qui donne à ces œuvres une signification de portée universelle. L'homme s'affirme ainsi, face au monde qui lui est imposé, par la création d'un autre monde, « non pas nécessairement surnaturel mais magnifié, mais d'un monde irréductible à celui du réel ». Comme Dieu, un Picasso « fait ce qui n'existe pas ». L'acte créateur témoigne donc « de la volonté d'arracher les formes au monde que l'homme subit pour les faire entrer dans celui qu'il gouverne ». Il est une affirmation de la liberté et de la grandeur de l'homme, une victoire remportée sur le destin par un être condamné à périr et qui aspire à l'éternité.

Malraux et la culture

Malraux inaugurant l'exposition
Fernand Léger (1969).
(Ph. © Claude Wherlé – Sygma)

Malraux et de Gaulle,
à l'exposition de l'art mexicain (1962).
(Ph. © Gisèle Freund)

Une rencontre historique

La rencontre du général de Gaulle, en 1945, a été pour Malraux un événement décisif. Il s'est désormais attaché à son « héros » aussi bien dans les moments de détresse que dans l'exercice du pouvoir. L'estime réciproque qui liait les deux hommes a permis à Malraux, ministre des Affaires culturelles, de prendre des décisions importantes : création des maisons de la culture, promotion de la peinture moderne, audiovisuel, ravalement des monuments qui a rajeuni le visage de la capitale.

« *L'ART EST UN ANTI-DESTIN* »

Malraux n'a cessé de méditer sur la « part divine », la « part d'éternité » de l'homme. « Sans doute, dit-il, pour un croyant, ce long dialogue des métamorphoses et des résurrections s'unit-il en une voix divine, car l'homme ne devient homme que dans la poursuite de sa part la plus haute ; mais il est beau que l'animal qui sait qu'il doit mourir arrache à l'ironie des nébuleuses le chant des constellations, et qu'il le lance au hasard des siècles, auxquels il imposera des paroles inconnues. » Pour l'homme moderne qui peut se sentir abandonné à sa solitude par la divinité, les recherches et les réussites de l'art, à travers les siècles, témoignent « d'une des formes les plus secrètes, et les plus hautes, de la force et de l'honneur d'être homme » *(Les Voix du silence).*

THÈMES : *Art. Beaux-arts. Humanisme. Philosophie. Métaphysique. Temps.*

L'art ne délivre pas l'homme de n'être qu'un accident de l'univers ; mais il est l'âme du passé au sens où chaque religion antique fut une âme du monde. Il assure pour ses sectateurs, quand l'homme est né à la solitude, le lien profond qu'abandonnent les dieux qui s'éloignent. Si nous introduisons dans notre civilisation tant d'éléments ennemis, comment ne pas voir que notre avidité les fond en un passé devenu celui de sa plus profonde défense, séparé du vrai par sa nature même ? Sous l'or battu des masques de Mycènes [1], là où l'on chercha la poussière de la beauté, battait de sa pulsation millénaire un pouvoir enfin réentendu jusqu'au fond du temps. A la petite plume de Klee [2], au bleu des raisins de Braque, répond du fond des empires le chuchotement des statues qui chantaient au lever du soleil [3]. Toujours enrobé d'histoire, mais semblable à lui-même depuis Sumer [4] jusqu'à l'école de Paris, l'acte créateur maintient au long des siècles une reconquête aussi vieille que l'homme. Une mosaïque byzantine et un Rubens, un Rembrandt et un Cézanne expriment des maîtrises distinctes, différemment chargées de ce qui fut maîtrisé ; mais elles s'unissent aux peintures magdaléniennes [5] dans le langage immémorial de la conquête, non dans un syncrétisme de ce qui fut conquis. La leçon des Bouddhas de Nara [6] ou celle des Danses de Mort civaïtes [7] n'est pas une leçon de bouddhisme ou d'hindouïsme ; et le Musée Imaginaire est la suggestion d'un vaste possible projeté par le passé, la révélation de fragments perdus de l'obsédante plénitude humaine, unis dans la communauté de leur présence invaincue. Chacun des chefs-d'œuvre est une purification du monde, mais leur leçon commune est celle de leur existence, et la victoire de chaque artiste sur sa servitude rejoint, dans un immense déploiement, celle de l'art sur le destin de l'humanité.

L'art est un anti-destin.   *Les Voix du Silence,* IV (Librairie Gallimard, éditeur).

— 1 Ville du Péloponnèse, patrie légendaire d'Agamemnon ; on y a fait d'importantes fouilles. — 2 Paul Klee (1879-1940) : peintre « non-figuratif » aux coloris éclatants et aux compositions surréalistes. — 3 Allusion à la légende des *colosses de Memnon,* en réalité statues colossales d'Aménophis III, à Thèbes. — 4 Le peuple *sumérien* fut le créateur, en Mésopotamie, d'une des plus anciennes civilisations. — 5 Peintures des grottes de *la Madeleine,* en Dordogne. — 6 Ville d'art du Japon, célèbre par ses temples. — 7 *Civa* est, dans la trinité hindoue, le principe purificateur, le thérapeute qui détruit pour créer ; il a pour symbole le *feu.*

Le Miroir des limbes   En 1967, MALRAUX publie ses *Antimémoires,* titre significatif, car il n'y raconte pas directement sa vie, mais,
évoquant ses rencontres avec les grands de ce monde, il y poursuit plus somptueusement
que jamais sa méditation sur l'Histoire, les civilisations et la mort. Le général de Gaulle
n'est pas absent de ces pages : Malraux retrace dans *Les Chênes qu'on abat* (1971) la
visite qu'il lui fit dans sa retraite peu avant sa mort : « Seul à Colombey, entre le souvenir
et la mort, comme les grands maîtres des chevaliers de Palestine devant leur cercueil,
il est encore le grand maître de l'Ordre de la France ». Il complétera ses souvenirs dans
Lazare (1974) à l'occasion d'un séjour à l'hôpital.

Soucieux de remanier et de classer ses écrits, il a regroupé ses mémoires dans *Le Miroir
des limbes,* qui réunit dans l'édition « Pléiade » : I, *Antimémoires ;* II, *La Corde et les Souris,*
comprenant *Hôtes de passage, Les Chênes qu'on abat, La Tête d'obsidienne, Lazare,* et, en
appendice, les *Oraisons funèbres.* Le titre de *La Corde et les Souris* renvoie à une légende
évoquée en épigraphe : « Le « grand Peintre » condamné à être pendu par « l'Empereur
Inflexible » dessine des souris sur le sable, si ressemblantes qu'elles s'animent et viennent
ronger la corde. Sauvé ainsi de la pendaison, le Peintre s'en va en emmenant les souris. »

L'oraison funèbre de Jean Moulin

MALRAUX prononce cette oraison funèbre en 1964, lors du transfert au Panthéon des
cendres de Jean Moulin, préfet en 1940, rassembleur des résistants, puis premier président
du Conseil national de la Résistance ; ce héros fut atrocement torturé parce qu'il refusait
de livrer les secrets qui auraient permis d'anéantir ses compagnons ; il mourut en 1943
dans le train qui le déportait en Allemagne. A propos d'un moment solennel de la vie
nationale, MALRAUX ressuscite de façon poignante l'atmosphère d'une époque terrible
et convoque, pour escorter le supplicié, les héros obscurs des maquis, les déportés, les
soldats de Leclerc. Il fut lui-même leur compagnon et ce sont ses propres morts qu'il
exalte en prononçant cette oraison funèbre inoubliable par son lyrisme oratoire et ses
accents dignes de l'épopée. – THÈMES : *Histoire. Guerre. Autobiographie. Moi. Mort.*

Le lendemain matin, pendant que je prononce l'oraison funèbre, le vent
glacé rabat mes notes sur le micro avec un bruit de ressac.

A droite et à gauche, mais en arrière, les porteurs de drapeaux et les
compagnons de la Libération ; devant, au pied des deux palais, les officiels.
Le général de Gaulle, dans le long manteau que je lui ai vu seulement sur
les photos du débarquement, est resté debout, et nul ne s'est assis. Rue Soufflot,
la foule. La *Marche lugubre* de Gossec descend du dôme avec le battement
grave de ses tambours de guerre. Le vent siffle dans le micro, fait tourbillonner
sur les pavés une poussière gelée. Place du vent semblable aux places solennelles
10 des rêves, avec la musique d'outre-tombe, le vide, des uniformes au loin ;
derrière moi la masse des colonnes du Panthéon, et partout l'appel d'une
attention aussi vivante qu'une présence dans la nuit. Pour la plupart de ceux
qui m'écoutent dans la rue Soufflot invisible, je parle de leurs propres morts.
Et des miens : « *C'est le temps où, dans la campagne, nous interrogeons les
aboiements des chiens au fond de la nuit ; le temps où les parachutes multicolores,
chargés d'armes et de cigarettes, tombent du ciel dans la lueur des feux des clairières
ou des causses : le temps des caves, et de ces cris désespérés que poussent les torturés
avec des voix d'enfants...*

« *La grande lutte des ténèbres a commencé.*

20 « *Le jour où, au Fort-Montluc à Lyon, après l'avoir fait torturer, l'agent de
la Gestapo lui tend de quoi écrire puisqu'il ne peut plus parler, Jean Moulin dessine
la caricature de son bourreau. Pour la terrible suite, écoutons seulement les mots*

si simples de sa sœur : "Son rôle est joué, son calvaire commence. Bafoué, sauvagement frappé, la tête en sang, les organes éclatés, il atteint les limites de la souffrance humaine sans jamais trahir un seul secret, lui qui les savait tous."

« *Mais voici la victoire de ce silence atrocement payé : le destin bascule. Chef de la Résistance martyrisé dans des caves hideuses, regarde de tes yeux disparus toutes ces femmes noires qui veillent nos compagnons : elles portent le deuil de la France, et le tien ! Regarde glisser sous les chênes nains du Quercy, avec un drapeau*
30 *fait de mousselines nouées, les maquis que la Gestapo ne trouvera jamais parce qu'elle ne croit qu'aux grands arbres !*

« *Regarde le prisonnier qui entre dans une villa luxueuse et se demande pourquoi on lui donne une salle de bains — il n'a pas encore entendu parler de la baignoire* [1]. »

Malgré les haut-parleurs, l'éloignement de la foule me contraint à une psalmodie hurlée.

« *Pauvre roi supplicié des ombres, regarde ton peuple d'ombres se lever dans la nuit de juin constellée de tortures... Voici le fracas des chars allemands qui remontent vers la Normandie à travers les longues plaintes des bestiaux réveillés : grâce à toi, les chars n'arriveront pas à temps. Et quand la trouée des Alliés commence, regarde, préfet,*
40 *surgir dans toutes les villes de France les commissaires de la République — sauf lorsqu'on les a tués ! Tu as envié, comme nous, les clochards épiques de Leclerc* [2] : *regarde, combattant, tes clochards sortir à quatre pattes de leurs maquis de chênes, et arrêter avec leurs mains paysannes formées aux bazookas, l'une des premières divisions cuirassées de l'empire hitlérien, la division* Das Reich [3] !

« *Comme Leclerc entra aux Invalides avec son cortège d'exaltation dans le soleil d'Afrique et les combats d'Alsace, entre ici, Jean Moulin, avec ton terrible cortège. Avec ceux qui sont morts dans les caves sans avoir parlé, comme toi ; et même, ce qui est peut-être plus atroce, en ayant parlé ; avec tous les rayés* [4] *et tous les tondus des camps d'extermination, avec le dernier corps trébuchant des affreuses*
50 *files de* Nuit et Brouillard [5], *enfin tombé sous les crosses ; avec les huit mille Françaises qui ne sont pas revenues des bagnes, avec la dernière femme morte à Ravensbrück pour avoir donné asile à l'un des nôtres ! Entre avec le peuple né de l'ombre et disparu avec elle — nos frères dans l'ordre de la Nuit... »*

La musique commence *Le Chant des Partisans*. Que de fois je l'ai entendu à bouche fermée, les nuits de parachutages aussi froides qu'aujourd'hui ; et un jour à pleine voix, dans le brouillard des bois d'Alsace où il se mêlait au cri perdu des moutons des tabors [6]...

« *C'est la marche funèbre des cendres que voici. A côté de celles de Carnot avec les soldats de l'an II, de celles de Victor Hugo avec les Misérables, de celles de Jaurès*
60 *veillées par la Justice, qu'elles reposent avec leur long cortège d'ombres défigurées... »*

Les soldats se préparent à défiler. Tout semble suspendu ; on n'applaudit pas les oraisons funèbres. *Le Chant des Partisans* s'épand par vagues plaintives, berceuse pour tous les morts de la guerre. On emporte le corps dans la nef, où le général de Gaulle va saluer la famille de Jean Moulin.

Le Miroir des limbes, I – *Antimémoires V 3* (Librairie Gallimard, éditeur).

— 1 Le supplice de la *baignoire* était particulièrement redouté : les tortionnaires immergeaient jusqu'à ce qu'ils perdent conscience ceux qui refusaient de parler. — 2 Le général Leclerc, chef de la 2ᵉ division blindée, qui libéra Paris, puis Strasbourg et poursuivit la lutte en Alsace, comme il en avait fait le serment au Tchad dès 1940. — 3 Attaquée par les maquisards, cette division, tant attendue du commandement allemand, ne put jamais atteindre la Normandie où les Alliés venaient de débarquer. — 4 Les prisonniers portaient un costume rayé. — 5 Film d'Alain Resnais, retraçant l'horreur des camps d'extermination. — 6 Troupes marocaines de montagne.

La grandeur humaine

Alexandre Alexeieff, eau-forte pour « La Condition humaine ». (Ph. Jeanbor
© Arch. Photeb – D.R. © by Éd. Gallimard 1970)

Le don du cyanure

Dans ce hall de gare où deux cents blessés attendent la mort la plus atroce, c'est l'heure de la grandeur (cf. **p. 539**). En donnant « plus que sa vie » pour épargner le supplice à ses camarades, Katow, cet homme simple, s'élève jusqu'à un degré de grandeur qui, s'il était croyant, serait le plus élevé des trois « ordres » que distinguait Pascal (cf. **XVIIᵉ Siècle, p. 167**), un ordre infiniment supérieur à celui des grandeurs charnelles et à celui des grandeurs spirituelles.

« ENTRE LA VIE ET LES GRANDES PROFONDEURS »

Hospitalisé à la Salpêtrière, MALRAUX, victime d'une syncope d'une demi-heure, a repris conscience sur le sol, a rampé dans la nuit à la recherche de son lit et a fini par s'allonger sur une table. Il est revenu du côté des vivants, comme *Lazare* ressuscité par le Christ, et il s'interroge maintenant sur cet *état ignoré* « entre la vie et les grandes profondeurs annonciatrices de la mort ». Cette expérience personnelle, qui le conduit à méditer sur ce qu'il appelle plus loin « l'homme fondamental », lui permet de pousser plus avant, semble-t-il, dans l'introspection, que ne l'avaient fait, à propos de leurs accidents, MONTAIGNE (cf. *XVIe Siècle*, p. 225) et ROUSSEAU (cf. *XVIIIe Siècle*, p. 335). THÈMES : *Mort. Moi. Psychologie. Autobiographie.*

Le sentiment de la mort s'est toujours lié pour moi à l'agonie, et je suis stupéfié par cette angoisse où je ne distingue que la menace inconnue de me retrouver amputé de la terre.

Ni douleur, ni mémoire, ni amnésie — ni dissolution. Perte de conscience, pas de toute conscience. Je me croyais dans une autre partie de la chambre, mais quelque part ; je ne comprenais pas ce qu'était devenu mon lit, mais je tentais de m'y allonger, de m'installer dans une litière : essayons de dormir, je comprendrai demain matin. Je me souviens de mon effort. Conçoit-on Lazare se souvenant d'efforts pour
10 s'accommoder de son tombeau ?

Sans en avoir conscience, sinon par le souvenir, j'ai vécu ce que je pressens depuis mon arrivée à la Salpêtrière : un je-sans-moi. Le fou se prête une identité. Perdre son identité suggère tout perdre ; je ne me dissolvais nullement, parce que ma conscience s'était réfugiée dans mon effort. Une conscience animale ? Un somnambule conscient seulement de sa tension pour atteindre le toit, et qui en eût gardé la mémoire ?

L'homme, ai-je pensé, est ce dont les voix emplissaient la sape et le camp de prisonniers [1]. On a proclamé : l'homme, ce sont ses fantasmes,
20 ses pulsions, ses désirs cachés. J'ai envie d'écrire : c'est ce qui se construit sur cette conscience véhémente d'exister, seulement d'exister. Mais n'est-elle pas liée à l'homme comme le socle à la statue ? Pourquoi m'intéresser à cet être d'amibe ? Pour ce qu'il a de commun avec moi, avec le moi du rêve et le fou : la conscience de l'effort.

Ce qui me fascine dans mon aventure, c'est la marche sur le mur entre la vie et les grandes profondeurs annonciatrices de la mort. C'est aussi le souvenir de ces profondeurs. « Les réanimés ne se souviennent de rien » (de rien, mais de conversations entre les médecins !). Avoir frôlé la part de l'homme qui marche, geint ou hurle quand la conscience
30 n'est pas là.

J'ai été conscient de ne plus savoir où j'étais —, d'avoir perdu la

---

— 1 Au début de *Lazare*, dans une *sape* (une cavité souterraine), avant l'attaque (cf. n. 2), le commandant Berger surprend la conversation intime des soldats, « la voix secrète des hommes, plus profonde que celle de la guerre. »

La grandeur humaine

Pablo Picasso, « Corrida : la mort du torero », 1933. (Musée Picasso, Hôtel Salé, Paris. Ph. J.J. Hautefeuille © Photeb © by SPADEM 1988)

Vaincre la peur

La cruauté de ce magnifique tableau nous incite à nous interroger sur la grandeur qu'il y aurait à défier la mort. Triompher de soi-même, c'est ce que Montherlant, adepte de la tauromachie, recherchait dans « l'heure de vérité » (cf. **p. 534**). C'est aussi ce qui confère une dimension épique aux jeunes engagés qu'il compare aux Argonautes (cf. **p. 533**). Il en est de même, aux yeux de Malraux, pour les révolutionnaires de *La Condition humaine* (cf **p. 536-540**), pour les combattants espagnols (cf. **p. 541**), pour Jean Moulin et les Résistants (cf. **p. 545**).

terre. Pas d'autre douleur que celle des autres [2], qui bat confusément cette chambre blanche où veille la petite lampe de la nuit comme, dans ma chambre de Bombay, la rumeur de l'Océan battait la grève. Je suis lucide, d'une lucidité limitée au ressassement d'une terre de nulle part, à la stupéfaction devant un état ignoré. Ce qui s'est passé n'a rien de commun avec ce que j'appelais mourir.

D'où vient ce remue-ménage assourdi ? Je ne pressens pas encore le gris de l'aube. Aucun bruit de couverts ; les bruits semblent d'ailleurs
40　venir du sol, et je reconnais le pas alourdi des infirmiers qui emportent les malades à la salle d'électrologie. Ils s'éloignent, et la porte de la chambre contiguë bat sourdement le silence. Je n'entends plus les hautes plaintes. Les infirmiers ne sont pas partis pour la salle d'électrologie : mon voisin est mort.

Le Miroir des limbes – II. *La Corde et les souris* VI (Librairie Gallimard, éditeur).

ANTOINE DE SAINT-EXUPÉRY

Comme celle de Malraux, l'œuvre de SAINT-EXUPÉRY, brève et rayonnante, est tout entière tirée d'une expérience vécue. Loin cependant de rester épisodique ou simplement documentaire, elle s'enrichit d'une *méditation constante* qui en fait l'unité et le prix.

« Saint-Ex »　　Né à Lyon en 1900, ayant tour à tour préparé l'École navale et fréquenté l'École des beaux-arts, celui que ses amis de jeunesse, charmés par sa fantaisie, nommaient « Tonio », est formé à l'*aviation* pendant son service militaire (1921-1923). En 1927, il est *pilote de ligne* entre Toulouse et Dakar et, en 1928, chef « d'aéroplace » à Cap-Juby, au seuil du désert de Mauritanie ; à Buenos Aires, de 1929 à 1931, il « vit » les débuts de la liaison France-Amérique. Rendu célèbre par ses *succès littéraires*, il demeure *pilote d'essai* et *pilote de raid* en même temps qu'il devient *journaliste* occasionnel pour de grands reportages. Combattant de 1939-1940, exilé aux États-Unis, il revient aux armes en 1943 et disparaît au cours d'une *mission aérienne* qu'il a réclamée (31 juillet 1944). Il reste, pour la légende, le courageux, le charmant et profond « Saint-Ex ».

« UN DOCUMENTAIRE LYRIQUE ». *Courrier Sud* (1930) évoque une liaison de l'époque héroïque entre Toulouse et Dakar ; de même, dans *Vol de nuit* (1931), l'attente de trois courriers sur l'aérodrome de Buenos Aires, la progression difficile de l'un d'eux dans le ciel d'Amérique et l'alerte des stations qui le guident, forment tout le scénario. Saint-Exupéry se borne également, pour *Terre des hommes* (1939), à utiliser aussi bien les souvenirs de ses vols de routine que certains épisodes de raids ou de sauvetages ; dans *Pilote de guerre* (1942), il continue à évoquer tous les gestes d'un simple « travail » au cours d'une mission dangereuse : description de la machine, termes techniques, argot de métier, précisions géographiques ou historiques. Mais l'écrivain transforme bien des scènes réelles en tableaux tantôt *dramatiques*, tantôt *épiques ;* il les accompagne aussi d'un noble et fervent *commentaire* qui, puisant beaucoup dans son âme et dans sa vision particulière du monde, leur confère souvent un caractère *lyrique*. Ses dons de poète éclatent dans son

---

— 2 Malraux reconnaît comme élément essentiel de « l'homme fondamental » la *fraternité* (cf. p. 535), celle des combats et, au-delà encore, celle qui révèle au combattant que son adversaire est son *semblable*. Dans la première partie de *Lazare*, il a retracé de façon saisissante l'épisode d'une attaque par les gaz, à Boulgako, en 1916, où les soldats allemands, protégés par leurs masques, au lieu de poursuivre leur progression, avaient ramené sur leurs épaules, vers leurs propres ambulances, les soldats russes asphyxiés.

La grandeur humaine

Malraux au début de la guerre d'Espagne (1936). (Coll. Sophie de Vilmorin. Ph. © X-D.R. – Arch. Photeb)

Saint-Exupéry aux commandes de son avion (1938).
(Ph. © Harlingue – Viollet)

Chevaliers du ciel

Pour Malraux comme pour Saint-Exupéry, l'avion propose à l'homme des occasions nouvelles de se surpasser. Malraux a lutté dans l'aviation lors de la guerre civile d'Espagne (1936), et, quelques années plus tard, il commanda les volontaires de la brigade « Alsace-Lorraine » dans les combats de la Libération. Saint-Exupéry aussi a combattu dans les airs pour libérer sa patrie, et il y a laissé la vie (1944). Mais pour lui l'avion n'est pas seulement un instrument de combat : invitant les hommes à la grandeur, à la rencontre, à l'union, il joue un rôle utile et pacificateur.

œuvre posthume, le fameux *Petit Prince* (1945) et *Citadelle* (1948), tandis que les *Carnets* (1953) ou les *Lettres à sa mère* (1955) permettent de saisir l'éveil de sa méditation.

« CETTE PROFONDE MÉDITATION DU VOL... ». Seul devant son tableau de bord ou devant le désert, SAINT-EXUPÉRY a, comme il le dit, sans cesse « emmagasiné » des réflexions sérieuses. De son métier et de son « outil », l'avion, il retient en fin de compte non pas l'aspect technique ou exaltant mais simplement l'occasion qu'ils donnent à quelques hommes, comme tous les métiers et tous les outils, de reconnaître leurs *limites,* la puissance de leur *volonté,* leur *responsabilité* à l'égard de tous, et la primauté d'un *but* qui vaut « plus que la vie ». Sachant donc « au nom de quoi » ils accomplissent très simplement leur tâche (cf. p. 553), les héros de SAINT-EXUPÉRY tendent, sans emphase et sans invocation livresque, à illustrer un *« humanisme par le métier. »* A partir de *Terre des hommes* on sent chez lui la volonté de délivrer un « message ». *Citadelle,* sans exprimer une philosophie armée d'arguments, illustre poétiquement les thèmes de l'*échange* nécessaire, de la *grandeur,* et de la soumission à une *éternité* qui se confond avec le destin de l'espèce.

Vol de nuit

Alors que *Courrier Sud* conservait certains éléments « romanesques » puisque le drame sentimental du pilote était évoqué, *Vol de nuit* atteint au dépouillement de la *tragédie.* Pendant que ses avions luttent dans la nuit, « Rivière le Grand », solitaire animateur de la « Ligne » en qui l'on reconnaît le célèbre Didier Daurat, vit sur l'aérodrome de Buenos Aires *le drame de la responsabilité.*

« *Au nom de quoi ?* »

RIVIÈRE devine que l'avion du pilote FABIEN est perdu. Avec Mme FABIEN qui, affolée par le retard de son mari, l'appelle au téléphone, ce sont les *« éléments affectifs »* du drame qui assaillent l'homme dont le devoir est d'ignorer l'autre « monde absolu » : celui du bonheur personnel. – THÈMES : *Philosophie. Bonheur. Moi. Morale. Mort. Humanisme.*

Branchez sur mon bureau.

Il écouta cette petite voix lointaine, tremblante, et tout de suite il sut qu'il ne pourrait pas lui répondre. Ce serait stérile, infiniment pour tous les deux, de s'affronter.

— Madame, je vous en prie, calmez-vous ! Il est si fréquent, dans notre métier, d'attendre longtemps des nouvelles.

Il était parvenu à cette frontière où se pose, non le problème d'une petite détresse particulière, mais celui-là même de l'action. En face de Rivière se dressait, non la femme de Fabien, mais un autre sens de la vie . Rivière ne
10 pouvait qu'écouter, que plaindre cette petite voix, ce chant tellement triste, mais ennemi. Car ni l'action, ni le bonheur individuel n'admettent le partage : ils sont en conflit. Cette femme parlait elle aussi au nom d'un monde absolu et de ses devoirs et de ses droits. Celui d'une clarté de lampe sur la table du soir, d'une patrie d'espoirs, de tendresses, de souvenirs. Elle exigeait son bien et elle avait raison. Et lui aussi, Rivière, avait raison, mais il ne pouvait rien opposer à la vérité de cette femme. Il découvrait sa propre vérité, à la lumière d'une humble lampe domestique, inexprimable et inhumaine.

— Madame...

Elle n'écoutait plus. Elle était retombée, presque à ses pieds, lui semblait-il,
20 ayant usé ses faibles poings contre le mur.

Un ingénieur avait dit un jour à Rivière, comme ils se penchaient sur un blessé, auprès d'un pont en construction : « Ce pont vaut-il le prix d'un visage écrasé ? » Pas un des paysans, à qui cette route était ouverte, n'eût accepté, pour s'épargner un détour par le pont suivant, de mutiler ce visage effroyable. Et pourtant l'on bâtit des ponts. L'ingénieur avait ajouté : « L'intérêt général est formé des intérêts particuliers : il ne justifie rien de plus. — Et pourtant, lui avait répondu plus tard Rivière, si la vie humaine n'a pas de prix, nous agissons toujours comme si quelque chose dépassait, en valeur, la vie humaine... Mais quoi ? »

Et Rivière, songeant à l'équipage, eut le cœur serré. L'action, même celle
30 de construire un pont, brise des bonheurs. Rivière ne pouvait plus ne pas se demander « au nom de quoi ? »

« Ces hommes, pensait-il, qui vont peut-être disparaître, auraient pu vivre heureux ». Il voyait des visages penchés dans le sanctuaire d'or des lampes du soir. « Au nom de quoi les en ai-je tirés ? » Au nom de quoi les avait-il arrachés au bonheur individuel ? La première loi n'est-elle pas de protéger ces bonheurs-là ? Mais lui-même les brise. Et pourtant un jour, fatalement, s'évanouissent, comme des mirages, les sanctuaires d'or. La vieillesse et la mort les détruisent, plus impitoyables que lui-même. Il existe peut-être quelque chose d'autre à sauver et de plus durable ; peut-être est-ce à sauver cette part de
40 l'homme que Rivière travaille ? Sinon l'action ne se justifie pas.

« Aimer, aimer seulement, quelle impasse ! » Rivière eut l'obscur sentiment d'un devoir plus grand que celui d'aimer. Ou bien, il s'agissait aussi d'une tendresse, mais si différente des autres. Une phrase lui revint : « Il s'agit de les rendre éternels... »

Vol de nuit (Librairie Gallimard, éditeur).

LA MORT DANS LES ÉTOILES

L'avion de FABIEN est enfin à bout d'essence : il est perdu. Dans le *drame collectif* qu'évoque *Vol de nuit* il a été suivi par tous les postes à terre depuis son départ de Patagonie. Mais une fantastique tempête s'est élevée. Les communications sont impossibles. Fabien et son radio, qui se sentaient accompagnés par les efforts et la pensée de leurs camarades, sont maintenant *seuls dans le ciel en furie*. Ayant lutté jusqu'à la fin, Fabien, à la dernière minute, s'abandonne à un *vertige de clarté*. Il vient d'apercevoir, dans une déchirure des nuages, « *comme un appât mortel au fond d'une nasse, quelques étoiles* ». L'art de SAINT-EXUPÉRY transforme cette fin de vol en une fabuleuse « ascension ».
THÈMES : *Mort. Infini. Nature. Réel et irréel. Littérature. Symboles.*

Il monta, en corrigeant mieux les remous, grâce aux repères qu'offraient les étoiles. Leur aimant pâle l'attirait. Il avait peiné si longtemps, à la poursuite d'une lumière, qu'il n'aurait plus lâché la plus confuse. Riche d'une lueur d'auberge, il aurait tourné jusqu'à la mort, autour de ce signe dont il avait faim. Et voici qu'il montait vers des champs de lumière.

Il s'élevait peu à peu, en spirale, dans le puits qui s'était ouvert, et se refermait au-dessous de lui. Et les nuages perdaient, à mesure qu'il montait, leur boue d'ombre, ils passaient contre lui, comme des vagues
10 de plus en plus pures et blanches. Fabien émergea.

Sa surprise fut extrême : la clarté était telle qu'elle l'éblouissait. Il dut, quelques secondes, fermer les yeux. Il n'aurait jamais cru que les nuages, la nuit, pussent éblouir. Mais la pleine lune et toutes les constellations les changeaient en vagues rayonnantes.

L'avion avait gagné d'un seul coup, à la seconde même où il émergeait, un calme qui semblait extraordinaire. Pas une houle ne l'inclinait. Comme une barque qui passe la digue, il entrait dans les eaux réservées. Il était pris dans une part de ciel inconnue et cachée comme la baie des îles bienheureuses. La tempête, au-dessous de lui, formait un autre monde
20 de trois mille mètres d'épaisseur, parcouru de rafales, de trombes d'eau, d'éclairs, mais elle tournait vers les astres une face de cristal et de neige.

Fabien pensait avoir gagné des limbes étranges, car tout devenait lumineux, ses mains, ses vêtements, ses ailes. Car la lumière ne descendait pas des astres, mais elle se dégageait, au-dessous de lui, autour de lui, de ces provisions blanches.

Ces nuages, au-dessous de lui, renvoyaient toute la neige qu'ils recevaient de la lune. Ceux de droite et de gauche aussi, hauts comme des tours. Il circulait un lait de lumière dans lequel baignait l'équipage.
30 Fabien, se retournant, vit que le radio souriait.

— Ça va mieux ! criait-il.

Mais la voix se perdait dans le bruit du vol, seuls communiquaient les sourires [1]. « Je suis tout à fait fou, pensait Fabien, de sourire : nous sommes perdus. »

Pourtant, mille bras obscurs l'avaient lâché. On avait dénoué ses liens, comme ceux d'un prisonnier qu'on laisse marcher seul, un temps, parmi les fleurs.

« Trop beau », pensait Fabien. Il errait parmi les étoiles accumulées avec la densité d'un trésor, dans un monde où rien d'autre, absolument rien
40 d'autre que lui, Fabien, et son camarade, n'était vivant. Pareils à ces voleurs des villes fabuleuses, murés dans la chambre aux trésors dont ils ne sauront plus sortir. Parmi des pierreries glacées, ils errent, infiniment riches, mais condamnés.

Vol de nuit (Librairie Gallimard, éditeur).

Terre des hommes « Saint-Ex » évoque les souvenirs de métier, le fantôme des camarades morts comme le grand MERMOZ, les images de calmes rencontres *(Oasis)*, l'angoisse du salut après un atterrissage forcé *(Au centre du désert)*. Mais l'intérêt de tous ces épisodes est toujours enrichi par la méditation de l'auteur. *« L'avion n'est pas un but. C'est un outil, un outil comme la charrue. »* Non seulement il permet de découvrir le vrai visage de la planète, « le soubassement essentiel, l'assise de rocs, de sable, et de sel, où la vie, quelquefois, comme un peu de mousse au creux des ruines, ici et là se hasarde à fleurir », mais il permet à l'homme de connaître ses contraintes et sa force. Mieux encore : *« la grandeur d'un métier est, avant tout, d'unir les hommes. »*

Dans le dernier chapitre, *Les Hommes*, SAINT-EXUPÉRY, devenu grand reporter, a amassé d'autres expériences. Pendant la guerre d'Espagne ou dans son voyage en Russie il a rencontré d'autres héroïsmes et d'autres misères. Comme il le fera à la fin de *Pilote de guerre*, il médite d'une façon plus générale sur le *sens de la vie* et le *destin de l'espèce* toujours menacée qui ennoblit la « Terre des hommes ».

— 1 « Nous nous rejoignons dans le sourire », | (1944) où, loin de la patrie, il s'adresse à ses amis écrira Saint-Exupéry dans sa *Lettre à un otage* | souffrant dans la France occupée.

Le Petit Prince

Le Petit Prince et le Renard

Venu d'une autre planète, le Petit Prince découvre les choses de la Terre. Il rencontre un Renard qui lui demande de « l'apprivoiser » et lui dit, à ce propos, des paroles touchantes sur l'amitié : « Si tu m'apprivoises, nous aurons besoin l'un de l'autre. Tu seras pour moi unique au monde.[...] Si tu m'apprivoises, ma vie sera ensoleillée. Je connaîtrai un bruit de pas qui sera différent de tous les autres.[...] Le blé, qui est doré, me fera souvenir de toi. Et j'aimerai le bruit du vent dans le blé. » Pour avoir un ami, il faut, dit-il, être patient, savoir se taire : « le langage est source de malentendus. »

En quittant le Petit Prince, le Renard lui livre son secret : « On ne voit bien qu'avec le cœur. L'essentiel est invisible pour les yeux ».

MOZART ENFANT, MOZART ASSASSINÉ

Dans le train qui l'emmène vers l'Est, le voyageur a quitté son sleeping. Il a préféré
les wagons où des familles polonaises, rapatriées de France, sont misérablement entassées.
Il contemple parmi les faces burinées par le labeur de la vie (« la machine à emboutir »)
le visage d'un *enfant pauvre et inconnu* qui est peut-être de la race des « petits princes ».
THÈMES : *Enfance. Société. Justice. Peuple. Argent. Pauvreté. Humanisme. Civilisation.*

Et je poursuivis mon voyage parmi ce peuple dont le sommeil était
trouble comme un mauvais lieu. Il flottait un bruit vague fait de
ronflements rauques, de plaintes obscures, du raclement des godillots
de ceux qui, brisés d'un côté, essayaient l'autre. Et toujours en sourdine
cet intarissable accompagnement de galets retournés par la mer.

Je m'assis en face d'un couple. Entre l'homme et la femme, l'enfant, tant
bien que mal, avait fait son creux, et il dormait. Mais il se retourna dans
le sommeil, et son visage m'apparut sous la veilleuse. Ah ! quel adorable
visage ! Il était né de ce couple-là une sorte de fruit doré. Il était né de
10 ces lourdes hardes cette réussite de charme et de grâce. Je me penchai sur
ce front lisse, sur cette douce moue des lèvres, et je me dis : voici un visage
de musicien, voici Mozart enfant, voici une belle promesse de la vie. Les
petits princes des légendes n'étaient point différents de lui : protégé,
entouré, cultivé, que ne saurait-il devenir ! Quand il naît par mutation
dans les jardins une rose nouvelle, voilà tous les jardiniers qui s'émeuvent.
On isole la rose, on cultive la rose, on la favorise. Mais il n'est point de
jardinier pour les hommes. Mozart enfant sera marqué comme les autres
par la machine à emboutir. Mozart fera ses plus hautes joies de musique
pourrie, dans la puanteur des cafés-concerts. Mozart est condamné.

20   Et je regagnai mon wagon. Je me disais : ces gens ne souffrent guère de
leur sort. Et ce n'est point la charité ici qui me tourmente. Il ne s'agit point
de s'attendrir sur une plaie éternellement rouverte. Ceux qui la portent
ne la sentent pas. C'est quelque chose comme l'espèce humaine et non
l'individu qui est blessé ici, qui est lésé. Je ne crois guère à la pitié. Ce qui
me tourmente, c'est le point de vue du jardinier. Ce qui me tourmente,
ce n'est point cette misère, dans laquelle, après tout, on s'installe aussi bien
que dans la paresse. Des générations d'orientaux vivent dans la crasse et
s'y plaisent. Ce qui me tourmente, les soupes populaires ne le guérissent
point. Ce qui me tourmente, ce ne sont ni ces creux, ni ces bosses, ni cette
laideur. C'est un peu, dans chacun de ces hommes, Mozart assassiné.

Terre des hommes (Librairie Gallimard, éditeur).

Citadelle

Cette œuvre touffue et non élaguée, que SAINT-EXUPÉRY
a laissé à l'état de *manuscrit* dans sa cantine de combattant,
occupait son esprit depuis 1936. Tout ce que l'on peut deviner de sa pensée sérieuse dans
les *Carnets* ou les recueils de *Lettres* qui complètent son œuvre posthume se développe
amplement dans cette longue *parabole* à résonance *biblique*.
Dans la « gangue » de *Citadelle*, texte inachevé, éclatent d'admirables pages où la prose,
souvent poétique et rythmée, de SAINT-EXUPÉRY peut trouver tout son effet.

« *Béni soit l'échange nocturne...* »

Le « Seigneur Berbère » qui bâtit sa citadelle terrestre au milieu des sables veut aussi fonder sa *citadelle morale* dans le cœur de l'homme. Il continue à méditer l'action humaine comme l'avaient fait les héros du romancier, et le romancier lui-même devant le désert de Mauritanie.

Les deux thèmes fondamentaux du *lien* et de l'*échange* se combinent dans cette page nourrie des connaissances acquises au contact des « rezzou » maures en 1928-1929. Le chef qui « noue » les fragilités individuelles sait que tout est échange : dans la vie banale, d'abord, par le négoce, le travail, l'amitié, l'amour ; mais chez les guerriers eux-mêmes, l'ennemi, par sa présence ou sa seule menace, constitue, lui aussi, un « apport ». Il entre dans le système des terribles et nobles échanges qui maintiennent l'âme en éveil.

THÈMES : *Philosophie. Morale. Civilisation. Moi. Psychologie. Nature. Exotisme.*

Nuits somptueuses de mes expéditions de guerre je ne saurais trop vous célébrer. Ayant bâti, sur la virginité du sable, mon campement triangulaire je montais sur une éminence pour attendre que la nuit se fît, et, mesurant des yeux la tache noire à peine plus grande qu'une place de village où j'avais parqué mes guerriers, mes montures et mes armes, je méditai d'abord sur leur fragilité. Quoi de plus misérable, en effet, que cette poignée d'hommes à demi nus sous leurs voiles bleus, menacés par le gel nocturne où des étoiles se trouvaient déjà prises, menacés par la soif car il fallait ménager les outres jusqu'au puits du neuvième jour, menacés par le vent de sable qui, s'il se lève, montre la
10 puissance d'une révolte, menacés enfin par les coups qui font blettir comme des fruits la chair de l'homme. Et l'homme n'est plus bon qu'à rejeter. Quoi de plus misérable que ces paquets d'étoffe bleue à peine durcis par l'acier des armes, posés à nu sur une étendue qui les interdisait ?

Mais que m'importait cette fragilité ? Je les nouais et les sauvais de se disperser et de périr. Rien qu'en ordonnant pour la nuit la figure triangulaire, je la distinguais d'avec le désert. Mon campement se fermait comme un poing. J'ai vu le cèdre ainsi s'établir parmi la rocaille et sauver de la destruction l'ampleur de ses branchages, car il n'est point non plus de sommeil pour le cèdre qui combat nuit et jour dans sa propre épaisseur et s'alimente dans un univers ennemi des
20 ferments mêmes de sa destruction. Le cèdre se fonde dans chaque instant. Dans chaque instant je fondais ma demeure afin qu'elle durât. Et de cet assemblage qu'un simple souffle eût dispersé je tirais cette assise angulaire, irréductible comme une tour et permanente comme une étrave. Et de peur que mon campement ne s'endormît et ne se défît dans l'oubli je le flanquais de sentinelles qui recevaient les rumeurs du désert. Et de même que le cèdre aspire la rocaille pour la changer en cèdre, mon campement se nourrissait des menaces venues du dehors. Béni soit l'échange nocturne, les messagers silencieux que nul n'a entendus venir et qui surgissent autour des feux et s'accroupissent disant la marche de ceux-là qui progressent au nord ou ce passage de tribus dans le sud
30 à la poursuite de leurs chameaux volés, ou cette rumeur chez d'autres à cause de meurtre et ces projets surtout de ceux-là qui se taisent sous leurs voiles et méditent la nuit à venir. Tu les as écoutés, les messagers qui viennent raconter leur silence ! Bénis soient ceux-là qui surgissent autour de nos feux si brusquement, avec des mots si funèbres que les feux aussitôt sont noyés dans le sable et que les hommes plongent, à plat ventre, sur leurs fusils, ornant le campement d'une couronne de poudre. *Citadelle* (Librairie Gallimard, éditeur).

CRITIQUE SOCIALE ET PEINTURE DES MŒURS

« Vie des Martyrs »   Dans l'ordre du roman ou du récit, la guerre de 1914 devait faire naître, parmi des œuvres de circonstance en partie oubliées, nombre d'émouvants et sincères témoignages sur *la vie et la mort des combattants*. Le plus célèbre par son accent authentique, sa simplicité et parfois son intensité est sans doute *Les Croix de bois* (1919) de ROLAND DORGELÈS (1886-1973 ; cf. p. 485). Avec ceux de GEORGES DUHAMEL (*Vie des Martyrs, Civilisation ;* cf. p. 468), on retiendra en outre des livres tels que *Sous Verdun* ou *Les Éparges* de MAURICE GENEVOIX (cf. p. 576), *L'Équipage* de JOSEPH KESSEL, *Pain de Soldat* d'HENRY POULAILLE. Chez certains, l'horreur des destructions et du sang versé entraîna le procès de toute une société : ce fut le cas d'Henri Barbusse.

HENRI BARBUSSE

Né à Asnières en 1873, HENRI BARBUSSE débute dans le journalisme à seize ans. En 1908, *L'Enfer* le pose avec force comme un disciple de Zola. La guerre venue, combattant de la première heure, il publie son meilleur ouvrage, *Le Feu* (1916) ; le sous-titre de l'œuvre, « Journal d'une escouade », souligne le dessein de l'auteur : relater une expérience *collective* de la vie des tranchées, dans le froid, la boue, l'espoir souvent déçu des courriers, le fugitif réconfort de la soupe et de l'abri. Viendront ensuite *Clarté* (1919) et *La Lueur de l'Aube* (1921). Communiste militant, c'est à Moscou que Barbusse meurt en 1935.

« Le champ de la mort »

Dans *Le Feu*, BARBUSSE évoque avec une affection fraternelle (mais parfois un peu déclamatoire) les « poilus » de tout âge et venus de tous les milieux, soit dans l'horreur des bombardements, soit durant ces heures immobiles de 1915 où, après Ypres et Dixmude, « sur un immense front s'observent deux immenses armées. » A la fin du livre sur lequel, souvent, passe un souffle d'épopée, l'auteur, en une sorte de péroraison, s'en prend à tous ceux qui, selon lui, demeurent des fauteurs de guerre, en s'efforçant « de soumettre le progrès palpitant et passionné au règne des revenants et des contes de nourrice » ; mais, dans cette page exempte de vaine éloquence, il parvient, par le dépouillement même et par la générosité de son accent, à une *émouvante grandeur*. THÈMES : *Histoire. Guerre. Mort. Humanisme. Autobiographie.*

Quelques-uns de nous ont risqué la tête au-dessus du rebord du talus et ont pu embrasser de l'œil, le temps d'un éclair, tout le champ de bataille autour duquel notre compagnie tourne vaguement depuis ce matin.

J'ai aperçu une plaine grise, démesurée, où le vent semble pousser en largeur de confuses et légères ondulations de poussière piquées par endroits d'un flot de fumée plus pointu.

Cet espace immense où le soleil et les nuages traînent des plaques de noir et de blanc, étincelle sourdement de place en place — ce sont nos batteries qui tirent — et je l'ai vu à un moment tout entier pailleté d'éclats brefs. A
10   un autre moment, une partie des campagnes s'est estompée sous une taie vaporeuse et blanchâtre : une sorte de tourmente de neige.

Au loin, sur les sinistres champs interminables, à demi-effacés et couleur de haillons et troués autant que des nécropoles, on remarque, comme un morceau de papier déchiré, le fin squelette d'une église et, d'un bord à l'autre du tableau, de vagues rangées de traits verticaux rapprochés et soulignés, comme les bâtons des pages d'écriture : des routes avec leurs arbres. De minces sinuosités rayent la plaine en long et en large, la quadrillent, et ces sinuosités sont pointillées d'hommes.

On discerne des fragments de lignes formés de ces points humains qui, sortis des raies creuses, bougent sur la plaine à la face de l'horrible ciel déchaîné.

20 On a peine à croire que chacune de ces taches minuscules est un être de chair frissonnante et fragile, infiniment désarmé dans l'espace, et qui est plein d'une pensée profonde, plein de longs souvenirs et plein d'une foule d'images ; on est ébloui par ce poudroiement d'hommes aussi petits que les étoiles du ciel.

Pauvres semblables, pauvres inconnus, c'est à votre tour de donner ! Une autre fois, ce sera le nôtre. A nous demain, peut-être, de sentir les cieux éclater sur nos têtes ou la terre s'ouvrir sous nos pieds, d'être assaillis par l'armée prodigieuse des projectiles, et d'être balayés par des souffles d'ouragan cent mille fois plus forts que l'ouragan.

On nous pousse dans les abris d'arrière. A nos yeux le champ de la mort

30 s'éteint. A nos oreilles, le tonnerre s'assourdit sur l'enclume formidable des nuages. Le bruit d'universelle destruction fait silence. L'escouade s'enveloppe égoïstement des bruits familiers de la vie, s'enfonce dans la petitesse caressante des abris.   *Le Feu* (Flammarion, éditeur).

LOUIS ARAGON

Du surréalisme *au « monde réel »* Né à Paris, LOUIS ARAGON (cf. p. 386) a retracé plusieurs épisodes de son enfance dans *Les Voyageurs de l'Impériale* (1942). Dès sa jeunesse bourgeoise il eut l'occasion de rencontrer quelques personnages typiques ou curieux, dont il se souviendra dans ses romans. Élève d'une école privée, il subit l'influence des œuvres de Barrès, mais il lit aussi avec passion Gorki et J.-J. Rousseau.

Étudiant en médecine au Val-de-Grâce en 1917, il y rencontre André Breton avant d'être décoré pour sa conduite dans les derniers combats de la Grande Guerre. C'est l'époque de ses premiers poèmes qui formeront par la suite le recueil *Feu de joie* (cf. p. 386). Présent dans l'après-guerre au mouvement Dada et aux débuts du surréalisme, il adhère au parti communiste (1927) et se sépare de Breton (cf. p. 374) ; sur cette période de sa vie on trouve de précieux renseignements dans *Aurélien* (1944). L'année 1928 marque sa rencontre avec Elsa Triolet. Durant un séjour en U.R.S.S. du couple, désormais célèbre, éclate la guerre d'Espagne pendant laquelle le rôle politique d'Aragon est important. A nouveau combattant en 1939-1940, il prend une part très active à la Résistance des intellectuels sous l'Occupation : *Le Crève-cœur, La Diane française* en gardent l'écho (cf. p. 388-392).

Romancier, Louis Aragon témoigne de l'empreinte surréaliste par le désordre onirique d'*Anicet* (1920) et la « lumière moderne de l'insolite » dans *Le Paysan de Paris* (1926), deux œuvres où les jeux du langage ont aussi leur intérêt. Mais avec *Les Cloches de Bâle* (1934) puis avec *Les Beaux Quartiers* (1936) il entreprend la peinture du « monde réel », non sans laisser apparaître son intention militante : il rêve d'un avenir « où des livres s'écriront pour des hommes pacifiques et maîtres de leur destin ». Plus marquée encore par la pensée marxiste, la vaste fresque des *Communistes* (1949-1951) permet déjà de noter la riche et complexe matière romanesque d'Aragon : l'Histoire en marche vers le socialisme certes, mais aussi présence de Paris après sa fantasmagorie surréaliste, héros toujours « fous » de la femme aimée, protagonistes portant en eux une angoissante dualité, foisonnement d'épisodes vécus, croisement de personnages réels et imaginaires, le tout mis en œuvre par un style aux mille ressources. Quelques années plus tard, le romancier amorcera une nouvelle carrière (cf. p. 561).

Les beaux quartiers

L'action du roman se situe immédiatement avant la guerre de 1914. Après une première partie qui se déroule dans une petite ville industrielle, Sérianne, nous voici *à Paris*.
THÈMES : *Argent. Peuple. Pauvreté. Justice. Société. Providence. Symboles.*

Les rêves de la ville avec la tombée de la nuit se prolongent et se précisent comme de déchirantes fumées, et, au-delà du quartier militaire, vers la Seine, il y a de grands silences abandonnés, car ici, passées de petites entreprises, commencent de longs murs enfermant des usines. Les chimères de la gloire font place à des machines maintenant immobiles. Personne ne songe plus dans ces bâtisses assombries où l'acier dort à cette heure. Sur l'autre rive débutent les beaux quartiers. Ouest paisible, coupé d'arbres, aux édifices bien peignés et clairs, dont les volets de fer laissent passer à leurs fentes supérieures la joie et la chaleur, la sécurité, la richesse. Oh ! c'est ici que les tapis sont épais, et que de petites
10 filles pieds nus courent dans de longues chemises de nuit parce qu'elles ne veulent pas dormir : la vie est si douce et il y aura du monde ce soir à en juger par le linge sorti, par le service de cristal sur une desserte. Les beaux quartiers... D'où nous les abordons, comme des corsaires, ce long bateau de quiétude et de luxe dresse son bord hautain avec les jardins du Trocadéro et ce qui reste encore de la mystérieuse Cité des Eaux où Cagliostro régna aux jours de la monarchie : subite campagne enclose dans la ville avec les chemins déserts du parc morcelé, la descente aux coins noirs, où des amoureux balbutient. Puis c'est la ville aisée, aux rues sans âme, sans commerce, aux rues indistinguables, blanches, pareilles, toujours recommencées. Cela remonte vers le nord, cela redescend vers le sud,
20 cela coule le long du Bois de Boulogne, cela se fend de quelques avenues, cela porte des squares comme des bouquets accrochés à une fourrure de haut prix. Cela gagne vers le cœur de la ville par le quartier Marbeuf et les Champs-Élysées, cela se replie de La Madeleine sur le parc Monceau vers Pereire et ce train de ceinture qui passe rarement dans une large tranchée de la ville, cela enserre l'Étoile et se prolonge par Neuilly, plein d'hôtels particuliers, et dont la nostalgique chevelure d'avenues vient traîner jusqu'aux quais retrouvés de la Seine, et aux confins de la métallurgie de Levallois-Perret. Les beaux quartiers... Ils sont comme une échappée au mauvais rêve, dans la pince noire de l'industrie. De tous côtés, ils confinent à ces régions implacables du travail dont les fumées
30 déshonorent leurs perspectives, rabattues quand le vent s'y met sur leurs demeures aux teintes fragiles. Ici sommeillent de grandes ambitions, de hautes pensées, des mélancolies pleines de grâce. Ces fenêtres plongent dans des rêveries très pures, des méditations utopiques où plane la bonté. Que d'images idylliques dans ces têtes privilégiées, dans les petits salons de panne rose, où les livres décorent la vie, devant les coiffeuses éclairées de flacons, de brosses et de petits objets de métal, sur les prie-Dieu des chambres, dans les grands lits pleins de rumeurs, parmi la fraîcheur des oreillers ! Dans ces parages de l'aisance, on voudrait tant que tout fût pour le mieux dans le meilleur des mondes. On rêve d'oublier, on rêve d'aimer, on rêve de vivre, on rêve de dispensaires et d'œuvres
40 où sourit l'ange de la charité. L'existence est un opéra dans la manière ancienne, avec ses ouvertures, ses ensembles, ses grands airs, et l'ivresse des violons. Les beaux quartiers !

Les Beaux Quartiers, II, I (Denoël, éditeur).

Un nouvel Aragon   Lorsqu'en 1958 a paru *La Semaine Sainte,* LOUIS ARAGON
s'est bien ouvert une nouvelle carrière de romancier, mais
il n'a pas pour cela cessé d'être lui-même (cf. p. 559). Certes, la critique s'est alors étonnée
devant les apparences d'un « roman historique » — parfaitement réussi — qui restitue
au prix d'une surprenante et vivante documentation la semaine de 1815 ouvrant les Cent
Jours. La pensée de certains fut que le théoricien de *Pour un réalisme socialiste* (1934)
abandonnait désormais cette voie.

    « UN ROMAN TOUT COURT ». Cependant, pour dissiper cette illusion, ARAGON
a multiplié les déclarations (*J'abats mon jeu,* 1959). « *La Semaine Sainte* n'est pas un
roman historique, dit-il, c'est un roman tout court », affirmation paradoxalement
accompagnée de celle-ci : « Tous mes romans sont *historiques* bien qu'ils ne soient pas
en *costume* » (*Préface* au Livre de poche). Pour lui, le réalisme socialiste n'est pas un
strict *naturalisme* ostensiblement armé d'une *démonstration doctrinale.* Le romancier n'a
pas pour seul objet de peindre, dans un cadre contemporain, la condition ouvrière ou
la lutte des militants. Comme dans *Les Communistes,* il peut donner une « image humaine »
de personnages réels ou imaginaires bien étrangers à la pensée marxiste. Ainsi, l'objectivité
« historique » d'ARAGON ne réside pas dans la copie brute d'une réalité intentionnellement
choisie ; elle repose sur la transcendance qui, au-delà des apparences de toute époque,
révèle toujours « le sens de l'Histoire » tel que peut l'admettre un écrivain déclarant :
« Je n'aurais pu écrire la *Semaine Sainte* si je n'avais pas été communiste ».

« *UN CHANGEMENT PROFOND, INEXPLICABLE...* »

    La Semaine Sainte comporte la remarquable évocation des hésitations, puis de la fuite
vers Gand, du roi, de la cour et des fidèles en désarroi tandis que « l'Autre » remonte
du Sud, porté par le peuple. Dans cette période de crise tout est en suspens, mais tout
se décide sans que les acteurs du drame en aient conscience. Le héros principal est le
peintre Théodore Géricault. Son échec au Salon de 1814 l'a déçu et il cherche l'oubli
dans sa passion pour les chevaux qu'il a si souvent peints ; il suit la cour par simple
sens de l'honneur. Mousquetaire du Roi, il croise une foule de personnages divers refluant
vers l'exil, mais, perdu dans cette équipée absurde, il ne croit plus « à rien, ni à personne ».
Or, un soir, dans une clairière d'Artois, il surprend un conciliabule d'humbles partisans
de l'Empereur. Parmi les propos confus de ce groupe anonyme, Géricault commence
à deviner une « raison organisatrice ». – THÈMES : *Histoire. Peuple. Pauvreté.*

L'extraordinaire était qu'il se faisait en Théodore une sorte de
changement profond, inexplicable, que ne justifiaient pas les propos
tenus, la valeur des arguments, le développement d'une pensée. C'était
comme un glissement d'ombres en lui, une simple orientation
inconsciente. D'abord il n'y prenait pas garde, il se laissait emporter,
puis il ressentit qu'il était emporté, sans encore porter de jugement sur
ce fait. On est ainsi au théâtre, et il était au théâtre, on assiste à un
drame ou à une comédie, on n'en a pas choisi les données, on est pris
au dessein de l'auteur, il vous conduit sans que vous sachiez où. C'est
10 peut-être parce qu'on a payé sa place, mais on accepte que les choses
soient comme on vous les montre, pour pouvoir continuer à suivre la
pièce, bien qu'on ait ses idées à soi, et que dans la vie on serait peut-être
du côté de l'avare contre les prodigues, du côté de la famille raisonnable
contre les amoureux fous. Il fallait à Théodore pour suivre ici *l'histoire*

qu'il prît parti d'une façon ou de l'autre, que sa sympathie allât à ces auteurs-ci contre d'autres. Et voilà où la chose se faisait singulière dans ce mousquetaire du Roi, ce Don Quichotte du vieux monde en fuite, tout se passait, suivant ces dialogues heurtés, comme s'il eût pris le parti de Napoléon, comme si son anxiété fût que ce petit peuple, ces
20 miséreux, ce prêtre, ces bourgeois, ces journaliers comprissent le rôle nouveau qu'allait assumer l'Empereur... il craignait que la pièce n'eût point la fin qu'il souhaitait, comme ces auditeurs du poulailler qui ont l'envie de crier au héros de la scène que le traître est derrière lui, qui meurent du refus qu'une reine fait d'un amour, qui voudraient changer le cours de l'Histoire pour que Titus épouse Bérénice... Non, Napoléon, ce n'était pas forcément la guerre, mais assurément c'était la dispersion de cet absurde univers auquel le liait l'uniforme rouge, et seulement cet uniforme qu'il pouvait à chaque instant arracher de sa peau, l'uniforme haï des petites gens [...] en tout cas, le retour de l'Empereur
30 c'était la fatalité bousculée, l'ordre des puissants, c'était le commence-ment d'une vie différente, qui frémissait ici parmi ces hommes misérables, d'une misère qu'il n'avait jamais vraiment vue ni devinée, ce foisonnement de destins sans espoir. Où habitaient-ils, comment étaient leurs femmes, de quel prix monstrueux payaient-ils le pain dont ils parlaient avec une anxiété si nouvelle pour Théodore ? Et il craignait que ces malheureux ne comprissent point la conjoncture qui s'offrait à eux, qu'ils laissassent s'échapper leur chance... Soudain il se sentit envahi par cette idée du théâtre, qu'il était au théâtre, que ses sympathies tenaient à l'éclairage, à l'habileté de l'auteur, au jeu des acteurs, et il
40 craignait comme un enfant que l'enchantement ne cessât, que tout à l'heure, le rideau retombé, il n'allât retrouver ses idées d'avant, ses croyances habituelles, que tout fût enfin comme si la pièce n'eût pas été ni cette émotion surprenante que cause un geste, une parole, la noblesse d'une phrase... il craignait que tout cela n'eût été que du théâtre ; il souhaita désespérément continuer à croire...

La Semaine Sainte (Librairie Gallimard, éditeur).

« La recherche dans le roman » Déjà, *Anicet* et *Le Paysan de Paris* (cf. p. 559) s'éloi-gnaient hardiment du roman traditionnel. En 1971, pour *Henri Matisse, roman,* qui est en réalité un ouvrage d'art assorti de textes divers tendant à restituer, par tout moyen, l'être du grand peintre, Louis Aragon annonce : *« Je l'ai appelé « roman » sans doute afin qu'on me le pardonne. »* A ce moment, *La Mise à mort* (1965) et *Blanche ou l'Oubli* (1967) ont plus qu'à l'évidence témoigné de son attention au renouvellement du genre dans une œuvre souvent « croisée » avec celle d'ELSA TRIOLET. *La Mise à mort,* où le romancier Anthoine Célèbre — pseudonyme significatif — est en butte à la jalousie d'Alfred, celui qu'il fut autrefois avant d'être révélé à lui-même par la fascinante Fougère, repose sur le problème de la personnalité éclairé — sinon résolu — par la psychologie moderne. Plus remarquable encore est *Blanche ou l'Oubli.* Grand écrivain, riche d'une matière profondément humaine, possédant un vrai « style », ARAGON y rassemble en maître tous les procédés du « nouveau roman » (cf. p. 762) qui, isolés, sentent parfois le système. Lui, du moins, possède la grâce qui fait tout admettre au lecteur surpris.

Blanche perdue et retrouvée

Pourquoi Blanche a-t-elle jadis abandonné le linguiste orientaliste Geoffroy Gaiffer (né comme Aragon le 3 octobre 1897) ? Pourquoi ne peut-il plus retrouver son image ni leur histoire ? La mystérieuse Marie-Noire réussira-t-elle, par le « mentir vrai » du roman qu'elle écrit sur eux, à reconquérir la vérité abolie par le temps ? Mais comment le pourrait-elle avec les « mots » de 1965, qui ne disent plus les mêmes « choses » que dans les années 20 ? Le spécialiste Gaiffer connaît bien l'impuissance du langage, comme nous-mêmes reconnaissons tout au long de *Blanche ou l'Oubli* l'influence de la linguistique à laquelle se réfèrent souvent les écrivains modernes, et spécialement les marxistes.

Ah, toutes les langues humaines, langues de chasseurs, de trafiquants, de chercheurs de camphre, de hauts fonctionnaires dont est le syllabaire à l'épreuve du feu, langues du bagne ou des barques, langues des longs cheminements au désert ou du temps perdu dans les forêts, langues de tromperie ou langues de troc, langues de sommeil et langues de langueur, langue du prince et langue de mépris, langues de cour ou langues de cérémonie, langues de circoncision, langues de cruauté, échos, appels, cris de hâleurs, geindre des porteurs d'eau, ahan des sculpteurs de pierre, ô chose gutturale dans la nuit des hommes ! toutes les langues dans toutes les bouches, leur impuissance à dire la femme...
10 ce vent du torse en moi qui monte et vire et ne trouve point issue... et toi douceur qui n'as autre loi qu'un vertige, syntaxe que balbutiement, ô toi les mots prennent chant de liturgies, confondant le plaisir et le sanglot, ô disparue, et ma vie à tâtons n'est que ce vain espoir de toi... cet évanouissement de toi... ce monument d'absence où tout n'est plus que symbole, abstraction tombale, croix, colombes, fleurs de perles, inscriptions d'au-delà, langage infernal.

[Maintes fois déjà, certains épisodes de L'Éducation Sentimentale *de Flaubert se sont confondus avec les images indécises du passé de Geoffroy, car le roman est souvent plus vrai que la réalité. Aujourd'hui, Blanche, vieillie et prise par un autre amour, est réapparue un instant. Elle dit adieu à Geoffroy avec le même geste que Madame Arnoux pour Frédéric.]*

Elle a arraché ce voile blond, elle passe les doigts dans les cheveux qui se défont. J'ai vu. Mon Dieu, mon Dieu. Est-ce possible ? C'est terrible, comme ça tout d'un coup. Mais jamais elle n'a été plus belle, cela lui donne une autre douceur du visage que la dureté des cheveux noirs et lourds.... Elle dit : « Tu
20 as des ciseaux... », et ce n'est pas une question. Personne comme Blanche ne fait à la fois la question et la réponse [...]. Alors elle les prend elle-même.

« ...Elle défit son peigne ; tous ses cheveux blancs tombèrent. Elle s'en coupa, brutalement, à la racine, une longue mèche. — Gardez-les ! adieu ! »

C'est incroyable, parfaitement insensé, dans un moment pareil, de ne pas pouvoir faire autrement que de penser à Frédéric Moreau, à Mme Arnoux.
« Non, — dit Blanche —, ne m'accompagne pas, Geoff, c'est un fou, tu sais... et il a si longtemps attendu... »

« Quand elle fut sortie, Frédéric ouvrit sa fenêtre. Mme Arnoux sur le trottoir fit signe d'avancer à un fiacre qui passait... »
30 Je n'ai pas reconduit Blanche à la porte, je n'ai pas soulevé le rideau de la fenêtre. Je ne lui avais pas demandé, quand elle a dit *c'est un fou* : « Et tu l'aimes ? » Il n'y avait pas besoin. La voiture là-bas démarrait avec une brutalité de fauve. Je ne suis pas si sourd. D'où j'étais, d'ailleurs, dans la pièce, j'ai vu tourner les phares. Et je me suis caché les yeux dans les mains, pour ne plus voir que l'oubli. Les cendres chaudes de l'oubli.   *Blanche ou l'Oubli* (Librairie Gallimard, éditeur).

LOUIS-FERDINAND CÉLINE

Les haines, l'antisémitisme forcené, qui devaient le jeter dans la démesure : *Bagatelles pour un massacre* (1937), *L'École des cadavres* (1938), *Les Beaux Draps* (1941), ont-ils à jamais défiguré le visage de Louis-Ferdinand DESTOUCHES (1894-1961) qui prit comme nom d'écrivain le prénom de sa mère, CÉLINE ? Né dans un milieu démuni, c'est en travaillant sans maître qu'il fit ses études secondaires, puis conquit son diplôme de médecin. Engagé volontaire en 1914, il se signala héroïquement en 1915 et reçut une grave blessure. Il aurait pu suivre la carrière unie d'un praticien de province ; mais telle n'était pas sa voie. Après avoir couru l'Angleterre, l'Afrique et l'Amérique du Sud en exerçant tous les métiers, il s'installe, « pour y soigner les pauvres », dans la banlieue parisienne.

C'est en 1932 qu'il fait son irruption dans la vie littéraire avec ce roman d'une violence volcanique, *Voyage au bout de la nuit*, somme d'expériences de tout ordre, exhalée comme un cri, dans un style, parfois ordurier parfois bouleversant, qui exprime une profonde compassion pour les faibles et les victimes de la vie sociale, et une sensibilité presque morbide, aux accents de *révolte* et de *désespoir*. Les malheurs de sa jeunesse lui inspirent bientôt un second livre, douloureux jusqu'au paroxysme, *Mort à crédit* (1936).

Après la guerre, ayant soutenu le régime de Vichy jusqu'à la Libération, CÉLINE se réfugie d'abord en Allemagne, puis au Danemark où il sera emprisonné ; il rentre ensuite en France où il est frappé d'indignité nationale en 1950. Amnistié l'année suivante et installé à Meudon, il y poursuit son œuvre : il publie *D'un château l'autre* (1957) et *Nord* (1960), écrit *Le Pont de Londres* (tome II de *Guignol's Band*, I, 1944) qui ne paraîtra qu'en 1964, après sa mort, ainsi que *Rigodon* (1969), achevé l'année même de sa mort.

Voyage au bout de la nuit   La matière de ce roman picaresque reflète la douloureuse expérience accumulée par l'auteur. L'aventure de son personnage d'anti-héros, BARDAMU — le narrateur —, commence par un *périple* qui le conduit de la France en guerre, où il est réformé, à l'Afrique colonisée, puis aux États-Unis malades de la déshumanisation ; de retour en France, il s'installe comme médecin dans une banlieue misérable, à Rancy (nom imaginaire) où *il soigne les pauvres,* le plus souvent en oubliant de se faire payer.

Il dépeint avec virulence et avec une redoutable franchise *les tares du monde « civilisé »* (guerre, colonisation, exploitation de l'homme) et *les misères de la condition humaine.* « La vérité, dit-il, c'est une agonie qui n'en finit pas. La vérité de ce monde c'est la mort » ; et encore : « La vie c'est ça, un bout de lumière qui finit dans la nuit ».

Pour nous communiquer ses émotions, il se flatte d'être, en matière de *style,* « le seul inventeur du siècle », faisant appel à certains traits de la langue parlée — moins à l'argot, d'ailleurs, qu'à la liberté, pleine de verve gouailleuse, de la syntaxe populaire.

Affairisme et colonisation

Engagé volontaire en 1914, puis réformé et horrifié par la guerre, BARDAMU a trouvé au Togo un petit emploi à la Compagnie Pordurière. Comme Montaigne, Montesquieu, Voltaire, et cinq ans après le *Voyage au Congo* de Gide (cf. p. 281), Céline dénonce avec une verve et une ironie décapantes les arguments fallacieux des affairistes qui, en Afrique, portent le masque de la civilisation et de l'humanité. — THÈMES : *Argent. Guerre. Civilisation. Humanité.*

L e Directeur passait de temps en temps, toujours agressif pour s'assurer que je faisais des progrès réels dans la technique du numérotage et des pesées truquées. Il se frayait un chemin jusqu'aux balances, à travers la houle indigène, à grands coups de trique. « Bardamu, me dit-il un matin qu'il était en verve, ces nègres-là, qui nous entourent, vous les voyez, n'est-ce pas ?... Eh bien, quand j'arrivai au Petit Togo, voici tantôt trente ans, ils ne vivaient encore que de chasse, de pêche et de massacres entre tribus, ces salopards !... Petit factorier à mes débuts, je les ai vus tel que je vous parle, s'en retourner après victoire dans leur village, chargés de plus de cent paniers de viande humaine bien 10 saignante pour s'en foutre plein la lampe !... Vous m'entendez bien, Bardamu !... Bien saignante ! Celle de leurs ennemis ! Vous parlez d'un réveillon !... Aujourd'hui, plus de victoires ! Nous sommes là ! Plus de tribus ! Plus de chichis ! Plus de flaflas ! Mais de la main-d'œuvre et des cacahuètes ! Au boulot ! Plus de chasse ! Plus de fusils ! Des cacahuètes et du caoutchouc !... Pour payer l'impôt ! L'impôt pour faire venir à nous du caoutchouc et des cacahuètes encore ! C'est la vie Bardamu ! Cacahuètes ! Cacahuètes et caoutchouc !... Et puis, tenez, voici justement le général Tombat qui vient de notre côté ! »

Celui-ci venait bien en effet à notre rencontre, vieillard croulant sous la charge énorme du soleil. Il n'était plus tout à fait militaire, le général, pas civil encore 20 cependant. Confident de la « Pordurière », il servait de liaison entre l'Administration et le Commerce. Liaison indispensable bien que ces deux éléments fussent toujours en concurrence et en état d'hostilité permanente. Mais le général Tombat manœuvrait admirablement. Il était sorti, entre autres, d'une récente sale affaire de vente de biens ennemis, qu'on jugeait insoluble en haut lieu.

Au début de la guerre, on lui avait fendu un peu l'oreille au général Tombat, juste ce qu'il fallait pour une disponibilité honorable, à la suite de Charleroi. Il l'avait placée aussitôt dans le service de « la plus grande France » sa disponibilité. Mais cependant Verdun passé depuis longtemps le tracassait encore. Il farfouillait des « radios » dans le creux de sa main. « Ils tiendront nos 30 petits poilus ! Ils tiennent ! »... Il faisait si chaud dans le hangar et cela se passait si loin de nous, la France, qu'on dispensait le général Tombat d'en pronostiquer davantage. Enfin on répéta tout de même en chœur par courtoisie, et le Directeur avec nous : « Ils sont admirables ! » et Tombat nous quitta sur ces mots.

Le Directeur, quelques instants plus tard, s'ouvrit un autre chemin violent parmi les torses pressés et disparut à son tour dans la poussière poivrée. [...] On assurait qu'il volait, truquait, escamotait à lui tout seul bien plus que tous les autres employés réunis, pas fainéants pourtant, je l'assure. Mais je le crois sans peine. [...] La Compagnie Pordurière de son côté consommait beaucoup de petits employés de mon genre, elle en perdait par dizaine chaque saison de ces 40 sous-hommes, dans ses factories forestières, au voisinage des marais. C'était des pionniers.

Voyage au bout de la nuit (Librairie Gallimard, éditeur)

« *Une petite nuit dans un coin de la grande* »

Voici une des pages désespérées du *Voyage au bout de la nuit,* dont un des thèmes majeurs est le sentiment de la *solitude,* en plus de ceux de la misère, de l'injustice, de la maladie et de la mort. Dans la vie quotidienne de cette banlieue, aucun lien véritable ne s'établit, hormis la pitié envers les enfants. Parmi tant de pages sombres, celle-ci apparaît comme l'expression d'un mal plus grand encore : l'homme y est malheureux dans l'immédiat, mais, en plus, le médecin, lui, se heurte au sentiment de son impuissance. Au bout d'une telle nuit, il n'y a pas d'aurore. – THÈMES : *Pauvreté. Peuple. Mort.*

Quand on arrive, vers ces heures-là, en haut du Pont Caulaincourt, on aperçoit, au-delà du grand lac de nuit qui est sur le cimetière, les premières lueurs de Rancy. C'est sur l'autre bord, Rancy. Faut faire tout le tour pour

y arriver. C'est si loin ! Alors on dirait qu'on fait le tour de la nuit même,
tellement il faut marcher de temps et des pas autour du cimetière pour arriver
aux fortifications.

Et puis, ayant atteint la porte, à l'octroi, on passe encore devant le bureau
moisi où végète le petit employé vert. C'est tout près alors. Les chiens de la zone
sont à leur poste d'aboi. Sous un bec de gaz, il y a des fleurs quand même, celles
10 de la marchande qui attend toujours là les morts qui passent d'un jour à l'autre,
d'une heure à l'autre. Le cimetière, un autre encore, à côté, et puis le boulevard
de la Révolte[1]. Il monte avec toutes ses lampes, droit et large en plein dans la
nuit. Y a qu'à suivre, à gauche. C'était ma rue. Il n'y avait vraiment personne
à rencontrer. Tout de même, j'aurais bien voulu être ailleurs et loin. J'aurais aussi
voulu avoir des chaussons pour qu'on m'entende pas du tout rentrer chez moi.
J'y étais cependant pour rien, moi, si Bébert[2] n'allait pas mieux du tout. J'avais
fait mon possible. Rien à me reprocher. C'était pas de ma faute si on ne pouvait
rien dans des cas comme ceux-là. Je suis parvenu jusque devant sa porte et, je
le croyais, sans avoir été remarqué. Et puis, une fois monté, sans ouvrir les
20 persiennes, j'ai regardé par les fentes pour voir s'il y avait toujours des gens à
parler devant chez Bébert. Il en sortait encore quelques-uns des visiteurs, de
la maison, mais ils n'avaient pas le même air qu'hier, les visiteurs. Une femme
de ménage des environs, que je connaissais bien, pleurnichait en sortant. « On
dirait décidément que ça va encore plus mal, que je me disais. En tout cas, ça
va sûrement pas mieux... Peut-être qu'il est déjà passé, que je me disais. Puisqu'il
y en a une qui pleure déjà ! » La journée était finie.

Je cherchais quand même si j'y étais pour rien dans tout ça. C'était froid
et silencieux chez moi. Comme une petite nuit dans un coin de la grande, exprès
pour moi tout seul.
30 De temps en temps montaient des bruits de pas et l'écho entrait de plus
en plus fort dans ma chambre, bourdonnait, s'estompait... Silence. Je regardais
encore s'il se passait quelque chose dehors, en face. Rien qu'en moi que ça
se passait, à me poser toujours la même question.

J'ai fini par m'endormir sur la question, dans ma nuit à moi, ce cercueil,
tellement j'étais fatigué de marcher et de ne trouver rien.

Voyage au bout de la nuit (Librairie Gallimard, éditeur).

Le médecin des pauvres

Les pauvres de cette banlieue déshéritée, malades de surcroît, forment une race à part
dont BARDAMU a le sentiment de faire lui-même partie. Sa profonde compassion (au sens
étymologique : il souffre *avec* eux) ne lui ôte pas sa *lucidité* à leur égard ; au contraire,
elle en accroît l'*acuité*. Il ne se fait sur ces malheureux aucune illusion, ce qui rend plus
poignant le pathétique de leur évocation. – THÈMES : *Société. Pauvreté. Psychologie.*

J'avais peu à peu perdu la mauvaise habitude de leur promettre la santé
à mes malades. Ça ne pouvait pas leur faire très plaisir, la perspective d'être
bien portants. Ce n'est après tout qu'un pis-aller d'être bien portant. Ça sert
à travailler le bien portant, et puis après ? Tandis qu'une pension de l'État,
même infime, ça c'est divin, purement et simplement.

— 1 Topographie « expressive », personnelle | nime. — 2 Sorte de Gavroche maladif, soigné par
à l'auteur ; il existe aussi un boulevard Magna- | le narrateur, médecin de banlieue sans prestige.

Quand on n'a pas d'argent à offrir aux pauvres, il vaut mieux se taire. Quand on leur parle d'autre chose que d'argent, on les trompe, on ment, presque toujours. Les riches c'est facile à amuser, rien qu'avec des glaces par exemple, pour qu'ils s'y contemplent, puisqu'il n'y a rien de mieux au monde à regarder que les riches. Pour les ravigoter, on les remonte les riches, à chaque dix ans, d'un cran dans la Légion d'honneur et les voilà occupés pendant dix ans encore. C'est tout. Mes clients, eux, c'étaient des égoïstes, des pauvres, matérialistes tout rétrécis dans leurs sales projets de retraite, par le crachat sanglant et positif. Le reste leur était bien égal. Même les saisons qui leur étaient égales. Ils s'en ressentaient des saisons et n'en voulaient connaître que ce qui se rapporte à la toux et la maladie, qu'en hiver, par exemple, on s'enrhume bien davantage qu'en été, mais qu'on crache par contre facilement du sang au printemps et que pendant les chaleurs on peut arriver à perdre trois kilos par semaine... Quelquefois je les entendais se parler entre eux, alors qu'ils me croyaient ailleurs, attendant leur tour. Ils racontaient sur mon compte des horreurs à n'en plus finir et des mensonges à s'en faire sauter l'imagination. Ça devait les encourager de me débiner de la sorte, dans je ne sais quel courage mystérieux qui leur était nécessaire pour être de plus en plus impitoyables, résistants et bien méchants, pour durer, pour tenir. A dire du mal ainsi, médire, mépriser, menacer, ça leur faisait du bien, faut croire. Pourtant, j'avais fait mon possible, moi, pour leur être agréable, par tous les moyens, j'épousais leur cause, et j'essayais de leur être utile, je leur donnais beaucoup d'iodure pour tâcher de leur faire cracher leurs sales bacilles et tout cela cependant sans arriver jamais à neutraliser leur vacherie...

Ils restaient là devant moi, souriants comme des domestiques quand je les questionnais, mais ils ne m'aimaient pas, d'abord parce que je leur faisais du bien, ensuite parce que je n'étais pas riche et que d'être soigné par moi, ça voulait dire qu'on était soigné gratuitement et que cela n'est jamais flatteur pour un malade, même en instance de pension. Par-derrière, il n'y avait donc pas de saloperies qu'ils n'eussent propagées sur mon compte. Je n'avais pas d'auto moi non plus comme la plupart des autres médecins des environs, et c'était aussi comme une infirmité à leur sens que j'aille à pied. Dès qu'on les excitait un peu mes malades, et les confrères ne s'en faisaient pas défaut, ils se vengeaient on aurait dit de toute mon amabilité, de ce que j'étais si serviable, si dévoué. Tout ça c'est régulier. Le temps passait quand même.

Voyage au bout de la nuit (Librairie Gallimard éditeur).

« *Un autre langage* » Pour Céline, le *Voyage* n'était pas seulement la matière de sa vie, c'était aussi la recherche d'un « autre langage qui aurait été chargé d'émotion immédiate, transmissible mot par mot, comme dans le *langage parlé* ». Pourtant, le « style Bardamu » ne tarda pas à lui paraître « trop vieillot, trop timide ». Dans la préface de *Guignol's Band*, exhortant les écrivains à la modernité, il proclame sa propre volonté de révolutionner l'écriture pour communiquer l'émotion : « Le Jazz a renversé la valse, l'Impressionnisme tue le « faux jour », vous écrirez télégraphique ou vous écrirez plus du tout ! [...] Émouvez-vous ! [...] Émouvez bon Dieu ! Ratata ! Sautez ! Vibrochez ! Éclatez dans vos carapaces ! fouillez-vous crabes ! Éventrez ! [...] Transposez ou c'est la mort ! »

Mort à crédit est la première étape vers la conquête de ce style qui triomphera dans *Rigodon*. Céline y expérimente la technique des points de suspension visant à produire une arythmie haletante calquée sur celle d'un univers chargé de violence spasmodique. Ce style immédiat et désarticulé, mais concerté, lui permet d'enregistrer deux émotions éprouvées simultanément : le sentiment du tragique et la conscience du grotesque. Ainsi, par exemple, de cet épisode d'une bagarre entre le père et son fils qui s'empare, comme d'une arme, de la machine à écrire paternelle : « *Je fais qu'un bond... Je suis dessus ! Je soulève sa machine, la lourde, la pesante... Je la lève tout en l'air. Et plac !... d'un bloc là vlac !... Je la lui verse dans la gueule ! Il a pas le temps de parer !... Il en culbute sous la rafale, tout le bastringue à la renverse !... La table, le bonhomme, la chaise, tout le fourniment viré en bringue...* »

Rigodon est une sorte de reportage autobiographique sur l'odyssée de Céline, de sa femme Lili et de son chat Bébert, à travers l'Allemagne, en direction du Danemark, au printemps de 1945 : dernier épisode, et non le moins mouvementé, de cette autobiographie de la malédiction que constitue l'ensemble de son œuvre.

Rigodon

Après avoir traversé les décombres de Hanovre et de Hambourg, CÉLINE se trouve sur une plate-forme, dans un train franchissant, en direction de Copenhague, le canal de Kiel bombardé par l'aviation britannique qui cherche à couler les sous-marins allemands dans le canal. Par le « style à trous », le « style dentelle » calqué sur la vivacité du *rigodon* — d'où le titre de l'ouvrage —, Céline s'attache à traduire rythmiquement, tout en la tournant en dérision, cette « danse » de l'apocalypse. Les points de suspension se combinent avec les accélérations, les images, le vocabulaire et la syntaxe pour traduire dans le langage le plus direct les sensations et les émotions dans leur simultanéité et leur coïncidence avec l'événement. – THÈMES : *Guerre. Histoire.*

Je m'égare encore ! au fait !... au fait !... je vous disais ce pont tremblotait, gigotait même !... pourtant pas un pont fragile, une géante armature de poutres et d'arcs... vous auriez dit impossible... si ! et rien qu'aux souffles des explosions... le genre de rigodon [1] que c'était ! et nous à nous amuser à regarder l'éclosion des mines !... violettes ! rouges !... jaunes !... au fond du gouffre... sûr, dans le canal ! les sous-marins devaient écoper !... vous parlez de remous d'air... de quoi bien valser nous aussi !... mais nos mômes baveux [2] ?... on pourrait un peu être inquiets ! ils pouvaient être partis dans un souffle, planer au gouffre... ils pouvaient avoir passé le pont, bien s'amuser de l'autre côté, l'autre rive...

10 ce qui était grave chez ces gniards [3] c'est pas seulement qu'ils étaient sourds mais qu'ils avaient peur de rien, qu'ils étaient faits aux bombes et tonnerres, que ça avait dû leur arriver pas une fois, cent fois... eh bien non !... ils étaient pas passés en face ! ils étaient là sur cette passerelle, je les voyais, ils s'attrapaient, ils se rattrapaient... ils jouaient à s'envoyer au vide... les explosions les gênaient pas, au contraire, on aurait dit... je les avais jamais vus si gais... ils se faisaient des niches... moi je pouvais plus avancer, ni Lili... aussi fallait voir le pont se soulever et les rails et nos plates-formes... et *proum !...* tout retomber !... mieux dire, tout ondule... en vraie montagne russe... si vous voulez... bien sûr que nous sommes sourds... comme les mômes, forcément...

20 des percussions, des ouragans de mines... aucune oreille peut résister, ni tête, la mienne vous pensez ! je veux pas vous en parler encore !... ni de la brique [4]... l'autre, l'autre mécanicien [5], je le vois encore partir au gouffre... le rasoir ouvert !... il allait se raser... celui qui reste vient pas du tout... il avait promis...

Rigodon (Librairie Gallimard, éditeur).

— 1 « Ancienne danse d'un mouvement vif » (Littré). — 2 Céline a recueilli, bien malgré lui, un groupe d'enfants handicapés qu'une assistante sociale tuberculeuse lui a confiés. — 3 *Arriérés* (en argot). — 4 Il avait reçu une brique sur la tête. — 5 L'un des deux mécaniciens.

DU POPULISME AU « FANTASTIQUE SOCIAL »

Dans le sillage du naturalisme s'était amorcé, dès avant 1914, un mouvement littéraire qui s'épanouit au cours de l'entre-deux-guerres, sous le nom de *populisme*. Annoncé par les œuvres de CHARLES-LOUIS PHILIPPE (1874-1909 : *Bubu de Montparnasse*, 1901), il inspire LÉON LEMONNIER *(La Femme sans péché)* et ANDRÉ THÉRIVE *(Anna)*, ainsi que LÉON FRAPIÉ (1863-1949 : *La Maternelle*, 1904) et FRANCIS CARCO (1886-1958 : *Jésus-la-Caille*, 1914 ; *L'Homme traqué*, 1922 ; *Perversité*, 1925). Toutes ces œuvres sont consacrées au « peuple », mais sans engagement systématique. Le populisme sera élaboré en théorie littéraire par HENRY POULAILLE (1896-1980), auteur de *La Littérature et le peuple* (1937) et de romans comme *Le Pain quotidien* (1931) et *Les Damnés de la terre* (1935).

Eugène Dabit

Chez les meilleurs de ses représentants, le populisme évolue vers ce qu'on appellera plus tard le *réalisme poétique*, présent en particulier dans l'œuvre d'EUGÈNE DABIT (1898-1936), auteur de *Petit-Louis* (1931), *Faubourgs de Paris* (1933) et surtout *Hôtel du Nord* (1930). Dabit a su créer, par son style, une atmosphère de réalisme poétique, qui sera aussi la caractéristique d'un courant du *cinéma français* illustré par Marcel Carné (*Hôtel du Nord*, d'après Dabit ; *Quai des brumes*, d'après Mac Orlan) et par Julien Duvivier (*La Bandera*, d'après Mac Orlan). Voici, par exemple comment Dabit retrace la promenade nocturne de Lecouvreur, propriétaire d'un misérable « meublé », l'*Hôtel du Nord*, le long du canal Saint-Martin où l'on a repêché une jeune noyée inconnue :

Il va lentement. Il contourne un homme étendu qui repose, la tête appuyée sur un sac de ciment. Un « clochard ». L'asile du quai de Valmy est là-bas, sombre et nu comme une caserne. Des êtres marchent, les épaules repliées, la poitrine creuse, des vieux qui triment, traînent leur existence comme le palefrin. Un à un, en courbant l'échine, ils franchissent la porte de l'asile.

« Y sont tout de même mieux là-dedans que sous les ponts », pense Lecouvreur.

Sur un tas de sable, des amoureux se tiennent embrassés. Il surprend leurs baisers, leurs chuchotements. Il s'arrête et pousse un soupir. Des rôdeurs le frôlent. On entend, de loin, le métro passer sur le viaduc dont les piliers se perdent dans l'ombre ; des convois éblouissants rayent le ciel comme des comètes.

Hôtel du Nord, XIV (Denoël, éditeur).

Le populisme et plus encore le réalisme poétique, littéraire ou cinématographique, tendent aussi à orienter la peinture réaliste des milieux populaires ou marginaux vers ce que PIERRE MAC ORLAN appelle le *« fantastique social »*, caractéristique de son œuvre et aussi de celle de GEORGES SIMENON (cf. p. 572).

Pierre Mac Orlan

De son vrai nom Pierre Dumarchey, MAC ORLAN (1882-1970) publie en 1921 *La Cavalière Elsa* et en 1923 *La Vénus internationale*, puis en 1927 *Le Quai des brumes*, en 1928 *Dinah Miami* et en 1931 *La Bandera*. Ces œuvres renouvellent aussi bien le roman d'aventure que le roman réaliste ou populiste, en dégageant le merveilleux caché derrière les apparences du sordide. Mac Orlan est aussi le maître, grâce à son style, d'*une littérature d'atmosphère* où les décors (ports nordiques avec leurs brumes, bistrots et bars plus ou moins louches, nuits de Montmartre, etc.) deviennent de véritables acteurs. La solidarité du personnage et de l'atmosphère fonde la vérité de l'un et de l'autre et contribue à produire le « fantastique social » englobant *tout le pathétique de l'âge moderne* vu comme un âge condamné que l'écrivain doit se hâter de raconter avant que ne se produise le naufrage qu'il pressent.

« *Toutes les possibilités du drame moderne...* »

MAC ORLAN manifeste une prédilection pour les *incarnations féminines de l'excentricité et de la marginalité modernes*. La *Vénus internationale* introduit d'abord le lecteur auprès des deux frères Gohelle, NICOLAS l'écrivain et SIMON le peintre, retirés dans la solitude paysanne d'une banlieue campagnarde ; mais leur vie va être bientôt bouleversée par l'apparition d'une énigmatique colporteuse, CLAUDE, en réalité espionne de haut rang venue de l'Est et messagère de la fin d'un monde. Elle devient la maîtresse de Nicolas ; ils se rencontrent à Paris pour y faire la noce à la manière des « années folles ». Mais après une semaine, Claude doit repartir et prendre « le train de Cologne ». Après son départ, Nicolas rentre chez lui et médite. – THÈMES : *Psychologie. Réel et irréel.*

Quand Nic fut couché, la lampe éteinte, il dut subir — il s'y attendait — l'assaut de mille pensées qu'il n'avait pas eu le temps d'éliminer pendant les huit nuits de fête étourdissante vécues à Paris. Pour la première fois il pensa sincèrement à Claude, sans égoïsme, en faisant abstraction de soi-même dans la combinaison qu'il avait machinée.

Bien qu'elle fût peu prolixe en ce qui concernait l'ordonnance intime de sa véritable situation dans le monde, Claude n'avait pu retenir quelques phrases que l'on pouvait interpréter. Elle craignait, comme Gohelle, mais avec plus de précision que ce dernier, quelque chose de mortel. Nic avait compris que
10   dans son pays d'Extrême-Est on la jalousait pour son influence sur le chef. C'était si naturel que, tout d'abord, Gohelle prêta peu d'attention à ses craintes d'ailleurs exprimées avec un tact infini. Maintenant, il suivait en songe son amie jusqu'à la gare terminus de son long voyage. Il la sentait penser avec énergie, essayant de combiner de prudents mensonges, cherchant à donner un sens politique logique de ses gestes, à l'étranger. Des ombres accompagnaient la jeune femme. Ce n'étaient ni des policiers ni des criminels butés qui la suivaient ainsi, mais des ombres, des larves inconsistantes capables, cependant, de se réaliser d'une minute à l'autre sous une forme congrue.

Toutes les possibilités du drame moderne se déroulaient devant ses yeux
20   au centre d'un décor pervers créé par les recherches artistiques de son temps. L'abus de la déformation des objets et des idées pour rendre plus expressives les choses de l'art aidait incontestablement à rendre fantastique l'événement le plus banal. Il ne s'agissait, pour cela, que de le situer décorativement en interprétant les rues des petites villes et le visage des petits boutiquiers selon les lois d'une appréciation purement onirique.

Une tache noire, comme un paquet de chiffons tombé d'une voiture sur la neige, dans le ciel un seul jet lumineux de projecteur urbain et c'était la mort de la Vénus internationale associée à celle de Raspoutine au bord de la Neva.

La Vénus internationale, XVII (Librairie Gallimard éditeur).

Ce pressentiment se réalisera sans tarder. A la fin du roman, sur la neige où danse « l'enfant Septentrion » apparaît la vision fantastique et macabre sur laquelle se clôt le récit : « Sur la croix noire dominant la plaine blanche, une forme humaine crucifiée révélait l'ancienne présence de l'activité sociale. C'était un cadavre de femme, cloué par les mains contre le bois dur. La tête décharnée se penchait gentiment sur l'épaule droite, les tibias dénudés s'enfonçaient comme des pieux dans des souliers vernis à hauts talons, et la tête était encore coiffée d'un chapeau printanier, une cloche en paille entourée de clématites artificielles, le chapeau que portait Claude à Paris, en 1920 et quelques années. »

ANDRÉ CHAMSON

Né à Nîmes, de famille protestante, ANDRÉ CHAMSON (1900-1983) entre à l'École des chartes en 1924. L'année suivante, il fait ses débuts de romancier avec *Roux le bandit*. En 1927 paraissent *Les Hommes de la route* et, en 1928, *Le Crime des justes,* peuplé de créatures frustes, parfois farouches, dont les mœurs mêlent à l'austérité camisarde le goût de la violence sous tous ses aspects. Parallèlement, André Chamson écrit des essais, *L'Homme contre l'histoire* (1927), *L'Année des vaincus* (1934).

Intellectuel présent à tous les problèmes de son époque, il fut aussi un combattant. En 1944-1945, au cours de la campagne d'Allemagne, il commande la brigade Alsace-Lorraine aux côtés d'André Malraux. Après la guerre, il a publié *Le Dernier Village* (1946), *La Neige et la Fleur* (1951) où il met en scène la génération nouvelle, puis une œuvre en partie autobiographique, *Le Chiffre de nos jours* (1954). Membre de l'Académie française (1956), conservateur du Petit-Palais, André Chamson a évoqué dans *La Tour de Constance* (1970) la haute salle circulaire, « tombe aérienne » où furent enfermées de 1686 à 1768 des centaines de protestantes qui refusaient l'abjuration. Il a aussi relaté ses souvenirs de guerre dans *Suite guerrière* et *La Reconquête* (1975).

On réduirait singulièrement l'importance de son rôle littéraire en définissant André Chamson comme un « écrivain de terroir » (cf. p. 576) ; mais il est indéniable que son style dépouillé, voire un peu âpre, l'élévation de ses vues et l'ampleur des perspectives découvertes ne sont pas sans rappeler les horizons cévenols.

« *Durement, sur les pierres dures...* »

A La Condamine, faubourg de Saint-André, petite ville cévenole, « où on vit encore comme à la campagne », s'est installé un ménage : Combes et sa femme Anna, « forte de corps et de sens ». Elle a 25 ans, lui 30 ; ils ont vécu jusque-là d'une activité mi-artisanale, mi-rurale. Mais voici qu'on embauche les hommes pour la construction de la route qui, « d'une faille à l'autre faille, va passer sur une bosse de pâturages ou de rochers », dégageant « un horizon immense, de jour en jour plus vaste et plus admirablement parfait dans son immobilité de demi-cercle ». L'auteur anime ici la *route* « comme un être vivant » et il situe les *hommes* qui lui donnent vie dans une tradition quasi *religieuse* d'ancestral et noble *labeur*.

THÈMES : *Nature. Société. Peuple. Progrès. Beaux-arts.*

Il ne vivait alors que pour le travail de la route. C'était le grand labeur de sa jeunesse, semblable à tous ceux de son enfance. Car il avait gardé les chèvres au temps où les loups couraient encore la montagne ; il avait descendu sur ses épaules de lourds faix de bois jusqu'à la ville, par les chemins royaux, raides comme des torrents, égalisés par la pioche et la mine ; il avait dormi seul, à douze ans, dans les cabanes silencieuses perdues au bord des pâturages. Chacun de ses gestes, jusqu'à sa démarche lente et sûre, semblait fait pour accomplir les plus durs travaux de la montagne, mais toutes ses forces ne s'employèrent ensemble et dans une même joie que pendant ces deux années 10 où, de Saint-André au col du Minier, dans les châtaigneraies, les pentes de bruyères, les petits prés et les sombres masses de sapins, surgit la nouvelle route.

Elle partit de Saint-André à travers les prairies d'eau et les pommiers, en rampe douce, comme un être vivant, volontaire mais calme. Puis elle entra dans la vallée étroite pour grimper en lacets vers les hautes crêtes.

Des équipes marchaient avec elle, remuaient la terre, coupaient les arbres, creusaient les roches à coups de mines, bâtissaient des ponts sur les torrents

et les précipices. Sous les rochers, au creux des arbres, aux couverts des taillis, des bêtes couraient, surprises, des serpents s'écrasaient sous des roches
20 précipitées : une grande odeur de terre violée, violente et riche s'élevait sur les pentes, dans la chaleur et la lumière, aussi exaltante, aussi vagabonde et tumultueuse que, là-bas, contre la rivière et les hautes maisons à quatre étages, aux façades nues, l'odeur des jardins était calme, somnolente et paisible.

Les équipes riaient et s'acharnaient à bousculer ces landes, ces forêts, ces rocailles stériles. Une longue bande de terre s'aplanissait et s'allongeait, comme pour se soumettre, devant des hommes bruns, coiffés de feutres noirs cirés par la pluie et les traces des doigts en sueur ; des hommes trapus, en bras de chemise, au col ouvert, sans cravate, avec des poitrines noires, des hommes agiles en lourdes braies [1] de velours soutenues par une tayole [2] rouge ou bleue ;
30 des hommes solides, chaussés de gros cuirs cloutés plus forts que les granits, à gros grains d'acier brillant — des hommes semblables à ceux qui, véridiques, aux minces pieds-droits [3] des cathédrales, fauchent les moissons, enfournent le pain, mènent les saisons et les années — des hommes au costume sans âge, faits pour les grands travaux, amis du soleil et de la pluie et marchant durement sur les pierres dures au milieu d'un cortège d'étincelles.

Les Hommes de la route (Grasset, éditeur).

GEORGES SIMENON

Le père de Maigret GEORGES SIMENON (1903-1989) est né à Liège, d'une famille d'origine bretonne et d'alliance hollandaise. De bonne heure il doit gagner sa vie et se trouve mêlé, fort jeune, à des milieux très divers. A la fin de 1922, il débarque à Paris pour y commencer une carrière extraordinaire qui s'abritera d'abord sous différents pseudonymes ; mais c'est en 1929-1930 que Simenon va vraiment devenir lui-même. Au cours d'un périple sur les canaux du Nord, il compose un récit, *Pietr le Letton,* où apparaît pour la première fois l'imposante silhouette du fameux commissaire MAIGRET. Dès lors vont se succéder, en double file et à un rythme sans exemple (Robert Brasillach parlera du « phénomène Simenon »), des romans courts et suggestifs, les uns dominés par Maigret, ayant pour centre un *drame policier,* les autres plus statiques, formant des *études* de *milieux,* de *cas,* de *caractères.*

Après ses années parisiennes coupées de voyages, Georges Simenon a longtemps résidé aux États-Unis et, s'il a travaillé volontiers à partir de 1957 dans sa propriété d'Echandens, près de Lausanne, il a circulé et séjourné un peu partout. Il a donné avec *Pedigree,* en 1948, *Lettres à ma mère* (1974), *Mémoires intimes* (1981), des précisions autobiographiques.

Traduite dans toutes les langues, son œuvre immense (environ 500 titres) a inspiré avec bonheur les cinéastes (*La Mort de Belle, Les Inconnus dans la maison,* etc.).

Un réalisme original SIGNIFICATION DU DÉCOR. Les romans de Simenon doivent à la vie non-sédentaire de leur auteur de se situer dans des cadres variés : Paris et ses quartiers — ou ses villages —, la région de Sancerre *(M. Gallet décédé),* l'Aunis (*Le Testament Donadieu* se déroule à La Rochelle), la côte normande (*L'Homme de Londres* à Dieppe, *La Marie du port* à Port-en-Bessin), l'Alsace, la Hollande, New York (*Trois Chambres à Manhattan, Maigret chez le coroner,* etc.). Mais, qu'il évoque les longs alignements des canaux, les labyrinthes des grandes villes ou la tristesse des banlieues, jamais Simenon ne s'attarde en vaines

---

— 1 Pantalons larges, comme ceux des anciens | Gaulois. — 2 Ceinture, terme cévenol. — 3 Piliers carrés portant la naissance d'une arcade.

descriptions : c'est l'*âme* même du décor qu'il suggère selon sa saison, son ciel, le rythme des occupations, le visage des habitants, presque tous petites gens. Dès *Le Charretier de la Providence* (1931) ou *La Maison du canal* (1933), il était clair que pour lui le paysage n'est presque pas distinct de l'homme, qu'ils *s'expliquent* l'un par l'autre ; on ne saurait s'imaginer Maigret dans un autre appartement que le sien, boulevard Richard-Lenoir, entre la Bastille et la place des Vosges, au cœur d'un Paris d'artisans et de petits bourgeois. Citons encore *Le Bourgmestre de Furnes, La Veuve Couderc, Les Demoiselles de Concarneau, L'Aîné des Ferchaux, Tante Jeanne, L'Escalier de fer, Le Grand Bob, Les Témoins, La Boule noire, Le Train, Le Chat...*

LE TRAGIQUE QUOTIDIEN. Chez d'autres qu'un Simenon, ce réalisme, très fidèle mais sans ampleur, ces personnages médiocres, veules, étrangers à toute transcendance et livrés à l'immédiat, tout cela pouvait aboutir à un morne décalque de l'existence absurde ; mais de cette œuvre il se dégage, dans une sorte de *poésie* des rues et des brumes, une immense *compréhension,* incarnée par le commissaire Maigret qui ne juge pas, qui cherche à vivre avec les êtres et pour ainsi dire *en* eux, fussent-ils tarés, coupables, hors la loi. Et surtout, ce qui lui donne sa plus haute dimension, c'est le sens de la *solitude* humaine ; c'est, dans le malentendu, la maladie, la faute ou l'exil, tout ce qui fait de l'homme un *étranger* pour les autres et parfois pour lui-même, *le sens de l'angoisse tragique dans la vie de tous les jours.* Il a créé tout un monde : beaucoup l'ont comparé à Balzac.

LE MOINS APPRÊTÉ DES STYLES. Dépourvu de tout apparat mais aussi de tout artifice, le style de Simenon ne vise qu'à *refléter* absolument les données du réel, sans les embellir par optimisme, ni les noircir par le parti pris d'un engagement. D'une frappante *efficacité,* il crée une *atmosphère* originale, irréductible à tout modèle et qui suffirait à classer Simenon comme un véritable écrivain. C'était, dit Marcel Aymé, « un Balzac sans longueurs ».

L'inconnu du téléphone

Le commissaire MAIGRET reçoit un appel insolite. Un homme qui se dit *pourchassé* lui téléphone d'un café voisin, *Aux Caves du Beaujolais,* pour demander du secours ; n'ayant pu se défaire de ceux qui le suivent à la trace, il réitère son appel, du *Tabac des Vosges,* puis des *Quatre Sergents de La Rochelle.* Aux *Caves du Beaujolais,* l'inspecteur Janvier a obtenu du mystérieux personnage le signalement suivant, confirmé par un agent de police : « *Un petit bonhomme gesticulant, vêtu d'un imperméable beige et d'un chapeau gris.* » Nouveau coup de téléphone, d'un garçon de café cette fois ; un client vêtu d'un imperméable l'a chargé de prévenir le commissaire « qu'il allait essayer d'entraîner son homme au *Canon de la Bastille...* » MAIGRET s'y rend aussitôt, mais n'y trouve personne. Il laisse sur place le fidèle Janvier et regagne son bureau du quai des Orfèvres.

— Allô !... Le commissaire Maigret ?

Il était quatre heures. Il faisait encore grand jour, mais le commissaire avait allumé la lampe à abat-jour vert, sur son bureau.

— Ici, le receveur des postes du bureau 28, rue du Faubourg-Saint-Denis... Excusez-moi de vous déranger... C'est probablement une fumisterie... Il y a quelques minutes, un client s'est approché du guichet des colis recommandés... Allô !... Il paraissait pressé, effrayé, m'a dit l'employée, Mlle Denfer... Il se retournait tout le temps... Il a poussé un papier devant elle... Il a dit : « Ne cherchez pas à comprendre... Téléphonez tout de suite ce message au commissaire Maigret... » Et il s'est perdu dans la foule...

Mon employée est venue me voir... J'ai le papier sous les yeux... C'est écrit au crayon, d'une écriture incohérente... Sans doute que l'homme a composé son billet en marchant...

Voilà... *Je n'ai pas pu aller au* Canon... Vous comprenez ce que ça signifie ?... Moi pas.... Cela n'a pas d'importance... Puis un mot que je ne parviens pas à lire... *Maintenant ils sont deux... Le petit brun est revenu...* Je ne suis pas sûr du mot brun... Vous dites... Bon, si vous croyez que c'est bien ça... Ce n'est pas fini... *Je suis sûr qu'ils ont décidé de m'avoir aujourd'hui... Je me rapproche du Quai... Mais ils sont malins... Prévenez les agents...*

20   C'est tout... Si vous voulez, je vais vous envoyer le billet par un porteur de pneumatiques... En taxi ?... Je veux bien... A condition que vous payiez la course, car je ne peux pas me permettre...

*
* *

— Allô !... Janvier ?... Tu peux revenir, vieux... Une demi-heure plus tard, ils fumaient tous les deux dans le bureau de Maigret, où on voyait un petit disque rouge sous le poêle.

— Tu as pris le temps de déjeuner, au moins ?

— J'ai mangé une choucroute au *Canon*.

Lui aussi ! Quant à Maigret, il avait alerté les patrouilles cyclistes, ainsi que la police municipale. Les Parisiens, qui entraient dans les grands magasins,
30 qui se bousculaient sur les trottoirs, s'enfournaient dans les cinémas ou dans les bouches du métro, ne s'apercevaient de rien, et pourtant des centaines d'yeux scrutaient la foule, s'arrêtaient sur tous les imperméables beiges, sur tous les chapeaux gris.

Il y eut encore une ondée, vers cinq heures, au moment où l'animation était à son maximum dans le quartier du Châtelet. Les pavés devinrent luisants, un halo entoura les réverbères, et, le long des trottoirs, tous les dix mètres, des gens levaient le bras au passage des taxis.

— Le patron des *Caves du Beaujolais* lui donne de trente-cinq à quarante ans... Celui du *Tabac des Vosges* lui donne la trentaine... Il a le visage rasé,
40 le teint rose, les yeux clairs... Quant à savoir le genre d'homme que c'est, je n'y suis pas parvenu... On m'a répondu : *Un homme comme on en voit beaucoup...*

Mme Maigret, qui avait sa sœur à dîner, téléphona à six heures pour s'assurer que son mari ne serait pas en retard et pour lui demander de passer chez le pâtissier en rentrant.

— Tu veux monter la garde jusqu'à neuf heures ?... Je demanderai à Lucas de te remplacer ensuite...

Janvier voulait bien. Il n'y avait rien d'autre à faire qu'à attendre.

— Qu'on me téléphone chez moi s'il y a quoi que ce soit...

Il n'oublia pas le pâtissier de l'avenue de la République, le seul à Paris, selon
50 Mme Maigret, capable de faire de bons mille-feuilles. Il embrassa sa belle-sœur, qui sentait toujours la lavande. Ils dînèrent. Il but un verre de calvados. Avant de reconduire Odette jusqu'au métro, il appela la P.J.

— Lucas ?... Rien de nouveau ?... Tu es toujours dans mon bureau ?

Lucas, installé dans le propre fauteuil de Maigret, devait être occupé à lire, les pieds sur le bureau.

— Continue, vieux... Bonne nuit...

Quand il revint du métro, le boulevard Richard-Lenoir était désert, et ses pas résonnaient. Il y avait d'autres pas derrière lui. Il tressaillit, se retourna involontairement, parce qu'il pensait à l'homme qui, à cette heure, était
60 peut-être encore à courir les rues, anxieux, évitant les coins sombres, cherchant un peu de sécurité dans les bars et les cafés.

Il s'endormit avant sa femme — du moins le prétendit-elle, comme toujours, comme elle prétendait aussi qu'il ronflait, — et le réveil, sur la table de nuit, marquait deux heures vingt quand le téléphone l'arracha à son sommeil. C'était Lucas.

— Je vous dérange peut-être pour rien, patron... Je ne sais pas encore grand-chose... C'est la permanence de Police-Secours qui m'avertit à l'instant qu'un homme vient d'être trouvé mort place de la Concorde... Près du quai des Tuileries... Cela regarde donc le 1er arrondissement... J'ai demandé au
70 commissariat de tout laisser en place... Comment ?... Bon... Si vous voulez... Je vous envoie un taxi.

Mme Maigret soupira en regardant son mari qui enfilait son pantalon et ne trouvait pas sa chemise.

— Tu crois que tu en auras pour longtemps ?

— Je ne sais pas.

— Tu n'aurais pas pu envoyer un inspecteur ?

Quand il ouvrit le buffet de la salle à manger, elle comprit que c'était pour se verser un petit verre de calvados. Puis il revint chercher ses pipes, qu'il avait oubliées.
80 Le taxi l'attendait. Les Grands Boulevards étaient presque déserts. Une lune énorme et plus brillante que d'habitude flottait au-dessus du dôme verdâtre de l'Opéra.

Place de la Concorde, deux voitures étaient rangées le long du trottoir, près du jardin des Tuileries, et des personnages sombres s'agitaient.

La première chose que Maigret remarqua, quand il descendit de taxi, ce fut, sur le trottoir argenté, la tache d'un imperméable beige.

Alors, tandis que les agents en pèlerine s'écartaient et qu'un inspecteur du 1er arrondissement s'avançait vers lui, il grommela :

— Ce n'était pas une blague... Ils l'ont eu !...
90 On entendait le frais clapotis de la Seine toute proche, et des voitures qui venaient de la rue Royale glissaient sans bruit vers les Champs-Élysées. L'enseigne lumineuse du *Maxim* se dessinait en rouge dans la nuit.

— Coup de couteau, monsieur le commissaire..., annonçait l'inspecteur Lequeux, que Maigret connaissait bien. On vous attendait pour l'enlever...

Pourquoi, dès ce moment, Maigret sentit-il que quelque chose n'allait pas ?

La place de la Concorde était trop vaste, trop fraîche, trop aérée, avec, en son centre, la saillie blanche de l'obélisque. Cela ne correspondait pas avec les coups de téléphone du matin, avec les *Caves du Beaujolais,* le *Tabac des Vosges,* les *Quatre Sergents* du boulevard Beaumarchais.
100 Jusqu'à son dernier appel, jusqu'au billet confié au bureau de poste du faubourg Saint-Denis, l'homme s'était confiné dans un quartier aux rues serrées et populeuses.

Est-ce que quelqu'un qui se sait poursuivi, qui se sent un assassin sur ses talons et qui s'attend à recevoir un coup mortel d'une seconde à l'autre s'élance dans des espaces quasi planétaires comme la place de la Concorde ?

— Vous verrez qu'il n'a pas été tué ici.

Maigret et son mort, chapitre I (Presses de la Cité, éditeur).

Le rapport d'un sergent de ville va prouver que cette hypothèse est juste. Puis une série de subtiles déductions, étayées d'un billet de retour imprudemment conservé, livrera au commissaire Maigret la clé de l'énigme : « son mort », Albert, patron d'un petit café, qui détenait le secret d'une bande de tueurs, avait bien été assassiné par eux, chez lui, après cette poursuite à travers Paris ; mais deux comparses, craignant d'être soupçonnés, avaient déplacé son corps pour maquiller ce règlement de comptes en crime crapuleux.

L'HOMME DEVANT LA NATURE

Rarement illustré depuis la tentative de George Sand (cf. *XIXe Siècle*, p. 295), le genre très particulier qui, choisissant ses héros parmi les êtres prétendus « simples », trouve son inspiration essentielle dans *l'amour d'un terroir* et fait au surplus de la Nature *non un décor mais un vrai personnage*, a connu un net renouveau à partir de 1900. Le mouvement dit « régionaliste », en réaction contre la primauté parisienne, explique historiquement une faveur si marquée qu'avant 1914 trois prix Goncourt sont allés à des œuvres d'une telle lignée : *Terres lorraines* d'Émile Moselly (1907), *Monsieur des Lourdines* d'Alphonse de Chateaubriant (1911), *Les Filles de la pluie* d'André Savignon (1912).

Ce genre doit d'abord être *nettement distingué du traditionnel « roman de la province »*. Mais, cette distinction établie, il demeure guetté par deux équivoques risquant de compromettre son appartenance au pur domaine littéraire. La première est créée par les intentions politiques ou sociales de la littérature régionaliste, *militante par nature*, soit que, sous la plume du Périgourdin Eugène Le Roy (1837-1907), elle exalte l'âme populaire en éveil (*Jacquou le Croquant*, 1899), soit que, comme son vrai théoricien, l'Occitan Charles-Brun (*Les Littératures provinciales*, 1907), elle s'inspire de la pensée maurrassienne. La seconde équivoque provient du « parler » caractéristique qui semble indispensable à l'affirmation de la personnalité d'un terroir. A l'extrême, selon les vues de Charles-Brun, seul l'emploi du dialecte conviendrait à l'œuvre authentiquement régionaliste. Moins intransigeants, beaucoup d'écrivains ont pourtant abusé de l'*idiome local*.

De la floraison née du régionalisme, outre les titres déjà cités, on peut retenir sans distinction de province : *Gens de mer* (1897) de Charles Le Goffic, *La terre qui meurt* (1899) de René Bazin, *Maurin des Maures* (1907) de Jean Aicard, *Ames berrichonnes* (1910) d'Hugues Lapaire et, la même année, *Nono* de Gaston Roupnel. Un romancier tué à la guerre, Louis Pergaud (1882-1915), déjà remarqué pour son vigoureux et poétique bestiaire, *De Goupil à Margot* (1910), laissait aussi une œuvre significative : *Les Rustiques*, composée avant 1914.

Après cette date, le mouvement est continué par Ernest Pérochon avec *Nène* (prix Goncourt 1920), Gaston Chérau avec *Valentine Pacquault* (1921), A. de Chateaubriant dont *La Brière* (1923) demeure une remarquable évocation du marais nantais, Henri Pourrat (1887-1960) qui commence sa large geste un peu trop colorée de parler auvergnat (*Les Vaillances, Farces et gentillesses de Gaspard des Montagnes*, 1922-1931), André Chamson qui débute par un récit cévenol (*Roux le Bandit*, 1925 ; cf. p. 571). A partir de 1921, l'ensemble de cette production romanesque est dominé par l'immense succès de *Maria Chapdelaine* (cf. p. 143) qui élargit avec profit l'aire du « régionalisme ». Au même moment, *Batouala* de René Maran (1921) donne ses lettres de noblesse à la terre africaine, ouvrant la voie à l'*exotisme* d'un André Demaison ou d'un Henry de Monfreid.

Enfin, aux environs de 1925, se sont imposés quelques écrivains qui ont su atteindre à une *vérité humaine très générale* et parer *l'évocation de la nature* de tous ses prestiges.

MAURICE GENEVOIX

MAURICE GENEVOIX (1890-1980) a peint avec amour la Sologne, tout en marquant d'*accents* et de *traits* authentiques les fortes passions de ses héros. Jeune normalien, grièvement blessé pendant la guerre de 1914-1918 qui lui a tout d'abord inspiré quelques puissants récits (*Ceux de 14*), cet universitaire d'origine, bientôt consacré à la littérature, a vu *Raboliot* (prix Goncourt 1925) assurer le succès de sa discrète mais sûre carrière.

Depuis, des êtres, toujours en accord profond avec le « pays » secret et austère où il s'est lui-même souvent retiré, n'ont cessé de peupler ses romans de leurs gestes violents (*Cyrille, Marcheloup*). Habile comme eux à percevoir « l'innombrable toucher de l'espace familier », vivant de plain-pied avec le mystère des bois et des étangs, il sait aussi comprendre les bêtes (*Rroû*) et atteindre à une poésie sauvage lorsqu'il raconte leur lutte avec l'homme (*La Dernière Harde*, 1938). Ayant ainsi fixé son vrai domaine, GENEVOIX n'en a pas moins varié constamment son œuvre : évocations rapportées de ses longs voyages *(Canada, Fatou Cissé)*, résurrection historique *(Vaincre à Olympie,* 1960), souvenirs de guerre *(La Mort de près,* 1972), bilan de toute une vie *(Trente mille jours,* 1980). Il avait été élu à l'Académie française en 1946.

La chasse de Raboliot

Incorrigible braconnier, le gaillard et subtil RABOLIOT est harcelé par les gardes « du Saint-Hubert » et poursuivi par la haine du gendarme Bourrel. Il a dû se terrer longtemps, puis se réfugier dans les bois, comme une bête ; mais le besoin de revoir sa femme et ses enfants l'attire vers le piège où il sera pris, non sans s'être vengé de Bourrel dans un geste furieux. — Très caractéristique de la sobre puissance du romancier, la page que voici est forcément *cruelle.* Mais le reste *saine et vraie* puisqu'elle révèle par quel instinct est dominé l'être entier de Raboliot. De plus, elle est d'un *effet singulier* parce que, tout s'y passant dans la nuit, seuls l'*ouïe* et le *sens tactile* captent le drame « ténébreux » qui se joue entre les bêtes et la chienne Aïcha. – THÈMES : *Nature. Animaux.*

Allez ! Allez !

Il l'avait lâchée ; elle était partie à fond de train, galopant le long du grillage. Il y eut aussitôt, en tous sens, des piétinements menus, affolés, et tout à coup un choc grattant de griffes, un cri effilé, suraigu. Raboliot marcha vers sa chienne, noire et boulée contre le treillis, les ongles plantés raides en terre, un lapin pantelant dans la gueule.

— Allez ! Allez !

Aïcha desserra les mâchoires. Elle repartait déjà, pendant que Raboliot, pattes d'une main, oreilles de l'autre, disloquait d'une traction appuyée la colonne
10 vertébrale du lapin. Et dans l'instant cela recommença : les fuites désordonnées, le choc sourd de la chienne se ruant contre le grillage, freinant des pattes et labourant le sol, et le cri suraigu du lapin capturé. Raboliot ne courait pas : il avait fort à faire pour soutenir l'allure d'Aïcha ; mais il prévoyait à chaque fois le point juste où elle allait bondir ; dès que les crocs entraient dans le poil, la main de Raboliot était là. Dans sa musette de toile, les petits cadavres chauds s'amoncelaient ; la bretelle commençait à lui tirer fort sur la nuque.

— Allez ! Allez !

Une nuit d'or, une besogne bien faite ! La noire avait le diable dans la peau. Étrangement muette, elle virevoltait, fonçait soudain en flèche vertigineuse,
20 bondissait à travers le champ comme un ténébreux feu-follet. De temps en temps, par-dessus l'épaule, Raboliot regardait vers l'ouest, vers la maison du garde et le bois de la Sauvagère. Et cependant ses mains n'arrêtaient pas de travailler, arrachaient à la gueule d'Aïcha les lapins qui gigotaient, empoignaient les oreilles et les pattes, et tiraient : les vertèbres fragiles craquaient, la bête pesait, inerte et molle, comme une loque tiède. Au sac ! Il y en avait déjà sept ou huit, et la noire galopait toujours, et Raboliot l'encourageait toujours, d'une voix basse et pressante, poussée raide entre les dents :

— Allez ! Allez !

Contre sa hanche, le grillage, quelquefois, tremblait. Les petits cris, pointus
30 comme vrille, retentissaient de çà de là. Et Raboliot murmurait, exultant : « Si ça couine, bon d'la, si ça couine ! » Qu'est-ce qu'il y avait, qu'est-ce qu'il pouvait y avoir de meilleur au monde ? Il chassait dans la nuit, avec pour compagnon le halètement chaud d'Aïcha, sa forme ardente et sombre et ses bonds meurtriers. Chaque piaulement de détresse lui pénétrait au fond de l'être, lui faisait basculer le cœur. Au sac ! Au sac !

Raboliot (Bernard Grasset, éditeur).

RAMUZ

La carrière du Vaudois Charles-Ferdinand RAMUZ est curieuse. Il a publié son premier roman, *Aline,* en 1905 et tout ce qui marque essentiellement son œuvre est déjà fixé dans *Guérison des maladies* (1917). Cependant, il n'est vraiment connu et admiré qu'après la réédition par Bernard Grasset de ce livre significatif (1924) ; une suite d'œuvres nouvelles (*Joie dans le ciel* et *L'Amour du monde,* 1925 ; *La Grande Peur dans la montagne,* 1926) rappelle alors l'attention sur ses livres anciens qui, avec vingt ans de retard, prennent leur place dans une longue perspective. On aurait tort de ne voir en lui que le peintre de sombres tragédies montagnardes, car c'est un *écrivain beaucoup plus complet,* à la fois théoricien très conscient (*Lettre à Bernard Grasset,* 1929), mémorialiste lucide (*Paris, notes d'un Vaudois,* 1939) et vrai moraliste, non seulement dans son *Journal,* mais aussi dans certains essais : *Taille de l'homme* (1936), *Besoin de grandeur* (1938).

« Je suis de ce pays »   Né à Lausanne en 1878, de famille aisée, grandi au milieu d'une atmosphère protestante et au contact de la Nature diverse des cantons suisses, Ramuz part pour Paris en 1902 sous prétexte de recherches universitaires. Passionné des grands auteurs français et se consacrant bientôt lui-même à la littérature, il y demeure jusqu'en 1914. Les œuvres qu'il écrit dans cet exil librement choisi révèlent pourtant une curieuse nostalgie. *Aline,* histoire d'une campagnarde séduite, *Jean-Luc persécuté* (1909), drame d'une âme fruste entraînée au crime par une jalousie nourrie dans le silence, ne seraient, pour le fond, que de simples récits réalistes ; mais leur paysage, leur atmosphère, leur langue même laissent deviner chez l'auteur l'appel et le besoin du « pays ». *Les Circonstances de la vie* (1907) et surtout *Aimé Pache, peintre vaudois* (1912), véritable roman autobiographique, sont significatifs d'une révélation qui se précise lorsque *L'Exemple de Cézanne* (1914) permet à Ramuz de prendre une nette conscience de ses exigences profondes et de souhaiter « un art de milieu en même temps qu'universel ». Il regagne alors la Suisse ; profitant pendant les années de guerre de toute l'activité intellectuelle et des contacts avec des esprits très divers que permettait la neutralité helvétique, il est à l'écoute du monde bouleversé (*Le Grand Printemps,* 1917) et joue bientôt un rôle important à la tête des célèbres *Cahiers vaudois.* En dépit de sa renommée, à partir de 1930 jusqu'à sa mort, en 1947, son existence n'est faite que de travail, d'affections familiales et de méditations dans sa demeure de Pully.

Une mythologie   Ayant dès son retour en Suisse marqué la distance avec
           paysanne   ses premiers écrits (*Adieu à beaucoup de personnages*), c'est
en donnant *Guérison des maladies* que RAMUZ a affirmé la manière par laquelle il s'est imposé. Cette histoire d'une influence mystérieuse qui bouleverse d'amour et de crainte tout un village inaugure en effet la série des grands récits où le spectacle le plus exact du vie montagnarde se combine avec la présence de signes étranges et l'intervention farouche de la Nature (*Les Signes parmi nous,* 1919 ; *Joie dans le Ciel,* 1925 ; *La Grande Peur dans la montagne,* 1926 ; *Derborence,* 1936). Ramuz avait trouvé une « mythologie paysanne » dans la Bible de sa jeunesse. C'est une semblable mythologie que, par l'entremise de quelques âmes primitives, il installe dans son univers à la fois *réaliste* et *poétique.* Il n'exprime pas une philosophie précise ni une croyance déterminée. Mais le jeu constant de la vie et de la mort, l'opposition des deux principes du Bien et du Mal, l'étonnement devant les forces cosmiques, le sentiment d'un *au-delà presque physique* cernant le monde des vivants (cf. p. 579) appellent la *réflexion* et donnent autant de profondeur que de puissance à ses évocations.

Le « patois »   Souvent attaqué pour les particularités de sa langue et
     de Ramuz   de son style, il a lui-même par bravade parlé d'une *« espèce*
de patois natal ». Mais il sait être *un écrivain très correct*
quand il n'est pas conteur. Son expression, lorsqu'il écrit ses « vaudoiseries », est donc
parfaitement *concertée :* elle « brise la syntaxe et la grammaire » sans les détruire ; elle
dose *gaucheries, tours abrupts* et *termes dialectaux* au profit du *style oral* que doit, pour
être vraisemblable, adopter un romancier confondu avec son naïf récitant ; capable de
parfaites réussites, elle ne peut lasser que par une certaine monotonie.

« *Est-ce qu'on se souvient ?...* »

« Alors ceux qui furent appelés se mirent debout hors du tombeau. » C'est ainsi que
commence *Joie dans le Ciel.* On y trouve, naïvement évoquée comme par un peintre
primitif, une « résurrection de la chair » montagnarde. C'est d'abord, dans le village
« refait, avec son église refaite et ses maisons refaites (...) toutes neuves, toutes claires »,
une suite de retrouvailles fantastiques pour tous les villageois qui gardent leur passé
terrestre mais se sentent « guéris du temps ». La *vie surnaturelle* recommence sur le rythme
d'autrefois. Le narrateur, mêlé aux bienheureux, a le ton *simple* et *monotone* des conteurs.
RAMUZ, *qui rêvait d'être peintre plutôt qu'écrivain,* lui prête sa propre aptitude à l'*évocation
visuelle soutenue par une poésie qui échappe à l'analyse.*
THÈMES : *Religion. Mort. Merveilleux. Temps. Souvenir.*

Maintenant la nuit était venue tout à fait. Pierre Chemin avait remis sa
pipe dans sa poche ; Adèle Genoud avait été coucher son enfant ; les
chauves-souris avaient été se coucher aussi, qui sont des bêtes vite fatiguées.
    Et ceux qui étaient encore là se souhaitèrent le bonsoir.
    On entendit les portes se fermer l'une après l'autre, mais on n'avait plus
besoin de tourner la clé dans la serrure.
    Il n'y avait plus non plus une seule de ces lumières, comme autrefois. Dans le
temps d'autrefois, toujours une fenêtre ou deux restaient éclairées toute la nuit.
    Est-ce qu'on se souvient ? Quand on entrait dans les villages il y avait toujours
10 ces deux ou trois points de feu à des maisons qu'on ne distinguait pas, et ils
faisaient penser à des étoiles tombées.
    On se disait : « C'est pour un malade. » On regardait ces lampes, on se disait :
« C'est quelqu'un qui se meurt » ; on se disait : « C'est un accident » ; on se
disait : « C'est la vache qui fait le veau. » Et quelquefois, les nuits d'orage,
voilà qu'elles s'allumaient toutes à l'imitation des éclairs, et tout le monde
s'habillait, parce qu'il n'y avait de sécurité pour personne, et la vie de chacun
de nous pouvait lui être reprise à chaque heure, comme ses biens.
    Le veilleur de nuit faisait sa tournée avec sa lanterne ; c'était une lumière
de plus et celle-ci se promenait.
20   L'homme chargé de distribuer l'eau cheminait le long des rigoles, déplaçant
les planchettes qui servent d'écluses ; encore une lumière qui allait et venait.
    Par les nuits les plus tranquilles, il fallait qu'on fût sur ses gardes.
    Par les plus belles nuits d'étoiles. Sous les étoiles, sous point d'étoiles. En
tout temps, en toute saison, parce qu'on ne savait jamais.

                Joie dans le Ciel (Bernard Grasset, éditeur).

*Les bienheureux se lasseront vite de la « grande immobilité » du temps qui vient d'être si bien
évoquée. La vieille curiosité humaine leur fera chercher « autre chose ». Mais l'éveil des damnés
qu'ils ont découverts dans une gorge les poussera enfin à accepter leur immuable félicité.*

« LE CIEL FAISAIT SES ARRANGEMENTS »

Dix ans avant *Derborence* où l'on voit aussi la montagne manifester « ses volontés » mais où le berger sauvé du cataclysme subit l'irrésistible attrait du mystère de la mort, *La Grande Peur dans la montagne* met en jeu la puissance des éléments. Une poche d'eau, libérée par un glacier « malade », y engloutit un haut pâturage. Mais cet alpage de Sasseneire, où des bergers audacieux ont accepté de remonter malgré le conseil des anciens, était déjà déclaré *maudit.* Tout le récit traduit la transformation en *effroi,* pour des imaginations simples, d'impressions très naturelles. Dans cette page où dominent, comme toujours chez RAMUZ, les *notations visuelles,* et dont la *poésie* naît de comparaisons et d'images toutes simples, les « malheurs » ont commencé : maladie des bêtes, errances de Joseph hanté par le regret de sa fiancée. L'un des bergers, déjà saisi d'angoisse, traduit à sa façon le sentiment normal de la *petitesse de l'homme* écrasé par la montagne indifférente, avec cette *virtuosité dans la maladresse* où Ramuz excelle. – THÈMES : *Nature. Religion. Société.*

Il pouvait être midi. Le ciel faisait ses arrangements à lui sans s'occuper de nous. Dans le chalet, ils ont essayé encore d'ouvrir la bouche aux bêtes suspectes, empoignant d'une main leur mufle rose, introduisant les doigts de l'autre main entre leurs dents, tandis qu'elles meuglaient ; — là-haut, le ciel faisait ses arrangements à lui. Il se couvrait, il devenait gris, avec une disposition de petits nuages, rangés à égale distance les uns des autres, tout autour de la combe, quelques-uns encapuchonnant les pointes, alors on dit qu'elles mettent leur bonnet, les autres posés à plat sur les crêtes. Il n'y avait aucun vent. Le ciel là-haut faisait sans
10 se presser ses arrangements ; peu à peu, on voyait les petits nuages blancs descendre. De là-haut, le chalet n'aurait même pas pu se voir, avec son toit de grosses pierres se confondant avec celles d'alentour, et les bêtes non plus ne pouvaient pas se voir, tandis qu'elles s'étaient couchées dans l'herbe, et elles faisaient silence. Il y avait que le ciel allait de son côté, — nous, on est trop petits pour qu'il puisse s'occuper de nous, pour qu'il puisse seulement se douter qu'on est là, quand il regarde du haut de ses montagnes. Les nuages glissaient toujours aux pentes d'un même mouvement à peine saisissable, comme quand la neige est en poussière et qu'il y a ce qu'on appelle des avalanches sèches. Les petits nuages blancs
20 descendaient ; — et lui, pendant ce temps, Joseph, était sorti et allait dans le pâturage, mais qui aurait pu le voir ? Est-ce qu'il comptait seulement ? N'étant même plus un point, lui, parmi les gros quartiers de rocs, qu'il contournait ; non vu, non entendu, vu de personne, entendu de personne ; n'existant même plus du tout par moment, parce qu'il disparaissait dans un couloir. Il longeait le torrent, sur le bord duquel se trouvent les plus gros des quartiers de rocs tombés autrefois des parois (et ils continuent à tomber), semblables à des maisons sans toits et sans fenêtres, laissant entre eux d'étroites ruelles tortueuses et faisant là comme un autre village en plus petit. Mais il n'y avait ni enfants, ni femmes, ni hommes, ni bruit de voix,
30 ni bruit de scie, ni cris de poule, ni quand on plante un clou, ni quand on rabote une planche.   *La Grande Peur dans la montagne* (Grasset, éditeur).

JEAN GIONO

« Manosque des plateaux » Issu d'une lignée franco-piémontaise où le carbonarisme, le compagnonnage, l'instinct de la dignité populaire, le goût des « meilleurs livres » lus par des artisans cultivés ont déposé un levain d'idéalisme et d'anarchie généreuse, JEAN GIONO est né en mars 1895 dans une vieille rue de Manosque, où il est mort en 1970. Il a grandi et lu de lui-même la Bible, Homère (cf. p. 586), les Tragiques, entre l'échoppe de son père, cordonnier, et l'atelier de sa mère, repasseuse. Ses études interrompues avant le baccalauréat, il est devenu modeste « coursier », puis employé et enfin sous-directeur de l'agence locale d'une banque. A l'exception de la guerre de 1914-1918 qu'il finit « soldat de deuxième classe sans croix de guerre », il a vécu ainsi « enraciné » et n'a abordé Paris qu'en 1929 pour signer le service de presse de *Colline*. Mais il est retourné poursuivre son œuvre d'écrivain dans la petite ville dont sa demeure domine encore aujourd'hui les toits : il doit donc tout à son fonds de *culture personnelle,* à la contemplation d'un *paysage* qui va de la Durance aux plateaux « crépitants de soleil et de solitude » et à la connaissance d'une *humanité* attachée à cette terre de secret et de violence.

La trilogie de Pan Connu seulement d'un petit groupe, il avait publié des poèmes (*Accompagnés de la flûte*) et rédigé en 1927 *Naissance de l'Odyssée* quand, sous le patronage d'André Gide, la revue *Commerce* publia *Colline*, en 1928. Le succès fut immédiat : quelques êtres simples animés de passions silencieuses, une influence maléfique, une colline assoupie qui brusquement « fait des siennes », un style subtilement incorrect et d'une poésie surprenante y donnaient la version illuminée et strictement païenne de Ramuz sans qu'on pût parler d'imitation chez un auteur aussi original et déjà formé. *Un de Baumugnes* (1929) et *Regain* (1930) complétèrent cette trilogie de la Haute-Provence dont l'inspiration née de la terre, de l'âme populaire et d'une sympathie cosmique était commencée par *Présentation de Pan*.

Le « gionisme » Si *Le Grand Troupeau* (1931) continue la veine d'un « naturalisme tragique » et si *Jean le Bleu* (1932), tout nourri de souvenirs d'enfance, en explique l'origine, *Le Serpent d'étoiles* (1933), *Le Chant du monde* (1934), *Que ma joie demeure* (1935) laissent trop apparaître, au détriment d'évocations admirables, la profusion lyrique et une tendance au « message ». GIONO avait désormais des disciples que rassemblait dans une solitude choisie la ferme abandonnée du Contadour. Il leur enseignait *Les Vraies Richesses* (1936) qui toutes naissent de la terre et de ses travaux, de l'adhésion à l'ordre naturel du monde et de l'insigne liberté de l'individu, incompatible avec la civilisation moderne et l'embrigadement qu'elle suppose. Pacifiste, humanitaire, seulement soucieux de « la gloire d'être vivant », il fut, lors de la mobilisation de 1939, emprisonné comme antimilitariste absurdement soupçonné de sympathies communistes. A l'inverse, sa prédication antérieure ayant fourni une caution poétique à l'idéal de « retour à la terre » et de renaissance provinciale qui fut doctrine officielle après 1940, il fut de nouveau incarcéré en 1945 comme « vichyssois ».

Le regain de Giono Après ces épreuves supportées avec ironie, GIONO, guéri de tout *gionisme,* a choisi d'exhumer des projets que sa riche imagination tenait depuis longtemps en réserve. Dès 1947, autant qu'*Un roi sans divertissement, Noé,* répertoire de thèmes, véritable expérience d'invention gratuite, marque le début d'une nouvelle carrière où, comme il le fait pour le cinéma (*L'Eau vive, Crésus*), l'auteur se contente de donner vie à des personnages dans un monde très réel.

De Marseille et de la Durance aux approches des Alpes, c'est toujours en effet dans les mêmes paysages, mais avec une vision balzacienne (*Le Moulin de Pologne*, 1952) ou stendhalienne pour la geste de son hussard ANGÉLO (cf. p. 587), qu'il ne cesse de prouver ses dons de très grand romancier appelé à l'Académie Goncourt en 1954. Les problèmes que posait autrefois son style (comme celui de Ramuz, cf. p. 578) ont désormais disparu. Autant que d'un vaste univers romanesque, GIONO est maître d'une langue saine et naturelle, d'une écriture dépouillée dans son alerte puissance. Le conteur plus direct qu'il est devenu, avec sa vision irremplaçable des choses et de la vie, s'affirme encore dans un récit historique, *Le Désastre de Pavie* (1963), tout autant que dans *Deux Cavaliers de l'orage* (1965), *L'Iris de Suse* (1970), et jusque dans une œuvre posthume, *Les Récits de la demi-brigade* (1972).

LA MUSIQUE D'ALBIN

Colline évoquait l'hostilité latente de la Nature. C'est la douceur dont elle peut pénétrer l'âme des solitaires que GIONO exalte ici dans *Un de Baumugnes* avant de chanter dans *Regain* l'instinct des hommes acharnés à faire revivre la terre abandonnée. On comparera cette page à celle où George Sand, dans *Les Maîtres Sonneurs* (cf. *XIXᵉ siècle*, p. 299), traite le même thème. Le vieux trimardeur qui raconte l'histoire parle dans le *style caractéristique* de la première manière de GIONO. – THÈMES : *Musique. Nature. Société.*

Dans la plaine où il est descendu pour se louer, ALBIN *a rencontré la corruption des villes : un mauvais garçon de Marseille séduit par artifice celle à qui, trop timide, il n'osait pas avouer son amour. Devenue fille-mère,* ANGÈLE *(c'est le titre du film que Marcel Pagnol a tiré du roman) est séquestrée par son père dans la farouche ferme de la Douloire. Albin, qui veut lui dire son amour et son pardon, va lui « parler » de loin, dans la nuit, grâce à son harmonica où chante la voix même de Baumugnes, le village perdu dans le silence et la pureté.*

D'abord ce fut comme un grand morceau de pays forestier arraché tout vivant, avec la terre, toute la chevelure des racines de sapins, les mousses, l'odeur des écorces ; une longue source blanche s'en égouttait au passage comme une queue de comète. Ça vient sur moi, ça me couvre de couleur, de fleurance et de bruits et ça fond dans la nuit sur ma droite.

Y avait de quoi vous couper l'haleine !

Alors, j'entends quelque chose comme vous diriez le vent de la montagne ou, plutôt, la voix de la montagne, le vol des perdrix, l'appel du berger et le ronflement des hautes herbes des pâtures qui se baissent
10 et se relèvent toutes ensemble, sous le vent.

Après, c'est comme un calme, le bruit d'un pas sur un chemin : et pan, et pan ; un pas long et lent qui monte et chante sur des pierres ; et, le long de ce pas, des mouvements de haie et des clochettes qui viennent comme à sa rencontre.

Ça s'anime, ça se resserre, ça fuse en gerbes d'odeur et de son, et ça s'épanouit : abois de chien, porte qui claque, foule qui court, porc, gros canard qui patouille la boue avec sa main jaune. Tout un village passe dans la nuit. J'ai le temps d'entendre un seau qui tinte sur le parquet, une poulie, un char, une femme qui appelle ; j'ai le temps de
20 voir une petite fille comme une pomme, une femme les mains aux hanches, un homme blond, et ça s'efface.

Tout ça, c'était pur !

Là, il faut que je m'arrête et que je vous dise bien, parce que c'est ça qui faisait la force de toute la musique, combien on avait entassé de choses pures là-dedans.

Ce qui frappait, ce qui ravissait la volonté de bouger bras et jambes, et qui gonflait votre respiration, c'était la pureté.

C'était une eau pure et froide et que le gosier ne s'arrêtait pas de vouloir et d'avaler ; on en était tout tremblant ; on était à la fois dans
30 une fleur et on avait une fleur dans soi, comme une abeille saoule qui se roule au fond d'une fleur.

Le plus fort, c'est que c'était dit avec nos mots et de notre manière à nous.

Moi, vous savez, c'est pas pour dire, mais j'ai entendu déjà pas mal de musique et même, une fois, la musique des tramways qui est venue donner un concert à Peyruis pour la fête. J'avais payé une chaise trente sous ; c'est vrai qu'avec ça j'avais droit à un café. Y avait, pas loin de moi, la femme du notaire et la nièce du greffier ; et tout le temps, ç'a été des : « oh, ça, que c'est beau ! », « oh, ma chère, cette fantaisie de clarinette ! » Moi, j'écoutais un petit bruit dans les platanes, très curieux et que je trouvais
40 doux : c'était une feuille sèche qui tremblait au milieu du vent.

La grosse caisse en mettait à tours de bras. Alors, je suis parti sans profiter de ma chaise et de mon café pour mieux entendre ce qu'elle disait, cette feuille.

Ça vient de ce qu'on n'a pas d'instruction ; que voulez-vous qu'on y fasse ? Cette feuille-là, elle m'en disait plus à moi que tous les autres en train de faire les acrobates autour d'une clarinette.

C'est comme ça.

Eh bien ! la musique d'Albin, elle était cette musique de feuilles de platanes, et ça vous enlevait le cœur.

Un de Baumugnes (Bernard Grasset, éditeur).

Le Grand Troupeau

Tel est le titre du livre où GIONO, ancien combattant de 1914, ne peut s'empêcher d'exprimer la grandeur tragique de *la guerre* qu'il a détestée. Aux premiers jours de la mobilisation, parmi les villages vidés d'hommes jeunes, d'immenses *troupeaux* sont ramenés vers la plaine. Ils défilent à longueur de journée devant les vieillards et, parmi eux, devant Burle, qui porte son cataplasme en plein été. Le *réalisme* grotesque de ce détail saisi entre beaucoup d'autres ne fait que mieux ressortir le *symbolisme* de l'hallucinant *défilé* qui, évoqué durant *une trentaine de pages* torrentielles, nous force à penser aux hommes, eux aussi entraînés dans une ruée sans fin.
THÈMES : *Animaux. Nature. Société. Symboles.*

Devant les moutons, l'homme était seul.

Il était seul. Il était vieux. Il était las à mort. Il n'y avait qu'à voir son traîné de pied, le poids que le bâton pesait dans sa main. Mais il devait avoir la tête pleine de calcul et de volonté.

Il était blanc de poussière de haut en bas comme une bête de la route. Tout blanc.

Il repoussa son chapeau en arrière et puis, de ses poings lourds, il s'essuya les yeux ; et il eut comme ça, dans tout ce blanc, les deux larges trous rouges de ses yeux malades de sueur. Il regarda tout le monde de son regard volontaire.

10 Sans un mot, sans siffler, sans geste, il tourna le coude de la route et on vit alors ses yeux aller au fond de la ligne droite de la route, là-bas, jusqu'au fond et il voyait tout : la peine et le soleil. D'un coup de bras, il rabaissa le chapeau sur sa figure, et il passa en traînant ses pieds.

Et, derrière lui, il n'y avait pas de bardot portant le bât, ni d'ânes chargés de couffes, non ; seulement, devançant les moutons de trois pas, juste après l'homme, une grande bête toute noire et qui avait du sang sous le ventre.

La bête prit le tournant de la route. Cléristin avait mis ses lunettes. Il plissa le nez et il regarda :

— Mais, c'est le bélier, il dit, c'est le mouton-maître. C'est le bélier !

20 On fit oui de la tête tout autour de lui. On voyait le bélier qui perdait son sang à fil dans la poussière et on voyait aussi la dure volonté de l'homme qui poussait tous les pas en avant sur le malheur de la route.

Cléristin enleva son chapeau et se gratta la tête à pleins doigts. Burle se pencha hors de sa fenêtre pour suivre des yeux, le plus loin qu'il pouvait, ce bélier sanglant. Il avait été patron berger dans le temps. Il se pencha, son cataplasme se décolla de ses poils de poitrine.

— C'est gâcher la vie, il disait, c'est gâcher la vie...

Enfin, il remonta son cataplasme, il se recula et il ferma sa fenêtre avec un bon coup sur l'espagnolette.

30 Le vieux berger était déjà loin, là-bas dans la pente. Ça suivait tout lentement derrière lui. C'étaient des bêtes de taille presque égale serrées flanc à flanc, comme des vagues de boue, et, dans leur laine il y avait de grosses abeilles de la montagne prisonnières, mortes ou vivantes. Il y avait des fleurs et des épines ; il y avait de l'herbe toute verte entrelacée aux jambes. Il y avait un gros rat qui marchait en trébuchant sur le dos des moutons. Une ânesse bleue sortit du courant et s'arrêta, jambes écartées. L'ânon s'avança en balançant sa grosse tête, il chercha la mamelle et, cou tendu, il se mit à pomper à pleine bouche en tremblant de la queue. L'ânesse regardait les hommes avec ses beaux yeux moussus comme des pierres de forêt. De temps en temps elle criait parce 40 que l'ânon tétait trop vite.

C'étaient des bêtes de bonne santé et de bon sentiment, ça marchait encore sans boiter. La grosse tête épaisse, aux yeux morts, était pleine encore des images et des odeurs de la montagne. Il y avait, par là-bas devant, l'odeur du bélier-maître, l'odeur d'amour et de brebis folle ; et les images de la montagne. Les têtes aux yeux morts dansaient de haut en bas, elles flottaient dans les images de la montagne et mâchaient doucement le goût des herbes anciennes.

Le Grand Troupeau (Librairie Gallimard, éditeur).

Alternent ensuite les scènes où les femmes et les vieillards du village font « marcher la terre » et celles où, sur le front, les hommes de Provence souffrent et meurent devant des paysages étrangers. Lorsque « celui de la mairie » a apporté dans une bastide l'avis officiel de la mort d'un combattant, c'est la veillée funèbre « à corps absent ».

La veillée à corps absent

Comme dans l'*Iliade* les femmes se lamentent tour à tour devant le corps d'Hector, et comme c'est parfois encore la coutume dans les contrées méditerranéennes, un chœur de simples campagnardes va dire les mérites du défunt. L'absence du mort et certains gestes rituels ajoutent au *tragique primitif* de la scène. C'est un des secrets de GIONO que de conférer la *grandeur épique* à ce funèbre clair-obscur qui abonde pourtant en notations réalistes sur le cérémonial de la mort chez les humbles. – THÈMES : *Mort. Société.*

Au milieu de la salle, la table toute nue, toute vide et, aux quatre coins de la table, de longs cierges jaunes allumés.

Tous ceux du plateau sont là. Ils sont tous venus : des vieux, des femmes et des filles, raides sur leurs chaises raides. Ils ne disent rien. Ils sont à la limite de l'ombre. Ils regardent la table vide et les cierges, et la lumière des cierges vient juste un peu mouiller leurs mains à plat sur les genoux. De temps en temps quelqu'un tousse.

La Félicie a sorti son deuil. Le deuil toujours prêt dans l'armoire : la jupe noire, le corsage à pois noir et blanc et, sur la tête, le fichu noir qui, tout d'un
10 coup, la fait vieille. On ne voit d'elle que ses yeux rouges et sa grande bouche toute tordue.

Elle est près de la porte, à accueillir.

— Nous prenons bien part, Félicie, dit le papé [1].

— Merci bien, dit Félicie.

Le petit Paul [2] est là près d'elle, en son dimanche, avec un beau nœud de ruban bleu sous le menton ; on lui a mouillé les cheveux pour lui faire la raie.

— Merci bien ! il dit lui aussi.

Ils viennent tous ceux du plateau. On entend des pas là dehors, des voix. Puis en approchant de la porte, tout se tait. On chuchote. Félicie attend,
20 raide et noire près de la porte. On entre. Elle tend la main.

— Nous prenons bien part.

— Merci bien !

— Merci bien, dit le petit Paul.

Ils viennent, ils sont tous là autour de la grande salle de la ferme à l'âtre vide. Ils sont là raides et muets à veiller le corps absent.

Félicie vient s'asseoir près de la table à un bout. Le petit Paul s'assoit près d'elle sur une chaise haute. Ses pieds ne touchent plus terre.

Alors la vieille Marthe du « Blé déchaud [3] » s'est dressée et elle est venue près de Félicie. — Tu as le pot à sel ? elle a dit.
30 — C'est tout prêt, là. Et elle a montré le coin de l'âtre.

La vieille Marthe est allée prendre le pot. Elle est venue se mettre près de la table, à la hauteur de Félicie, mais de l'autre côté. Elles sont toutes deux comme à la tête du mort qu'on veille. On attend... On se retient de tousser... Un grand silence épais couvre tout.

— Nous veillons le corps absent d'Arthur Amalric mort à la guerre, déclame la vieille Marthe. Que chacun se recueille dans son amitié pour celui qui était le sel de la terre...

— 1 *Le grand-père*, nom qu'on donne volontiers aux *vieillards*, en Provence. — 2 Le | fils du mort. — 3 Nom d'une ferme des environs.

Elle met la main au pot. Elle tire une poignée de sel, elle vient le mettre au centre de la table nue, elle en fait un petit tas. Elle sort de dessous sa robe
40 un gros rosaire en noyau d'olive ; elle s'agenouille près de la table.

Le lourd silence revient.

— Oh ! mon Arthur ! crie Félicie.

Elle est raide comme du bois. D'entre son fichu noir elle regarde droit devant elle.

— Oh ! mon Arthur ! Toi qui étais si brave ! Toi qui me disais : « soigne-toi bien ! » Ah ! je l'ai maintenant ce qui me soigne et ce qui me soignera tant que je serai pas morte, moi aussi.

— Que chacun se recueille dans son amitié pour celui qui était le sel de la terre ! bourdonnent ceux du plateau.   *Le Grand Troupeau* (Gallimard, éditeur).

L'ILIADE ET LA MOISSON

Le texte précédent a déjà montré comment GIONO, chantant une terre où demeure le sentiment païen de la vie et de la mort, était facilement conduit à *ennoblir ses évocations* par le souvenir des grands poèmes antiques. Dès ses débuts, dans *Naissance de l'Odyssée,* il avait doué un Ulysse populaire de la faculté de trouver les fables éternelles. Cette page de *Jean le Bleu,* où l'agitation tragique de l'*Iliade* se superpose ou, mieux, se mêle à la vision de la *moisson,* rappelle dans quelles conditions il a acquis, très jeune, son *originale culture* qui repose sur quelques textes essentiels, complètement assimilés ; en sorte que leur *souvenir* intervient non par artifice mais par nécessité.

THÈMES : *Autobiographie. Enfance. Nature. Société. Hellénisme. Symboles.*

JEAN LE BLEU *est « l'enfant-silence » que fut* Giono *auprès de son père toujours accueillant, en souvenir de l'aïeul carbonaro, à d'étranges visiteurs comme* l'homme noir *dont il est ici question.*

Lis, dit l'homme noir.

Il me donna l'*Iliade.*

J'allai m'asseoir sur la pierre du seuil.

Les rossignols du lavoir chantaient encore. L'orage maintenant tenait tout le rond du ciel.

Tout le jour se passa en silence ; toute la nuit. Le lendemain, le ciel était libre et clair. Les hommes et les femmes sortirent pour attaquer.

Je lus l'*Iliade* au milieu des blés mûrs. On fauchait sur tout le territoire. Les champs lourds se froissaient comme des cuirasses. Les
10 chemins étaient pleins d'hommes portant des faux. Des hurlements montaient des terres où l'on appelait les femmes. Les femmes couraient dans les éteules. Elles se penchaient sur les gerbes : elles les relevaient à pleins bras — et on les entendait gémir ou chanter. Elles chargeaient les chars. Les jeunes hommes plantaient les fourches de fer, relevaient les gerbes et les lançaient. Les chars s'en allaient dans les chemins creux. Les chevaux secouaient les colliers, hennissaient, tapaient du pied. Les chars vides revenaient au galop, conduits par un homme debout qui fouettait les bêtes et serrait rudement dans son poing droit toutes les rênes de l'attelage. Dans l'ombre des buissons on trouvait des hommes
20 étendus, bras dénoués, aplatis contre la terre, les yeux fermés ; et, à côté d'eux, les faucilles abandonnées luisaient dans l'herbe.

Nous allions garder le troupeau. La colline aimée des bêtes était juste au-dessus des moissons. L'homme noir se couchait dans l'ombre chaude des genévriers ; je m'allongeais à côté de lui. Nous restions un moment à souffler et à battre des paupières. Le chemin de la colline, avec ses pierres rondes, restait longtemps à se tordre, tout étincelant dans le noir de mes yeux.

— Et le livre ? — Il est là.

Il fouillait dans la musette. L'*Iliade* était là, collée contre le morceau
30 de fromage blanc.

Cette bataille, ce corps à corps danseur qui faisait balancer les gros poings comme des floquets de fouets, ces épieux, ces piques, ces flèches, ces sabres, ces hurlements, ces fuites et ces retours, et les robes de femmes qui flottaient vers les gerbes étendues : j'étais dans l'*Iliade* rousse.

Jean le Bleu (Bernard Grasset, éditeur).

Le hussard et la nonne

Avec *Mort d'un personnage* (1949) mais sans respecter l'ordre chronologique des épisodes, GIONO a commencé un grand ensemble romanesque dont *Le Hussard sur le toit* (1951), *Le Bonheur fou*, *Angélo* sont les autres titres. ANGÉLO PARDI, colonel piémontais exilé, en est le héros central et PAULINE DE THÉUS la belle figure féminine.
THÈMES : *Mort. Religion. Morale. Littérature (Portrait).*

Dans Le Hussard sur le toit *tout le pays cher à l'auteur est ravagé par le fameux choléra de 1838.* ANGÉLO, *qui regagne l'Italie pour conspirer, chemine d'horreur en horreur au milieu de tous les égoïsmes déchaînés par le furieux attachement à la vie des êtres menacés. Les épisodes foisonnent, tantôt tragiques, tantôt cocasses. Obligé de ruser pour éviter les quarantaines,* ANGÉLO *a dû vivre plusieurs jours sur les toits de Manosque. Poussé par la faim, le voici descendu dans la cour d'un couvent déserté, sauf par une vieille et rude nonne. Celle-ci, qui veut avant tout que les morts se présentent propres au Paradis, l'enrôle de force comme laveur de cadavres.* — GIONO *sait, en quelques traits, donner une existence complète à un personnage et évoquer avec un arrière-plan d'ironie une scène affreuse.*

Dépêche-toi et prends cette sonnette.

Elle était debout. Elle attendait. Elle s'appuyait sur un fort bâton de chêne.

— Allons, viens !

Elle le précéda tout le long du cloître. Elle ouvrit la porte.

— Passe, dit-elle.

Ils étaient dans la rue.

— Remue la sonnette et marche, dit-elle.

Elle ajouta presque tendrement : « Mon petit ! »

« Je suis dans la rue, se dit Angélo. J'ai quitté les toitures. C'est fait ! »
10 Le branle de la sonnette soulevait des torrents de mouches. La chaleur était fortement sucrée. L'air graissait les lèvres et les narines comme de l'huile.

Ils passèrent d'une rue dans l'autre. Tout était désert. A certains endroits les murs, quelques couloirs béants faisaient écho ; à d'autres le grelottement de la sonnette était étouffé comme au fond de l'eau.

— Remue, disait la nonne. Du jus de coude ! Sonne ! Sonne !

Elle se déplaçait assez vite, tout d'une pièce, comme un rocher. Ses bajoues tremblaient dans sa guimpe.

Une fenêtre s'ouvrit. Une voix de femme appela : « Madame ! »
— Derrière moi maintenant, dit la nonne à Angélo. Arrête la sonnette. Sur
20 le seuil elle demanda : « As-tu un mouchoir ? — Oui, dit Angélo.
— Fourre-le dans la sonnette. Qu'elle ne bouge plus, sans quoi je te fais
sauter les dents. » Et tendrement elle ajouta : « Mon petit ! »
Elle eut comme un élan d'oiseau vers l'escalier sur la première marche duquel
Angélo vit se poser un énorme pied.
Là-haut, c'étaient une cuisine et une alcôve. Près de la fenêtre ouverte d'où
on avait appelé se tenaient une femme et deux enfants. De l'alcôve venait comme
le bruit d'un moulin à café. La femme désigna l'alcôve. La nonne tira les rideaux.
Un homme étendu sur le lit broyait ses dents en un mâchage incessant qui lui
retroussait les lèvres. Il tremblait aussi à faire craquer sa paillasse de maïs.
30 — Allons ! allons, dit la nonne. Et elle prit l'homme dans ses bras. Allons,
allons ! dit-elle, un peu de patience. Tout le monde y arrive ; ça va venir. On
y est, on y est. Ne te force pas, ça vient tout seul. Doucement, doucement.
Chaque chose en son temps.
Elle lui passa la main sur les cheveux.
— Tu es pressé, tu es pressé, dit-elle, et elle lui appuyait sa grosse main
sur les genoux pour l'empêcher de ruer dans le bois du lit. Voyez-vous s'il
est pressé ! Tu as ton tour. Ne t'inquiète pas. Sois paisible. Chacun son tour.
Ça va venir. Voilà, voilà, ça y est. C'est à toi. Passe, passe, passe.
L'homme donna un coup de reins et resta immobile.
40 — Il aurait fallu le frictionner, dit Angélo d'une voix qu'il ne reconnut pas.
La nonne se redressa et lui fit face.
— Qu'est-ce qu'il veut frictionner celui-là ? dit-elle. Ainsi, tu es un esprit
fort, hein ? Tu veux oublier l'Évangile, hein ? Demande du savon à cette
dame-là, et une cuvette, et des serviettes.

Le Hussard sur le toit (Librairie Gallimard, éditeur).

ANGÉLO *reprend sa route vers le Nord. Il retrouve une étrange et courageuse jeune femme qui déjà, à Manosque, l'avait nourri. Désormais deux êtres jeunes, désinvoltes, courageux vont traverser ensemble les horreurs physiques et morales du fléau. C'est la revanche contre tant de lâchetés, de vilenies et de cruautés désespérées. Cependant, « mêlée à l'univers, une énorme plaisanterie » semble peser sur la mort des hommes dans les vibrations d'un implacable été. Mais le romancier n'insiste pas sur cette absurdité. Créateur, il n'est pas philosophe.*

HENRI BOSCO

« ENTRE RHÔNE ET DURANCE ». HENRI BOSCO (1888-1976), né à Avignon, élevé
à la campagne, fut professeur de lettres à Rabat, mais son œuvre doit peu de chose à
l'Afrique du Nord *(Des sables à la mer, Sites et Mirages)*, beaucoup *à son enfance* et presque
tout *au terroir natal*, depuis son premier roman, *Pierre Lampédouze* (1924), jusqu'aux
souvenirs d'*Un oubli moins profond* (1961) en passant par des poèmes comme *Bucoliques
de Provence* (1944-1945). Comme Giono chante Manosque et la Haute-Provence, Bosco
est inspiré par le Rhône, la Durance, le Luberon, par *une Provence austère et secrète*. Comme
Giono, il perçoit les effluves qui émanent du sol, entend le message de la terre, de l'air,
des eaux et du feu ; mais ce qui, chez Giono, relève d'une sorte de naturisme prend
racine, avec Bosco, dans les réminiscences d'une *magie ancestrale* et s'épanouit en fleurs
mystiques.

« L'INVISIBLE NE M'EST PAS INVISIBLE ». L'univers de Bosco, c'est la *vie secrète* des êtres et des choses ; dans un animisme universel, l'auteur prête à la glèbe, aux vents, aux maisons (cf. p. 590), un être propre, des intentions, une *influence*. Le récit se voile d'ombres, *le mystère est partout*. Une lutte sourde et parfois violente oppose les ardeurs du sang à une sagesse séculaire, les forces sauvages à la mansuétude, les tentations dionysiaques à l'harmonie apollinienne. Un *syncrétisme* qui n'est pas sans rappeler Gérard de Nerval tente de concilier le paganisme des mystères, une philosophie ésotérique et la mystique chrétienne.

C'est *L'Ane Culotte*, suivi de deux récits plus étranges, *Hyacinthe* (1940) et *Le Jardin d'Hyacinthe* (1946), qui étendit, en 1937, la notoriété d'Henri Bosco, consacrée en 1945 par l'attribution du prix Théophraste-Renaudot au *Mas Théotime*, son roman le plus sobre, le plus dominé, bref le plus classique. *Malicroix* (1948) donne plus d'ampleur à l'orchestration lyrique de thèmes essentiels (les éléments, la demeure). Avec *Un Rameau de la nuit* (1950) le mystère s'approfondit, et *L'Antiquaire* (1954) nous initie franchement à l'occultisme. *Antonin* (1952) romance sans fadeur des souvenirs d'enfance que nous reconnaîtrons dans *Un Oubli moins profond*. Dans *Les Balesta* (1955), que complète *Sabinus* en 1957, l'humour et la verve relèvent d'une note piquante l'histoire de ce « *don* » fatal, privilège et hantise d'une famille à laquelle nul ne peut nuire sans être frappé d'un châtiment retentissant. Citons enfin *Mon compagnon de songes* (1967), *Le Récif* (1971).

Geneviève et les bêtes

La vie paisible de PASCAL DÉRIVAT (le narrateur), la sagesse qu'il doit à sa terre sont un moment bouleversées par le séjour au mas Théotime de sa cousine GENEVIÈVE MÉTIDIEU, créature passionnée qui, après avoir déchaîné plus d'un orage, entrera finalement au couvent. Par une nuit d'été, Pascal, médusé, assiste à cette étrange scène : au prix d'une dépense nerveuse qui la laissera pantelante, Geneviève, comme une magicienne, *charme* une harde de quelque vingt sangliers. Ce *mystérieux pouvoir sur les animaux*, héritage de l'Éden ou d'Orphée, que posséderaient quelques êtres privilégiés, George Sand l'avait déjà entrevu (cf. *XIXᵉ Siècle*, p. 297) ; chez BOSCO il devient un thème important, déjà illustré dans *L'Ane Culotte*, et qui prend ici une *valeur dramatique* saisissante.
THÈMES : *Animaux. Nature. Merveilleux.*

Les bêtes ne se hâtaient pas. Elles avaient l'air de suivre un berger, invisible comme elles.

Leur frénésie s'était apaisée et on n'entendait plus que le souffle rauque de ces hures souillées de terre.

Tout à coup la lune se leva et, par une large trouée, inonda le sol. Alors je vis.

Le troupeau s'était arrêté entre Théotime et la source. A vingt pas en avant se dressait une femme ; elle était mince, vêtue de noir. Elle aussi s'était arrêtée, au-delà du mas, dans les terres incultes ; et elle semblait hésiter. Derrière elle on voyait les plants de chasselas et plus loin les grandes bornes, toutes blanches
10 de lune. A droite, le torrent.

Les bêtes ne bougeaient plus. C'était un troupeau de pierre ; je n'en croyais pas mes yeux.

Soudain la silhouette remua ; j'entendis une plainte et elle courut vers le torrent.

Les bêtes s'ébranlèrent. J'appelai : « Geneviève », car c'était elle, j'en étais sûr.

Je la vis qui sautait dans le lit du torrent ; mais les sangliers arrivaient sur le talus et ils dévalaient derrière elle. On entendit une furieuse galopade.

Je partis à travers la vigne pour couper le torrent plus haut. D'un élan je franchis le fossé, passai les bornes.

20   Tout à coup Geneviève apparut à cent mètres de là. Elle avait bondi hors
du creux et, à travers l'ermas [1] de Clodius, elle fuyait vers La Jassine [2],
poursuivie par les sangliers qui filaient ventre à terre. J'avais beau forcer de
vitesse, je n'arrivais pas...
     Soudain Geneviève tomba sur les genoux ; je poussai un cri ; elle se releva
d'un bond et fit face. Les sangliers arrivaient en trombe sur elle, et tout disparut
dans un tourbillon de poussière.
     Je dis : « mon Dieu ! » et je me jetai en avant ; mais la poussière se dissipa
aussitôt, et, de stupeur, je m'arrêtai.
     Geneviève était debout. Les bêtes l'entouraient mais ne bougeaient pas. Je
30   les voyais bien maintenant, et j'entendais. Geneviève parlait. Que disait-elle ?
J'étais trop loin pour le comprendre. Elle parlait d'une voix très rauque, et
semblait se plaindre... Par moments la lune se voilait et tout le groupe s'effaçait
dans l'ombre, puis il se reformait une éclaircie et ces fantômes reparaissaient.
     J'étais pétrifié d'étonnement, de peur aussi sans doute, et au lieu de courir
vers Geneviève, fût-ce au péril de ma vie, je demeurais sur place à regarder
cette vision fantastique. Je me disais : « Tu vas l'arracher de là ». Et pourtant
je sentais que je ne pouvais rien pour le salut de Geneviève, qu'il fallait qu'il
vînt d'elle seule, et que cette troupe de monstres lui avait voué une sorte
d'obscur amour devant quoi je devais reculer. Maintenant il était certain qu'elle
40   n'en avait rien à craindre, tant leur sauvagerie semblait pacifiée, depuis qu'ils
écoutaient ses plaintes étranges.
     Elle se tut, fit un geste pour les écarter. Ils se reculèrent docilement et elle
passa au milieu d'eux. Quand elle fut hors de leur cercle, elle se dirigea vers
La Jassine. Ils se mirent en marche derrière elle.

Le Mas Théotime, VIII (Librairie Gallimard, éditeur).

LA MAISON DANS LA TEMPÊTE

MARTIAL MÉGREMUT a hérité de son grand-oncle MALICROIX un domaine en Camargue
parcouru par des taureaux sauvages, un troupeau de moutons, la maison de « La Redousse »
dans une île du Rhône,... et un mystère inquiétant. « Gens de terre grasse », les Mégremut
sont « doux et patients », tandis que Cornélius de Malicroix appartenait à une race plus
rude. Pour devenir vraiment son héritier et le maître authentique du domaine, Martial devra
surmonter les épreuves, comparables à des rites d'initiation, que lui réservent les hommes,
les éléments et peut-être l'âme du mort. Voici l'une de ces épreuves : la tempête ; mais
le narrateur trouve une alliée, bien plus, une mère dans la maison qui, déjà, l'a adopté.
THÈMES : Nature. Merveilleux. Réel et irréel. Symboles.

Jusqu'à l'aube le vent souffla. Cédant à la poussée grandissante du
souffle, l'espace lentement se dilatait. Aspirant, expirant, comme une
colossale poitrine, les trombes d'air, cette respiration formidable montait
et descendait au cœur de la tempête. Car la tempête avait un cœur, point
fougueux d'où se ruait, en pulsations tumultueuses, la vie de la bête
massive qui s'engouffrait dans le creux des ténèbres, en haletant de ses

---

1 — Jachère. — 2 Mas de Clodius (cousin et ennemi de Pascal), proche du mas Théotime (l. 6).

mille naseaux vivaces et noirs. Par moments, la figure brutale de maître Dromiols [1] paraissait et disparaissait dans le vent. Carré d'épaules et de reins, le visage impassible, il montait dans une rafale mugissante, puis
10 il s'enfonçait au flanc d'un nuage qui grondait de colère en l'enveloppant. Des taureaux blancs nageaient sur des fleuves impétueux de vents glauques et lourds et ils meuglaient dans le courant, le mufle haut, en glissant vers la mer. Les plus étranges hallucinations [2] traversaient mon être de vent, électrisé. A mesure que l'étendue soufflante prenait, dans la largeur, la hauteur et la profondeur, des dimensions plus irréelles, tout un univers aérien se créait autour de mon âme. Le vent y devenait la matière céleste des coulées intersidérales, où des constellations de vents descendaient vers moi du Septentrion. Avec leurs étoiles filantes, comme une pluie de souffles bleus poussés par un vaste Aquilon à travers l'infini
20 du monde, ces grandes figures stellaires étincelaient sous la tempête universelle et s'y abîmaient lentement, en déchirant le ciel de longs flamboiements électriques, qui m'éblouissaient...

Corps léger, dépouillé de matière et tout nerfs, le sommeil me prit près de l'aube et me laissa dormir à portée des bruits innombrables de la tempête. Elle continua à souffler à travers mon âme et y balaya toutes les visions. Aux spectacles hallucinatoires issus du vent quand je veillais, et qui se dispersèrent, succéda un monde de sons superposés en fragiles songes sonores, purs de toute figure, qui se confondirent bien vite pour former une sourde et monotone trépidation. Je la perçus d'une façon
30 continuelle tout le long d'un sommeil nerveux qui me tint suspendu dans les ondes du vent et je ne sais quel vide, où mon âme entière vibra jusqu'au matin.

La maison luttait bravement. Elle se plaignit tout d'abord ; les pires souffles l'attaquèrent de tous les côtés à la fois, avec une haîne distincte et de tels hurlements de rage que, par moments, je frissonnais de peur. Mais elle tint. Dès le début de la tempête des vents hargneux avaient pris le toit à partie. On essaya de l'arracher, de lui casser les reins, de le mettre en lambeaux, de l'aspirer. Mais il bomba le dos et s'accrocha à sa vieille charpente. Alors d'autres vents arrivèrent et se ruant au ras du sol ils
40 foncèrent contre les murailles. Tout fléchit sous le choc impétueux, mais la maison flexible, ayant plié, résista à la bête. Elle tenait sans doute au sol de l'île par des racines incassables, d'où ses minces parois de roseaux crépis et de planches tiraient une force surnaturelle. On eut beau insulter les volets et les portes, prononcer des menaces colossales, claironner dans la cheminée, l'être déjà humain, où j'abritais mon corps, ne céda rien à la tempête. La maison se serra sur moi, comme une louve, et par moments je sentais son odeur descendre maternellement jusque dans mon cœur. Ce fut, cette nuit-là, vraiment ma mère.   *Malicroix* (Librairie Gallimard, éditeur).

— 1 Notaire inquiétant, qui semble être un | transcris — et ce sont des hallucinations que je suppôt du Malin. — 2 Cf. « Je n'écris pas : je | transcris » (Lettre de Bosco à J. Lambert).

La Varende Très différent de Ramuz et de Giono a été Jean de
(1887-1958) la Varende, évocateur du *Pays d'Ouche* (1936), des côtes
peuplées de naufrages et des profondeurs normandes.
Aristocrate ancré dans son terroir, c'est par *la vie du passé* qu'il anime ses évocations
de grandes forêts et de pacages étalés sous un ciel plein du Dieu des Seigneurs et des
Manants du roi (1938). Il l'a fait dans un style parfois tumultueux et hérissé, mais toujours
fort qui, autant que sa vision de la Nature, donne un caractère unique à son œuvre.
Dans ses deux premiers grands romans, *Nez-de-Cuir* (1937) et *Le Centaure de Dieu* (1938),
comme beaucoup plus tard encore (*La Dernière Fête*, 1953), quelques *héros exceptionnels*
respirent toujours passionnément l'*âme de la terre* où leurs passions se déploient.

L'enfant et les signes

Enfant noble, imprégné de tradition catholique, le jeune Gaston de La Bare contemple
le ciel ; c'est le futur « Centaure de Dieu », cavalier héroïque parmi les francs-tireurs
de 1870, seul héritier de toute une race que son impérieuse vocation religieuse laissera
sans lignée terrestre. — Le *sentiment* et la *vision* de la Nature ne sont pas ici ceux du
païen Giono (cf. p. 581) ni ceux auxquels aboutit le *syncrétisme* de Bosco (cf. p. 589).
Thèmes : *Enfance. Nature. Merveilleux. Providence.*

Il levait éperdument la tête vers les nuages énormes et blancs ; à l'entour
du zénith, ils se gonflaient ; au zénith, ils s'effilochaient, traversés, cardés par
le regard ; et le bleu, qu'ils découvraient entre leurs barbelures, y luisait plus
foncé, comme animé d'un essaim fourmillant d'atomes. Là étaient Dieu et le
Triangle-à-l'œil-fixe. En tournant le visage, Gaston prenait la notion d'une
continuité dans la nue, d'un toit courbe ; il se sentait infime entre deux coquilles,
pris dans le bivalve des champs nus et des cieux chargés.
   L'enfant croyait percevoir, avec un contentement inquiet, que tout n'avait
d'existence que par sa vue, sa sensibilité personnelle. Hors sa contemplation,
10 cette partie du monde eût-elle réellement vécu ? Il fallait aimer le monde pour
que le monde vécût. Gaston se croyait investi de l'existence du monde. Il
débordait de pitié pour la grande plaine, son pays.
   L'été on trouvait des amis partout, des sûrs, pas des hommes inquiétants :
les oiseaux, les pies saccadées, en satin noir et blanc, les geais hirsutes, aux
airs fous, qu'on appelle des « Jacques » ; la poussière blonde des moineaux
s'envolant par troupes, fumée des éteules.
   Et il y avait aussi les miracles : chaque grain de blé montre à sa base, à
son pédoncule, la Sainte-Face, comme si le Christ avait marqué, de son signe,
la plante du sacrifice ; la noisette est toujours bien pleine pour la Saint-Laurent,
20 saint Laurent qui subit un feu de coudriers sur son gril ; la prunelle bleu-pâle,
irisée de frimas clair, porte un M de sombre saphir sur sa glaçure, car sa maturité
arrive juste pour la fête des Maries. Coupez de biais les fougères ; leur tranche
pleine d'eau se blasonne de l'aigle double, l'aigle de saint Charlemagne, qui
les aimait.
   De tout cela l'enfant a été instruit par ses petits amis paysans. Il touche
aux fruits sans crainte ; tire sur la carotte sauvage sans peur de la ciguë, dont
tremblaient ses cousins de la ville, et il savoure une racine bizarrement froide
au sortir du sol tiède. Il réalise ainsi une sorte de précommunion avec la terre,
quand il grappille les épis, les églantines, les mûres.

Le Centaure de Dieu (Bernard Grasset, éditeur).

Aspects de la Provence

Vincent Van Gogh, « La Moisson », 1889. (Museum Folkwang, Essen. Ph. du musée © Arch. Photeb)

« L'Iliade rousse »

Dans une page autobiographique de *Jean le Bleu*, Giono retrouve les sentiments qu'il éprouvait, enfant autodidacte, devant la splendeur de la moisson en Provence : « Je lus l'*Iliade* au milieu des blés mûrs... J'étais dans l'*Iliade* rousse » (cf. **p. 586-587**).

COLETTE

Reine de la terre   « Vous n'imaginez pas quelle *reine de la terre* j'étais à douze ans » écrit Colette dans *Les Vrilles de la vigne*. Au reste, il semble bien que, même chargée d'ans (car elle ne fut jamais ni vieillie ni déchue), elle ait pu déclarer de plus en plus consciemment : « Mon royaume est sur la terre ».

Gabrielle-Sidonie Colette est née le 28 janvier 1873 aux confins de la Bourgogne et du Morvan, à Saint-Sauveur-en-Puisaye (Yonne) où s'étaient fixés ses parents. D'ascendance toulonnaise, son père, le capitaine Colette, blessé à Magenta en 1859 et amputé d'une jambe, devait dès la trentaine se contenter d'un modeste emploi sédentaire dans cette « perception » villageoise. Sa mère, Sidonie Landoy (« Sido », cf. p. 604-605), de famille bourguignonne, avait déjà d'un premier mariage une fille elle-même tôt mariée, « Juliette aux longs cheveux », et un fils, Achille. De sa seconde union naquirent Léopold dit Léo (cf. p. 596) et notre Colette. Spontanée, généreuse, elle devait transmettre à sa fille sa passion pour toutes les formes de la vie, et sa naturelle *sagesse*.

« J'appartiens à un pays que j'ai quitté », dit encore l'auteur des *Vrilles de la vigne*, mais, précise-t-elle à son compagnon : « Tu le chercherais en vain, tu ne verrais qu'une campagne un peu triste qu'assombrissent les forêts, un village paisible et pauvre, une vallée humide, une montagne bleuâtre qui ne nourrit pas même les chèvres. » Cependant, *La Maison de Claudine* et *Sido* évoqueront de façon inoubliable cette enfance campagnarde où Colette apprit de sa mère « à écouter tout ce qui dans la nature frémit et bruit et le chant bondissant des frelons fourrés de velours », et à regarder, mieux que personne au monde, « une floraison fugitive ou le pâlissement délicieux du ciel ».

La gerbe épanouie   A Colette elle-même conviendrait bien la jolie formule de *La Naissance du jour* où elle a évoqué Sido « ne cessant d'éclore infatigablement pendant trois quarts de siècle ». En effet, son œuvre si riche et si jaillissante n'est-elle pas « la gerbe épanouie en mille fleurs » du poème baudelairien ?

Après ses années d'études (qu'elle romancera quelque peu dans *Claudine à l'école*), Colette épousait à vingt ans Henry Gauthier-Villars, personnalité « bien parisienne » qui signa de son propre pseudonyme, Willy, la série des quatre *Claudine* (1900-1903). Dans *Mes apprentissages* (1936), Colette jugera sévèrement ces premiers essais, où elle dénonce « une souplesse à réaliser ce qu'on attendait d'elle », mais, dès 1904, elle publiait sous son nom les premiers *Dialogues de bêtes* chers à Francis Jammes.

Son divorce, survenu en 1906, lui inspire *La Retraite sentimentale* (1907) ; ce sont ensuite *Les Vrilles de la vigne* (1908) et *La Vagabonde* (1910). Colette mène alors dans le cadre du music-hall une vie fatigante et dispersée. En 1912, elle épouse Henry de Jouvenel dont elle devait aussi se séparer. Leur fille, née en 1913, paraît dans les romans de sa mère sous le charmant surnom provençal de *Bel-Gazou*. Pendant la guerre, Colette enverra d'Italie, en particulier de Venise, des chroniques et des articles brillants qui retiendront l'attention de Marcel Proust.

Mais c'est dans la paix retrouvée que s'ouvre la période des chefs-d'œuvre ; aux éléments autobiographiques s'ajoutent dès lors des *études de mœurs* comme *Chéri* en 1920 (suivi en 1926 de *La Fin de Chéri*) et *Le Blé en herbe* (1923). *La Maison de Claudine* (1922) et *La Naissance du jour* (1928) mêlent aux évocations et aux paysages de Bourgogne et de Provence d'amples méditations poétiques. En 1928, Colette consacre au souvenir de sa mère un de ses plus beaux livres, *Sido*.

La gloire   Avec les années trente commence un quart de siècle d'une rare fertilité pour un écrivain de cet âge. D'inspiration très diverse, les œuvres se multiplient : *Prisons et Paradis* (1932) ; les deux romans de la jalousie, *La Chatte* (1933) et *Duo* (1934) ; *Julie de Carneilhan* (1941), *Paris de ma fenêtre* (1942), et *Gigi* (1943). En 1949 paraît *Le Fanal bleu* qui éclaire à jamais pour nous ce visage penché sur la table à écrire et sur les chats bien-aimés.

Aspects de la Provence

Contrastes

Dans la toile de Carzou, c'est la Provence caillouteuse et secrète, celle de Bosco, et parfois de Giono, par exemple dans son dernier recueil, *Récits de la demi-brigade*. La Provence de Dufy, colorée et riante, présente un autre aspect que Giono goûtait de tous ses sens ; c'est aussi celle que Colette admirait lorsqu'elle séjournait dans sa maison de *La Treille Muscate*.

Devenue en 1935 Mme Maurice Goudeket, celle que l'on désigne toujours sous son nom-prénom de COLETTE s'est installée au Palais-Royal, au cœur même de Paris. Membre de l'Académie royale de Belgique et de l'Académie Goncourt, grand-officier de la Légion d'honneur, Colette s'éteint en pleine gloire le 3 août 1954. Si sa mort fut ressentie profondément par un immense public, elle-même ne semble pas s'en être jamais préoccupée. De sa demeure provençale (dont elle se demandait si ce serait sa dernière maison) elle écrivait dès 1928, dans *La Naissance du jour* : « Je m'applique parfois à y songer pour me faire croire que la seconde moitié de ma vie m'apporte un peu de gravité, un peu de souci de ce qui vient *après*... C'est une illusion brève : *la mort ne m'intéresse pas,* la mienne non plus. »

Poésie et vérité

COLETTE est la *vie* même ; elle a consciemment *refusé* et l'*angoisse* qui paralyse et la *convention* qui pétrifie. Chez elle, le mot exprime la *sensation* dans sa fraîcheur et dans sa constante *nouveauté :* qu'elle parle d'un parfum, d'un goût, d'un paysage, elle ne nomme pas seulement, elle *ressuscite*. Il semble qu'elle ait bu aux « magiques fontaines » qu'évoque dans les *Odes et Ballades* ce Victor Hugo abordé par elle, ainsi que Balzac, dès l'enfance ; car, si elle a porté sur l'univers un regard avide et ravi, elle a, comme eux, par-delà le réel, senti et exprimé d'*invisibles présences*.

Elle a, aussi, regardé vivre les êtres avec une *lucidité passionnée*. Tous les aspects et tous les problèmes de l'*amour* trouvent leur place dans ses romans : troubles de l'adolescence *(Le Blé en herbe)*, tourments mortels de la jalousie *(Duo)*, drame du couple *(La Retraite sentimentale)*, mystérieuses liaisons *(Ces Plaisirs)*, dissonances douloureuses *(Chéri, La Fin de Chéri)*, apaisements enfin *(La Naissance du jour)*.

Une sagesse naturelle

Mais si COLETTE n'a rien ignoré des faiblesses et des fautes humaines, si elle les a décrites sans duperie ni camouflage, elle garde envers ses propres créatures de la *pitié,* du respect parfois, et toujours de l'*amitié,* comme envers les vivants. Indifférente aux dogmes religieux, elle ne l'est nullement à une ascèse spirituelle qui *détache* l'âme de ce qui est bas, vulgaire ou mesquin, pour la conduire à des valeurs authentiques : l'affection, l'*indulgence,* le goût de la *beauté* durable et même périssable, l'*acceptation sereine* du monde et de soi-même. Cet humanisme, élargi et décanté avec l'âge, nous permet de trouver dans cette œuvre à la fois une *somme d'observations* (lucides mais non pas amères) et la *conquête d'un équilibre,* d'une *sagesse* qui, comme celle d'un LA FONTAINE, sait sourire. Ainsi le miracle se réalise qui fait surgir, d'une vision aiguë du réel, une réaction saine et tonique, et il semble toujours que pour elle, comme pour MONTAIGNE (cf. *Essais,* III, 2), le cours, cependant mêlé, de la vie se déroule « *heureusement puisque c'est naturellement* ».

Jeux interdits

Dans le jardin, une COLETTE de sept ans seconde, en bon petit acolyte, son frère LÉO, le solitaire, l'original irréductible. À travers les inventions cocasses, mais nullement sacrilèges, du jeune garçon, il se dégage une vision très poétique de cet *univers des enfants* où se mêle à des éléments de *vérité quotidienne* une transmutation, une véritable « *alchimie du réel* ». – THÈMES : *Enfance. Famille. Mort. Littérature. Humour.*

Qu'est-ce qu'il était quand il était vivant, Astoniphronque Bonscop ?

Mon frère renversa la tête, noua les mains autour de son genou, et cligna des yeux pour détailler dans un lointain inaccessible à la grossière vue humaine, les traits oubliés d'Astoniphronque Bonscop.

— Il était tambour de ville. Mais, dans sa maison, il rempaillait les chaises.

C'était un gros type !... peuh... pas bien intéressant. Il buvait et il battait sa femme.

— Alors, pourquoi lui as-tu mis : « bon père, bon époux » sur son épitaphe ?

— Parce que ça se met quand les gens sont mariés.

— Qui est-ce qui est encore mort depuis hier ?

10 — Mme Egrémimy Pulitien.

— Qui c'était, Mme Egrélimy ?...

— Egrémimy, avec un y à la fin. Une dame comme ça, toujours en noir. Elle portait des gants de fil...

Et mon frère se tut, en sifflant entre ses dents agacées par l'idée des gants de fil frottant sur le bout des ongles.

Il avait treize ans, et moi sept. Il ressemblait, les cheveux noirs taillés à la malcontent et les yeux d'un bleu pâle, à un jeune modèle italien. Il était d'une douceur extrême, et totalement irréductible.

— A propos, reprit-il, tiens-toi prête demain, à dix heures : il y a un service.

20 — Quel service ?

— Un service pour le repos de l'âme de Lugustu Trutrumèque.

— Le père ou le fils ?

— Le père.

— A dix heures, je ne peux pas, je suis à l'école.

— Tant pis pour toi, tu ne verras pas le service. Laisse-moi seul, il faut que je pense à l'épitaphe de Madame Egrémimy Pulitien.

Malgré cet avertissement qui sonnait comme un ordre, je suivis mon frère au grenier. Sur un tréteau, il coupait et collait des feuilles de carton blanc en forme de dalles plates, de stèles arrondies par le haut, de mausolées 30 rectangulaires sommés d'une croix. Puis, en capitales ornées, il y peignait à l'encre de Chine des épitaphes brèves ou longues, qui perpétuaient, en pur style « marbrier », les regrets des vivants et les vertus d'un gisant supposé.

« Ici repose Astoniphronque Bonscop, décédé le 22 juin 1874, à l'âge de cinquante-sept ans. Bon père, bon époux, le ciel l'attendait, la terre le regrette. Passant, priez pour lui ! »

Ces quelques lignes barraient de noir une jolie petite pierre tombale en forme de porte romane, avec saillies simulées à l'aquarelle. Un étai, pareil à celui qui assure l'équilibre des cadres-chevalet, l'inclinait gracieusement en arrière.

— C'est un peu sec, dit mon frère. Mais un tambour de ville... Je me 40 rattraperai sur Mme Egrémimy.

Il consentit à me lire une esquisse :

« O ! toi le modèle des épouses chrétiennes ! Tu meurs à dix-huit ans, quatre fois mère ! Ils ne t'ont pas retenue, les gémissements de tes enfants en pleurs ! Ton commerce périclite ; ton mari cherche en vain l'oubli... » J'en suis là.

— Ça commence bien. Elle avait quatre enfants à dix-huit ans ?

— Puisque je te le dis.

— Et son commerce *périclique* ? Qu'est-ce que c'est, un commerce périclique ? Mon frère haussa les épaules.

— Tu ne peux pas comprendre, tu n'as que sept ans ; mets la colle forte 50 au bain-marie. Et prépare-moi deux petites couronnes de perles bleues pour la tombe des jumeaux Azioume qui sont nés et morts le même jour.

— Oh ! ils étaient gentils ?

— Très gentils, dit mon frère. Deux garçons blonds, tout pareils. Je leur fais un truc nouveau, deux colonnes tronquées en rouleaux de carton, j'imite le marbre dessus et j'enfile les couronnes de perles. Ah ! ma vieille...

Il siffla d'admiration et travailla sans parler.

Autour de lui, le grenier se fleurissait de petites tombes blanches, un cimetière pour grandes poupées. Sa manie ne comportait aucune parodie irrévérencieuse, aucun faste macabre. Il n'avait jamais noué sous son menton les cordons d'un
60 tablier de cuisine, pour simuler la chasuble, en chantant *Dies irae ;* mais il aimait les champs de repos comme d'autres chérissent les jardins à la française, les pièces d'eau ou les potagers. [...]

Un jour vint où le plancher râpeux du grenier ne suffit plus. Mon frère voulut, pour honorer ses blanches tombes, la terre molle et odorante, le gazon véridique, le lierre, le cyprès... Dans le fond du jardin, derrière le bosquet de thuyas, il emménagea des défunts aux noms sonores dont la foule débordait la pelouse semée de têtes de soucis et de petites couronnes de perles. Le diligent fossoyeur clignait son œil d'artiste.

— Comme ça fait bien !

70 Au bout d'une semaine, ma mère passa par là, s'arrêta saisie, regarda de tous ses yeux, un binocle, un face-à-main, des lunettes pour le lointain, et cria d'horreur, en violant du pied toutes les sépultures.

— Cet enfant finira dans un cabanon ! C'est du délire, c'est du sadisme, c'est du vampirisme, c'est du sacrilège, c'est... je ne sais même pas ce que c'est !

Elle contemplait le coupable, par-dessus l'abîme qui sépare une grande personne d'un enfant. Elle cueillit, d'un râteau irrité, dalles, couronnes et colonnes tronquées. Mon frère souffrit, sans protester, qu'on traînât son œuvre aux gémonies et, devant la pelouse nue, devant la haie de thuyas qui versait son ombre à la terre fraîchement remuée, il me prit à témoin avec une mélancolie
80 de poète : — Crois-tu que c'est triste, un jardin sans tombeaux ?

La Maison de Claudine (Librairie Hachette, éditeur).

Les « belles manières »

Colette nous a laissé de *l'époque 1900* d'amusants *tableaux de mœurs.* Coquettes, demi-mondaines, femmes du monde, hommes de théâtre, financiers, boulevardiers, désœuvrés, elle fait revivre ce temps « où les automobiles se portaient hautes et légèrement évasées à cause des chapeaux démesurés ». On appréciera ici l'étonnant tableau d'un milieu *« en marge »* qui ne laisse pas cependant d'avoir ses tabous, ses lois et ses traditions.
Thèmes : *Adolescence. Société. Littérature (Portrait). Humour.*

Gilberte, dite Gigi, est élevée par sa mère, chanteuse de second ordre, et sa grand-mère, Mme Alvarez (Mamita), *chef incontesté d'une dynastie féminine un peu irrégulière. Le petit appartement, « au plafond terni par le gaz », reçoit souvent la visite du brillant et richissime* Gaston Lachaille. *Il vient là peut-être en souvenir de son père « que Mme Alvarez affirmait avoir beaucoup connu », peut-être pour fuir un monde indiscret et tapageur, mais sans doute aussi parce qu'il n'est pas insensible au charme frais et piquant de* Gigi. *« Mamita », en attendant les événements, délègue celle-ci chez sa sœur* Alicia. *« Jolie vieille dame » jadis émule des Caroline Otero ou des Liane de Pougy, Alicia limite désormais ses activités à l'évocation de ses beaux jours et aux leçons de bienséance qu'elle prodigue à sa petite-nièce, car « le manque d'élégance en mangeant a brouillé bien des ménages ».*

La voix jeune, les rides clémentes rehaussées de rose, une dentelle sur ses cheveux blancs, tante Alicia jouait les marquises de théâtre. Gilberte révérait sa tante en bloc. En s'attablant, elle tira sa jupe sous son séant, joignit les genoux, rapprocha ses coudes de ses flancs en effaçant les omoplates et ressembla à une jeune fille [1]. Elle savait sa leçon, rompait délicatement son pain, mangeait la bouche close, se gardait, en découpant sa viande, d'avancer l'index sur le dos de la lame. Un catogan [2] serré sur la nuque découvrait les frais abords du front et des oreilles, et le cou singulièrement puissant dans l'encolure, un peu ratée, de la robe refaite, d'un bleu morne, à corsage froncé sur un empiècement, rafistolage sur lequel on avait cousu, pour l'égayer, trois rangs de galon mohair [3] au bord de la jupe et trois fois trois galons mohair sur les manches, entre le poignet et l'épaule.

Tante Alicia, en face de sa nièce, l'épiait de son bel œil bleu-noir, sans trouver rien à redire.

— Quel âge as-tu ? demanda-t-elle brusquement.

— Mais comme l'autre jour, tante : quinze ans, six mois. Tante, qu'est-ce que tu en penses, toi, de cette histoire de Tonton Gaston [4] ?

— Pourquoi ? ça t'intéresse ?

— Bien sûr, tante. Ça m'ennuie. Si tonton se remet avec une autre dame, il ne viendra plus jouer au piquet à la maison, ni boire de la camomille, au moins pendant quelque temps. Ce sera dommage.

— C'est un point de vue, évidemment.

Tante Alicia, les paupières clignées, regardait sa nièce d'une manière critique.

— Tu travailles, à tes cours ? Qui as-tu comme amies ? Les ortolans, coupe-les en deux, d'un coup de couteau bien assuré qui ne fasse pas grincer la lame sur l'assiette. Croque chaque moitié, les os ne comptent pas. Réponds à ma question sans t'arrêter de manger et pourtant sans parler la bouche pleine. Arrange-toi. Puisque je le fais, tu peux le faire. Qui as-tu comme amies ?

— Personne, tante. Grand-mère ne me permet même pas d'aller goûter chez les parents de mes camarades de cours.

— Elle a raison. Dehors, tu n'as personne dans tes jupes ? Pas de surnuméraire à serviette sous le bras ? Pas de collégien ? Pas d'homme mûr ? Je te préviens que si tu me mens, je le saurai.

Gilberte contemplait le brillant visage de vieille femme autoritaire, qui l'interrogeait avec âpreté.

— Mais non, tante, personne. Est-ce qu'on t'a parlé de moi en mal ? Je suis toujours toute seule. Et pourquoi grand-mère m'empêche-t-elle d'accepter des invitations ?

— Elle a raison, pour une fois. Tu ne serais invitée que par des gens ordinaires, c'est-à-dire inutiles.

— Nous ne sommes pas des gens ordinaires, nous ?

— Non.

— Qu'est-ce qu'ils ont de moins que nous, les gens ordinaires ?

— Ils ont la tête faible et le corps dévergondé. En outre, ils sont mariés. Mais je ne crois pas que tu comprennes.

— Si, tante ; je comprends que nous, nous ne nous marions pas.

— Le mariage ne nous est pas interdit. Au lieu de se marier « déjà », il arrive qu'on se marie « enfin ».

— Mais est-ce que ça m'empêche de fréquenter des jeunes filles de mon âge ?

— 1 L'auteur a dit plus haut : « Elle avait l'air d'un archer, d'un ange raide ou d'un garçon en jupes. » — 2 Coiffure qui serre les cheveux dans une barrette ou un nœud de ruban. — 3 Tissu angora. — 4 Gaston vient de rompre avec sa maîtresse en titre, Liane d'Exelmans, qui a tenté de se suicider « avec du laudanum, *comme d'habitude* ».

50 — Oui. Tu t'ennuies chez toi ? Ennuie-toi un peu. Ce n'est pas mauvais. L'ennui aide aux décisions. Qu'est-ce que c'est ? Une larme ? Une larme de petite sotte qui n'est pas en avance pour son âge. Reprends un ortolan.

Tante Alicia étreignit, de trois doigts étincelants, le pied de son verre qu'elle leva :

— A nos santés, Gigi ! Tu auras une khédive [5] avec ta tasse de café. A la condition que je ne voie pas le bout de ta cigarette mouillé, et que tu fumes sans crachoter des brins de tabac en faisant *ptu-ptu.* Je te donnerai aussi un mot pour une première de chez Béchoff-David, une ancienne camarade qui n'a pas réussi. Ta garde-robe va changer.

60 Qui ne risque rien n'a rien !

Les yeux bleu foncé brillèrent. Gilberte bégaya de joie.

Gigi (Librairie Hachette, éditeur).

Tant d'efforts ne seront pas perdus : après des bouderies chez les jeunes, et quelques inquiétudes chez les moins jeunes, GIGI, *se mariant « déjà », deviendra Madame* GASTON LACHAILLE.

RIVALES

Chacun sait la prédilection de COLETTE pour les chats, mais il ne s'agit pas ici de la gentillesse ou de la grâce animales. — CAMILLE qui vient d'épouser ALAIN est *jalouse* de la *chatte* SAHA, trop chère à son mari. Toutes deux s'épient sur l'étroit balcon d'un haut immeuble moderne ; et ce décor, d'apparence banale, est promu, par la tension du passage, à une sorte de « huis clos » véritablement *tragique.* — On notera comment, par le choix même des termes, l'auteur donne à la petite victime une présence *humaine.* THÈMES : *Femme. Amour. Animaux.*

Un soir de juillet qu'elles attendaient toutes deux le retour d'Alain, Camille et la chatte se reposèrent au même parapet, la chatte couchée sur ses coudes, Camille appuyée sur ses bras croisés. Camille n'aimait pas ce balcon-terrasse réservé à la chatte, limité par deux cloisons de maçonnerie, qui le gardaient du vent et de toute communication avec la terrasse de proue.

Elles échangèrent un coup d'œil de pure investigation et Camille n'adressa pas la parole à Saha. Accoudée, elle se pencha comme pour compter les étages de stores orange largués du haut en bas de la 10 vertigineuse façade, et frôla la chatte qui se leva pour lui faire place, s'étira et se recoucha un peu plus loin.

Dès que Camille était seule, elle ressemblait beaucoup à la petite fille qui ne voulait pas dire bonjour, et son visage retournait à l'enfance par l'expression de naïveté inhumaine, d'angélique dureté qui ennoblit les visages enfantins. Elle promenait sur Paris, sur le ciel d'où, chaque jour, la lumière se retirait plus tôt, un regard impartialement sévère, qui peut-

— 5 Cigarette à goût « oriental ».

Gigi

*« Gigi », au Théâtre des Nouveautés (1985),
avec Marie-Sophie Pochat* (Gigi),
Danielle Darrieux (Tante Alicia),
Bernard Alane (Lachaille).
(2 ph. © Philippe Coqueux)

Adaptation théâtrale

Colette a composé une adaptation théâtrale de *Gigi*
qui a obtenu un vif succès. Le dialogue du roman est
si vivant que celui de notre extrait (cf. **p. 598**) a pu
être porté à la scène presque sans changement. On
voit ici Gigi écoutant les leçons de « belles manières »
de Tante Alicia, puis, après la conquête de Gaston
Lachaille, obtenant de se marier... « déjà » !

être ne blâmait rien. Elle bâilla nerveusement, se redressa et fit quelques pas distraits, se pencha de nouveau, en obligeant la chatte à sauter à terre. Saha s'éloigna avec dignité et préféra rentrer dans la chambre.
20 Mais la porte de l'hypoténuse [1] avait été refermée et Saha s'assit patiemment. Un instant après, elle devait céder le passage à Camille qui se mit en marche d'une cloison à l'autre, à pas brusques et longs, et la chatte sauta sur le parapet. Comme par jeu, Camille la délogea en s'accoudant et Saha de nouveau se gara contre la porte fermée.

L'œil au loin, immobile, Camille lui tournait le dos. Pourtant la chatte regardait le dos de Camille et son souffle s'accélérait. Elle se leva, tourna deux ou trois fois sur elle-même, interrogea la porte close. Camille n'avait pas bougé. Saha gonfla ses narines, montra une angoisse qui ressemblait à la nausée ; un miaulement long, désolé, réponse misérable
30 à un dessein imminent et muet, lui échappa et Camille fit volte-face.

Elle était un peu pâle, c'est-à-dire que son fard évident dessinait sur ses joues deux lunes ovales. Elle affectait l'air distrait, comme elle l'eût fait sous un regard humain. Même elle commença un chantonnement à bouche fermée et reprit sa promenade de l'une à l'autre cloison, sur le rythme de son chant, mais la voix lui manqua. Elle contraignit la chatte, que son pied allait meurtrir, à regagner d'un saut son étroit observatoire puis à se coller contre la porte.

Saha s'était reprise et fût morte plutôt que de jeter un second cri. Traquant la chatte sans paraître la voir, Camille alla, vint, dans un
40 complet silence. Saha ne sautait sur le parapet que lorsque les pieds de Camille arrivaient sur elle et elle ne retrouvait le sol du balcon que pour éviter le bras tendu qui l'eût précipitée du haut des neuf étages.

Elle fuyait avec méthode, bondissait soigneusement, tenait ses yeux fixés sur l'adversaire, et ne condescendait ni à la fureur, ni à la supplication. L'émotion extrême, la crainte de mourir mouillèrent de sueur la sensible plante de ses pattes qui marquèrent des empreintes de fleurs sur le balcon stucqué.

Camille sembla faiblir la première, et disperser sa force criminelle. Elle commit la faute de remarquer que le soleil s'éteignait, donna un
50 coup d'œil à son bracelet-montre, prêta l'oreille à un tintement de cristaux dans l'appartement. Quelques instants encore et sa résolution, en l'abandonnant comme le sommeil quitte le somnambule, la laisserait innocente et épuisée... Saha sentit chanceler la fermeté de son ennemie, hésita sur le parapet et Camille, tendant les deux bras, la poussa dans le vide.

La Chatte (Grasset, éditeur).

Un store providentiel retiendra la chatte dans sa chute. Mais Alain, épouvanté par la jalousie de Camille, la quittera, emmenant avec lui Saha victorieuse.

———————

— 1 La maison a une forme *triangulaire*.

Visages de Colette

Colette dans le jardin de sa maison natale de Saint-Sauveur-en-Puisaye (Yonne).
(Ph. © X-D.R. – Coll. René Jacques – Arch. Photeb)

De Claudine à Colette

Que de chemin parcouru depuis l'adolescente (quinze ans : l'âge de Gigi) jusqu'à l'écrivain illustre, membre de plusieurs Académies et célèbre parmi les amis des chats!

Colette à Paris, dans son appartement du Palais-Royal.
(Ph. © Studio Tronchet – Arch. Photeb)

Sido, la passionnée

Composé sous le ciel lumineux de Saint-Tropez, *La Naissance du jour* est à la fois le livre de l'*émerveillement* et celui du *renoncement*. L'auteur évoque ici, dans sa profonde complexité, la personnalité de *sa mère* qui, elle, sut toujours préserver son âme de ce qui n'était pas sagesse et pureté. – THÈMES : *Femme. Famille. Morale. Nature.*

A n'en pas douter, ma mère savait, elle qui n'apprit rien, comme elle disait, « qu'en se brûlant », elle savait qu'on possède dans l'abstention, et seulement dans l'abstention. Abstention, consommation — le péché n'est guère plus lourd ici que là, pour les « grandes amoureuses » de sa sorte, — de notre sorte. Sereine et gaie auprès de l'époux, elle devenait agitée, égarée de passion ignorante, à la rencontre des êtres qui traversent leur moment sublime. Confinée dans son village, entre deux maris successifs et quatre enfants, elle rencontrait partout, imprévus, suscités pour elle, par elle, des apogées, des éclosions, des métamorphoses, des explosions de miracles, dont elle recueillait tout le prix.
10 Elle qui ménagea la bête, soigna l'enfant, secourut la plante, il lui fut épargné de découvrir qu'une singulière bête veut mourir, qu'un certain enfant implore la souillure, qu'une des fleurs closes exigera d'être forcée, puis foulée aux pieds. Son ignorance à elle, ce fut de voler de l'abeille à la souris, du nouveau-né à un arbre, d'un pauvre à un plus pauvre, d'un rire à un tourment. Pureté de ceux qui se prodiguent ! Il n'y eut jamais dans sa vie le souvenir d'une aile déshonorée, et, si elle trembla de désir autour d'un calice fermé, autour d'une chrysalide roulée encore dans sa coque vernissée, du moins elle attendit, respectueuse, l'heure. Pureté de ceux qui n'ont pas commis d'effraction ! Me voici contrainte, pour la renouer à moi, de rechercher le temps où ma mère
20 rêvait dramatiquement au long de l'adolescence de son fils aîné, le très beau, le séducteur. En ce temps-là, je la devinai sauvage, pleine de fausse gaîté et de malédiction, ordinaire, enlaidie, aux aguets. Ah ! que je la revoie ainsi diminuée, la joue colorée d'un rouge qui lui venait de la jalousie et de la fureur ! Que je la revoie ainsi et qu'elle m'entende assez pour se reconnaître dans ce qu'elle eût le plus fort réprouvé ! Que je lui révèle, à mon tour savante, combien je suis son impure survivance, sa grossière image, sa servante fidèle chargée des basses besognes ! Elle m'a donné le jour et la mission de poursuivre ce qu'en poète elle saisit et abandonna comme on s'empare d'un fragment de mélodie flottante, en voyage dans l'espace... Qu'importe la mélodie, à qui
30 s'enquiert de l'archet et de la main qui tient l'archet ?
Elle alla vers ses fins innocentes avec une croissante anxiété. Elle se levait tôt, puis plus tôt, puis encore plus tôt. Elle voulait le monde à elle, et désert, sous la forme d'un petit enclos, d'une treille et d'un toit incliné. Elle voulait la jungle vierge, encore que limitée à l'hirondelle, aux chats et aux abeilles, à la grande épeire [1] debout sur sa roue de dentelle argentée par la nuit. Le volet du voisin, claquant sur le mur, ruinait son rêve d'exploratrice incontestée, recommençait chaque jour à l'heure où la rosée froide semble tomber, en sonores gouttes inégales, du bec des merles. Elle quitta son lit à six heures, puis à cinq heures et, à la fin de sa vie, une petite lampe rouge s'éveilla, l'hiver, bien avant
40 que l'angélus battît l'air noir. En ces instants encore nocturnes ma mère chantait, pour se taire dès qu'on pouvait l'entendre. L'alouette aussi, tant qu'elle monte

---

— 1 Grosse araignée des jardins.

vers le plus clair, vers le moins habité du ciel. Ma mère montait et montait sans cesse sur l'échelle des heures, tâchant à posséder le commencement du commencement. Je sais ce que c'est que cette ivresse-là. Mais elle quêta, elle, un rayon horizontal et rouge et le pâle soufre qui vient avant le rayon rouge ; elle voulut l'aile humide que la première abeille étire comme un bras. Elle obtint, du vent d'été qu'enfante l'approche du soleil, sa primeur en parfums d'acacia et de fumée de bois ; elle répondit avant tous au grattement de pied et au hennissement à mi-voix d'un cheval, dans l'écurie voisine ; de l'ongle elle fendit
50 sur le seau du puits le premier disque de glace éphémère où elle fut seule à se mirer, un matin d'automne.   *La Naissance du jour* (Flammarion, éditeur).

SAISONS D'AUTREFOIS

Avec *Sido*, COLETTE a réalisé sans doute son plus éblouissant chef-d'œuvre. Dans l'extrait qu'on va lire, on retrouvera ce double aspect de son talent : susciter une saison jusqu'à la rendre sensible en ce qu'elle a de plus *fugitif :* une fleur, une bourrasque ; et, *simultanément*, la situer dans une autre dimension, celle du *passé*, des lointains du *souvenir* où apparaît ainsi, à la fois présente et poétisée, l'inoubliable *figure maternelle*. THÈMES : *Enfance. Femme. Famille. Nature. Souvenir.*

Il y avait dans ce temps-là de grands hivers, de brûlants étés. J'ai connu, depuis, des étés dont la couleur, si je ferme les yeux, est celle de la terre ocreuse, fendillée entre les tiges du blé et sous la géante ombrelle du panais [1] sauvage, celle de la mer grise ou bleue. Mais aucun été, sauf ceux de mon enfance, ne commémore le géranium écarlate et la hampe enflammée des digitales. Aucun hiver n'est plus d'un blanc pur à la base d'un ciel bourré de nues ardoisées qui présageaient une tempête de flocons plus épais, puis un dégel illuminé de mille gouttes d'eau et de bourgeons lancéolés... Ce ciel pesait sur le toit chargé de neige des greniers à
10 fourrages, le noyer nu, la girouette, et pliait les oreilles des chattes... La calme et verticale chute de neige devenait oblique, un faible ronflement de mer lointaine se levait sur ma tête encapuchonnée, tandis que j'arpentais le jardin, happant la neige volante... Avertie par ses antennes, ma mère s'avançait sur la terrasse, goûtait le temps, me jetait un cri :
— La bourrasque d'Ouest ! Cours ! Ferme les lucarnes du grenier !... La porte de la remise aux voitures !... Et la fenêtre de la chambre du fond !
Mousse exalté du navire natal, je m'élançais, claquant des sabots, enthousiasmée si du fond de la mêlée blanche et bleu-noir, sifflante, un vif éclair, un bref roulement de foudre, enfants d'Ouest et de Février,
20 comblaient tous deux un des abîmes du ciel... Je tâchais de trembler, de croire à la fin du monde.
Mais dans le pire du fracas ma mère, l'œil sur une grosse loupe cerclée de cuivre, s'émerveillait, comptait les cristaux ramifiés d'une poignée de neige qu'elle venait de cueillir aux mains mêmes de l'Ouest rué sur notre jardin...   *Sido* (Librairie Hachette, éditeur).

— 1 Variété courante d'ombellifères à fleurs jaunes.

L'HUMOUR

ANDRÉ MAUROIS

Né à Elbeuf en 1885, Émile HERZOG, qui s'est choisi le nom d'ANDRÉ MAUROIS, appartient à une famille d'industriels alsaciens. Élève d'Alain au lycée de Rouen, il révéla de bonne heure son *alacrité intellectuelle.* Son rôle d'officier de liaison auprès de l'armée britannique durant la guerre lui inspirera *Les Silences du colonel Bramble* (1918) et *Les Discours du docteur O'Grady* (1922). Entre *Bernard Quesnay* (1926) et *Le Cercle de famille* (1932), un roman habile, *Climats* (1928), devait lui conquérir un vaste public féminin.

Mais c'est surtout comme *biographe* qu'ANDRÉ MAUROIS s'est rendu célèbre. Après une première manière un peu romancée, selon le goût du moment (*Ariel ou la Vie de Shelley,* 1923 ; *La Vie de Disraeli,* 1927 ; *Byron,* 1930), il est parvenu plus tard à une sorte de maîtrise avec *A la recherche de Marcel Proust* (1949), *Lélia ou la Vie de George Sand* (1952), *Olympio ou la Vie de Victor Hugo* (1954), *Les Trois Dumas* (1957), *Adrienne ou la Vie de Mme de La Fayette* (1961), *Prométhée ou la Vie de Balzac* (1965).

Séduisant et souple, son talent a su encore aborder d'autres domaines : *Dialogues sur le commandement* (1924), *Études anglaises* (1927), *Aspect de la biographie* (1928), *Alain* (1949) ; enfin une attachante *Histoire d'Angleterre* (1937), suivie en 1947 d'une *Histoire des États-Unis,* et quatre livres de critique littéraire : *De La Bruyère à Proust* (1964), *De Proust à Camus* (1963), *De Gide à Sartre* (1965), *D'Aragon à Montherlant* (1967).

Disparu en 1967, André Maurois était académicien depuis 1938. Très connu à l'étranger, il trouve peut-être sa plus large audience dans les pays de langue anglaise.

Une *sagesse* quelque peu *sceptique,* faite de culture et d'opportunisme, apparaît dans une de ses œuvres les plus agréables, *Mes Songes que voici* (1933), dont le titre est une formule de Montaigne, en qui l'auteur s'est toujours cherché un maître.

« *On se voit d'un autre œil...* »

Au cours de la guerre de 1914, le quartier général britannique s'est installé en Flandre, dans le château de Vauclère. Une entente cordiale régit les rapports des officiers anglais avec l'interprète AURELLE, jeune et cultivé, ainsi qu'avec un nouveau venu au cantonnement, le capitaine BELTARA, peintre assez connu dont Aurelle avait entendu parler. La page qu'on va lire, assez menue, mais d'une écriture *élégante,* illustre un *thème classique* avec un *humour* exempt de toute amertume ; on y goûtera une agréable saveur *anglaise.*
THÈMES : *Beaux-arts. Littérature. Humour.*

Le capitaine Beltara et l'interprète Aurelle devinrent vite inséparables. Ils avaient des goûts communs et des métiers différents : c'est la recette même de l'amitié.

Aurelle admirait les croquis où le peintre notait les lignes souples de la campagne flamande ; Beltara jugeait avec indulgence les rimes assez pauvres du jeune homme.

— Vous devriez faire des portraits ici, mon capitaine, cela ne vous tente pas ? Il me semble que ces chairs d'Anglais, si bien colorées par le soleil et le choix heureux de leurs boissons...

10 — Eh ! oui, mon cher, c'est d'une jolie matière, mais je n'ai pas ce qu'il me faut. Et puis, accepteraient-ils de poser ?

— Tant que vous voudrez, mon capitaine ; je vous amènerai demain le petit Dundas [1], l'aide de camp : il n'a rien à faire, il sera enchanté.

Le lendemain, Beltara fit du lieutenant Dundas un croquis aux trois crayons : le jeune aide de camp posa assez bien ; il exigea seulement qu'on lui permît de s'occuper, c'est-à-dire de pousser des cris de chasse à courre, de faire claquer son fouet favori et de parler avec son chien.

— Ah, dit Aurelle à la fin de la séance, j'aime beaucoup ça... beaucoup vraiment. C'est à peine indiqué... Il n'y a rien et toute l'Angleterre est
20 là-dedans.

Avec les gestes rituels de l'amateur de tableaux qui caresse d'un mouvement circulaire de la paume des détails excellents, il loua la naïveté et le vide des yeux clairs, le doux éclat du teint et la candeur charmante du sourire.

Cependant l'éphèbe rose s'était planté devant son portrait, dans la pose classique du joueur de golf et tout en frappant de ses bras balancés une balle imaginaire, jugeait cette œuvre d'art avec sincérité.

— *My God !* fit-il... *my God...* quelle épouvantable chose ! où diable avez-vous vu, *old man,* que ma culotte de cheval se lace sur le côté ?

— Quelle importance cela a-t-il ? dit Aurelle, agacé.
30 — Quelle importance ? *My God !* Aimeriez-vous être pcint avec votre nez derrière l'orcille ? *My God !* cela me ressemble à peu près autant qu'à Lloyd George [2].

— La ressemblance est une qualité bien secondaire, dit Aurelle, méprisant ; ce qui est intéressant, ce n'est pas l'individu, c'est le type, c'est la synthèse de toute une race et de toute une classe ; un beau portrait, c'est de la littérature. Ce qui fait la valeur des maîtres espagnols... [...]

— *Well,* interrompit le jeune lieutenant Dundas, si vous vouliez faire lacer mes *breeches* [3] devant, je vous serais bien reconnaissant. J'ai l'air d'un damné fou ainsi.

*

La semaine suivante, Beltara qui s'était procuré des couleurs fit de bonnes
40 études à l'huile du colonel Parker et du major Knight. Le major, qui était gros, trouva son embonpoint exagéré.

— Oui, dit le peintre, mais avec le vernis... Et, d'un geste de ses mains qui se rapprochaient, il ramena ce ventre à des dimensions normales.

Le colonel, qui était maigre, aurait voulu qu'on le rembourrât.

— Oui, dit Beltara, mais avec le vernis...

Et ses mains, s'écartant lentement, promirent des dilatations surprenantes.

Ayant repris goût à son métier, il essaya quelques-uns des plus beaux types de la division. Ses portraits connurent des fortunes diverses, chaque modèle jugeant le sien médiocre et ceux des autres excellents.

Le Général Bramble et le Colonel O'Grady posent à leur tour et paraissent déçus...

50 — Que diable, dit Aurelle, un grand artiste ne peut pas peindre avec une houppette à poudre...

— Asseyez-vous là une minute, mon vieux, lui dit le capitaine-peintre, ça me fera plaisir de travailler d'après un modèle intelligent... Ils voudraient tous avoir l'air de gravures de mode pour tailleurs... Moi, vous comprenez, je ne peux pas sortir de ma nature ; je ne peins pas « pommade » : je fais ce que je

---

— 1 Celui-ci n'envisage comme « métier » pos- | golf. — 2 Homme politique anglais, Premier sible, après la guerre, que le secrétariat d'un club de | ministre de 1916 à 1922. — 3 Culottes de sport.

vois... c'est l'histoire de l'amateur dont parle Diderot, qui demandait un lion à un peintre de fleurs. — « Volontiers, dit l'artiste, mais comptez sur un lion qui ressemblera à une rose comme deux gouttes d'eau. »

— C'est évident, dit Aurelle. Quand Greuze fit le portrait de Bonaparte,
60 il lui donna le visage de la fillette de la *Cruche cassée.*

La conversation continua longtemps, amicale et technique ; Aurelle louait la peinture de Beltara ; Beltara disait sa joie d'avoir trouvé un critique aussi fin et qui jugeait les choses en artiste dans ce milieu de Philistins...

— Allons, mon vieux, venez voir, je crois qu'on peut laisser cette esquisse comme elle est.

Aurelle vint aux côtés du peintre et regarda, en hochant la tête, le dessin qui le représentait :

— C'est charmant, dit-il enfin avec un certain embarras, c'est charmant, il y a des coins délicieux, toute cette nature morte sur la table, on dirait un
70 petit Chardin, et j'aime beaucoup le fond.

— Eh bien ! mon vieux, je suis content que cela vous plaise. Emportez-le et donnez-le à votre femme !

— Euh ! soupira Aurelle. Merci, mon capitaine, vous êtes vraiment trop gentil... seulement, vous allez trouver cela idiot, mais, si c'est pour ma femme, j'aimerais que vous retouchiez un peu le profil... parce que... vous comprenez...

Et Beltara qui était bonhomme, orna le visage de son ami du nez grec et de la bouche petite que lui avaient refusés les dieux.

Les Discours du docteur O'Grady, chap. XVI (Grasset, éditeur).

MARCEL AYMÉ

Sa formation,   MARCEL AYMÉ (1902-1967) est né à Joigny (Yonne) de
      sa carrière   parents jurassiens dont les deux familles, villageoises,
               étaient, faute d'autre richesse, largement pourvues d'en-
fants. Il fut élevé par sa grand-mère au milieu des querelles de clocher, inévitables à l'époque, entre « laïques » et « cléricaux ». « Et moi, je trouvais, dit-il, que la religion ça se présentait mal. » Caricature de ces temps révolus, une page de *La Jument verte* (1933) racontera la résurrection d'un pseudo-mort sous le baiser miraculeux d'une République de plâtre ! En revanche, l'auteur du *Chemin des écoliers* (1946) a gardé bon souvenir de ses classes primaires car, selon lui, « l'enseignement du maître d'école et la vie campagnarde forment un tout cohérent ; l'hectare et le quintal, ce n'était pas pour moi des notions abstraites : l'un était représenté par un certain enclos et l'autre par des sacs de farine que je voyais manipuler au moulin chez mon oncle ». Parmi sa vaste parenté, le futur romancier s'initiait dès lors à ces rapports de famille, à ces interminables *conversations* qu'il saura faire revivre avec tant de vérité.

A la suite d'une grave maladie, le jeune homme dut renoncer à la carrière d'ingénieur et il entrait, vers sa vingtième année, dans une agence de presse : « J'étais un médiocre journaliste, dit-il à l'un de ses biographes, car je ne rapportais que ce que j'avais vu. » Cependant, il développait là ses qualités naturelles d'*observateur.*

En 1926, Marcel Aymé fait ses débuts de ROMANCIER avec *Brûlebois* et, après 1930, il se consacre entièrement à ses activités littéraires. S'il a rencontré, dans certains milieux, un peu de froideur au lendemain de l'occupation allemande, il se classe désormais auprès d'un large public comme un des meilleurs écrivains de sa génération. Très doué pour le *dialogue,* il a obtenu au THÉÂTRE de brillants succès avec diverses comédies, véridiques et poétiques, *Clérambard* (1950), *La Tête des autres* (1952), *Les Oiseaux de lune* (1956).

Humoriste **Dans la « prière d'insérer » d'un de ses premiers livres**
et satirique *Le Moulin de la Sourdine* (1936), le romancier attribuait
à l'un de ses personnages « une saine méfiance des
entraînements de la raison ». Un autre (*Gustalin*, 1937) aura du cœur « pour pleurer
la mort de sa première femme et il en aura encore pour en épouser une seconde ». Tel
est le ton le plus immédiatement sensible d'un écrivain qui sait la valeur de l'instinct,
qui n'aime pas à être dupe et qui admet très naturellement dans ses œuvres la présence
de créatures aussi aimablement fantastiques que la *Vouivre* (1943). Marcel Aymé semble
avoir déclaré la guerre à l'esprit de lourdeur et surtout à l'*imposture* qui, sous le nom
de « sérieux », abrite confort et conformisme. Quitte à heurter certains esprits peu
perspicaces, il a « démystifié » quelques basses ou cruelles manœuvres camouflées sous
les enseignes les plus flatteuses (*Uranus*, 1948).

« L'hypocrisie et le vague, mes deux bêtes d'aversion... », disait Stendhal. Stendhalien
avisé, Marcel Aymé en pourchasse une troisième, cette « bêtise au front de taureau »
dénoncée par un Baudelaire que, pourtant, brocardera un peu *Le Confort intellectuel* (1949).

Ambitions et prétentions, médiocrités et snobismes de toute espèce, voilà le gibier traqué
depuis *Travelingue* (1941) à travers un ensemble joyeux d'ouvrages où la *cocasserie* de
l'invention n'affaiblit en rien une *satire* (parfois assez verte) qui s'inscrit clairement dans
la lignée de Rabelais et de Molière.

Conteur et poète **Cependant, quel que soit son talent de romancier, c'est,**
sans doute, avec ses CONTES que Marcel Aymé a révélé
ses dons les plus précieux et les plus originaux. *Le Passe-muraille, La Traversée de Paris*
contiennent des nouvelles excellentes, et *Les Contes du chat perché* (1934-1950-1958)
atteignent à une sorte de perfection : Delphine et Marinette, entourées d'animaux
bien-disants, les écoliers montmartrois des *Bottes de sept lieues*, tant de figures amusantes
et poétiques font revivre la tradition de Perrault et de La Fontaine, dans des récits chargés
de sens où, sous une apparente légèreté, on découvre, comme par enchantement, le sourire
indulgent de la *sagesse*.

Revêtu de lumière...

DELPHINE et MARINETTE qui, entre leur école et leur ferme, vivaient bien sages,
reçoivent un jour la visite de leur cousine Flora, pécore à souliers vernis. Dès lors, elles
ne rêvent plus qu'élégances et fanfreluches. La contagion gagne tous les animaux de
la basse-cour, où on se met à jauger et à juger proportions et disproportions. Ainsi l'oie
va trouver le cou du coq... trop court, tandis que le COCHON espère, par la grâce d'un
régime, acquérir la beauté chatoyante du paon. L'esprit brouillé par le jeûne, le
malheureux animal se croit déjà pourvu d'une huppe et d'une traîne ; mais le chat le
persuade maintenant de manger beaucoup pour alimenter cette huppe et cette traîne
naissantes ! Voici la fin de ce conte (*Le Paon*), poétiquement irisée de douceur envers
l'absurde chimère. – THÈMES : *Animaux. Littérature. Humour.*

Quand il fut enfin rassasié, il se mit à gambader par la cour en criant à
tue-tête :

— J'ai une huppe ! J'ai une traîne ! J'ai une huppe ! J'ai une traîne !

Les bêtes de la ferme essayaient de le détromper, mais il les accusait d'être
jalouses ou d'avoir les yeux dans leurs poches. Le lendemain, il eut une longue
discussion avec le coq et celui-ci, lassé par son entêtement, abandonna la partie
en soupirant :

— Il est fou... il est complètement fou...

Les témoins, qui étaient nombreux, éclatèrent d'un grand rire dont le cochon
10 se trouva tout décontenancé. Durant plus d'une heure, une couvée de poussins
s'attacha à ses pas en piaillant :

— Il est fou !... Au fou !... Il est fou !...

Et les autres volailles ne se tenaient pas de ricaner et d'avoir des mots
désobligeants quand il passait devant elles. Dès lors, le cochon s'abstint de
parler à personne de sa huppe ou de sa traîne. Quand il traversait la cour,
il allait toujours la tête en arrière, tellement rengorgé qu'on se demandait s'il
n'avait pas avalé un os qui lui fût resté en travers du gosier, et si quelqu'un
venait à passer derrière lui, même à bonne distance, il faisait vivement un saut
en avant, comme s'il eût craint qu'on lui marchât sur la queue. L'oie le montrait
20 alors aux deux petites, leur disant :

— Vous voyez ce qui arrive quand on est trop occupé de sa beauté. On
devient fou comme le cochon.

Les petites, en l'entendant parler ainsi, plaignaient leur pauvre cousine Flora
qui devait avoir perdu la tête depuis longtemps. Pourtant, Marinette, qui était
un peu plus blonde que sa sœur, ne pouvait pas s'empêcher d'admirer le cochon.

Un matin de soleil, le cochon partit pour une longue promenade dans la
campagne. Au retour, le temps se couvrit et il y eut de grands éclairs au-dessus
de lui, de quoi il ne fut pas surpris, pensant apercevoir sa huppe balancée sur
sa tête par le vent. Il trouva toutefois qu'elle avait beaucoup grandi et
30 qu'elle était maintenant aussi importante qu'on pouvait souhaiter. Cependant,
la pluie se mit à tomber très serrée et il se réfugia un moment sous un arbre
en prenant garde à baisser la tête pour ne pas abîmer sa huppe.

Le vent s'étant apaisé et la pluie tombant moins serrée, le cochon se remit
en marche. Lorsque la ferme fut en vue, à peine tombait-il encore quelques
gouttes et le soleil passait déjà entre les nuages. Delphine et Marinette sortaient
de la cuisine en même temps que leurs parents, et la volaille quittait la remise
où elle avait trouvé abri. Au moment où le cochon allait entrer dans la cour,
les petites pointèrent le doigt dans sa direction en criant :

— Un arc-en-ciel ! Ah ! qu'il est beau !

40 Le cochon tourna la tête et à son tour poussa un cri. Derrière lui, il apercevait
sa traîne déployée en un immense éventail.

— Regardez ! dit-il. Je fais la roue !

Delphine et Marinette échangèrent un regard attristé, tandis que les bêtes
de la basse-cour parlaient entre elles à voix basse en hochant la tête.

— Allons, assez de comédie, firent les parents. Rentre dans ta soue. Il est
l'heure.

— Rentrer ? dit le cochon. Vous voyez bien que je ne peux pas. Ma roue
est trop large pour que je puisse pénétrer seulement dans la cour. Elle ne passera
jamais entre ces deux arbres.

50 Les parents eurent un mouvement d'impatience. Ils parlaient déjà de prendre
une trique, mais les petites s'approchèrent du cochon et lui dirent avec amitié :

— Tu n'as qu'à refermer tes plumes. Ta traîne passera facilement.

— Tiens, c'est vrai, fit le cochon. Je n'y aurais pas pensé. Vous comprenez,
le manque d'habitude...

Il fit un grand effort qui lui creusa l'échine. Derrière lui, l'arc-en-ciel fondit
tout d'un coup et se déposa sur sa peau en couleurs si tendres, et si vives aussi,
que les plumes du paon, à côté, eussent été comme une grisaille.

Les Contes du chat perché (Librairie Gallimard, éditeur).

LA POÉSIE DEPUIS 1940

Situation
de la poésie
Bien que la lecture de la poésie ait peut-être souffert de la puissante diffusion du roman et de l'élargissement de son domaine, il se pourrait que le XXᵉ siècle apparût comme *une grande époque poétique*. Non seulement en effet la poésie « continue », mais surtout, à partir d'Apollinaire et des surréalistes et autour d'eux, l'originalité, la fécondité, l'audace de la poésie française peuvent rappeler la ferveur du XVIᵉ siècle ou de l'âge romantique. Certes, cette poésie ne connaît pas les gros tirages ni ne bénéficie, sauf exception, des avantages de la publicité littéraire ; mais elle y gagne d'avoir pu conserver sa pureté, et d'avoir choisi, pour principal propos, la recherche ardente des multiples richesses dont cette pureté même autorise la découverte.

La Poésie
et le Poète
Autre conséquence des circonstances littéraires : la poésie devient avant tout *l'affaire du poète ;* il n'y a plus d'écoles, mais des tendances et des affinités, parfois des chapelles. Les thèmes éternels sont toujours vivants : la Nature et Dieu, la Vie, la Mort et l'Amour, la Terre et la peine des Hommes ; mais chaque poète les éprouve, plus que jamais, et les exprime, selon la jalouse particularité de son âme et de son langage. Les querelles poétiques — car il y en a toujours — n'atteignent que rarement le grand public et ne concernent guère que les initiés, mais on en retrouve un peu partout les échos persistants, même au-delà de la littérature, dans le cinéma et la peinture par exemple.

Aussi l'esprit de ce temps serait-il gravement méconnu, si l'on négligeait le témoignage de sa poésie. Difficile d'accès, écrite dans un langage parfois hermétique, elle n'en est pas moins fidèle à *sa vocation d'écho sonore :* en elle se retrouvent les nostalgies, les inquiétudes, les désespoirs, les ardeurs et les « mystiques » d'un *âge de crise et de désarroi,* mais aussi *de ferveur, de foi et de colère.* Peut-être — comme au XVIᵉ siècle — *la conjonction de l'inquiétude et de la ferveur* lui a-t-elle donné une impulsion décisive.

Continuité poétique
La Seconde Guerre mondiale n'interrompt pas la création poétique. BRETON, exilé aux États-Unis, relance le mouvement surréaliste après son retour en France (cf. p. 374). DESNOS, MAX JACOB paient de leur vie leur engagement patriotique (cf. p. 378, 402). Mais ÉLUARD et ARAGON, qui ont aussi participé à la poésie de la Résistance (cf. p. 381 ; 385-392), poursuivront après la guerre leur œuvre personnelle, ainsi que COCTEAU, REVERDY et SUPERVIELLE.

*

La poésie
de la Résistance
L'épisode tragique de la guerre, de la captivité, de l'Occupation et de la Résistance (1939-1945) provoque une véritable *relance poétique.* Dès 1940, des noyaux de ferveur poétique se constituent en certains lieux, dont le nom mérite de figurer dans une histoire, même rapide, de la poésie : Lyon, Toulouse et Carcassonne, Marseille, mais aussi de petites villes, Dieulefit, dans la Drôme, ou Villeneuve-lès-Avignon. Là sont « nés » des poètes et ont vu le jour des œuvres importantes. Les revues se multiplient alors qui, se proposant d'incarner une « résistance spirituelle », font une place considérable à la poésie, seul langage capable d'affirmer encore, symboliquement, la liberté : citons, à Marseille, les *Cahiers du Sud ;* à Lyon et Saint-Étienne, *Confluences* et *Positions ;* à Alger, *Fontaine ;* à Toulouse, *Pyrénées ;* à Villeneuve-lès-Avignon enfin, *Poésie 40, 41,* etc., sous la direction de Pierre Seghers, qui continue ainsi l'entreprise inaugurée pendant la guerre avec *Poètes casqués,* et poursuivie d'autre part avec *Poètes prisonniers.* A cette énumération il faut joindre l'œuvre importante accomplie en Suisse par les *Cahiers du Rhône,* fondés par Albert Béguin, spécialiste de la poétique moderne avec ses études sur Gérard de Nerval et sa thèse sur *L'Ame romantique et le rêve.* La plupart de ces revues deviennent aussi des maisons d'édition, à la situation financière précaire, aux publications quasi confidentielles, mais comme par miracle leur rayonnement est considérable.

C'est que la poésie s'affirme alors comme une expérience de *liberté,* dans le démenti vivant d'événements historiques intolérables. *Engagée,* elle l'est le plus souvent, dans la mesure où elle prend appui sur cette histoire même et sur la protestation qu'elle suscite. Mais elle peut tout aussi bien remonter aux sources et faire revivre les grands mythes, celui d'*Orphée* par exemple, ou donner une nouvelle fraîcheur au lyrisme de la nature et de l'amour. C'est en effet une manière de protester contre ce que les poètes appelaient alors l'Apocalypse que de redécouvrir aussi la vertu des choses simples ; et cette Apocalypse replace la poésie sous l'influence de la grande inspiratrice, la solitude :

> *Me voici seul avec ma voix*
> *j'entends le dernier pas qui balaye la route*
> *et le silence tombe enfin comme l'ombre d'une feuille.*
>
> *Me voici seul avec ma voix, un nouveau jeu commence*
> *puisque le sang torride dont je m'étais vêtu*
> *rejeté vers la mer écrase d'autres naufrages,*
> *c'est de mon propre sang que je teindrai les murs*
> *mon sang hanté de l'âme neuve des lecteurs du ciel.*
>
> (Alain Borne, *Contre-feu,* Cahiers du Rhône, 1942).

Mais *la protestation et la solitude* se conjuguent avec le troisième grand thème de cette poésie, *l'inquiétude de la sympathie et de la communion,* face au visage défiguré de l'humanité en guerre :

> *Il y en a qui prient, il y en a qui fuient,*
> *Il y en a qui maudissent et d'autres réfléchissent,*
> *Courbés sur leur silence, pour entendre le vide,*
> *Il y en a qui confient leur panique à l'espoir,*
> *Il y en a qui s'en foutent et s'endorment le soir*
> *Le sourire aux lèvres.*
>
> *Et d'autres qui haïssent, d'autres qui font du mal*
> *Pour venger leur propre dénuement.*
> *Et s'abusant eux-mêmes se figurent chanter.*
> *Il y a tous ceux qui s'étourdissent...*
>
> *Il y en a qui souffrent, silence sur leur silence,*
> *Il en est trop qui vivent de cette souffrance.*
> *Pardonnez-nous, mon Dieu, leur absence.*
> *Il y en a qui tuent, il y en a tant qui meurent.*
>
> *Et moi, devant cette table tranquille,*
> *Écoutant la mort de la ville,*
> *Écoutant le monde mourir en moi*
> *Et mourant cette agonie du monde.*
>
> (René Tavernier, *Positions,* 10 juillet 1943).

Certes, à un regard superficiel, cette poésie de la Résistance peut paraître un épisode sans suite. Il est né alors beaucoup de poètes, et il en a peu survécu. Mais l'inspiration avait traversé *une expérience humaine* qui, jointe à l'héritage des années 1920-1940, explique certains aspects parmi les plus importants de la poésie contemporaine. Et la signification, pour la poésie, de cette expérience a sans doute été au mieux exprimée par l'un des plus authentiques poètes de cette génération : « La guerre me révéla cette *sensibilité spirituelle* que je n'ai cessé de traduire depuis, et d'abord dans mes œuvres "de résistance"... Je les ai écrites pour *dire* la douleur, l'élever à l'absolu... et nommer l'esprit du Mal qui l'inflige » (P. Emmanuel, Préface à l'anthologie de ses œuvres dans la collection *Poètes d'aujourd'hui*).

Poésie depuis 1945   Les extraits qui suivent ne respectent pas l'ordre chronologique. Ils reflètent l'ouverture de l'éventail poétique : attention au quotidien, communion avec la nature, intérêt pour les objets et les choses, fantaisie et humour, exorcisme de l'hostilité du monde, épopée intérieure, voies du sacré et de la mystique, poésie de la négritude.

POÉSIE DU QUOTIDIEN

Jacques Prévert   JACQUES PRÉVERT (1900-1977) fut quelque peu lié avec les surréalistes ; il en a surtout retenu, avec une sensibilité souvent anarchisante, une attention systématique à tout ce qui, dans la réalité la plus quotidienne, recèle *un ferment actif de liberté* : les choses et les êtres parlent un langage à la fois proche et inattendu. Il en retient aussi *le naturel concerté* de tout ce qu'enferme de *charme hétéroclite* l'enregistrement verbal des choses, des êtres et des gens. Jacques Prévert, qui fut aussi au cinéma un brillant scénariste, connut la popularité avec *Paroles* (1945), recueil suivi d'*Histoires* (1946), *Spectacle* (1951), *L'Opéra de la lune* (1953), *La Pluie et le beau temps* (1955), *Choses et autres* (1973).

Pour faire le portrait d'un oiseau

La poésie de PRÉVERT est volontiers visuelle, mais avec une nuance de flou qui enveloppe les images d'un halo magique. Ainsi pour l'oiseau dont le « portrait » devra donner réalité sensible à tout ce que suggère de rêve et de caprice la vision de la cage au détour d'une rue. En effet les êtres les plus simples, perdus dans le monde des hommes, parlent au poète une parole riche de sensibilité, dont la liberté rythmique s'inscrit dans le mouvement même du « tableau ». – THÈME : *Humour.*

Peindre d'abord une cage
avec une porte ouverte
peindre ensuite
quelque chose de joli
quelque chose de simple
quelque chose de beau
quelque chose d'utile
pour l'oiseau
placer ensuite la toile contre un arbre
10 dans un jardin
dans un bois
ou dans une forêt
se cacher derrière l'arbre
sans rien dire
sans bouger [...]
Quand l'oiseau arrive
s'il arrive
observer le plus profond silence
attendre que l'oiseau entre dans la cage
20 et quand il est entré
fermer doucement la porte avec le
    pinceau

Paroles (Librairie Gallimard, éditeur).

puis
effacer un à un tous les barreaux
en ayant soin de ne toucher aucune
    des plumes de l'oiseau
Faire ensuite le portrait de l'arbre
en choisissant la plus belle de ses
    branches
pour l'oiseau   30
peindre aussi le vert feuillage et la
    fraîcheur du vent
la poussière du soleil
et le bruit des bêtes de l'herbe dans
    la chaleur de l'été
et puis attendre que l'oiseau se décide
    à chanter
Si l'oiseau ne chante pas
c'est mauvais signe
signe que le tableau est mauvais   40
mais s'il chante c'est bon signe
signe que vous pouvez signer
alors vous arrachez tout doucement
une des plumes de l'oiseau
et vous écrivez votre nom dans un
    coin du tableau.

Familiale

A côté du charmant PRÉVERT, il existe un *poète libertaire* dont la passion se tourne en *anarchisme* virulent, dans la ligne de sa jeunesse surréaliste. Avec une verve insolente, la fantaisie verbale unissant provocation et cocasserie, il s'attaque à tout ce qui relève de l'ordre social établi (famille, armée, police, justice, politique, Église), et sa protestation suggère une vision du monde et de la société. – THÈMES : *Société. Littérature. Morale.*

> La mère fait du tricot
> Le fils fait la guerre
> Elle trouve ça tout naturel la mère
> Et le père qu'est-ce qu'il fait le père ?
> Il fait des affaires
> Sa femme fait du tricot
> Son fils la guerre
> Lui des affaires
> Il trouve ça tout naturel le père
> 10 Et le fils et le fils
> Qu'est-ce qu'il trouve le fils ?
> Il ne trouve rien absolument rien le fils
> Le fils sa mère fait du tricot son père des affaires lui la guerre
> Quand il aura fini la guerre
> Il fera des affaires avec son père
> La guerre continue la mère continue elle tricote
> Le père continue il fait des affaires
> Le fils est tué il ne continue plus
> Le père et la mère vont au cimetière
> 20 Ils trouvent ça tout naturel le père et la mère
> La vie continue la vie avec le tricot la guerre les affaires
> Les affaires la guerre le tricot la guerre
> Les affaires les affaires et les affaires
> La vie avec le cimetière.

Paroles (Librairie Gallimard, éditeur).

LA TERRE ET LES HOMMES

René Char   RENÉ CHAR (1907-1988) côtoya un moment le surréalisme et collabora, après 1929, à l'entreprise d'André Breton (cf. *Le Marteau sans maître*, 1934). A cette expérience il doit peut-être l'essentiel de son langage, son goût du poème en prose, son sens des possibilités poétiques du mystère verbal, tout ce qui rend sa poésie parfois difficile d'accès. Chef d'un « maquis » en Provence, son pays natal, il fut de ceux que l'expérience de la guerre et de la Résistance transforma profondément (cf. le témoignage de *Feuillets d'Hypnos,* 1946). Désormais, à travers ce qu'il appelle volontiers l'*incantation du langage,* il rejoint l'universel humain et il n'est pas malaisé de retrouver chez lui une sorte de *romantisme éternel,* qui s'inscrit par exemple dans le dialogue difficile de la nature et du cœur humain. Ses recueils significatifs sont *Le Poème pulvérisé* (1947), repris dans *Fureur et Mystère* (1948), et *La Parole en archipel* (1962). En 1964, il publie une anthologie sous un titre révélateur : *Commune Présence* (éd. revue et augmentée en 1978). — Ses *Œuvres complètes* ont paru dans la « Pléiade » en 1983.

L'ALLÉGRESSE

Dans *l'Argument* qu'il rédigea pour *Le Poème pulvérisé*, Char écrivait : *Les hommes d'aujourd'hui veulent que le poème soit à l'image de leur vie, faite de si peu d'égards, de si peu d'espace, et brûlée d'intolérance.* Aussi son regard poétique se porte-t-il sur la relation tragique entre le cœur humain et les images du monde. *L'Allégresse* elle-même ne saurait être ni évasion ni illusion, mais plutôt conscience aiguë d'une vérité lucidement saisie, et c'est le verbe poétique qui se fait le fidèle *opérateur* de cette conscience.

Les nuages sont dans les rivières, les torrents parcourent le ciel. Sans saisie les journées montent en graine, meurent en herbe. Le temps de la famine et celui de la moisson, l'un sous l'autre dans l'air haillonneux, ont effacé leur différence. Ils filent ensemble, ils bivaquent ! Comment la peur serait-elle distincte de l'espoir, passant raviné ? Il n'y a plus de seuil aux maisons, de fumée aux clairières. Est tombé au gouffre le désir de chaleur — et ce peu d'obscurité dans notre dos où s'inquiétait la primevère dès qu'épiait l'avenir.

Pont sur la route des invasions, mentant au vainqueur, exorable au défait. Saurons-nous, sous le pied de la mort, si le cœur, ce gerbeur, ne doit pas précéder mais suivre ?   *La Parole en archipel* (Librairie Gallimard, éditeur).

Pourquoi la journée vole

Le verbe poétique de René Char tend, à force de conscience et de rigueur, à se concentrer dans des images elliptiques jusqu'à atteindre le dépouillement même de la maxime, et la parole du poète culmine dans la plénitude condensée de la *maxime poétique : Je chante la chaleur à visage de nouveau-né, la chaleur désespérée.* Quant au *personnage du poète et à sa vocation propre,* à la particularité de ses pouvoirs, à sa relation avec le monde et les hommes, voici l'image qu'en donne un poème clé de *La Parole en archipel :*

Le poète s'appuie, durant le temps de sa vie, à quelque arbre, ou mer, ou talus, ou nuage d'une certaine teinte, un moment, si la circonstance le veut. Il n'est pas soudé à l'égarement d'autrui. Son amour, son saisir, son bonheur ont leur équivalent dans tous les lieux où il n'est pas allé, où jamais il n'ira, chez les étrangers qu'il ne connaîtra pas. Lorsqu'on élève la voix devant lui, qu'on le presse d'accepter des égards qui retiennent, si l'on invoque à son propos les astres, il répond qu'il est du pays d'*à côté,* du ciel qui vient d'être englouti.

Le poète vivifie puis court au dénouement.

Au soir, malgré sur sa joue plusieurs fossettes d'apprenti, c'est un passant courtois qui brusque les adieux pour être là quand le pain sort du four.

Commune Présence, 6 (Librairie Gallimard, éditeur).

Le mobile profond de son Art poétique, CHAR *l'a clairement formulé dès* Le Marteau sans maître *(1934 ; texte de* Commune Présence, *1964) :* « *Tu es pressé d'écrire, — Comme si tu étais en retard sur la vie. — S'il en est ainsi fais cortège à tes sources. — Hâte-toi, — Hâte-toi de transmettre — Ta part de merveilleux, de rébellion, de bienfaisance.* »

Et dans Les Dentelles de Montmirail *(* La Parole en archipel, *1962), il affirme :* « *La poésie vit d'insomnie perpétuelle. — La réalité ne peut être franchie que soulevée. — L'essentiel est ce qui nous escorte, en temps voulu, en allongeant la route.* »

LES OBJETS ET LES CHOSES

Francis Ponge   Dès 1942, PONGE (1899-1988) avait clairement affirmé sa poétique au titre même du recueil qui le rendit alors célèbre, *Le Parti pris des choses ;* si Mallarmé avait prétendu donner l'initiative aux *mots,* c'est des *choses* que Ponge prend le parti, et à elles qu'il réserve l'initiative. En 1963, dans un « poème-art poétique », il définissait la fonction du poète dans le sens d'une sorte de poésie de *l'objectivité : A chaque instant — J'entends — Et, lorsque m'en est donné le loisir, — J'écoute — Le monde comme une symphonie — Et bien qu'en aucune façon je ne puisse croire que j'en dirige l'exécution — Néanmoins il est en mon pouvoir de manier en moi certains engins ou dispositifs... ».* Il est clair, dès lors, que se trouvent ainsi radicalement contestées la poétique, d'origine baudelairienne et mallarméenne, d'un pouvoir *créateur* du langage, et, du même coup, l'hypothèse d'une éventuelle rédemption poétique ou esthétique. Il y a là au contraire une soumission absolue de la poésie à *l'objet,* caractéristique d'un des grands courants de la littérature contemporaine, et, en même temps, une définition de la poésie comme enregistrement verbal d'*existences pures* qui n'est pas sans relation avec l'existentialisme (cf. p. 701). Aussi donne-t-il volontiers sa préférence, du point de vue technique, à la forme du *poème en prose.* Il fabriquera le néologisme *Proèmes,* qui servira de titre à un recueil de 1948 : le mot résulte de la contamination de *prose* et de *poème.* Il s'agit bien de la mise en jeu de procédés objectifs d'enregistrement qui, d'ordinaire, relèvent de la prose ; mais la poésie n'en est pas moins présente, qui, en poussant l'objectivité du langage jusqu'à ses extrêmes limites, dégage de l'objet toute sa charge poétique de mystère ou d'insolite. Outre *Le Parti pris des choses* (1942) et *La Rage de l'expression* (1952), citons *Le Grand Recueil* (1961), *Le Savon* (1967).

L'ŒILLET. — A bout de tige se déboutonne hors d'une olive souple de feuilles un jabot merveilleux de satin froid avec des creux d'ombre de neige viride où siège encore un peu de chlorophylle, et dont le parfum provoque à l'intérieur du nez un plaisir juste au bord de l'éternuement.

La Rage de l'expression (Librairie Gallimard, éditeur).

LA PLUIE. — La pluie, dans la cour où je la regarde tomber, descend à des allures très diverses. Au centre c'est un fin rideau (ou réseau) discontinu, une chute implacable mais relativement lente de gouttes probablement assez légères... A peu de distance des murs de droite et de gauche tombent avec plus de bruit des gouttes plus lourdes, individuées. Ici elles semblent de la grosseur d'un grain de blé, là d'un pois, ailleurs presque d'une bille. Sur des tringles, sur les accoudoirs de la fenêtre la pluie court horizontalement tandis que sur la face inférieure des mêmes obstacles elle se suspend en berlingots convexes.

Le Parti pris des choses (Librairie Gallimard, éditeur).

PONGE est un maître dans le maniement de ces « engins et dispositifs » dont il parle lui-même (en particulier l'*analogie*). Il est, en outre, l'initiateur d'un courant poétique auquel un Prévert n'est pas étranger, et qui sera illustré par EUGÈNE GUILLEVIC (né en Bretagne en 1907), avec cependant une nuance tragique qui se fait jour au-delà de la pure objectivité (*Terraqué,* 1942) et débouche éventuellement sur la peur ou la révolte : « *Soleil mangeur de chair — Rives criant de faim — Cris des volailles égorgées — Font se dresser les arbres aux bords des marécages — Où les poissons s'écaillent sur la vase assoiffée.* » Les autres œuvres de GUILLEVIC s'intitulent *Exécutoire* (1947), *Sphère* (1963), *Avec* (1966), *Euclidiennes* (1967), *Villes* (1969), *Racines* (1973), *Harpes* (1980), *Trouées, Poèmes 1973-1980* (1981), *Nuit* (1983), *Autrefois* (1984).

FANTAISIE ET HUMOUR

Boris Vian   Dramaturge et romancier (cf. p. 748), Boris Vian (1920-1959) est aussi poète et chansonnier, et, à cet égard, proche de Prévert. La fantaisie humoristique qui est sa marque personnelle se donne libre cours dans les poèmes-chansons composés, pour la plupart, entre 1954 et 1956, après *Cantilènes en gelée* (1950).

Complainte du progrès

Empruntant à la tradition populaire la forme de la complainte (comme Laforgue avec qui il n'est pas sans quelque parenté, cf. *XIXᵉ Siècle*, p. 540), Boris Vian ironise sur le « changement » dans les moyens de la séduction amoureuse. – THÈME : *Humour.*

Autrefois pour faire sa cour
On parlait d'amour
Pour mieux prouver son ardeur
On offrait son cœur
Maintenant c'est plus pareil
Ça change Ça change
Pour séduire le cher ange
On lui glisse à l'oreille
Ah... Gudule !... Viens m'embrasser...
10   Et je te donnerai

Un frigidaire
Un joli scooter
Un atomixer
Et du Dunlopillo
Une cuisinière
Avec un four en verre
Des tas de couverts
Et des pell' à gâteaux
Une tourniquette
20 Pour fair' la vinaigrette
Un bel aérateur
Pour bouffer les odeurs
Des draps qui chauffent
Un pistolet à gaufres
Un avion pour deux
Et nous serons heureux.

Autrefois s'il arrivait
Que l'on se querelle
L'air lugubre on s'en allait
30 En laissant la vaisselle
Aujourd'hui, que voulez-vous
La vie est si chère
On dit rentre chez ta mère
Et on se garde tout
Ah... Gudule !... Excuse-toi...
     ou je reprends tout ça

Mon frigidaire
Mon armoire à cuillers
Mon évier en fer
Et mon poêl' à mazout   40
Mon cire-godasses
Mon repasse-limaces
Mon tabouret à glace
Et mon chasse-filou
La tourniquette
A faire la vinaigrette
Le ratatine-ordures
Et le coupe-friture,
Et si la belle
Se montre encore rebelle   50
On la fiche dehors
Pour confier son sort

Au frigidaire
A l'efface-poussière
A la cuisinière
Au lit qu'est toujours fait
Au chauffe-savates
Au canon à patates
A l'éventre-tomates
A l'écorche-poulets   60
Mais très très vite
On reçoit la visite
D'une tendre petite
Qui vous offre son cœur
Alors on cède
Car il faut qu'on s'entraide

Et l'on vit comme ça   }
Jusqu'à la prochaine fois. } ter

Textes et Chansons (Julliard, éditeur).

EXORCISME DE L'HOSTILITÉ

Henri Michaux   La poésie d'HENRI MICHAUX (1899-1984) est l'une des plus *neuves* de notre temps. Venu de Namur en Belgique, ce poète n'a cessé de ressentir comme une blessure la présence du monde. Profondément sensible à la condition *désarmée* de l'homme, il découvre, dès sa jeunesse, que la seule arme qui lui reste est le langage ; il décide de s'en servir pour se défendre et pour attaquer. De là vient le rôle que joue dans cette œuvre *l'humour,* mais c'est un humour métaphysique, qui change les conditions mêmes de l'être par l'agressivité du langage qui le nomme. Michaux a créé un personnage, qu'il appelle *Plume (Un certain Plume,* 1930 ; *Plume,* 1937) et dont le symbolisme est évident ; il ne cesse, un peu à la manière du Charlot de Chaplin, de se heurter au monde : de ces chocs naissent des *étincelles verbales* humoristiques et fascinantes ; et ainsi la fatalité d'un monde hostile se trouve à la fois « encaissée » et exorcisée par le langage, qui joue à son égard le rôle d'une sorte de boomerang. Provoqué par le monde dans son heurt avec le poète, le langage finalement se retourne contre son ennemi en le transformant ; il n'est donc pas étonnant que le langage se refuse à imiter le monde, mais le rompe plutôt et le désarticule pour le vaincre. Ce poète est aussi un dessinateur dont l'*œuvre graphique,* inséparable de sa poésie, multiplie les hiéroglyphes. Ainsi, dans l'alphabet, la pureté linéaire de la lettre, considérée comme un idéogramme, est, à ses yeux, l'ultime, mais éternel, résidu de l'Être même.

Michaux, qui a débuté en 1922 avec *Cas de folie circulaire, les idées philosophiques de* « *Qui je fus »,* est l'auteur d'une œuvre poétique très abondante, où l'on retiendra surtout : *Qui je fus* (1927), *La Nuit remue* (1931), *Voyage en Grande Garabagne* (1936), *Plume, précédé de Lointain intérieur* (1938), *Exorcismes* (1943), *Apparitions* (1946), *Meidosems* (1948), *Passages* (1950), *Vents et Poussières* (1962), *Façons d'endormi, façons d'éveillé* (1969), *Émergences, Résurgences* (1972), *Choix de poèmes* (1976), *Mouvements* (1982), *Déplacements, dégagements* (posthume, 1985), *Affrontements* (posthume, 1986).

Icebergs

L'image du froid et de la glace est un des aspects les plus obsédants du monde hostile. Les icebergs représentent cette hostilité fatale et familière, la tentation du désespoir et du néant (pour l'auteur, ils évoquent d'*augustes Bouddhas gelés*). Mais cette familiarité même tend finalement à les exorciser et le poème s'achève sur une note de tendresse pour cette glace rendue inoffensive par sa parenté avec les *îles* et les *sources*.

Icebergs, sans garde-fou, sans ceinture, où de vieux cormorans abattus et les âmes des matelots morts récemment viennent s'accouder aux nuits enchanteresses de l'hyperboréal.

Icebergs, Icebergs, cathédrales sans religion de l'hiver éternel, enrobés dans la calotte glaciaire de la planète Terre.

Combien hauts, combien purs sont tes bords [1] enfantés par le froid.

Icebergs, Icebergs, dos du Nord-Atlantique, augustes Bouddhas gelés sur des mers incontemplées, Phares scintillants de la Mort sans issue, le cri éperdu du silence dure des siècles.

Icebergs, Icebergs, Solitaires sans besoin [2], des pays bouchés, distants, et libres de vermine. Parents des îles, parents des sources, comme je vous vois, comme vous m'êtes familiers.

         La Nuit remue (Librairie Gallimard, éditeur).

— 1 Les *bords* de la *calotte glaciaire.* — 2 Il s'agit donc de solitude pure, *absolue.*

Poésie et expression plastique

Georges Braque, eau-forte (1962) pour « L'Ordre des oiseaux » de Saint-John Perse (cf. **p. 620***).* (Bibliothèque Nationale, Paris. Ph. © Bibl. Nat. – Arch. Photeb © by ADAGP 1988)

Henri Michaux,
fantasmagorie
graphique (cf. **p. 618***).*
(Encre. Coll. Gisèle Freund.
Ph. © Gisèle Freund
© by ADAGP 1988)

« Si je tiens à aller
par des traits plutôt
que par des mots,
c'est toujours pour
entrer en relation
avec ce que j'ai de
plus précieux, de plus
vrai, de plus replié,
de plus mien. »

Alphabet

Même la Mort peut être exorcisée par le langage, et la poésie est une sorte de *réduction hiéroglyphique* des choses et des êtres. Et dans la disproportion entre la ténuité de l'idéogramme alphabétique et l'immensité même de l'évocation d'un *autre monde* réside l'essentiel de *l'humour* et de *la vérité* poétiques.

Tandis que j'étais dans le froid des approches de la mort, je regardai comme pour la dernière fois les êtres, profondément.

Au contact mortel de ce regard de glace, tout ce qui n'était pas essentiel disparut.

Cependant je les fouaillais, voulant retenir d'eux quelque chose que même la Mort ne pût desserrer.

Ils s'amenuisèrent, et se trouvèrent enfin réduits à une sorte d'alphabet, mais à un alphabet qui eût pu servir dans l'autre monde, *dans n'importe quel monde* [1].

Par là, je me soulageai de la peur qu'on ne m'arrachât tout entier à l'univers où j'avais vécu.

Raffermi par cette prise, je le contemplais, invaincu, quand le sang avec la satisfaction, revenant dans mes artérioles et mes veines, lentement je regrimpai le versant ouvert de la vie [2]. *Exorcismes* (Librairie Gallimard, éditeur).

L'ÉPOPÉE INTÉRIEURE

Saint-John Perse   Issu d'une ancienne famille de la Guadeloupe, Alexis Saint-Léger devait accomplir, sous le nom d'ALEXIS LÉGER (1887-1975), une brillante carrière diplomatique comme secrétaire général du ministère des Affaires étrangères. Sous le pseudonyme précieux et bizarre de SAINT-JOHN PERSE, il se révéla comme poète dès 1924, lorsque parut, dans une édition partielle, son recueil *Anabase ;* mais, bien que d'une génération plus ancienne, il est littéralement, comme Marie Noël, P.-J. Jouve ou Milosz, contemporain de plus jeunes poètes ; car il interdit la publication en France de ses œuvres tant qu'il continua d'appartenir à la carrière active des Affaires étrangères. Révoqué par le gouvernement de Vichy, il se retira en 1940 aux États-Unis où il s'établit définitivement. Il fut prix Nobel de littérature en 1960.

Cette œuvre, dans le secret de son ampleur, déploie le langage en larges plages de symboles et en immenses étendues rythmiques, sur le modèle du rythme cosmique et sacré de la Mer : « *Poésie pour accompagner la marche d'une récitation en l'honneur de la Mer, — Poésie pour assister le chant d'une marche au pourtour de la Mer, — Comme l'entreprise du tour d'autel et la gravitation du chœur au réveil de la strophe* » (*Amers*).

Une *ambition épique* court tout au long de ces poèmes, comme le disent mes titres : *Anabase, Vents* ou *Amers*. Mais l'épopée y fait appel à des *mythes exotiques ou fantastiques* pour transposer en visions grandioses *un inépuisable secret intérieur*. Le poète tente de tenir cette gageure, de réunir, dans l'unité de son langage d'images et de rythmes, l'irréductible secret de son aventure intérieure et la hauteur d'une communication aristocratique. Une invocation résume l'essentiel de son ambition poétique : *Terre arable du songe !* La poésie est bien ce labour fertilisant d'une terre impénétrable.

L'œuvre de Saint-John Perse comporte les recueils suivants : *Éloges* (1911-1948) ; *Anabase* (1924-1948*) ; Exil* (1942-1946 ; ce recueil contient aussi *Pluies* et *Neiges*) ; *Vents* (1946) ; *Amers* (1950-1953) ; *Chronique* (1960) ; *Chant pour un équinoxe* (posthume, 1976).

— 1 C'est la définition même du langage poétique, à la fois *symbole* abstrait, comme la lettre de l'alphabet, et *pouvoir* capable de vaincre même la Mort. Michaux rejoint ainsi l'antique tradition qui confère au poète le pouvoir d'immortalité. — 2 Reprise moderne du mythe du Phénix.

Vision

Variations à la fois capricieuses et rigoureuses sur le thème du voyage, les versets d'*Anabase* explorent, à coups d'images, les étendues inconnues du monde intérieur. Le caprice réside dans la surprise ; la rigueur, dans la constance des thèmes conjugués de l'étendue et de l'inconnu, et dans l'exacte figuration, par le rythme du verset, de ce *parcours intérieur,* dense et lent, sincère et hiératique, exotique et familier. Cette *Anabase* est aussi une *Odyssée* à travers l'*Empire* mystérieux où se rejoignent, pour ne plus se séparer, les mots et les songes.

L'Été plus vaste que l'Empire suspend aux tables de l'espace plusieurs étages de climats. La terre vaste sur son aire roule à pleins bords sa braise pâle sous les cendres — couleur de soufre, de miel, couleur de choses immortelles, toute la terre aux herbes s'allumant aux pailles de l'autre hiver — et de l'éponge verte d'un seul arbre le ciel tire son suc violet [1].

Un lieu de pierres à mica ! Pas une graine pure dans les barbes du vent. Et la lumière comme une huile. De la fissure des paupières au fil des cimes m'unissant [2], je sais la pierre tachée d'ouïes, les essaims du silence aux ruches de la lumière ; et mon cœur prend souci d'une famille d'acridiens [3].

10 Chamelles douces sous la tonte, cousucs de mauves cicatrices, que les collines s'acheminent sous les données du ciel agraire — qu'elles cheminent en silence sur les incandescences pâles de la plaine ; et s'agenouillent à la fin, dans la fumée des songes, là où les peuples s'abolissent aux poudres mortes de la terre [4].

Ce sont de grandes lignes calmes qui s'en vont à des bleuissements de vignes improbables. La terre en plus d'un point mûrit les violettes de l'orage ; et ces fumées de sable qui s'élèvent au lieu des fleuves morts, comme des pans de siècles en voyage [5].

Anabase, VII (Librairie Gallimard, éditeur).

TÉMOIGNAGE DU POÈTE

Ici, comme chez Claudel, le poème tend à prendre pour unique objet la Poésie et le Poète, car l'épopée intérieure se concentre sur *la question poétique* et devient *témoignage spirituel.* Une sorte de platonisme apparaît, qui fait que le langage est *chasse et poursuite de l'Idée* à travers les obsessions et les paysages de l'âme, et la *« trace du poème »* dessine en quelque sorte l'ombre fidèle de la Réalité cachée dans les replis du rythme et de l'image. THÈMES : *Art. Littérature. Poète.*

Telle est l'instance extrême où le Poète a témoigné.

Et en ce point extrême de l'attente [1], que nul ne songe à regagner les chambres.

« Enchantement du jour à sa naissance... Le vin nouveau n'est pas plus vrai, le lin nouveau n'est pas plus frais...

— 1 Noter la composition des éléments du paysage avec les couleurs. — 2 Figure linéaire du regard poétique, qui porte loin, jusqu'à l'horizon. — 3 Insectes dont l'espèce la plus connue est le criquet (cf. *essaims* et *ruches*). — 4 Évocation de l'exotisme du désert. — 5 Assimilation réciproque de l'espace et du temps.

— 1 Cf. Valéry : « Tout peut naître ici-bas d'une attente infinie ».

« Quel est ce goût d'airelle, sur ma lèvre d'étranger, qui m'est chose nouvelle et m'est chose étrangère [2] ?

A moins qu'il ne se hâte en perdra trace mon poème...Et vous aviez si peu de temps pour naître à cet instant... ».

10   (Ainsi quand l'Officiant s'avance pour les cérémonies de l'aube [3], guidé de marche en marche et assisté de toutes parts contre le doute, — la tête glabre et les mains nues et jusqu'à l'ongle sans défaut, — c'est un très prompt message qu'émet aux premiers feux du jour la feuille aromatique de son être.)

Et le Poète aussi est avec nous, sur la chaussée des hommes de son temps. Allant le train de notre temps, allant le train de ce grand vent.

Son occupation parmi nous : mise en clair des messages. Et la réponse en lui donnée par l'illumination du cœur.

Non point l'écrit, mais la chose même. Prise en son vif et dans son tout.

20   Conservation non des copies, mais des originaux. Et l'écriture du poète suit le procès-verbal.   *Vents,* 6 (Librairie Gallimard, éditeur).

Joë Bousquet   Blessé, comme le fut aussi Apollinaire, au cours de la guerre de 1914, JOË BOUSQUET (1897-1950), Languedocien, devint à la fois *« l'homme immobile »* et l'un des grands poètes de la vie intérieure. Sa chambre de paralysé, à Carcassonne, fut en effet, pendant près de trente ans, un haut lieu de l'esprit. Bien qu'il eût, dès 1936, publié un texte capital au titre significatif, *Traduit du silence,* il dut attendre l'après-guerre pour être connu hors d'un cercle restreint d'initiés, et encore reste-t-il un poète « réservé ». Rarement la poésie a atteint une telle pureté dans la « traduction » du « silence » intérieur, et, à force d'authenticité mystérieuse, elle décourage le commentaire. C'est toute la gamme des états spirituels les plus ineffables, dans leur tragique ou leur sérénité, qui s'élabore en arabesques verbales où se fondent la pureté linéaire et l'harmonie musicale. Né et resté fidèle au pays des *cathares* (les *purs*), Joë Bousquet est à la fois moderne et anachronique, présent au monde et absent de lui, secrétaire du silence intérieur et messager de ses suggestions.

Auprès de *Traduit du silence,* il faut citer *Le Meneur de Lune* (1946) et *La Connaissance du soir* (1947), de nombreuses publications posthumes : *Les Capitales* (1955), *Lumière, infranchissable pourriture* (1935 et, posthume, 1964), *Mystique* (1973), *D'un regard à l'autre* (1982), et une passionnante *Correspondance* (1968-1975, 1980, 1982).

L'HIRONDELLE BLANCHE

Le froid, la nuit, thèmes aussi anciens que la poésie elle-même, inspirent le « recours au poème » comme à une métamorphose créatrice. Le compte rendu de la métamorphose emploie tous les registres du langage, le vers et la « prose », pour mieux représenter la diversité de l'aventure nocturne et de cet au-delà où, de noire qu'elle est dans notre monde, l'hirondelle est devenue blanche. – THÈMES : *Moi. Nature. Symboles.*

Il ne fait pas nuit sur la terre ; l'obscurité rôde, elle erre autour du noir. Et je sais des ténèbres si absolues que toute forme y promène une lueur et y devient le pressentiment, peut-être l'aurore d'un regard.

— 2 Thème du poète-étranger (cf. Baudelaire). | — 3 Comparaison destinée à souligner le carac-tère sacré de la « cérémonie » poétique.

Ces ténèbres sont en nous. Une dévorante obscurité nous habite. Les froids du pôle sont plus près de moi [1] que ce puant enfer où je ne pourrais pas me respirer moi-même. Aucune sonde ne mesurera ces épaisseurs : parce que mon apparence est dans un espace et mes entrailles dans un autre ; je l'ignore parce que mes yeux, ni ma voix, ni le voir, ni l'entendre ne sont dans l'un ni l'autre.

10   Il fait jour ton regard exilé de ta face
Ne trouve pas tes yeux en s'entourant de toi
Mais un double miroir clos sur un autre espace
Dont l'astre le plus haut s'est éteint dans ta voix.

Sur un corps qui s'argente au croissant des marées
Le jour mûrit l'oubli d'un pôle immaculé
Et mouille à tes longs cils une étoile expirée
De l'arc-en-ciel qu'il draine aux racines des blés.

Les jours que leur odeur endort sous tes flancs roses
Se cueillent dans tes yeux qui s'ouvrent sans te voir [2]
20   Et leur aile de soie enroule à ta nuit close
La terre où toute nuit n'est que l'œuvre d'un soir.

L'ombre cache un passeur d'absences embaumées
Elle perd sur tes mains le jour qui fut tes yeux
Et comme au creux d'un lis sa blancheur consumée
Abîme au fil des soirs un ciel trop grand pour eux.

Il fait noir en moi, mais je ne suis pas cette ténèbre bien qu'assez lourd pour y sombrer un jour. Cette nuit est : on dirait qu'elle a fait mes yeux d'aujourd'hui et me ferme à ce qu'ils voient. Couleurs bleutées de ce que je ne vois qu'avec ma profondeur, rouges que m'éclaire mon 30 sang, noir que voit mon cœur...

Nuit du ciel, pauvre ombre éclose, tu n'es la nuit que pour mes cils.

Bien peu de cendre a fait ce bouquet de paupières
Et qui n'est cette cendre et ce monde effacé
Quand ses poings de dormeur portent toute la terre
Où l'amour ni la nuit n'ont jamais commencé [3].

L'Esprit de la Parole (droits réservés).

— 1 Cf. les Icebergs *familiers* d'H. Michaux, p. 618. — 2 Expression culminante du thème général de ce poème : la conscience est à la fois éveil et sommeil, lucidité et aveuglement. — 3 Efficacité du rêve qui transporte le poète dans un autre monde, fait d'éternité.

ENTRE LE DÉSERT ET LE DÉSIR

La formule de Joë Bousquet, « *L'Esprit de la Parole* », affirme la relation entre *intériorité et verbe poétique* qui fonde *une poésie d'essence métaphysique* perpétuant la lignée qui va de Maurice Scève à Mallarmé — une poésie qui, d'autre part, valorise le pouvoir propre de la parole en se voulant « *poésie absolue* » (cf. Valéry, p. 330).

Yves Bonnefoy

Telle est l'orientation dominante de l'œuvre d'Yves Bonnefoy (né en 1923), dont le point de départ est le constat du « désert » de la condition humaine : « *Je nommerai désert ce château que tu fus [...]* » (*Du mouvement et de l'immobilité de Douve*, 1953) ; c'est donc un constat de métaphysique négative, « *agonie interminable* » selon le poète. Cette conscience angoissée du désert et du néant s'exprime par la présence obsédante d'images nocturnes et de mots au préfixe négatif *(inexister, inachevable, inapaisable)*, et, lorsqu'en 1959 Bonnefoy publie un recueil d'essais sur la création poétique, il l'intitule *L'Improbable ;* enfin, dans *Pierre écrite* (1965), il énonce ainsi le « lieu » initial de sa poésie : « *Je suis venu au lieu de nul soleil.* »

Toutefois l'angoisse de ce désert tend à se résoudre non certes dans la proclamation d'un Sacré transcendant, mais dans une substitution du langage à l'absence du sacré. Car, dans ce même recueil, le poète définit sa poésie comme « *dialogue d'angoisse et de désir* ». La parole poétique devra donc dire aussi ce *désir* et manifester, dans ce que Bonnefoy appelle « *le grand acte clos* » du poème, la continuité des instants où apparaissent, au cœur même du désert, les réalités exigées et produites par le désir poétique. La métaphysique négative du désert ouvre alors sur la métaphysique positive du désir, à la manière d'une *épiphanie* :

« *Il me semble, ce soir — Que le ciel étoilé s'élargissant, — Se rapproche de nous ; et que la nuit, — Derrière tant de feux, est moins obscure* » (*Pierre écrite, L'Été de nuit*). Tel est « *l'instant fugace mais solennel où est vaincu l'exil du temps.* »

Le poème est la récompense de la traversée de cet *Hier régnant désert* (titre d'un recueil de 1958) d'où le poème et le poète sortent victorieux grâce à *la révélation d'être* dont le langage est l'opérateur exclusif. Et la Nature à son tour devient alors comme le miroir de l'ambiguïté de la condition humaine.

Autres principaux recueils d'Yves Bonnefoy : *L'Arrière-pays* (1972) ; *Dans le leurre du seuil* (1975) ; *Poèmes 1946-1974* (1978). Traducteur de Shakespeare, Bonnefoy est aussi l'auteur d'essais sur la poésie : *L'Improbable* (1959, rééd. 1980) ; *Anti-Platon* (1962) ; *Entretiens sur la poésie* (1981) ; *La Présence et l'Image* (1983).

Les Arbres

Nous regardions nos arbres, c'était du haut
De la terrasse qui nous fut chère, le soleil
Se tenait près de nous cette fois encore
Mais en retrait, hôte silencieux
Au seuil de la maison en ruines, que nous laissions
A son pouvoir, immense, illuminée.

Vois, te disais-je, il fait glisser contre la pierre
Inégale, incompréhensible, de notre appui
L'ombre de nos épaules confondues,
10 Celle des amandiers qui sont près de nous
Et celle même du haut des murs qui se mêle aux autres,
Trouée, barque brûlée, proue qui dérive,
Comme un surcroît de rêve ou de fumée.

Mais ces chênes là-bas sont immobiles,
Même leur ombre ne bouge pas, dans la lumière,
Ce sont les rives du temps qui coule ici où nous sommes,
Et leur sol est inabordable, tant est rapide
Le courant de l'espoir gros de la mort.
Nous regardâmes les arbres tout une heure.
20 Le soleil attendait, parmi les pierres,
Puis il eut compassion, il étendit
Vers eux, en contrebas dans le ravin,
Nos ombres qui parurent les atteindre
Comme, avançant le bras, on peut toucher
Parfois, dans la distance entre deux êtres,
Un instant du rêve de l'autre, qui va sans fin.

Ce qui fut sans lumière (Mercure de France éditeur).

A LA RECHERCHE D'UN « ROYAUME »

Alain Bosquet   L'angoisse liée à la conscience du « désert » du monde
débouche aussi sur un *lyrisme de la nostalgie* qui inspire
l'un des premiers recueils d'ALAIN BOSQUET (1919-1998) : *Quel royaume oublié ?* (1955).
Ce titre traduit l'aspiration à la conquête, par le pouvoir propre de la poésie, d'un
« royaume » dont le monde réel est incapable de se souvenir. Aussi la poésie est-elle
alors ouverture sur l'imaginaire et conquête de la liberté intérieure. Tel est le sens d'une
œuvre qui comporte essentiellement la suite des « Testaments » (*Premier Testament*, 1957 ;
Second Testament, 1959 ; *Quatre Testaments et autres poèmes*, 1967), *Notes pour un pluriel*
(1974), *Le Livre du doute et de la grâce* (1977), *Poèmes, un* (1979), *Poèmes, deux* (1981), et
des romans et récits comme *La Confession mexicaine* (1964), *L'Enfant que tu étais* (1982) ;
Le métier d'otage ; *Comme un refus de la planète* (1989). Enfin *La Mémoire ou l'oubli* (1990).

Un jour après la vie...

Un jour après la vie,
nous pourrons naître où nous voudrons :
dans l'amadou,
dans l'aube nue,
dans l'ivresse des branches.
Un jour après la vie,
nous pourrons reconnaître
ce que nous sommes :
le sang, la chair et les baisers plus longs
que dans l'azur le train des oiseaux pâles.
Un jour après la vie,
nous n'aurons que des frères :
le fleuve avant son eau,
le volcan sous les joncs,
la truite apprenant à nager.
Un jour après la vie,
nous ferons notre choix :
l'existence, la mort, l'inexistence.

Notes pour un pluriel (Librairie Gallimard, éditeur).

LES VOIES DU SACRÉ

Parmi les obsessions de la poésie du XXᵉ siècle figure au premier rang *la hantise du sacré* (cf. p. 398) : même le surréalisme d'André Breton est tourmenté d'une quête du Sacré qui se satisfait finalement dans le recours à l'occultisme (*Arcane 17,* 1945) ; cette même quête inspire le cérémonial et le ritualisme de Saint-John Perse (cf. p. 620). Il est, à la suite de Péguy et de Claudel, toute une lignée de poètes pour qui *l'exploration des voies du Sacré* devient l'essentiel et produit des modes d'expression et des formes de langage qui s'étendent du lyrisme intimiste de Marie Noël à l'inspiration méditative de Jean Grosjean et à la poésie visionnaire de Milosz et de Jouve. Chez celui-ci et chez son disciple Pierre Emmanuel, l'inspiration prophétique anime une poétique et une poésie où renaît la grande tradition d'Agrippa d'Aubigné (cf. *XVIᵉ Siècle,* p. 175) et de Hugo (cf. *XIXᵉ Siècle,* p. 173), et — comme aussi chez Milosz — on y retrouve *la trace indélébile des lectures bibliques.* D'autre part, chez Patrice de La Tour du Pin ou chez Jean-Claude Renard, la rigueur formelle correspond à un appétit de *connaissance* qui inspire *la réconciliation poétique de la métaphysique et de la mystique.*

Marie Noël

De son vrai nom Marie Rouget, MARIE NOËL (1883-1967) passe sa vie entière dans sa ville natale, Auxerre. Fille d'enseignant, très cultivée, elle a commencé à publier dès 1920 *(Les Chansons et les Heures),* mais elle est restée ignorée des milieux littéraires jusqu'à ce que son œuvre soit enfin reconnue, à l'occasion en particulier des *Chants et Psaumes d'automne* (1947) et surtout à partir de la publication de son *Œuvre poétique* en 1956.

Vision

C'est dans une forme simple mais soigneusement rythmée, *inspirée du modèle de la chanson,* ce qu'elle appelle « *le chant de l'âme* », que s'exprime le lyrisme instinctif de MARIE NOËL, source d'une spiritualité en communication directe avec le surnaturel. THÈMES : *Moi. Mort. Religion. Mysticisme. Réel et irréel.*

[...] Quand tout sur ma langue aura mauvais goût,
Quand tout dans mes yeux pâlira, quand tout
Me fera branler si je suis debout ;

Quand mes doigts de tout se détacheront
Et que mes pensers hagards sous mon front
Se perdront sans cesse et se chercheront ;

Quand sur les chemins, quand sur le plancher,
Mes pieds n'auront plus de joie à marcher ;
Quand je n'irai plus en ville, au marché,

10 Ni dans mon pays toujours plus lointain,
Ni jusqu'à l'église au petit matin,
Ni dans mon quartier ni dans mon jardin ;

Quand je n'irai plus même en ma maison,
Quand je n'aurai plus pour seul horizon
Qu'au fond de mon lit toujours la cloison ; [...]

Quand le froid entre mes draps chauds
Se glissera jusqu'à mes os
Et saisira mes pieds déchaux ;

Quand mon souffle contre un poids sourd
20 Se débattra... restera court
Sans pouvoir soulever l'air lourd ;

Quand la mort comme un assassin
Qui précipite son dessein
S'agenouillera sur mon sein ;

Quand ses doigts presseront mon cou,
Quand de mon corps mon esprit fou
Jaillira sans savoir jusqu'où...

Alors, pour traverser la nuit, comme une femme
Emporte son enfant endormie, ô mon Dieu,
30 Tu me prendras, tu m'emporteras au milieu
Du ciel splendide en ta demeure où peu à peu
Le matin éternel réveillera mon âme.

Les Chansons et les Heures, Œuvre poétique I (Stock, éditeur).

Pierre-Jean Jouve   Contemporain de Saint-John Perse, PIERRE-JEAN JOUVE (1887-1976) dut, comme lui, attendre les années 40 pour trouver sa place exacte dans la poésie ; mais là s'arrête leur ressemblance. Jouve en effet, après avoir subi des influences symbolistes et avoir longtemps cherché sa voie originale, découvre à quarante ans sa vocation prophétique. La guerre lui est l'occasion de ressentir encore plus profondément l'accord de sa sensibilité avec la dimension du drame : Mort et Résurrection, les Chevaliers de l'Apocalypse, le Christ et l'Antéchrist, la Nuit obscure de saint Jean de la Croix, l'Amour et la Connaissance, tels sont les thèmes et *réalités* dont la parole poétique entreprend de peupler « l'Absence du monde », en manifestant aussi leurs correspondants dans la nature : le Sang, la Sueur, l'Orage, l'Arbre. Œuvres principales de P.-J. Jouve : *Sueur de sang* (1933) ; *Hélène* (1936) ; *Kyrie* (1938) ; *Gloire* (1942) ; *Hymne* (1947) ; *Langue* (1954) ; *Mélodrame* (1957) ; *Moires* (1962) ; *Œuvres poétiques* (4 vol., 1964-1967).

Résurrection des morts

Les visions de Jugement dernier, évoquant la Bible, Michel-Ange, d'Aubigné et William Blake, retrouvent leur nouveauté et leur puissance, grâce à la réinvention d'un langage que la poésie française n'avait pas entendu depuis longtemps, mais qui échappe à l'anachronisme, car il a su s'assimiler, au cours de longues années, toute la substance de la poésie récente, de Rimbaud à Claudel et de Baudelaire au surréalisme. Ainsi réapparaît la *poésie visionnaire* dont JOUVE est, en notre temps, le grand restaurateur.

Je vois
Les morts ressortant des ombres de leurs ombres
Renaissant de leur matière furieuse et noire
Où sèche ainsi la poussière du vent
Avec des yeux reparus dans les trous augustes
Se lever balanciers perpendiculaires [1]
Dépouiller lentement une rigueur du temps ;
Je les vois chercher toute la poitrine ardente
De la trompette [2] ouvragée par le vent.

— 1 Image répondant au caractère visionnaire du poème. — 2 Du Jugement dernier.

10 Je vois
   Le tableau de Justice ancien et tous ses ors
   Et titubant dans le réveil se rétablir
   Les ors originels ! Morts vrais, morts claironnés,
   Morts changés en colère, effondrez, rendez morts
   Les œuvres déclinant, les monstres enfantés
   Par l'homme douloureux et qui fut le dernier,
   Morts énormes que l'on croyait remis en forme
   Dans la matrice de la terre.

   Morts purifiés dans la matière intense de la gloire,
20 Qu'il en sorte et qu'il en sorte encor, des morts enfantés
   Soulevant notre terre comme des taupes rutilantes,
   Qu'ils naissent ! Comme ils sont forts, de chairs armés !
   Le renouveau des morts éclatés en miroirs
   Le renouveau des chairs verdies et des os muets
   En lourdes grappes de raisin sensuel et larmes
   En élasticité prodigieuse de charme,
   Qu'ils naissent ! Comme ils sont forts, de chairs armés.

                      Gloire (Éd. Fontaine, Alger).

O.V. de L. Milosz   Le cas d'Oscar Vladislas de Lubicz MILOSZ (1877-1939), poète français d'origine lituanienne, n'est pas sans analogie avec celui de Saint-John Perse, de Pierre-Jean Jouve et de Marie Noël : ils étaient tellement en avance sur leur temps que c'est seulement après la Seconde Guerre mondiale qu'on reconnut leur place réelle dans le siècle. Pour MILOSZ, mort en 1939, sa « promotion » fut tout entière posthume. Pourtant, il avait commencé d'écrire en pleine période symboliste (*Le Poème des décadences,* 1899), mais bientôt s'orienta vers une poésie de plus en plus engagée dans la recherche de l'Absolu et la quête du Sacré, des *Sept Solitudes* (1906) à *La Confession de Lemuel* (1922), aux *Poèmes* de 1929 et au *Psaume de l'Étoile du matin* (1937) ; dans le même temps, il écrit des œuvres toujours poétiques mais de forme narrative ou dramatique : *L'Amoureuse Initiation* (1910), *Les Arcanes* (1926), et une trilogie : *Miguel Mañara* (1913), « mystère en six tableaux », *Méphiboseth* (1914) et *Saul de Tarse* (posthume, 1970).

Jean Grosjean   A mi-chemin du lyrisme et de la prophétie, la poésie de JEAN GROSJEAN (né en 1912) — *Hypostases,* 1950 ; *Apocalypse,* 1962 ; *Élégies,* 1967 ; *Les Beaux Jours,* 1980 — est influencée à la fois par la Bible, Claudel et Saint-John Perse ; mais son originalité est dans la constance d'une attitude méditative orientée vers un dialogue direct avec Dieu.

Pierre Emmanuel   Influencé directement par Pierre-Jean Jouve, disciple aussi de Milosz (il contribua ardemment à la promotion posthume de son œuvre), PIERRE EMMANUEL (1916-1984), âgé de 23 ans en 1939, est d'abord le plus jeune et l'un des plus grands poètes de la Résistance (*Combats avec tes défenseurs,* 1942 ; *Jour de colère,* 1942), mais la portée réelle de son œuvre, dès ces « œuvres de Résistance », déborde largement la seule actualité historique. Elle ne fera que s'amplifier à partir de la redécouverte et de la rénovation de quelques grands mythes prophétiques, tel celui d'Orphée qui inspire au jeune poète *Tombeau d'Orphée* (1942) et *Orphiques* (1942) ; ce seront ensuite les mythes bibliques (*Babel,* 1951 ; *Jacob,* 1970), puis l'ampleur d'une immense vision cosmique, de *Sophia* (1973) à la « Cosmogonie » du *Grand Œuvre* (1984), vision qui englobe aussi le mystère de la relation entre l'homme et la femme (*Le Livre de l'homme et de la femme : Una ou la Mort la Vie,* 1978 ; *Duel,* 1979 ; *L'Autre,* 1980).

Miserere

Portant le même titre que la célèbre série de gravures de Georges Rouault inspirée elle aussi par la Guerre, ce poème chante, en forme de *prière visionnaire,* le dialogue des vivants et des morts, par-dessus la Frontière, sous le regard de Dieu.

Pitié pour nous Seigneur Tes derniers survivants
car Tu nous as donné ces morts en héritage
nous sommes devenus les pères de nos morts.
Pitié pour nous Seigneur pitoyables marâtres
qui avons engendré ces hommes dans la Mort :
et nous voici séparés d'eux par leur cadavre
eux qui sont déjà morts et fondés en Ta nuit.

Notre obscure journée s'éblouit de leur nuit
notre chair se révulse au contact de leur ombre
10 nous n'avons point assez de nuit pour nous terrer
nous sommes nus jusqu'à la moelle dans leur gloire
et nos mots tombent en poussière en leur pensée
nous sommes devenus étrangers à nous-mêmes
de grands vents soufflent qui nous chassent de la chair

nous tremblons de mourir et nous tremblons de vivre
nous sommes pour toujours en deçà de la Mort.

Jour de Colère (Seghers, éditeur).

Maison de l'Être

La poésie visionnaire de PIERRE EMMANUEL est d'inspiration profondément religieuse. A partir de 1970 environ, la vision prophétique tend à s'inscrire dans les formes et les structures d'une œuvre proprement *monumentale* construite par une « Sophia » mystique dont le poète se fait l'humble interprète. Aussi le recueil *Sophia* (1973) est-il calqué sur le plan de la cathédrale, cathédrale poétique que le lecteur est invité à parcourir du *Porche* à la *Rosace* en passant par le *Tympan,* l'*Abside,* le *Chœur,* le *Dôme* et la *Nef,* au cœur de laquelle le poète proclame sa nostalgie de la « maison de l'Être ».
THÈMES : *Religion. Mysticisme. Beaux-arts.*

Où est la maison de l'Être ?
La voûte des âges est tombée en un jour, l'homme aujourd'hui est sans toit sur la terre.
La chute du ciel troue les cœurs.
Vide l'église, visitée comme on fait d'une ruine. Des hardes [1] y broutent l'acanthe des fûts et serrent les flancs contre la solitude : car la hauteur isole et fait peur.
Pourtant les pierres toutes par chacune s'imbriquent dans une chute niée. Les hommes ignorent que toute maison est une victoire contre le vertige ; que
10 l'homme sans cette victoire est un puits.
Qui peut faire d'un puits sa demeure ? Comment bâtir ce qui est sans fond ?
Or même les marques des tailleurs de pierre concourent ici à l'élan sans fond de l'esprit.
La nef était une inépuisable Parole, une édification de vocables dont chaque syllabe créait l'espace en entier.

— 1 Terme de chasse : troupes de bêtes sauvages.

Il avait fallu des milliers de poumons pour que la pierre s'élevât aussi haut : et des milliers de milliers d'autres pour la soutenir de génération en génération.

Parce qu'un tel souffle planait sur les villes, rythmant le silence comme un sein respirant, les maisons basses pouvaient vivre. C'étaient des toits et non 20 des terriers, arcs-boutants de la hauteur sainte.

Où est la cité de l'Être ?

Où la Mère qui siégeait sur les grand-places, ovale de royale douceur ?

Sophia (Le Seuil, éditeur).

Le poète n'aura de cesse qu'il n'ait étendu jusqu'aux extrêmes limites du Cosmos la vision qui le hante : conscient de sa mort prochaine, il se hâtera d'achever le couronnement de son monument poétique avec le recueil qu'il nommera Le Grand Œuvre, Cosmogonie (1984).

La Tour du Pin

Issu d'une famille au nom prestigieux, lui-même attaché aux traditions de sa race et de son sol (il a mené, dans son domaine du Bignon, en Sologne, une vie active de gentilhomme campagnard), PATRICE DE LA TOUR DU PIN (1911-1975) fit, dès l'enfance, *l'expérience de la solitude et de la communion avec la nature*. La rencontre de cette expérience avec un *tempérament mystique* et une *intelligence curieuse des pouvoirs du langage* assure à sa poésie l'harmonie spontanée de la sincérité spirituelle et de l'effort expérimental. *Poète religieux et humain* avant tout (et son humanité a été renforcée et nourrie par sa captivité de 1940), il fait de son œuvre le compte rendu symbolique d'un itinéraire spirituel qui, partant de la Nature et de l'Homme, aboutit à la prière par la voie du « Jeu » mystique. Ainsi s'expliquent les grands thèmes de cette œuvre *monumentale* : thèmes bibliques et évangéliques de la *Genèse,* de l'*Exode,* de la *Pentecôte* (accès à la possession de l'Esprit), composés avec le thème proprement poétique du Jeu : le *Jeu du Seul* et le *Second Jeu.* C'est en effet dans *son dialogue avec lui-même, avec la Nature et avec Dieu* que l'homme *joue* sa signification et son salut.

Le mouvement de cet itinéraire, la cohérence de ses étapes, la continuité de ses épisodes, la permanence de ses images (la Nature et l'Homme) sont orientés vers la connaissance personnelle de Dieu à travers une poésie qui est foncièrement, en tous ses instants divers, « *Accession à l'Esprit* », par la voie d'un langage *d'ouverture sur le symbolisme du monde* et de *révélation des au-delà du monde ;* car, selon *La Quête de Joie* (v. 1-2) :

Tous les pays qui n'ont plus de légende — Seront condamnés à mourir de froid.

Les *Enfants de Septembre* sont ces oiseaux migrateurs qui traversent la Sologne à l'automne. Le poète s'identifie à eux : « *Et je me dis : je suis un enfant de Septembre* » *;* mais, comme ces migrateurs qui, après s'être posés, fuient « *vers d'autres cieux* », il prend conscience de « *l'atrocité* » des pays « *privés de légende* » :

*Mais les bois étaient recouverts de brumes basses
Et le vent commençait à remonter au nord,
Abandonnant tous ceux dont les ailes sont lasses,
Tous ceux qui sont perdus et tous ceux qui sont morts,
Qui vont par d'autres voies en de mêmes espaces !*

*Et je me dis : Ce n'est pas dans ces pauvres landes
Que les Enfants de Septembre vont s'arrêter ;
Un seul qui se serait écarté de sa bande
Aurait-il, en un soir, compris l'atrocité
De ces marais déserts et privés de légende ?*

Ce thème initial de la *Quête* du poète contient virtuellement les diverses étapes d'une œuvre complexe et abondante ; sa signification, précisée dans sa *Lettre aux Confidents* (1960), s'inscrit dans les titres symboliques des recueils successifs : *La Quête de Joie* (1933), *La Vie recluse en poésie* (1938), *La Genèse* (1945), *Le Jeu du Seul* (1946), *Une Somme de poésie* (1946), *Le Second Jeu* (1959), *Petit Théâtre crépusculaire* (1963).

« *Je vous promets des jeux...* »

Du *désert* à la *légende,* l'accession à l'Esprit se fera, selon l'ordre même de la nature, par une suite cohérente de *Jeux* : ainsi l'itinéraire poétique gagne-t-il *pas à pas* le *mystère,* et, dans le Jeu, s'accordent la liberté de l'Homme et la Grâce de Dieu, comme aussi l'effort du langage et la gratuité de l'inspiration.
THÈMES : *Religion. Mysticisme. Réel et irréel.*

Je vous promets des jeux, les trois plus grands du monde,
A comprendre d'abord, et peut-être à gagner,
A pousser si avant dans leurs règles profondes
Que vous en resterez pour toujours prisonniers.
Ah ! la terreur me défigure, vous rend blêmes [1] !
Mais que sera-ce au bout du Jeu de l'Homme devant lui-même
Quand vous reconnaîtrez la touche du néant
Sur tout ce que la joie et l'espérance fondent
— Si je ne suis qu'un perpétuel éclatement !

10 Et que sera-ce au bout du Jeu de l'Homme devant le Monde,
Dans ce vide étranger, cet autre insaisissable
Que parcourent des temps, des nuits de création
Dont on ne peut saisir que l'évaporation
La brusque fin dans la seule zone habitable
Pour nous de l'Univers [2]...

Et que sera-ce au bout du Jeu de l'Homme devant Dieu ?
Petits contemplatifs, rendez ce qui déborde,
Allez dans le concert où la Grâce s'accorde
Et cet hiver extrême, où seul le Creux
20 Demeure...

      Alors j'aurais vécu mon existence,
Si naïve est ma foi, ne perdez pas confiance.
Vous aurez d'autres jeux à courir, les plus libres,
Comme ceux des amours d'enfants et des dauphins,
Toutes les tragédies, tous les mythes possibles
Que rencontre un adolescent sur son destin
— Et celui d'épuiser les choses et les rêves,
De mêler sa croissance aux croissances des sèves,
De prendre dans sa voix les musiques du ciel
30 Et de la terre [3] — en gagnant pas à pas le mystère
D'être homme, l'honneur d'être homme...
              et l'Éternel [4]...

La Genèse, Une somme de poésie (Librairie Gallimard, éditeur).

— 1 La conscience terrifiée du néant, point de départ du premier Jeu de la Genèse mystique, celui de la solitude de l'Homme avec lui-même. — 2 La zone limitée de la vie humaine et de sa brièveté (reprise du thème pascalien de la disproportion de l'homme). — 3 Le Jeu mystique assume la totalité de l'Homme et du Monde. — 4 En gagnant l'Éternel.

Jean-Claude Renard Patrice de La Tour du Pin écrit en 1947 une préface pour les *Cantiques pour des pays perdus* de JEAN-CLAUDE RENARD (né en 1922) et y évoque l'impératif poétique de « l'exploration intérieure ». Or ce sont bien les étapes d'une telle exploration qui jalonnent l'œuvre de Jean-Claude Renard, selon le double mouvement de *l'appartenance au monde* et de *l'accès à la plénitude de l'Absolu et du Sacré*. Entre ces deux pôles de l'expérience personnelle du poète il y a contradictoirement communication et distance, l'acte poétique ayant pour fonction d'assumer cette contradiction grâce au pouvoir d'incantation du langage. Ainsi, l'itinéraire mystique du poète part de la *Métamorphose du monde* (1951, 2ᵉ éd. 1963) pour aboutir, par l'intermédiaire de la Paternité divine (*Père voici que l'homme*, 1955 ; *En une seule vigne*, 1959), à la mise en œuvre de l'*Incantation du temps* (1962). Un point culminant est atteint avec *La Terre du sacre* (1966). L'instrument de cet itinéraire poétique parfaitement cohérent est la rigueur rythmique alliée à l'omnipotence de l'image, rythme et image ouvrant les portes de « *ce que l'on trouve et ne trouve pas* ».

« *Livrer l'homme à l'être...* »

Le « plus » d'être exigé à la fois par l'appétit de connaissance et par la nostalgie mystique entraîne la poésie à devenir l'instrument prophétique de la sacralisation de la Terre. THÈMES : *Religion. Mysticisme.*

Ah ! que les éperviers présagent sur la neige
Les grandes transhumances !
Et qu'avec les prophètes qui parlent d'un pays plus saint que ce qu'ils voient
Et d'un amour plus fort que la fatalité,
Il y ait désormais dans les ténèbres mêmes, plus haut
que cette peur qui attire la mort,
Une âme assez avide d'espoir et de désir pour consumer l'absence
Et livrer l'homme à l'être
Tandis que les platanes célèbrent le matin ;
10   Une chair assez libre malgré l'oppression des choses avilies
Que le néant fascine
Pour oser sans dégoût et sans accablement liguer la charité
Contre tout ce qui souille et tout ce qui détruit
Cette race invitée à la vie absolue [1] ;
Quelqu'un qui soit assez, comme ceux qui n'ont rien, creusé par le silence
Pour entendre son nom sous les oliviers noirs
Et l'augure de paix et l'augure de joie
Au milieu des maïs ;
Une terre assez mûre, un peuple assez profond pour recevoir le dieu,
20   Pour devenir le lit de la foudre et du fleuve
Et permettre à l'Esprit de tout renouveler !

La Terre du sacre, Psaume de l'Avent (Le Seuil, éditeur).

Complétée par *La Braise et la rivière* (1969), *Le Dieu de nuit* (1973), *Le Lieu du voyageur* (1980), *Toutes les îles sont secrètes* (1984), son œuvre s'interroge aussi sur elle-même, en particulier sur le rapport entre foi et poésie, à la lumière de l'expérience du poète, dans *Notes sur la poésie* (1970), *Notes sur la foi* (1973) et *Une autre parole* (1981) où est énoncé le « *principe* » central de sa poétique : « *Je pose pour principe que le langage poétique apparaît quand les mots engendrent une parole capable, par la liberté de leurs interactions, de parler elle-même et d'elle-même tout en parlant de ce qu'elle n'est pas.* »

— 1 Au double sens du mot : a) latin : *libérée de tout lien ;* b) figuré : *totale, intégrale.*

POÉSIE DE LA NÉGRITUDE

Le mot de *négritude* a acquis droit de cité dans le vocabulaire littéraire contemporain et désigne l'originalité d'un *mode d'expression* qui, tout en utilisant le français comme « véhicule », se propose de révéler au monde la vocation poétique propre de l'âme noire. Pour éviter à ce propos tout malentendu, il convient de noter que ce mot suggère aussi une *universalité,* et ne saurait se limiter à la seule désignation d'une particularité ethnique.

Léopold Sedar   LÉOPOLD SEDAR SENGHOR est né en 1906 à Joal (Sénégal).
Senghor   Ancien élève du collège Libermann de Dakar puis du lycée Louis-le-Grand, agrégé, professeur, il a été député, et enfin Président de la République du Sénégal de 1960 à 1981. Il fut un des tout premiers pionniers de la « négritude » et de la « francophonie ». La vocation de la poésie noire à une universalité humaine, qui à la fois intègre et exalte son originalité spirituelle, est sans doute le caractère dominant de son œuvre. Chez lui la conjonction des influences venues de France (Paul Claudel, Saint-John Perse, Teilhard de Chardin) avec la fidélité aux *images* africaines fonde et justifie *l'invention* poétique. Après *Chants d'Ombre* (1945), il a publié une *Anthologie de la nouvelle poésie nègre et malgache* (1948), puis *Hosties noires* (1948), *Éthiopiques* (1956), *Nocturnes* (1961), *Chaka,* poème dramatique (1968), *Élégie des alizés* (1969). Senghor a été élu à l'Académie française en 1983.

Prière aux masques

La « négritude » se traduit par la littérature, mais aussi par les rythmes du jazz et par les masques africains. C'est bien ce qu'illustre cette *Prière aux masques* où l'alliance typiquement africaine de l'invocation et du rythme, « expression de la force vitale », exalte « les hommes de la Danse ». Avec le *verset,* SENGHOR a trouvé l'instrument le plus apte à rendre, dans son ampleur, le déploiement rythmique du langage africain.

Masques ! O Masques !
Masque noir masque rouge, vous masques blanc-et-noir
Masques aux quatre points d'où souffle l'Esprit
Je vous salue dans le silence !
Et pas toi le dernier, Ancêtre à tête de lion.
Vous gardez ce lieu forclos à tout rire de femme, à tout sourire qui se fane,
Vous distillez cet air d'éternité où je respire l'air de mes Pères.
Masques aux visages sans masque, dépouillés de toute fossette comme de
    toute ride
10 Qui avez composé ce portrait, ce visage mien penché sur l'autel de papier blanc
A votre image, écoutez-moi !
Voici que meurt l'Afrique des empires — c'est l'agonie d'une princesse pitoyable
Et aussi l'Europe à qui nous sommes liés par le nombril.
Fixez vos yeux immuables sur vos enfants que l'on commande
Qui donnent leur vie comme le pauvre son dernier vêtement.
Que nous répondions présents à la renaissance du Monde
Ainsi le levain qui est nécessaire à la farine blanche.
Car qui apprendrait le rythme au monde défunt des machines et des canons ?
Qui pousserait le cri de joie pour réveiller morts et orphelins à l'aurore ?
20 Dites, qui rendrait la mémoire de vie à l'homme aux espoirs éventrés.
Ils nous disent les hommes du coton du café de l'huile
Ils nous disent les hommes de la mort.
Nous sommes les hommes de la Danse, dont les pieds reprennent vigueur
    en frappant le sol dur.

Chants d'Ombre (Le Seuil, éditeur).

Aimé Césaire   A l'autre pôle de la « négritude », aux Antilles, c'est la conscience d'un exil séculaire qui inspire le poète français AIMÉ CÉSAIRE, né à la Martinique en 1913. Venu étudier à Paris, il y rencontre Senghor au Lycée Louis-le-Grand et fonde avec lui le journal *L'Étudiant noir*. Après son passage par l'École normale supérieure, il est quelques années professeur à la Martinique, qu'il représentera comme député à partir de 1946. Interprète d'une race obsédée par l'exil, révoltée contre la servitude et hantée par la nostalgie de la liberté, il demande au langage surréaliste des effets de rupture en accord avec la violence de son inspiration. Par référence à Apollinaire, un de ses premiers recueils s'intitule *Soleil cou coupé* (1948) ; citons encore *Cahier d'un retour au pays natal* (1939), *Corps perdu* (1950), *Ferrements* (1959), *Cadastre* (1961). Aimé Césaire est aussi un dramaturge « engagé », avec *La Tragédie du roi Christophe* (1963), *Une saison au Congo* (1966), *Une tempête* (1969).

A hurler

En liaison avec la double influence d'Apollinaire et du surréalisme, la révolte d'AIMÉ CÉSAIRE lui dicte une poésie où la violence du cri et du hurlement traduit, par le jeu du rythme et des images, la douloureuse et exaltante recherche d'une espérance.

Salut cri rauque
    torche de résine
    où se brouillent les pistes
    des poux de pluie et les souris blanches
Fou à hurler je vous salue de mes hurlements plus blancs que la mort
Mon temps viendra que je salue
grand large
simple
où chaque mot chaque geste éclairera
10 sur ton visage de chèvre blonde
broutant dans la cuve affolante de ma main
Et là là
bonne sangsue
là l'origine des temps
là la fin des temps
et la majesté droite de l'œil originel.

                    Cadastre (Le Seuil, éditeur).

LA POÉSIE EN MARCHE

Depuis les années 60 environ, on observe, dans la poésie, à la fois *continuité* et *rupture*.

Continuité, dans la mesure où se maintient chez certains la dominante de *l'intériorité lyrique.* Telle est la poésie de MARC ALYN (né en 1937), celle que définit ce titre d'un recueil de 1968, *La Nuit du labyrinthe* : « *Je jette dans la mer ce livre où son nom est écrit...* » *(Nuit majeure),* ou celle de C.-M. CLUNY (né en 1930 : *Désordres,* 1965 ; *Inconnu Passager,* 1978). Telle est aussi, dans un registre plus nuancé, la poésie de JACQUES RÉDA (né en 1929) : « *Attendez l'heure de la nuit — Où l'œil juste avant l'aube un instant cligne et se renverse...* » *(Récitatif,* 1968). Telle est enfin la poésie que JEAN-MICHEL FRANK (né en 1922) désigne comme *l'archéologie des mystères* : « *Je voudrais un grand pont pour passer sur la nuit...* » *(Toute la nuit j'écoute,* 1967). Donc permanence de la *méditation lyrique.*

Rupture, cependant, dans la mesure où la poésie répercute, avec une particulière sensibilité, la crise contemporaine du langage. Tantôt, dans la ligne de Francis Ponge et en écho avec les thèses du « nouveau roman », la poésie se veut « *écriture du monde* », simple calque verbal de ce que GEORGES PERROS (1923-1978) appelle *Une Vie ordinaire*

(1967). Tantôt la recherche du dépouillement verbal conduit à la mise en œuvre d'une technique de fragmentation de l'objet et du langage donnant naissance à des juxtapositions d'images condensées dont l'exemple le plus significatif se rencontre dans les *Explications de textes* et les *Relations* (1968) de JEAN TORTEL (né en 1904).

Certains aboutissent à la *brièveté pure*, qui tend à éliminer tout lyrisme, du moins explicite, et à renfermer le poème dans la limite raréfiée de son essence intuitive, comme JEAN FOLLAIN (1903-1971 : *Appareil de la terre*, 1964 ; *D'après tout*, 1967) ou ANDRÉ DU BOUCHET (né en 1924 : *Dans la chaleur vacante*, 1959 ; *Où le Soleil*, 1968).

L'extrême aboutissement de cette ascèse de l'écriture poétique est la réduction du poème à la densité du *hai-kai* japonais, modèle dont s'inspire JACQUES ROUBAUD (né en 1932), poète-mathématicien qui, d'autre part, tente de traduire en poésie la relation de l'élément et de l'ensemble dans un recueil dont le titre est emprunté à la symbolique de la théorie des ensembles : ∈ (1968). Disciple de l'Ou.Li.Po. de Queneau (cf. p. 750), ROUBAUD applique à la poésie *le principe combinatoire* (*Trente et un au cube*, 1973), et en étend l'expérimentation à certaines formes de la poésie traditionnelle, particulièrement médiévale, celle des légendes arthuriennes dans *Graal-Théâtre* (1977) et *Graal-Fiction* (1978), et celle des troubadours dans une *Anthologie* originale de dix-neuf poèmes (1981). Enfin, une autre tentative de poésie expérimentale inspire les poètes du groupe *Tel Quel* (cf. p. 758), MARCELIN PLEYNET (né en 1933 : *Comme*, 1965 ; *Stanze*, 1973), DENIS ROCHE (né en 1937 : *Éros énergumène*, 1968), JACQUELINE RISSET (née en 1936 : *Jeu*, 1971 ; *La Traduction commence*, 1978).

Face à ces orientations de tendance formaliste, il semble qu'à partir de 1970 une réaction s'opère contre le risque de « déréalisation » du langage poétique et que réapparaisse, tant dans la pratique que dans la théorie, le problème fondamental de la relation en poésie entre sens et langage [1] ; ainsi s'élabore une synthèse entre *l'exigence de signification* et *l'irréductible originalité du verbe poétique* (cf. Valéry, p. 328). Ainsi pour LIONEL RAY (pseudonyme de Robert Lohro, né en 1935 : *L'Interdit est mon Opéra*, 1973 ; *Le Corps obscur*, 1981 ; *Nuages, nuit*, 1983), il s'agit de « retrouver par la désarticulation du discours un état poétique où les mots eux-mêmes en état de rêve constituent la seule réalité » (*Les Métamorphoses du biographe*, 1971).

Aussi ce courant poétique se préoccupe-t-il d'instaurer, par le seul recours aux pouvoirs du verbe, une authentique réalité, ambition *ontologique* qui restitue à la poésie une fonction proprement métaphysique. Dès 1960, dans son discours de réception du prix Nobel, Saint-John Perse n'avait-il pas déclaré : « *Lorsque les philosophes eux-mêmes désertent le seuil métaphysique, il advient au poète de relever là le métaphysicien* » ? De fait, les années 70 verront réapparaître le personnage du poète-philosophe ou du philosophe-poète (car la relation joue dans les deux sens). Ainsi en est-il de MICHEL DEGUY (né en 1930 : *Biefs*, 1964 ; *Actes*, 1966 ; *Poèmes 1960-1970*, 1973 ; *Reliefs*, 1975 ; *Gisants*, 1985 ; *Poèmes II*, 1986) ; explorateur de la démarche poétique, Deguy inclut l'interrogation sur la poésie dans l'acte poétique lui-même et aboutit, grâce à cette conjonction, à une totale fusion de *la forme de l'expression* et de son *contenu métaphysique*.

Plus caractéristique encore à cet égard est l'œuvre de JACQUES GARELLI (né en 1931), philosophe de formation et de profession comme Deguy, à la fois poète (*Brèche*, 1966 ; *Lieux précaires*, 1972 ; *L'Ubiquité d'être*, *Difficile séjour*, 1986) et théoricien de la poésie (*La Gravitation poétique*, 1966 ; *Le Recel et la Dispersion*, 1978 ; *Le Temps des signes*, 1983) ; pour lui, « tout bascule dès que le verbe proclame », car le poème est d'abord et avant tout re-création d'une substance à la fois purement verbale et totalement réelle. Cette orientation se trouve clairement affirmée par GARELLI dans un article de 1985, intitulé *Poétique et Ontologie* : « *La tâche primordiale d'une poétique ne serait-elle pas de comprendre et de faire comprendre en quoi le poème nous happe, nous donne le vertige, creusant en nous un vide, un tourbillon ? Le tourbillon d'une faim ou d'un désir qui, en s'ouvrant au monde, nous offre le monde qu'il traverse, qu'il nie et retient tout à la fois.* »

— 1 Problème de communication expliquant le succès de la *chanson populaire :* inséparable de la musique et souvent du spectacle, et devenue à l'ère de la télévision un fait de société, elle apporte parfois une poésie authentique, inspirée par l'humour, la tendresse ou la révolte à des auteurs-compositeurs-interprètes comme CHARLES TRÉNET, GEORGES BRASSENS, JACQUES BREL.

LE THÉATRE DEPUIS 1940

Théâtre et
mise en scène
L'après-guerre allait voir s'opérer des bouleversements considérables. D'abord une profonde modification de la *vie théâtrale* marquée par la prépondérance du *metteur en scène*. Les protagonistes de cette « révolution » ont été J.-L. BARRAULT et surtout Jean VILAR, avec le Festival d'Avignon, dont l'idée a fait tache d'huile, et le Théâtre National Populaire. Auprès des *voies traditionnelles*, le succès de *formes théâtrales nouvelles* a été assuré par la ferveur de Georges Vitaly, André Reybaz, Roger Blin, Jacques Mauclair, Jean-Marie Serreau. On a vu plus récemment proliférer la formule du café-théâtre.

D'autre part, dans le cadre de la décentralisation, puis des maisons de la culture, se sont créées des *compagnies dramatiques provinciales* animées, par exemple, par Gignoux à l'Ouest, Dasté à Saint-Étienne, Planchon à Lyon, Sarrazin à Toulouse, Maréchal à Marseille. Elles ont contribué à rénover la mise en scène. Mais beaucoup font valoir, après Jouvet, qu'il y a une limite à l'innovation : le respect dû à l'œuvre dans sa lettre et dans son esprit.

Les voies
traditionnelles
Des auteurs dramatiques déjà reconnus ont continué à donner des chefs-d'œuvre : CLAUDEL (cf. p. 206-229), GIRAUDOUX (cf. p. 438), SALACROU (cf. p. 433), ANOUILH (cf. p. 637). MONTHERLANT amorce une brillante carrière de dramaturge (cf. p. 651-665). On a vu paraître sur la scène un théâtre des romanciers et des poètes (cf. p. 666), entre autres les pièces de MAURIAC (cf. p. 666) et d'AUDIBERTI (cf. p. 668) ; il y a eu une vogue du théâtre philosophique et engagé, avec SARTRE (cf. p. 707-715) et CAMUS (cf. p. 729).

Des voies nouvelles
Une coïncidence féconde fait que l'effort des metteurs en scène pour renouveler la représentation théâtrale et la communion avec le public se rencontre avec une autre « révolution » qui, elle, concerne à la fois la signification, la structure et le langage de l'œuvre dramatique.

ARTAUD ET LE « THÉÂTRE DE LA CRUAUTÉ ». Dès 1938, ANTONIN ARTAUD affirmait dans *Le théâtre et son double* que le domaine du théâtre n'était pas psychologique mais physique et plastique. Il avait fondé en 1932 un *Théâtre de la cruauté*, entendant par là « qu'une vraie pièce de théâtre bouscule le repos des sens, libère l'inconscient comprimé, pousse à une sorte de révolte virtuelle » ; il prône « une action poussée à bout, et extrême » ; et, du même coup aussi, se trouve mise en question la validité du langage au théâtre. Mais sa meilleure pièce, *Les Cenci*, n'est pas vraiment convaincante.

Un théâtre nouveau
Il est clair que ces trois orientations : *primauté du physique et du plastique, identification du dramatique avec le « cruel »* et *dérision du langage,* sont les trois grandes caractéristiques du « théâtre nouveau » qui, sous le signe de *l'absurde,* développe sa puissance de rupture vers le milieu du siècle dans les œuvres d'IONESCO (cf. p. 673), de BECKETT (cf. p. 683), de GENET (cf. p. 690), d'ADAMOV et d'ARRABAL (cf. p. 689). Ici encore des poètes (cf. p. 697) et des romanciers s'engagent dans des expériences de renouvellement théâtral, par exemple Nathalie SARRAUTE (cf. p. 762) et Marguerite DURAS (cf. p. 754).

UNE TOTALE REMISE EN QUESTION. Dernière étape, celle d'une contestation radicale du texte dramatique dans ses connotations intellectuelles et psychologiques : le théâtre revient à sa fonction étymologique de *« spectacle »*. On veut émouvoir par le pathétique extérieur, la mimique, la musique, les scènes symboliques ; on suscite la communion dionysiaque des spectateurs qui deviennent eux aussi acteurs et improvisent ; on n'hésite pas à modifier le texte initial. Marquée par le succès du *Théâtre du Soleil* d'Ariane Mnouchkine *(1789 ; 1793),* cette formule, poussée à l'extrême, exposerait le théâtre à sortir du champ de la littérature.

VOIES TRADITIONNELLES

JEAN ANOUILH

Sa carrière   D'origine modeste, JEAN ANOUILH (1910-1987) est né à Bordeaux. « Un an et demi à la Faculté de Droit de Paris, deux ans dans une maison de publicité », quelque temps chez Jouvet comme secrétaire, telles furent ses activités avant le succès de *L'Hermine* (1932) et la gageure, qu'il a tenue, de « ne vivre que du théâtre ». C'est le *Siegfried* de Giraudoux, créé par Jouvet (1928), qui lui révéla sa vocation : il lui apprit *« qu'on pouvait avoir au théâtre une langue poétique et artificielle qui demeure plus vraie que la conversation sténographique »*. Ses autres maîtres furent, avec Musset et Marivaux « mille fois relus », Claudel, Pirandello, Shaw et, évidemment, Molière. Il doit beaucoup enfin aux metteurs en scène Pitoëff et Barsacq qui, l'initiant aux ficelles du métier, lui ont permis de devenir le plus fécond *« architecte »* dramatique.

Il range lui-même ses pièces en cinq catégories : PIÈCES ROSES : *Le Bal des voleurs* (1938), *Léocadia* (1939), *Le Rendez-vous de Senlis* (1941). — PIÈCES NOIRES : *L'Hermine* (1932), *Le Voyageur sans bagage* (1937), *La Sauvage* (1938), *Eurydice* (1942), et NOUVELLES PIÈCES NOIRES : *Antigone* (1944), *Jézabel* (1946), *Roméo et Jeannette* (1946), *Médée* (1953). — PIÈCES BRILLANTES : *L'Invitation au château* (1947), *La Répétition ou L'Amour puni* (1950), *Colombe* (1951), *Cécile ou L'École des pères* (1954). — PIÈCES GRINÇANTES : *Ardèle ou La Marguerite* (1948) et *La Valse des toréadors* (1952), « geste » du grotesque et parfois touchant général Saint-Pé ; *Ornifle* (1955) ; *Pauvre Bitos ou Le Dîner de têtes* (1956) ; *L'Hurluberlu ou Le Réactionnaire amoureux* (1959), dont le héros est encore le général ; *La Grotte* (1961). — PIÈCES COSTUMÉES s'inspirant librement de l'histoire : *L'Alouette* (1953) ; *Becket ou L'Honneur de Dieu* (1959) ; *La Foire d'empoigne* (1960). Dans des comédies plus récentes, ANOUILH accorde une place assez large à des traits satiriques et parfois autobiographiques sur la famille, les femmes, les enfants, la politique : *Ne réveillez pas Madame* (1965), *Le Boulanger, la boulangère et le petit mitron* (1968), *Cher Antoine* (1969), *Les Poissons rouges* (1970), *Le Directeur de l'Opéra* (1972), *Le Nombril* (1981).

Le rose et le noir   La plupart de ces pièces offrent des dosages variés de « rose » et de « noir », avec une *prédominance du sombre ou du « grinçant »,* même dans les pièces « brillantes ». C'est qu'en dépit d'une *fantaisie* et d'un *génie comique* souvent irrésistibles, ANOUILH est franchement *pessimiste*. Son œuvre se présente comme *une révolte contre tout ce qui porte atteinte à la pureté des êtres*. Révolte contre la tyrannie de *l'argent* qui contraint les pauvres à s'abaisser, les avilit et surtout les humilie, rendant impossible l'amour entre pauvres et riches (cf. p. 638). Révolte de *l'adolescence* contre les laideurs de l'existence ou la mauvaise conduite qu'elles favorisent, et contre *l'impossibilité d'abolir les flétrissures,* de purifier sa conscience pour régénérer sa vie. Sans doute, après des scènes très sombres, l'auteur s'amuse à terminer en rose *Le Rendez-vous de Senlis* et *Le Voyageur sans bagage* (cf. p. 640) ; mais dans *Eurydice*, malgré la fraîcheur spontanée d'un amour mutuel, le couple d'Orphée et d'Eurydice ne résiste pas au souvenir de l'inconduite passée : seule la mort leur permettra de se rejoindre enfin. Dans *Antigone*, c'est la vie elle-même qui est rejetée, comme incompatible avec l'exigence nostalgique de la pureté (cf. p. 643).

Avec les *Pièces brillantes* et *grinçantes,* la satire devient plus âpre, plus crispée : ANOUILH s'en prend sans relâche au mythe de l'amour heureux ; il semble céder à la tentation du théâtre d'idées et critique la société moderne, l'armée, la démocratie, la « réaction », etc. ; mais, abusant des effets faciles et des simplifications, il semble peu fait pour philosopher sur la scène. Il a beau se mettre à l'école de Marivaux *(La Répétition)* ou mêler le sérieux et la farce comme Molière, il donne l'impression de se répéter et de masquer sous une *incomparable virtuosité de dramaturge* une certaine inaptitude à s'évader de lui-même. Toutefois *Becket* (cf. p. 648), après *L'Alouette*, rendait un son nouveau, le sujet « *historique »* lui permettant de sortir du cycle de la satire grinçante sans renoncer à s'exprimer avec le *frémissement* lyrique qui donne à ses chefs-d'œuvre leur *accent inoubliable*.

LA SAUVAGE   THÉRÈSE TARDE *est violoniste dans un minable orchestre de café, entre un père cupide et veule et une mère débauchée. Malgré les souillures de cette vie misérable, elle a gardé* le cœur pur *et un amour sincère la lie au grand musicien* FLORENT, *qui veut l'épouser. Elle a honte de ses parents, avides d'exploiter cette « affaire inespérée » ; pourtant elle accepte de passer quelques jours,* avec son père, *chez son fiancé.*

LES DEUX « ROYAUMES »

Cette maison « si claire et si accueillante », avec son luxe, ses livres, ses portraits de famille, semble dire à THÉRÈSE qu'elle n'est pas faite pour elle. Loin de renier le passé qu'elle ne peut oublier, « la sauvage » *se cabre d'orgueil.* FLORENT, qui devine sa détresse, voudrait la sauver d'elle-même, arracher ses « mauvaises herbes ». Il y parviendrait peut-être, mais en voyant *son père* qui se conduit chez l'hôte comme un ivrogne sans éducation, elle se reprend : elle « s'accroche » à cette loque qui est « de la même race » qu'elle, et elle se cramponne à sa « pauvre révolte ». Le dialogue frémissant qui l'oppose alors à FLORENT révèle l'abîme entre les deux « royaumes » des riches et des pauvres. Avec son *âpreté* que souligne encore la vulgarité voulue de l'expression, cette page traduit la révolte des héros d'Anouilh sous la forme inattendue d'une fidélité désespérée à la tare indélébile de la *pauvreté.* – THÈMES : *Amour. Argent. Pauvreté. Moi. Société.*

THÉRÈSE, *à Florent :* Tu ne dis plus rien ? Tu sens que je suis loin de toi maintenant que je m'accroche à lui... Ah ! tu m'as tirée à toi, tu sais, avec ta grande force et ma tête se cognait à toutes les pierres du chemin... Mais je t'ai échappé, maintenant. Tu ne pourras plus jamais m'atteindre.

FLORENT : Non, Thérèse, tu te débats, mais tu ne m'as pas échappé.

THÉRÈSE : Si, maintenant que je suis au désespoir, je t'ai échappé, Florent. Je viens d'entrer dans un royaume où tu n'es jamais venu, où tu ne saurais pas me suivre pour me reprendre. Parce que tu ne sais pas ce que c'est que d'avoir mal et de s'enfoncer. Tu ne sais pas ce
10 que c'est que se noyer, se salir, se vautrer... Tu ne sais rien d'humain, Florent... *(Elle le regarde.)* Ces rides, quelles peines les ont donc tracées ? Tu n'as jamais eu une vraie douleur... Tu n'as jamais haï personne, cela se voit à tes yeux, même ceux qui t'ont fait du mal.

FLORENT, *calme et lumineux encore :* Non, Thérèse. Mais je ne désespère pas. Je compte bien t'apprendre un jour à ne plus savoir haïr, toi non plus.

THÉRÈSE : Comme tu es sûr de toi !

FLORENT : Oui, je suis sûr de moi et sûr de ton bonheur que je ferai, que tu le veuilles ou non.

THÉRÈSE : Comme tu es fort !
20 FLORENT : Oui, je suis fort.

THÉRÈSE : Tu n'as jamais été laid, ni honteux, ni pauvre... Moi, j'ai fait de longs détours parce qu'il fallait que je descende des marches et que j'avais des bas troués aux genoux. J'ai fait des commissions pour les autres et j'étais grande et je disais merci et je riais, mais j'avais honte quand on me donnait des sous. Tu n'as jamais été en commission, toi, tu n'as jamais cassé le litre et pas osé remonter dans l'escalier ?

TARDE : Tu as bien besoin de raconter toutes ces histoires, par exemple !...

THÉRÈSE : Oui, papa, j'en ai besoin.

FLORENT : Je n'ai jamais été pauvre, non, Thérèse, mais ce n'est pas
30 ma faute.

THÉRÈSE : Rien n'est ta faute ! Tu n'as jamais été malade non plus,
j'en suis sûre. Moi j'ai eu des croûtes, la gale, la gourme, toutes les
maladies des pauvres ; et la maîtresse m'écartait les cheveux avec une
règle quand elle s'en est aperçue.

TARDE, *excédé :* Boh ! Des croûtes !

FLORENT *secoue la tête :* Je me battrai, Thérèse, je me battrai, et je serai
plus fort que tout ce que t'a fait la misère.

THÉRÈSE *ricane :* Tu te battras ! Tu te battras ! Tu te bats gaiement
contre la souffrance des autres parce que tu ne sais pas qu'elle vous
40 tombe dessus comme un manteau ; un manteau qui vous collerait à la
peau par endroits. Si tu avais été méchant déjà, ou faible, ou lâche,
tu prendrais des précautions infinies pour toucher ce manteau saignant.
Il faut faire très attention pour ne pas vexer les pauvres... *(Elle prend
son père par la main.)* Allons, viens, papa. Remets ton chapeau
haut-de-forme. *(A Florent, bien en face.)* Laisse-nous passer, s'il te plaît.

FLORENT *lui a barré la route :* Non, Thérèse.

THÉRÈSE *frissonne, se regardant dans ses yeux :* « Elle est délicieuse ! » J'ai
entendu que vous disiez cela avec Hartman. « Elle est délicieuse ! »
Tu ne t'attendais pas à cela, hein ? Cette haine qui me creuse le visage,
50 cette voix qui crie, ces détails crapuleux. Je dois être laide comme la
misère en ce moment. Ne dis pas non. Tu es tout pâle. Les vaincus
sont effrayants, n'est-ce pas ?

FLORENT : Pourquoi emploies-tu des mots aussi bêtes ? Tu n'es pas
un vaincu, et surtout, je ne suis pas un vainqueur.

THÉRÈSE : Tu es riche, c'est pire. Un vainqueur qui n'a pas combattu.

FLORENT *lui crie, excédé :* Mais tu ne peux pas me reprocher
éternellement cet argent. Qu'est-ce que tu veux que j'en fasse ?

THÉRÈSE : Oh ! rien, Florent. Tu aurais beau le jeter tout entier au vent,
par la fenêtre, en riant, comme l'autre jour, que ma peine ne s'envolerait
60 pas avec lui... Tu n'es pas seulement riche d'argent, comprends-le, tu es
riche aussi de ta maison de petit garçon, de ta longue tranquillité et de celle
de tes grands-pères... Tu es riche de ta joie de vivre qui n'a jamais eu à
attaquer ni à se défendre, et puis de ton talent aussi. Tu vois qu'il y a
vraiment trop de choses à jeter par la fenêtre... Et ne crois pas que tu es un
monstre, surtout. Hartman t'a trompé en employant ce mot. Tu m'as
torturée et tu es bon, tu sais, et ce n'est pas ta faute, parce que tu ne sais
rien. *(Elle le regarde pendant une seconde, puis, soudain, sa colère la submerge. Elle crie,
avançant vers lui.)* Tu ne sais rien ! Tu comprends, puisque je te lâche mon
paquet, aujourd'hui, comme une bonne qu'on flanque à la porte, je veux
70 te le crier une fois encore ; c'est ce qui m'a fait le plus de mal. Tu ne sais
rien. Vous ne savez rien vous autres, vous avez ce privilège de ne rien savoir.

Ah ! Je me sens grosse ce soir de toute la peine qui a dû serrer, depuis toujours, le cœur des pauvres quand ils se sont aperçus que les gens heureux
ne savaient rien, qu'il n'y avait pas d'espoir qu'un jour ils sachent ! Mais
ce soir tu sauras, tu me sauras moi au moins, si tu ne sais pas les autres...

La Sauvage, II (La Table Ronde, éditeur).

FLORENT *pleure de la voir si malheureuse : il n'est donc pas un « vrai riche », insensible
à la misère humaine ! Thérèse s'attendrit et tombe dans ses bras.* Elle ne partira pas : *elle
s'efforcera de tourner le dos à son passé, et de vivre heureuse dans l'univers lumineux des
riches. Mais ce n'est que* partie remise. *A l'acte III, pendant qu'elle essaye sa robe de mariée,
divers incidents la rappellent à elle-même :* « J'aurais beau tricher et fermer les yeux de
toutes mes forces... Il y aura toujours un chien perdu quelque part qui m'empêchera
d'être heureuse. » *Et elle s'enfuit,* « toute menue, dure et lucide, pour se cogner partout
dans le monde ».

Le Voyageur sans bagage

Comme le Siegfried de Giraudoux (cf. p. 438), GASTON est un *amnésique* de guerre.
Il a vécu tranquille pendant dix-sept ans dans un asile, jusqu'au jour où l'on s'est mêlé
de *retrouver ses parents.* Pour réveiller ses souvenirs, on le place chez les RENAUD qui
croient reconnaître en lui leur fils JACQUES. Il découvre avec horreur ce qu'était ce
JACQUES : un être cruel, un escroc, qui a estropié son meilleur ami en lui disputant les
faveurs d'une bonne, s'est brouillé avec sa mère et est devenu l'amant de sa belle-sœur
VALENTINE. Reconnu par tous, il refuse d'endosser ce passé odieux. Pourtant Valentine,
qui l'aime, veut le convaincre de cette vérité qui déchire les héros d'Anouilh : *il est
impossible d'effacer les taches de la conscience* et nous devons « nous accepter tels que nous
sommes », ou mourir. – THÈMES : *Souvenir. Moi. Morale. Bonheur.*

GASTON : Je ne suis pas Jacques Renaud !

VALENTINE : Écoute, Jacques, il faut pourtant que tu renonces à la
merveilleuse simplicité de ta vie d'amnésique. Écoute, Jacques, il faut pourtant
que tu t'acceptes. Toute notre vie avec notre belle morale et notre chère liberté,
cela consiste en fin de compte à nous accepter tels que nous sommes... Ces
dix-sept ans d'asile pendant lesquels tu t'es conservé si pur, c'est la durée exacte
d'une adolescence, ta seconde adolescence qui prend fin aujourd'hui. Tu vas
redevenir un homme avec tout ce que cela comporte de taches, de ratures et
aussi de joies. Accepte-toi et accepte-moi, Jacques.

10   GASTON : Si j'y suis obligé par quelque preuve, il faudra bien que je m'accepte ;
mais je ne vous accepterai pas ! [...] Je ne prendrai pas la femme de mon frère.

VALENTINE : Quand laisseras-tu tes grands mots ? Tu vas voir, maintenant
que tu vas être un homme, aucun de tes nouveaux problèmes ne sera assez
simple pour que tu puisses le résumer dans une formule... Tu m'as prise à
lui, oui. Mais, le premier, il m'avait prise à toi, simplement parce qu'il avait
été un homme, maître de ses actes, avant toi.

GASTON : Et puis, il n'y a pas que vous... Je ne tiens pas à avoir dépouillé
de vieilles dames, violé des bonnes.

VALENTINE : Quelles bonnes ?

20   GASTON : Un autre détail... Je ne tiens pas non plus à avoir levé la main
sur ma mère, ni à aucune des excentricités de mon affreux petit sosie.

Le Voyageur sans bagage

« *Le Voyageur sans bagage* »,
Théâtre des Mathurins (1973) :
Daniel Ivernel (Jacques),
Fabienne Lanson (l'enfant anglais),
Madeleine Barbulée.
(2 ph. © Philippe Coqueux)

Un dénouement « rose »

En recouvrant la mémoire, Jacques, amnésique de guerre, n'a trouvé que du *noir* dans son passé, sa famille, les lendemains qui s'annoncent pour lui (cf. **p. 640**). Délibérément, il se tourne alors vers un avenir plus *rose*, en choisissant d'être le neveu (!) d'un charmant petit orphelin anglais sans famille, solution qui, du même coup, lui assure une fortune très confortable.

VALENTINE : Comme tu cries !... Mais, à peu de choses près, tu as fait cela aussi tout à l'heure...

GASTON : J'ai dit à une vieille dame inhumaine que je la détestais, mais cette vieille dame n'était pas ma mère.

VALENTINE : Si, Jacques ! Et c'est pour cela que tu le lui as dit avec tant de véhémence. Et, tu vois, il t'a suffi, au contraire, de côtoyer une heure les personnages de ton passé pour reprendre inconsciemment avec eux tes anciennes attitudes. Écoute, Jacques, je vais monter dans ma chambre, car tu dois
30 être très en colère. Dans dix minutes, tu m'appelleras, car tes colères sont terribles, mais ne durent jamais plus de dix minutes.

GASTON : Qu'en savez-vous ? Vous m'agacez, à la fin. Vous avez l'air d'insinuer que vous me connaissez mieux que moi.

VALENTINE : Mais bien sûr !... Écoute, Jacques, écoute. Il y a une preuve décisive que je n'ai jamais pu dire aux autres !...

GASTON *recule :* Je ne vous crois pas !

VALENTINE *sourit :* Attends, je ne l'ai pas encore dite.

GASTON *crie :* Je ne veux pas vous croire, je ne veux croire personne. Je ne veux plus que personne me parle de mon passé. [...] *Gaston murmure, harassé :*
40 Vous avez tous des preuves, des photographies ressemblantes, des souvenirs précis comme des crimes... Je vous écoute tous et je sens surgir peu à peu derrière moi un être hybride où il y a un peu de chacun de vos fils et rien de moi, parce que vos fils n'ont rien de moi. *(Il répète.)* Moi. Moi. J'existe, moi, malgré toutes vos histoires... Vous avez parlé de la merveilleuse simplicité de ma vie d'amnésique tout à l'heure... Vous voulez rire. Essayez de prendre toutes les vertus, tous les vices et de les accrocher derrière vous.

VALENTINE : Ton lot va être beaucoup plus simple si tu veux m'écouter une minute seulement, Jacques. Je t'offre une succession un peu chargée, sans doute, mais qui te paraîtra légère, puisqu'elle va te délivrer de toutes les autres.
50 Veux-tu m'écouter ?

GASTON : Je vous écoute.

VALENTINE : Je ne t'ai jamais vu nu, n'est-ce pas ? Eh bien, tu as une cicatrice, une toute petite cicatrice qu'aucun des médecins qui t'ont examiné n'a découverte, j'en suis sûre, à deux centimètres sous l'omoplate gauche. C'est un coup d'épingle à chapeau — crois-tu qu'on était affublée en 1915 ! — je te l'ai donné un jour où j'ai cru que tu m'avais trompé. *(Elle sort. Il reste abasourdi un instant, puis il commence lentement à enlever sa veste. — LE RIDEAU TOMBE).*

Le TABLEAU *suivant est d'une grande intensité tragique. Le chauffeur et le valet de chambre, « grimpés sur une chaise dans un petit couloir obscur », observent par un œil-de-bœuf l'étrange manège de* GASTON *qui regarde son épaule dans une glace :*
LE CHAUFFEUR : Qu'est-ce qu'il fait ? — LE VALET DE CHAMBRE, *médusé :* Y chiale...

Le Voyageur sans bagage, III (La Table Ronde, éditeur).

GASTON *n'aurait plus devant lui que le* désespoir *ou la* mort. *Mais, plus heureux que la plupart des héros d'Anouilh, l'amnésique aura le privilège de « choisir » son passé. Parmi les familles qui le réclament, il rencontre un petit Anglais dont tous les parents ont péri dans un naufrage, et qui, pour toucher un gros héritage, aurait besoin de retrouver un neveu (beaucoup plus âgé que lui !) disparu à la guerre. Séduit par le léger bagage de l'identité qui lui est ainsi offerte,* GASTON *se reconnaît membre de cette famille et le prouve grâce à un subterfuge : une fausse lettre où il est question de sa cicatrice. Ainsi la* PIÈCE NOIRE *se dénoue dans un climat de libre* FANTAISIE.

ANTIGONE *Polynice, fils d'Œdipe, a voulu reprendre le trône à Étéocle, son frère, et ils se sont entretués.* CRÉON, *roi de Thèbes, a* décrété la sanction la plus terrible aux yeux des Grecs : le cadavre de Polynice restera sans sépulture. *Bravant l'interdiction de son oncle Créon, la « petite »* ANTIGONE *va jeter un peu de terre sur le corps de son frère. Saisie par les gardes, elle tient tête à Créon qui voudrait l'amener à se soumettre et la sauver, car elle est fiancée à son fils* HÉMON. *Mais devant* l'obstination *d'Antigone, le roi devra se résigner à la faire exécuter.* L'action suit donc assez fidèlement la tragédie de Sophocle. Toutefois, *de profondes différences* apparaissent dans les sentiments et les mobiles des personnages ; en outre, jouant (après GIRAUDOUX) avec les anachronismes, Anouilh a choisi des costumes du XXᵉ siècle : Créon est en habit, les gardes en gabardine.

ANTIGONE REFUSE LE PAUVRE BONHEUR HUMAIN

Pour réduire la résistance d'ANTIGONE et la sauver, CRÉON le « réaliste » a détruit sa piété pour les dieux, puis son respect pour la mémoire de Polynice, une ignoble crapule. S'il ne croit pas aux dieux, Créon a dit *oui* à la vie et à la *« cuisine »* qu'exige son métier de roi, pour « rendre le monde un peu moins absurde ». ANTIGONE se laisserait gagner, mais il a le tort de lui faire miroiter *le bonheur :* pour elle, cette notion est inconciliable avec les compromis, la tiédeur, la médiocrité. Ce n'est plus, comme dans la tragédie grecque, le conflit entre lois écrites et non écrites, c'est *le refus de pactiser avec la vie,* au nom d'une *pureté* dont l'unique royaume est celui de l'*enfance :* c'est, dans sa dimension métaphysique, *le pessimisme étendu à toute la condition humaine.*
THÈMES : *Adolescence. Femme. Bonheur. Justice. Morale. Moi. Providence. Société.*

ANTIGONE *murmure, le regard perdu :* Le bonheur...

CRÉON *a un peu honte soudain :* Un pauvre mot, hein ?

ANTIGONE, *doucement :* Quel sera-t-il, mon bonheur ? Quelle femme heureuse deviendra-t-elle, la petite Antigone ? Quelles pauvretés faudra-t-il qu'elle fasse elle aussi, jour par jour, pour arracher avec ses dents son petit lambeau de bonheur ? Dites, à qui devra-t-elle mentir, à qui sourire, à qui se vendre ? Qui devra-t-elle laisser mourir en détournant le regard ?

CRÉON *hausse les épaules :* Tu es folle, tais-toi.

ANTIGONE : Non, je ne me tairai pas. Je veux savoir comment je m'y
10 prendrai, moi aussi, pour être heureuse. Tout de suite, puisque c'est tout de suite qu'il faut choisir. Vous dites que c'est si beau la vie. Je veux savoir comment je m'y prendrai pour vivre.

CRÉON : Tu aimes Hémon ?

ANTIGONE : Oui, j'aime Hémon. J'aime un Hémon dur et jeune ; un Hémon exigeant et fidèle, comme moi. Mais si votre vie, votre bonheur doivent passer sur lui avec leur usure, si Hémon ne doit plus pâlir quand je pâlis, s'il ne doit plus me croire morte quand je suis en retard de cinq minutes, s'il ne doit plus se sentir seul au monde et me détester quand je ris sans qu'il sache pourquoi, s'il doit devenir près de moi le monsieur
20 Hémon, s'il doit apprendre à dire « oui », lui aussi, je n'aime plus Hémon !

CRÉON : Tu ne sais plus ce que tu dis. Tais-toi.

ANTIGONE : Si, je sais ce que je dis, mais c'est vous qui ne m'entendez plus. Je vous parle de trop loin maintenant, d'un royaume où vous ne pouvez plus entrer avec vos rides, votre sagesse, votre ventre. *(Elle rit.)* Ah !

je ris, Créon, je ris parce que je te vois à quinze ans, tout d'un coup ! C'est le même air d'impuissance et de croire qu'on peut tout. La vie t'a seulement ajouté tous ces petits plis sur le visage et cette graisse autour de toi.

CRÉON *la secoue :* Te tairas-tu, enfin ?

ANTIGONE : Pourquoi veux-tu me faire taire ? Parce que tu sais que
30 j'ai raison ? Tu crois que je ne lis pas dans tes yeux que tu le sais ? Tu sais que j'ai raison, mais tu ne l'avoueras jamais parce que tu es en train de défendre ton bonheur en ce moment comme un os.

CRÉON : Le tien et le mien, oui, imbécile !

ANTIGONE : Vous me dégoûtez tous avec votre bonheur ! Avec votre vie qu'il faut aimer coûte que coûte. On dirait des chiens qui lèchent tout ce qu'ils trouvent. Et cette petite chance pour tous les jours, si on n'est pas trop exigeant. Moi, je veux tout, tout de suite, — et que ce soit entier — ou alors je refuse ! Je ne veux pas être modeste, moi, et me contenter d'un petit morceau si j'ai été bien sage. Je veux être sûre de tout aujourd'hui
40 et que cela soit aussi beau que quand j'étais petite — ou mourir.

CRÉON : Allez, commence, commence, comme ton père !

ANTIGONE : Comme mon père, oui ! Nous sommes de ceux qui posent les questions jusqu'au bout. Jusqu'à ce qu'il ne reste vraiment plus la petite chance d'espoir vivante, la plus petite chance d'espoir à étrangler. Nous sommes de ceux qui lui sautent dessus quand ils le rencontrent votre espoir, votre cher espoir, votre sale espoir !

CRÉON : Tais-toi ! Si tu te voyais criant ces mots, tu es laide.

ANTIGONE : [...] Ah ! vos têtes, vos pauvres têtes de candidats au bonheur ! C'est vous qui êtes laids, même les plus beaux. Vous avez tous
50 quelque chose de laid au coin de l'œil ou de la bouche. Tu l'as bien dit tout à l'heure, Créon, la cuisine. Vous avez des têtes de cuisiniers !

CRÉON *lui broie le bras :* Je t'ordonne de te taire, maintenant, tu entends ?

ANTIGONE : Tu m'ordonnes, cuisinier ? Tu crois que tu peux m'ordonner quelque chose ?

CRÉON : L'antichambre est pleine de monde. Tu veux donc te perdre ? On va t'entendre.

ANTIGONE : Eh bien, ouvre les portes. Justement. Ils vont m'entendre !

Antigone (La Table Ronde, éditeur).

« *Toute seule* »

En attendant le supplice, ANTIGONE essaie timidement de lier conversation avec son gardien et de trouver quelque soutien dans une *sympathie humaine*. Hélas ! il reste indifférent au drame d'Antigone et ne peut s'élever au-dessus de ses soucis personnels, des rivalités de solde et d'avancement. Et ANTIGONE se sent encore *plus seule...* A la scène, le *rire « grinçant »* que provoque ce *décalage* vient accroître l'*angoisse tragique*.
THÈMES : *Solitude. Femme. Adolescence. Mort. Société. Antiquité.*

ANTIGONE *demande tout humble :* Il y a longtemps que vous êtes garde ?
LE GARDE : Après la guerre. J'étais sergent. J'ai rengagé.

Antigone

« Antigone », au Théâtre de l'Atelier, mise en scène d'André Barsacq, 1947 (Jean Davy – Élisabeth Hardy). (Ph. © Lipnitzki – Viollet – Arch. Photeb)

Pièce noire

Lors de la création, en 1942, les personnages étaient en costumes modernes, Créon en habit, Antigone en longue robe noire. Jean Anouilh soulignait ainsi la pérennité de l'affrontement entre les nécessités du pouvoir et la révolte d'une conscience intransigeante (cf. **p. 643**).

ANTIGONE : Il faut être sergent pour être garde ?

LE GARDE : En principe, oui. Sergent ou avoir suivi le peloton spécial. Devenu garde, le sergent perd son grade. Un exemple : je rencontre une recrue de l'armée, elle peut ne pas me saluer.

ANTIGONE : Ah oui ?

LE GARDE : Oui. Remarquez que, généralement, elle le fait. La recrue sait que le garde est un gradé. Question solde : on a la solde ordinaire du garde,
10 comme ceux du peloton spécial, et, pendant six mois, à titre de gratification, un rappel de supplément de la solde de sergent. Seulement, comme garde, on a d'autres avantages. Logement, chauffage, allocations. Finalement, le garde marié avec deux enfants arrive à se faire plus que le sergent de l'active.

ANTIGONE : Ah oui ?

LE GARDE : Oui. C'est ce qui vous explique la rivalité entre le garde et le sergent. Vous avez peut-être pu remarquer que le sergent affecte de mépriser le garde. Leur grand argument, c'est l'avancement. D'un sens, c'est juste. L'avancement du garde est plus lent et plus difficile que dans l'armée. Mais vous ne devez pas oublier qu'un brigadier des gardes, c'est autre chose qu'un sergent-chef.
20 ANTIGONE *lui dit soudain :* Écoute...

LE GARDE : Oui.

ANTIGONE : Je vais mourir tout à l'heure.

Le garde ne répond pas. Un silence. Il fait les cent pas, puis il reprend.

LE GARDE : D'un autre côté, on a plus de considération pour le garde que pour le sergent de l'active. Le garde, c'est un soldat, mais c'est presque un fonctionnaire.

ANTIGONE : Tu crois qu'on a mal pour mourir ?

LE GARDE : Je ne peux pas vous dire. Pendant la guerre, ceux qui étaient touchés au ventre, ils avaient mal. Moi, je n'ai jamais été blessé. Et, d'un sens, ça m'a nui pour l'avancement.
30 ANTIGONE : Comment vont-ils me faire mourir ?

LE GARDE : Je ne sais pas. Je crois que j'ai entendu dire que pour ne pas souiller la ville de votre sang, ils allaient vous murer dans un trou.

ANTIGONE : Vivante ?

LE GARDE : Oui, d'abord. *(Un silence. Le garde se fait une chique.)*

ANTIGONE : O tombeau ! O lit nuptial ! O ma demeure souterraine... *(Elle est toute petite au milieu de la grande pièce nue. On dirait qu'elle a un peu froid. Elle s'entoure de ses bras. Elle murmure.)* Toute seule...

LE GARDE *qui a fini sa chique :* Aux cavernes de Hadès, aux portes de la ville. En plein soleil. Une drôle de corvée encore pour ceux qui seront de faction.
40 Il avait d'abord été question d'y mettre l'armée. Mais, aux dernières nouvelles, il paraît que c'est encore la garde qui fournira les piquets. Elle a bon dos, la garde ! Étonnez-vous après qu'il existe une jalousie entre le garde et le sergent d'active...

ANTIGONE *murmure, soudain lasse :* Deux bêtes...

LE GARDE : Quoi, deux bêtes ?

ANTIGONE : Deux bêtes se serreraient l'une contre l'autre pour se faire chaud. Je suis toute seule.

Antigone (La Table Ronde, éditeur).

Antigone

« Antigone », au Théâtre de l'Atelier, mise en scène d'André Barsacq, 1947 (Élisabeth Hardy – Marcel Pérès). (Ph © Agence Bernand – Arch. Photeb)

Solitude

Mieux qu'elle ne le serait par un monologue romantique, la solitude morale d'Antigone, qui va mourir, est rendue poignante par un dialogue où se révèle l'impossibilité de communiquer avec le garde, uniquement soucieux de questions de service et d'avancement (cf. **p. 646**).

647

Becket ou l'Honneur de Dieu

Saxon de naissance, le jeune Thomas Becket appartient à une race asservie ; mais il est courageux, raffiné, cultivé, et il est devenu l'ami du roi Henri II Plantagenêt. Compagnon de débauche, mais aussi conseiller politique, il l'aide à *asseoir sa puissance*, face aux privilèges temporels de l'Église. Mais cette grande amitié se brise du jour où, croyant réussir un coup de maître, le roi élève son ami à la dignité de Primat d'Angleterre. Archevêque malgré lui, Thomas prend en effet son rôle au sérieux : il se sent dépositaire de « *l'honneur de Dieu* » et défend âprement ses droits contre l'autorité royale. Il doit même *s'exiler* pour échapper à la vengeance du roi. Voici le moment où, dans une entrevue ménagée par le roi de France, les deux hommes tentent de se réconcilier. Ils se rencontrent à cheval, seuls sur une lande glacée, pendant que les barons les observent de loin. Tout au long de l'entretien, les *problèmes politiques* seront traités à travers le *déchirement des passions intimes* : le roi est torturé et dépité de voir cette amitié qui se meurt, et l'archevêque, prisonnier de « l'honneur de Dieu », garde tendresse et déférence pour ce prince à qui il a enseigné « l'honneur du royaume ». *Scène puissamment originale et d'une humanité profonde, qui rappelle les plus beaux moments de* Shakespeare. THÈMES : *Amitié. Morale. Moi. Religion. Société.*

LE ROI *crie, soudain, comme un enfant perdu :* Je m'ennuie, Becket !

BECKET, *grave :* Mon prince. Je voudrais tant pouvoir vous aider.

LE ROI : Qu'est-ce que tu attends ? Tu vois que je suis en train d'en crever !

BECKET, *doucement :* Que l'honneur de Dieu et l'honneur du roi se confondent.

LE ROI : Cela risque d'être long !

BECKET : Oui. Cela risque d'être long. *(Silence. On n'entend plus que le vent.)*

LE ROI, *soudain :* Si on n'a plus rien à se dire, il vaut autant aller se réchauffer !

BECKET : On a tout à se dire, mon prince. L'occasion ne se présentera peut-être pas deux fois.

10   LE ROI : Alors, fais vite. Sinon, c'est deux statues de glace qui se réconcilieront dans un froid définitif. Je suis ton roi, Becket ! Et tant que nous sommes sur cette terre, tu me dois le premier pas. Je suis prêt à oublier bien des choses, mais pas que je suis roi. C'est toi qui me l'as appris.

BECKET, *grave :* Ne l'oubliez jamais, mon prince. Fût-ce contre Dieu ! Vous, vous avez autre chose à faire. Tenir la barre du bateau.

LE ROI : Et toi, qu'est-ce que tu as à faire ?

BECKET : J'ai à vous résister de toutes mes forces, quand vous barrez contre le vent.

LE ROI : Vent en poupe, Becket ? Ce serait trop beau ! C'est de la navigation
20   pour petites filles. Dieu avec le roi ? Ça n'arrive jamais. Une fois par siècle, au moment des croisades, quand toute la chrétienté crie : « Dieu le veut ! » Et encore ! Tu sais comme moi quelle cuisine cela cache une fois sur deux, les croisades. Le reste du temps, c'est vent debout. Et il faut bien qu'il y en ait un qui se charge des bordées !

BECKET : Et un autre qui se charge du vent absurde — et de Dieu. La besogne a été, une fois pour toutes, partagée. Le malheur est qu'elle l'ait été entre nous deux, mon prince, qui étions amis.

LE ROI *crie, avec humeur :* Le roi de France — je ne sais pas encore ce qu'il y gagne — m'a sermonné pendant trois jours pour que nous fassions notre
30   paix. A quoi te servirait de me pousser à bout ?

Becket ou l'honneur de Dieu

« Becket », au Théâtre Montparnasse, 1959 (Bruno Cremer – Daniel Ivernel). (Ph. © Agence Bernand – Arch. Photeb)

Ultime rencontre

A la manière de Shakespeare, Anouilh entremêle dans ce drame le tragique et le bouffon, jusqu'au meurtre de Becket dans sa cathédrale. C'est un grand moment de théâtre que cette rencontre de deux cavaliers sur une lande désolée et glacée. On y perçoit la douleur de deux hommes qui sentent se déchirer une vieille amitié : chacun suit la pente de son caractère tout en croyant obéir à son devoir d'État.

BECKET : A rien.

LE ROI : Tu sais que je suis le roi et que je dois agir comme un roi. Qu'espères-tu ? Ma faiblesse ?

BECKET : Non. Elle m'atterrerait.

LE ROI : Me vaincre par la force ?

BECKET : C'est vous qui êtes la force.

LE ROI : Me convaincre ?

BECKET : Non plus. Je n'ai pas à vous convaincre. J'ai seulement à vous dire non.

40   LE ROI : Il faut pourtant être logique, Becket !

BECKET : Non, ce n'est pas nécessaire, mon roi. Il faut seulement faire, absurdement, ce dont on a été chargé — jusqu'au bout. [...]

LE ROI *ricane :* Tu as été touché par la grâce ?

BECKET, *grave :* Pas par celle que vous croyez. J'en suis indigne. [...]

LE ROI : Alors ?

BECKET : Je me suis senti chargé de quelque chose tout simplement pour la première fois, dans cette cathédrale vide, quelque part en France, où vous m'avez ordonné de prendre ce fardeau. J'étais un homme sans honneur. Et tout d'un coup, j'en ai eu un, celui que je n'aurais jamais imaginé devoir devenir

50 le mien, celui de Dieu. Un honneur incompréhensible et fragile, comme un enfant-roi poursuivi.

Intraitable sur ses « devoirs de pasteur », Becket cède sur les autres points litigieux : « par esprit de paix, dit-il, et parce que je sais qu'il faut que vous restiez le roi — fors l'honneur de Dieu ».

LE ROI, *froid, après un temps :* Eh bien, soit. Je t'aiderai à défendre ton Dieu, puisque c'est ta nouvelle vocation, en souvenir du compagnon que tu as été pour moi — fors l'honneur du royaume ! Tu peux rentrer en Angleterre, Thomas.

BECKET : Merci, mon prince. Je comptais de toute façon y rentrer et m'y livrer à votre pouvoir, car sur cette terre, vous êtes mon roi. Et pour ce qui est de cette terre, je vous dois obéissance.

LE ROI, *embarrassé, après un temps :* Eh bien, retournons maintenant. Nous avons fini. J'ai froid.

60   BECKET, *sourdement aussi :* Moi aussi, maintenant, j'ai froid.

Un silence encore. Ils se regardent. On entend le vent.

LE ROI *demande soudain :* Tu ne m'aimais pas, n'est-ce pas, Becket ?

BECKET : Dans la mesure où j'étais capable d'amour, si, mon prince.

LE ROI : Tu t'es mis à aimer Dieu ? *(Il crie.)* Tu es donc resté le même, sale tête, à ne pas répondre quand on te pose une question ?

BECKET, *doucement :* Je me suis mis à aimer l'honneur de Dieu.

Becket, IV (La Table Ronde, éditeur).

BECKET *rentre en Angleterre, mais le roi ne peut tolérer la « trahison » de cet homme qu'il a « tiré du néant de sa race » et qu'il aime peut-être encore. Éperdu de douleur, il s'écrie devant ses barons :* « Personne ne me délivrera donc de lui ? Un prêtre ! Un prêtre qui me nargue et qui me fait injure ! » *Quatre seigneurs se consultent du regard et sortent...*
    A la fin de la pièce, nous assistons, en une scène très dramatique, au meurtre *de* THOMAS BECKET, *qui s'est paré des plus beaux ornements sacerdotaux pour affronter dignement la mort dans sa cathédrale de Cantorbery.*

HENRY DE MONTHERLANT

A ceux qui ignoraient *L'Exil* (1914, publié en 1929) et *Pasiphaé* (1936), les « années 40 » révélèrent le génie dramatique d'HENRY DE MONTHERLANT. D'une existence qu'il avait voulue d'abord énergique, puis livrée aux voyages et à la méditation, il avait tiré la matière de ses *romans,* de ses *poèmes,* de ses *essais* (cf. *Biographie,* p. 532). Ne pouvant s'engager en 1939, il se trouve au front comme journaliste et y est légèrement blessé. De 1942 à 1945, il s'occupe avec la Croix-Rouge des enfants victimes de la guerre ; mais, par la suite, sa vie s'est surtout placée sous le signe d'une *laborieuse retraite d'écrivain.* Hormis quelques essais amers dictés par les événements (*Le Solstice de juin,* 1941), condamné tour à tour par les Allemands et par la Résistance (*Textes sous une Occupation,* 1953), il s'est alors consacré à la création dramatique : de *La Reine morte* (1942) à *La Guerre civile* (1965), MONTHERLANT a publié en effet quinze pièces, dont la plupart ont été représentées.

L'homme et son théâtre

L'ALTERNANCE. Personnalité extrêmement riche et complexe, MONTHERLANT refuse de sacrifier aucune de ses « composantes » ; il proclame son droit de « garder tout en composant tout » (*Les Olympiques),* de « faire alterner en soi la Bête et l'Ange, la vie corporelle et charnelle et la vie intellectuelle et morale ». « *Tout le monde a raison, toujours,* dit-il... *J'ai besoin de vivre toute la diversité du monde et de ses prétendus contraires... L'univers n'a aucun sens, il est parfait qu'on lui donne tantôt l'un et tantôt l'autre* » (*Aux Fontaines du désir*). Cette complexité le disposait au *dialogue,* au *conflit* des idées et des êtres : son théâtre révèle une aptitude exceptionnelle à faire parler chacun selon ses sentiments et ses intérêts. En vertu de l'*alternance,* il est tour à tour *édifiant* ou *immoral,* tantôt *chrétien* tantôt *profane.*

VEINE CHRÉTIENNE ET VEINE PROFANE. « Il y a dans mon œuvre une veine *chrétienne* et une veine *profane* (ou pis que profane), que je nourris alternativement, j'allais dire simultanément, comme il est juste, toute chose en ce monde méritant à la fois l'assaut et la défense » (*Le Maître de Santiago, Postface*). Les PIÈCES PROFANES de Montherlant, surtout les drames « *en veston »,* sont, par les personnages et leurs nuances psychologiques, comme des résurgences des *romans* qu'il classe dans la même veine (*La Petite Infante de Castille, Les Jeunes Filles*). Quant à la VEINE CHRÉTIENNE (cf. p. 659), représentée jusque là par *La Relève du matin, La Rose de sable, Service inutile,* elle a donné des chefs-d'œuvre chez cet écrivain de formation *catholique,* mais qui se déclare volontiers *incroyant.* On discute son « christianisme » (cf. p. 661), mais l'erreur est d'identifier l'auteur à ses héros (Ferrante, Alvaro) : « *Je ne suis aucun d'eux,* dit-il, *et je suis chacun d'eux.* » Plutôt que de dégager l'essence du christianisme, il en peint certains *aspects particuliers.*

UNE DRAMATURGIE CLASSIQUE. Son théâtre s'apparente au *drame* par le rôle de la *surprise* (cf. p. 654), le *lyrisme spontané* (cf. p. 653, 659), le parti pris de respecter le « *clair-obscur de l'homme* » : « Le théâtre, dit-il, est fondé sur la cohérence des caractères, et la vie est fondée sur leur incohérence. L'inconsistance de Ferrante est une des données de *La Reine morte* » (cf. p. 654). Mais ces pièces sont d'*essence classique* par la primauté de la *psychologie,* car pour Montherlant « *tout vient des êtres ».* Son objet est « d'exprimer avec le maximum d'intensité et de profondeur un certain nombre de mouvements de l'âme humaine » et une pièce « n'est qu'un prétexte à l'*exploration de l'homme ».*

« Veine profane »

Il faudrait distinguer des drames « EN POURPOINT » : *La Reine morte* (1942, cf. p. 652) ; *Malatesta* (1946), pièce touffue mais attachante où l'auteur reconstitue avec éclat le climat mi-païen mi-chrétien de la Renaissance italienne ; *Don Juan* (1958) ; *La Guerre civile* (1965, cf. p. 658) ; — et des drames « EN VESTON » : *L'Exil* (1929) ; *Fils de personne* (1943) et sa suite, *Demain il fera jour* (1949) ; *Celles qu'on prend dans ses bras* (1950) ; *Brocéliande* (1956), la pièce « la plus gaie et la plus triste » de Montherlant (P. Descaves).

LA REINE MORTE   Le sujet de *La Reine morte* est emprunté à l'histoire
d'INÈS DE CASTRO, épouse secrète de l'infant Pedro,
assassinée en 1355 sur l'ordre du roi Alphonse IV de Portugal : monté sur le trône, Pedro
fit exhumer le cadavre d'Inès et obligea la cour à rendre à la *Reine morte* les honneurs
royaux.

Pour des motifs politiques, le vieux roi FERRANTE *voudrait marier son fils* PEDRO, *qui n'a
ni volonté ni ambition, à l'énergique et fière* INFANTE *de Navarre. Pedro révèle qu'il a déjà
épousé en secret une dame de la cour,* INÈS. *Dans sa fureur, le roi jette son fils en prison
« pour médiocrité » et s'efforce, mais en vain, d'obtenir du pape l'annulation du mariage.
Le tortueux ministre* EGAS COELHO *l'incite alors à faire assassiner la jeune femme. De son
côté, la généreuse infante prévient Inès de ce danger et lui offre l'hospitalité, mais celle-ci
refuse de s'éloigner. Repoussant pour l'instant la tentation du meurtre,* FERRANTE *éprouve
pour* INÈS *une sympathie étrange. Il se laisse entraîner à lui confier ses « secrets désespérés » :
il a atteint « l'âge de l'indifférence » ; il ne croit plus au métier de roi, aux exploits que
le temps efface ; il est las de mentir aux autres et à lui-même. Émue par cette confidence,*
INÈS *dévoile aussi son secret : « Un enfant de votre sang se forme en moi. » Le roi s'attendrit,
mais se reprend, en prédisant à* INÈS *qu'elle souffrira quand son enfant sera devenu un homme,
« c'est-à-dire la caricature de ce qu'il était ».*

MYSTÈRE DE L'ENFANT QUI VA NAÎTRE

Costals, le cynique héros des *Jeunes Filles,* n'avait que mépris pour les femmes, coquettes
et futiles — accusées de vouloir rabaisser l'homme en le rendant esclave —, et
MONTHERLANT s'était fait une réputation de *romancier misogyne* (cf. p. 532). Son théâtre
réhabilite au contraire la femme, surtout la *mère,* rendue sublime par le don total
d'elle-même. Rien n'est plus touchant que les illusions d'INÈS DE CASTRO : son enfant
aura toutes les perfections ; pour lui, elle est prête à tous les sacrifices ; et sa tendresse
débordante s'étend à l'humanité entière. FERRANTE a connu jadis la même tendresse pour
son propre fils ; mais maintenant cet hymne à l'amour et à la vie lui paraît *absurde.* N'est-il
pas un père déçu ? La vie n'a-t-elle pas brisé en lui toute illusion, toute foi dans les
hommes ? Aussi trouve-t-il un *âpre plaisir* à détruire les *rêves* d'INÈS pour la ramener
sans cesse au *cauchemar* des réalités. Peut-être même son âme sombre conçoit-elle déjà
le désir d'infliger un *démenti terrible* à cette insupportable espérance.
THÈMES : *Femme. Famille. Morale. Despotisme. Providence. Psychologie.*

INÈS : J'accepte de devoir mépriser l'univers entier, mais non mon
fils. Je crois que je serais capable de le tuer, s'il ne répondait pas à
ce que j'attends de lui.

FERRANTE : Alors, tuez-le donc quand il sortira de vous. Donnez-le
à manger aux pourceaux. Car il est sûr que, autant par lui vous êtes
en plein rêve, autant par lui vous serez en plein cauchemar.

INÈS : Sire, c'est péché à vous de maudire cet enfant qui est de votre sang.

FERRANTE : J'aime décourager. Et je n'aime pas l'avenir.

INÈS : L'enfant qui va naître a déjà son passé.

10   FERRANTE : Cauchemar pour vous. Cauchemar pour lui aussi. Un jour
on le déchirera, on dira du mal de lui... Oh ! je connais tout cela.

INÈS : Est-il possible qu'on puisse dire du mal de mon enfant !

FERRANTE : On le détestera...

INÈS : On le détestera, lui qui n'a pas voulu être !

FERRANTE : Il souffrira, il pleurera...

INÈS : Vous savez l'art des mots faits pour désespérer ! — Comment retenir ses larmes, les prendre pour moi, les faire couler en moi ? Moi, je puis tout supporter : je puis souffrir à sa place, pleurer à sa place. Mais lui ! Oh ! Que je voudrais que mon amour eût le pouvoir de mettre
20 dans sa vie un sourire éternel ! Déjà, cependant, on l'attaque, cet amour. On me désapprouve, on me conseille, on prétend être meilleure mère que je ne le suis. Et voici que vous, Sire — mieux encore ! — sur cet amour vous venez jeter l'anathème. Alors qu'il me semblait parfois que, si les hommes savaient combien j'aime mon enfant, peut-être cela suffirait-il pour que la haine se tarît à jamais dans leur cœur. Car moi, tant que je le porte, je sens en moi une puissance merveilleuse de tendresse pour les hommes. Et c'est lui qui défend cette région profonde de mon être d'où sort ce que je donne à la création et aux créatures. Sa pureté défend la mienne [1]. Sa candeur préserve la mienne contre
30 ceux qui voudraient la détruire. Vous savez contre qui [2], Seigneur.

FERRANTE : Sa pureté n'est qu'un moment de lui, elle n'est pas lui. Car les femmes disent toujours : « Élever un enfant pour qu'il meure à la guerre ! » Mais il y a pis encore : élever un enfant pour qu'il vive et se dégrade dans la vie. Et vous, Inès, vous semblez avoir parié singulièrement pour la vie. Est-ce que vous vous êtes regardée dans un miroir ? Vous êtes bien fraîche pour quelqu'un que menacent de grands tourments. Vous aussi vous faites partie de toutes ces choses qui veulent continuer, continuer... Vous aussi, comme moi, vous êtes malade : votre maladie à vous est l'espérance. Vous mériteriez que Dieu
40 vous envoie une terrible épreuve, qui ruine enfin votre folle candeur, de sorte qu'une fois au moins vous voyiez ce qui est.

INÈS : Seigneur, inutile, croyez-moi, de me rappeler tout ce qui me menace. Quoi qu'il puisse paraître quelquefois, jamais je ne l'oublie.

FERRANTE, à part : Je crois que j'aime en elle le mal que je lui fais. (Haut.) Je ne vous menace pas, mais je m'impatiente de vous voir repartir, toutes voiles dehors, sur la mer inépuisable et infinie de l'espérance. La foi des autres me déprime.

INÈS : Sire, puisque Votre Majesté connaît désormais l'existence de mon enfant...

50 FERRANTE : En voilà assez avec cet enfant. Vous m'avez étalé vos entrailles, et vous avez été chercher les miennes. Vous vous êtes servie de votre enfant à venir, pour remuer mon enfant passé. Vous avez cru habile de me faire connaître votre maternité en ce moment, et vous avez été malhabile.   *La Reine morte,* III, 6 (Librairie Gallimard, éditeur).

— 1 Cf. « Il s'agit d'être encore plus stricte avec soi, de se sauver de toute bassesse, de vivre droit, sûr, net et pur, pour qu'un être puisse garder plus tard l'image la plus belle possible de vous, tendrement et sans reproche. Il est une revision, ou plutôt une seconde création de moi ; je le fais ensemble et je me refais. Je le porte et il me porte. Je me fonds en lui. Je coule en lui mon bien » (III, 6). — 2 Allusion à Egas Coelho.

« Pourquoi est-ce que je la tue ?... »

Le tragique de *La Reine morte* tient à cette lente montée vers l'ordre funeste suspendu pendant trois actes sur la tête d'INÈS et que, même après l'avoir prononcé, le ténébreux FERRANTE semble pouvoir retirer au dernier instant. Par une suprême *comédie* devant sa cour et peut-être devant lui-même, cet homme qui ne croit plus au métier de roi proclame qu'Inès a été sacrifiée à la *raison d'État*. Pourtant Ferrante ne sait pas au juste *pourquoi* il fait assassiner Inès. Conscient des risques de ce crime inutile comme du plaisir qu'il éprouve à commettre la faute, il est incapable d'en discerner les *motifs réels*. Besoin de se prouver et de prouver aux « autres » qu'il n'est pas faible ? Désir de sortir de l'indécision ? Haine de la vie et dépit devant la confiance d'Inès ? Comment voir clair dans cette âme qui parcourt incessamment le trajet « *de l'enfer aux cieux* » ? – THÈMES : *Morale. Psychologie. Mort.*

FERRANTE : De ce que vous m'avez dit, je retiens que vous croyez m'avoir surpris dans un instant de faiblesse. Quelle joie sans doute de pouvoir vous dire, comme font les femmes : « Tout roi qu'il est, il est un pauvre homme comme les autres ! » Quel triomphe pour vous ! Mais je ne suis pas faible, doña Inès. C'est une grande erreur où vous êtes, vous et quelques autres. Maintenant je vous prie de vous retirer. Voilà une heure que vous tournailliez autour de moi, comme un papillon autour de la flamme. Toutes les femmes, je l'ai remarqué, tournent avec obstination autour de ce qui doit les brûler.

INÈS : Est-ce que vous me brûlerez, Sire ? Si peu que je vaille, il y a deux
10 êtres qui ont besoin de moi. C'est pour eux qu'il faut que je vive. — Et puis, c'est pour moi aussi, oh oui ! c'est pour moi. — Mais... votre visage est changé ; vous paraissez mal à l'aise...

FERRANTE : Excusez-moi, le tête-à-tête avec des gens de bien me rend toujours un peu gauche. Allons, brisons-là, et rentrez au Mondego rassurée.

INÈS : Oui, vous ne me tueriez pas avant que je l'aie embrassé encore une fois.

FERRANTE : Je ne crains pour vous que les bandits sur la route, à cette heure. Vos gens sont-ils nombreux ?

INÈS : Quatre seulement.

FERRANTE : Et armés ?
20 INÈS : A peine. Mais la nuit est claire et sans embûches. Regardez. Il fera beau demain : le ciel est plein d'étoiles.

FERRANTE : Tous ces mondes où n'a pas passé la Rédemption... Vous voyez l'échelle ?

INÈS : L'échelle ?

FERRANTE : L'échelle qui va jusqu'aux cieux.

INÈS : L'échelle de Jacob, peut-être ?

FERRANTE : Non, pas du tout : l'échelle de l'enfer aux cieux. Moi, toute ma vie, j'ai fait incessamment ce trajet ; tout le temps à monter et à descendre, de l'enfer aux cieux. Car avec tous mes péchés, j'ai vécu cependant enveloppé
30 de la main divine. Encore une chose étrange.

INÈS : Oh ! il y a une étoile qui s'est éteinte.

FERRANTE : Elle se rallumera ailleurs. *[Inès sort. Ferrante, resté seul, monologue.]* Pourquoi est-ce que je la tue ? Il y a sans doute une raison, mais je ne la distingue pas. Non seulement Pedro n'épousera pas l'Infante, mais je l'arme contre moi, inexpiablement. J'ajoute encore un risque à cet horrible manteau de risques que je traîne sur moi et derrière moi, toujours plus lourd, toujours plus chargé, que je charge moi-même à plaisir, et sous lequel un jour... Ah ! la mort, qui vous met enfin hors d'atteinte... Pourquoi est-ce que je la tue ? Acte inutile,

La Reine morte

Drame
« en pourpoint »

- Inès essaie en vain d'attendrir le roi Ferrante (cf. **p. 652**).
- Au dénouement, Pedro vient de déposer la couronne sur le ventre de la « Reine morte » (cf. **p. 654-656**).

*« La Reine morte »,
à la Comédie-
Française (1954)
avec Mony Dalmès*
(Inès), *Jean Yonnel*
(Ferrante), *Jacques
Toja* (Pedro).

acte funeste. Mais ma volonté m'aspire, et je commets la faute, sachant que
40 c'en est une. Eh bien ! qu'au moins je me débarrasse tout de suite de cet acte.
Un remords vaut mieux qu'une hésitation qui se prolonge. *(Appelant.)* Page !
— Oh non ! pas un page. Garde ! *(Entre un garde.)* Appelez-moi le capitaine
Batalha *(Seul.)* Plus je mesure ce qu'il y a d'injuste et d'atroce dans ce
que je fais, plus je m'y enfonce, parce que plus je m'y plais. *(Entre le
capitaine.)* Capitaine, doña Inès de Castro sort d'ici et se met en route vers le
Mondego, avec quatre hommes à elle, peu armés. Prenez du monde,
rejoignez-la, et frappez. Cela est cruel, mais il le faut. Et ayez soin de ne pas
manquer votre affaire. Les gens ont toutes sortes de tours pour ne pas mourir.
Et faites la chose d'un coup. Il y a qu'il ne faut pas tuer d'un coup : cela
50 est trop vite. Elle, d'un coup. Sur mon âme, je veux qu'elle ne souffre pas.
LE CAPITAINE : Je viens de voir passer cette dame. A son air, elle était loin
de se douter... FERRANTE : Je l'avais rassurée pour toujours.
LE CAPITAINE : Faut-il emmener un confesseur ?
FERRANTE : Inutile. Son âme est lisse comme son visage. *(Fausse sortie du
capitaine.)* Capitaine, prenez des hommes sûrs.
LE CAPITAINE, *montrant son poignard :* Ceci est sûr.
FERRANTE : Rien n'est trop sûr quand il s'agit de tuer. Ramenez le corps
dans l'oratoire du palais. Il faudra que je le voie moi-même. Quelqu'un n'est
vraiment mort que lorsqu'on l'a vu mort de ses yeux, et qu'on l'a tâté. Hélas,
60 je connais tout cela. *(Exit le capitaine.)* Il serait encore temps que je donne un
contre-ordre. Mais le pourrais-je ? Quel bâillon invisible m'empêche de pousser
le cri qui la sauverait ? *(Il va regarder à la fenêtre.)* Il fera beau demain : le ciel
est plein d'étoiles... — Il serait temps encore. — Encore maintenant. Des
multitudes d'actes, pendant des années, naissent d'un seul acte, d'un seul
instant. Pourquoi ? — Encore maintenant. Quand elle regardait les étoiles, ses
yeux étaient comme des lacs tranquilles... Et dire qu'on me croit faible ! *(Avec
saisissement.)* Oh ! — Maintenant il est trop tard. Je lui ai donné la vie éternelle,
et moi, je vais pouvoir respirer. — Gardes ! apportez des lumières ! Faites entrer
tous ceux que vous trouverez dans le palais. Allons, qu'attendez-vous, des
70 lumières ! des lumières ! Rien ici ne s'est passé dans l'ombre. Entrez, Messieurs,
entrez ! [*Entrent des* GENS DU PALAIS, *de toutes conditions, dont* EGAS COELHO.]
Messieurs, doña Inès de Castro n'est plus. Elle m'a appris la naissance
prochaine d'un bâtard du prince. Je l'ai fait exécuter pour préserver la pureté
de la succession du trône, et pour supprimer le trouble et le scandale qu'elle
causait dans mon État. C'est là ma dernière et grande justice. Une telle décision
ne se prend pas sans douleur. Mais, au-delà de cette femme infortunée, j'ai
mon royaume, j'ai mon peuple, j'ai mes âmes ; j'ai la charge que Dieu m'a
confiée et j'ai le contrat que j'ai fait avec mes peuples, quand j'ai accepté d'être
roi. Un roi est comme un grand arbre qui doit faire de l'ombre... *(Il passe la
80 main sur son front et chancelle.)* Oh ! je crois que le sabre de Dieu a passé au-dessus
de moi... *(On apporte un siège. On l'assoit.)*

                              La Reine morte, III, 6, 7, 8 (Librairie Gallimard, éditeur).

FERRANTE *fait arrêter le perfide* EGAS COELHO *qui répondra de la mort d'*INÈS *devant
son époux. Puis, avant de mourir, il demande à Dieu de l'aider à voir clair :* « O mon Dieu !
dans ce répit qui me reste, avant que le sabre repasse et m'écrase, faites qu'il tranche
ce nœud épouvantable de contradictions qui sont en moi, de sorte que, un instant au
moins avant de cesser d'être, je sache enfin ce que je suis. »
    On porte sur une civière INÈS *morte. Devant les courtisans qu'il force à s'agenouiller,* PEDRO
*prend la couronne et la pose sur le ventre d'*INÈS. — *Le cadavre de* FERRANTE *reste seul.*

La Guerre civile

« La Guerre civile », au Théâtre de l'Œuvre, 1965. (Ph. © Agence Bernand – Photeb)

Tragédie romaine

Dans le camp des républicains, l'ambition de Pompée (Pierre Dux) se heurte à la rectitude morale et à la vertu républicaine de Caton d'Utique (Pierre Fresnay). Cf. **p. 658**.

La Guerre civile

La Guerre civile (1965) « se passe dans les camps de César et de Pompée, au sud de Dyrrachium ». Renseignés par Laetorius, transfuge du parti de César, les Pompéiens exécutent une sortie victorieuse, quelques semaines avant la déroute de Pompée à Pharsale. La pièce est foncièrement pessimiste. D'une part, elle nous peint l'instabilité du caractère de Pompée, un de ces hommes « qui ont été forts et qui deviennent faibles, ou qui se croient forts et se révèlent faibles ». D'autre part, sous le masque des grands sentiments, elle dévoile les calculs mesquins, égoïstes, qui animent chefs et soldats dans les deux camps. Au cours d'une sorte de prologue, la GUERRE CIVILE s'est définie elle-même en ces termes : « *Je suis la guerre du forum farouche, la guerre des prisons et des rues, celle du voisin contre le voisin, celle du rival, celle de l'ami contre l'ami. Je suis la Guerre civile, je suis la bonne guerre, celle où l'on sait pourquoi l'on tue et qui l'on tue.* » CATON, qui a pris le deuil « le jour où la patrie a été déchirée par la guerre civile », déplore, ici, dans sa méditation, l'*ambition* sans scrupule des chefs et l'*inconscience* de leurs partisans qui courent à la *servitude*. – THÈMES : *Histoire. Guerre. Morale. Société.*

CATON : Ils n'ont rien fait pour que leur patrie soit honnête, rien pour qu'elle soit respectée, rien pour qu'elle soit heureuse. Les Romains ? César hait les Romains, et Pompée ne les aime pas : chez eux deux, quel ardent mépris de l'homme ! Les peuplades sauvages qui combattent sous eux nous haïssent également : quand la guerre civile aura rendu Rome exsangue, Rome sera colonisée par ces gorilles qu'elle a sottement voulu s'attacher. César est un destructeur, et il s'est entouré de destructeurs. Partout, mettre la racaille en haut, et les meilleurs en bas. Avilir tout ce qui était encore à peu près bien : le Sénat, la justice, les emplois, les honneurs. Ce qu'il veut, c'est régner, et
10 la pourriture est facile : vive donc la pourriture, qui facilitera de régner. Pompée vaut à peine mieux, avec moins de cynisme et moins de savoir-faire. Fomenter l'anarchie pour se ménager la monarchie, cela, c'est le crime entre les crimes ; tous les crimes sont contenus dans ce crime-là. Ils ont égorgé leur pays pour faire de son cadavre le piédestal de leur statue. Comme si un dieu infernal leur avait dit : « Frappe à l'âme ! », ils ont frappé à l'âme : Rome ne s'en relèvera jamais. Déjà derrière César et Pompée il n'y a pas deux partis, il n'y a qu'un parti, un parti unique : le parti de la bêtise, de la bassesse et de la lâcheté. La forme particulière de cette bêtise est l'inconscience : ô douce inconscience, sommeil des éveillés, quand auras-tu ton image au Capitole, pour y être adorée
20 des tyrans ? Cela, je suis seul à le voir, parmi mes stupides compatriotes. Ceux-là croyaient que leurs ennemis étaient les Gaulois et les Germains, alors que leur seul ennemi est César ; César s'avançait dans un cliquetis terrible ; ils se bouchaient les oreilles pour ne pas l'entendre. Ceux-ci vénèrent Pompée ; qu'il fasse bévue sur bévue, vilenie sur vilenie, il sera toujours le sauveur. On vit sur ce qu'il était il y a vingt ans ; on respecte en lui une république qui n'existe pas ; c'est un souvenir défendu par un nom. On devrait vous arracher du cœur le respect et le jeter à terre, comme on arrache le foie des bêtes sacrifiées ; du moins le respect de ce qui ne mérite pas le respect. Mais l'homme a besoin de respecter, et du respect à la servitude... Peu leur importe par quelles horreurs
30 leur maître s'est élevé et se maintient, pourvu qu'ils aient leur pain et leurs aises. Il m'arrive parfois de souhaiter que les Barbares submergent l'Italie, et fassent souffrir ce peuple indigne, en châtiment de son indignité.

La Guerre civile, II, 5 (Librairie Gallimard, éditeur).

« Veine chrétienne »   Cette veine est représentée par *Le Maître de Santiago* (1947), *La Ville dont le prince est un enfant* (1951), *Port-Royal* (1954) et peut-être *Le Cardinal d'Espagne* (1960) où la reine Jeanne la Folle révèle à Cisneros, moine et Premier ministre, la *vanité de la vie et de l'action.* Telle est, en effet, « la ligne de cœur du christianisme » selon MONTHERLANT : « une tradition qui va de l'Évangile à Port-Royal, en passant par saint Paul et par saint Augustin », et dont la devise serait le cri de Bossuet : « Doctrine de l'Évangile, que vous êtes sévère ! » et la figure « celle de la voie qui toujours se rétrécit ». « *Le monde*, dit-il, *est assez riant pour que j'y reste, mais assez vain pour que je me sente le frère de quiconque se retranche de lui, et quelle que soit la raison de ce retranchement.* »

LE MAÎTRE
DE SANTIAGO   *A Avila, en 1519, l'austère don ALVARO DABO est reconnu par ses pairs comme* Maître de l'Ordre de Santiago. *Il s'est illustré lors de la reconquête de Grenade sur les Mores ; mais, depuis vingt-cinq ans, il s'est retiré avec sa fille* MARIANA *dans une pauvre demeure. Seules comptent pour lui l'âme, la pureté, la méditation. Les autres chevaliers se disposent à partir pour le Nouveau Monde où l'on conquiert la fortune et les honneurs ; ils l'invitent à les accompagner pour recevoir là-bas une charge importante. Mais ils se heurtent à un refus.* ALVARO *n'a soif que d'un « immense retirement », et d'ailleurs il aurait horreur de s'associer à cette prétendue « croisade » où les Espagnols se déshonorent par leur cruauté et leur cupidité.* — *A chacun des trois actes on reviendra à la charge avec des arguments nouveaux : l'action reste suspendue à cette décision dont dépendent pour* ALVARO *le salut de son âme et pour sa fille* MARIANA — *on le verra plus bas* — *le bonheur terrestre.*

« *Moi, mon pain est le dégoût...* »

C'est le débat, toujours actuel, entre la *pureté* et l'*action :* peut-on être *pur* en restant dans le siècle ? Bien que dictés par l'intérêt, les arguments des Chevaliers en faveur de l'*engagement* gardent leur valeur. De son côté, le Grand Maître de l'Ordre apparaît ici dans toute sa *rigueur*. Il est peut-être utile que s'élève ainsi la protestation des « meilleurs » pour rappeler les hommes à l'honnêteté ; mais l'orgueilleux ALVARO ne pèche-t-il pas lui aussi contre cette *perfection chrétienne* qui le hante ?
THÈMES : *Morale. Argent. Christianisme. Philosophie. Moi. Solitude. Providence.*

OBREGON : Debout sur le seuil de l'ère nouvelle, vous refusez d'entrer.

ALVARO : Debout sur le seuil de l'ère nouvelle, je refuse d'entrer.

VARGAS : Mettons que ce soit héroïsme de consentir à être seul, par fidélité à ses idées. Ne serait-ce pas héroïsme aussi de jouer son rôle dans une société qui vous heurte, pour y faire vaincre ces idées qui, si elles ne s'incarnent pas, demeureront plus ou moins impuissantes ?

BERNAL : Et puis, ce qui est humainement beau, ce n'est pas de se guinder, c'est de s'adapter ; ce n'est pas de fuir pour être vertueux tout à son aise, c'est d'être vertueux dans le siècle, là où est la difficulté.

10   ALVARO : Je suis fatigué de ce continuel divorce entre moi et tout ce qui m'entoure. Je suis fatigué de l'indignation. J'ai soif de vivre au milieu d'autres gens que des malins, des canailles et des imbéciles. Avant, nous étions souillés par l'envahisseur. Maintenant, nous sommes souillés par nous-mêmes ; nous n'avons fait que changer de drame. Ah ! pourquoi ne suis-je pas mort à Grenade, quand ma patrie était encore intacte ? Pourquoi ai-je survécu à ma patrie ? Pourquoi est-ce que je vis ?

BERNAL : Mon ami, qu'avez-vous ? Vous ne nous avez jamais parlé de la sorte.

ALVARO : Le collier des chevaliers de Chypre était orné de la lettre S, qui
20 voulait dire : « Silence ». Aujourd'hui, tout ce qu'il y a de bien dans notre
pays se tait. Il y a un Ordre du Silence : de celui-là aussi je devrais être
Grand Maître. Pourquoi m'avoir provoqué à parler ?

OLMEDA : Faites-vous moine, don Alvaro. C'est le seul état qui vous convienne
désormais.

ALVARO : Je ne sais en effet ce qui me retient, sinon quelque manque de
décision et d'énergie.

OBREGON : Et j'ajoute qu'il y a plus d'élégance, quand on se retire du monde,
à se retirer sans le blâmer. Ce blâme est des plus vulgaires !

ALVARO : Savez-vous ce que c'est que la pureté ? Le savez-vous ? (Soulevant
30 le manteau de l'Ordre suspendu au mur au-dessous du crucifix.) Regardez notre manteau
de l'Ordre : il est blanc et pur comme la neige au dehors. L'épée rouge est
brodée à l'emplacement du cœur, comme si elle était teinte du sang de ce cœur.
Cela veut dire que la pureté, à la fin, est toujours blessée, toujours tuée, qu'elle
reçoit toujours le coup de lance que reçut le cœur de Jésus sur la croix. (Il
baise le bas du manteau. Après un petit temps d'hésitation, Olmeda, qui est le plus proche
du manteau, en baise lui aussi le bas.) Oui, les valeurs nobles, à la fin, sont toujours
vaincues ; l'histoire est le récit de leurs défaites renouvelées. Seulement, il ne
faut pas que ce soit ceux mêmes qui ont mission de les défendre, qui les minent.
Quelque déchu qu'il soit, l'Ordre est le reliquaire de tout ce qui reste encore
40 de magnanimité et d'honnêteté en Espagne. Si vous ne croyez pas cela,
démettez-vous-en. Si nous ne sommes pas les meilleurs, nous n'avons pas de
raison d'être. Moi, mon pain est le dégoût, Dieu m'a donné à profusion la
vertu d'écœurement. Cette horreur et cette lamentation qui sont ma vie et dont
je me nourris... Mais vous, pleins d'indifférence ou d'indulgence pour l'ignoble,
vous pactisez avec lui, vous vous faites ses complices ! Hommes de terre !
Chevaliers de terre !

OBREGON, bas à Vargas : Il dit tout cela parce qu'il n'est pas très intelligent.

ALVARO : Avant la prise de Grenade, il y avait à la Frontera, au sommet
d'un pic, un château fort où les jeunes chevaliers accomplissaient leur noviciat.
50 C'est là que pour la dernière fois j'ai entendu le chant de l'Oiseau. Nul ne
l'entendra plus jamais.

LETAMENDI : Quel oiseau ?

ALVARO : Le chant de la Colombe ardente, qui nous inspire ce qu'il faut
dire ou faire pour ne pas démériter.

OBREGON : Le chevalier de l'an 1519 ne peut pas être le chevalier de l'an
mille. Il n'y a plus de gnomes ni de monstres.

ALVARO : Il y a encore des monstres. Jamais il n'y en eut tant. Nous en sommes
pressés, surplombés, accablés. Là... là... là... Malheur aux honnêtes !

BERNAL : Messieurs, remettons...

60 ALVARO, au comble de l'exaltation : Malheur aux honnêtes ! Malheur aux
honnêtes !

BERNAL : Remettons à une autre fois la fin de ce conseil...

ALVARO, tout d'un coup déprimé : Malheur aux honnêtes... Malheur aux
meilleurs...

Le Maître de Santiago, I, 4 (Librairie Gallimard, éditeur).

La proposition de partir pour les Indes avait une raison cachée : MARIANA *aime* JACINTO,
le fils de BERNAL, *et les richesses du Nouveau Monde permettraient à* ALVARO *de doter sa fille.*

ACTE II : *Bernal se résout à exposer la situation à son ami pour le décider à partir. Mais, uniquement soucieux de son âme,* ALVARO *veut rompre avec toute attache terrestre. Il en oublie ses devoirs de père. Il est* « affamé de silence et de solitude » *et, selon lui,* MARIANA, *comme tout être humain, est,* « un obstacle pour qui tend à Dieu ». *Il a donné sa fortune aux maisons de l'Ordre, mais il ne fera rien pour doter sa fille :* « Si Mariana et votre fils ont entre eux ce sentiment que vous dites, qu'ils se marient tels qu'ils sont. Ils seront pauvres, mais le Christ leur lavera les pieds. »

ACTE III : *Mariana place son espoir dans une* ultime tentative : *le comte de Soria, qui arrive de la cour, accepte de se prêter à une supercherie.*

« *UN RIEN IMPERCEPTIBLE ET TOUT EST DÉPLACÉ...* »

Pour beaucoup de chrétiens, ALVARO n'est qu'un *hérétique,* un *monstrueux égoïste* qui sacrifie sa fille et qui s'écriera encore au dénouement : « *Périsse l'Espagne, périsse l'univers ! Si je fais mon salut et si tu fais le tien, tout est sauvé, tout est accompli.* » MONTHERLANT reconnaît que son héros n'est pas un chrétien modèle : il le conçoit comme un « *oiseau de proie de la charité* », un de ces Castillans du XVIe siècle « *à la tête un peu étroite qui, la cinquantaine passée, se retiraient du monde, avec leur foi tranchante, leur mépris de la réalité extérieure, leur fureur du rien* ». Il accorde même à ses détracteurs que c'est par amour de son père et non par amour de Dieu que MARIANA détrompe Alvaro, se sacrifie et le suit au couvent : « *Fascinée, enveloppée, envoûtée par lui, elle accepte tout ce qu'il veut ; à la fin, elle y met un peu de transcendance, mais cela est court.* » Ne pourrait-on cependant, puisqu'une œuvre publiée échappe à son auteur, donner plus de gravité à la pièce en la situant plus nettement *sur le plan de la grâce* et de ses voies mystérieuses ? « *Un rien imperceptible et tout est déplacé* », disait Mariana, parlant des miracles de l'amour ; sa piété filiale fait que ce « *rien imperceptible* » déplace tout dans le sens du divin : l'orgueilleux ALVARO, qu'égarait un fanatisme borné, s'humilie et trouvera Dieu en décidant de « n'être rien » tandis que, par son sacrifice, MARIANA accède d'emblée à la vision divine. — THÈMES : *Femme. Famille. Morale. Religion. Mysticisme. Providence.*

SORIA *annonce à* ALVARO *que le roi l'a choisi pour une mission de confiance aux Indes. Par fidélité au trône, et aussi par* orgueil, *le Maître de Santiago va céder à la tentation, quand sa fille surgit avec feu :* « Mon père, il est grand temps que je vous désabuse ; tout ceci est une affreuse comédie. » *Stupéfait, Soria se retire, congédié par* ALVARO *qui reste seul avec* MARIANA.

ALVARO : Pourquoi ? Pourquoi ?

MARIANA : J'étais dans ma chambre, au pied de la croix, à prier pour que cet homme vous convainque. Et soudain c'est vous que j'ai vu, à la place du Crucifié, la tête inclinée sur l'épaule, comme je vous avais vu un soir, un soir, endormi dans votre fauteuil, à côté des sarments éteints. Et j'ai senti qu'on vous bafouait, comme on bafoua le Crucifié, et qu'il fallait que tout de suite j'aille à votre secours. Brisée soit ma vie, et toute mon attente, plutôt que de vous voir berné sous mes yeux, et berné par ma faute, donnant dans un leurre que j'ai aidé à vous tendre.

10   ALVARO, *mettant un genou à terre devant sa fille, et lui prenant les mains et y appuyant son front :* Pardon, Mariana, pardon ! J'ai péché contre toi bien des fois dans ma vie. A présent, comme tout m'apparaît ! Aujourd'hui tu es née, puisque aujourd'hui j'apprends que tu es digne qu'on t'aime. Mais toi, tu m'aimais donc ? Tu m'aimais, chose étrange ? Pourquoi m'aimais-tu ?

MARIANA : Est-ce vous qui me demandez pardon, à moi, qui étais complice pour vous duper ? Relevez-vous, je vous en conjure. Je sens que je deviens folle quand je vous vois à genoux devant moi.

ALVARO : Tu faisais ton cours le long du mien dans les ténèbres ; je ne l'entendais même pas couler. Et puis, tout d'un coup, nos eaux se sont confondues, et nous roulons vers la même mer. Mariana ! dis-moi qu'il n'est pas trop tard !

MARIANA : Mon père par le sang et par le Saint-Esprit...

ALVARO : Tu m'as retenu sur le bord de l'abîme. Quand ma meilleure part se dérobait, toi, tu as été ma meilleure part. Je t'ai donné la vie : tu m'as rendu la mienne.

MARIANA : Je n'aurais pu supporter de vous voir cesser d'être ce que vous êtes. Vous m'avez reproché l'autre jour de vous perdre. J'ai voulu vous sauver.

ALVARO : Hélas, le Roi... ces paroles... il faut avouer qu'un instant j'en ai eu le cœur entr'ouvert. Loué soit Dieu qui m'a permis de me surprendre misérable et ridicule, et de me montrer tel devant la personne du monde qui devait le moins me voir ainsi : c'est toi, c'est toi qui m'as vu fausser ! Mais cette profonde chute me relance vers en haut. Désormais je touche à mon but : ce but, c'est de ne plus participer aux choses de la terre. Rentrons dans la réalité. Oh ! comme depuis toujours j'y aspire ! Comme je forçais sur mes ancres pour cingler vers le grand large ! Le temps de mettre en ordre mes affaires je m'enferme sans retour au couvent de Saint-Barnabé. Toi, mon enfant, tu iras vivre avec ta tante. A moins que... A moins que... Pourquoi pas ? Laisse-moi t'entraîner dans ce Dieu qui m'entraîne. Bondis vers le soleil en t'enfonçant dans mon tombeau. Avant, je supportais que tu ailles un peu à ta guise. Maintenant, comment pourrais-je vouloir pour toi autre chose que la vérité ? Rapproche-toi de moi encore plus : deviens moi ! A Saint-Barnabé il y a un Carmel pour les femmes... Tu verras ce que c'est, que de n'être rien.

MARIANA : Être si peu que ce soit, pour pouvoir au profit de ceux qu'on aime.

ALVARO : Nous ne serons pas, et nous pourrons plus que tout ce qui est.

MARIANA : O mon Dieu, quand j'étais dans les bras de la tendresse humaine !

ALVARO : Endormie dans Jésus-Christ, endormie, ensevelie dans le profond abîme de la Divinité.

MARIANA : « Mon père, je remets mon âme entre vos mains. »

ALVARO : Dois-je te croire ? Peut-on croire à sa joie ?

MARIANA : Un rien imperceptible et tout est déplacé...

ALVARO : Ce qui a bougé bougera peut-être encore.

MARIANA : Brusquement, fixé à jamais.

Le Maître de Santiago, III, 5 (Librairie Gallimard, éditeur).

ALVARO *détache du mur le grand manteau blanc de l'Ordre et, la main sur l'épaule de* MARIANA, *enveloppe avec lui sa fille dans le manteau : il lui donne la Chevalerie. Tous deux s'agenouillent devant le crucifix et* MARIANA, *pour prix de son sacrifice, est ravie d'*extase *en contemplant la face divine : elle* voit *avant son père ce qu'il a tant* rêvé.

Le Maître de Santiago

*« Le Maître de Santiago », à la Comédie-Française (Henri Rollan –
Renée Faure).* (Ph. © Lipnitzki – Viollet – Arch. Photeb)

Veine chrétienne

Au dénouement du *Maître de Santiago*, Mariana sacrifie les chances de son amour pour sauver
son père de l'humiliation (cf. **p. 661**). « Un rien imperceptible » a suffi pour changer ses dispositions.
Pour elle comme pour lui, désormais, l'unique voie sera celle du renoncement. Et Alvaro, qui
considérait sa fille avec une sorte de mépris, la juge digne d'appartenir à l'Ordre de Santiago, dont
il est le Grand Maître : « Par ma main sur ton épaule, je te donne la Chevalerie. »

PORT-ROYAL   *A Port-Royal, en 1664. Le Jansénisme a été condamné par le pape, et l'autorité fait pression sur les religieuses qui refusent de signer le* Formulaire *rejetant la doctrine de Jansénius. Nous assistons à leurs* débats, *leurs* indécisions, *leurs* angoisses *en attendant la venue de l'archevêque Péréfixe. Il survient en grand apparat et tente une dernière fois, mais en vain, de leur faire signer le* Formulaire. *Il décide alors que douze sœurs seront chassées et remplacées par des sœurs de la Visitation.*

Les Portes du Jour et les Portes des Ténèbres

Seules restent en scène *deux religieuses* dont l'aînée, Angélique, doit quitter le monastère.

DRAME DE LA FOI : la sœur ANGÉLIQUE, nièce du grand Arnauld, ancienne Maîtresse des novices, qui a animé par sa confiance et sa dialectique la résistance de Port-Royal, découvrant que *sa foi ne résiste pas à l'épreuve,* franchit avec horreur les *Portes des Ténèbres ;* au contraire, la jeune sœur FRANÇOISE, âme contemplative qui méprise les choses terrestres, s'est *retrempée par la prière* et s'apprête à subir la persécution : elle a vu s'ouvrir les *Portes du Jour.*

DRAME DE LA SOUFFRANCE : Angélique quitte pour toujours cette *maison,* qui était sa raison d'être, et cette *novice* qu'elle a « nourrie » comme une mère ; leur cœur se brise, mais la *règle* leur interdit toute affection humaine. Angélique est en proie au *doute,* mais, au lieu d'implorer secours, elle soutient la *foi* de Françoise, seule promesse de *salut.*

THÈMES : *Religion. Métaphysique. Christianisme. Providence. Morale.*

LA SŒUR FRANÇOISE : Ma Sœur, je vous en prie, répondez à ma question : Est-ce un homme qui nous juge coupables, ou est-ce un homme qui ne fait que gagner le salaire qu'on lui a payé d'avance ?

LA SŒUR ANGÉLIQUE : Ne cherchez pas à percer ces choses. Il y a de tout en certaines âmes. Et parfois dans le même moment.

LA SŒUR FRANÇOISE : Est-ce un homme qui croit en Dieu, ou est-ce, comme M. l'Évêque de... ?

LA SŒUR ANGÉLIQUE : Ne cherchez pas à percer ces choses. Si l'on perçait qui croit et qui ne croit pas...

10   LA SŒUR FRANÇOISE : Une personne ecclésiastique qui ne serait pas ce que son habit fait paraître !

LA SŒUR ANGÉLIQUE : Peut-être qu'il y en a qui sont ainsi, et qui méritent surtout d'être plaintes.

LA SŒUR FRANÇOISE : Ah ! ma Sœur, cette plainte ! De vous !

LA SŒUR ANGÉLIQUE : Quoi ! nulle pitié pour qui, sous ce vêtement *(elle touche son scapulaire),* aurait un trouble, un doute...

LA SŒUR FRANÇOISE : Un doute sur quoi ?

LA SŒUR ANGÉLIQUE : Un doute... sur toutes les choses de la foi et de la Providence ; un doute si l'ordonnance du monde est bien telle, qu'elle nous 20   justifie de vivre comme nous vivons.

LA SŒUR FRANÇOISE : Pas de pitié pour qui, ayant ce doute, n'arracherait pas son habit dans l'instant, devenu un leurre abominable, car Dieu punit quelquefois toute une communauté, pour le péché d'une seule.

LA SŒUR ANGÉLIQUE : Toute une communauté... punie... pour le péché d'une seule...

LA SŒUR FRANÇOISE : Et avec raison. Le mal d'un seul doigt peut rendre le corps entier malade.

LA SŒUR ANGÉLIQUE, *à part :* Qu'ai-je fait pour être à ce point abandonnée ?

LA SŒUR FRANÇOISE : Je n'aurais pas dû revenir et demander à Monseigneur 30   sa bénédiction. Je n'aurais pas dû lui parler tant. Les positions sont prises ; on se débat pour rien. Pendant que je parlais, vous priiez. C'est vous qui aviez raison.

LA SŒUR ANGÉLIQUE : Ai-je prié ? Je ne sais. J'étais dans un autre monde ; j'y suis encore. Et peut-être n'ai-je prié que par mes larmes.

LA SŒUR FRANÇOISE : Je les voyais tomber sur la croix de votre scapulaire...

LA SŒUR ANGÉLIQUE : Elles étaient bien là.

LA SŒUR FRANÇOISE : Ma Mère... laissez-moi vous donner ce nom de Mère, maintenant que vous allez beaucoup souffrir.

LA SŒUR ANGÉLIQUE : Vous me le donnerez quand vous saurez comment j'ai souffert.

40   LA SŒUR FRANÇOISE : Ma Sœur... — Ma Mère, ma chère Mère, où êtes-vous ? Vous reverrai-je jamais ?

LA SŒUR ANGÉLIQUE : Je vous ai nourrie cinq ans, d'un lait que pas une mère... Mais je ne sais à quoi je pense en vous disant cela... Vous êtes assez grande, vous pourriez aller seule, quand même je vous quitterais. Or, je ne vous quitte pas ; on ne quitte que ce qu'on cesse d'aimer.

LA SŒUR FRANÇOISE : Est-ce vous qui me dites cela ? Vous qui tantôt me reprochiez si fort cette petite amitié humaine où vous croyiez que je voulais prétendre ? *Elle prend la main de la sœur Angélique. Celle-ci dégage doucement sa main.*

50   LA SŒUR ANGÉLIQUE : Il ne faut à aucun prix qu'un être, par sa trahison, nous décourage d'avoir plus jamais confiance en d'autres êtres. Il aurait trop gagné s'il avait tué en nous la confiance faite à notre prochain.

LA SŒUR FRANÇOISE : Ah ! n'est-ce donc que cela !

LA SŒUR ANGÉLIQUE : Vous, vous avez compris ce que vous ne compreniez point. Pour vous viennent de s'ouvrir les Portes du Jour...

LA SŒUR FRANÇOISE : Quel jour ? A quel point terni !

LA SŒUR ANGÉLIQUE : Pour moi j'ai franchi les Portes des Ténèbres, avec une horreur que vous ne pouvez pas savoir et qui doit n'être sue de personne.

LA SŒUR FRANÇOISE : Quelles ténèbres ? Je prie Dieu qu'il me fasse la grâce d'être un jour dans le Ciel à vos pieds.

60   LE PREMIER AUMÔNIER, *entrant, venant de la cour :* Ma Sœur, le carrosse... Ne tardez pas. Les Sœurs de la Visitation arrivent.

LA SŒUR ANGÉLIQUE : Les Sœurs de la nuit : la nuit qui s'abat sur notre monastère. Cette nuit-là, et l'autre nuit. *(Elle se prosterne.)* Je baise le sol de la maison où peut-être je ne reviendrai plus, comme nous faisions baiser le sol à nos petites filles, dès que sorties du lit, le premier acte de leur journée, — au temps des petites filles...   *Elle baise le sol, et se relève.*

LA SŒUR FRANÇOISE : Je serai fidèle à ce temps des petites filles. Je serai fidèle... Je serai fidèle.

LA SŒUR ANGÉLIQUE : Soyez fidèle pour toutes celles et pour tous ceux qui...

70   LA SŒUR FRANÇOISE : Vous retrouverez Dieu et Port-Royal partout. On n'est jamais seule quand on a la foi.

LA SŒUR ANGÉLIQUE : Mon enfant ! — Je ne sais ce que je retrouverai.

LA SŒUR FRANÇOISE *la regarde avec surprise, puis lui demande à voix basse :* Que voulez-vous dire ?

LA SŒUR ANGÉLIQUE *se redressant :* Je veux dire que la nuit qui s'ouvre passera comme toutes les choses de ce monde. Et la vérité de Dieu demeurera éternellement, et délivrera tous ceux qui ne veulent être sauvés que par elle.

Elle dit cela avec effort, d'un air si étrange — mécanique — et paraissant si absente de ce qu'elle dit, que la sœur Françoise en est interdite.

                Port-Royal (Librairie Gallimard, éditeur).

Romanciers
et poètes à la scène   Entre la guerre et les années 60, le *théâtre traditionnel* a vu s'affirmer, auprès de Jean Anouilh, des techniciens habiles comme André Roussin *(La Petite Hutte ; Les Œufs de l'autruche)* ou Félicien Marceau *(L'Œuf ; La Bonne Soupe)*. On a découvert le tempérament vigoureux du Flamand Michel de Ghelderode, qui oscille entre le drame et la farce et mêle étrangement la mystique et la sensualité truculente *(Hop Signor ! ; Fastes d'Enfer ; Escurial ; L'École des Bouffons)*. Des romanciers et des poètes ont abordé la scène : Mauriac, Audiberti (cf. p. 668), Gracq (cf. p. 742), Aymé (cf. p. 608), Green (cf. p. 530), Bernanos (cf. p. 518), Schéhadé (cf. p. 697) ; entre autres encore : Maurice Clavel *(Les Incendiaires ; Maguelonne)*, Georges Neveux *(Le Voyage de Thésée)*, Emmanuel Roblès *(Montserrat)*, Jules Roy *(Les Cyclones)*. Le *théâtre idéologique* a un temps passionné les intellectuels avec les pièces de Sartre (cf. p. 707-715) et de Camus (cf. p. 720 et 729), auxquels on peut joindre Gabriel Marcel (cf. p. 849 ; *Un homme de Dieu ; Rome n'est plus dans Rome*) et Thierry Maulnier (1909-1988 : *La Course des rois ; Le Profanateur ;* et une adaptation de *La Condition humaine*, de Malraux ; cf. aussi p. 866).

L'EXPÉRIENCE DE FRANÇOIS MAURIAC. Auteur d'une *Vie de Jean Racine* et rattachant lui-même son œuvre romanesque à la tragédie racinienne, MAURIAC avait porté à la scène, dès 1938, le décor landais et l'atmosphère trouble de ses romans (cf. p. 507) : ce fut *Asmodée*, pièce habile dont le personnage central, Blaise Coûture, est un Tartuffe moderne, tyrannique et douloureux. La tragédie bourgeoise des *Mal Aimés* (jouée en 1945) connut à son tour un accueil favorable, que ne retrouvèrent ensuite ni *Passage du Malin* (1947) ni *Le Feu sur la Terre* (1950). C'est que, fidèle au « théâtre psychologique » et renonçant à la magie qui, dans ses romans, voilait l'ignominie des êtres par l'évocation poétique de la nature et la musique du lyrisme, Mauriac peint au théâtre des *personnages odieux* que la *nudité du dialogue* rend difficilement supportables.

Les Mal Aimés

Ancien officier trahi par sa femme, M. DE VIRELADE s'abandonne à l'inconduite et à la boisson. Il s'est retiré dans les Landes avec ses deux filles, MARIANNE et ÉLISABETH, l'aînée qui a remplacé sa mère à la direction de la maison. Après s'être sacrifiée jusqu'à la trentaine, Élisabeth décide d'épouser ALAIN, étudiant en médecine plus jeune qu'elle. Elle se heurte d'abord à la *sourde hostilité de Marianne,* qui garde d'un flirt sans conséquence avec Alain un souvenir inoubliable, et surtout à l'*égoïsme de Virelade,* qui ne peut tolérer d'être privé des attentions et même de la présence de son aînée. Le père abusif a surpris Marianne en train de jouer avec un revolver, et, pendant qu'Alain attend dans le jardin une réponse définitive, il tente d'inspirer à Élisabeth le mépris de son fiancé et n'hésitera pas à la soumettre à un *indigne chantage,* l'incitant au sacrifice pour sauver le bonheur et peut-être la vie de Marianne. Il va distiller lentement le poison du *doute* jusqu'à cette *impitoyable révélation* dont le dialogue de Mauriac, sec et « réaliste », avive encore la *cruauté*.
THÈMES : *Femme. Famille. Amour. Morale. Psychologie.*

ÉLISABETH : Elle a eu peur de rester seule, après mon mariage, seule ici avec vous, en tête-à-tête... Mais je l'ai rassurée. Elle sait maintenant, la pauvre chérie, que je ne l'abandonnerai jamais.

VIRELADE : Ce n'est pas de toi qu'elle a besoin, Élisabeth. Que crois-tu donc être pour elle ?

ÉLISABETH : Alain, en tout cas, n'est que son camarade, rien de plus.

VIRELADE : Appelle cela un camarade... moi je veux bien.

ÉLISABETH : Je le connais, peut-être ! je ne me fais aucune illusion : ce n'est pas un héros, bien sûr ! Mais de là à jouer ce jeu ignoble avec nous deux...
10 non, tout de même !

VIRELADE : Que ce soit un très pauvre type, ce n'est pas à moi qu'il faut l'apprendre. Mais soyons justes : pour ce qui touche à ça, nous sommes tous de pauvres types...

ÉLISABETH : S'il y avait eu la moindre chose entre eux, je l'aurais vite flairé, je vous le jure !

VIRELADE : Que tu as la mémoire courte, Élisabeth ! Rappelle-toi l'été où tu m'accompagnais à Bordeaux, tous les jours, et où nous les laissions seuls derrière nous. Souviens-toi de tes larmes dans la voiture.

ÉLISABETH : Oui, c'est possible qu'à cette époque-là je me sois fait des idées...
20 Je vous soupçonnais de ce calcul... Je me disais : il espère que Marianne détournera Alain de moi...

VIRELADE : Comme tu me détestes, en ce moment ! Si ça devait durer, je ne le supporterais pas.

ÉLISABETH : Ah ! oui, je me rappelle, maintenant ! Vous saviez pourquoi je pleurais au fond de la voiture et vous vous en réjouissiez !

VIRELADE : Je ne m'en réjouissais pas. Je ne m'en inquiétais pas non plus. Marianne accueillait librement un camarade, un ami d'enfance, comme tu le faisais toi-même... Où était le mal ?

ÉLISABETH : Vous voyez bien, vous le reconnaissez vous-même : où était le
30 mal ? Ça ne tirait pas à conséquence. Alors pourquoi essayez-vous de m'empoisonner avec ce doute ?

VIRELADE : Je te dis ce qui est. Il en faut si peu à une petite fille comme Marianne pour qu'elle s'attache, pour qu'elle souffre jusqu'à n'en plus pouvoir.

ÉLISABETH : J'en ai assez. Découvrez d'un coup ce que vous dissimulez. Finissons-en.

VIRELADE : A quoi bon ? Tu ne me croirais pas. Interroge-les toi-même. Dès que j'aurai regagné ma chambre, Marianne sortira de la sienne et lui du jardin où il se cache. Pose-leur des questions. Alain n'a guère de défense devant toi et Marianne est à bout de course. Tu les auras comme tu voudras.

40 ÉLISABETH : Ah ! si c'était vrai...

VIRELADE : Que ferais-tu si c'était vrai ?

ÉLISABETH : Vous pourriez vous réjouir, père ; vous m'auriez toute à vous, à la fois vivante et morte...

VIRELADE : Non, ma fille... ce sont des mots... Tu manques de mesure... Tu sais bien que tu finirais par le rappeler et que tu n'aurais pas à crier bien fort : il continuerait de rôder autour de la propriété comme il fait en ce moment. Il serait toujours tapi dans quelque massif... Je connais cette espèce de chiens... Et puis permets-moi de te le dire : dans tout cela tu ne penses qu'à toi. Tu oublies Marianne : celle-là joue sa vie.

Les Mal Aimés, II, 6 (Grasset, éditeur).

A l'acte III, MARIANNE *a épousé* ALAIN, *mais c'est pour découvrir bien vite qu'elle n'est pas vraiment aimée. Quant à* ÉLISABETH, *qui s'est sacrifiée, elle vit tristement auprès de son père. Or l'égoïste tranquillité de* VIRELADE *exige que sa fille paraisse heureuse. Il tente donc de la rapprocher du jeune ménage pour que renaisse entre Alain et Élisabeth une douce intimité. En fait, il suffit qu'ils se retrouvent pour que l'amour reprenne ses droits, et ils s'enfuient en voiture, la nuit. Mais au bout d'un moment, Élisabeth est de retour, prisonnière de sa conscience comme d'une fatalité. Ainsi chacun de ces personnages porte son fardeau de souffrance : s'ils se déchirent mutuellement, c'est qu'ils aiment avec égoïsme et qu'en définitive ils sont tous mal aimés.*

Le baroque   Dramaturge autant que poète et romancier, JACQUES
      d'Audiberti   AUDIBERTI (1899-1965) pratique délibérément le déchaîne-
                     ment libertaire de l'imagination, surtout verbale ; il prend
ainsi place dans la lignée des grands représentants du *baroque*. Aussi le théâtre est-il
bien le mode d'expression où il s'est sans doute le plus complètement exprimé, de
Quoat-Quoat (1946) à *La Fourmi dans le corps* (1962) en passant par *Le mal court* (1947)
et *La Hobereaute* (1956). Mais ce fantastique baroque n'exclut pas, au contraire, la
présence tragique du Mal, qui est là, bien vivant, jouant à cache-cache avec le Bien ;
et, entre le Mal et le Bien, il y a à la fois échange et conflit. Voici que la fantaisie verbale
devient alors le symbole, et peut-être aussi l'antidote, de ce que d'autres appellent
l'*absurde*. Tel est le thème obsédant de l'œuvre dramatique d'Audiberti, et il n'apparaît
nulle part mieux que dans *Le mal court*.

LE MAL COURT

Dans *Le mal court*, drame en forme de farce, la princesse de Courtelande ALARICA,
constatant que, partout, « le mal court », décide d'entrer, elle le modèle de toute pureté,
dans cette course du Mal ; peut-être aussi, selon le jeu de mots du titre, est-ce pour
raccourcir la durée de cette course maléfique en l'accélérant. Dans cette sorte de *farce
philosophique*, tandis que le tragique parle le langage du burlesque, le burlesque est, de
son côté, comme le masque grimaçant du tragique. Ainsi, à l'acte III, lorsque ALARICA
explique à ses officiers les raisons pour lesquelles elle a décidé de détrôner son père
CÉLESTINCIC.

ALARICA : Messieurs, la reine de Courtelande vous délie du serment
prêté entre les mains de ce béquillard pastilleux [1]. La reine de
Courtelande vous conseille de jurer fidélité à moi-même, et par-dessus
le marché, à ce beau garçon [2] que, désormais, je promeus mon cheval,
mon danseur, mon tuteur, mon filleul et mon cavalier. Les blés seront
hauts, désormais, là-bas, sur notre contrée mal notée. Nous aurons des
hôpitaux, des casernements, des instituts. Je m'en moque. Je ne
recherche pas la puissance pour la puissance, mais il se trouve que je
suis la fille d'un souverain et que le renversement de mon âme du côté
10   du mal qui est le bien, du mal qui est le roi, je ne puis l'accomplir
de plus mémorable, de plus exemplaire manière qu'en revendiquant la
puissance, par l'assassinat, si c'est nécessaire.

LE LIEUTENANT : Qu'est-ce qu'on fait ?

LE MARÉCHAL : Il n'y a rien à faire. La béquille en a dans l'aile. Il
faudra faire changer la grande initiale au fronton du théâtre. Ça pue
le phosphore et la violette [3], l'agonie et le commencement.

ALARICA : Engendrer signifie que l'on douta de soi pour accomplir
sa vie. L'enfant détruit le parent.

                               Le mal court, III (Librairie Gallimard, éditeur).

Pour finir, lorsque CÉLESTINCIC, *incapable de rien comprendre à ce qui se passe, balbutie :*
« Ma petite fille... Ma petite. Elle avait une poupée bleue. Comment, comment a-t-elle
pu... Ma petite », ALARICA *se contente de lui répondre :* « Le mal court. »

— 1 Le roi son père (« *béquille, manchon,* | « *sa maîtresse, son favori* ». — 3 Le Maréchal avait
moustaches, cinquante ans, pastilles », selon l'indica- | précédemment remarqué que « *lorsque l'impératrice
tion scénique de l'auteur). — 2 « *Une espèce de* | Catherine escamota son mari, pour le déposer, il y
député du monarque d'Occident* », fils d'une | avait, tout autour des acteurs de ce drame historique,
« blanchisseuse de lin » dont Alarica veut faire | comme une odeur de phosphore et de violette* ».

Du nouveau dans la mise en scène

Jean Genet, « Les Paravents », mise en scène de Roger Blin, compagnie Renaud-Barrault (Théâtre de l'Odéon, 1966). (Ph. © Agence Bernand – Photeb)

Dans la seconde moitié du siècle, la rupture avec les voies traditionnelles du théâtre (cf. **p. 636**) entraîne des changements dans la conception du décor et les idées sur la mise en scène. On en jugera d'après les documents ci-après et l'illustration des extraits d'Eugène Ionesco, Samuel Beckett, Jean Genet.

Parmi les novateurs, Jean Genet est un de ceux qui ont le plus médité sur les formules propres à moderniser la célébration du rite théâtral. On trouvera, page **691**, l'essentiel de ses idées sur la dramaturgie et des précisions sur la mise en scène des *Paravents* dont on voit ici une illustration. Après avoir traversé, en les crevant, des paravents symboliques, certains personnages sont montés à l'étage supérieur de la scène, parmi les morts qui observent la vaine agitation des vivants.

Arrabal, « Et ils passèrent des
menottes aux fleurs » (1972).
(Ph. © Nicolas Treatt – Arch. Photeb)

Beckett, « Fin de partie » (T.E.P., 1980), avec
Gisèle Casadesus et André Reybaz.
(Ph. © Philippe Coqueux)

« De Moïse à Mao » de Jérôme Savary, mise en scène de l'auteur, par
le Grand Magic Circus (Théâtre d'Orsay, 1974). (Ph. © Agence Bernand – Photeb)

L'imagination au service de l'illusion

Cette « superbe puissance », dont parlait Pascal, donne au magicien de la scène le pouvoir de
manier à sa guise notre esprit et nos sens. Auteurs et metteurs en scène modernes rivalisent d'ingéniosité
pour briser les cadres conventionnels, et leurs trouvailles sont souvent surprenantes. Ainsi, le prisonnier
qui hurle derrière des barreaux résume le climat de cruauté qui règne dans le théâtre d'Arrabal (cf.
p. 689), de même que les deux personnages enfoncés dans des poubelles traduisent avec force la dérision
de la condition humaine selon Beckett (cf. **p. 683**). Quant à Jérôme Savary, son imagination invite
celle des spectateurs à la rejoindre, en déroulant sous leurs yeux les flots de cette immense toile blanche
d'où émergent quelques têtes et quelques corps.

*Le « Roland furieux » de L'Arioste,
mise en scène de Luca Ronconi
(Halles de Paris, 1970).*
(Ph. © Agence Bernand – Photeb)

*« Danton et Robespierre »,
mise en scène de Robert Hossein
(palais des Congrès, 1979),
avec Bernard Fresson.*
(Ph. © Agence Bernand – Photeb)

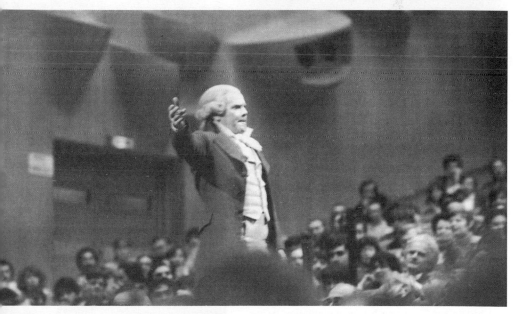

Le spectacle dans la salle

Dans la mise en scène de *Danton et Robespierre,* de Robert Hossein et Alain Decaux, le bureau de la Convention était placé sur les gradins, parmi les spectateurs qui représentaient ainsi l'Assemblée. Au milieu d'eux siégeaient des acteurs en costume d'époque qui se levaient tour à tour pour intervenir avec violence dans les débats. Spécialiste de la mise en scène à grand spectacle, Robert Hossein a attiré des foules enthousiastes au palais des Sports, avec *Notre-Dame de Paris, Les Misérables, Un homme nommé Jésus, Jules César, L'Affaire du courrier de Lyon* (en collaboration avec Alain Decaux).

« *L'Avare de Planchon* », *au T.N.P. de Villeurbanne (1986), avec Michel Serrault.*
(Ph. © Agence Bernand – Photeb)

À la Comédie-Française,
« *Les Fourberies de Scapin* », *mise en scène de Jacques Echantillon (1973), avec Alain Pralon.* (Ph. © Philippe Coqueux)

Audaces modernistes ou iconoclastes ?

Joués à contre texte, les **classiques** eux-mêmes ont été touchés par la recherche gratuite de l'*insolite*. On a vu, dans un décor de cirque, Scapin faire son entrée en tenue de cow-boy, un pistolet dans chaque main. Dans « *L'Avare* de Planchon » l'ordre des scènes est bouleversé ; au moment où Harpagon, hagard, exige que son voleur soit pendu et torturé, il assiste sur le plateau à la matérialisation de ses fantasmes : le coupable, juché sur deux tonneaux superposés, est « pendu » comme dans un western, puis subit le supplice de la roue ; au dénouement heureux est substitué un cataclysme : les murs se lézardent et s'écroulent. Les amateurs de théâtre ont apprécié une tentative plus intéressante : le mélange des genres dans une mise en scène baroque du *Cid,* à la compagnie Renaud-Barrault.

UN THÉÂTRE NOUVEAU

EUGÈNE IONESCO

Sa carrière — Eugène Ionesco (1912-1994) est né en Roumanie, d'un père roumain et d'une mère française. Il a passé son enfance à Paris. De retour au pays natal en 1925, il résiste désespérément aux progrès du nazisme et du fascisme ; puis, en 1938, il revient à Paris pour y préparer une thèse sur « les thèmes du péché et de la mort dans la poésie française depuis Baudelaire ». Après la débâcle de 1940 et un bref séjour dans son pays en proie au fascisme, il se fixe définitivement en France où il exercera le métier de correcteur d'imprimerie.

Ses premières pièces font scandale, soit qu'elles s'attaquent, par la parodie, aux traditions du genre dramatique (*La Cantatrice chauve*, 1950, cf. p. 674), soit qu'elles reposent sur la transcription des rêves et l'exploration psychanalytique de la conscience (*La Leçon*, 1951 ; *Les Chaises*, 1952 : *Victimes du devoir*, 1953 ; *Amédée*, 1954 ; *Jacques ou la Soumission*, 1955). Après dix ans d'insuccès, Ionesco triomphe avec *Rhinocéros* (joué en France en 1960) et s'impose avec les autres pièces du « cycle Bérenger » (*Tueur sans gages*, 1959 ; *Le Roi se meurt*, 1962 ; *Le Piéton de l'air*, 1963). Il donnera ensuite *La Soif et la Faim*, 1966 ; *Jeux de massacre*, 1970 ; *Macbett*, 1972 ; *Ce formidable bordel*, 1973.

Dans ces pièces, de graves questions sont abordées : l'individu opprimé par la masse (cf. p. 674-678), l'impossibilité d'atteindre l'absolu, l'homme devant la mort (cf. p. 680). A travers les images oniriques qui hantent son théâtre (cf. *Journal en miettes*, 1967), Ionesco se montre obsédé par les problèmes du bien et du mal, du péché et de la mort, de l'inaptitude à vivre heureux ici-bas, pour l'homme dévoré, comme lui, par la « nostalgie ardente » et incompréhensible d'un ailleurs qu'il ne saurait définir.

Une dramaturgie originale — A mesure que s'enrichit son « expérience du théâtre », Ionesco poursuit une réflexion sur l'art dramatique (*Notes et Contre-notes*, 1962 ; *Découvertes*, 1969). Dès *La Cantatrice chauve*, il a déclaré la *guerre au théâtre de divertissement* des années 40, en parodiant les procédés de l'intrigue conventionnelle, la prétention à la logique et à la « vraisemblance ». Il prête à ses personnages un langage automatique, absurde et saugrenu ; du même coup, il dénonce la sclérose intellectuelle ou l'impossibilité de communiquer qui surviennent quand l'automatisme fait obstacle à la spontanéité, à la vérité des êtres. Le *théâtre engagé*, véhicule des idéologies, lui apparaît comme un instrument néfaste qui tend à asservir les masses en leur donnant l'illusion de penser. Il s'élève également contre *le mensonge du « réalisme »*, qui condamne le théâtre à une psychologie superficielle et périmée : des moyens d'investigation plus pénétrants, comme la *psychanalyse*, permettraient de sonder l'inconnu, en ouvrant la scène à la représentation poétique de l'irrationnel, des symboles conçus par l'imagination, des cauchemars, des visions fantastiques.

Influencé par Jarry, Apollinaire et Artaud (cf. p. 636, « Théâtre de la cruauté »), Ionesco pense, en effet, que pour forcer le spectateur à participer, le théâtre doit être « violent », inquiéter, ne reculer ni devant le scandale ni devant le paroxysme.

« *Spectacle total* », le théâtre doit toucher tous les sens, grâce aux ressources des techniques modernes, décors, éclairage, musique : « *tout est permis au théâtre* » (cf. p. 676). Ionesco pratique systématiquement le *mélange des genres*, allant du registre noble à la farce grotesque, aux procédés du guignol, du music-hall ou du cirque. Il aime jouer sur la *surprise du langage* : jeux de mots, pataquès, réflexions hétérogènes, prolifération verbale, accélération caricaturale du débit ; il invite même les acteurs à « jouer contre le texte ». Assurés de provoquer le rire, ces effets de rupture ont souvent pour objet de stimuler notre réflexion ou de dévoiler l'inconscient, le plus intime des êtres. C'est par ce biais que Ionesco prétend à l'universalité *classique*, « étant entendu que ce côté classique doit être retrouvé au-delà du nouveau, à travers le nouveau dont il doit être imprégné ».

La Cantatrice chauve

La première pièce de IONESCO serait née de l'idée de « mettre l'une à la suite de l'autre les phrases les plus banales », comme on en trouve dans un manuel de conversation étrangère dont l'unique objet est d'enseigner le vocabulaire et de faire jouer des structures grammaticales. Le sous-titre, *Anti-pièce*, traduisait son intention de *« faire une parodie du théâtre »*. Pour choquer le public du Boulevard, il avait conçu une pièce sans intrigue, aux personnages inconsistants, et dont la progression n'est soutenue que par la technique d'un mécanisme théâtral fonctionnant à vide. Le titre lui-même ne repose que sur deux répliques absurdes sans rapport avec le contexte.

Dans un décor typiquement anglais, M. et Mme SMITH *échangent des lieux communs, automatiques, vides de tout intérêt (satire de l'existence banale, dans un milieu bourgeois et conformiste, entre deux êtres devenus étrangers l'un à l'autre). Sous couleur de logique, ils aboutissent aux pires absurdités* (thème cher à Ionesco). *Surviennent deux visiteurs qui, pendant que les* SMITH *sont allés s'habiller, découvrent qu'ils ont les mêmes souvenirs, le même appartement, la même petite fille... bref, qu'ils sont mari et femme : M. et Mme* MARTIN (satire du pathétique, des reconnaissances, des coups de théâtre). *Au retour des* SMITH, *la conversation démarre péniblement, quand se présente le* CAPITAINE DES POMPIERS ; *il raconte des histoires saugrenues qui ont la prétention d'être drôles. Après son départ, le dialogue entre ces interlocuteurs qui n'ont rien à se dire devient de plus en plus automatique et les personnages transformés en pantins s'affrontent en un langage incohérent. Peu à peu, le mécanisme verbal fonctionne seul, jusqu'à la désintégration totale du langage : truismes* (« Le plafond est en haut, le plancher en bas »), *proverbes, faux proverbes cocasses* (« Celui qui vend aujourd'hui un bœuf, demain aura un œuf »), *puis exercices d'élocution* (« Touche pas la mouche, mouche pas la touche »), *voyelles, onomatopées. Cette prolifération sans objet suit un rythme accéléré, comme si les personnages se disputaient pour d'excellentes raisons.*

Tout à coup la lumière s'éteint. Les paroles cessent brusquement. De nouveau, lumière. M. et Mme MARTIN *sont assis comme les* SMITH *au début de la pièce. La pièce recommence avec les* MARTIN, *qui disent exactement les répliques des* SMITH *dans la première scène, tandis que le rideau se ferme doucement.* Ces personnages sans vie intérieure parlent pour ne rien dire et sont donc interchangeables : la structure circulaire de la pièce (fréquente chez Ionesco) souligne l'absurdité de la vie.

Selon l'auteur, l'interprétation devrait être la plus véhémente possible, « pour arriver..., si cela était réalisable, à la désarticulation des personnages eux-mêmes. L'idéal serait de voir leurs têtes et leurs jambes se projeter sur le plancher. Malheureusement, cela est impossible. Ce serait pourtant très beau de n'avoir plus que des marionnettes disloquées, ces personnages n'ayant pas de réalité. Ce que voulait être, en un certain sens, cette pièce ».

Rhinocéros

Pièce écrite en 1958, créée en allemand en 1959, représentée pour la première fois en France en 1960, *Rhinocéros* fut le premier succès de IONESCO à la scène. Plutôt que d'une intrigue, il s'agit d'une suite d'images scéniques : « Je respecte, dit Ionesco, les lois fondamentales du théâtre : une idée simple, une progression également simple, et une chute. »

Les rues d'une petite cité assoupie dans sa médiocrité sont tout à coup traversées par la course d'un rhinocéros : en fait, il s'agit d'un homme qui s'est transformé en bête sauvage. Comme une épidémie, la métamorphose en chaîne va gagner inexorablement la ville entière. Chaque personnage présente des défauts qui prédisposent à la « rhinocérite » : égoïsme, vanité, hypocrisie, ambition, goût de la violence et de la domination, fausse logique, abus des lieux communs qui détournent de penser, lâcheté qui conduit à « comprendre » le mal, à l'admettre, enfin à l'approuver. A la fin de la pièce, BÉRENGER *reste seul épargné par la métamorphose : il demeure attaché instinctivement à son humanité, aux valeurs humanistes ; il refuse de devenir rhinocéros, bien qu'il souffre de sa solitude et soit, lui aussi, tenté de suivre le mouvement.*

A l'origine de ce mythe à la Kafka, des images obsédantes remontant aux angoisses de l'auteur devant la contagion de l'idéologie nazie en Roumanie, après 1933. Mais, selon Ionesco lui-même, la pièce est d'une portée plus large, et vise « les intellectuels qui, depuis une trentaine d'années, ne font que propager les rhinocérites et ne font que soutenir les hystéries collectives dont les peuples entiers deviennent périodiquement la proie » ; elle met aussi en lumière les démissions qui ravalent les individus à l'état de robots.

Ionesco et l'absurde

« *La Cantatrice chauve* »,
*au Théâtre de
la Huchette (1978),
avec Roger Desfossez
et Micheline Bona.*
(Ph. Jeanbor © Arch. Photeb)

« *Les Chaises* », *au
Théâtre Montparnasse
(1982), avec
Michèle Ernou.*
(Ph. © Agence Bernand)

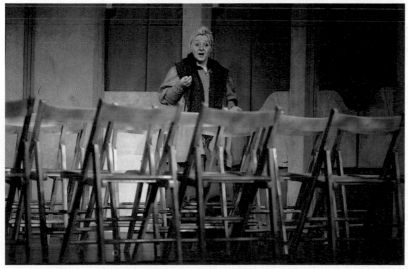

Le langage en question

Dans *La Cantatrice chauve* (cf. **p. 674**), sous les dehors d'une conversation animée, les « interlocuteurs » n'échangent que des formules creuses et absurdes. Dans *Les Chaises,* LA VIEILLE (94 ans) et LE VIEUX (95 ans) ne voudraient pas quitter ce monde sans avoir communiqué aux hommes un important « message ». Mais leurs invités ne viennent pas et, parlant devant des chaises vides, les deux VIEUX ne parviennent même pas à formuler leur message. Ils confient à un ORATEUR le soin de le transmettre, mais il est sourd et muet, et il n'inscrit au tableau que des lettres incohérentes.

« *Rhinocéros ! Rhinocéros !* »

Sous les regards effarés de Bérenger en plein désarroi, son ami Jean se métamorphose en *rhinocéros ;* la contagion commence à s'étendre à toute la société. Dans cette scène burlesque et fantastique, la mutation physique traduit l'évolution du personnage séduit par la morale « rhinocérique » : il rejette l'humanisme pour revenir à la loi de la jungle, en invoquant les arguments qui ouvrent la voie à toutes les dictatures. On notera l'importance des « éléments scéniques matériels ». Dans la dramaturgie de Ionesco, en effet, le théâtre est autant visuel qu'auditif : « Tout est permis au théâtre : incarner des personnages, mais aussi matérialiser des angoisses, des présences intérieures. Il est donc non seulement permis, mais recommandé, de faire jouer les accessoires, faire vivre les objets, animer les décors, concrétiser les symboles » (*Expérience du théâtre*, 1958).
THÈMES : *Humanisme. Morale. Animaux. Société. Réel et irréel. Symboles. Littérature.*

JEAN : Après tout, les rhinocéros sont des créatures comme nous, qui ont droit à la vie au même titre que nous !
BÉRENGER : A condition qu'elles ne détruisent pas la nôtre. Vous rendez-vous compte de la différence de mentalité ?
JEAN, *allant et venant dans la pièce, entrant dans la salle de bains, et sortant :* Pensez-vous que la nôtre soit préférable ?
BÉRENGER : Tout de même, nous avons notre morale à nous, que je juge incompatible avec celle de ces animaux.
JEAN : La morale ! Parlons-en de la morale, j'en ai assez de la morale, elle
10 est belle la morale ! Il faut dépasser la morale.
BÉRENGER : Que mettriez-vous à la place ?
JEAN, *même jeu :* La nature !
BÉRENGER : La nature ?
JEAN, *même jeu :* La nature a ses lois. La morale est antinaturelle.
BÉRENGER : Si je comprends, vous voulez remplacer la loi morale par la loi de la jungle !
JEAN : J'y vivrai, j'y vivrai.
BÉRENGER : Cela se dit. Mais dans le fond, personne...
JEAN, *l'interrompant, et allant et venant :* Il faut reconstituer les fondements de
20 notre vie. Il faut retourner à l'intégrité primordiale. [...] L'humanisme est périmé ! Vous êtes un vieux sentimental ridicule. *(Il entre dans la salle de bains.)*
BÉRENGER : Enfin, tout de même, l'esprit...
JEAN, *dans la salle de bains :* Des clichés ! vous me racontez des bêtises.
BÉRENGER : Des bêtises !
JEAN, *de la salle de bains, d'une voix très rauque, difficilement compréhensible :* Absolument.
BÉRENGER : Je suis étonné de vous entendre dire cela, mon cher Jean ! Perdez-vous la tête ? Enfin, aimeriez-vous être rhinocéros ?
JEAN : Pourquoi pas ? Je n'ai pas vos préjugés.
30 BÉRENGER : Parlez plus distinctement. Je ne vous comprends pas. Vous articulez mal.
JEAN, *toujours de la salle de bains :* Ouvrez vos oreilles !
BÉRENGER : Comment ?
JEAN : Ouvrez vos oreilles. J'ai dit : pourquoi pas ? ne pas être rhinocéros ? J'aime les changements.

BÉRENGER : De telles affirmations venant de votre part... (*Bérenger s'interrompt, car Jean fait une apparition effrayante. En effet, Jean est devenu tout à fait vert. La bosse de son front est presque devenue une corne de rhinocéros.*) Oh ! vous semblez vraiment perdre la tête ! (*Jean se précipite vers son lit, jette les couvertures par terre, prononce 40 des paroles furieuses et incompréhensibles, fait entendre des sons inouïs.*) Mais ne soyez pas si furieux, calmez-vous ! Je ne vous reconnais plus.

JEAN, *à peine distinctement :* Chaud... trop chaud. Démolir tout cela, vêtements, ça gratte, vêtements, ça gratte. (*Il fait tomber le pantalon de son pyjama.*)

BÉRENGER : Que faites-vous ? Je ne vous reconnais plus ! Vous si pudique d'habitude !

JEAN : Les marécages ! les marécages !

BÉRENGER : Regardez-moi ! Vous ne semblez plus me voir ! Vous ne semblez plus m'entendre !

JEAN : Je vous entends très bien ! Je vous vois très bien ! (*Il fonce vers Bérenger 50 tête baissée. Celui-ci s'écarte.*)

BÉRENGER : Attention !

JEAN, *soufflant bruyamment :* Pardon ! (*Puis il se précipite à toute vitesse dans la salle de bains.*)

En vain Bérenger veut calmer son ami dont « la corne s'allonge à vue d'œil » : Jean menace de le piétiner ! « Au moment où Bérenger a réussi à refermer la porte, la corne du rhinocéros a traversé celle-ci ». La porte s'ébranle sous la poussée continuelle de l'animal qui émet des barrissements mêlés à des mots à peine distincts : je rage, salaud, etc.

BÉRENGER, *se précipitant dans l'escalier :* Concierge, concierge, vous avez un rhinocéros dans la maison, appelez la police ! Concierge ! (*On voit s'ouvrir le haut 60 de la porte de la loge de la concierge ; apparaît une tête de rhinocéros.*) Encore un ! (*Bérenger remonte à toute allure les marches de l'escalier. Il entre dans la chambre de Jean tandis que la porte de la salle de bains continue d'être secouée. Bérenger se dirige vers la fenêtre, qui est indiquée par un simple encadrement, sur le devant de la scène face au public. Il est à bout de force, manque de défaillir, bredouille :)* Ah mon Dieu ! Ah mon Dieu ! (*Il fait un grand effort, se met à enjamber la fenêtre, passe presque de l'autre côté, c'est-à-dire vers la salle, et remonte vivement, car au même instant on voit apparaître, de la fosse d'orchestre, la parcourant à toute vitesse, une grande quantité de cornes de rhinocéros à la file. Bérenger remonte le plus vite qu'il peut et regarde un instant par la fenêtre.*) Il y en a tout un troupeau maintenant dans la rue ! Une armée de rhinocéros, ils dévalent l'avenue en 70 pente !... (*Il regarde de tous les côtés.*) Par où sortir, par où sortir !... Si encore ils se contentaient du milieu de la rue ! Ils débordent sur le trottoir, par où sortir, par où partir ! (*Affolé, il se dirige vers toutes les portes, et vers la fenêtre, tour à tour, tandis que la porte de la salle de bains continue de s'ébranler et que l'on entend Jean barrir et proférer des injures incompréhensibles. Le jeu continue quelques instants : chaque fois que, dans ses tentatives désordonnées de fuite, Bérenger se trouve sur les marches de l'escalier, il est accueilli par des têtes de rhinocéros qui barrissent et le font reculer. Il va une dernière fois vers la fenêtre, regarde.*) Tout un troupeau de rhinocéros ! Et on disait que c'est un animal solitaire ! C'est faux, il faut reviser cette conception ! Ils ont démoli tous les bancs de l'avenue. (*Il se tord les mains.*) Comment faire ? (*Il se dirige de nouveau vers 80 les différentes sorties, mais la vue des rhinocéros l'en empêche. Lorsqu'il se trouve de nouveau devant la porte de la salle de bains, celle-ci menace de céder. Bérenger se jette contre le mur du fond qui cède ; on voit la rue dans le fond, il s'enfuit en criant.*) Rhinocéros ! Rhinocéros ! (*Bruits, la porte de la salle de bains va céder.*)

Rhinocéros, acte II, tableau II (Librairie Gallimard, éditeur).

« *JE NE CAPITULE PAS !* »

Abandonné de tous, même de sa fiancée Daisy, BÉRENGER se rend compte que la rhino-cérite est maintenant la normale : seul être humain, il est devenu une sorte de monstre. Ne vaudrait-il pas mieux suivre la masse que de souffrir de la solitude ? Le voudrait-il qu'il ne le pourrait pas : il est allergique à la rhinocérite. Il symbolise, dit l'auteur, ces « quelques consciences individuelles qui représentent la vérité ». Mais on le sent partagé jusqu'au bout entre l'instinct grégaire et le besoin de liberté. L'interprétation de la pièce et du monologue qui la termine nous est dictée par Ionesco : « Les gens la comprennent-ils comme il faut ? Y voient-ils le phénomène monstrueux de la massification ? [...] En même temps qu'ils sont massifiables, sont-ils aussi, et essentiellement, au fond d'eux-mêmes, tous, des individualistes, des âmes uniques ? » – THÈMES : *Moi. Morale. Solitude.*

BÉRENGER : On ne m'aura pas, moi. (*Il ferme soigneusement les fenêtres.*) Vous ne m'aurez pas, moi. (*Il s'adresse à toutes les têtes de rhinocéros.*) Je ne vous suivrai pas, je ne vous comprends pas ! Je reste ce que je suis. Je suis un être humain. Un être humain. [...] Quelle est ma langue ? Est-ce du français, ça ? Ce doit bien être du français ? Mais qu'est-ce que du français ? On peut appeler ça du français, si on veut, personne ne peut le contester, je suis seul à le parler. Qu'est-ce que je dis ? Est-ce que je me comprends, est-ce que je me comprends ? (*Il va vers le milieu de la chambre.*) Et si, comme me l'avait dit Daisy, si c'est eux qui ont
10 raison ? (*Il retourne vers la glace.*) Un homme n'est pas laid, un homme n'est pas laid ! (*Il se regarde en passant la main sur sa figure.*) Quelle drôle de chose ! A quoi je ressemble alors ? A quoi ? (*Il se précipite vers un placard, en sort des photos, qu'il regarde.*) Des photos ! Qui sont-ils tous ces gens-là ? M. Papillon, ou Daisy plutôt ? Et celui-là, est-ce Botard ou Dudard, ou Jean ? ou moi, peut-être ! (*Il se précipite de nouveau vers le placard d'où il sort deux ou trois tableaux.*) Oui, je me reconnais ; c'est moi, c'est moi ! (*Il va raccrocher les tableaux sur le mur du fond, à côté des têtes des rhinocéros.*) C'est moi, c'est moi. (*Lorsqu'il accroche les tableaux, on s'aperçoit que ceux-ci représentent un vieillard, une grosse femme, un autre homme. La laideur de ces*
20 *portraits contraste avec les têtes des rhinocéros qui sont devenues très belles. Bérenger s'écarte pour contempler les tableaux.*) Je ne suis pas beau, je ne suis pas beau. (*Il décroche les tableaux, les jette par terre avec fureur, il va vers la glace.*) Ce sont eux qui sont beaux. J'ai eu tort ! Oh, comme je voudrais être comme eux. Je n'ai pas de corne, hélas ! Que c'est laid, un front plat. Il m'en faudrait une ou deux, pour rehausser mes traits tombants. Ça viendra peut-être, et je n'aurai plus honte, je pourrai aller tous les retrouver. Mais ça ne pousse pas ! (*Il regarde les paumes de ses mains.*) Mes mains sont moites. Deviendront-elles rugueuses ? (*Il enlève son veston, défait sa che-mise, contemple sa poitrine dans la glace.*) J'ai la peau flasque. Ah, ce corps trop
30 blanc, et poilu ! Comme je voudrais avoir une peau dure et cette magni-fique couleur d'un vert sombre, une nudité décente, sans poils, comme la leur ! (*Il écoute les barrissements.*) Leurs chants ont du charme, un peu âpre, mais un charme certain ! Si je pouvais faire comme eux. (*Il essaye de les imiter.*)

Rhinocéros

Au Théâtre de l'Odéon (1960), avec Jean-Louis Barrault et William Sabatier.
(Ph. © Agence Bernand – Photeb)

JEAN : Je te piétinerai, je te piétinerai (cf. **p. 677**).

Décor de Jacques Noël pour « Rhinocéros », au Théâtre de France (1961). (Coll. Jacques Noël. Ph. Michel Didier © Arch. Photeb – D.R.)

Bérenger refuse de devenir « rhinocéros » (cf. **p. 678**).

« Substantifique moelle »

A la manière rabelaisienne, sous le burlesque d'un mythe original, Ionesco a glissé, dans *Rhinocéros*, un message humaniste et individualiste contre le totalitarisme et « le phénomène monstrueux de la massification » (cf. **p. 674-678**).

Ahh, Ahh, Brr ! Non, ça n'est pas ça ! Essayons encore plus fort ! Ahh, Ahh, Brr ! non, non, ce n'est pas ça, que c'est faible, comme cela manque de vigueur ! Je n'arrive pas à barrir. Je hurle seulement. Ahh, Ahh, Brr ! Les hurlements ne sont pas des barrissements ! Comme j'ai mauvaise conscience, j'aurais dû les suivre à temps. Trop tard maintenant ! Hélas, je suis un monstre, je suis un monstre. Hélas, jamais je ne deviendrai
40 rhinocéros, jamais, jamais ! Je ne peux plus changer. Je voudrais bien, je voudrais tellement, mais je ne peux pas. Je ne peux plus me voir. J'ai trop honte ! *(Il tourne le dos à la glace.)* Comme je suis laid ! Malheur à celui qui veut conserver son originalité ! *(Il a un brusque sursaut.)* Eh bien tant pis ! Je me défendrai contre tout le monde ! Ma carabine, ma carabine ! *(Il se retourne face au mur du fond où sont fixées les têtes des rhinocéros, tout en criant :)* Contre tout le monde, je me défendrai, contre tout le monde, je me défendrai ! Je suis le dernier homme, je le resterai jusqu'au bout ! Je ne capitule pas ! — *Rideau.*

Rhinocéros, acte III (Librairie Gallimard, éditeur).

Le roi se meurt

    La hantise de la mort est presque toujours présente dans l'œuvre de Ionesco. Dans *Le Roi se meurt,* nous assistons, comme à une *cérémonie* (c'était le titre initial de la pièce), aux diverses étapes marquant le passage de la vie à la mort. BÉRENGER Ier parcourt tout le « programme » des pensées et des réactions humaines dans les derniers moments : incrédulité, révolte, désespoir, résignation, oubli, impression que tout s'anéantit. Sa deuxième épouse, MARIE, la reine bien-aimée, a beau recourir à toutes sortes de consolations, BÉRENGER ne connaît que cette terrible évidence : *il meurt,* et plus rien n'existera pour lui. Scandale d'autant plus intolérable qu'il est le roi. Mais, dans toute la pièce, il se comporte comme un homme ordinaire ; chacun, à la naissance, ne reçoit-il pas le monde comme un royaume dont il sera dépossédé à sa mort ? Pièce « classique » par le thème, la progression, la tenue du style, *Le Roi se meurt* n'en porte pas moins la marque de son auteur : le pathétique de la scène trouve ici son contrepoint dans les dissonances qui provoquent notre réflexion, l'indifférence du GARDE proclamant les bulletins de santé, et la rigueur impitoyable de MARGUERITE, la première épouse détestée, qui conduira la « cérémonie » jusqu'à sa phase ultime.
THÈMES : *Mort. Moi. Amour. Famille. Littérature. Burlesque.*

    MARIE *(au Roi dans un fauteuil à roulettes) :* Je t'aime toujours, je t'aime encore.
    LE ROI : Je ne sais plus, cela ne m'aide pas.
    LE MÉDECIN : L'amour est fou.
    MARIE, *au Roi :* L'amour est fou. Si tu as l'amour fou, si tu aimes intensément, si tu aimes absolument, la mort s'éloigne. Si tu m'aimes moi, si tu aimes tout, la peur se résorbe. L'amour te porte, tu t'abandonnes et la peur t'abandonne. L'univers entier, tout ressuscite, le vide se fait plein.
    LE ROI : Je suis plein, mais de trous. On me ronge. Les trous s'élargissent, ils n'ont pas de fond. J'ai le vertige quand je me penche sur mes propres trous,
10 je finis.
    MARIE : Ce n'est pas fini, les autres aimeront pour toi, les autres verront le ciel pour toi.

Le Roi se meurt

Le roi Bérenger (J. Mauclair) entouré des deux reines (O. Mallet, N. Klein).

Au Théâtre du Marais, 1983.
(2 ph. © Philippe Coqueux)

BÉRENGER : « Peuple, au secours ! [...] Qui veut donner sa vie au Roi, sa vie au bon Roi, sa vie au pauvre Roi ? »

« Modernisme » et classicisme

Sans renoncer à son style original, Ionesco parcourt dans *Le Roi se meurt* le cycle des réactions de l'homme devant la mort : il rejoint sur ce point les analyses classiques les plus pénétrantes.

LE ROI : Je meurs.

MARIE : Entre dans les autres, sois les autres. Il y aura toujours... cela, cela.

LE ROI : Quoi cela ?

MARIE : Tout ce qui est. Cela ne périt pas.

LE ROI : Il y a encore... Il y a encore... Il y a encore si peu.

MARIE : Les générations jeunes agrandissent l'univers.

LE ROI : Je meurs.

20   MARIE : Des constellations sont conquises.

LE ROI : Je meurs.

MARIE : Les téméraires enfoncent les portes des cieux.

LE ROI : Qu'ils les défoncent.

LE MÉDECIN : Ils sont aussi en train de fabriquer les élixirs de l'immortalité.

LE ROI : Incapable ! Pourquoi ne les as-tu pas inventés toi-même avant ?

MARIE : De nouveaux astres sont sur le point d'apparaître.

LE ROI : Je rage.

MARIE : Ce sont des étoiles toutes neuves. Des étoiles vierges.

LE ROI : Elles se flétriront. D'ailleurs, cela m'est égal.

30   LE GARDE, *annonçant :* Ni les anciennes ni les nouvelles constellations n'intéressent plus Sa Majesté, le Roi Bérenger !

MARIE : Une science nouvelle se constitue.

LE ROI : Je meurs.

MARIE : Une autre sagesse remplace l'ancienne, une plus grande folie, une plus grande ignorance, tout à fait différente, tout à fait pareille. Que cela te console, que cela te réjouisse.

LE ROI : Je meurs, je meurs.

MARIE : Tu as préparé tout cela.

LE ROI : Sans le faire exprès.

40   MARIE : Tu as été une étape, un élément, un précurseur. Tu es de toutes les constructions. Tu comptes. Tu seras compté.

LE ROI : Je ne serai pas le comptable. Je meurs.

MARIE : Tout ce qui a été sera, tout ce qui sera est, tout ce qui sera a été. Tu es inscrit à jamais dans les registres universels.

LE ROI : Qui consultera les archives ? Je meurs, que tout meure, non, que tout reste, non, que tout meure puisque ma mort ne peut remplir les mondes ! Que tout meure. Non, que tout reste.

LE GARDE : Sa Majesté le Roi veut que tout le reste reste.

LE ROI : Non, que tout meure.

50   LE GARDE : Sa Majesté le Roi veut que tout meure.

LE ROI : Que tout meure avec moi, non, que tout reste après moi. Non, que tout meure. Non, que tout reste. Non, que tout meure, que tout reste, que tout meure.

MARGUERITE : Il ne sait pas ce qu'il veut. [...]

LE MÉDECIN : Il ne sais plus ce qu'il veut. Son cerveau dégénère, c'est la sénilité, le gâtisme.

LE GARDE, *annonçant :* Sa Majesté devient gâ...

MARGUERITE, *au Garde, l'interrompant :* Imbécile, tais-toi. Ne donne plus de bulletins de santé pour la presse. Ça ferait rire ceux qui peuvent encore rire et entendre. Ça réjouit les autres, ils surprennent tes paroles par la télégraphie.

60   LE GARDE, *annonçant :* Bulletins de santé suspendus, d'ordre de Sa Majesté la reine Marguerite.

Le Roi se meurt (Librairie Gallimard, éditeur).

SAMUEL BECKETT

SAMUEL BECKETT (1906-1989), né à Dublin d'une famille aisée et puritaine, manifesta dès l'adolescence son intérêt pour la littérature française. A partir de 1928, un séjour à Paris comme lecteur d'anglais à l'École normale supérieure contribue à le dégager du rigorisme et de la foi de son enfance ; ami intime de Joyce, il se lie avec les surréalistes français Breton, Éluard, Crevel. Pendant une vingtaine d'années, il va mener une existence difficile en Irlande, à Londres, en Allemagne, à Paris, publiant sans succès des romans et des nouvelles : *Murphy* (en anglais, 1938 ; en français, 1947), *Molloy* (1951), *Malone meurt* (1951), *L'Innommable* (1953). Plus heureux au théâtre, il s'impose à l'attention, en France et dans le monde entier, avec *En attendant Godot* (pièce écrite en 1948, publiée en 1952, jouée en 1953), puis *Fin de partie* (à Londres, en français, 1957), *La Dernière bande* (à Londres, en anglais, 1958), *Oh les beaux jours* (en anglais, 1961 ; en français, 1963). SAMUEL BECKETT n'a pas renoncé pour autant à la création romanesque (cf. p. 753 ; *Comment c'est,* 1961). L'ensemble de son œuvre lui a valu le prix Nobel en 1969.

En rupture avec la technique « traditionnelle », son œuvre dramatique est à classer dans l'*antithéâtre*. Le décor est presque inexistant et parfois saugrenu : une route avec un arbre (cf. p. 683), un monticule de terre (cf. p. 687), des personnages croupissant dans des poubelles *(Fin de partie)* ou enfoncés jusqu'au cou dans des jarres (*Comédie*, 1963). Renonçant aux conflits psychologiques, aux temps forts d'une crise conduite jusqu'à son dénouement, l'action se réduit à quelques gestes, à des dialogues à peine esquissés, entre des personnages insignifiants, des clochards, des épaves humaines qui se comportent comme des clowns ou des pantins. Le thème qui revient sans cesse est l'obsession de notre néant : les êtres se réduisent à la parole, ou plutôt à la *voix* par laquelle ils cherchent à se persuader de leur existence ; ils occupent comme ils peuvent le temps, qui n'en finit pas, car leur vaine agitation n'est que l'éternelle attente d'on ne sait quoi, un perpétuel recommencement. Ce théâtre foncièrement pessimiste, où la présence de l'homme sur la terre semble dépourvue de tout intérêt, de toute signification, inspire tantôt l'ennui et le dégoût, tantôt une sorte d'angoisse métaphysique.

« *Pourquoi ?... Pourquoi ?* »

Dans *En attendant Godot* (1952), la scène se passe « sur une route à la campagne, avec arbre ». Deux clochards, VLADIMIR et ESTRAGON, conversent tant bien que mal, pour tuer le temps interminable, en attendant un certain GODOT avec qui ils ont, croient-ils, rendez-vous. Ils espèrent de lui monts et merveilles, mais tous les soirs GODOT leur fait dire qu'il viendra « sûrement demain ». On y a vu le symbole de l'existence absurde passée vainement dans l'attente de Dieu (en anglais, *God*), mais Beckett a rejeté cette interprétation... Surviennent deux autres personnages : POZZO, sûr de lui, jouisseur, cruel, tient en laisse LUCKY, vieillard décharné et pliant sous le poids de ses bagages ; à coups de fouet, il le contraint à exécuter ses moindres caprices. Est-ce le symbole de l'esclave tyrannisé par son maître ? ou celui de l'homme asservi à la divinité (à deux reprises, POZZO est confondu avec GODOT) ? Ces deux images de la condition humaine semblent se superposer quand les clochards, apitoyés, interrogent Pozzo sur son souffre-douleur.
THÈMES : *Philosophie. Morale. Société. Burlesque.*

Vladimir mime celui qui porte une lourde charge. Pozzo le regarde sans comprendre.

ESTRAGON *(avec force)* : Bagages ! *(Il pointe son doigt vers Lucky.)* Pourquoi ? Toujours tenir. *(Il fait celui qui ploie, en haletant.)* Jamais déposer. *(Il ouvre les mains, se redresse avec soulagement.)* Pourquoi ?

POZZO : J'y suis. Il fallait me le dire plus tôt. Pourquoi il ne se met pas à son aise. Essayons d'y voir clair. N'en a-t-il pas le droit ? Si. C'est donc qu'il ne veut pas ? Voilà qui est raisonné. Et pourquoi ne veut-il pas ? *(Un temps)* Messieurs, je vais vous le dire.

VLADIMIR : Attention !

POZZO : C'est pour m'impressionner, pour que je le garde.

10 ESTRAGON : Comment ?

POZZO : Je me suis peut-être mal exprimé. Il cherche à m'apitoyer, pour que je renonce à me séparer de lui. Non, ce n'est pas tout à fait ça.

VLADIMIR : Vous voulez vous en débarrasser ?

POZZO : Il veut m'avoir, mais il ne m'aura pas.

VLADIMIR : Vous voulez vous en débarrasser ?

POZZO : Il s'imagine qu'en le voyant bon porteur je serai tenté de l'employer à l'avenir dans cette capacité.

ESTRAGON : Vous n'en voulez plus ?

POZZO : En réalité, il porte comme un porc. Ce n'est pas son métier.

20 VLADIMIR : Vous voulez vous en débarrasser ?

POZZO : Il se figure qu'en le voyant infatigable je vais regretter ma décision. Tel est son misérable calcul. Comme si j'étais à court d'hommes de peine ! *(Tous trois regardent Lucky.)* Atlas, fils de Jupiter ! *(Silence.)* Et voilà. Je pense avoir répondu à votre question. En avez-vous d'autres ?

VLADIMIR : Vous voulez vous en débarrasser ?

POZZO : Remarquez que j'aurais pu être à sa place et lui à la mienne. Si le hasard ne s'y était pas opposé. À chacun son dû.

VLADIMIR : Vous voulez vous en débarrasser ?

POZZO : Vous dites ?

30 VLADIMIR : Vous voulez vous en débarrasser ?

POZZO : En effet. Mais au lieu de le chasser, comme j'aurais pu, je veux dire au lieu de le mettre tout simplement à la porte, à coups de pied dans le cul, je l'emmène, telle est ma bonté, au marché de Saint-Sauveur, où je compte bien en tirer quelque chose. A vrai dire, chasser de tels êtres, ce n'est pas possible. Pour bien faire, il faudrait les tuer. *(Lucky pleure.)*

ESTRAGON : Il pleure.

POZZO : Les vieux chiens ont plus de dignité. *(Il tend son mouchoir à Estragon.)* Consolez-le, puisque vous le plaignez. *(Estragon hésite.)* Prenez. *(Estragon prend le mouchoir.)* Essuyez-lui les yeux. Comme ça il se sentira moins abandonné.

40 *(Estragon hésite toujours.)*

VLADIMIR : Donne, je le ferai, moi.

Estragon ne veut pas donner le mouchoir. Gestes d'enfant.

POZZO : Dépêchez-vous. Bientôt il ne pleurera plus. *(Estragon s'approche de Lucky et se met en posture de lui essuyer les yeux. Lucky lui décoche un violent coup de pied dans les tibias. Estragon lâche le mouchoir, se jette en arrière, fait le tour du plateau en boitant et en hurlant de douleur.)* Mouchoir. *(Lucky dépose valise et panier, ramasse le mouchoir, avance, le donne à Pozzo, recule, reprend valise et panier.)*

ESTRAGON : Le salaud ! La vache ! *(Il relève son pantalon.)* Il m'a estropié !

En attendant Godot, I (Éditions de Minuit).

« Pour que le temps leur semble moins long », POZZO s'efforce de distraire les deux clochards, leur parle « de choses et d'autres », leur « explique le crépuscule » en termes lyriques, et finit par faire danser devant eux puis « penser à haute voix » le malheureux LUCKY, qui débite un discours incohérent. Restés seuls sur la route, VLADIMIR et ESTRAGON retombent dans l'ennui : ils se pendraient à l'arbre s'ils avaient une corde.

Beckett et l'absurde

« Pourquoi ?... Pourquoi ? » (cf. **p. 683**)

« En attendant Godot »,
à la Comédie-Française (1978),
avec F. Chaumette, J.-P. Roussillon,
G. Riquier, M. Aumont.
(2 ph. © Philippe Coqueux)

« Nous attendons. Nous nous ennuyons... »
(cf. **p. 686**)

« *Nous attendons. Nous nous ennuyons...* »

A l'acte II, le lendemain, VLADIMIR et ESTRAGON, qui s'étaient séparés, se retrouvent au même endroit, heureux de bavarder encore pour « se donner l'impression d'exister »... *en attendant Godot.* Voici de nouveau LUCKY, chargé comme au premier acte, et avec lui POZZO devenu aveugle. Les deux hommes trébuchent et restent étendus au milieu des bagages. POZZO appelle au secours. VLADIMIR et ESTRAGON vont s'interroger sur l'opportunité de le secourir. La résonance pascalienne de ce dialogue sur le sens de l'activité humaine ne semble pas douteuse. Si les deux clochards se proposent d'intervenir, c'est moins par humanité que par divertissement : « *Nous commencions à flancher. Voilà notre fin de soirée assurée* », avaient-ils déclaré en revoyant l'éternel attelage de LUCKY et de POZZO. – THÈMES : *Morale. Bonheur. Philosophie. Temps.*

VLADIMIR : Ne perdons pas notre temps en vains discours. *(Un temps. Avec véhémence.)* Faisons quelque chose pendant que l'occasion se présente ! Ce n'est pas tous les jours qu'on a besoin de nous. Non pas à vrai dire qu'on ait précisément besoin de nous. D'autres feraient aussi bien l'affaire, sinon mieux. L'appel que nous venons d'entendre, c'est plutôt à l'humanité tout entière qu'il s'adresse. Mais à cet endroit, en ce moment, l'humanité, c'est nous, que ça nous plaise ou non. Profitons-en, avant qu'il soit trop tard. Représentons dignement pour une fois l'engeance où le malheur nous a fourrés. Qu'en dis-tu ? *(Estragon n'en dit rien.)* Il est vrai qu'en pesant, les bras croisés, le pour et le

10　contre, nous faisons également honneur à notre condition. Le tigre se précipite au secours de ses congénères sans la moindre réflexion. Ou bien il se sauve au plus profond des taillis. Mais la question n'est pas là. Que faisons-nous ici, voilà ce qu'il faut se demander. Nous avons la chance de le savoir. Oui, dans cette immense confusion, une seule chose est claire : nous attendons que Godot vienne.

ESTRAGON : C'est vrai.

VLADIMIR : Ou que la nuit tombe. *(Un temps.)* Nous sommes au rendez-vous, un point c'est tout. Nous ne sommes pas des saints, mais nous sommes au rendez-vous. Combien de gens peuvent en dire autant ?

ESTRAGON : Des masses.

20　VLADIMIR : Tu crois ?

ESTRAGON : Je ne sais pas.

VLADIMIR : C'est possible. [...] Ce qui est certain, c'est que le temps est long, dans ces conditions, et nous pousse à le meubler d'agissements qui, comment dire, qui peuvent à première vue paraître raisonnables, mais dont nous avons l'habitude. Tu me diras que c'est pour empêcher notre raison de sombrer. C'est une affaire entendue. Mais n'erre-t-elle pas déjà dans la nuit permanente des grands fonds, c'est ce que je me demande parfois. Tu suis mon raisonnement ?

ESTRAGON : Nous naissons tous fous. Quelques-uns le demeurent. [...]

VLADIMIR : Nous attendons. Nous nous ennuyons. *(Il lève la main.)* Non, ne

30　proteste pas, nous nous ennuyons ferme, c'est incontestable. Bon. Une diversion se présente et que faisons-nous ? Nous la laissons pourrir. Allons, au travail. *(Il avance vers Pozzo, s'arrête.)* Dans un instant, tout se dissipera, nous serons à nouveau seuls, au milieu des solitudes.

En attendant Godot, II (Éditions de Minuit).

Après le départ de POZZO *et de son porteur,* VLADIMIR *et* ESTRAGON *seront rendus à leur solitude. Un* GARÇON *leur annonce, une fois de plus, que* M. GODOT *viendra « sûrement » le lendemain. Ils parlent encore de se pendre, mais la corde casse. Ils décident enfin de partir :* « Alors, on y va ? — Allons-y » ; *mais, dernière indication scénique,* « ils ne bougent pas ».

Oh les beaux jours

Oh les beaux jours (1960-1961) est une pièce à deux personnages. Encore la femme, WINNIE, est-elle à peu près seule à babiller sans cesse pendant deux actes, son mari WILLIE se bornant à émettre trois ou quatre grognements en guise de répliques. L'originalité de l'œuvre est dans la mise en scène, qui suggère la dégradation de l'être en marche vers le néant, et dans la traduction symbolique du thème, très élémentaire et cher à Beckett : la condition absurde de l'homme, la vanité de ses actes comme de ses paroles. Pour prendre conscience de son existence et lui donner un semblant de signification, WINNIE est réduite à parler intarissablement vers un interlocuteur qui n'est guère qu'un auditeur (et encore !), à réveiller des bribes de souvenirs, à faire l'inventaire de son petit univers (les objets contenus dans son sac), à répéter tous les jours les mêmes actes futiles (la toilette, le jeu de l'ombrelle, la chanson) : ne faut-il pas meubler jusqu'au soir l'interminable journée ? WINNIE (en anglais, *to win* = triompher) n'en accueille pas moins avec courage, avec un optimiste touchant, les moindres incidents de sa vie, remerciant avec effusion pour la « bénédiction » que représentent pour elle ces « beaux jours ». L'humour noir de Beckett confère au titre de la pièce toute sa valeur de dérision. THÈMES : *Philosophie. Providence. Bonheur. Temps. Symboles.*

Une plaine dénudée. Enterrée jusqu'au-dessus de la taille dans un mamelon, WINNIE, « *la cinquantaine, de beaux restes, blonde de préférence, grassouillette, bras et épaules nus, corsage très décolleté, poitrine plantureuse, collier de perles... A côté d'elle, à sa gauche, un grand sac noir, genre cabas, et à sa droite une ombrelle à manche rentrant ». A sa droite, et derrière elle, allongé par terre,* WILLIE, *qui vient de lui donner une brève réplique.*

WINNIE *(à Willie) :* Tu t'es déjà bien assez dépensé, pour le moment, détends-toi à présent, repose-toi, je ne t'embêterai plus à moins d'y être acculée, simplement te savoir là à portée de voix et sait-on jamais sur le demi-qui-vive, c'est pour moi... c'est mon coin d'azur. *(Un temps.)* La journée est maintenant bien avancée. *(Sourire.)* Le vieux style ! *(Fin du sourire.)* Et cependant il est encore un peu tôt, sans doute, pour ma chanson. Chanter trop tôt est une grave erreur, je trouve. *(Elle se tourne vers le sac.)* Le sac. *(Elle revient de face.)* Saurais-je en énumérer le contenu ? *(Un temps.)* Non. *(Un temps.)* Saurais-je répondre si quelque bonne âme venant à passer, me demandait, Winnie, ce grand sac noir, de quoi est-il rempli,
10 saurais-je répondre de façon exhaustive ? *(Un temps.)* Non. *(Un temps.)* Les profondeurs surtout, qui sait quels trésors. Quels réconforts. *(Elle se tourne vers le sac.)* Oui, il y a le sac. *(Elle revient de face.)* Mais, je m'entends dire, N'exagère pas, Winnie, avec ton sac, profites-en bien sûr, aide-t-en pour aller... de l'avant, quand tu es coincée, bien sûr, mais sois prévoyante, je me l'entends dire, Winnie, sois prévoyante, pense au moment où les mots te lâcheront — *(elle ferme les yeux, un temps, elle ouvre les yeux)* — et n'exagère pas avec ton sac. *(Elle se tourne vers le sac.)* Un tout petit plongeon peut-être quand même, en vitesse. *(Elle revient de face, ferme les yeux, allonge le bras gauche, plonge la main dans le sac et en sort le revolver. Dégoûtée.)* Encore toi ! *(Elle ouvre les yeux, revient de face avec le revolver et le contemple.)*
20 Vieux Brownie ! *(Elle le soupèse dans le creux de sa main.)* Pas encore assez lourd pour rester au fond avec les... dernières cartouches ? Pensez-vous ! Toujours en tête. *(Un temps.)* Brownie... *(Se tournant un peu vers Willie.)* Tu te rappelles Brownie, Willie ? *(Un temps.)* Tu te rappelles l'époque où tu étais toujours à me bassiner pour que je l'enlève ? Enlève-moi ça, Winnie, enlève-moi ça, avant que je mette fin à mes souffrances. *(Elle revient de face. Méprisante.)* Tes souffrances ! [...] Pardonne-moi, Willie, on a de ces... bouillons de mélancolie. Enfin, quelle joie, te savoir là, au moins ça, fidèle au poste, et peut-être réveillé, et peut-être

Beckett et l'absurde

Madeleine Renaud dans « Oh les beaux jours », Théâtre d'Orsay, 1976.
(Ph. © Agence Bernand)

« Quel beau jour encore... pour moi... »

« Je pourrais sans doute – oui, sans doute, hisser cet engin, c'est le moment. On s'abstient – on se retient – de hisser – crainte de hisser – trop tôt – et le jour passe – sans retour – sans qu'on ait hissé – le moins du monde. » (cf. **p. 687-689**)

à l'affût, par moments, quel beau jour encore... pour moi... ça aura été. *(Un temps.)*
Jusqu'ici. *(Un temps.)* Quelle bénédiction que rien ne pousse, imagine-toi si toute
30 cette saloperie se remettait à pousser. *(Un temps.)* Imagine-toi. *(Un temps.)* Ah
oui, de grandes bontés. *(Un temps long.)* Je ne peux plus parler . *(Un temps.)* Pour
le moment. *(Elle se tourne vers le sac. Un temps. Elle revient de face. Sourire.)* Non, non.
(Fin du sourire. Elle regarde l'ombrelle.) Je pourrais sans doute — *(Elle ramasse l'ombrelle)*
— oui, sans doute, hisser cet engin, c'est le moment. *(Elle commence à l'ouvrir.*
Les difficultés qu'en ce faisant elle rencontre, et surmonte, ponctuent ce qui suit.) On s'abstient
— on se retient — de hisser — crainte de hisser — trop tôt — et le jour passe
— sans retour — sans qu'on ait hissé — le moins du monde. *(L'ombrelle est*
maintenant ouverte. Tournée vers sa droite elle la fait pivoter distraitement, tantôt dans un
sens, tantôt dans l'autre.) Hé oui, si peu à dire, si peu à faire, et la crainte si forte,
40 certains jours, de se trouver... à bout, des heures devant soi, avant que ça sonne,
pour le sommeil, et plus rien à dire, plus rien à faire, que les jours passent,
certains jours passent sans retour, ça sonne, pour le sommeil, et rien ou presque
rien de dit, rien ou presque rien de fait. *(Elle lève l'ombrelle.)* Voilà le danger !
(Elle revient de face.) Dont il faut se garer. *(Elle regarde devant elle, tenant de la main*
droite l'ombrelle au-dessus de sa tête.)   Oh les beaux jours, I (Éditions de Minuit).

A l'acte II, la siuation s'est encore dégradée : immobile, de face, WINNIE *s'enfonce de plus*
en plus dans la terre. Elle n'en continue pas moins son bavardage optimiste. Au baisser du rideau,
elle chante doucement la valse de La Veuve *joyeuse :* « Heure exquise, qui nous grise, etc. ».

L'ENGAGEMENT POLITIQUE n'a pas suscité en France d'œuvres dramatiques comparables
aux pièces de BRECHT dont, autour des années 50, une série de représentations, par
exemple celles de *Mère Courage* (au T.N.P., 1951), avait attiré le regard sur les effets
de *distanciation*, destinés — selon ce théoricien — à briser l'illusion théâtrale pour laisser
le champ à la réflexion politique du spectateur. En dehors d'ADAMOV, on ne peut guère
citer que les tentatives sans lendemain d'Armand Gatti *(V comme Viêt-nam)* et le théâtre
anticolonialiste de Césaire (cf. p. 634).

Arthur Adamov

Si, comme c'était déjà le cas pour Artaud, le théâtre
se définit comme une « thérapeutique de l'âme », il pourra
servir à la fois d'expression et de compensation à la névrose. Tel est le point de départ
de l'œuvre d'ARTHUR ADAMOV (1908-1970), obsédé par le problème du pouvoir et de
l'oppression *(Le Sens de la marche,* 1953), et, à partir de là, créateur d'une dramaturgie
onirique qui trouve son expression la plus puissante dans *Le Professeur Taranne* (1953).
Puis, se dégageant progressivement de la mise en scène symbolique de sa propre névrose,
après *Ping-pong* (1955, joué en 1962), satire de la société de consommation, ADAMOV
se rallie à la formule du « théâtre engagé » avec *Paolo-Paoli* (1957, titre inspiré par le
Galileo Galilei de Brecht), *Le Printemps 71* (1961, sur la Commune), *La Politique des*
restes (1963, joué en 1967), *Off limits* (1969).

Fernando Arrabal

Dans ses évolutions plus récentes, FERNANDO ARRABAL
(né en Espagne en 1932) met en œuvre une *dramaturgie*
du scandale. Il était, lui aussi, parti des formes sociales et politiques de l'absurde, mais
c'était déjà pour libérer une violence de caractère terroriste inscrite beaucoup plus dans
le langage ou dans la mise en scène que dans l'action ou les personnages : c'est dans
la voie de la *violence pure* que s'engage ARRABAL, pour aboutir à une définition du théâtre
comme « fête démesurée » et « théâtre panique », sorte de rite sacrificiel qui cesse alors
toute relation avec la « littérature » et appartient sans doute à un tout autre domaine :
L'Architecte et l'Empereur d'Assyrie (1967) ; *Le Grand Cérémonial* (1968) ; *Le Cimetière*
des voitures (1958) ; *Le Jardin des délices* (1969) ; *Sur le fil* (1975).

JEAN GENET

Un éternel réprouvé   JEAN GENET (1910-1986), né à Paris de père inconnu, abandonné par sa mère, est d'abord placé par l'Assistance publique chez des paysans du Morvan. A l'âge de 10 ans, à tort ou à raison, il est accusé de vol. Selon Sartre, qui étudie son cas dans *Saint Genet comédien et martyr* (1952), cette accusation a pesé sur sa vie entière : il décide de *refuser le monde qui l'a refusé* : « Moi-même, dit-il, je sentais le besoin de devenir ce qu'on m'accusait d'être », ou encore : « J'ai décidé d'être ce que le crime a fait de moi ». De fait, il renverse du tout au tout le système des valeurs traditionnelles, chaque degré dans le mal lui apparaissant comme un progrès vers la consécration qu'il appelle « la sainteté ». C'est ainsi qu'au fil des ans il s'évade d'une maison de redressement, s'engage dans la Légion, déserte, vole, se prostitue, est emprisonné, récidive, aggrave son cas par un cambriolage qui fait de lui « un homme, un affranchi ».

C'est en prison qu'à trente-deux ans, en 1942, le voyou donne naissance à l'écrivain. Il écrit d'abord *Le Condamné à mort,* long poème à la gloire de l'homosexualité, où il chante sa flamme pour Maurice Pilorge, guillotiné en 1939. Viendront ensuite des écrits plus ou moins autobiographiques : quatre romans, *Notre-Dame-des-Fleurs* (1944), *Miracle de la Rose* (1946), *Pompes funèbres* et *Querelle de Brest* (1947), suivis par *Le Journal du voleur* (1949).

Dès 1947, il se tourne vers le théâtre avec *Les Bonnes,* pièce créée aussitôt par Jouvet. L'année suivante, Genet, condamné à la relégation, bénéficie de la grâce présidentielle sur l'intervention de Sartre, de Cocteau et d'un groupe d'intellectuels. Le théâtre aura désormais sa prédilection. Après *Les Bonnes,* il donne *Haute Surveillance* (1949), *Le Balcon* (1956), *Les Nègres* (1959), *Les Paravents* (1961), pièces dont la représentation en France, longuement différée, a provoqué des manifestations. A plusieurs reprises, il sera condamné pour « attentat aux mœurs et pornographie ».

De 1961 à sa mort, GENET publie peu. Il consacre son activité d'éternel réprouvé aux opprimés du tiers monde, soutient aux États-Unis le mouvement des Black Panthers (1969), épouse au Liban la cause des Palestiniens (1972, 1982), proclame le droit à la violence des Allemands de la « bande à Baader » (1977). On s'est perdu en conjectures sur ce long renoncement à son œuvre littéraire : était-il incapable de se renouveler ? doutait-il de la littérature comme moyen d'action ? refusait-il la consécration dérisoire que lui offrait la société, ce qui ne l'empêcha pas de recevoir en 1983 le Grand Prix national des Lettres ? Toujours est-il que ce silence s'est trouvé rompu par *Un captif amoureux* (posthume, 1986), « livre de souvenirs où les Palestiniens sont au centre [...], un roman à la structure éclatée comme peut l'être la vie d'un homme sans bagage, sans attache autre que celle de ses émotions et de ses convictions » (Tahar ben Jelloun, prix Goncourt 1987 pour *La Nuit sacrée*).

L'Image et le Reflet   TENDANCE AUTOBIOGRAPHIQUE. Directe ou déguisée, l'autobiographie est partout présente dans l'œuvre de GENET. « Dans tous mes livres, dit-il, je me mets à nu, et en même temps je me travestis par des mots, des choix, des attitudes, par la féerie. » C'est ainsi que dans *Notre-Dame-des-Fleurs* (1944), où la réalité est celle de l'univers carcéral, il mêle le vécu et la fiction, romanesque ou poétique, à partir de ses fantasmes. Ajoutons que, par une sorte de raffinement, cette réalité souvent scabreuse, sordide, ordurière, il a la coquetterie de l'exprimer dans un style d'une admirable pureté. A l'en croire, ce serait sa réaction devant le *Saint Genet* de Sartre, où il se trouvait « mis à nu sans complaisance », qui l'aurait conduit, afin de se travestir plus aisément, à donner le pas à la *création théâtrale*.

SATIRE ET MORALE INVERSÉE. Le besoin de provocation imprime à son théâtre une virulence satirique qui a fait scandale. Aucune des valeurs de la société n'est épargnée. On en jugera par les extraits des *Bonnes* et du *Balcon ;* c'est aussi évident dans *Les Nègres* et *Les Paravents,* caricatures grinçantes du colonialisme et du militarisme. A vrai dire, ces thèmes n'ont rien de bien nouveau depuis le XVIIIe siècle.

Plus personnel est le renversement total des valeurs morales, que GENET appelle « *l'inhumanisation* », et qui est, dit-il, sa « tendance profonde ». Déjà dans son premier roman, Baillon, dit Notre-Dame-des-Fleurs, condamné à mort pour l'assassinat d'un vieillard, est « revêtu d'un caractère sacré » : « Le jury était debout. C'était l'apothéose ». Dans *Les Paravents*, Saïd, voleur, incendiaire, délateur, assassin, épouse Leïla, la femme la plus laide, la plus ignoble. Il se complaît dans l'ordure et l'infamie : « Je vais continuer jusqu'à la fin du monde à me pourrir, pour pourrir le monde ». S'il est tué par les révolutionnaires qui le rejettent comme traître, il reviendra peut-être « dans une chanson » (c'est le dernier mot de la pièce). Au plus fort de ce drame, l'Algérienne Kadidja, blessée à mort, lançant un appel à la violence contre les colonisateurs, entonne un hymne au triomphe du Mal : « *Mal, merveilleux mal, toi qui nous restes quand tout a foutu le camp, mal miraculeux, tu vas nous aider. Je t'en prie, et je t'en prie debout, viens féconder notre peuple. Et qu'il ne chôme pas ! Kaddour ! Pour que le mal l'emporte, qu'est-ce que tu as fait ?* » Ainsi l'engagement antisocial, né de la délinquance, va bien au-delà de la simple satire et débouche sur une véritable métaphysique du Mal.

Le proscrit réagit d'ailleurs par le refus non seulement de l'ordre social mais du monde réel. « *Inhumanisation* », « *apothéose* », « *chanson* », cette sacralisation à l'envers tend vers un point sublime, le non-être, c'est-à-dire la mort. Il en est de même de toute sacralisation : dans *Le Balcon*, la Reine et les Grands doivent être de moins en moins présents pour accéder à la dignité de l'Image éternelle. « Il n'y a point, dit l'Évêque, de mouvement assez puissant pour détruire notre imagerie. » C'est une des idées maîtresses de J. GENET qui souligne ainsi, non sans dérision, la vanité de nos aspirations libératrices : détruire un ordre, c'est se condamner à bâtir un autre ordre.

UNE DRAMATURGIE RENOUVELÉE. Genet a déclaré à plusieurs reprises sa volonté de donner le pas à l'œuvre d'art sur l'engagement satirique ou philosophique : « L'artiste n'a pas — ou le poète — pour fonction de trouver la solution pratique des problèmes du mal. [...] Si dans l'œuvre d'art le "bien" doit apparaître, c'est par la grâce des pouvoirs du chant, dont la vigueur, à elle seule, saura magnifier le mal exposé. »

Son art se situe à l'opposé du réalisme. A propos du *Balcon*, il définit son théâtre comme « *la glorification de l'Image et du Reflet* ». Il manifeste, en effet, une prédilection pour le théâtre dans le théâtre. Ainsi, dans *Les Bonnes* et *Le Balcon*, la plupart des personnages imitent ou parodient d'autres personnages. La complexité de ce jeu de substitutions atteint son point extrême dans *Les Nègres*. Devant un catafalque, une troupe d'acteurs noirs représente la « cérémonie » du meurtre rituel d'une femme blanche (accompli la veille) et cela sous le regard de spectateurs noirs déguisés en Blancs (la Reine, le Juge, la Cour, le Gouverneur...), dont ils parodient les préjugés colonialistes ; parallèlement, pendant le spectacle, dans la coulisse, se déroule réellement un autre meurtre — dont nous avons des échos —, celui d'un Noir qui a trahi ; à la fin de la pièce, les « Blancs » sont « exécutés » et conduits « aux Enfers »... et ils sont félicités par le metteur en scène pour avoir « fait preuve de beaucoup de courage » ! (Cf. p. 695.)

L'itinéraire de la révolte à l'illusion se poursuit donc jusqu'au mythe, et le drame débouche sur un tragique lié à la fascination du Mal, finalement assez proche du « théâtre de la cruauté » selon Antonin Artaud (cf. p. 636). Dans ce perpétuel jeu de reflets, on finit par se perdre entre la réalité et l'illusion, et c'est ce flottement que vise à favoriser la célébration du rite théâtral. A la fin du *Balcon*, Mme Irma prend congé en disant : « Il faut rentrer chez vous, où tout, n'en doutez pas, sera encore plus faux qu'ici. » L'indécision est encore entretenue par le refus du réalisme dans le décor. Dans *Les Paravents*, la scène est répartie sur quatre niveaux. Le décor y est sans cesse renouvelé à l'aide de paravents à roulettes portant, dessinés en trompe l'œil, des objets, des paysages, des scènes, des emblèmes. Vers la fin, chaque personnage qui meurt traverse un paravent de papier, en le crevant, et va prendre place à l'étage supérieur, parmi la foule apaisée des morts des deux camps, qui contemplent en riant l'agitation des vivants (cf. p. 669).

La diction elle-même, loin de viser au naturel, doit être modulée selon une partition qui va « du murmure au cri », des hurlements aux roucoulements. Pour GENET, au même titre que le décor mobile et stylisé, elle contribue à l'effet de « distanciation ».

LES BONNES   « Il ne s'agit pas, dit J. GENET, d'un plaidoyer sur le sort des domestiques. Je suppose qu'il existe un syndicat des gens de maison — cela ne nous regarde pas. » Ce qui intéresse le dramaturge, c'est de monter un mécanisme subtil et de le faire fonctionner inexorablement, avec des personnages qui sont « *des monstres comme nous-mêmes quand nous rêvons ceci ou cela* ».

Dans la chambre de MADAME, *deux bonnes* — *deux sœurs* — *profitent de son absence pour essayer ses robes. Jouant le rôle de* « *Madame* », CLAIRE *donne des ordres parfois saugrenus à* SOLANGE *qui, elle, joue le rôle de* « *Claire* ». *Elle l'humilie, lui fait sentir son mépris et son paternalisme, et parfois la fausse* "*Claire*" *regimbe et lui réplique avec virulence. La parodie, l'insulte, le sarcasme sont pour elles des moyens de libérer la haine qui les oppresse. Dans ce jeu qui leur est familier, les deux sœurs vont jusqu'à imaginer le meurtre de Madame, mais craignant son retour prématuré, elles n'ont jamais pu aller jusqu'au bout de cette* « *cérémonie* ». *Cette fois, dès le retour de Madame, Claire lui prépare un tilleul empoisonné. Mais elle ne parvient pas à le lui faire prendre, tant Madame a hâte de rejoindre au restaurant* MONSIEUR *qui avait été arrêté sur une dénonciation anonyme des deux sœurs et qui vient d'être relâché.*

Une « cérémonie » tragique

Après le départ de Madame, SOLANGE reproche à CLAIRE de n'avoir pas su lui faire boire le tilleul empoisonné. Au cours de la dispute, elles reprennent peu à peu le « jeu » qui leur procure une jouissance hystérique. Dans le rôle de « Madame », Claire pousse Solange — qui, elle, joue celui de « Claire » — à la couvrir d'outrages. Solange s'excite tellement qu'aveuglée par la haine elle en vient à exercer sur sa sœur la violence qu'elle rêvait d'assouvir sur sa maîtresse. C'est un exemple caractéristique du jeu de la réalité et des reflets auquel se plaît J. GENET. Il le complique encore dans la mesure où, entre la lucidité et l'aveuglement, chacune *mêle ses deux rôles,* parlant tantôt selon sa personnalité véritable, tantôt selon le personnage qu'elle imite. – THÈMES : *Société. Peuple. Morale.*

CLAIRE : Vous vouliez m'insulter ! Ne vous gênez pas ! Crachez-moi à la face ! Couvrez-moi de boue et d'ordures.

SOLANGE, *se retournant et voyant Claire dans la robe de Madame :* Vous êtes belle !

CLAIRE : Passez sur les formalités du début. Il y a longtemps que vous avez rendu inutiles les mensonges, les hésitations qui conduisent à la métamorphose ! Presse-toi ! Presse-toi. Je n'en peux plus des hontes et des humiliations. Le monde peut nous écouter, sourire, hausser les épaules, nous traiter de folles et d'envieuses, je frémis, je frissonne de plaisir, Claire, je vais hennir de joie !

SOLANGE : Vous êtes belle !

10   CLAIRE : Commence les insultes.

SOLANGE : Vous êtes belle.

CLAIRE : Passons. Passons le prélude. Aux insultes.

SOLANGE : Vous m'éblouissez. Je ne pourrai jamais.

CLAIRE : J'ai dit les insultes. Vous n'espérez pas m'avoir fait revêtir cette robe pour m'entendre chanter ma beauté. Couvrez-moi de haine ! D'insultes ! De crachats !

SOLANGE : Aidez-moi.

CLAIRE : Je hais les domestiques. J'en hais l'espèce odieuse et vile. Les domestiques n'appartiennent pas à l'humanité. Ils coulent. Ils sont une

20   exhalaison qui traîne dans nos chambres, dans nos corridors, qui nous pénètre, nous entre par la bouche, qui nous corrompt. Moi, je vous vomis. (*Mouvement de Solange pour aller à la fenêtre.*) Reste ici.

SOLANGE : Je monte, je monte...

CLAIRE, *parlant toujours des domestiques :* Je sais qu'il en faut comme il faut des fossoyeurs, des vidangeurs, des policiers. N'empêche que tout ce beau monde est fétide.

SOLANGE : Continuez. Continuez.

CLAIRE : Vos gueules d'épouvante et de remords, vos coudes plissés, vos corsages démodés, vos corps pour porter nos défroques. Vous êtes nos miroirs
30 déformants, notre soupape, notre honte, notre lie.

SOLANGE : Continuez. Continuez.

CLAIRE : Je suis au bord, presse-toi, je t'en prie. Vous êtes... vous êtes... Mon Dieu, je suis vide, je ne trouve plus. Je suis à bout d'insultes. Claire, vous m'épuisez !

SOLANGE : Laissez-moi sortir. Nous allons parler au monde. Qu'il se mette aux fenêtres pour nous voir, il faut qu'il nous écoute.

Elle ouvre la fenêtre, mais Claire la tire dans la chambre.

CLAIRE : Les gens d'en face vont nous voir.

SOLANGE, *déjà sur le balcon :* J'espère bien. Il fait bon. Le vent m'exalte !
40 CLAIRE : Solange ! Solange ! Reste avec moi, rentre !

SOLANGE : Je suis au niveau. Madame avait pour elle son chant de tourterelle, ses amants, son laitier.

CLAIRE : Solange...

SOLANGE : Silence ! Son laitier matinal [1], son messager de l'aube, son tocsin délicieux, son maître pâle et charmant, c'est fini. En place pour le bal.

CLAIRE : Qu'est-ce que tu fais ?

SOLANGE, *solennelle :* J'en interromps le cours. A genoux !

CLAIRE : Tu vas trop loin !

SOLANGE : A genoux ! puisque je sais à quoi je suis destinée.
50 CLAIRE : Vous me tuez !

SOLANGE, *allant sur elle :* Je l'espère bien. Mon désespoir me fait indomptable. Je suis capable de tout. Ah ! nous étions maudites !

CLAIRE : Tais-toi.

SOLANGE : Vous n'aurez pas à aller jusqu'au crime.

CLAIRE : Solange !

SOLANGE : Ne bougez pas ! Que Madame m'écoute. Vous avez permis qu'elle s'échappe. Vous ! Ah ! quel dommage que je ne puisse lui dire toute ma haine ! que je ne puisse lui raconter toutes nos grimaces. Mais, toi si lâche, si sotte, tu l'as laissée s'enfuir. En ce moment, elle sable le champagne ! Ne bougez
60 pas ! Ne bougez pas ! La mort est présente et nous guette !

CLAIRE : Laisse-moi sortir.

SOLANGE : Ne bougez pas. Je vais avec vous peut-être découvrir le moyen le plus simple, et le courage, Madame, de délivrer ma sœur et du même coup me conduire à la mort.

CLAIRE : Que vas-tu faire ? Où tout cela nous mène-t-il ?

SOLANGE, *c'est un ordre :* Je t'en prie, Claire, réponds-moi.

CLAIRE : Solange, arrêtons-nous. Je n'en peux plus. Laisse-moi.

SOLANGE : Je continuerai, seule, seule, ma chère. Ne bougez pas. Quand vous aviez de si merveilleux moyens, il était impossible que Madame s'en échappât.

— 1 Ce jeune laitier, à qui MADAME faisait les doux yeux, était aussi un sujet de rivalité et de haine entre les deux sœurs.

70 *(Marchant sur Claire.)* Et cette fois, je veux en finir avec une fille aussi lâche.
CLAIRE : Solange ! Solange ! Au secours !
SOLANGE : Hurlez si vous voulez ! Poussez même votre dernier cri, Madame !
(Elle pousse Claire qui reste accroupie dans un coin.) Enfin ! Madame est morte ! étendue
sur le linoléum... étranglée par les gants de la vaisselle. Madame peut rester
assise ! Madame peut m'appeler mademoiselle Solange. Justement. C'est à cause
de ce que j'ai fait. Madame et Monsieur m'appelleront mademoiselle Solange
Lemercier. [...] Je suis l'étrangleuse, Mademoiselle Solange, celle qui étrangle
sa sœur !

Les Bonnes (L'Arbalète, Marc Barbezat, éditeur).

En fait, CLAIRE *n'est pas encore morte. Poussant pour la première fois la « cérémonie »
jusqu'à son terme, elle joue encore le rôle de « Madame », se couche sur le lit de sa maîtresse,
exige que* SOLANGE *lui apporte le plateau et boit le tilleul empoisonné. Ainsi inséparables,
formant « ce couple éternel, du criminel et de la sainte », elles seront sauvées d'une condition
devenue insupportable :* « Quand tu seras condamnée, n'oublie pas que tu me portes en
toi. Précieusement. Nous serons belles, libres et joyeuses... »

LE BALCON

Dans le « bordel de luxe » du Grand Balcon, « maison
d'illusions » de Mme IRMA, il y a des chambres spécialisées
pour répondre aux fantasmes de clients paranoïaques. L'un se donne l'illusion d'être
ÉVÊQUE, l'autre JUGE, tel autre GÉNÉRAL. La galerie satirique s'accompagne de coups
de feu tirés à l'extérieur, car la ville est en révolte. On annonce la mort de la REINE
et des hauts dignitaires. Il faut les remplacer afin de maintenir « l'imagerie » nécessaire
à l'ordre social. Mme IRMA jouera le rôle de la REINE, tandis que ses clients revêtent
les costumes d'ÉVÊQUE, de JUGE, de GÉNÉRAL. Mais, au lieu de s'en tenir à la « cérémonie »,
ils prétendent maintenant agir pour de bon et assumer leurs responsabilités. Pourtant,
de même que « la Reine gagne en réalité quand elle s'éloigne, s'absente ou meurt »,
le CHEF DE LA POLICE, protecteur de Mme IRMA, leur fait observer que, moins les dignitaires
sont présents, plus ils accèdent à l'imagerie mythique. A la fin de la pièce, il jouit lui-même
de sa consécration : on inaugure dans la « maison d'illusions » une chambre où ceux
qui rêvent d'être chefs de la Police pourront donner libre cours à tous leurs fantasmes !

Le Juge, la Voleuse et le Bourreau

« Rallongé par des patins invisibles sous sa robe », le JUGE n'est en réalité qu'un client
de la « maison d'illusions » venu exercer quelques instants en imagination l'activité d'un
juge. L'interrogatoire de la VOLEUSE avec l'aide du BOURREAU a d'abord une valeur
symbolique et satirique. C'est aussi pour l'auteur du *Journal du voleur* — que la question
intéresse au premier chef — le lieu d'une réflexion sur le caractère conventionnel des
fonctions attribuées par la société, au nom d'une distinction entre le Bien et le Mal
essentiellement sujette à controverse. – THÈMES : *Justice. Société. Morale. Burlesque.*

LE JUGE, *pressé :* Où ? Où ? Où ? Où — où — où ? Où es-tu entrée ?
Les où *enfilés doivent à la fin donner :* Hou ! Hou ! Hou ! *comme pour effrayer.*
LA VOLEUSE : Je ne sais plus, pardonnez-moi.
LE BOURREAU : Je cogne ?
LE JUGE : Pas encore. *(A la Fille.)* Où es-tu entrée ? Dis-moi où ? Où ? Où ?
Où ? Où ? Hou ! Hou ! Hou !...
LA VOLEUSE, *affolée :* Mais je vous jure, je ne sais plus.
LE BOURREAU : Je cogne ? Monsieur le Juge, je cogne ?

La réalité et l'illusion

« Le Balcon », au Théâtre du Gymnase
(1960), avec Roger Blin, René Clermont,
Marie Bell et Jean Balilée.
(Ph. © Pic – Arch. Photeb)

« Les Nègres », mise en scène de
Roger Blin (Théâtre de Lutèce, 1959).
(Ph. © Agence Bernand – Photeb)

Un jeu de reflets

Dans *Le Balcon,* nous voyons ici les clients
de la « maison d'illusions » jouant le rôle du
Général et de l'Évêque, aux pieds de Madame
Irma, sous l'œil du Chef de la Police (cf.
p. 694-696).

Le jeu des reflets est encore plus sophistiqué
dans *Les Nègres* (cf. **p. 691**) où des acteurs noirs
jouent dans un spectacle des rôles de Noirs et
de Blancs, devant des spectateurs noirs portant
des masques de Blancs.

LE JUGE, *au Bourreau et s'approchant de lui :* Ah ! Ah ! ton plaisir dépend de moi.
10 Tu aimes cogner, hein ? Je t'approuve, Bourreau ! Magistral tas de viande,
quartier de bidoche qu'une décision de moi fait bouger ! *(Il feint de se regarder
dans le Bourreau.)* Miroir qui me glorifie ! Image que je peux toucher, je t'aime.
Jamais je n'aurais la force ni l'adresse pour laisser sur son dos des zébrures
de feu. D'ailleurs, que pourrais-je faire de tant de force et d'adresse ? *(Il le
touche.)* Tu es là ? Tu es là, mon énorme bras, trop lourd pour moi, trop gros,
trop gras pour mon épaule et qui marche tout seul à côté de moi ! Bras, quintal
de viande, sans toi je ne serais rien... *(A la Voleuse.)* Sans toi non plus, petite.
Vous êtes mes deux compléments parfaits... Ah le joli trio que nous formons !
(A la Voleuse.) Mais toi, tu as un privilège sur lui, sur moi aussi d'ailleurs, celui
20 de l'antériorité. Mon être de juge est une émanation de ton être de voleuse.
Il suffirait que tu refuses... mais ne t'en avise pas !... que tu refuses d'être qui
tu es — ce que tu es, donc qui tu es — pour que je cesse d'être... et que je
disparaisse, évaporé. Crevé. Volatilisé. Nié. D'où : le Bien issu du... Mais alors ?
Mais alors ? Mais tu ne refuseras pas, n'est-ce pas ? Tu ne refuseras pas d'être
une voleuse ? Ce serait mal. Ce serait criminel. Tu me priverais d'être !
(Implorant.) Dis, mon petit, mon amour, tu ne refuseras pas ?

     LA VOLEUSE, *coquette :* Qui sait ?

     LE JUGE : Comment ? Qu'est-ce que tu dis ? Tu me refuserais ? Dis-moi où ?
Et dis-moi encore ce que tu as volé ?

30   LA VOLEUSE, *sèche, et se relevant :* Non.

     LE JUGE : Dis-moi où ? Ne sois pas cruelle...

     LA VOLEUSE : Ne me tutoyez pas, voulez-vous ?

     LE JUGE : Mademoiselle... Madame. Je vous en prie. *(Il se jette à genoux.)* Voyez,
je vous en supplie. Ne me laissez pas dans une pareille posture, attendant d'être
juge ! S'il n'y avait pas de juge, où irions-nous, mais s'il n'y avait pas de voleurs ?

     LA VOLEUSE, *ironique :* Et s'il n'y en avait pas ?

     LE JUGE : Ce serait terrible. Mais vous ne me jouerez pas un tour pareil,
n'est-ce pas ? Vous ne ferez pas qu'il n'y en ait pas ? Comprends-moi bien :
que tu te dissimules aussi longtemps que tu le peux et que mes nerfs le
40 supportent, derrière le refus d'avouer, que malicieusement tu me fasses languir,
trépigner si tu veux, piaffer, baver, suer, hennir d'impatience, ramper... car
tu veux que je rampe ?

     LE BOURREAU, *au Juge :* Rampez !

     LE JUGE : Je suis fier !

     LE BOURREAU, *menaçant :* Rampez !

     *Le Juge, qui était à genoux, se couche à plat ventre et rampe doucement en direction
de la Voleuse. A mesure qu'il avancera en rampant, la Voleuse reculera.*

Bien. Continuez.

     LE JUGE, *à la Voleuse :* Que tu me fasses ramper après mon être de juge,
50 coquine, tu as bien raison, mais si tu me le refusais définitivement, garce, ce
serait criminel...

     LA VOLEUSE, *hautaine :* Appelez-moi Madame et réclamez poliment.

     LE JUGE : J'aurai ce que je veux ?

     LA VOLEUSE, *coquette :* Ça coûte cher, de voler.

     LE JUGE : Je paierai ! Je paierai ce qu'il faudra, Madame. Mais si je n'avais
plus à départager le Bien d'avec le Mal, je servirais à quoi, je vous le demande ?

LA VOLEUSE : Je me le demande.

60   LE JUGE, *infiniment triste :* Tout à l'heure, j'allais être Minos. Mon cerbère aboyait. *(Au Bourreau.)* Tu te souviens ? *(Le Bourreau interrompt le Juge en faisant claquer son fouet.)* Comme tu étais cruel, méchant ! Bon ! Et moi, impitoyable. J'allais emplir les Enfers de damnés, emplir les prisons. Prisons ! Prisons ! Prisons, cachots, lieux bénis où le mal est impossible, puisqu'ils sont le carrefour de toute la malédiction du monde. On ne peut pas commettre le mal dans le mal. Or ce n'est pas condamner que je désire surtout, c'est juger... *(Il tente de se redresser.)*

LE BOURREAU : Rampez ! Et dépêchez-vous, il faut que j'aille m'habiller.

LE JUGE, *à la Fille :* Madame ! Madame, acceptez, je vous en prie. Je suis prêt à lécher avec ma langue vos souliers, mais dites-moi que vous

70   êtes une voleuse...

LA VOLEUSE, *dans un cri :* Pas encore ! Lèche ! Lèche ! Lèche d'abord !

La scène se déplace de gauche à droite, comme à la fin du tableau précédent, et s'enfonce dans la coulisse de droite. Au loin, crépitement de mitrailleuse.

Le Balcon, fin du 2e tableau (L'Arbalète, Marc Barbezat, éditeur).

« Théâtre poétique »   A partir de la vision absurde de l'homme et du monde, si le dramaturge met l'accent sur la liberté du langage de la dérision au rêve, de l'humour à la fantaisie, de l'insolite au fantastique, il redécouvre alors la vocation poétique du théâtre. C'est le cas de Boris VIAN (cf. p. 748 : *Les Bâtisseurs d'Empire*, 1959), de Roland DUBILLARD (*Naïves Hirondelles*, 1961 ; *La Maison d'os*, 1962 ; *Le Jardin aux betteraves*, 1969 ; *Où boivent les vaches,* 1972 ; *Un bruit qui court*, 1983), de Romain WEINGARTEN (*L'Été*, 1966 ; *Alice dans les jardins du Luxembourg*, 1970), de René de OBALDIA (*Genousie*, 1960 ; *Le Satyre de la Villette*, 1963 ; *Du vent dans les branches de sassafras*, 1965 ; *Grasse matinée*, 1981) et de François BILLETDOUX.

BILLETDOUX. Chaque pièce de BILLETDOUX (1927-1991) est une expérience : assimilant aux nouveautés du langage contemporain les données psychologiques d'une action mise en œuvre par des « caractères », il tente une sorte de croisement entre le tragique de l'absurde et la gratuité du langage qui l'exprime. Ainsi naît un *humour dramatique* dont *Tchin-Tchin* donnait en 1959 un premier exemple : c'est l'histoire d'un mari trompé qui finit par se confondre en quelque sorte avec l'amant de sa femme dans la participation à une passion commune, la boisson. Cette orientation s'affirme en 1961 avec *Va donc chez Törpe*, où le mystère d'une situation absurde maintient le drame dans une ambiguïté savamment calculée entre l'humour et le tragique. Dans *Comment va le Monde, Môssieu ? Il tourne, Môssieu* (1963), cette ambiguïté s'élabore en unité. Si l'aventure aboutit à un « dénouement », il est de l'ordre du non-sens, qui s'inscrit dans une distorsion entre la situation et le langage. Cette distorsion tantôt humoristique, tantôt tragique, tantôt poétique, et souvent les trois ensemble, reparaît dans *Il faut passer par les nuages* (1964), *Silence, l'arbre remue encore* (1967), *La nostalgie, camarade* (1974), *Ai-je dit que je suis bossu ?* (1981), *Réveille-toi, Philadelphie (1988).*

Cette recherche d'une nouvelle poésie dramatique est une dominante du théâtre moderne : c'est le théâtre lyrique d'Henri PICHETTE (*Les Épiphanies*, 1947 ; *Nucléa*, 1952), le « théâtre de chambre » de Jean TARDIEU, le théâtre de dépaysement de Georges SCHÉHADÉ (*Le Voyage*, 1961 ; *L'Émigré de Brisbane*, 1965) ou le théâtre du corps à corps avec le langage de Jean VAUTHIER (*Capitaine Bada*, 1952 ; *Le Personnage combattant*, 1955 ; *Les Prodiges*, 1958 ; *Badadesques*, 1965 ; *Le Sang*, 1970).

Retour au classicisme avec J.-Cl. BRISVILLE : la pureté d'un style net, élégant, nuancé, dont chaque mot porte (*Le fauteuil à bascule*, 1982 ; *L'entretien Descartes-Pascal*, 1985 ; *Le souper*, 1989 ; *L'antichambre*, 1991 ; *La dernière salve*, 1995).

LE ROMAN DEPUIS 1940

Avant et après 1940   I. Entre 1940 et 1960, on voit disparaître de grands romanciers dont, en fait, la production avait déjà atteint son terme : Gide, Colette, Martin du Gard. En revanche, des carrières brillantes commencées avant 1940 se prolongent au-delà de 1960 (Céline, Aymé, Maurois, Mauriac, Giono) et même jusqu'à la décennie 1970-1980 (Montherlant, J. Romains, Pagnol, Malraux, Genevoix, Bosco, Aragon, Chamson). Pour ces romanciers qui continuent à occuper une grande place au milieu du siècle et au-delà, on se reportera, dans les chapitres sur la période antérieure à 1940, aux notices couvrant l'ensemble de leur production.

II. *Les chapitres qui vont suivre portent avant tout sur des romanciers plus récents dont les œuvres majeures ont vu le jour après 1940.*

Autour de la guerre   Avant d'être abattu en mission aérienne, SAINT-EXUPÉRY
de 1939-1945   avait porté témoignage dans *Pilote de guerre* (1942). D'autres sont morts trop tôt pour nous livrer leurs impressions sur les événements de la Seconde Guerre mondiale, tels PAUL NIZAN, tué au combat, JEAN PRÉVOST (cf. p. 866) et JACQUES DECOUR, martyrs de la Résistance, ou SIMONE WEIL (cf. p. 849), décédée en Angleterre où elle était agent de la France Libre.

Aux survivants cette guerre a inspiré des ouvrages aussi divers que l'expérience de leurs auteurs : témoignages de combattants de toutes les armes (Pierre Clostermann, *Le Grand Cirque* ; Jules Roy, *La Vallée Heureuse* ; André Soubiran, *J'étais médecin avec les chars* ; Robert Merle, *Week-end à Zuydcoote*, cf. p. 699 ; André Chamson, cf. p 571) ; souvenirs de prisonniers, volontiers humoristiques (Francis Ambrière, *Les Grandes Vacances* ; Jacques Perret, *Le Caporal épinglé*), ou peintures atroces de « l'univers concentrationnaire » (David Rousset, *Les Jours de notre mort* ; Pierre Gascar, *Le Temps des Morts, Les Femmes*) ; récits dictés par l'esprit de résistance (Vercors, *Le Silence de la Mer*, cf. p. 700) ou par la lutte clandestine (Rémy, *Mémoires d'un agent secret de la France Libre* ; Roger Vailland, *Drôle de Jeu*) ; chroniques de l'occupation, souvent pittoresques et amusées (Elsa Triolet, *Le premier accroc coûte deux cents francs* ; J.-L. Bory, *Mon village à l'heure allemande* ; J.-L. Curtis, *Les Forêts de la Nuit* ; J. Dutourd, *Au bon beurre*).

Tradition   Les romanciers antérieurs à la guerre ont poursuivi dans
et expériences   les voies traditionnelles. Certains se sont renouvelés non seulement dans la création romanesque comme Aragon, mais aussi au théâtre (Montherlant, Mauriac, Aymé), dans la polémique (Mauriac), dans la critique d'art (Malraux). Quelques-uns ont vivifié par une réflexion originale et « actuelle » les thèmes de l'action, de l'analyse et de l'autobiographie sous la forme du Journal, des Mémoires (cf. p. 778) ou des « Antimémoires » (cf. p. 545).

Mais d'autre part, depuis 1940, le roman a été marqué par les événements (un certain retour à la barbarie dans un siècle « civilisé ») ; par l'expérience surréaliste et la psychologie du moi profond ; par des doctrines philosophiques nouvelles (phénoménologie, existentialisme, philosophie de « l'absurde », cf. p. 701, 720) ; par le féminisme ; par la science-fiction. Sur le plan technique on a assisté à une renaissance de la nouvelle (cf. p. 771) et le cinéma exerce une influence notable (cf. p. 754 ; 762-770).

Enfin, en un temps d'angoisse, de révolte et d'exigeante lucidité, on est allé jusqu'à la remise en question des structures, des genres et du verbe lui-même, comme de la notion de nature humaine. Ainsi a-t-on pu parler d'*antiroman,* comme d'*Apoèmes* (titre d'Henri Pichette), d'*antithéâtre* ou d'*alittérature.* « Il s'agit, dit J.-P. Sartre, de contester le roman par lui-même [...], d'écrire le roman d'un roman qui ne se fait pas, qui ne peut pas se faire. » (cf. *Les Faux-Monnayeurs,* p. 308). L'attention s'est, pour un temps, portée sur le *nouveau roman* (cf. p. 762). Sans négliger les enseignements de ces expériences, la création romanesque a retrouvé par la suite des voies plus traditionnelles.

Week-end à Zuydcoote

ROBERT MERLE (cf. p. 845) nous fait revivre dans *Week-end à Zuydcoote* (1949) un des épisodes les plus tragiques de la débâcle de 1940. Trois cent mille hommes sont cernés dans la poche de Dunkerque : ils ne peuvent retrouver la liberté qu'en s'embarquant sur des navires anglais qui, sous le bombardement des avions allemands, vont et viennent à travers le détroit. Sur un vieux bateau à aubes où l'incendie fait rage, le sergent MAILLAT et son ami ATKINS sont repoussés par un rideau de flammes semblable à « la gueule d'un monstre gigantesque ». Seul MAILLAT sautera à la mer, mais il périra le lendemain sous les bombes. – THÈMES : *Histoire. Guerre. Mort.*

— La côte ! cria Maillat.

Elle était toute proche, une centaine de mètres à peine. Sous le choc le cargo avait dû rompre sa chaîne d'ancre, et dériver. Il était venu s'ensabler presque en face du Sana. Au loin, sur la gauche, Maillat distingua confusément les lignes de tommies alignés sur la plage de Bray-Dunes. L'embarquement continuait.

Maillat se pencha. La hauteur au-dessus de l'eau paraissait vertigineuse. La mer tout en bas était calme, sans une ride. Elle luisait comme un bouclier d'acier.

— Il n'y a pas assez d'eau pour plonger.

10 — Mais si, dit vivement Maillat. Vous verrez bien, je plongerai le premier.

Il lui semblait qu'Atkins avait légèrement pâli.

— Je ne sais pas nager, dit-il d'une voix enrouée.

— Qu'est-ce que ça fait ? Vous avez une ceinture de sauvetage. Il n'y a aucun danger.

Il répéta : — Il n'y a aucun danger.

Atkins se taisait.

— Je vais plonger, Atkins, et vous suivrez.

— Je ne sais pas nager, dit Atkins d'une voix obstinée.

— Good God ! Vous n'avez pas besoin de savoir nager !

20 Il y eut encore un silence, et Maillat sentit qu'Atkins luttait désespérément contre lui-même. Les hurlements avaient repris plus fort, et brusquement le vent rabattit sur eux un tourbillon d'étincelles. En se haussant sur la pointe des pieds, Maillat vit que les flammes enveloppaient la passerelle. La chaleur était suffocante, et il se sentit défaillir. Une espèce de morne hébétement le gagnait. La main qu'il avait posée sur la rambarde tout à l'heure lui faisait mal, et il avait envie de crier.

— Dépêchons-nous.

— Je préfère rester ici, dit Atkins.

Son visage, éclairé par les flammes, paraissait rougeâtre. Lui aussi avait l'air 30 hébété. Maillat le saisit aux épaules et le secoua.

— Mais vous allez être brûlé, Atkins, brûlé !...

Atkins secoua la tête.

— Je ne peux pas sauter, Sir, c'est impossible.

Les hurlements de la foule bourdonnaient aux oreilles de Maillat. Il avait envie de se mettre à crier, lui aussi.

— Je ne peux pas sauter, répéta Atkins, l'air morne et hébété.

Son visage s'était vidé de toute intelligence d'un seul coup. Maillat le regarda. Atkins si brave, si calme jusque-là ! Et il allait mourir, parce qu'il n'osait pas sauter d'une hauteur de quelques mètres.

Week-end à Zuydcoote (Librairie Gallimard, éditeur).

Le Silence de la mer

VERCORS (pseudonyme de Jean Bruller, 1902-1991) situe *Le Silence de la mer* (1943) dans le climat de la France occupée. Un officier allemand est logé dans une maison dont les habitants, le narrateur et sa nièce, se sont réfugiés dans la bibliothèque. Cultivé, admirateur de la civilisation française, il s'efforce, en leur rendant visite tous les soirs, d'établir avec eux un contact humain. Mais il se heurte à un silence obstiné, le silence de la mer dont le calme n'est qu'apparent. Il paraît sincère et ne semble pas indifférent à la jeune fille qui, pour ne pas lui répondre, s'absorbe dans sa couture. Dans la France écrasée par le nazisme, les temps n'étaient pas mûrs pour la sympathie individuelle ni pour des accords politiques d'égal à égal, et le monologue de l'officier allemand ne pourra « vaincre le silence ». Horrifié par les projets des nazis qui ne rêvent que de l'asservissement définitif des peuples vaincus, il ira affronter la mort sur le front de l'Est.

Il était devant les rayons de la bibliothèque. Ses doigts suivaient les reliures d'une caresse légère.

« ... Balzac, Barrès, Baudelaire, Beaumarchais, Boileau, Buffon... Chateaubriand, Corneille, Descartes, Fénelon, Flaubert... La Fontaine, France, Gautier, Hugo... Quel appel ! » dit-il avec un rire léger et hochant la tête. « Et je n'en suis qu'à la lettre H !... Ni Molière, ni Rabelais, ni Racine, ni Pascal, ni Stendhal, ni Voltaire, ni Montaigne, ni tous les autres !... » Il continuait de glisser lentement le long des livres, et de temps en temps il laissait échapper un imperceptible « ha ! », quand, je suppose, il lisait un nom auquel il ne songeait
10 pas. « Les Anglais, reprit-il, on pense aussitôt : Shakespeare. Les Italiens : Dante. L'Espagne : Cervantès. Et nous, tout de suite : Gœthe. Après, il faut chercher. Mais si on dit : et la France ? Alors, qui surgit à l'instant ? Molière ? Racine ? Hugo ? Voltaire, Rabelais ? ou quel autre ? Ils se pressent, ils sont comme une foule à l'entrée d'un théâtre, on ne sait pas qui faire entrer d'abord. »

Il se retourna et dit gravement : « Mais pour la musique, alors c'est chez nous : Bach, Haendel, Beethoven, Wagner, Mozart... quel nom vient le premier ?

« Et nous nous sommes fait la guerre ! » dit-il lentement en remuant la tête. Il revint à la cheminée et ses yeux souriants se posèrent sur le profil de ma nièce. « Mais c'est la dernière ! Nous ne nous battrons plus : nous nous
20 marierons ! » Ses paupières se plissèrent, les dépressions sous les pommettes se marquèrent de deux longues fossettes, les dents blanches apparurent. Il dit gaiement : « Oui, oui ! » Un petit hochement de tête répéta l'affirmation. « Quand nous sommes entrés à Saintes, poursuivit-il après un silence, j'étais heureux que la population nous recevait bien. J'étais très heureux. Je pensais : Ce sera facile. Et puis, j'ai vu que ce n'était pas cela du tout, que c'était la lâcheté. » Il était devenu grave. « J'ai méprisé ces gens. Et j'ai craint pour la France. Je pensais : Est-elle *vraiment* devenue ainsi ? » Il secoua la tête : « Non ! Non ! Je l'ai vu ensuite ; et maintenant, je suis heureux de son visage sévère. »
30 Son regard se porta sur le mien — que je détournai —, il s'attarda un peu en divers points de la pièce, puis retourna sur le visage, impitoyablement insensible, qu'il avait quitté.

« Je suis heureux d'avoir trouvé ici un vieil homme digne. Et une demoiselle silencieuse. Il faudra vaincre ce silence. Il faudra vaincre le silence de la France. Cela me plaît. » [...]

Il se tut, respira avec force, et s'inclina : « Je vous souhaite une bonne nuit. »

Le Silence de la mer (Albin Michel, éditeur).

LE COURANT EXISTENTIALISTE

Les années qui ont suivi la Libération ont vu une philosophie, l'EXISTENTIALISME, dominer la pensée française, régner sur le roman et le théâtre, et tendre à jouer un rôle politique, soit en accord, soit en opposition avec le marxisme. Dernier stade de la vulgarisation, le terme a même servi à qualifier une mode : il fut un temps où tel café de Saint-Germain-des-Prés, telle chanson, tel débraillé moral ou vestimentaire passaient pour « existentialistes ». Pour significatifs qu'ils aient été, cet engouement, ces avatars inattendus sont déjà tombés dans l'oubli, ce qui permettra peut-être de discerner plus aisément *l'intérêt de la doctrine* et l'ampleur de *ses répercussions sur les lettres françaises*. L'influence de la philosophie sur la littérature n'est certes pas un fait nouveau dans le pays de Descartes, mais elle est particulièrement frappante en l'occurrence, car la nature même de l'existentialisme l'amène à s'exprimer par l'œuvre d'art, roman ou drame, autant que par le traité théorique.

La doctrine   DÉFINITION. L'existentialisme met l'accent sur *l'existence,* opposée à l'essence qui serait illusoire, problématique, ou du moins aboutissement et non point de départ de la spéculation philosophique. La donnée immédiate, perçue d'ailleurs dans l'angoisse (cf. p. 683), est l'existence ; l'absolu, s'il n'est pas simplement l'irréversible, serait à construire, à conquérir indéfiniment. Selon la formule de Sartre, « l'Existence précède l'Essence ».

Les existentialistes français se recommandent du Danois Sœren KIERKEGAARD (1813-1855), auteur du *Concept d'angoisse,* et doivent beaucoup aux philosophes allemands HEIDEGGER, JASPERS, HUSSERL. « L'originalité de Sartre, écrit Simone de Beauvoir, c'est que, prêtant à la conscience une glorieuse indépendance, il accordait tout son poids à la réalité » : aussi fut-il vivement impressionné par la *phénoménologie* de Husserl qui, par un retour au concret, entend « dépasser l'opposition de l'idéalisme et du réalisme, affirmer à la fois la souveraineté de la conscience, et la présence du monde, tel qu'il se donne à nous » (*La Force de l'âge,* p. 35 et 141).

VARIANTES. Mais il est plus d'une forme d'existentialisme. Ainsi Alphonse de Wachlens en Belgique et, en France, Gabriel Marcel ont tenté d'édifier un existentialisme *chrétien.* Les routes mêmes de Merleau-Ponty et de Sartre ont divergé, sans que cela s'explique seulement par des questions politiques ou des différences de tempérament.

MAURICE MERLEAU-PONTY, né en 1908, disparu prématurément en 1961, professa l'existentialisme à la Sorbonne puis au Collège de France. Disciple de Husserl, il a publié *La Structure du comportement* (1941), une *Phénoménologie de la perception* (1945), *Les Aventures de la dialectique* (1955) et un « essai sur le problème communiste », *Humanisme et Terreur.* Pur philosophe, il a exposé dans une belle langue, pour un public restreint, une doctrine plus sereine que celle de Sartre, et montré que l'existentialisme pouvait être le point de convergence de courants apparemment très divers de la pensée contemporaine. Nous citerons ces quelques lignes empruntées à son *Éloge de la philosophie* (Leçon inaugurale au Collège de France, 1953) : « Ma situation dans le monde avant toute réflexion et mon initiation par elle à l'existence ne sauraient être résorbées par la réflexion qui les dépasse vers l'absolu, ni traitées dans la suite comme des effets. [...] Ce que le philosophe pose, ce n'est jamais l'absolument absolu, c'est l'absolu en rapport avec lui. »

La philosophie   Si ses ouvrages abstraits sont d'un abord difficile,
de Sartre   JEAN-PAUL SARTRE (cf. p. 703) a pourtant assuré à l'existentialisme une large diffusion, car il a le don des *formules frappantes,* il a *illustré* sa philosophie par ses romans, son théâtre, ses essais, enfin il la traduit dans l'action par son *engagement politique.*

EXISTENTIALISME ET ATHÉISME. L'existentialisme de Sartre repose sur un postulat qui lui apparaît comme une évidence : l'existence de l'homme exclut l'existence de Dieu. Il ne saurait être question d'une *nature humaine* préexistante : *l'homme est l'avenir de l'homme, l'homme est ce qu'il se fait.* Voilà en quoi Sartre peut affirmer que « l'existentialisme est un humanisme », quoiqu'il n'ait que railleries pour l'humanisme traditionnel qui, sous ses diverses formes, se réfère toujours à une *nature humaine*.

SITUATION ET LIBERTÉ. L'homme est donc *responsable*; il est « *condamné à être libre* ». C'est mal poser le problème de la liberté que de le poser dans l'abstrait, car nous sommes toujours « *en situation* » (engagés dans une situation donnée, et non pas disponibles), ce qui nous oblige à choisir, mais fonde notre liberté. Comme l'ouvrier a prise sur la matière, l'homme a prise sur le réel, par l'action. L'acte *authentique* est celui par lequel il assume sa situation, et la dépasse en agissant (ainsi Oreste dans *Les Mouches*, cf. p. 707). Nos actes, nos actes seuls nous jugent, et ils sont irréversibles ; en vain pourrions-nous invoquer de bonnes intentions, ou l'idée que nous nous faisons de nous-mêmes : ce ne serait là que « *mauvaise foi* », dénoncée par le témoignage de la *conscience d'autrui*, dont l'existence même apparaît comme une hantise insupportable (cf. p. 709).

LIBERTÉ ET VALEUR. On le voit, toute cette philosophie tend vers *l'action*. L'expérience de *l'absurde* (cf. p. 683), comparable au doute méthodique de Descartes, constitue une étape critique essentielle mais ne doit pas aboutir à la fascination par la contingence. Pourtant l'angoisse nous attend à nouveau au moment de l'engagement : sur quoi fonder notre choix ? quel sera le critère de l'acte authentique ? En effet Sartre rejette les valeurs consacrées, le bien et le mal considérés comme des absolus ; dans *Les Mouches*, le mal semble se confondre avec la « mauvaise conscience », c'est-à-dire la peur d'adhérer à ses actes. Même lorsqu'il écrit, à propos des horreurs de l'Occupation : « nous avions compris que le Mal, fruit d'une volonté souveraine, est absolu comme le Bien », Sartre ne se contredit pas, car cet « absolu » est lui-même relatif à une situation : « nous n'étions pas du côté de l'histoire faite ; nous étions situés de telle sorte que chaque minute vécue nous apparaissait comme irréductible » *(Qu'est-ce que la littérature ?).*

Ainsi la valeur sera « projet », appel ; la liberté se prendra « elle-même comme valeur en tant que source de toute valeur ». « L'œuvre d'art, dit encore Sartre, est valeur parce qu'elle est appel. » En fait, que son choix soit rationnel ou affectif, il voit *le mal* dans la misère et l'oppression, opte contre le fascisme, le capitalisme et la morale « bourgeoise ».

La vigueur de sa pensée, sa sincérité et sa générosité sont évidentes, mais, sur le plan des idées, il se heurte à maintes objections : d'abord à celles de la philosophie chrétienne (en particulier au *personnalisme* d'EMMANUEL MOUNIER), mais aussi à la réfutation de JEAN GRENIER, le maître de Camus, qui écrit : « Si la valeur, reconnue comme indispensable, est créée au fur et à mesure, n'est-elle pas suscitée par la force des événements ou la ruse des instincts ? Ou par une soi-disant dialectique de l'histoire ? [...] Une doctrine qui affirme le primat absolu de l'action a ceci de redoutable qu'elle presse l'homme de s'engager sans lui dire en quoi, pourquoi. » *(Entretiens sur le bon usage de la liberté.)*

Existentialisme et littérature

La forte personnalité de SARTRE et la fécondité de son talent ont marqué puissamment notre littérature pendant une dizaine d'années, non sans entraîner quelques malentendus. Ainsi, sous le signe de *l'absurde*, on a parfois confondu la pensée d'ALBERT CAMUS (cf. p. 722) avec l'existentialisme sartrien. Dans l'œuvre littéraire et dramatique de Sartre lui-même, il n'est pas toujours facile de distinguer ce qui tient à sa philosophie et ce qui relève de telle influence (celle du roman américain surtout) ou de son propre tempérament (Simone de Beauvoir parle de son imagination « encline à l'horreur »). Si l'étalage d'êtres *veules* (le mot revient souvent sous sa plume) se rattache à la critique philosophique et sociale, le laisser-aller du style, frappant dans *Les Chemins de la liberté* et plus encore chez Simone de Beauvoir, est sans rapport avec la philosophie existentielle.

En revanche, la pensée philosophique de Sartre, parfaitement assimilée et rendue parfaitement assimilable, anime ses romans et lui a permis, sans révolution technique mais grâce à un sens très sûr de l'action dramatique, de renouveler le théâtre d'idées. Enfin, dans la revue *Les Temps modernes*, Jean-Paul Sartre a contribué à répandre le goût pour les *documents, témoignages, reportages à tendances sociales*. Abordant directement les problèmes de l'heure, la littérature resserre ses liens avec la vie, mais il arrive que ce soit au détriment de l'élaboration esthétique.

JEAN-PAUL SARTRE

LE PHILOSOPHE. Né et mort à Paris (1905-1980), élève de l'École normale supérieure, JEAN-PAUL SARTRE est reçu à l'agrégation de philosophie en 1929 ; il enseigne au Havre, puis à Laon, enfin à Paris jusqu'en 1945. En 1933-1934, un séjour à l'Institut français de Berlin lui permet de compléter son initiation à la phénoménologie de Husserl. Il publie un essai sur *L'Imagination* (1936), complété par *L'Imaginaire* (1940), et en 1939 l'*Esquisse d'une théorie des émotions ;* mais ses deux principaux ouvrages philosophiques sont *L'Être et le Néant* (1943) et la *Critique de la raison dialectique* (1960).

LE ROMANCIER. Dès 1938, il avait apporté, avec *La Nausée,* une innovation considérable dans le domaine du roman. L'année suivante, un recueil de récits, *Le Mur,* pouvait scandaliser, mais il reste d'une force et d'une hardiesse peu communes. Puis c'est la guerre : prisonnier, libéré grâce à un subterfuge, SARTRE participe à la constitution d'un réseau de résistance. A la Libération, il tente de grouper les éléments de gauche non communistes dans un *Rassemblement démocratique révolutionnaire* et fonde une revue, *Les Temps modernes.* Il publie en 1945 les deux premiers tomes des *Chemins de la liberté : L'Age de raison* et *Le Sursis* (cf. p. 706) ; un troisième en 1949 : *La Mort dans l'âme ;* le dernier volume de cette œuvre, plus critique que constructive, sera posthume.

L'AUTEUR DRAMATIQUE. La densité de style du *Mur,* qui fera défaut aux *Chemins de la liberté,* SARTRE la retrouve dans ses deux premières pièces, *Les Mouches* (1943) et surtout *Huis clos* (1944), qui est sans doute son chef-d'œuvre (cf. p. 707-715). Il donne ensuite *Morts sans sépulture* (1946, drame de la Résistance), *La P... respectueuse* (1946, le problème racial aux États-Unis), *Les Mains sales* (1948, l'intellectuel dans l'action), *Le Diable et le Bon Dieu* (1951). En 1955, la violente satire de *Nekrassov* soulève des polémiques ; la surabondance verbale compromet le succès des *Séquestrés d'Altona* (1959).

L'ESSAYISTE. De nombreux essais de critique philosophique, littéraire, politique ou sociale témoignent d'une pensée incisive, sans cesse en éveil, et d'une dialectique brillante qui, lorsqu'elle ne convainc pas, oblige en tout cas à réagir : les dix *Situations* (1947-1976), *L'existentialisme est un humanisme* (1946), les études sur *Baudelaire* (1947), Jean Genet (1952, cf. p. 690) et Flaubert (*L'Idiot de la famille,* 1971-1972), les *Réflexions sur la question juive* (1946), *Les Mots* (1964, cf. p. 716), précieux document autobiographique.

L'EXISTENCE DÉVOILÉE

ANTOINE ROQUENTIN vit en solitaire à Bouville (Le Havre). Depuis quelque temps, il éprouve d'étranges *malaises :* les objets prennent soudain à ses yeux une importance anormale, une présence inquiétante. Un jour d'hiver au Jardin public, « entre les grands troncs noirs, entre les mains noires et noueuses qui se tendent vers le ciel », la *« Nausée »* le reprend : « Un arbre gratte la terre sous mes pieds d'un ongle noir. Je voudrais tant me laisser aller, m'oublier, dormir. Mais je ne peux pas, je suffoque. » Cette fois, il comprend le sens de son angoisse : « L'existence me pénètre de partout, par les yeux, par le nez, par la bouche... » ; le soir même, il l'analyse longuement dans son journal.

Cette *nausée,* Sartre l'a connue personnellement : il a éprouvé ce sentiment d'horreur devant *le fourmillement de la contingence.* Mais dans sa philosophie, cette expérience de l'*absurde* doit être *dépassée.* Loin de le condamner à la délectation morose, une telle prise de conscience engage l'homme à exercer sa liberté : dépassant l'existence, il doit tendre vers l'être grâce à la *création* ou à l'*action.* − THÈMES : *Psychologie. Moi.*

Je ne peux pas dire que je me sente allégé ni content ; au contraire, ça m'écrase. Seulement mon but est atteint : je sais ce que je voulais savoir ; tout ce qui m'est arrivé depuis le mois de janvier, je l'ai compris. La Nausée ne m'a pas quitté et je ne crois pas qu'elle me quittera de sitôt ; mais je ne la subis plus, ce n'est plus une maladie ni une quinte passagère : c'est moi.

Donc j'étais tout à l'heure au Jardin public. La racine du marronnier s'enfonçait dans la terre, juste au-dessous de mon banc. Je ne me rappelais plus que c'était une racine. Les mots s'étaient évanouis et, avec eux, la signification des choses, leurs modes d'emploi, les faibles repères que les hommes ont tracés à leur surface. J'étais assis, un peu voûté, la tête basse, seul en face de cette masse noire et noueuse, entièrement brute et qui me faisait peur. Et puis j'ai eu cette illumination.

Ça m'a coupé le souffle. Jamais, avant ces derniers jours, je n'avais pressenti ce que voulait dire « exister ». J'étais comme les autres, comme ceux qui se promènent au bord de la mer dans leurs habits de printemps. Je disais comme eux « la mer *est* verte ; ce point blanc, là-haut, c'*est* une mouette », mais je ne sentais pas que ça existait, que la mouette était une « mouette-existante » ; à l'ordinaire l'existence se cache. Elle est là, autour de nous, en nous, elle est *nous,* on ne peut pas dire deux mots sans parler d'elle, et finalement, on ne la touche pas. Quand je croyais y penser, il faut croire que je ne pensais rien, j'avais la tête vide, ou tout juste un mot dans la tête, le mot « être ». Ou alors, je pensais... comment dire ? Je pensais l'*appartenance,* je me disais que la mer appartenait à la classe des objets verts ou que le vert faisait partie des qualités de la mer. Même quand je regardais les choses, j'étais à cent lieues de songer qu'elles existaient : elles m'apparaissaient comme un décor. Je les prenais dans mes mains, elles me servaient d'outils, je prévoyais leurs résistances. Mais tout ça se passait à la surface. Si l'on m'avait demandé ce que c'était que l'existence, j'aurais répondu de bonne foi que ça n'était rien, tout juste une forme vide qui venait s'ajouter aux choses du dehors, sans rien changer à leur nature. Et puis voilà : tout d'un coup, c'était là, c'était clair comme le jour : l'existence s'était soudain dévoilée. Elle avait perdu son allure inoffensive de catégorie abstraite : c'était la pâte même des choses, cette racine était pétrie dans de l'existence. Ou plutôt la racine, les grilles du jardin, le banc, le gazon rare de la pelouse, tout ça s'était évanoui ; la diversité des choses, leur individualité n'étaient qu'une apparence, un vernis. Ce vernis avait fondu, il restait des masses monstrueuses et molles, en désordre — nues, d'une effrayante et obscène nudité.

Je me gardais de faire le moindre mouvement, mais je n'avais pas besoin de bouger pour voir, derrière les arbres, les colonnes bleues et le lampadaire du kiosque à musique, et la Velléda, au milieu d'un massif de lauriers. Tous ces objets... comment dire ? Ils m'incommodaient ; j'aurais souhaité qu'ils existassent moins fort, d'une façon plus sèche, plus abstraite, avec plus de retenue. Le marronnier se pressait contre mes yeux. Une rouille verte le couvrait jusqu'à mi-hauteur ; l'écorce, noire et boursouflée, semblait de cuir bouilli. Le petit bruit d'eau de la fontaine Masqueret se coulait dans mes oreilles et s'y faisait un nid, les emplissait de soupirs ; mes narines débordaient d'une odeur verte

et putride. Toutes choses, doucement, tendrement, se laissaient aller
50 à l'existence comme ces femmes lasses qui s'abandonnent au rire et
disent : « C'est bon de rire » d'une voix mouillée ; elles s'étalaient, les
unes en face des autres, elles se faisaient l'abjecte confidence de leur
existence. Je compris qu'il n'y avait pas de milieu entre l'inexistence
et cette abondance pâmée. Si l'on existait, il fallait *exister jusque-là*,
jusqu'à la moisissure, à la boursouflure, à l'obscénité. Dans un autre
monde, les cercles, les airs de musique gardent leurs lignes pures et
rigides. Mais l'existence est un fléchissement. Des arbres, des piliers
bleu de nuit, le râle heureux d'une fontaine, des odeurs vivantes, de
petits brouillards de chaleur qui flottaient dans l'air froid, un homme
60 roux qui digérait sur un banc : toutes ces somnolences, toutes ces
digestions prises ensemble offraient un aspect vaguement comique.
Comique... non : ça n'allait pas jusque-là, rien de ce qui existe ne peut être
comique ; c'était comme une analogie flottante, presque insaisissable, avec
certaines situations de vaudeville. Nous étions un tas d'existants gênés,
embarrassés de nous-mêmes, nous n'avions pas la moindre raison d'être
là, ni les uns ni les autres, chaque existant, confus, vaguement inquiet, se
sentait de trop par rapport aux autres. *De trop :* c'était le seul rapport que
je pusse établir entre ces arbres, ces grilles, ces cailloux. En vain
cherchais-je à *compter* les marronniers, à les *situer* par rapport à la Velléda,
70 à comparer leur hauteur avec celle des platanes : chacun d'eux s'échappait
des relations où je cherchais à l'enfermer, s'isolait, débordait. Ces relations
(que je m'obstinais à maintenir pour retarder l'écroulement du monde
humain, des mesures, des quantités, des directions) j'en sentais l'arbitraire ; elles ne mordaient plus sur les choses. *De trop,* le marronnier, là
en face de moi un peu sur la gauche. *De trop,* la Velléda...
    Et *moi* — veule, alangui, obscène, digérant, ballottant de mornes
pensées — *moi aussi j'étais de trop.* Heureusement je ne le sentais pas,
je le comprenais surtout, mais j'étais mal à l'aise parce que j'avais peur
de le sentir (encore à présent j'en ai peur — j'ai peur que ça ne me
80 prenne par le derrière de ma tête et que ça ne me soulève comme une
lame de fond). Je rêvais vaguement de me supprimer, pour anéantir
au moins une de ces existences superflues. Mais ma mort même eût
été de trop. De trop, mon cadavre, mon sang sur ces cailloux, entre
ces plantes, au fond de ce jardin souriant. Et la chair rongée eût été
de trop dans la terre qui l'eût reçue et mes os, enfin, nettoyés, écorcés,
propres et nets comme des dents eussent encore été de trop : j'étais
de trop pour l'éternité.

La Nausée (Librairie Gallimard, éditeur).

*Désormais, Roquentin se sent libre : « Seul et libre. Mais cette liberté ressemble un peu
à la mort. » Si déprimante que soit la Nausée, la dernière note n'est pas désespérée. Entendant
une phrase musicale, le personnage se dit : « Elle n'existe pas, puisqu'elle n'a rien de trop :
c'est tout le reste qui est de trop par rapport à elle. Elle est. » Il éprouve « une espèce de
joie » et rêve d'un livre à écrire : « Il faudrait qu'on devine, derrière les mots exprimés, derrière
les pages, quelque chose qui n'existerait pas, qui serait au-dessus de l'existence. »*

« *Il faudrait être partout à la fois* »

Nous sommes au soir du 26 septembre 1938 : demain ce sera le *sursis* de Munich, mais pour le moment la guerre semble inévitable. En Allemagne, Hitler parle ; à Paris, une jeune israélite, Ella Birnenschatz, écoute avec horreur son discours transmis par la radio ; dans le train qui le ramène à Paris (réserviste, il est rappelé), un professeur en vacances, MATHIEU DELARUE, pense à la guerre et à cette voix d'Hitler qu'il ne peut entendre et qui remplit pourtant l'Europe entière. La *voix* est omniprésente, obsédante et pourtant insaisissable, comme la *guerre* elle-même. Ainsi SARTRE donne un sens *existentialiste* au *simultanéisme* déjà pratiqué par Jules Romains (cf. p. 479) et que lui inspire plus directement l'exemple du romancier américain Dos Passos *(Manhattan Transfer,* et surtout *42ᵉ Parallèle).* – THÈMES : *Histoire. Guerre. Morale.*

« L e 20 février de cette année, j'ai déclaré au Reichstag qu'il fallait qu'un changement intervînt dans la vie des dix millions d'Allemands qui vivent hors de nos frontières. Or M. Benès a agi autrement. Il a institué une oppression encore plus complète. »

Il lui parlait seul à seul, les yeux dans les yeux, avec une irritation croissante et le désir de lui faire peur, de lui faire mal. Elle restait fascinée, ses yeux ne quittaient pas le mica [1]. Elle n'entendait pas ce qu'il disait, mais sa voix l'écorchait.

« Une terreur encore plus grande... Une époque de dissolutions... »

Elle se détourna brusquement et quitta la pièce. La voix la poursuivit dans le
10   vestibule, indistincte, écrasée, encore vénéneuse. Ella entra vivement dans sa chambre et ferma sa porte à clé. Là-bas, dans le salon, il menaçait encore. Mais elle n'entendait plus qu'un murmure confus. Elle se laissa tomber sur une chaise : il n'y aura donc personne, pas une mère de Juif supplicié, pas une femme de communiste assassiné pour prendre un revolver et pour aller l'abattre ? Elle serrait les poings, elle pensait que, si elle était Allemande, elle aurait la force de le tuer.

Mathieu se leva, prit un des cigares de Jacques [2] dans son imperméable et poussa la portière du compartiment.

— Si c'est pour moi, dit la Marseillaise, ne vous gênez pas, mon mari fume la pipe ; je suis habituée.
20   — Je vous remercie, dit Mathieu, mais j'ai envie de me dégourdir un peu les jambes.

Il avait surtout envie de ne plus la voir. Ni la petite, ni le panier [3]. Il fit quelques pas dans le couloir, s'arrêta, alluma son cigare. La mer était bleue et calme, il glissait le long de la mer, il pensait : « Qu'est-ce qui m'arrive ? *Ainsi la réponse de cet homme fut plus que jamais : « Fusillons, arrêtons, incarcérons. » Et cela pour tous ceux qui d'une manière ou d'une autre ne lui conviennent pas* [4], il voulait s'appliquer et comprendre. Jamais rien ne lui était arrivé qu'il n'eût compris ; c'était sa seule force, son unique défense, sa dernière fierté. Il regardait la mer et il pensait : « Je ne comprends pas *alors arriva ma revendication de Nuremberg.*
30   *Cette revendication fut complètement nette : pour la premi* il m'arrive que je pars pour la guerre, se dit-il. Ça n'avait pas l'air bien malin et pourtant ce n'était pas clair du tout. En ce qui le concernait personnellement, tout était simple et net :

— 1 C'est-à-dire le poste de T.S.F. — 2 Le frère de Mathieu, qu'il vient de quitter à Juan-les-Pins ; *Odette* (l. 34) est sa belle-sœur. — 3 La fille de la Marseillaise, et leur panier à provisions. — 4 « Il parle ! », pensait tout à l'heure Mathieu ; la voix d'Hitler « est partout, le train fonce dedans et elle est dans le train, [...] si j'avais une radio je la ferais éclore dans le filet ou sous la banquette. Elle est là, énorme, elle couvre le bruit du train, elle fait trembler les vitres — et je ne l'entends pas. »

il avait joué et perdu, sa vie était derrière lui, gâchée. Je ne laisse rien, je ne regrette rien, pas même Odette, pas même Ivich [5], je ne suis personne. Restait l'événement lui-même. *Je déclarai que maintenant le droit de libre disposition devait enfin, vingt ans après les déclarations du président Wilson, entrer en vigueur pour ces trois millions et demi d'hommes* tout ce qui l'avait atteint jusque-là était à sa mesure d'homme, les petits emmerdements et les catastrophes, il les avait vus venir, il les avait regardés en face. Quand il avait été prendre l'argent dans la chambre de Lola [6],

40 il avait vu les billets, il les avait touchés, il avait respiré le parfum qui flottait dans la chambre ; et quand il avait plaqué Marcelle, il la regardait dans les yeux pendant qu'il lui parlait ; ses difficultés n'étaient jamais qu'avec lui-même ; il pouvait se dire : J'ai eu raison, j'ai eu tort ; il pouvait se juger. A présent c'était devenu impossible *et de nouveau M. Benès a donné sa réponse : de nouveaux morts, de nouvelles incarcérations, de nouveaux.* Il pensa : je pars pour la guerre, et cela ne signifiait rien. Quelque chose lui était arrivé qui le dépassait. La guerre le dépassait. Ça n'est pas tant qu'elle me dépasse, c'est qu'elle *n'est pas là.* Où est-elle ? Partout : elle prend naissance de partout, le train fonce dans la guerre,

50 Gomez [7] atterrit dans la guerre, ces estivants en toile blanche se promènent dans la guerre, il n'est pas un battement de cœur qui ne l'alimente, pas une conscience qui n'en soit traversée. Et pourtant, elle est comme la voix d'Hitler, qui remplit ce train et que je ne peux pas entendre : *J'ai déclaré nettement à M. Chamberlain ce que nous considérons maintenant comme la seule possibilité de solution ;* de temps en temps on croit qu'on va la toucher, sur n'importe quoi, dans la sauce d'un tournedos, on avance la main, elle n'est plus là : il ne reste qu'un bout de viande dans de la sauce. Ah ! pensa-t-il, il faudrait être partout à la fois.

Le Sursis (Librairie Gallimard, éditeur).

Mon acte, c'est ma liberté

Après Giraudoux (cf. p. 451), SARTRE renouvelle à son tour, avec *Les Mouches,* le mythe d'*Électre.* Pour lui, l'acte d'Oreste devient le symbole de la liberté humaine incompatible avec l'existence de Dieu, de la responsabilité assumée dans un geste authentique, étranger aux notions traditionnelles de Bien et de Mal.

THÈMES : *Philosophie. Liberté. Moi. Morale. Famille. Antiquité. Hellénisme.*

Revenu dans Argos après quinze ans d'exil, ORESTE *trouve « une charogne de ville tourmentée par les mouches » : sous l'œil complaisant de Jupiter, Égisthe maintient la cité, depuis le meurtre d'Agamemnon, dans le repentir collectif, la confession publique et la crainte superstitieuse des mots. Seule,* ÉLECTRE *se révolte et rêve de vengeance. Mais supportera-t-elle de voir accompli ce qu'elle a tant souhaité ? Oreste vient d'abattre Égisthe, puis Clytemnestre et, tandis qu'il adhère* pleinement à *son acte,* voici qu'ÉLECTRE *vacille...*

ÉLECTRE : Oreste ! *(Elle se jette dans ses bras.)*

ORESTE : De quoi as-tu peur ?

ÉLECTRE : Je n'ai pas peur, je suis ivre. Ivre de joie. Qu'a-t-elle dit ? A-t-elle longtemps imploré sa grâce ?

ORESTE : Électre, je ne me repentirai pas de ce que j'ai fait, mais je ne juge pas bon d'en parler : il y a des souvenirs qu'on ne partage pas. Sache seulement qu'elle est morte.

— 5 Jeune amie de Mathieu. — 6 Épisode du tome I, en rapport avec la liaison et la rupture de Mathieu avec *Marcelle* (l. 41) ; finalement, Ma- thieu n'a pu se résoudre à voler ces billets. — 7 Pour cet ami de Mathieu, *la guerre,* c'est la guerre civile en Espagne.

ÉLECTRE : En nous maudissant ? Dis-moi seulement cela : en nous maudissant ?

ORESTE : Oui, en nous maudissant.

10   ÉLECTRE : Prends-moi dans tes bras, mon bien-aimé, et serre-moi de toutes tes forces. Comme la nuit est épaisse et comme les lumières de ces flambeaux ont de la peine à la percer ! M'aimes-tu ?

ORESTE : Il ne fait pas nuit : c'est le point du jour. Nous sommes libres, Électre. Il me semble que je t'ai fait naître et que je viens de naître avec toi ; je t'aime et tu m'appartiens. Hier encore j'étais seul et aujourd'hui tu m'appartiens. Le sang nous unit doublement, car nous sommes de même sang et nous avons versé le sang.

ÉLECTRE : Jette ton épée. Donne-moi cette main. *(Elle lui prend la main et l'embrasse.)* Tes doigts sont courts et carrés. Ils sont faits pour prendre et pour
20   tenir. Chère main ! Elle est plus blanche que la mienne. Comme elle s'est faite lourde pour frapper les assassins de notre père ! Attends. *(Elle va chercher un flambeau et elle l'approche d'Oreste.)* Il faut que j'éclaire ton visage, car la nuit s'épaissit et je ne te vois plus bien. J'ai besoin de te voir : quand je ne te vois plus, j'ai peur de toi ; il ne faut pas que je te quitte des yeux. Je t'aime. Il faut que je pense que je t'aime. Comme tu as l'air étrange !

ORESTE : Je suis libre. Électre ; la liberté a fondu sur moi comme la foudre.

ÉLECTRE : Libre ? Moi, je ne me sens pas libre. Peux-tu faire que tout ceci n'ait pas été ? Quelque chose est arrivé que nous ne sommes plus libres de défaire. Peux-tu empêcher que nous soyons pour toujours les assassins de notre mère ?

30   ORESTE : Crois-tu que je voudrais l'empêcher ? J'ai fait *mon* acte, Électre, et cet acte était bon. Je le porterai sur mes épaules comme un passeur d'eau porte les voyageurs, je le ferai passer sur l'autre rive et j'en rendrai compte. Et plus il sera lourd à porter, plus je me réjouirai, car ma liberté, c'est lui. Hier encore, je marchais au hasard sur la terre, et des milliers de chemins fuyaient sous mes pas, car ils appartenaient à d'autres. Je les ai tous empruntés, celui des haleurs, qui court au long de la rivière, et le sentier du muletier et la route pavée des conducteurs de chars ; mais aucun n'était à moi. Aujourd'hui, il n'y en a plus qu'un, et Dieu sait où il mène : mais c'est *mon* chemin. Qu'as-tu ?

ÉLECTRE : Je ne peux plus te voir ! Ces lampes n'éclairent pas. J'entends ta
40   voix, mais elle me fait mal, elle me coupe comme un couteau. Est-ce qu'il fera toujours aussi noir, désormais, même le jour ? Oreste ! Les voilà !

ORESTE : Qui ?

ÉLECTRE : Les voilà ! D'où viennent-elles ? Elles pendent du plafond comme des grappes de raisins noirs, et ce sont elles qui noircissent les murs ; elles se glissent entre les lumières et mes yeux, et ce sont leurs ombres qui me dérobent ton visage.

ORESTE : Les mouches...

ÉLECTRE : Écoute !... Écoute le bruit de leurs ailes, pareil au ronflement d'une forge. Elles nous entourent, Oreste. Elles nous guettent ; tout à l'heure elles s'abattront sur nous, et je sentirai mille pattes gluantes sur mon corps. Où fuir,
50   Oreste ? Elles enflent, elles enflent, les voilà grosses comme des abeilles, elles nous suivront partout en épais tourbillons. Horreur ! Je vois leurs yeux, leurs millions d'yeux qui nous regardent.

ORESTE : Que nous importent les mouches ?

ÉLECTRE : Ce sont les Érinnyes, Oreste, les déesses du remords.

DES VOIX, *derrière la porte :* Ouvrez ! Ouvrez ! S'ils n'ouvrent pas, il faut enfoncer la porte. *(Coups sourds dans la porte.)*

ORESTE : Les cris de Clytemnestre ont attiré des gardes. Viens ! Conduis-moi au sanctuaire d'Apollon ; nous y passerons la nuit, à l'abri des hommes et des mouches. Demain je parlerai à mon peuple.

Les Mouches, acte II, tableau II, scène 8 (Librairie Gallimard, éditeur).

Électre repoussera son frère pour se livrer au repentir *; mais Oreste, lui, tient tête à Jupiter. Sans doute est-il condamné à la solitude, sans doute les Érinnyes vont-elles s'acharner sur lui ; n'est-il pas* victorieux *cependant ? Jupiter lui-même avouait à Égisthe : « Quand une fois la liberté a explosé dans une âme d'homme, les Dieux ne peuvent plus rien contre cet homme-là. » Et s'il renonce à régner sur Argos, Oreste, « voleur de remords », n'a-t-il pas enseigné à son peuple « le secret douloureux des Dieux et des rois » : que les hommes sont* libres, sans le savoir ?

« L'ENFER, C'EST LES AUTRES »

Huis clos se déroule en enfer ; mais c'est aussi l'enfer sartrien, l'enfer en ce monde, qui consiste, selon l'auteur, à vivre sous le regard d'autrui ; aussi bien avait-il d'abord choisi pour titre : *Les Autres.* — Voici donc GARCIN, *le lâche* qui se prenait pour un héros, ESTELLE *l'infanticide,* qui a causé en outre la mort de son amant, et INÈS, une femme qui n'aime pas les hommes et se déclare elle-même *méchante :* « Ça veut dire que j'ai besoin de la souffrance des autres pour subsister. » Ils sont morts tous les trois, et enfermés dans une même pièce. Ils ont commencé par mentir et « crâner » mais se révèlent bientôt dans leur turpitude et *se torturent mutuellement.* Soudain la porte s'ouvre : Estelle veut s'enfuir avec Garcin pour échapper à Inès, ou jeter Inès dehors et refermer la porte sur elle ; contre toute attente, *Garcin n'a pas bougé.* — THÈMES : *Philosophie. Morale. Moi. Psychologie.*

GARCIN : C'est à cause d'elle que je suis resté.
Estelle lâche Inès et regarde Garcin avec stupeur.
INÈS : A cause de moi ? *(Un temps.)* Bon, eh bien, fermez la porte. Il fait dix fois plus chaud depuis qu'elle est ouverte. *(Garcin va vers la porte et la ferme.)* A cause de moi ?
GARCIN : Oui. Tu sais ce que c'est qu'un lâche, toi.
INÈS : Oui, je le sais.
GARCIN : Tu sais ce que c'est que le mal, la honte, la peur. Il y a eu des jours où tu t'es vue jusqu'au cœur — et ça te cassait bras et
10 jambes. Et le lendemain, tu ne savais plus que penser, tu n'arrivais plus à déchiffrer la révélation de la veille. Oui, tu connais le prix du mal. Et si tu dis que je suis un lâche, c'est en connaissance de cause, hein ?
INÈS : Oui.
GARCIN : C'est toi que je dois convaincre : tu es de ma race. T'imaginais-tu que j'allais partir ? Je ne pouvais pas te laisser ici, triomphante, avec toutes ces pensées dans ta tête ; toutes ces pensées qui me concernent.
INÈS : Tu veux vraiment me convaincre ?
GARCIN : Je ne veux plus rien d'autre. Je ne les entends plus, tu sais. C'est sans doute qu'ils en ont fini avec moi. Fini : l'affaire est classée, je ne suis
20 plus rien sur terre, même plus un lâche [1]. Inès, nous voilà seuls : il n'y a plus que vous deux pour penser à moi. Elle ne compte pas. Mais toi, toi qui me hais, si tu me crois, tu me sauves.

— 1 Il entendait ses camarades encore vivants le traiter de lâche.

INÈS : Ce ne sera pas facile ! Regarde-moi : j'ai la tête dure.

GARCIN : J'y mettrai le temps qu'il faudra.

INÈS : Oh ! Tu as tout le temps. *Tout* le temps.

GARCIN, *la prenant aux épaules :* Écoute, chacun a son but, n'est-ce pas ? Moi, je me foutais de l'argent, de l'amour. Je voulais être un homme. Un dur. J'ai tout misé sur le même cheval. Est-ce que c'est possible qu'on soit un lâche quand on a choisi les chemins les plus dangereux ?
30 Peut-on juger une vie sur un seul acte ?

INÈS : Pourquoi pas ? Tu as rêvé trente ans que tu avais du cœur ; et tu te passais mille petites faiblesses parce que tout est permis aux héros [2]. Comme c'était commode ! Et puis, à l'heure du danger, on t'a mis au pied du mur et... tu as pris le train pour Mexico [3].

GARCIN : Je n'ai pas rêvé cet héroïsme. Je l'ai choisi. On est ce qu'on veut.

INÈS : Prouve-le. Prouve que ce n'était pas un rêve. Seuls les actes décident de ce qu'on a voulu [4].

GARCIN : Je suis mort trop tôt. On ne m'a pas laissé le temps de faire *mes* actes.

INÈS : On meurt toujours trop tôt — ou trop tard. Et cependant la
40 vie est là, terminée ; le trait est tiré, il faut faire la somme. Tu n'es rien d'autre que ta vie.   GARCIN : Vipère ! Tu as réponse à tout.

INÈS : Allons ! allons ! Ne perds pas courage. Il doit t'être facile de me persuader. Cherche des arguments, fais un effort. *(Garcin hausse les épaules.)* Eh bien, eh bien ? Je t'avais dit que tu étais vulnérable. Ah ! Comme tu vas payer à présent. Tu es un lâche, Garcin, un lâche parce que je le veux ! Et pourtant, vois comme je suis faible, un souffle ; je ne suis rien que le regard qui te voit, que cette pensée incolore qui te pense. *(Il marche sur elle, les mains ouvertes.)* Ha ! Elles s'ouvrent, ces grosses mains d'homme. Mais qu'espères-tu ? On n'attrape pas les pensées avec
50 les mains. Allons, tu n'as pas le choix : il faut me convaincre. Je te tiens.

ESTELLE : Garcin !   GARCIN : Quoi ?

ESTELLE : Venge-toi.   GARCIN : Comment ?

ESTELLE : Embrasse-moi, tu l'entendras chanter.

GARCIN : C'est pourtant vrai, Inès. Tu me tiens, mais je te tiens aussi. [...]

Ils « tiennent » en effet, eux aussi, Inès qui, jalouse, ne peut supporter de les voir dans les bras l'un de l'autre ; mais elle ne tarde pas à reprendre l'offensive.

INÈS : Garcin le lâche tient dans ses bras Estelle l'infanticide. Les paris sont ouverts. Garcin le lâche l'embrassera-t-il ? Je vous vois, je vous vois ; à moi seule je suis une foule, la foule, Garcin, la foule, l'entends-tu ? *(Murmurant.)* Lâche ! Lâche ! Lâche ! Lâche ! En vain tu me fuis, je ne te lâcherai pas. Que vas-tu chercher sur ses lèvres ? L'oubli ? Mais je ne
60 t'oublierai pas, moi. C'est moi qu'il faut convaincre. Moi. Viens, viens ! Je t'attends. Tu vois, Estelle, il desserre son étreinte, il est docile comme un chien... Tu ne l'auras pas !

— 2 Garcin « torturait » sa femme, « parce que c'était facile ». Elle en est morte. — 3 Au début d'une guerre, au lieu d'affirmer son pacifisme, il a fui. Arrêté, il a été fusillé. — 4 Pour Sartre, l'idée que nous nous faisons de nous-mêmes et nos *intentions* sont sans valeur : nos *actes* nous jugent.

Huis clos

« *Huis clos* », *Théâtre de la Potinière (1946), avec Tania Balachova, Michel Vitold, Michèle Alfa.* (Ph. © Agence Bernand – Photeb)

« L'Enfer, c'est les autres... »

INÈS : Je vous vois, je vous vois ; à moi seule je suis une foule, la foule, Garcin, la foule, l'entends-tu ? Lâche ! Lâche ! Lâche ! En vain tu me fuis, je ne te lâcherai pas.

GARCIN : Il ne fera donc jamais nuit ?　　　INÈS : Jamais.

GARCIN : Tu me verras toujours ?　　　INÈS : Toujours.

Garcin abandonne Estelle et fait quelques pas dans la pièce. Il s'approche du bronze.

GARCIN : Le bronze [5]... *(Il le caresse.)* Eh bien ! voici le moment. Le bronze est là, je le contemple et je comprends que je suis en enfer. Je vous dis que tout était prévu. Ils avaient prévu que je me tiendrais devant cette cheminée, pressant ma main sur ce bronze, avec tous ces 70 regards sur moi. Tous ces regards qui me mangent... *(Il se retourne brusquement.)* Ha ! Vous n'êtes que deux ? Je vous croyais beaucoup plus nombreuses. *(Il rit.)* Alors c'est ça l'enfer. Je n'aurais jamais cru... Vous vous rappelez : le soufre, le bûcher, le gril... Ah ! quelle plaisanterie. Pas besoin de gril, l'enfer, c'est les Autres [6].

Huis clos, scène V (Librairie Gallimard, éditeur).

Estelle tente de tuer *Inès avec un coupe-papier qui se trouve sur la table.* En vain, *puisqu'Inès est* morte, *puisqu'ils sont* morts *tous les trois :* « Ni le couteau, ni le poison, ni la corde. C'est* déjà fait, comprends-tu ? Et nous sommes ensemble pour toujours. » *A Inès, Estelle et Garcin répondent en écho :* « Pour toujours ! » *et Garcin ajoute :* « Eh bien, continuons... »

Les Mains sales

L'action des *Mains sales* se passe en 1943 dans un pays imaginaire, l'Illyrie, dont la situation rappelle celle de la Hongrie. HUGO BARINE, jeune intellectuel d'origine bourgeoise, a reçu d'un groupe communiste la mission d'assassiner HŒDERER, le chef du Parti, pour l'empêcher de former avec le Régent et la droite un gouvernement provisoire, seul moyen d'éviter une guerre meurtrière contre les Russes. HŒDERER éprouve de la sympathie pour HUGO : il voudrait lui faire comprendre que, pour être efficace, la politique oblige parfois à se salir les mains (cf. p. 643). – THÈMES : Société. Morale.

HŒDERER : Un parti, ce n'est qu'un moyen. Il n'y a qu'un seul but : le pouvoir.

HUGO : Il n'y a qu'un seul but : c'est de faire triompher nos idées, toutes nos idées et rien qu'elles.

HŒDERER : C'est vrai : tu as des idées, toi. Ça te passera.

HUGO : Vous croyez que je suis le seul à en avoir ? Ça n'était pas pour les idées qu'ils sont morts, les copains qui se sont fait tuer par la police du Régent ? Vous croyez que nous ne les trahirions pas, si nous faisions servir le Parti à dédouaner leurs assassins ?

HŒDERER : Je me fous des morts. Ils sont morts pour le Parti et le Parti peut 10 décider ce qu'il veut. Je fais une politique de vivant, pour les vivants.

HUGO : Et vous croyez que les vivants accepteront vos combines ?

HŒDERER : On les leur fera avaler tout doucement.

HUGO : En leur mentant ?

HŒDERER : En leur mentant quelquefois.

HUGO : Vous... vous avez l'air si vrai, si solide ! Ça n'est pas possible que vous acceptiez de mentir aux camarades.

HŒDERER : Pourquoi ? Nous sommes en guerre et ça n'est pas l'habitude de mettre le soldat heure par heure au courant des opérations [...].

— 5 La scène représente un salon Second Empire, avec un *bronze* sur la cheminée *sans glace* (ainsi chacun ne peut se voir que par les yeux *des* *autres*). — 6 Inès l'avait compris : « Le bourreau, c'est chacun de nous pour les deux autres » ; et Garcin avait tenté *en vain* de rester à l'écart.

Sartre et l'engagement

Jean-Paul Sartre, lors d'une manifestation à Ivry (1971).
(Ph. © Christian Simompietri – Sygma)

« Les Mains sales »
*(cf. **p. 712-715**),*
Théâtre Antoine (1948),
avec François Périer
et André Luguet.
(Ph. © Agence Bernand – Photeb)

HUGO : Je n'ai jamais menti aux camarades. Je... A quoi ça sert de lutter pour
20 la libération des hommes, si on les méprise assez pour leur bourrer le crâne ?
HŒDERER : Je mentirai quand il faudra et je ne méprise personne. Le mensonge,
ce n'est pas moi qui l'ai inventé : il est né dans une société divisée en classes
et chacun de nous l'a hérité en naissant. Ce n'est pas en refusant de mentir
que nous abolirons le mensonge : c'est en usant de tous les moyens pour
supprimer les classes.
HUGO : Tous les moyens ne sont pas bons.
HŒDERER : Tous les moyens sont bons quand ils sont efficaces.
HUGO : Alors, de quel droit condamnez-vous la politique du Régent ? Il a déclaré
la guerre à l'U.R.S.S. parce que c'était le moyen le plus efficace de sauvegarder
30 l'indépendance nationale.
HŒDERER : Est-ce que tu t'imagines que je la condamne ? Il a fait ce que
n'importe quel type de sa caste aurait fait à sa place. Nous ne luttons ni contre
des hommes ni contre une politique, mais contre la classe qui produit cette
politique et ces hommes.
HUGO : Et le meilleur moyen que vous ayez trouvé pour lutter contre elle, c'est
de lui offrir de partager le pouvoir avec vous ?
HŒDERER : Parfaitement. Aujourd'hui, c'est le meilleur moyen. *(Un temps.)*
Comme tu tiens à ta pureté, mon petit gars ! Comme tu as peur de te salir
les mains. Eh bien, reste pur! A qui cela servira-t-il et pourquoi viens-tu parmi
40 nous? La pureté, c'est une idée de fakir et de moine. Vous autres, les
intellectuels, les anarchistes bourgeois, vous en tirez prétexte pour ne rien faire.
Ne rien faire, rester immobile, serrer les coudes contre le corps, porter des
gants. Moi j'ai les mains sales. Jusqu'aux coudes. Je les ai plongées dans la
merde et dans le sang. Et puis après? Est-ce que tu t'imagines qu'on peut
gouverner innocemment?
HUGO : On s'apercevra peut-être un jour que je n'ai pas peur du sang.
HŒDERER : Parbleu : des gants rouges, c'est élégant. C'est le reste qui te fait
peur. C'est ce qui pue à ton petit nez d'aristocrate.
HUGO : Et nous y voilà revenus : je suis un aristocrate, un type qui n'a jamais
50 eu faim ! Malheureusement pour vous, je ne suis pas seul de mon avis.
HŒDERER : Pas seul ? Tu savais donc quelque chose de mes négociations avant
de venir ici ?
HUGO : N-non. On en avait parlé en l'air, au Parti, et la plupart des types
n'étaient pas d'accord et je peux vous jurer que ce n'étaient pas des aristocrates.
HŒDERER : Mon petit, il y a malentendu : je les connais, les gars du Parti qui
ne sont pas d'accord avec ma politique et je peux te dire qu'ils sont de mon
espèce, pas de la tienne — et tu ne tarderas pas à le découvrir. S'ils ont
désapprouvé ces négociations, c'est tout simplement qu'ils les jugent
inopportunes ; en d'autres circonstances ils seraient les premiers à les engager.
60 Toi, tu en fais une affaire de principes.
HUGO : Qui a parlé de principes ?
HŒDERER : Tu n'en fais pas une affaire de principes ? Bon. Alors voici qui doit
te convaincre : si nous traitons avec le Régent, il arrête la guerre ; les troupes
illyriennes attendent gentiment que les Russes viennent les désarmer ; si nous
rompons les pourparlers, il sait qu'il est perdu et il se battra comme un chien
enragé ; des centaines de milliers d'hommes y laisseront leur peau. Qu'en
dis-tu ? *(Un silence.)* Hein ? Qu'en dis-tu ? Peux-tu rayer cent mille hommes
d'un trait de plume ?

HUGO, *péniblement* : On ne fait pas la révolution avec des fleurs. S'ils doivent
70 y rester...
HŒDERER : Eh bien ?
HUGO : Eh bien, tant pis !
HŒDERER : Tu vois ! tu vois bien ! Tu n'aimes pas les hommes, Hugo. Tu n'aimes
que les principes.
HUGO : Les hommes ? Pourquoi les aimerais-je ? Est-ce qu'ils m'aiment ?
HŒDERER : Alors pourquoi es-tu venu chez nous ? Si on n'aime pas les hommes
on ne peut pas lutter pour eux.
HUGO : Je suis entré au Parti parce que sa cause est juste et j'en sortirai quand
elle cessera de l'être. Quant aux hommes, ce n'est pas ce qu'ils sont qui
80 m'intéresse mais ce qu'ils pourront devenir.
HŒDERER : Et moi, je les aime pour ce qu'ils sont. Avec toutes leurs saloperies
et tous leurs vices. J'aime leurs voix et leurs mains chaudes qui prennent et
leur peau, la plus nue de toutes les peaux, et leur regard inquiet et la lutte
désespérée qu'ils mènent chacun à son tour contre la mort et contre l'angoisse.
Pour moi, ça compte, un homme de plus ou de moins dans le monde. C'est
précieux. Toi, je te connais bien, mon petit, tu es un destructeur. Les hommes
tu les détestes parce que tu te détestes toi-même ; ta pureté ressemble à la
mort et la Révolution dont tu rêves n'est pas la nôtre : tu ne veux pas changer
le monde, tu veux le faire sauter.
90 HUGO, *s'est levé* : Hœderer !
HŒDERER : Ce n'est pas ta faute : vous êtes tous pareils. Un intellectuel, ça
n'est pas un vrai révolutionnaire ; c'est tout juste bon à faire un assassin.

Les Mains sales, V, 3 (Librairie Gallimard, éditeur).

HUGO *tue* HŒDERER. — *Pour rien ; car, à la demande des Russes, tous les communistes
se rallient à sa politique. « Non récupérable », HUGO est supprimé par le Parti.*

Le « faire », révélateur de l'« être »

Dans cette page de *Situations II*, SARTRE déduit avec une remarquable fermeté les
caractères de la littérature contemporaine tels qu'ils doivent résulter de la conjoncture
historique et de sa propre philosophie ; c'est la phase constructive qui suit l'expérience
de la *Nausée* (cf. p. 703). Pourtant ces réflexions si lucides ne laissent pas de soulever
des objections. D'abord, l'œuvre de Sartre ressemble peu aux exemples qu'il cite (auxquels
on pourrait ajouter celui de Malraux) ; cette *fusion de la littérature et de l'action*, l'a-t-il
lui-même réalisée ? ne le sent-on pas souvent partagé entre la création proprement dite
et la littérature didactique (exposé d'une philosophie débouchant directement sur
l'engagement politique et la polémique) ? D'autre part, le roman contemporain n'a-t-il
pas trouvé d'autres moyens de renouveler l'analyse psychologique traditionnelle ?

Pour nous, le *faire* est révélateur de l'*être*, chaque geste dessine des figures
nouvelles sur la terre, chaque technique, chaque outil est un sens ouvert sur
le monde ; les choses ont autant de visages qu'il y a de manières de s'en servir.
Nous ne sommes plus avec ceux qui veulent posséder le monde mais avec ceux
qui veulent le changer, et c'est au projet [1] même de le changer qu'il révèle les
secrets de son être. On a du marteau, dit Heidegger [2], la connaissance la plus
intime quand on s'en sert pour marteler. Et du clou, quand on l'enfonce dans
le mur, et du mur quand on y enfonce le clou. Saint-Exupéry nous a ouvert

---

— 1 Sartre oppose le *projet* à la prétendue | phe allemand, né en 1889 ; un des maîtres de
nature (de l'homme ou des choses). — 2 Philoso- | l'existentialisme.

le chemin, il a montré que l'avion, pour le pilote, est un organe de perception [3] ;
10 une chaîne de montagnes à 600 kilomètres-heure et dans la perspective nouvelle
du survol, c'est un nœud de serpents : elles se tassent, noircissent, poussent leurs
têtes dures et calcinées contre le ciel, cherchent à nuire, à cogner ; la vitesse,
avec son pouvoir astringent, ramasse et presse autour d'elle les plis de la robe
terrestre, Santiago saute dans le voisinage de Paris, à quatorze mille pieds de
haut les attractions obscures qui tirent San Antonio vers New-York brillent
comme des rails. Après lui, après Hemingway, comment pourrions-nous songer
à décrire ? Il faut que nous plongions les choses dans l'action : leur densité d'être
se mesurera pour le lecteur à la multiplicité des relations pratiques qu'elles
entretiendront avec les personnages. Faites gravir la montagne par le contre-
20 bandier, par le douanier, par le partisan, faites-la survoler par l'aviateur [4], et la
montagne surgira tout à coup de ces actions connexes, sautera hors de votre livre,
comme un diable de sa boîte. Ainsi le monde et l'homme se révèlent par les
entreprises. Et toutes les entreprises dont nous pouvons parler se réduisent à une
seule : celle de faire l'histoire. Nous voilà conduits par la main jusqu'au moment
où il faut abandonner la littérature de l'*exis* pour inaugurer celle de la *praxis* [5].

La *praxis* comme action dans l'histoire et sur l'histoire, c'est-à-dire comme
synthèse de la relativité historique et de l'absolu moral et métaphysique [6], avec
ce monde hostile et amical, terrible et dérisoire qu'elle nous révèle, voilà notre
sujet. Je ne dis pas que nous ayons choisi ces chemins austères, et il en est
30 sûrement parmi nous qui portaient en eux quelque roman d'amour charmant
et désolé qui ne verra jamais le jour. Qu'y pouvons-nous ? Il ne s'agit pas de
choisir son époque mais de se choisir en elle [7].

> *Qu'est-ce que la littérature ?* IV, *Situation de l'écrivain en 1947* (Librairie Gallimard, éditeur).

Une vocation d'écrivain

« *J'étais écrivain,* dit Jean-Paul Sartre, *comme Charles Schweitzer était grand-père : de
naissance et pour toujours* »; et plus loin : « On écrit pour ses voisins ou pour Dieu. Je
pris le parti d'écrire pour Dieu en vue de sauver mes voisins. [...] Avant de sauver
l'humanité, je commencerais par lui bander les yeux ; alors seulement je me tournerais
contre les petits reîtres noirs et véloces, contre les mots. » Voici ses réflexions sur sa
vocation précoce. – THÈMES : *Enfance. Autobiographie. Souvenir. Littérature.*

J'avais neuf ans. Fils unique et sans camarade, je n'imaginais pas que mon
isolement pût finir. Il faut avouer que j'étais un auteur très ignoré. J'avais
recommencé d'écrire. Mes nouveaux romans, faute de mieux, ressemblaient
aux anciens trait pour trait, mais personne n'en prenait connaissance. Pas même
moi, qui détestais me relire : ma plume allait si vite que, souvent, j'avais mal
au poignet ; je jetais sur le parquet les cahiers remplis, je finissais par les oublier,
ils disparaissaient ; pour cette raison je n'achevais rien : à quoi bon raconter
la fin d'une histoire quand le commencement s'en est perdu. D'ailleurs, si
Karl [1] avait daigné jeter un coup d'œil sur ces pages, il n'aurait pas été *lecteur*
10 à mes yeux mais juge suprême et j'aurais redouté qu'il ne me condamnât.

— 3 « Voir surtout *Terre des Hommes.* » (Note
de Sartre.) — 4 « Comme Hemingway, par
exemple, dans *Pour qui sonne le glas.* » (Note de
Sartre.) — 5 L'*exis,* en grec, est l'état, la manière
d'être, la *praxis* est l'action (cf. l. 1). — 6 Dialectique hégélienne (thèse, antithèse, synthèse).

— 7 L'homme est *en situation ;* si sa liberté
théorique en est limitée ou même anéantie, c'est
au contraire, selon Sartre, ce qui fonde *sa liberté
réelle.*
— 1 *Karl :* le grand-père de Sartre, *Charles*
Schweitzer.

L'écriture, mon travail noir, ne renvoyait à rien et, du coup, se prenait elle-même pour fin : j'écrivais pour écrire. Je ne le regrette pas : eussé-je été lu, je tentais de plaire, je redevenais merveilleux. Clandestin, je fus vrai.

Enfin l'idéalisme du clerc se fondait sur le réalisme de l'enfant. Je l'ai dit plus haut : pour avoir découvert le monde à travers le langage, je pris longtemps le langage pour le monde. Exister, c'était posséder une appellation contrôlée, quelque part sur les Tables infinies du Verbe ; écrire c'était y graver des êtres neufs ou — ce fut ma plus tenace illusion — prendre les choses, vivantes, au piège des phrases : si je combinais les mots ingénieusement, l'objet 20 s'empêtrait dans les signes, je le tenais. Je commençais, au Luxembourg, par me fasciner sur un brillant simulacre de platane [1] : je ne l'observais pas, tout au contraire, je faisais confiance au vide, j'attendais ; au bout d'un moment, son vrai feuillage surgissait sous l'aspect d'un simple adjectif ou, quelquefois, de toute une proposition : j'avais enrichi l'univers d'une frissonnante verdure. Jamais je n'ai déposé mes trouvailles sur le papier : elles s'accumulaient, pensais-je, dans ma mémoire. En fait je les oubliais. Mais elles me donnaient un pressentiment de mon rôle futur : j'imposerais des noms. Depuis plusieurs siècles, à Aurillac [2], de vains amas de blancheurs réclamaient des contours fixes, un sens ; j'en ferais des monuments véritables. Terroriste, je ne visais que leur 30 être : je le constituerais par le langage ; rhétoricien, je n'aimais que les mots : je dresserais des cathédrales de paroles sous l'œil bleu du mot ciel. Je bâtirais pour des millénaires. Quand je prenais un livre, j'avais beau l'ouvrir et le fermer vingt fois, je voyais bien qu'il ne s'altérait pas. Glissant sur cette substance incorruptible : le *texte*, mon regard n'était qu'un minuscule accident de surface, il ne dérangeait rien, n'usait pas. Mais, par contre, passif, éphémère, j'étais un moustique ébloui, traversé par les feux d'un phare ; je quittais le bureau, j'éteignais : invisible dans les ténèbres, le livre étincelait toujours ; pour lui seul. Je donnerais à mes ouvrages la violence de ces jets de lumière corrosifs, et, plus tard, dans les bibliothèques en ruines, ils survivraient à l'homme. *Les Mots* (Librairie Gallimard, éditeur).

Simone de Beauvoir

Née à Paris, SIMONE DE BEAUVOIR (1908-1986) rencontre Jean-Paul Sartre, au terme de brillantes études, en préparant l'agrégation de philosophie à laquelle tous deux sont reçus en 1929. Frappée d'admiration pour une intelligence qu'elle reconnaît supérieure à la sienne, elle subit l'ascendant de Sartre et devient sa compagne ; leur union est cimentée par un anticonformisme volontiers agressif et par une commune révolte contre leur milieu d'origine. Professeur à Marseille, à Rouen, puis à Paris (jusqu'en 1943), en dépit d'une extrême liberté d'allures, Simone de Beauvoir ne trouve pas dans l'exercice de son métier les conditions favorables à une *émancipation totale ;* et surtout elle aspire depuis longtemps à affirmer pleinement sa personnalité par la *création littéraire.*

ROMANS. Sa carrière d'écrivain commence en 1943 avec *L'Invitée,* roman qui renouvelle le thème éternel de la *jalousie :* subissant l'existence de *l'Autre* « comme un irréductible scandale », Françoise tuera Xavière, « l'Invitée » dont elle ne peut supporter ni l'immixtion entre elle et Pierre ni la *présence critique,* qui lui semble anéantir son autonomie morale (cf. p. 709). Puis c'est *Le Sang des autres* (1944) et *Tous les hommes sont mortels* (1947), apologue tendant à faire apparaître le caractère illusoire de toute aspiration à l'immortalité. Ces thèmes ne manquent pas d'intérêt, mais sont présentés parfois sous une forme trop didactique (l'auteur le reconnaîtra d'ailleurs dans une très intelligente autocritique *(La Force de l'âge).* En 1954, le prix Goncourt attribué aux *Mandarins* attire sur son œuvre l'attention du grand public.

Essais. Parallèlement, Simone de Beauvoir traite des thèmes existentialistes au théâtre (*Les Bouches inutiles*) et dans des essais philosophiques (*Pyrrhus et Cinéas*, 1944 ; *Pour une morale de l'ambiguïté*, 1947). Elle consacre une volumineuse étude, *Le Deuxième Sexe* (1949), à la *condition de la femme* : à l'en croire, il n'est pas plus d'« éternel féminin » que de « nature humaine » ; les traits distinctifs de la psychologie féminine seraient dus à un long asservissement et non à des différences originelles et immuables ; mais la thèse se trouve compromise par la méconnaissance de l'instinct maternel. Mentionnons encore des reportages plus « engagés » que pittoresques (*L'Amérique au jour le jour*, 1948, et *La Longue Marche*, essai sur la Chine, 1957).

Mémoires. Elle a enfin publié ses souvenirs (*Mémoires d'une jeune fille rangée*, 1958 ; *La Force de l'âge*, 1960 ; *La Force des choses*, 1963), des réflexions sur la mort de sa mère (*Une mort très douce*, 1964), sur *La Vieillesse* (1970), sur la mort de Sartre (*La Cérémonie des adieux*, 1981), et une sorte de bilan : *Tout Compte fait* (1972). Peut-être a-t-elle trouvé là le mode d'expression qui lui convient le mieux. *Les Mandarins* étaient déjà des mémoires transposés concernant la « chapelle » existentialiste et les rapports entre Sartre et Camus au lendemain de la Libération. D'une façon générale, l'auteur montre peu d'invention dans ses romans ; tout à fait égocentrique, peu artiste, mais riche d'expériences de toute sorte et goûtant avidement la vie, c'est lorsqu'elle nous parle d'elle-même et de son entourage, sans déguisement ni fiction, que Simone de Beauvoir nous intéresse le plus.

Mort d'Élizabeth

Les *Mémoires d'une jeune fille rangée* sont l'histoire d'une *émancipation* intellectuelle, morale et sociale. Où l'auteur a réussi, son amie Élizabeth Mabille a échoué tragiquement : telle est l'idée directrice de la page qu'on va lire. Cette *thèse* et ce *prosélytisme*, quoiqu'ils restent relativement discrets, risquent de paraître irritants : toute thèse n'est-elle pas vaine, devant le mystère d'une destinée ? Mais l'admirable figure de « Zaza », si humaine, si sensible, et le caractère pathétique de sa fin font de cet épisode le sommet de l'ouvrage. Les *Mémoires* deviennent alors un véritable roman, un *roman véridique*, et se haussent même à la *dignité tragique*. D'ailleurs, Simone de Beauvoir, qui pèche parfois par sécheresse, laisse paraître ici son *émotion*, que trahit le rythme saccadé d'un récit sans apprêt. – Thèmes : *Amour. Famille. Femme. Mort. Psychologie. Souvenir.*

Zaza est éprise du normalien Pradelle qui répond à son amour ; mais les deux familles n'envisagent pas volontiers leur union, Pradelle se montre peu empressé, il manque de caractère, et surtout il ne peut deviner la violence de la passion qu'il a inspirée.

Pradelle l'avait avertie que son frère venait de s'embarquer et que pendant une semaine le soin de consoler sa mère l'occuperait tout entier. Cette fois encore, elle affectait de trouver naturel qu'il n'hésitât pas à la sacrifier ; mais j'étais certaine que de nouveaux doutes la rongeaient ; et je déplorai que pendant huit jours aucune voix ne dût faire échec aux « lugubres avertissements » prodigués par madame Mabille.

Dix jours plus tard, je la rencontrai par hasard au bar Poccardi ; j'avais été lire à la Nationale, elle faisait des courses dans le quartier : je l'accompagnai. A mon grand étonnement, elle débordait de gaieté. Elle avait beaucoup réfléchi
10 au cours de cette semaine solitaire, et peu à peu, tout s'était mis en ordre dans sa tête et dans son cœur ; même son départ pour Berlin ne l'effrayait plus. Elle aurait des loisirs, elle essaierait d'écrire le roman auquel elle pensait depuis longtemps, elle lisait beaucoup : jamais elle n'avait eu une telle soif de lecture. Elle venait de redécouvrir Stendhal avec admiration. Sa famille le haïssait si catégoriquement qu'elle n'avait pas réussi jusqu'alors à surmonter tout à fait cette prévention ; mais en le relisant ces jours derniers, elle l'avait enfin compris, et aimé sans réticence.

Elle sentait le besoin de réviser un grand nombre de ses jugements : elle avait l'impression qu'une sérieuse évolution venait brusquement de se déclencher en elle. Elle me parla avec une chaleur, une exubérance presque insolites ; il y avait
20 quelque chose de forcené dans son optimisme. Cependant je me réjouis : elle avait retrouvé des forces neuves et il me semblait qu'elle était en train de beaucoup se rapprocher de moi. Je lui dis au revoir, le cœur plein d'espoir.

Quatre jours plus tard, je reçus un mot de madame Mabille : Zaza était très malade ; elle avait une grosse fièvre, et d'affreux maux de tête. Le médecin l'avait fait transporter dans une clinique de Saint-Cloud ; il lui fallait une solitude et un calme absolus ; elle ne devait recevoir aucune visite ; si la fièvre ne tombait pas, elle était perdue.

Je vis Pradelle. Il me raconta ce qu'il savait. Le surlendemain de ma rencontre avec Zaza, madame Pradelle était seule dans son appartement quand on sonna ;
30 elle ouvrit, et elle se trouva devant une jeune fille bien vêtue, mais qui ne portait pas de chapeau : à l'époque, c'était tout à fait incorrect. « Vous êtes la mère de Jean Pradelle ? demanda-t-elle. Je peux vous parler ? » Elle se présenta et madame Pradelle la fit entrer. Zaza regardait autour d'elle ; elle avait un visage crayeux avec des pommettes enflammées. « Jean n'est pas là ? pourquoi ? Il est déjà au ciel ? » Madame Pradelle, effrayée, lui dit qu'il allait rentrer. « Est-ce que vous me détestez, Madame ? » demanda Zaza. L'autre protesta. « Alors, pourquoi ne voulez-vous pas que nous nous mariions ? » Madame Pradelle essaya de son mieux de la calmer ; elle était apaisée quand un peu plus tard Pradelle rentra, mais son front et ses mains brûlaient. « Je vais vous reconduire »
40 dit-il. Ils prirent un taxi et tandis qu'ils roulaient vers la rue de Berri, elle demanda avec reproche : « Vous ne voulez pas m'embrasser ? Pourquoi ne m'avez-vous jamais embrassée ? » Il l'embrassa.

Madame Mabille la mit au lit et appela le médecin ; elle s'expliqua avec Pradelle : elle ne voulait pas le malheur de sa fille, elle ne s'opposait pas à ce mariage. Madame Pradelle ne s'y opposait pas non plus : elle ne voulait le malheur de personne. Tout allait s'arranger. Mais Zaza avait quarante de fièvre et délirait.

Pendant quatre jours, dans la clinique de Saint-Cloud, elle réclama « mon violon, Pradelle, Simone et du champagne ». La fièvre ne tomba pas. Sa mère
50 eut le droit de passer la dernière nuit près d'elle. Zaza la reconnut et sut qu'elle mourait. « N'ayez pas de chagrin, maman chérie, dit-elle. Dans toutes les familles il y a du déchet : c'est moi le déchet. »

Quand je la revis, dans la chapelle de la clinique, elle était couchée au milieu d'un parterre de cierges et de fleurs. Elle portait une longue chemise de nuit en toile rêche. Ses cheveux avaient poussé, ils tombaient en mèches raides autour d'un visage jaune, et si maigre, que j'y retrouvai à peine ses traits. Les mains aux longues griffes pâles, croisées sur le crucifix, semblaient friables comme celles d'une très vieille momie. Madame Mabille sanglotait. « Nous n'avons été que les instruments entre les mains de Dieu » lui dit M. Mabille.
60 Les médecins parlèrent de méningite, d'encéphalite, on ne sut rien de précis. S'agissait-il d'une maladie contagieuse, d'un accident ? ou Zaza avait-elle succombé à un excès de fatigue et d'angoisse ? Souvent la nuit elle m'est apparue, toute jaune sous une capeline rose et elle me regardait avec reproche. Ensemble nous avions lutté contre le destin fangeux qui nous guettait et j'ai pensé longtemps que j'avais payé ma liberté de sa mort.

Mémoires d'une jeune fille rangée, IV (Librairie Gallimard, éditeur).

LA PHILOSOPHIE DE L'ABSURDE

ALBERT CAMUS

LA VOCATION PHILOSOPHIQUE. Fils d'un ouvrier agricole, ALBERT CAMUS est né en Algérie en 1913. Ayant perdu son père à la guerre de 1914, il sera élevé par sa mère, d'origine espagnole, dans un pauvre appartement d'un quartier populaire d'Alger. Après le baccalauréat, pour mener à bien ses études de philosophie, il doit accepter de menus emplois dans le commerce ou l'administration ; il présente en 1936 un diplôme d'études supérieures sur les rapports de l'hellénisme et du christianisme dans les œuvres de Plotin et de saint Augustin, mais la tuberculose l'empêchera de passer l'agrégation de philosophie. Dès cette époque il a *la passion du théâtre* et fonde la troupe de « L'Équipe » pour laquelle il adapte *Le Temps du mépris* de Malraux, le *Prométhée* d'Eschyle et *Les Frères Karamazov* de Dostoïevsky. Il aimera plus tard confier ses idées à des fictions dramatiques et sera aussi un excellent adaptateur de pièces anciennes ou étrangères : *Les Esprits* de Larivey (1953), *La Dévotion à la Croix* de Calderon (1953), *Requiem pour une nonne* de Faulkner (1957), *Les Possédés* de Dostoïevsky (1959).

JOURNALISME ET RÉSISTANCE. Devenu journaliste à Alger puis à Paris, il cherche à s'engager en 1940, mais est ajourné pour raison de santé. Sous l'occupation allemande, il tient une place importante dans la Résistance et devient en août 1944 rédacteur en chef du journal *Combat :* les articles très remarqués qu'il publie désormais seront rassemblés sous le titre d'*Actuelles* (1950 et 1953). CAMUS continuera à militer en faveur des déshérités et des victimes de la lutte pour la liberté ; il lancera en 1956 un appel aux musulmans en faveur de la trève en Algérie et publiera en 1957, avec Koestler, des *Réflexions sur la peine capitale* tendant à l'abolition de la peine de mort.

DE L'HOMME ABSURDE A L'HOMME RÉVOLTÉ. Tour à tour essayiste, romancier et auteur dramatique comme J.-P. Sartre, CAMUS se consacrera de plus en plus à sa carrière d'écrivain. Son œuvre pourrait, en gros, s'ordonner autour de deux pôles : l'*absurde* et la *révolte,* correspondant aux deux étapes de son itinéraire philosophique.

1. LA MORALE DE L'ABSURDE. La prise de conscience du non-sens de la vie le conduit à l'idée que l'homme est libre de vivre « sans appel », quitte à payer les conséquences de ses erreurs, et doit épuiser les joies de cette terre. Ces idées, exposées dans *Le Mythe de Sisyphe* (1942), sont illustrées par le roman de *L'Étranger* (1942) et, en 1944, par deux pièces de théâtre : *Caligula* et *Le Malentendu.*

2. L'HUMANISME DE LA RÉVOLTE. L'auteur aboutit à la découverte d'une valeur qui donne à l'action son sens et ses limites : la *nature humaine.* Cet humanisme apparaît dans *La Peste* (1947) et dans deux pièces de théâtre, *L'État de siège* (1948) et *Les Justes* (1949), avant de s'exprimer vigoureusement dans *L'Homme révolté* (1951). *Le Premier Homme* (posthume, 1994) est un récit autobiographique inachevé.

La carrière de CAMUS est donc celle d'un *psychologue* et d'un *moraliste.* Dans son exigence de probité, avec une réserve et une sobriété toutes classiques, il accorde la première place aux *idées* et refuse de sacrifier à la magie du style. Pourtant ce serait une erreur de méconnaître la *variété* et l'exacte *appropriation* de son art d'écrivain. Sans doute a-t-il su nous imposer dans *L'Étranger* et *La Peste* ce style neutre, impersonnel, tout en notations sèches et monotones, qui est devenu inséparable du climat de l'absurde ; mais on découvre aisément dans son œuvre des résurgences de l'aptitude poétique à traduire les sensations dans leur pleine saveur qui triomphait dans *Noces* (1938), un des premiers essais où, avant l'amère découverte de l'absurde, le jeune Camus célébrait avec fougue ses « *noces avec le monde ».* Et l'on sera sensible à l'ironie et à l'humour qui jettent çà et là de discrètes lueurs, avant de briller de tout leur éclat dans *La Chute* (1956), œuvre étrange et séduisante dont la verve et le rythme capricieux font songer à la « satire » du *Neveu de Rameau.*

Camus et le théâtre

Camus réglant une mise en scène au festival d'Angers (1953). (Ph. © Agence Bernand – Arch. Photeb)

Une passion

« Une scène de théâtre est un des lieux du monde où je suis heureux », déclarait Albert Camus en 1959. Tout jeune, il avait fondé en Algérie la troupe de *L'Équipe*. Il a écrit des adaptations de pièces anciennes et modernes (cf. **p. 720**) et composé, pour illustrer sa pensée, des pièces dont les plus connues sont *Caligula* (cf. **p. 729**) et *Les Justes*.

La carrière de Camus s'est trouvée prématurément brisée en 1960 par l'accident d'automobile qui lui coûta la vie. Peu auparavant, en 1957, le prix Nobel était venu couronner son œuvre *« qui met en lumière les problèmes se posant de nos jours à la conscience des hommes »*.

CAMUS ET L'ABSURDE

« Un jour vient [...] *et l'homme constate ou dit qu'il a trente ans. Il affirme ainsi sa jeunesse. Mais du même coup, il se situe par rapport au temps.* [...] *Il appartient au temps et, à cette horreur qui le saisit, il y reconnaît son pire ennemi. Demain, il souhaitait demain, quand tout lui-même aurait dû s'y refuser. Cette révolte de la chair, c'est l'absurde. »*

Bien qu'apparenté dans une certaine mesure à l'existentialisme (cf. p. 701), Albert Camus s'en est assez nettement séparé pour attacher son nom à une doctrine personnelle, *la philosophie de l'absurde*. Définie dans *Le Mythe de Sisyphe, essai sur l'absurde* (1942), reprise dans *L'Étranger* (1942), puis au théâtre dans *Caligula* et *Le Malentendu* (1944), elle se retrouve, à travers une évolution sensible de sa pensée, jusque dans *La Peste* (1947). Il importe, pour lever toute équivoque, d'étudier cette philosophie dans *Le Mythe de Sisyphe* et de préciser la signification de termes comme *l'absurde, l'homme absurde, la révolte, la liberté, la passion,* qui, sous la plume de Camus, ont une résonance particulière.

Non-sens de la vie   La vie vaut-elle d'être vécue ? Pour la plupart des hommes, vivre se ramène à « faire les gestes que l'*habitude* commande ». Mais le *suicide* soulève la question fondamentale du sens de la vie : « *Mourir volontairement suppose qu'on a reconnu, même instinctivement, le caractère dérisoire de cette habitude, l'absence de toute raison profonde de vivre, le caractère insensé de cette agitation quotidienne et l'inutilité de la souffrance* ».

I. LE SENTIMENT DE L'ABSURDE. Pareille prise de conscience est rare, personnelle et incommunicable. Elle peut surgir de la « nausée » (cf. p. 703) qu'inspire le *caractère machinal de l'existence* sans but : « Il arrive que les décors s'écroulent. Lever, tramway, quatre heures de bureau ou d'usine, repas, tramway, quatre heures de travail, repas, sommeil et lundi mardi mercredi jeudi vendredi et samedi sur le même rythme, cette route se suit aisément la plupart du temps. Un jour seulement, le « pourquoi » s'élève et tout commence dans cette lassitude teintée d'écœurement. » Cette découverte peut naître du sentiment de *l'étrangeté de la nature*, de *l'hostilité primitive du monde* auquel on se sent tout à coup *étranger*. Ou encore de l'idée que tous les jours d'une vie sans éclat sont stupidement subordonnés au lendemain, alors que *le temps* qui conduit à l'anéantissement de nos efforts est notre pire ennemi. Enfin, c'est surtout *la certitude de la mort*, ce « côté élémentaire et définitif de l'aventure » qui nous en révèle l'absurdité : « Sous l'éclairage mortel de cette destinée, l'inutilité apparaît. Aucune morale, aucun effort ne sont a priori justifiables devant les sanglantes mathématiques de notre condition. » D'ailleurs *l'intelligence*, reconnaissant son inaptitude à comprendre le monde, nous dit aussi à sa manière que *ce monde est absurde,* ou plutôt « peuplé d'irrationnels ».

II. DÉFINITION DE L'ABSURDE. En fait, ce n'est pas le monde qui est absurde mais la *confrontation* de son caractère *irrationnel* et de *ce désir éperdu de clarté dont l'appel résonne au plus profond de l'homme*. Ainsi l'absurde n'est ni dans l'homme ni dans le monde, mais dans leur présence commune. *Il naît de leur antinomie*. « Il est pour le moment leur seul lien. Il les scelle l'un à l'autre comme la haine seule peut river les êtres... L'irrationnel, la nostalgie humaine et l'absurde qui surgit de leur tête-à-tête, voilà les trois personnages du *drame* qui doit nécessairement finir avec toute la logique dont une existence est capable. »

L'homme absurde   Si cette notion d'absurde est essentielle, si elle est la première de nos vérités, toute solution du drame doit la préserver. Camus récuse donc les *attitudes d'évasion* qui consisteraient à escamoter l'un ou l'autre terme : d'une part, le *suicide*, qui est la suppression de la conscience ; d'autre part, les doctrines situant *hors de ce monde* les raisons et les espérances qui donneraient un sens à la vie, c'est-à-dire soit la *croyance religieuse,* soit ce qu'il appelle le *suicide philosophique* des existentialistes (Jaspers, Chestov, Kierkegaard) qui, par diverses voies, divinisent l'irrationnel ou, faisant de l'absurde le critère de l'autre monde, le transforment en « tremplin d'éternité ». Au contraire, seul donne au drame sa solution logique celui qui décide de *vivre seulement avec ce qu'il sait,* c'est-à-dire avec la conscience de l'affrontement sans espoir entre l'esprit et le monde.

« *Je tire de l'absurde,* dit CAMUS, *trois conséquences qui sont ma révolte, ma liberté, ma passion. Par le seul jeu de ma conscience, je transforme en règle de vie ce qui était invitation à la mort — et je refuse le suicide.* » Ainsi se définit l'attitude de « l'homme absurde ».

I. LE DÉFI. « Vivre une expérience, un destin, c'est l'accepter pleinement. Or on ne vivra pas ce destin, le sachant absurde, si on ne fait pas tout pour maintenir devant soi cet absurde mis à jour par la conscience... *Vivre, c'est faire vivre l'absurde. Le faire vivre, c'est avant tout le regarder...* L'une des seules positions philosophiques cohérentes, c'est ainsi la RÉVOLTE. Elle est un confrontement perpétuel de l'homme et de sa propre obscurité. Elle remet le monde en question à chacune de ses secondes... Elle n'est pas aspiration, elle est sans espoir. Cette révolte n'est que l'assurance d'un destin écrasant, moins la résignation qui devrait l'accompagner. » C'est ainsi que CAMUS oppose à l'esprit du suicidé (qui, d'une certaine façon, consent à l'absurde) celui du condamné à mort qui est en même temps conscience et refus de la mort (cf. p. 727). Selon lui, *c'est cette révolte qui confère à la vie son prix et sa grandeur,* exalte l'intelligence et l'orgueil de l'homme aux prises avec une réalité qui le dépasse, et l'invite *à tout épuiser et à s'épuiser,* car il sait que « dans cette conscience et dans cette révolte au jour le jour, il témoigne de sa seule vérité qui est le *défi* ».

II. LA LIBERTÉ. L'homme absurde laisse de côté le problème de « la liberté en soi » qui n'aurait de sens qu'en relation avec la croyance en Dieu ; il ne peut éprouver que sa propre liberté d'esprit ou d'action. Jusqu'à la rencontre de l'absurde, il avait l'illusion d'être libre mais était esclave de l'habitude ou des préjugés qui ne donnaient à sa vie qu'un semblant de but et de valeur. La découverte de l'absurde lui permet de tout voir d'un regard neuf : il est *profondément libre* à partir du moment où il connaît *lucidement* sa condition sans espoir et sans lendemain. Il se sent alors *délié des règles communes* et apprend à *vivre « sans appel ».*

III. LA PASSION. Vivre dans un univers absurde consistera à *multiplier avec passion les expériences lucides,* pour « être en face du monde le plus souvent possible ». Montaigne insistait sur la *qualité* des expériences qu'on accroît en y associant son âme ; CAMUS insiste sur leur *quantité,* car leur qualité découle de notre présence au monde en pleine conscience : « *Sentir sa vie, sa révolte, sa liberté, et le plus possible, c'est vivre et le plus possible. Là où la lucidité règne, l'échelle des valeurs devient inutile... Le présent et la succession des présents devant une âme sans cesse consciente, c'est l'idéal de l'homme absurde.* »

Tout est permis, s'écriait Ivan Karamazov (cf. p. 322). CAMUS note que ce cri comporte plus d'amertume que de joie, car il n'y a plus de valeurs consacrées pour orienter notre choix ; « l'absurde, dit-il, ne délivre pas, il lie. Il n'autorise pas tous les actes. *Tout est permis* ne signifie pas que rien n'est défendu. L'absurde rend seulement leur *équivalence* aux conséquences de ces actes. Il ne recommande pas le crime, ce serait puéril, mais il restitue au remords son inutilité. De même, si toutes les expériences sont indifférentes, celle du devoir est aussi légitime qu'une autre. » C'est justement dans le champ des possibles et avec ces limites que s'exerce la liberté de l'homme absurde : les conséquences de ses actes sont simplement ce qu'il faut payer et il y est prêt. *L'homme est sa propre fin et il est sa seule fin,* mais parmi ses actes il en est qui servent ou desservent l'humanité, et c'est dans le sens de cet *humanisme* que va évoluer la pensée de CAMUS (cf. p. 732).

« Il faut imaginer Sisyphe heureux »

« Les dieux avaient condamné Sisyphe à rouler sans cesse un rocher jusqu'au sommet d'une montagne d'où la pierre retombait par son propre poids. Ils avaient pensé avec quelque raison qu'il n'est pas de punition plus terrible que le travail inutile et sans espoir. » Évoquant la légende de ce personnage à qui son mépris des dieux, sa haine de la mort et sa passion pour la vie avaient valu « ce supplice indicible où tout l'être s'emploie à ne rien achever », CAMUS reconnaît en lui *le héros absurde*. Au moment où SISYPHE redescend une fois de plus vers la plaine, il lui prête la *révolte*, la *liberté* et la *passion* qu'il a définies dans *Le Mythe de Sisyphe, essai sur l'absurde* : en prenant conscience de la vanité de ses efforts sans espoir, Sisyphe se rend supérieur à ce qui l'écrase ; s'emparant de son propre destin, il fonde sa grandeur sur la lutte et tire de cet univers sans maître le seul bonheur qui soit accessible à l'homme.

THÈMES : *Philosophie. Religion. Providence. Bonheur. Antiquité. Hellénisme. Symboles.*

Tout au bout de ce long effort mesuré par l'espace sans ciel et le temps sans profondeur, le but est atteint. Sisyphe regarde alors la pierre dévaler en quelques instants vers ce monde inférieur d'où il faudra la remonter vers les sommets. Il redescend dans la plaine.

C'est pendant ce retour, cette pause, que Sisyphe m'intéresse. Un visage qui peine si près des pierres est déjà pierre lui-même. Je vois cet homme redescendre d'un pas lourd mais égal vers le tourment dont il ne connaîtra pas la fin. Cette heure qui est comme une respiration et qui revient aussi sûrement que son malheur, cette heure est celle de la conscience. A chacun
10 de ces instants, où il quitte les sommets et s'enfonce peu à peu vers les tanières des dieux, il est supérieur à son destin. Il est plus fort que son rocher.

Si ce mythe est tragique, c'est que son héros est conscient. Où serait en effet sa peine, si à chaque pas l'espoir de réussir le soutenait ? L'ouvrier d'aujourd'hui travaille, tous les jours de sa vie, aux mêmes tâches et ce destin n'est pas moins absurde. Mais il n'est tragique qu'aux rares moments où il devient conscient. Sisyphe, prolétaire des dieux, impuissant et révolté, connaît toute l'étendue de sa misérable condition : c'est à elle qu'il pense pendant sa descente. La clairvoyance qui devait faire son tourment consomme du même coup sa victoire. Il n'est pas de destin qui ne se surmonte par le mépris.
20 Si la descente ainsi se fait certains jours dans la douleur, elle peut se faire aussi dans la joie. Ce mot n'est pas de trop. J'imagine encore Sisyphe revenant vers son rocher, et la douleur était au début. Quand les images de la terre tiennent trop fort au souvenir, quand l'appel du bonheur se fait trop pressant, il arrive que la tristesse se lève au cœur de l'homme : c'est la victoire du rocher, c'est le rocher lui-même. Ce sont nos nuits de Gethsémani. Mais les vérités écrasantes périssent d'être reconnues. Ainsi, Œdipe obéit d'abord au destin sans le savoir. A partir du moment où il sait, sa tragédie commence. Mais dans le même instant, aveugle et désespéré, il reconnaît que le seul lien qui le rattache au monde, c'est la main fraîche d'une jeune fille. Une parole démesurée retentit
30 alors : « Malgré tant d'épreuves, mon âge avancé et la grandeur de mon âme me font juger que tout est bien. » L'Œdipe de Sophocle, comme le Kirilov de Dostoïevsky, donne ainsi la formule de la victoire absurde. La sagesse antique rejoint l'héroïsme moderne.

On ne découvre pas l'absurde sans être tenté d'écrire quelque manuel du bonheur. « Eh ! quoi, par des voies si étroites... ? » Mais il n'y a qu'un monde.

Le bonheur et l'absurde sont deux fils de la même terre. Ils sont inséparables. L'erreur serait de dire que le bonheur naît forcément de la découverte absurde. Il arrive aussi bien que le sentiment de l'absurde naisse du bonheur. « Je juge que tout est bien », dit Œdipe, et cette parole est sacrée. Elle retentit dans
40 l'univers farouche et limité de l'homme. Elle enseigne que tout n'est pas, n'a pas été épuisé. Elle chasse de ce monde un dieu qui y était entré avec l'insatisfaction et le goût des douleurs inutiles. Elle fait du destin une affaire d'homme, qui doit être réglée entre les hommes.

Toute la joie silencieuse de Sisyphe est là. Son destin lui appartient. Son rocher est sa chose. De même, l'homme absurde, quand il contemple son tourment, fait taire toutes les idoles. Dans l'univers soudain rendu à son silence, les mille petites voix émerveillées de la terre s'élèvent. Appels inconscients et secrets, invitations de tous les visages, ils sont l'envers nécessaire et le prix de la victoire. Il n'y a pas de soleil sans ombre, et il faut connaître la nuit.
50 L'homme absurde dit oui et son effort n'aura plus de cesse. S'il y a un destin personnel, il n'y a point de destinée supérieure ou du moins il n'en est qu'une dont il juge qu'elle est fatale et méprisable. Pour le reste, il se sait le maître de ses jours. A cet instant subtil où l'homme se retourne sur sa vie, Sisyphe, revenant vers son rocher, contemple cette suite d'actions sans lien qui devient son destin, créé par lui, uni sous le regard de sa mémoire et bientôt scellé par sa mort. Ainsi, persuadé de l'origine tout humaine de tout ce qui est humain, aveugle qui désire voir et qui sait que la nuit n'a pas de fin, il est toujours en marche. Le rocher roule encore.

Je laisse Sisyphe au bas de la montagne ! On retrouve toujours son fardeau.
60 Mais Sisyphe enseigne la fidélité supérieure qui nie les dieux et soulève les rochers. Lui aussi juge que tout est bien. Cet univers désormais sans maître ne lui paraît ni stérile ni fertile. Chacun des grains de cette pierre, chaque éclat minéral de cette montagne pleine de nuit, à lui seul, forme un monde. La lutte elle-même vers les sommets suffit à remplir un cœur d'homme. Il faut imaginer Sisyphe heureux.

Le Mythe de Sisyphe (Librairie Gallimard, éditeur).

L'ÉTRANGER

Achevé en mai 1940 et publié en même temps que *Le Mythe de Sisyphe* en 1942, *L'Étranger* est en partie la traduction romanesque des idées contenues dans cet *Essai sur l'absurde*. Meursault, le narrateur, est un modeste employé de bureau, à Alger. Il retrace son existence médiocre, limitée au déroulement mécanique de gestes quotidiens et à la quête instinctive de sensations élémentaires. Il vit dans une sorte de torpeur, une étrange *indifférence :* au moment d'agir, il note d'ordinaire qu'on peut faire l'un ou l'autre et que « ça lui est égal ». Il représente *l'homme avant la prise de conscience de l'absurde,* mais déjà préparé à cet éveil lucide : sans illusion sur les valeurs consacrées, il se comporte *comme si la vie n'avait pas de sens.* L'effet produit sur le lecteur par une telle narration, objective et déprimante, est cet écœurement qui, selon Camus, est une bonne chose, car il nous conduit au sentiment de l'absurde.

Appelé à l'asile où sa mère vient de mourir, Meursault *accomplit docilement, dans les formes consacrées par l'usage, les rites de la veillée funèbre, de la levée du corps, de la cérémonie religieuse et de l'inhumation. Il a de la peine, sans doute ; mais il est foncièrement* inapte au mensonge *et, comme son chagrin n'est pas intolérable et qu'il est accablé par la chaleur, il ne fait aucun effort pour manifester sa douleur aux yeux des assistants. Le lendemain, il a retrouvé une amie d'autrefois,* Marie Cardona, *s'est baigné avec elle et l'a accompagnée au cinéma où l'on projetait un film comique.*

« *LA PORTE DU MALHEUR* »

La vie a repris son cours monotone et banal. C'est dimanche : avec MARIE et son ami Raymond, MEURSAULT va rendre visite à Masson et à sa femme qui habitent un cabanon, à l'extrémité d'une plage de banlieue. Après le déjeuner, les trois hommes ont une bagarre avec deux Arabes qui poursuivaient RAYMOND pour une histoire de femme. Ce dernier a le bras tailladé d'un coup de couteau. Voulant l'empêcher de tuer son adversaire, Meursault *lui prend son revolver* et réussit à lui faire regagner le cabanon où les deux femmes sont en pleurs. Mais voici qu'écrasé par la canicule, il cède lui-même au désir de se rendre seul au bord d'une source. On verra par quel *enchaînement aveugle* de circonstances, de sensations subies dans une sorte d'hébétude et d'impulsions instinctives, il devient, *sans raison profonde,* meurtrier d'un homme qu'il ne connaît même pas. THÈMES : *Philosophie. Psychologie. Liberté. Déterminisme. Morale. Nature.*

J'ai marché longtemps. Je voyais de loin la petite masse sombre du rocher entourée d'un halo aveuglant par la lumière et la poussière de la mer. Je pensais à la source fraîche derrière le rocher. J'avais envie de retrouver le murmure de son eau, envie de fuir le soleil, l'effort et les pleurs de femmes, envie enfin de retrouver l'ombre et son repos. Mais quand j'ai été plus près, j'ai vu que le type de Raymond était revenu.

Il était seul. Il reposait sur le dos, les mains sous la nuque, le front dans les ombres du rocher, tout le corps au soleil. Son bleu de chauffe fumait dans la chaleur. J'ai été un peu surpris. Pour moi, c'était une
10 histoire finie et j'étais venu là sans y penser.

Dès qu'il m'a vu, il s'est soulevé un peu et a mis la main dans sa poche. Moi, naturellement, j'ai serré le revolver de Raymond dans mon veston. Alors de nouveau, il s'est laissé aller en arrière, mais sans retirer la main de sa poche. J'étais assez loin de lui, à une dizaine de mètres. Je devinais son regard par instant, entre ses paupières mi-closes. Mais le plus souvent, son image dansait devant mes yeux, dans l'air enflammé. Le bruit des vagues était encore plus paresseux, plus étale qu'à midi. C'était le même soleil, la même lumière sur le même sable qui se prolongeait ici. Il y avait déjà deux heures que la journée n'avançait plus, deux heures
20 qu'elle avait jeté l'ancre dans un océan de métal bouillant. A l'horizon, un petit vapeur est passé et j'en ai deviné la tache noire au bord de mon regard, parce que je n'avais pas cessé de regarder l'Arabe.

J'ai pensé que je n'avais qu'un demi-tour à faire et ce serait fini. Mais toute une plage vibrante de soleil se pressait derrière moi. J'ai fait quelques pas vers la source. L'Arabe n'a pas bougé. Malgré tout, il était encore assez loin. Peut-être à cause des ombres sur son visage, il avait l'air de rire. J'ai attendu. La brûlure du soleil gagnait mes joues et j'ai senti des gouttes de sueur s'amasser dans mes sourcils. C'était le même soleil que le jour où j'avais enterré maman et, comme alors, le front
30 surtout me faisait mal et toutes ses veines battaient ensemble sous la peau. A cause de cette brûlure que je ne pouvais plus supporter, j'ai fait un mouvement en avant. Je savais que c'était stupide, que je ne

me débarrasserais pas du soleil en me déplaçant d'un pas. Mais j'ai fait un pas, un seul pas en avant. Et cette fois, sans se soulever, l'Arabe a tiré son couteau qu'il m'a présenté dans le soleil. La lumière a giclé sur l'acier et c'était comme une longue lame étincelante qui m'atteignait au front. Au même instant, la sueur amassée dans mes sourcils a coulé d'un coup sur les paupières et les a recouvertes d'un voile tiède et épais. Mes yeux étaient aveuglés derrière ce rideau de larmes et de sel. Je
40 ne sentais plus que les cymbales du soleil sur mon front et, indistinctement, le glaive éclatant jailli du couteau toujours en face de moi. Cette épée brûlante rongeait mes cils et fouillait mes yeux douloureux. C'est alors que tout a vacillé. La mer a charrié un souffle épais et ardent. Il m'a semblé que le ciel s'ouvrait sur toute son étendue pour laisser pleuvoir du feu. Tout mon être s'est tendu et j'ai crispé ma main sur le revolver. La gâchette a cédé, j'ai touché le ventre poli de la crosse et c'est là, dans le bruit à la fois sec et assourdissant, que tout a commencé. J'ai secoué la sueur et le soleil. J'ai compris que j'avais détruit l'équilibre du jour, le silence exceptionnel d'une plage où j'avais
50 été heureux. Alors, j'ai tiré encore quatre fois sur un corps inerte où les balles s'enfonçaient sans qu'il y parût. Et c'était comme quatre coups brefs que je frappais sur la porte du malheur.

L'Étranger, I, 6 (Librairie Gallimard, éditeur).

Déféré à la justice, MEURSAULT, *qui n'a pas conscience d'être un criminel, est un objet de* scandale *pour le procureur, pour les juges et même pour son avocat. Il leur apparaît comme* ÉTRANGER *à leur univers, parce qu'il ignore les valeurs conventionnelles qui donnent un sens à leur propre vie. Plutôt que le meurtre, le procureur lui reproche d'avoir paru* insensible *à l'enterrement de sa mère, puis de s'être baigné et d'être allé au cinéma le lendemain : tous ces incidents sans lien sont interprétés comme la preuve qu'il n'a « rien d'humain » et n'est accessible à aucun des « principes moraux qui gardent le cœur des hommes ». On l'accuse d'avoir* « enterré sa mère avec un cœur de criminel », *et il est* condamné à mort.

Le Ciel ou la Terre ?

Dans sa prison, MEURSAULT est agité de mille pensées : l'évasion, l'espoir de voir modifier la loi, le pourvoi auquel il finit par renoncer, l'attente de l'aube fatale. Il a refusé de voir l'aumônier. Pourtant ce dernier lui fait « une visite tout amicale ». Meursault vient de déclarer qu'il *ne croit pas en Dieu* et qu'en tout cas, dans le doute, il aime mieux réserver le temps qui lui reste à *ce dont il est sûr*. Le condamné, se tournant vers cette existence qu'il va perdre certainement, *se refuse à parier pour une autre vie* et préfère consacrer à *la terre* ses ultimes instants. A la fin du roman, l'homme absurde enchantera ses dernières heures par *les souvenirs du passé* et les *délicieuses sensations* d'une nuit « chargée de signes et d'étoiles. » – THÈMES : *Philosophie. Bonheur. Religion. Mort. Morale. Justice.*

Il s'est adressé à moi en m'appelant « mon ami » : s'il me parlait ainsi ce n'était pas parce que j'étais condamné à mort ; à son avis, nous étions tous condamnés à mort. Mais je l'ai interrompu en lui disant que ce n'était pas la même chose et que, d'ailleurs, ce ne pouvait être, en aucun cas, une consolation. « Certes, a-t-il approuvé. Mais vous mourrez plus tard si vous ne mourez pas aujourd'hui. La même question se posera alors. Comment aborderez-vous cette terrible épreuve ? » J'ai répondu que je l'aborderais exactement comme je l'abordais en ce moment.

Il s'est levé à ce mot et m'a regardé droit dans les yeux. C'est un jeu que
10 je connaissais bien. [...] L'aumônier aussi connaissait bien ce jeu, je l'ai tout de suite compris : son regard ne tremblait pas. Et sa voix non plus n'a pas tremblé quand il m'a dit : « N'avez-vous donc aucun espoir et vivez-vous avec la pensée que vous allez mourir tout entier ? — Oui », ai-je répondu.

Alors, il a baissé la tête et s'est rassis. Il m'a dit qu'il me plaignait. Il jugeait cela impossible à supporter pour un homme. Moi, j'ai seulement senti qu'il commençait à m'ennuyer. Je me suis détourné à mon tour et je suis allé sous la lucarne. Je m'appuyais de l'épaule contre le mur. Sans bien le suivre, j'ai entendu qu'il recommençait à m'interroger. Il parlait d'une voix inquiète et pressante. J'ai compris qu'il était ému et je l'ai mieux écouté.
20   Il me disait sa certitude que mon pourvoi serait accepté, mais je portais le poids d'un péché dont il fallait me débarrasser. Selon lui, la justice des hommes n'était rien et la justice de Dieu tout. J'ai remarqué que c'était la première qui m'avait condamné. Il m'a répondu qu'elle n'avait pas, pour autant, lavé mon péché. Je lui ai dit que je ne savais pas ce qu'était un péché. On m'avait seulement appris que j'étais un coupable. J'étais coupable, je payais, on ne pouvait rien me demander de plus. A ce moment, il s'est levé à nouveau et j'ai pensé que dans cette cellule si étroite, s'il voulait remuer, il n'avait pas le choix. Il fallait s'asseoir ou se lever.

J'avais les yeux fixés au sol. Il a fait un pas vers moi et s'est arrêté, comme s'il
30 n'osait avancer. Il regardait le ciel à travers les barreaux. « Vous vous trompez, mon fils, m'a-t-il dit, on pourrait vous demander plus. On vous le demandera peut-être. — Et quoi donc ? — On pourrait vous demander de voir. — Voir quoi ? »

Le prêtre a regardé tout autour de lui et il a répondu d'une voix que j'ai trouvée soudain très lasse : « Toutes ces pierres suent la douleur, je le sais. Je ne les ai jamais regardées sans angoisse. Mais, du fond du cœur, je sais que les plus misérables d'entre vous ont vu sortir de leur obscurité un visage divin. C'est ce visage qu'on vous demande de voir. »

Je me suis un peu animé. J'ai dit qu'il y avait des mois que je regardais ces murailles. Il n'y avait rien ni personne que je connusse mieux au monde.
40 Peut-être, il y a bien longtemps, y avais-je cherché un visage. Mais ce visage avait la couleur du soleil et la flamme du désir : c'était celui de Marie. Je l'avais cherché en vain. Maintenant, c'était fini. Et dans tous les cas, je n'avais rien vu surgir de cette sueur de pierre.

L'aumônier m'a regardé avec une sorte de tristesse. J'étais maintenant complètement adossé à la muraille et le jour me coulait sur le front. Il a dit quelques mots que je n'ai pas entendus et m'a demandé très vite si je lui permettais de m'embrasser : « Non », ai-je répondu. Il s'est retourné et a marché vers le mur sur lequel il a passé sa main lentement : « Aimez-vous donc cette terre à ce point ? » a-t-il murmuré. Je n'ai rien répondu.
50   Il est resté assez longtemps détourné. Sa présence me pesait et m'agaçait. J'allais lui dire de partir, de me laisser, quand il s'est écrié tout d'un coup avec une sorte d'éclat, en se retournant vers moi : « Non, je ne peux pas vous croire. Je suis sûr qu'il vous est arrivé de souhaiter une autre vie. » Je lui ai répondu que naturellement, mais cela n'avait pas plus d'importance que de souhaiter d'être riche, de nager très vite ou d'avoir une bouche mieux faite. C'était du même ordre. Mais lui m'a arrêté et il voulait savoir comment je voyais cette

autre vie. Alors, je lui ai crié : « Une vie où je pourrais me souvenir de celle-ci », et aussitôt je lui ai dit que j'en avais assez. Il voulait encore me parler de Dieu, mais je me suis avancé vers lui et j'ai tenté de lui expliquer une dernière fois qu'il me restait peu de temps. Je ne voulais pas le perdre avec Dieu.

L'Étranger, II, 5 (Librairie Gallimard, éditeur).

Comme, en le quittant, l'aumônier lui promet de prier pour lui, MEURSAULT *ne se domine plus : il lui crie sa* révolte *et toutes ses* certitudes — *la plus précieuse, celle d'être vivant ; la plus intolérable, celle de la mort qui va venir —, et il proclame le caractère* indifférent *de nos actes, puisque nous sommes* tous condamnés à mort. *Le prêtre se retire, les yeux pleins de larmes.*

Après son départ, le condamné retrouve le calme, s'endort, puis se réveille « avec des étoiles sur le visage » : « Des bruits de campagne montaient jusqu'à moi. Des odeurs de nuit, de terre et de sel rafraîchissaient mes tempes. La merveilleuse paix de cet été endormi entrait en moi comme une marée... Comme si cette grande colère m'avait purgé du mal, vidé d'espoir, devant cette nuit chargée de signes et d'étoiles, je m'ouvrais pour la première fois à la tendre indifférence du monde. De l'éprouver si pareil à moi, si fraternel enfin, j'ai senti que j'avais été heureux, et que je l'étais encore. »

CALIGULA

Plutôt que *Le Malentendu* (1944), dont la donnée laborieuse et mélodramatique présente les *défauts du théâtre intellectuel* quand l'auteur ne parvient pas vraiment à incarner les idées dans le drame humain, la pièce de CAMUS qui met le mieux en évidence la *philosophie de l'absurde* est sans doute *Caligula*, publié en 1944, mais écrit dès 1938.

Le jeune CALIGULA *rêvait d'être un prince juste et raisonnable ; mais devant le cadavre de Drusilla, son amante, il découvre brusquement que* « ce monde tel qu'il est fait n'est pas supportable » *et que* « les hommes meurent et ne sont pas heureux ». *Puisque rien n'a de sens, il décide alors de s'affranchir de toute règle. Il tentera vainement de* « donner des chances à l'impossible » *en cherchant à se procurer la lune ou le bonheur ou l'immortalité,* « quelque chose qui soit dément peut-être, mais qui ne soit pas de ce monde ». *Même s'il n'a pas d'action sur l'ordre du monde, il en aura du moins sur les hommes qu'il prétend* « faire vivre dans la vérité ». *Pour cela, il imagine de s'égaler aux dieux, de prendre* « leur visage bête et incompréhensible », *en se montrant comme eux* déraisonnable, insensible, cruel, injuste *et* immoral. *Affirmant ainsi sa* puissance *et sa* liberté, *et épuisant* « tout ce qui peut le faire vivre », *il espère du même coup révéler à ses victimes* l'absurdité *du monde* et les rendre libres *en tuant les préjugés qui les tenaient esclaves.*

« *Tout cela manque de sang...* »

Fidèle à son terrible dessein, CALIGULA a fait périr le père de son ami, LE JEUNE SCIPION. Dans cette scène émouvante, nous voyons Scipion partagé entre sa haine récente pour le tyran et son amitié pour le jeune prince dont la cruauté semble remonter à quelque *mystérieuse blessure*. Les deux hommes paraissent communier dans le sentiment de la beauté de la *nature* et de son harmonie avec le cœur humain. Mais tout à coup, devant son ami désemparé, Caligula proteste contre cette *image trompeuse du monde* dont il voudrait lui faire sentir l'horreur et l'*absurdité*. Scipion s'indigne de cette odieuse comédie ; mais par la suite il refusera de s'associer au meurtre de l'empereur dont il partagera le désespoir et la soif d'absolu. Pourtant, CALIGULA, lorsqu'il tombera sous les coups de conjurés qui ne veulent pas perdre leur raison de vivre, reconnaîtra que « sa liberté n'est pas la bonne » et qu'il a choisi la *mauvaise voie* en agissant contre les autres hommes comme si rien n'était défendu. – THÈMES : *Philosophie. Providence. Nature.*

CALIGULA : Ah ! c'est toi. *(Il s'arrête, un peu comme s'il cherchait une contenance.)* Il y a longtemps que je ne t'ai vu. *(Avançant lentement vers lui.)* Qu'est-ce que tu fais ? Tu écris toujours ? Est-ce que tu peux me montrer tes dernières pièces ?

LE JEUNE SCIPION, *mal à l'aise, lui aussi, partagé entre sa haine et il ne sait pas quoi :* J'ai écrit des poèmes, César.

CALIGULA : Sur quoi ?

LE JEUNE SCIPION : Je ne sais pas, César. Sur la nature, je crois.

CALIGULA, *plus à l'aise :* Beau sujet. Et vaste. Qu'est-ce qu'elle t'a fait, la nature ?

10   LE JEUNE SCIPION, *se reprenant, d'un air ironique et mauvais :* Elle me console de n'être pas César.

CALIGULA : Ah ! et crois-tu qu'elle pourrait me consoler de l'être ?

LE JEUNE SCIPION, *même jeu :* Ma foi, elle a guéri des blessures plus graves.

CALIGULA, *étrangement simple :* Blessure ? Tu dis cela avec méchanceté. Est-ce parce que j'ai tué ton père ? Si tu savais pourtant comme le mot est juste. Blessure ! *(Changeant de ton.)* Il n'y a que la haine pour rendre les gens intelligents.

LE JEUNE SCIPION, *raidi :* J'ai répondu à ta question sur la nature.

Caligula s'assied, regarde Scipion, puis lui prend brusquement les mains et l'attire de force à ses pieds. Il lui prend le visage dans ses mains.

CALIGULA : Récite-moi ton poème.

20   LE JEUNE SCIPION : Je t'en prie, César, non.

CALIGULA : Pourquoi ?

LE JEUNE SCIPION : Je ne l'ai pas sur moi.

CALIGULA : Ne t'en souviens-tu pas ?

LE JEUNE SCIPION : Non.

CALIGULA : Dis-moi du moins ce qu'il contient.

LE JEUNE SCIPION, *toujours raidi et comme à regret :* J'y parlais...

CALIGULA : Eh bien ?

LE JEUNE SCIPION : Non, je ne sais pas...

CALIGULA : Essaye...

30   LE JEUNE SCIPION : J'y parlais d'un certain accord de la terre...

CALIGULA, *l'interrompant, d'un ton absorbé :* ...de la terre et du pied.

LE JEUNE SCIPION, *surpris, hésite et continue :* Oui, c'est à peu près cela...

CALIGULA : Continue...

LE JEUNE SCIPION : ... et aussi de la ligne des collines romaines et de cet apaisement fugitif et bouleversant qu'y ramène le soir...

CALIGULA : ...Du cri des martinets dans le ciel vert.

LE JEUNE SCIPION, *s'abandonnant un peu plus :* Oui, encore.

CALIGULA : Eh bien ?

LE JEUNE SCIPION : Et de cette minute subtile où le ciel encore plein d'or

40   brusquement bascule et nous montre en un instant son autre face, gorgée d'étoiles luisantes.

CALIGULA : De cette odeur de fumée, d'arbres et d'eaux qui monte alors de la terre vers la nuit.

LE JEUNE SCIPION, *tout entier :* ... Le cri des cigales et la retombée des chaleurs, les chiens, les roulements des derniers chars, les voix des fermiers...

CALIGULA : ...Et les chemins noyés d'ombre dans les lentisques et les oliviers...

LE JEUNE SCIPION : Oui, oui. C'est tout cela. Mais comment l'as-tu appris ?

CALIGULA, *pressant le jeune Scipion contre lui :* Je ne sais pas. Peut-être parce que nous aimons les mêmes vérités.

50   LE JEUNE SCIPION, *frémissant, cache sa tête contre la poitrine de Caligula :* Oh ! qu'importe, puisque tout prend en moi le visage de l'amour !

Caligula et l'absurde

Rufus dans le rôle de Caligula, Théâtre de Boulogne-Billancourt, 1978.
(2 ph. © Philippe Coqueux)

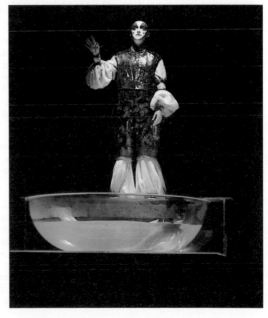

Folie ou « absurdité » ?

Ayant découvert l'absurdité de ce monde, Caligula décide de la faire découvrir à ses sujets et, pour les révolter, il se comporte, comme les dieux, de façon incohérente et cruelle. C'est ainsi qu'il ordonne qu'on lui apporte la lune, seule capable de le rendre heureux : « Peut-être est-il possible de la pêcher au fond d'un puits et de la ramener dans un filet miroitant ... ». Une autre fois, après avoir partagé l'émotion du jeune Scipion devant la beauté de la nature, il jette ce cri terrible : « Tout cela manque de sang » (cf. **p. 729-732**).

CALIGULA, *toujours caressant :* C'est la vertu des grands cœurs, Scipion. Si, du moins, je pouvais connaître ta transparence ! Mais je sais trop la force de ma passion pour la vie, elle ne se satisfera pas de la nature. Tu ne peux pas comprendre cela. Tu es d'un autre monde. Tu es pur dans le bien, comme je suis pur dans le mal.

LE JEUNE SCIPION : Je peux comprendre.

CALIGULA : Non. Ce quelque chose en moi, ce lac de silence, ces herbes pourries. *(Changeant brusquement de ton.)* Ton poème doit être beau. Mais si tu
60   veux mon avis...

LE JEUNE SCIPION, *même jeu :* Oui.

CALIGULA : Tout cela manque de sang.

LE JEUNE SCIPION : Oh ! le monstre, l'infect monstre. Tu as encore joué. Tu viens de jouer, hein ? Et tu es content de toi ?

Scipion se rejette brusquement en arrière et regarde Caligula avec horreur. Toujours reculant, il parle d'une voix sourde, devant Caligula qu'il regarde avec intensité.

CALIGULA, *avec un peu de tristesse :* Il y a du vrai dans ce que tu dis. J'ai joué.

LE JEUNE SCIPION, *même jeu :* Quel cœur ignoble et ensanglanté tu dois avoir. Oh ! comme tant de mal et de haine doivent te torturer !

CALIGULA, *doucement :* Tais-toi, maintenant.

LE JEUNE SCIPION : Comme je te plains et comme je te hais !

70   CALIGULA, *avec colère :* Tais-toi.

LE JEUNE SCIPION : Et quelle immonde solitude doit être la tienne !

Caligula, II, 14 (Librairie Gallimard, éditeur).

RÉVOLTE ET HUMANISME

Dans les *Lettres à un ami allemand,* publiées en 1948 mais écrites dès le temps de l'Occupation, CAMUS s'élève contre les théories de cet ancien ami qui justifie par le « tout est permis » la politique hitlérienne de conquête par tous les moyens. « *J'ai choisi la justice,* réplique-t-il, *pour rester fidèle à la terre. Je continue à croire que ce monde n'a pas de sens supérieur. Mais je sais que quelque chose en lui a du sens, et c'est l'homme, parce qu'il est le seul être à exiger d'en avoir* ». Cette attitude nouvelle se confirmera dans *La Peste* (1947) et trouvera sa justification profonde dans *L'Homme révolté* (1951).

Les leçons
    de la révolte
Avec *L'Homme révolté,* CAMUS nous invite à méditer sur la révolte qui, dans *Le Mythe de Sisyphe,* accompagnait la prise de conscience de l'absurde et du néant des valeurs dans un monde où « tout est permis. »

I. « JE ME RÉVOLTE, DONC NOUS SOMMES. » L'esclave qui, d'instinct, se révolte contre son maître dit à la fois non et oui. *Non,* car il souligne une limite à ne pas franchir. *Oui,* car du même coup il affirme un droit, il invoque tacitement une valeur qui le dépasse (puisqu'il la met au-dessus de sa vie), qui lui est commune avec tous les hommes et qui définit la *nature humaine :* « Je me révolte, donc nous sommes. » Sur ce point, CAMUS *se sépare des existentialistes :* « L'analyse de la révolte conduit au moins au soupçon qu'il y a une *nature humaine,* comme le pensaient les Grecs, et contrairement aux postulats de la pensée contemporaine. Pourquoi se révolter s'il n'y a, en soi, rien de permanent à préserver ? C'est pour toutes les existences en même temps que l'esclave se dresse, lorsqu'il juge que, par tel ordre, quelque chose en lui est nié qui ne lui appartient pas seulement, mais qui est un lieu commun où tous les hommes, même celui qui l'insulte et l'opprime, ont une communauté prête. » A la *passion* de l'homme absurde qui plaçait le bonheur dans la multiplicité des expériences, épuisant la vie en solitaire en dehors de toute notion de valeur, l'analyse de *l'homme révolté* substitue par conséquent comme principe d'action une *valeur collective*, la nature humaine qui justifie la sympathie, la communion, le service des autres.

II. RESTER FIDÈLE A LA RÉVOLTE. C'est la révolte elle-même qui nous indique le sens et les bornes de son action. Se révoltant au nom de la nature, l'esclave s'interdit en effet de porter atteinte à cette nature dans tout autre homme, et même dans le maître qui l'opprime, sous peine de trahir la *noblesse* et la *pureté* de sa révolte. Au cours d'une étude historique CAMUS vérifie, dans chaque cas considéré, si la révolte « reste fidèle à sa noblesse première ou si, par lassitude et folie, elle l'oublie au contraire dans une ivresse de tyrannie et de servitude ». Ainsi la *révolte métaphysique*, mouvement par lequel un homme se dresse contre sa condition et la création tout entière, s'égare lorsqu'elle aboutit soit au meurtre (Sade, les dandys, Dostoïevsky), soit à l'acceptation du mal (Stirner, Nietzsche). Quant à la *révolte historique*, elle pose le problème, capital pour comprendre le monde moderne, de la légitimité du meurtre comme moyen d'action politique. CAMUS flétrit la *terreur irrationnelle* des dictatures fasciste et hitlérienne qui justifient le meurtre par la vengeance et la loi du plus fort. Il s'indigne tout autant contre la *terreur rationnelle* des régimes qui présentent le meurtre comme une nécessité provisoire pour préparer l'avènement d'une société où les hommes seront heureux et où la terreur ne sera plus nécessaire : comment admettre, en effet, qu'il faille consentir à l'anéantissement provisoire des valeurs humaines pour que celles-ci soient un jour respectées — pure prophétie ? C'est à ce propos que CAMUS, qui dans sa jeunesse avait adhéré quelque temps au parti communiste, fut conduit à rompre avec les communistes et même avec Sartre.

« *La pensée de midi* »   Si la révolte s'égare ainsi dans la terreur, c'est par une *exigence d'absolu* qui nous condamne au dilemme entre l'attitude du *Yogi* qui choisit « l'inefficacité de l'abstention » et l'attitude du *Commissaire* qui choisit « celle de la destruction » (cf. Arthur Koestler, *Le Yogi et le Commissaire*). Mais *l'homme vit dans le relatif* et c'est la révolte elle-même qui nous apprend les notions de limite et de mesure. Elle enseigne, par là, « qu'il faut une part de réalisme dans toute morale : la vérité toute pure est meurtrière ; et qu'il faut une part de morale à tout réalisme : le cynisme est meurtrier ». A l'intransigeance révolutionnaire, CAMUS oppose donc la « pensée solaire » des Grecs, cette *« pensée de midi »* faite d'équilibre et de sens du relatif, par laquelle la révolte se prononce *en faveur de la vie, non contre elle*.

Ainsi se trouvent définis *le sens et les limites de notre action :* « Il y a, pour l'homme, une action et une pensée possibles au niveau moyen qui est le sien. Toute entreprise plus ambitieuse se révèle contradictoire. L'absolu ne s'atteint ni surtout ne se crée à travers l'histoire. La politique n'est pas religion, ou alors elle est inquisition [...].
La révolte bute inlassablement contre le mal, à partir duquel il ne lui reste qu'à prendre un nouvel élan. L'homme peut maîtriser en lui tout ce qui doit l'être. Il doit réparer dans la création tout ce qui peut l'être. Après quoi, les enfants mourront toujours injustement même dans la société parfaite. *Dans son plus grand effort, l'homme ne peut que se proposer de diminuer arithmétiquement la douleur du monde.* Mais l'injustice et la souffrance demeureront et, si limitées soient-elles, elles ne cesseront pas d'être le scandale. Le « pourquoi ? » de Dmitri Karamazov continuera de retentir ; l'art et la révolte ne mourront qu'avec le dernier homme. »

Ce qui est en notre pouvoir, mais exige une *tension constante* pour garder la mesure, se résume dans cette formule saisissante : *« Apprendre à vivre et à mourir et, pour être homme, refuser d'être dieu ».*

LA PESTE

Dans *La Peste* (1947), Camus imagine qu'une épidémie de peste s'est abattue sur la ville d'Oran. A travers le journal d'un témoin, le Dr Rieux, il nous fait assister à *l'évolution dramatique du fléau* depuis le jour où apparaissent les rats qui apportent la contagion, jusqu'au moment où, dans la ville isolée du monde et dont les habitants ont péri par milliers, le mal desserre son étreinte et les survivants renaissent au bonheur. C'est un récit à la fois *réaliste* et *mythique* où la peste symbolise l'existence du mal physique et moral ; on y a vu aussi une allégorie particulière de notre temps : « C'est l'occupation allemande et l'univers concentrationnaire, c'est la bombe atomique et les perspectives d'une troisième guerre mondiale, c'est aussi l'âge inhumain, celui de l'État-Dieu, de la machine souveraine, de l'administration irresponsable » (P. de Boisdeffre).

D'une remarquable densité, le récit se situe sur plusieurs plans. *C'est d'abord la* chronique *d'une* épidémie *retracée par un médecin : les symptômes, la lutte persévérante malgré les échecs, l'espoir que suscite un nouveau vaccin, les agonies, les enterrements, les incinérations. C'est aussi le récit d'un* psychologue *et d'un* moraliste *qui analyse les* réactions individuelles *(égoïsme, méfiance, douleur des séparations) ou* collectives *(élans vers la foi ou les jouissances, efforts pour s'adapter à la claustration, tentatives d'évasion). Peu à peu les uns et les autres font, dans le malheur,* l'apprentissage de la solidarité.

Au premier plan, quelques personnages se dévouent sans répit : Grand, *modeste employé,* « *héros insignifiant et effacé qui n'avait pour lui qu'un peu de bonté au cœur » et qui, sans s'en douter, est une sorte de saint ; le journaliste* Rambert, *que hante l'amour d'une maîtresse restée à Paris, et qui pourtant renonce à quitter la ville maudite car « il peut y avoir de la honte à être heureux tout seul » ; le Père* Paneloux, *religieux qui s'attache à concilier la confiance en la bonté divine et la lutte contre la souffrance humaine ;* Tarrou, *l'intellectuel qui observait la comédie humaine avec la lucidité de l'homme absurde, mais qui, devant la souffrance, éprouve les sentiments de l'homme révolté et sera volontaire pour combattre le fléau, afin de trouver la paix intérieure ; enfin le narrateur, le docteur* Rieux, *inlassable adversaire de la peste, qui est l'interprète des idées de l'auteur.*

Fraternité dans une lutte sans espoir

Un *lien fraternel* commence à s'établir entre le Dr Rieux et Tarrou, venu lui proposer son concours pour constituer des « formations sanitaires volontaires », malgré le danger mortel de la contagion. Camus a confié l'essentiel de sa pensée à ces deux personnages d'origine et d'éducation différentes mais unis par un même désir de soulager la misère de leurs semblables. Incroyants l'un et l'autre, ils en viennent à préciser leur idéal à propos d'un prêche retentissant du Père Paneloux qui a présenté la peste comme un châtiment envoyé par Dieu pour inviter les hommes à se convertir : le fléau recevrait ainsi sa *justification rationnelle* en s'intégrant à l'ordre divin. Pour Rieux au contraire *le mal constitue un scandale,* une injustice inconciliable avec l'idée d'un Dieu bon et tout-puissant. Ne pouvant réformer « l'ordre du monde », il adopte l'attitude que lui dicte le sentiment de notre commune misère : exercer son métier de médecin, et, bien qu'il se sache *vaincu d'avance,* lutter jusqu'au bout pour retarder cette mort à laquelle les hommes sont injustement condamnés.

Thèmes : *Philosophie. Religion. Providence. Morale. Civilisation. Mort. Société. Amitié.*

Rieux réfléchit. — Mais ce travail peut être mortel, vous le savez bien. Et dans tous les cas, il faut que je vous en avertisse. Avez-vous bien réfléchi ?

Tarrou le regardait de ses yeux gris et tranquilles.

— Que pensez-vous du prêche de Paneloux, docteur ?

La question était posée naturellement et Rieux y répondit naturellement.

— J'ai trop vécu dans les hôpitaux pour aimer l'idée de punition collective.

La Peste

Illustration de Philippe Fellmer (1964) pour « La Peste » de Camus.

Peut-on justifier la peste ?

Camus reprend dans *La Peste* le problème de la Providence et de l'existence du mal dans le monde, qui a tant agité les philosophes du XVIIIe siècle. Tout a été dit sur la question et il ne peut, en somme, qu'exposer le *pour* et le *contre*, avec les moyens propres au romancier. Son opinion personnelle s'exprime par la bouche du docteur Rieux qui s'élève contre les arguments religieux du Père Paneloux (cf. **p. 734-737**). C'est ici la scène de la cathédrale où le P. Paneloux présente la peste comme un châtiment envoyé par Dieu pour décider les hommes à se convertir et à réformer leur vie.

Mais, vous savez, les chrétiens parlent quelquefois ainsi, sans le penser jamais réellement [1]. Ils sont meilleurs qu'ils ne paraissent.

10   — Vous pensez pourtant, comme Paneloux, que la peste a sa bienfaisance, qu'elle ouvre les yeux, qu'elle force à penser !

Le docteur secoua la tête avec impatience.

— Comme toutes les maladies de ce monde. Mais ce qui est vrai des maux de ce monde est aussi vrai de la peste. Cela peut servir à grandir quelques-uns. Cependant, quand on voit la misère et la douleur qu'elle apporte, il faut être fou, aveugle ou lâche pour se résigner à la peste.

Rieux avait à peine élevé le ton. Mais Tarrou fit un geste de la main comme pour le calmer. Il souriait.

— Oui, dit Rieux en haussant les épaules. Mais vous ne m'avez pas répondu.
20 Avez-vous réfléchi ?

Tarrou se carra un peu dans son fauteuil et avança la tête dans la lumière.

— Croyez-vous en Dieu, docteur ?

La question était encore posée naturellement. Mais cette fois, Rieux hésita.

— Non, mais qu'est-ce que cela veut dire ? Je suis dans la nuit et j'essaie d'y voir clair. Il y a longtemps que j'ai cessé de trouver ça original.

— N'est-ce pas ce qui vous sépare de Paneloux ?

— Je ne crois pas. Paneloux est un homme d'études. Il n'a pas vu assez mourir et c'est pourquoi il parle au nom d'une vérité. Mais le moindre prêtre de campagne qui administre ses paroissiens et qui a entendu la respiration d'un
30 mourant pense comme moi. Il soignerait la misère avant de vouloir en démontrer l'excellence.

Rieux se leva, son visage était maintenant dans l'ombre.

— Laissons cela, dit-il, puisque vous ne voulez pas répondre.

Tarrou sourit sans bouger de son fauteuil. — Puis-je répondre par une question ? A son tour le docteur sourit : — Vous aimez le mystère, dit-il. Allons-y.

— Voilà, dit Tarrou. Pourquoi vous-même montrez-vous tant de dévouement puisque vous ne croyez pas en Dieu ? Votre réponse m'aidera peut-être à répondre moi-même.

Sans sortir de l'ombre, le docteur dit qu'il avait déjà répondu, que s'il croyait
40 en un Dieu tout-puissant, il cesserait de guérir les hommes, lui laissant alors ce soin. Mais que personne au monde, non, pas même Paneloux qui croyait y croire, ne croyait en un Dieu de cette sorte, puisque personne ne s'abandonnait totalement [2] et qu'en cela, du moins, lui, Rieux, croyait être sur le chemin de la vérité, en luttant contre la création telle qu'elle était.

— Ah ! dit Tarrou, c'est donc l'idée que vous vous faites de votre métier ?

— A peu près, répondit le docteur en revenant dans la lumière.

Tarrou siffla doucement et le docteur le regarda.

— Oui, dit-il, vous vous dites qu'il y faut de l'orgueil. Mais je n'ai que l'orgueil qu'il faut, croyez-moi. Je ne sais pas ce qui m'attend ni ce qui viendra
50 après tout ceci. Pour le moment il y a des malades et il faut les guérir. Ensuite, ils réfléchiront et moi aussi. Mais le plus pressé est de les guérir. Je les défends comme je peux, voilà tout.

— Contre qui ?

Rieux se tourna vers la fenêtre. Il devinait au loin la mer à une condensation plus obscure de l'horizon. Il éprouvait seulement sa fatigue et luttait en même

---

— 1 En fait, cette idée est loin de refléter en- | le » du mal dans le monde (cf. p. 728). — 2 C'est
tièrement l'attitude chrétienne devant le « scanda- | ce que fera Paneloux (cf. aussi Péguy, p. 156).

temps contre un désir soudain et déraisonnable de se livrer un peu plus à cet homme singulier, mais qu'il sentait fraternel.

— Je n'en sais rien, Tarrou, je vous jure que je n'en sais rien. Quand je suis entré dans ce métier, je l'ai fait abstraitement, en quelque sorte, parce
60 que j'en avais besoin, parce que c'était une situation comme les autres, une de celles que les jeunes gens se proposent. Peut-être aussi parce que c'était particulièrement difficile pour un fils d'ouvrier comme moi. Et puis il a fallu voir mourir. Savez-vous qu'il y a des gens qui refusent de mourir ? Avez-vous jamais entendu une femme crier : « Jamais ! » au moment de mourir ? Moi, oui. Et je me suis aperçu alors que je ne pouvais pas m'y habituer. J'étais jeune alors et mon dégoût croyait s'adresser à l'ordre même du monde. Depuis, je suis devenu plus modeste. Simplement, je ne suis toujours pas habitué à voir mourir. Je ne sais rien de plus. Mais après tout...

Rieux se tut et se rassit. Il se sentait la bouche sèche.
70 — Après tout ? dit doucement Tarrou.

— Après tout..., reprit le docteur, et il hésita encore, regardant Tarrou avec attention, c'est une chose qu'un homme comme vous peut comprendre, n'est-ce pas, mais puisque l'ordre du monde est réglé par la mort, peut-être vaut-il mieux pour Dieu qu'on ne croie pas en lui et qu'on lutte de toutes ses forces contre la mort, sans lever les yeux vers le ciel où il se tait.

— Oui, approuva Tarrou, je peux comprendre. Mais vos victoires seront toujours provisoires, voilà tout.

Rieux parut s'assombrir.

— Toujours, je le sais. Ce n'est pas une raison pour cesser de lutter.
80 — Non, ce n'est pas une raison. Mais j'imagine alors ce que doit être cette peste pour vous.

— Oui, dit Rieux. Une interminable défaite.

Tarrou fixa un moment le docteur, puis se leva et marcha lourdement vers la porte. Et Rieux le suivit. Il le rejoignait déjà quand Tarrou qui semblait regarder ses pieds lui dit : — Qui vous a appris tout cela, docteur ?

La réponse vint immédiatement : — La misère. [...]

Rieux eut soudain un rire d'amitié : — Allons Tarrou, dit-il, qu'est-ce qui vous pousse à vous occuper de cela ?

— Je ne sais pas. Ma morale peut-être.
90 — Et laquelle ?

— La compréhension.

La Peste, IIe Partie (Librairie Gallimard, éditeur).

LA MORT DE L'ENFANT INNOCENT *a toujours été pour les adversaires de la foi en la Providence une objection de choix. C'était un des arguments de Voltaire contre l'Optimisme (cf.* XVIIIe *Siècle, p. 136-137), qu'on retrouvera chez Vigny et Dostoïevsky. Dans La Peste c'est aussi à l'occasion de la mort d'un enfant que s'affrontent les idées du D^r* RIEUX *et la foi du P.* PANELOUX, *qui pourtant se dépensent tous deux sans compter pour combattre l'épidémie. Au prêtre qui murmure :* « Cela est révoltant parce que cela passe notre mesure. Mais peut-être devons-nous aimer ce que nous ne pouvons pas comprendre », *le docteur réplique :* « Je me fais une autre idée de l'amour. Et je refuserai jusqu'à la mort d'aimer cette création où des enfants sont torturés. » *Bouleversé par l'agonie de cet enfant, le Père* PANELOUX *est parvenu au point où* « il faut tout croire ou tout nier ». *Dans son dernier sermon, il invite les chrétiens à* « accepter de s'en remettre à Dieu, même pour la mort des enfants » : « Il fallait admettre le scandale parce qu'il fallait choisir de haïr Dieu ou de l'aimer. » *Pour rester jusqu'au bout fidèle à sa foi, le P. Paneloux, atteint à son tour de la peste,* refusera d'appeler un médecin *et, se confiant entièrement à Dieu, attendra la mort, les yeux fixés sur son crucifix.*

« ÊTRE UN HOMME »

Avec la confidence de TARROU à son ami RIEUX, le roman va prendre une *dimension nouvelle*. Fils d'un avocat général, Tarrou a découvert un jour l'atrocité des exécutions capitales et a milité au sein d'un parti *hostile à la peine de mort,* jusqu'au jour où il s'est aperçu avec horreur que ce parti admettait le meurtre comme moyen de triompher. Il s'est alors détourné de l'action politique pour *éviter de devenir lui aussi un « pestiféré »*. C'est ici qu'apparaît plus nettement la *portée symbolique* de l'œuvre : au fléau qui ronge les corps correspond la *peste intérieure* (le mensonge, l'orgueil, la haine, la tyrannie) dont il faut endiguer la redoutable contagion, au prix d'une lutte de tous les instants. Dans sa soif d'innocence, de pureté et de fraternité, TARROU aspire à devenir *« un saint sans Dieu »*. Ambition démesurée aux yeux de RIEUX qui, soignant les corps et les souffrances morales en *« vrai médecin »*, n'a pas d'autre prétention que *« d'être un homme »*. Mais est-ce moins difficile que d'être un saint ?

THÈMES : *Philosophie. Religion. Providence. Morale. Bonheur. Justice. Mort. Société.*

« Avec le temps, j'ai simplement aperçu que même ceux qui étaient meilleurs que d'autres ne pouvaient s'empêcher aujourd'hui de tuer ou de laisser tuer parce que c'était dans la logique où ils vivaient, et que nous ne pouvions pas faire un geste en ce monde sans risquer de faire mourir. Oui, j'ai continué d'avoir honte, j'ai appris cela, que nous étions tous dans la peste, et j'ai perdu la paix. Je la cherche encore aujourd'hui, essayant de les comprendre tous et de n'être l'ennemi mortel de personne. Je sais seulement qu'il faut faire ce qu'il faut pour ne plus être un pestiféré et que c'est là ce qui peut, seul, nous faire espérer la paix, ou une bonne mort
10 à son défaut. C'est cela qui peut soulager les hommes et, sinon les sauver, leur faire le moins de mal possible et même parfois un peu de bien. Et c'est pourquoi j'ai décidé de refuser tout ce qui, de près ou de loin, pour de bonnes ou de mauvaises raisons, fait mourir ou justifie qu'on fasse mourir.

C'est pourquoi encore cette épidémie ne m'apprend rien, sinon qu'il faut la combattre à vos côtés. Je sais de science certaine (oui, Rieux, je sais tout de la vie, vous le voyez bien) que chacun la porte en soi, la peste, parce que personne, non, personne n'en est indemne. Et qu'il faut se surveiller sans arrêt pour ne pas être amené, dans une minute de distraction, à respirer dans la figure d'un autre et à lui coller l'infection.
20 Ce qui est naturel, c'est le microbe. Le reste, la santé, l'intégrité, la pureté, si vous voulez, c'est un effet de la volonté et d'une volonté qui ne doit jamais s'arrêter. L'honnête homme, celui qui n'infecte presque personne, c'est celui qui a le moins de distractions possible. Et il en faut de la volonté et de la tension pour ne jamais être distrait ! Oui, Rieux, c'est bien fatigant d'être un pestiféré. Mais c'est encore plus fatigant de ne pas vouloir l'être. C'est pour cela que tout le monde se montre fatigué, puisque tout le monde, aujourd'hui, se trouve un peu pestiféré. Mais c'est pour cela que quelques-uns, qui veulent cesser de l'être, connaissent une extrémité de fatigue dont rien ne les délivrera plus que la mort.
30 D'ici là, je sais que je ne vaux plus rien pour ce monde lui-même et qu'à partir du moment où j'ai renoncé à tuer, je me suis condamné

à un exil définitif. Ce sont les autres qui feront l'histoire. Je sais aussi que je ne puis apparemment juger ces autres. Il y a une qualité qui me manque pour faire un meurtrier raisonnable. Ce n'est donc pas une supériorité. Mais maintenant, je consens à être ce que je suis, j'ai appris la modestie. Je dis seulement qu'il y a sur cette terre des fléaux et des victimes et qu'il faut, autant qu'il est possible, refuser d'être avec le fléau. Cela vous paraîtra peut-être un peu simple, et je ne sais si cela est simple, mais je sais que cela est vrai. J'ai entendu tant de
40 raisonnements qui ont failli me tourner la tête, et qui ont tourné suffisamment d'autres têtes pour les faire consentir à l'assassinat, que j'ai compris que tout le malheur des hommes venait de ce qu'ils ne tenaient pas un langage clair. J'ai pris le parti alors de parler et d'agir clairement, pour me mettre sur le bon chemin. Par conséquent, je dis qu'il y a les fléaux et les victimes, et rien de plus. Si, disant cela, je deviens fléau moi-même, du moins, je n'y suis pas consentant. J'essaie d'être un meurtrier innocent. Vous voyez que ce n'est pas une grande ambition.

Il faudrait, bien sûr, qu'il y eût une troisième catégorie, celle des vrais médecins, mais c'est un fait qu'on n'en rencontre pas beaucoup
50 et que ce doit être difficile. C'est pourquoi j'ai décidé de me mettre du côté des victimes, en toute occasion, pour limiter les dégâts. Au milieu d'elles, je peux du moins chercher comment on arrive à la troisième catégorie, c'est-à-dire à la paix. »

En terminant, Tarrou balançait sa jambe et frappait doucement du pied contre la terrasse. Après un silence, le docteur se souleva un peu et demanda si Tarrou avait une idée du chemin qu'il fallait prendre pour arriver à la paix.

— Oui, la sympathie. [...] En somme, dit Tarrou avec simplicité, ce qui m'intéresse, c'est de savoir comment on devient un saint.
60 — Mais vous ne croyez pas en Dieu.

— Justement. Peut-on être un saint sans Dieu, c'est le seul problème concret que je connaisse aujourd'hui. [...]

Tarrou murmura que ce n'était jamais fini et qu'il y aurait encore des victimes, parce que c'était dans l'ordre.

— Peut-être, répondit le docteur, mais vous savez, je me sens plus de solidarité avec les vaincus qu'avec les saints. Je n'ai pas de goût, je crois, pour l'héroïsme et la sainteté. Ce qui m'intéresse, c'est d'être un homme.

— Oui, nous cherchons la même chose, mais je suis moins ambitieux. Rieux pensa que Tarrou plaisantait et il le regarda. Mais dans la vague lueur qui venait du ciel, il vit un visage triste et sérieux.

La Peste, IVe Partie (Librairie Gallimard, éditeur).

TARROU *a été emporté dans les derniers sursauts de l'épidémie.* RIEUX *a alors décidé de rédiger cette chronique « pour dire simplement ce qu'on apprend au milieu des fléaux, qu'il y a dans les hommes plus de choses à admirer que de choses à mépriser », et rappeler « ce qu'il avait fallu accomplir et que, sans doute, devraient accomplir encore, contre la terreur et son arme inlassable, malgré leurs déchirements personnels, tous les hommes qui, ne pouvant être des saints et refusant d'admettre les fléaux, s'efforcent cependant d'être des médecins ».*

SURRÉALISME ET ROMAN

Le surréalisme n'a pas seulement influencé la poésie ; sa marque est aussi manifeste dans le fantastique d'André PIEYRE DE MANDIARGUES, et profonde, sous une réserve pudique, dans l'œuvre de Julien GRACQ.

André Pieyre de Mandiargues   L'itinéraire d'ANDRÉ PIEYRE DE MANDIARGUES (1909-1991) l'a conduit de la poésie (*Hedira ou la persistance de l'amour pendant une rêverie*, 1945 ; *L'Age de craie*, poèmes de jeunesse publiés en 1961) au roman (*La Motocyclette*, 1963 ; *La Marge*, prix Goncourt 1967) en passant par le conte fantastique (*Le Musée noir*, 1946 ; *Soleil des Loups*, 1951) et la nouvelle (*Le Lis de mer*, 1956 ; *Feu de braise*, 1959).

Mais son œuvre présente une profonde unité, sous le signe de l'esthétisme, de l'étrangeté ésotérique, de l'érotisme et d'une réconciliation originale entre le goût classique et les recherches baroques. Il apparaît comme *un maître du poème en prose* (*Dans les années sordides*, 1943 ; *Astyanax*, 1957) *et de la nouvelle.*

Dans un roman comme *La Motocyclette*, la trame du récit est extrêmement dense, et l'auteur y donne à l'érotisme une résonance tragique, en laissant voir qu'il débouche inévitablement sur la mort et le néant.

L'héroïne de *La Motocyclette*, Rébecca, et la Vanina du *Lis de mer*, comme toutes les héroïnes de Mandiargues qui semblent exercer sur leur créateur une *fascination* singulière, goûtent leur plaisir avec un extrême raffinement de tous leurs sens : aussi bien la sauvagerie mécanique d'une motocyclette que le port voluptueux d'une fourrure. Décors et personnages masculins possèdent ce même pouvoir de fascination sensuelle, que le romancier traduit avec une semblable volupté verbale. C'est là un art d'autant plus efficace que Mandiargues a su acclimater dans son romanesque personnel les apports de l'onirisme moderne et les révélations psychanalytiques de l'inconscient.

« La fille au bélier »

L'héroïne de ce récit étrange, « exotique » et simple à la fois, contemporain et comme issu du fond des âges, donc intemporel, et qui a pour cadre une île non désignée, proche et lointaine, de la Méditerranée, se nomme RODOGUNE ROUX. Pouvoir d'un nom ! « Et pour marquer qu'elle est unique, [...] je la ferai souveraine de l'île au sel. Reine Rodogune... Que d'Orient, tout à coup, à la traîne de quelques syllabes ! [...] Ce titre, que par plaisanterie j'ai donné, voici qu'il vient mettre une gloire de légende autour de la jeune fille solitaire et de sa cruelle aventure. » C'est aussi une histoire *de sang, de tendresse et de haine, de vieilles superstitions,* traitée avec un extrême raffinement esthétique, dans une *prose poétique* dont on discernera aisément les *rythmes* et les savantes tonalités. THÈMES : *Femme. Nature. Littérature (Portrait).*

L'inconnue était accroupie sur un rocher sombre, avec lequel se confondait sa longue jupe noire, et elle portait un corsage échancré, à manches très larges, retroussées sur le coude ; non loin d'elle, un châle était blotti, d'or élimé, de trame rousse. Courbée en avant, dans ce costume pareil à celui des gitanes ou des femmes des Baléares ou de Sardaigne, sa silhouette détachait un pur profil sur le sable clair ; des nattes tiraient ses cheveux lisses, dressés en un chignon pas moins noir que la jupe ; un grand poisson, mulet à grosse tête et de l'espèce nommée, pour cette raison, « céphale », que ses mains plongeaient dans l'eau puis retiraient, semblait jouer avec ses bras nus, mais le ventre très
10 blanc sous le dos bleu était fendu de l'anus aux ouïes, et du sang ruisselait sur les mains de la femme.

Quand nous nous fûmes approchés, elle releva la tête et soutint mon regard, lâchant le poisson qu'un remous, faiblement, berçait. Son visage me parut l'un des plus beaux que j'eusse jamais vus, fût-ce en rêve, et je retrouve aussitôt que je veux ce nez insolemment petit, ces yeux d'un émail obscur avec un reflet fauve, très grands, largement écartés, ce front, ces joues et ce menton un peu massifs, d'une patine un peu bronze, pailletés de grains de sel, cette peau à la fois lisse et frottée comme la matière de certaines statues très anciennes où l'on se retient mal de porter la paume. Telle beauté, malgré la jeunesse
20 évidente, était sans douceur, et à cause de cela encore la figure de mademoiselle Rodogune est liée dans mon souvenir à des statues du plus grand âge et de formes adolescentes.

— La fille au bélier, dit mon compagnon, et il cracha sur le sable. [...]
Le jour suivant, ou bien à quelques jours de là, je la rencontrai de nouveau. Ce fut sur la hauteur, colline ou moins, que le rocher dresse au-dessus de la mer sur la côte ouest, dans un raccourci que je prenais pour gagner du temps quand je m'étais attardé au bain. Nul ne passait jamais par là, car il fallait monter des marches taillées à peine, dans un ravin aveuglant comme un four à chaux, avant de redescendre à travers une broussaille déchirante, et la chaleur
30 était si forte, au début de l'après-midi, que des lions lâchés dans ce maquis n'eussent pas fait davantage pour l'interdire aux promeneurs. Aussi, d'y entendre des pas sur les cailloux et une voix qui chantonnait, j'eus grande surprise. Bonne surprise, un peu plus tard, quand je vis surgir entre deux buissons de lentisques celle qui m'avait émerveillé par sa façon de changer en une sorte de danse l'acte ingrat de laver un poisson mort. Je me jetai gauchement dans les épines, pour lui laisser l'étroit sentier ; alors elle sourit, dans l'ovale d'un fichu ténébreux. Derrière elle venait son bélier, un grand animal très brun, presque noir, de race barbarine, qui frottait sa tête aux hanches de la femme ; il avait des cornes enroulées comme des coquillages, plates,
40 d'ailleurs, et d'une largeur qui me parut admirable.
Dans la suite, je pensai souvent à cette femme. Il m'arrive de chercher à me rappeler ces pensées-là ; j'y réussis mal. En échange, je me rappelle comme si je l'avais entendue hier la chanson plaintive qui s'interrompit à cause de moi, dans la brousse où mademoiselle Rodogune se croyait toute seule avec son bélier, sous le soleil ardent :

Mon pauvre corps est las *Touffu de violettes*
Je voudrais être au lit *Et si par aventure*
J'aurais pour couverture *J'allais être seulette,*
Une rose et deux lis. *Tous les corbeaux du ciel*
50 *J'aurais un matelas* *Viendraient boire mon miel.*

Le rôle des corbeaux, évidemment, n'est pas clair. Peut-être le fût-il devenu si la chanson s'était poursuivie. Autre question à laquelle je ne sais répondre, et qui a de l'importance : pour qui Rodogune chantait-elle ? Pour elle, ou pour le bélier ? Certainement, elle ne chantait pas pour moi.

Feu de braise. — *Rodogune* (Grasset, éditeur).

Il court, sur la jeune fille, des bruits calomnieux. Une nuit, des hommes de l'île égorgent le bélier et fixent sa tête sanglante sur la porte de la maison... Longtemps après, le narrateur revoit Rodogune : « Elle a repris son voile noir, qui l'enveloppe plus sévèrement que jamais, la protégeant un peu contre les insultes et la moquerie qu'on lui prodigua, et que son silence, à la fin, désarme. » Par la fenêtre de sa chambre, on voit le crâne du bélier cloué au-dessus du lit.

Julien Gracq Né en 1910, JULIEN GRACQ (pseudonyme de Louis Poirier, historien et géographe) a écrit des poèmes en prose (*Liberté grande*, 1946) ; des essais critiques (*André Breton*, 1948 ; *Préférences*, 1961 ; *Lettrines*, 1967-1974 ; *En lisant en écrivant*, 1981) ; une pièce tirée d'un épisode merveilleux du cycle du Graal (*Le Roi pêcheur*, 1948) ; des romans influencés par son expérience surréaliste : *Au château d'Argol* (1938), *Un beau ténébreux* (1945), *Le Rivage des Syrtes* (Goncourt 1951), *Un balcon en forêt* (1958) ; les nouvelles de *La Presqu'île* (1970) ; des souvenirs, *La Forme d'une ville* (1985), *Carnets du grand chemin* (1992).

Le Rivage des Syrtes se résume en quelques lignes. La Seigneurie d'Orsenna s'assoupit depuis trois siècles dans une torpeur voisine de l'anéantissement, bien qu'en théorie elle soit en guerre avec le Farghestan, situé sur l'autre rive de la mer des Syrtes. Mais voici qu'obéissant à une mystérieuse fatalité, les deux peuples sont sourdement travaillés par le désir de secouer leur inertie. Le jeune ALDO, délégué par la Seigneurie comme Observateur de la flotte d'Orsenna, sera l'instrument du destin : cédant à une impulsion irrésistible, il rapproche son navire des côtes ennemies et essuie trois coups de canon. Il n'en faut pas plus pour déclencher une guerre qui, selon nos pressentiments, anéantira Orsenna.

Sur ce thème tout simple, le roman se déroule avec une noble ordonnance qui l'a fait comparer au « prélude wagnérien d'un opéra qui ne serait pas joué ». C'est que, pour Julien Gracq, l'essentiel n'est pas de conter une aventure mais de suggérer un *univers étrange*, hors du temps et de l'histoire ; dans une sorte de *clair-obscur*, maintenu tout au long de ce vaste « poème en prose » par la magie des images et l'envoûtement d'un style très concerté, il entretient un climat de *mystère* et — c'est un des mots clés — de *suspens* : nous vivons, parfois jusqu'à l'angoisse, *l'attente d'une catastrophe* vaguement pressentie mais impossible à situer et à contrôler, comme si l'auteur voulait nous faire éprouver, jusqu'au plus profond de notre être, la condition de *l'homme devant le destin*.

« PASSER OUTRE »

Chargé d'effectuer, sur le *Redoutable*, une reconnaissance de routine, Aldo arrive au petit matin en vue de l'île de Vezzano, terme assigné au parcours des patrouilles. Il devrait faire demi-tour, et son compagnon Fabrizio parle à plus d'une reprise de virer de bord... Pourtant ils continuent, par jeu peut-être au début, par curiosité, par hardiesse ; mais, tandis que le temps s'écoule et que le navire avance vers la côte ennemie, les voilà pris au jeu, à la fois libérés et en proie au vertige de l'irréversible, qui sera peut-être l'irréparable... On notera les résonances profondes, symboliques et l'effet produit par les images ou comparaisons. – THÈMES : *Nature. Réel et irréel. Psychologie. Guerre.*

Gauchement, sentant en nous s'engloutir les secondes et le temps se précipiter sur une pente irrémédiable, nous souriions tous deux aux anges d'un air hébété, les yeux clignant dans le jour qui montait devant nous de la mer. Le bateau filait bon train sur une mer apaisée. La brume s'enlevait en flocons et promettait une journée de beau temps. Il me semblait que nous venions de pousser une de ces portes qu'on franchit en rêve. Le sentiment suffocant d'une allégresse perdue depuis l'enfance s'emparait de moi ; l'horizon, devant nous, se déchirait en gloire ; comme pris dans le fil d'un fleuve sans bords, il me semblait que maintenant
10 tout entier j'étais *remis* — une liberté, une simplicité miraculeuse lavaient le monde ; je voyais le matin naître pour la première fois.
— J'étais sûr que tu allais faire une bêtise, dit Fabrizio en fermant sa main sur mon épaule quand — les minutes s'abîmant après les minutes comme les brasses d'une sonde — il n'y eut plus de doute que la Chose

Le Rivage des Syrtes

Illustration de Camille Josso (1957) pour « Le Rivage des Syrtes ».

Gracq et le sens du mystère

A l'approche des côtes ennemies, Aldo et son compagnon aperçoivent, dans la pénombre, la fumée d'un volcan qui vient de se réveiller. « Il était pourtant éteint », se murmure Fabrizio, qui y voit un signe inquiétant : « A travers la voix de Fabrizio, soudain pleine d'ombre, les présages dressés au seuil de cette mauvaise nuit résonnaient comme un avertissement plus grave... »

maintenant avait eu lieu... A Dieu vat ! ajouta-t-il avec une espèce d'enthousiasme. Je n'aurais pas voulu manquer ça.

Les heures de la matinée passèrent vite. Vers dix heures, la tête ensommeillée de Beppo [1] pointa nonchalamment du panneau d'avant. Son regard ahuri parcourut longuement l'horizon vide, puis s'arrêta sur
20 nous avec une expression enfantine de désarroi et de curiosité chagrine, et il me sembla qu'il allait parler, mais la tête eut soudain le rencoignement nocturne d'une bête de terrier éblouie par le jour et la nouvelle coula silencieusement dans les profondeurs. Fabrizio se replongea d'un air absorbé dans la lecture des cartes. La passerelle ensommeillée se réchauffait doucement dans le soleil. Une douzaine de têtes silencieuses ourlaient maintenant le panneau d'avant, les yeux écarquillés sur leur vision, dans une immobilité intense.

Les calculs de Fabrizio rejoignaient les miens : si le *Redoutable* soutenait son allure, nous devions être en vue du Tängri [2] aux dernières
30 heures de la soirée. L'excitation de Fabrizio croissait de minute en minute. Les ordres pleuvaient. Il hissa une vigie dans le mât d'avant. Sa lorgnette ne quittait plus le bord de l'horizon. [...]

Nous passâmes l'après-midi dans une espèce de demi-folie. La fébrilité anormale de Fabrizio était celle d'un Robinson dans son île démarrée, à la tête soudain d'une poignée de Vendredis. Marino [3], l'Amirauté, reculaient dans les brumes. Pour un peu, il eût hissé le drapeau noir ; ses galopades à travers le navire, les hennissements de sa voix jubilante qui à chaque instant balayaient le pont étaient ceux d'un jeune poulain qui s'ébroue dans un pré. Tout l'équipage, à cette voix, manœuvrait avec une
40 célérité bizarre et presque inquiétante : du pont à la mâture se répondait en chœur la vibration de voix fortes et allègres, et fusaient des encouragements malicieux et des cris de bonne humeur ; il se faisait par tout le navire, chargé d'électricité, un crépitement d'énergie anarchique qui tenait de la mutinerie de pénitencier et de la manœuvre d'abordage, et ce pétillement montait à la tête comme celui d'un vin, faisait voler notre sillage sur les vagues, vibrer le navire jusqu'à la quille d'une jubilation sans contenu. Un chaudron bouillonnait soudain au-dessous de moi, sans qu'on eût eu besoin de le prévenir qu'on venait de soulever le couvercle.

Mais cette animation fiévreuse ne passait pas jusqu'à moi, ou plutôt
50 elle bourdonnait à distance, comme une rumeur orageuse au-dessus de laquelle je me sentais flotter très haut, dans une extase calme. Il me semblait que soudain le pouvoir m'eût été donné de *passer outre,* de me glisser dans un monde rechargé d'ivresse et de tremblement. Ce monde était le même, et cette plaine d'eaux désertes où le regard se perdait la plus désespérément semblable qui fût partout à elle-même. Mais maintenant une grâce silencieuse resplendissait sur lui.

Le Rivage des Syrtes, IX. Une croisière (José Corti, éditeur).

— 1 Maître d'équipage. — 2 Montagne domi- | nant la côte du « Farghestan ». — 3 Commandant de la « base des Syrtes ».

« *Peut-être qu'il n'y a plus rien ?* »

Un Balcon en Forêt, c'est la *drôle de guerre* de 1939-40. L'aspirant GRANGE est isolé avec trois hommes dans un blockhaus des Ardennes, « dans ce désert d'arbres haut-juché au-dessus de la Meuse ». Sur ce *balcon,* il éprouve la griserie d'avoir « largué ses attaches » et d'entrer « dans un monde racheté, lavé de l'homme ». Pour lui, les longs mois d'inertie de la « fausse guerre » se passent à analyser cette *étrange impression de dépaysement,* tout en vivant dans l'*attente d'une catastrophe indéfinissable.* On reconnaît donc dans cette aventure, pourtant vécue, les mêmes *dominantes surréalistes* que dans *Le Rivage des Syrtes :* on les retrouvera jusque dans cette évocation de mai 1940, au moment où cependant l'ensemble du front est en pleine action. La percée allemande a débordé sans l'attaquer le « balcon en forêt » et ses occupants sont des « enfants perdus », sans contact avec leur armée, *comme oubliés dans un paradis épargné par la guerre.* Mais cette rémission sera brève : un engin blindé surgit, un coup d'embrasure tue deux servants du blockhaus et Grange mourra peu après de ses blessures, tandis que le survivant s'éloigne vers on ne sait quel destin. – THÈMES : *Histoire. Guerre. Réel et irréel. Nature.*

Maintenant l'angoisse revenait. Ce n'était plus le chaud, le brutal souffle de bête de la panique qui les avait plaqués tout à l'heure contre le béton du blockhaus. C'était une peur un peu merveilleuse, presque attirante, qui remontait à Grange du fond de l'enfance et des contes : la peur des enfants perdus dans la forêt crépusculaire, écoutant craquer au loin le tronc des chênes sous le talon formidable des bottes de sept lieues. Ils commencèrent à attendre. Une fois qu'on l'avait décelé, le grondement du canon ne se perdait plus de l'oreille, où qu'on allât : il n'y avait plus que lui ; toute la vie de ce coin de terre fuyait, on eût dit, s'écoulait vers cette seule zone éveillée. De part et d'autre de la trouée du
10 chemin, les murailles de la forêt cachaient les rares fumées : quand Grange un instant se bouchait les oreilles de ses doigts, l'allée entière n'était qu'une coulée printanière et douce, tiède déjà sous sa brume dorée, qui fuyait merveilleusement vers les lointains bleus. A mesure que le temps passait, Grange sentait grandir en lui un sentiment de sécurité irréelle, né bizarrement de ce pas de géant de la bataille qui les avait enjambés. L'air fraîchissait délicieusement ; le poudroiement de la lumière rasante sur la forêt du soir était si riche, si insolite, qu'une envie brusque, irrésistible, lui venait de s'y baigner, de s'y retremper.
— Qui m'empêche ? se dit-il avec un mouvement de jubilation encore inconnu, très trouble. Les ponts sont coupés. Je suis seul ici. *Je fais ce que je veux.*
20 Il alluma une cigarette et, les mains dans les poches, il se mit à marcher dans le milieu du chemin. « Ne bougez pas, cria-t-il vers le blockhaus. Je vais voir ». Le canon commençait à tonner moins fort ; il y avait maintenant de longues accalmies, pendant lesquelles on entendait reprendre le tapage des corbeaux dans la chênaie. « Peut-être qu'il n'y a plus un seul Français à l'est de la Meuse, songeait-il chemin faisant ; qui sait ce qui se passe ? Peut-être qu'il n'y a plus rien ? » mais à cette idée, qui lui paraissait presque plausible, son cœur battait d'excitation contenue ; il sentait son esprit flotter avec légèreté sur les eaux de la catastrophe. « Peut-être qu'il n'y a plus rien ? » La terre lui paraissait belle et pure comme après le déluge ; deux pies se posèrent ensemble devant lui sur
30 l'accotement, à la manière des bêtes des fables, lissant avec précaution sur l'herbe leur longue queue. « Jusqu'où pourrait-on marcher comme ça ? » songea-t-il encore, médusé, et il lui semblait que ses yeux se pressaient contre leurs orbites jusqu'à lui faire mal : il devait y avoir dans le monde des *défauts,* des veines inconnues, où il suffisait une fois de se glisser. De moment en moment, il s'arrêtait

et prêtait l'oreille : pendant des minutes entières, on n'entendait plus rien ; le monde semblait se rendormir après s'être secoué de l'homme d'un tour d'épaules paresseux. « Je suis peut-être de *l'autre côté* » songea-t-il avec un frisson de pur bien-être ; jamais il ne s'était senti avec lui-même dans une telle intimité.

Un Balcon en forêt (José Corti, éditeur).

« *Je n'étais plus qu'attente* »

Le récit dont voici un passage ne comporte pas d'intrigue à proprement parler. Tout l'intérêt réside dans les impressions éprouvées, dans l'atmosphère de mystère, d'*attente* (attente dont on ne sait si elle est promesse ou menace) et dans l'art de JULIEN GRACQ qui est ici, au sens propre comme au sens figuré, un art du *clair-obscur*. Invité par un ami compositeur, le narrateur, réformé après une blessure, arrive un soir d'automne, en 1917, dans un village d'où l'on entend la canonnade, parmi les rafales de vent et de pluie. Mais le maître de maison, lieutenant aviateur, n'est pas au rendez-vous, ce qui peut faire naître à son sujet, en cette veille du Jour des Morts, les pires craintes. Le narrateur a été accueilli par une femme, ou plutôt une présence, presque une ombre. Cependant la nuit avance, dans la demeure silencieuse, obscure et comme préservée.

Onze heures sonnèrent, et presque aussitôt le reflet de la lumière se mit à bouger au plafond du couloir. De nouveau, je me levai de mon fauteuil d'un bond. Je n'imaginais plus rien : les nerfs tendus, je regardais sur le plafond du couloir bouger cette lueur qui marchait vers moi. Je n'attendais rien : la gorge serrée, je n'étais plus qu'attente ; rien qu'un homme dans une cellule noire qui entend un pas résonner derrière sa porte. La lueur hésita, s'arrêta une seconde sur le seuil, où le battant de la porte ouverte me la cachait encore ; puis la silhouette entra de profil et fit deux pas sans se tourner vers moi, le bras de nouveau élevant le flambeau devant elle sans aucun bruit.

10   J'ai rarement — je n'ai peut-être jamais, même dans l'amour — attendu avec une impatience et une incertitude aussi intenses — le cœur battant, la gorge nouée — quelqu'un qui pourtant ici ne pouvait être pour moi qu'« une femme », — c'est-à-dire une question, une énigme pure. Une femme dont je ne savais rien, ni le nom, ni approximativement qui elle pouvait être — ni même le visage qui ne s'était jamais laissé apercevoir qu'à la dérobée, et qui conservait toute l'indécision du *profil perdu* — rien d'autre que cette houle silencieuse et crêtée qui glissait et envahissait par instants les pièces et les couloirs ; entre mille autres, il me semblait que je l'aurais reconnue à la manière dont seulement au long de sa marche ondulait sur le mur la lumière des bougies, comme si
20   elle eût été portée sur un flot. Mais même en cet instant d'attente et de tension pure, où je ne m'appartenais plus qu'à peine, je fus frappé de tout ce que cette silhouette qui n'avait bougé pour moi que sur un fond constamment obscur conservait encore d'extraordinairement *indistinct*. Elle semblait tenir à la ténèbre dont elle était sortie par une attache nourricière qui l'irriguait toute ; le flot répandu des cheveux noirs, l'ombre qui mangeait le contour de la joue, le vêtement sombre en cet instant encore sortaient moins de la nuit qu'ils ne la prolongeaient.

Elle était vêtue d'un ample peignoir de teinte foncée, serré à la taille par une cordelière, et qui laissait apercevoir seulement quand elle marchait la pointe
30   des pieds nus ; les cheveux noirs rejetés en arrière retombaient sur le col en masse sombre, leur flot soulevé par une collerette qui se redressait sur la nuque

et venait envelopper le cou très haut ; un manteau de nuit plutôt qu'un peignoir, retombant au-dessous de la taille en plis rigides — hiératique, vaguement solennel, avec ce rien de souligné à plaisir, d'imperceptiblement théâtral, qui rendait si intriguant son accoutrement de servante : dévêtue pour la nuit comme on s'habille pour un bal.   *La Presqu'île. — Le Roi Cophetua* (José Corti, éditeur).

Sans rompre l'enchantement, une brève rencontre charnelle va entraîner une détente. Au matin, le visiteur partira sans revoir la « servante-maîtresse »...

EXPÉRIENCES

L'orientation commune des *expériences* qui conduisent à un *« roman différent »* (dont le « nouveau roman » tentera d'élaborer la théorie) n'est peut-être qu'une conséquence de cette *esthétique de la différence* expérimentée par le surréalisme dans les années vingt et prolongée dans l'œuvre de JULIEN GRACQ et de PIEYRE DE MANDIARGUES.

Mais dans les années soixante la crise de l'humanisme, ouverte quarante années plus tôt, débouche sur une *crise du langage,* dont avaient déjà témoigné des essais de Jean Paulhan, Brice Parain, Raymond Queneau (cf. p. 867 ; 749), Michel Leiris (cf. p. 756). Elle affecte particulièrement le roman et *l'écriture romanesque :* la recherche expérimentale d'une différence plus ou moins radicale se fonde sur le renversement du rapport entre la substance romanesque — action et personnages — et le langage qui l'exprime, si bien que la notion même d'*expression* se trouve mise en cause. Le langage n'est plus chargé d'exprimer une matière événementielle ou psychologique ; il tend à être à lui-même sa propre fin, en vue d'une « production » qui ne se réfère à aucune « réalité ».

Des expériences sur ce principe avaient déjà été tentées dans les années 1900-1930 par des écrivains alors marginaux mais « ressuscités » dans les années 60. Tel est le cas de PIERRE ALBERT-BIROT (1876-1967 : *Grabinoulor,* 1921-1933), et surtout de RAYMOND ROUSSEL (1977-1933). Dans *Locus solus* (1914), Roussel a recours à la métamorphose phonétique de certains mots pour produire mécaniquement la métamorphose correspondante des réalités qu'ils expriment. Un autre « procédé très spécial » consiste, dans des phrases parallèles, à utiliser des mots presque semblables *(billard, pillard),* et à rédiger ainsi tout un conte, auquel correspondent en réalité deux histoires distinctes (*Parmi les noirs,* 1900, publié en 1935). Ces procédés de langage définis *a priori* produisent donc la matière narrative et non l'inverse comme il est habituel.

La *primauté du langage* n'entraîne pas nécessairement l'abolition de l'intrigue ou du personnage, mais elle a pour première conséquence de les rendre arbitraires, comme objets simplement manufacturés par les mots, et, par conséquent, susceptibles de toutes les variations ou variantes imaginables. Le roman devient *pure expérimentation de ces variantes verbales,* ce qui exclut toute analyse, toute explication, et les œuvres de cette sorte tendent à privilégier les techniques de description ou d'enregistrement.

Aussi ces romans se définissent-ils d'abord par leur *parti verbal* chez VIAN, QUENEAU (cf. p. 748-751), KLOSSOWSKI, DURAS (cf. p. 754). Les personnages tendent à être des ombres ou des fantômes, les événements perdent de leur poids. Par rapport au roman traditionnel, *réalisation littéraire* d'un univers fictif ou authentique, le « roman différent », au contraire, aboutit à la *déréalisation, par l'écriture, des apparences du réel.*

Ainsi naît et se développe le thème de *l'indistinct,* qui en vient alors à affecter le langage lui-même : à cet égard, l'itinéraire de SAMUEL BECKETT est significatif (cf. p. 753).

Le langage entre donc en concurrence avec la « réalité » pour en contester les prétentions à l'existence ou à la signification, ce qui résulte des expériences poursuivies depuis environ 1960 par PÉREC, SOLLERS, LE CLÉZIO (cf. p. 756-761), ainsi que par HENRI THOMAS (*Le Promontoire,* 1961 ; *La Relique,* 1969 ; *Le Croc des chiffonniers,* 1985), JEAN-PIERRE FAYE (*La Cassure,* 1961 ; *Analogues,* 1964 ; *L'Écluse,* 1964 ; *Le Récit hunique,* 1967 ; *Les Troyens, hexagramme ou roman,* 1970) et ROBERT PINGET (*Entre Fantoine et Agapa,* 1951 ; *Graal Flibuste,* 1956 ; *L'Inquisitoire,* 1962 ; *Fable,* 1971 ; *L'Apocryphe,* 1980).

Boris Vian BORIS VIAN (1920-1959), qui fut une figure très marquante (mais méconnue) du Saint-Germain-des-Prés de l'après-guerre, a suscité depuis sa mort une redécouverte de son talent. Personnalité riche et complexe, élève de l'École Centrale, musicien de jazz, poète fantaisiste (cf. p. 617), admirateur d'Alfred Jarry... et de Jean-Paul Sartre (« Jean-Sol Partre » dans *L'Écume des jours*), il défraya, en 1946, la chronique scandaleuse par sa prétendue traduction de *J'irai cracher sur vos tombes*, œuvre d'un romancier imaginaire, l'Américain Vernon Sullivan. Trois autres livres devaient alors se succéder sous cette attribution postiche, mais aussi quatre romans signés de son vrai nom : *L'Écume des jours* (1947), *L'Automne à Pékin* (1947), *L'Herbe rouge* (1950) et *L'Arrache-cœur* (1953). Le style en est d'une fantaisie poétique et parfois douloureuse, qui joint au défi lancé contre un monde jugé odieux des trouvailles humoristiques dans la manière de Raymond Queneau. Boris Vian a laissé aussi des œuvres théâtrales, notamment *L'Équarrissage pour tous* (représenté en 1950), situé à l'époque de la Libération, *Le Goûter des généraux* (écrit en 1951), où apparaissent des figures caricaturales d'officiers puérils et timorés, tel ce dénommé L'envers de Laveste, qui s'écrie soudain : « Oh, c'est très désagréable, écoutez, rien ne désorganise une armée comme la guerre ! ». En 1959, *Les Bâtisseurs d'empire* atteindront la dimension d'un mythe kafkaïen : une famille pourchassée dans une suite d'appartements, qui vont se rétrécissant d'étage en étage, est aux prises avec un être misérable, le *Schmürz*, toujours tapi dans la pièce principale ; le père, demeuré seul après la mort des siens, succombera à la suite de ce monstre dont il aura causé la perte.

Le *style* de Boris Vian se caractérise par une *indépendance* totale vis-à-vis des normes habituelles ; en particulier, il *rénove* le lieu commun ou l'expression toute faite. Ainsi un pharmacien « exécute » une ordonnance (au moyen d'une petite *guillotine* de bureau), un personnage voudra se retirer dans un *coing*, « à cause de l'odeur ». Mieux encore, les mots eux-mêmes deviennent démontables, tel (encore dans *L'Écume des jours*) le célèbre « porte cuir en feuilles de Russie ».

Cependant, au-delà de ces fantaisies verbales, ce que l'on découvre de vraiment essentiel, c'est que le ton et le rythme de l'écriture se transforment à chaque page en fonction de l'événement, des rencontres, des émotions, ou même des rêveries dans la solitude.

Le réveil de Wolf

Chez Boris Vian, le végétal s'exprime, le minéral s'anime, tout se transfigure au sein d'une vaste osmose ; les femmes ont des prénoms de fleurs et l'homme, parfois, un nom... de loup. *Son univers, en fait, ne connaît pas de cloisons entre les éléments ni les règnes.*

A moitié conscient, Wolf tenta un dernier effort pour arrêter la sonnerie de son réveil, mais la chose, visqueuse, lui échappa et se lova dans un recoin de la table de chevet où elle continua de carillonner, haletante et rageuse, jusqu'à épuisement total. Alors le corps de Wolf se détendit dans la dépression carrée remplie de morceaux de fourrure blanche, où il reposait. Il entr'ouvrit les yeux et les murs de la chambre chancelèrent, s'abattirent sur le plancher, soulevant en tombant de grandes vagues de pâte molle. Et puis il y eut des membranes superposées qui ressemblaient à la mer... au milieu, sur une île immobile, Wolf s'enfonçait lentement dans le noir, parmi le bruit du vent balayant de grands espaces nus, un bruit jamais en repos. Les membranes palpitaient comme des nageoires transparentes ; du plafond invisible croulaient des nappes d'éther, s'épandant autour de sa tête. Mêlé à l'air, Wolf se sentait traversé, imprégné par ce qui l'entourait ; et il y eut soudain une odeur verte, amère, l'odeur du cœur en feu des reines-marguerites, pendant que le vent s'apaisait. *L'Herbe rouge*, chap. XI (J.-J. Pauvert, éditeur).

Raymond Queneau   RAYMOND QUENEAU (1903-1976) participe au mouvement surréaliste jusqu'à son premier roman, *Le Chiendent*
(1933) où il s'oriente plutôt vers une transposition du style classique en *français parlé*,
afin de dégager le français moderne des conventions de l'écriture, « tant de style que
d'orthographe et de vocabulaire ». Il atteindra la célébrité avec *Zazie dans le métro* (1959)
qui pose justement le problème du langage. « Zazie distingue très bien le *langage-objet*
du *méta-langage*. Le langage-objet, c'est celui qui se fonde dans l'action même, qui *agit*
les choses [...] : Zazie veut son coca-cola, son blue-jean, son métro, elle ne parle que
l'impératif ou l'optatif, et c'est pour cela que son langage est à l'abri de toute dérision.
Et c'est de ce langage-objet que Zazie émerge, de temps à autre, pour fixer de sa clausule
assassine le méta-langage des grandes personnes [...] ; face à l'impératif et à l'optatif du
langage-objet, son mode principal est l'indicatif, sorte de degré zéro de l'acte destiné
à *représenter* le réel, non à le modifier » (R. Barthes). Outre les célèbres *Exercices de style*
(1947), Queneau a publié *Gueule de Pierre* (1934), *Odile* (1937), *Un rude hiver* (1939),
Pierrot mon ami (1942), *Loin de Rueil* (1944), *Saint Glinglin* (1948), *Le Dimanche de
la vie* (1952), *Zazie...* (1959), *Cent mille milliards de poèmes* (1961), *Le Chien à la mandoline*
(1958-65), *Courir les rues* (1967), *Battre la campagne* (1968), *Le Voyage en Grèce* (1973),
Morale élémentaire (1975).

EXERCICES DE STYLE

Les *Exercices de style* proposent, avec humour, 99 variantes d'une anecdote
volontairement insignifiante : *Dans l'autobus parisien S (devenu plus tard 84) un jeune
homme, muni d'un chapeau, échange avec un autre voyageur quelques propos acides, puis
il va s'asseoir dans la voiture. Peu après, au terminus, il sera vu en conversation avec un
ami qui lui conseille de déplacer... un bouton de son pardessus.* — Voici deux de ces variantes :

Surprises
Ce que nous étions serrés sur cette plate-forme d'autobus ! Et ce que
ce garçon pouvait avoir l'air bête et ridicule ! Et que fait-il ? Ne le
voilà-t-il pas qui se met à vouloir se quereller avec un bonhomme qui
— prétendait-il ! ce damoiseau ! — le bousculait ! Et ensuite il ne trouve
rien de mieux à faire que d'aller vite occuper une place laissée libre !
Au lieu de la laisser à une dame !
Deux heures après, devinez qui je rencontre devant la gare
Saint-Lazare ? Le même godelureau ! En train de se faire donner des
conseils vestimentaires ! Par un camarade !
10   À ne pas croire !

Rêve
Il me semblait que tout fût brumeux et nacré autour de moi, avec
des présences multiples et indistinctes, parmi lesquelles cependant se
dessinait assez nettement la seule figure d'un homme jeune dont le cou
trop long semblait annoncer déjà par lui-même le caractère à la fois
lâche et rouspéteur du personnage. Le ruban de son chapeau était
remplacé par une ficelle tressée. Il se disputait ensuite avec un individu
que je ne voyais pas, puis, comme pris de peur, il se jetait dans l'ombre
d'un couloir. Une autre partie du rêve me le montre marchant devant
la gare Saint-Lazare. Il est avec un compagnon qui lui dit : « Tu devrais
10 faire ajouter un bouton à ton pardessus ». Là-dessus je m'éveillai.

Exercices de style (Librairie Gallimard, éditeur).

« *LITTÉRATURE*   *L'expérimentation littéraire et linguistique,* associée à une
   POTENTIELLE »   science « combinatoire » inspirée des mathématiques,
                      commande l'ensemble de l'œuvre de QUENEAU et les
entreprises comme l'« *Ou.Li.Po.* » (Ouvroir de Littérature Potentielle) dont la désignation
indique les objectifs. Dès *Le Chiendent* (1933), QUENEAU avait soumis à une
« combinatoire » rigoureuse le récit d'une histoire de chasse au trésor. Les travaux de
l'Ou.Li.Po. utilisent les variantes possibles de cette « combinatoire » pour multiplier les
« potentialités » du langage et le libérer, par divers moyens, des carcans qui le stérilisent :
orthographe phonétique, expérimentation de nouvelles structures syntaxiques, recours
systématique au néologisme, maintien d'une relation constante entre la rigueur
mathématique et philologique et un esprit d'audacieuse innovation, afin d'obtenir un effet
humoristique d'un caractère absolument neuf.

On renouvellera de même l'art de la narration. QUENEAU se fait romancier pour mieux
éprouver encore les potentialités « langagières » (le terme lui était cher) de sa technique,
et *créer une réalité proprement littéraire.* Pour lui, en effet, ce ne sont pas, comme on
le croit généralement, les phénomènes de culture et de civilisation qui déterminent la
langue, mais inversement les innovations de langue qui déterminent les évolutions de
la culture et de la civilisation. Ce rapport inversé entre langage et réalité est clairement
énoncé dans *Bâtons, chiffres et lettres* (1965) : « *C'est l'usage de l'italien qui a créé la théologie
poétique de Dante, c'est l'usage de l'allemand qui a créé l'existentialisme de Luther, c'est l'usage
du néo-français de la Renaissance qui a fondé le sentiment de la liberté chez Rabelais et
Montaigne.* » Autant que par les *Exercices,* cette théorie de QUENEAU est illustrée par
ses « romans » où le mode de langage (par ex. le néologisme) crée l'univers de l'œuvre.

L'Homme et « L'Homard »

SAINT GLINGLIN [1] est le patron de la « Ville Natale » dont le maire, grâce à l'invention
du chasse-nuages, a obtenu qu'elle ne connaisse que le beau temps et jamais la pluie.
Ce maire, nommé NABONIDE, vient d'envoyer son fils PIERRE à la « Ville Étrangère »
pour qu'il en apprenne la langue. Il préfère toutefois y fréquenter le zoo et tout
particulièrement l'aquarium qui lui inspire des réflexions métaphysiques.

Quant aux poissons, je persiste à leur trouver une chienne de vie, une vache
d'aiguesistence [2], et dépourvue de personnalité. L'ogresistence [2] du homard n'en
est pas pour cela moins angoissante. Est-ce donc cela la vie ? Ce silence, cette
ombre, ces algues, cette espèce de férocité au bout des pinces, cette armure
avide ? Qu'on songe à la vie, en pensant à l'homard dans la oscurité [3]. Et
comment meurent-ils, ceux qui ne finissent pas ébouillantés dans les marmites
ménagères ? Décèdent-ils de vieillesse, les homards ? « S'en vont-ils » tout
doucement, ou bien combattent-ils la mort de leurs pinces durcies par
l'arthritisme et sur lesquelles de petits annélides se sont incrustés ? Soupçonne-
10   t-il sa défunction [4], le homard ? Ne préférerait-il pas être une raie, par
exemple, avec des yeux sur le bide et des ailes blanches ? Ne préférerait-il
pas pouvoir grimper aux arbres pour en dévorer les fruits comme son collègue le crabe des cocotiers, cet animal véloce et denté ? Et lorsque je
dis qu'un animal est ceci ou cela, j'entends bien ne pas porter un jugement

---

— 1 Ce « *Saint* », emprunté à une expression   préfixe *ex* et c'est ce substantif qui confère sa
populaire, sert ici à désigner une sorte d'utopie   particularité de sens au mot ainsi composé (*aigue*
à la fois spatiale et temporelle. — 2 Néologisme   = eau, du latin *aqua*). — 3 Néologisme phonéti-
fabriqué, sur le principe des mots composés, à   que produit par l'assimilation de la labiale *b* à la
partir d'*existence ;* un substantif est substitué au   sifflante *s.* — 4 Formé sur l'adjectif *défunt*.

subjectif. Pas même humain. Mais définir le sens même de son eksistence [5]. Je n'ai pas reçu de lettre de la Ville Natale. J'ai durement travaillé. Les rues me paraissaient si mates, en rentrant, le soir. J'ai pensé à mon père, à ma mère, à mes frères ; ensuite, au guépard rencontré l'autre jour au Jardin. Cela peut paraître étrange, mais il appartient à la catégorie du chevalier. Quel saut du
20 guépard à l'homard, bien que ce dernier porte aussi l'armure.

Je m'imagine qu'un homme et un guépard restent seuls au monde. Tous deux marchent à la surface de la terre, fiers et libres compagnons. Il en serait probablement ainsi. Supposons maintenant un homme et un homard, seuls survivants de quelque catastrophe. Les flammes brouillent l'horizon. L'homme épuisé se dépouille de ses chaussures déchiquetées, de ses chaussettes effilochées. Il trempe ses pieds sanglants dans la mer pour y chercher quelque douceur. Le homard vient alors et lui brise le gros orteil. L'homme qui a perdu l'habitude de hurler se penche à la surface de l'eau et dit à l'homard : « Nous sommes les deux seuls êtres vivants sur cette terre dévastée, homard ! Nous
30 sommes les seuls vivants de l'univers, nous sommes seuls à lutter contre l'universel désastre, veux-tu faire alliance, homard ? » Mais l'animal dédaigneux lui tourne la carapace et se dirige vers d'autres océans. Car sait-on à quoi songe un homard ? Et que peut-on penser de son incompréhensible hainesistence [2] ? L'image du homard inflexible et imperturbable transperce le ciel des humains de ses pinces inintelligibles. Par-dessus les toits brumeux de ma fenêtre ouverte, je crois voir se dresser soudain ses deux pattes menaçantes, ouvrant et refermant leurs tenailles gigantesques pour sectionner les constellations.

Saint Glinglin, 1948 (Librairie Gallimard, éditeur).

PIERRE réintégrera la « Ville Natale » ; son père sera transformé en statue. Pierre prendra alors sa place et, entraîné par sa passion de l'univers aquatique, il n'aura plus recours au chasse-nuages. La pluie se venge, il y a des inondations ; Pierre est chassé de la mairie et finit par se suicider. Son frère JEAN s'immole en sacrifice au soleil : de fait, le beau temps est alors de retour.

Georges Bataille

De formation chartiste et bibliothécaire de profession, GEORGES BATAILLE (1897-1962) *intériorise les données scientifiques de l'ethnologie et de l'anthropologie.* Obsédé d'autre part par « l'impatience des limites », il déclare lui-même vouloir entreprendre un « voyage au bout du possible de l'homme ». Enfin, cette expérimentation de ce qui deviendra progressivement la « *transgression* », il tente de l'instaurer au cœur de sa propre vie, comme en témoigne le titre d'un de ses livres clés, *L'Expérience intérieure* (1943-1954). Aussi son œuvre revêt-elle un caractère autobiographique (cf. p. 752), mais, au-delà de l'autobiographie, c'est aussi le déploiement d'*un imaginaire valorisant le pouvoir de transgression de l'écriture,* jusqu'à ce qu'elle devienne ce « cri horrible » que BATAILLE a entendu par exemple en lisant Nietzsche (*Sur Nietzsche,* 1945), et qu'il traduira aussi bien en forme poétique (*L'Archangélique et autres poèmes,* posthume 1968) qu'en forme narrative (*Madame Edwarda,* 1941-rééd. 1956 ; *Le Coupable,* 1943, rééd. 1961 ; *L'Abbé C.,* 1950).

« L'expérience intérieure », à la fois expérience psychique, expérimentation littéraire et pratique de la transgression métaphysique, débouche chez BATAILLE sur un certain nombre de *hantises dominantes :* la relation freudienne entre Éros et Thanatos (*L'Érotisme,* 1957), la fascination du Mal (*La Littérature et le Mal,* 1957-1967, où il passe en revue les héros littéraires de la transgression, Sade, Blake, Baudelaire, Kafka, Genet), la recherche d'une *sainteté inversée* (« Je ne suis pas un philosophe, mais un saint, peut-être

---

— 5 Procédé phonétique inverse de celui qui sert | à former *obscurité :* deux consonnes distinctes *k* et *s* à la place de la double consonne *x*.

un fou »), enfin la « *crainte de devenir fou* » et le recours à l'écriture comme à une thérapeutique (*La Part maudite*, 1949). Tout cela conduit BATAILLE à vouloir — car il est aussi un mystique — remplacer Dieu par l'Impensable et l'Innommable, à entreprendre ainsi d'élaborer une « somme athéologique » dont ses œuvres sont les étapes fragmentaires sans qu'il ait vraiment réussi à conduire jusqu'au bout ce projet d'une somme proprement *prométhéenne* (cf. l'article de Sartre sur Bataille dans *Situations I*, 1947 : *Un nouveau mystique*).

Nécessité du « renversement » universel

Le narrateur est à Barcelone où il attend l'avion qui doit amener son ancienne amie DOROTHEA. La nuit est venue et il contemple le ciel étoilé. Après une première réaction de peur et d'angoisse devant une « absurdité hostile », il ferme les yeux et, évoquant son enfance, il ressuscite en lui l'ivresse de la lumière. Le rire qui s'empare alors de lui traduit la poussée de la révolte et de l'orgueil, libère sa volonté de puissance et l'engage sur la voie de la *transgression universelle*. Le climat de ce texte (écrit en 1935, publié en 1957) rappelle celui de l'*Aurélia* de Gérard de Nerval (cf. *XIXe Siècle*, p. 280).

Il y avait des étoiles, un nombre infini d'étoiles. C'était absurde, absurde à crier, mais d'une absurdité hostile. J'avais hâte que le jour, le soleil, se levât. Je pensais qu'au moment où les étoiles disparaîtraient, je serais certainement dans la rue. En principe, j'avais moins peur du ciel étoilé que de l'aube. Il me fallait attendre, attendre deux heures... Je me rappelai avoir vu passer, vers deux heures de l'après-midi, sous un beau soleil, à Paris — j'étais sur le pont du Carrousel — une camionnette de boucherie : les cous sans tête des moutons écorchés dépassaient des toiles et les blouses rayées bleu et blanc des bouchers éclataient de propreté : la camionnette allait lentement, en plein soleil. Quand
10 j'étais enfant, j'aimais le soleil : je fermais les yeux et, à travers les paupières, il était rouge. Le soleil était terrible, il faisait songer à une explosion : était-il rien de plus solaire que le sang rouge coulant sur le pavé, comme si la lumière éclatait et tuait ? Dans cette nuit opaque, je m'étais rendu ivre de lumière ; ainsi, de nouveau, Lazare [1] n'était devant moi qu'un oiseau de mauvais augure, un oiseau sale et négligeable. Mes yeux ne se perdaient plus dans les étoiles qui luisaient au-dessus de moi réellement, mais dans le bleu du ciel de midi. Je les fermais pour me perdre dans ce bleu brillant : de gros insectes noirs en surgissaient comme des trombes en bourdonnant. De la même façon que surgirait, le lendemain, à l'heure éclatante du jour, tout d'abord point imperceptible, l'avion qui porterait Dorothea... J'ouvris les yeux, je revis les
20 étoiles sur ma tête, mais je devenais fou de soleil et j'avais envie de rire : le lendemain, l'avion, si petit et si loin qu'il n'atténuerait en rien l'éclat du ciel, m'apparaîtrait semblable à un insecte bruyant et, comme il serait chargé, dans la cage vitrée, des rêves démesurés de Dirty [2], il serait dans les airs, à ma tête d'homme minuscule, debout sur le sol — au moment où en elle la douleur déchirerait plus profondément l'habitude — ce qu'est une impossible, une adorable « mouche des cabinets ». J'avais ri et ce n'était plus seulement l'enfant triste aux coups de porte-plume, qui allait, dans cette nuit, le long des murs : j'avais ri *de la même façon* quand j'étais petit et que j'étais certain qu'un jour,
30 *moi*, parce qu'une insolence heureuse me portait, je devrais tout renverser, de toute nécessité tout renverser.

Le Bleu du ciel (Société Nouvelle des Éditions Pauvert).

— 1 Prénom de l'amie qui a succédé à Dorothea. — 2 Surnom de Dorothea (en anglais *sale* !).

Samuel Beckett D'origine irlandaise, BECKETT (cf. p. 683) est marqué par l'influence de Joyce : ses romans poussent jusqu'aux extrêmes limites le processus joycien de dissolution de la conscience et de ses langages dans un temps pour ainsi dire atomisé. Mais cette atomisation de la personne agit comme une contagion qui s'attaque non seulement au langage mais à l'œuvre même qui l'enregistre. De là vient ce qu'on pourrait appeler le *système* de BECKETT. Le personnage qui donne son titre à *Molloy* (écrit en 1948, publié en 1951) est bien déjà le personnage-type du roman beckettien : *quelqu'un qui se raconte,* dans le cadre d'un lieu si restreint qu'on se demande si c'est encore un lieu. Tel est l'effet de la contagion : l'espace et le temps, eux aussi, sont soumis, comme le personnage et son histoire, au processus impitoyable de la *réduction*. Il en est de même pour le « héros » de *Malone meurt* (1948-1951).

Malone meurt

La mort de MALONE résulte de son extraordinaire aptitude à la fabulation. Au fur et à mesure qu'il s'invente des histoires, son corps et ses « possessions » se défont, de sorte que ce roman sans dénouement s'achève par épuisement et par extinction. Il est, dans *Malone meurt,* des monologues intérieurs qui sont comme les paroxysmes de cet épuisement de la parole par le personnage et du personnage par la parole.
THÈMES : *Littérature (Monologue intérieur). Mort. Philosophie.*

J'ai dû avoir ma petite idée, quand j'ai commencé, sinon je n'aurais pas commencé, je me serais tenu tranquille, j'aurais continué tranquillement à m'ennuyer ferme, en faisant joujou, avec les cônes et cylindres par exemple. [...] Mais elle m'est sortie de la tête, ma petite idée. Qu'à cela ne tienne, je viens d'en avoir une autre. C'est peut-être la même, les idées se ressemblent tellement, quand on les connaît. Naître, voilà mon idée à présent, c'est-à-dire vivre le temps de savoir ce que c'est que le gaz carbonique libre, puis remercier. Ça a toujours été mon rêve au fond. Tant de cordes et jamais une flèche. Pas besoin de mémoire. Oui, voilà, je suis un vieux fœtus à présent, chenu et
10 impotent, ma mère n'en peut plus, je l'ai pourrie, elle est morte, elle va accoucher par voie de gangrène, papa aussi peut-être est de la fête, je déboucherai vagissant en plein ossuaire, d'ailleurs je ne vagirai point, pas la peine. Que d'histoires je me suis racontées, accroché au moisi, et enflant, enflant. En me disant, ça y est, je la tiens ma légende. [...]
Allons, la vie passe, il faut en profiter. D'ailleurs peu importe que je sois né ou non, que je sois mort ou seulement mourant, je ferai comme j'ai toujours fait, dans l'ignorance de ce que je fais, de qui je suis, d'où je suis, de si je suis. Oui, j'essaierai de faire, pour tenir dans mes bras, une petite créature, à mon image, quoi que je dise. Et la voyant mal venue, ou trop ressemblante,
20 je la mangerai. Puis serai seul un bon moment, malheureux, ne sachant quelle doit être ma prière, ni pour qui. *Malone meurt* (Éditions de Minuit).

« *Où maintenant ? Quand maintenant ? Qui maintenant ?* » (*L'Innommable,* 1949-1953) : éternelle question sans réponse que pose le fonctionnement même de la parole, et qui débouche sur un discours sans cesse en train de se faire pour se défaire, comme la vie elle-même, car, comme il est dit à la fin de *L'Innommable,* « il faut continuer, je vais continuer ». BECKETT lui aussi continue, avec par exemple *Comment c'est* (1960). Il continue à fabriquer des personnages lancés à la poursuite de « l'Innommable », poursuite qui, si elle leur confère l'existence littéraire, les soumet à la persécution d'une voix dont ils ne peuvent savoir de qui elle est : cette voix est finalement celle du supplice qu'ils s'infligent à eux-mêmes par le seul fait qu'ils ne sont que des *êtres de parole*. Et peut-être l'œuvre de BECKETT, extrême limite de la « littérature », est-elle celle d'un écrivain qui écrit pour dire, comme ses personnages, qu'au bout du compte il n'y a rien à dire.

Marguerite Duras MARGUERITE DURAS (1914-1996), venue d'Indochine, date de *Moderato cantabile* (1958) le début de ses expériences originales, caractérisées par la volonté de dépouillement jusqu'à l'inintelligible : ellipse de ce qu'on peut percevoir intuitivement, dépersonnalisations, stylisation des lieux, quasi-disparition des événements. La primauté du dialogue, où les silences sont essentiels, permet de suggérer un *monde intermédiaire* que hante l'obsession de la déperdition et de l'impuissance à rendre compte d'une situation, en général la relation amoureuse ou la force du désir. Cette tendance est favorisée par son ouverture à l'*expression cinématographique* : beaucoup de ses œuvres ont été portées à l'écran, parfois par elle-même. Elle réalise l'osmose poétique du langage, de l'image et du son : *India Song* (1973), « texte théâtre film », a donné naissance à un film (1975) limité à des images des Indes et des scènes muettes traversées par une voix *off* et accompagnées d'une musique bouleversante.

ROMANS : *Un barrage contre le Pacifique*, 1950 ; *Le Ravissement de Lol V. Stein*, 1964 ; *Le Vice-consul*, 1965 ; *Détruire, dit-elle*, 1969 ; *L'Amour*, 1971 ; *India Song*, 1973 ; *Vera Baxter*, 1980. Autobiographie : *L'Été 80* ; *Les Yeux verts*, 1980 ; *L'Amant*, 1984 ; *La Vie matérielle*, 1987 ; *L'Amant de la Chine du Nord*, 1991 ; *Outside*, 1991 ; *Le Monde extérieur*, 1993.

THÉÂTRE : *Les Viaducs de la Seine-et-Oise*, 1959 ; *Le Square*, 1965 ; *Des journées entières dans les arbres*, 1968 ; *L'Amante anglaise*, 1968 ; *L'Eden-Cinéma*, 1977 ; *Savannah Bay*, 1982.

CINÉMA (scénarios ou films) : *Hiroshima mon amour*, 1959 ; *Une aussi longue absence*, 1961 ; *La Musica*, 1966 ; *India Song*, 1975 ; *Baxter, Vera Baxter*, 1976 ; *Son nom de Venise dans Calcutta désert*, 1976 ; *Le Camion*, 1977 ; *Aurélia Steiner*, 1979 ; *L'Homme atlantique*, 1981.

Le vice-consul

Nous sommes à Calcutta, dans le milieu diplomatique, où un VICE-CONSUL introduit une sorte de gêne énigmatique, que ressent particulièrement la femme de l'ambassadeur, ANNE-MARIE STRETTER. Elle voudrait résoudre l'énigme du vice-consul. Mais chaque conversation qu'elle a avec lui ne fait qu'accentuer la distance séparant le vice-consul d'un milieu d'où il se trouve absent par l'incertitude même de son être. Peu à peu, malgré l'apparente banalité de la conversation, une angoisse naît de l'incertitude dont cette banalité est le signe.

Il y en a qui ne s'habituent jamais ? reprend le vice-consul.

Elle s'écarte un peu de lui, elle n'ose pas encore le regarder. Elle dira que quelque chose l'a frappée dans la voix. Elle dira : Est-ce cela une voix blanche ? On ne sait pas s'il vous questionne ou s'il vous répond. Elle sourit gentiment, lui parle.

— C'est-à-dire... il y en a... rarement remarquez, mais cela arrive... la femme d'un secrétaire, chez nous, au consulat d'Espagne, elle devenait folle, elle croyait qu'elle avait attrapé la lèpre, il a fallu la renvoyer, impossible de lui enlever cette idée de la tête.

10 Charles Rossett se tait parmi les danseurs. Son regard bleu-bleu est fixe, baissé sur les cheveux. L'expression de son visage est un peu angoissée tout à coup. Ils se sourient, ils sont sur le point de se parler, mais ils ne le font pas.

— Si personne ne s'habituait, dit le vice-consul — il rit.

On pense : le vice-consul rit, ah comment ? comme dans un film doublé, faux, faux.

Elle s'est de nouveau écartée et ose le regarder.

— Non, rassurez-vous, tout le monde s'habitue.

— Mais, au fait, avait-elle la lèpre cette femme ?

Alors elle s'écarte et, tout en évitant de le regarder, elle se rassure, elle croit avoir découvert enfin quelque sentiment familier chez le vice-consul : la peur.

20 — Oh ! dit-elle, je n'aurais pas dû vous parler de ça...

— C'est-à-dire... comment ne pas y penser ?

Elle essaie de rire un peu. Il rit, lui. Elle l'entend et cesse de rire.

Le Vice-consul (Librairie Gallimard, éditeur).

Romanciers « nouveaux » à l'écran

Emmanuelle Riva et Eiji Okada dans « Hiroshima mon amour » (1959), scénario de Marguerite Duras.
(Ph.© X – Arch. Photeb – D.R.)

Delphine Seyrig dans « L'Année dernière à Marienbad » (1961), scénario d'Alain Robbe-Grillet.
(Ph. © X – Arch. Photeb – D.R.)

Le mystère des êtres

En quête de formules nouvelles au cinéma comme dans le roman, M. Duras et A. Robbe-Grillet ont trouvé en Alain Resnais un réalisateur accordé à leur univers étrange et mystérieux.
• *Hiroshima mon amour,* c'est, dans les ruines d'Hiroshima, la rencontre émerveillée d'une Française et d'un Japonais ; mais l'obsession de leur passé condamne à l'échec cet amour impossible.
• L'héroïne inquiète de *L'Année dernière à Marienbad* parviendra-t-elle à savoir si elle était vraiment l'année précédente dans ce même hôtel de Marienbad où celui qui veut l'en persuader prétend qu'elle lui avait donné rendez-vous ?

Michel Leiris

MICHEL LEIRIS (né en 1901) apparaît d'abord comme le représentant caractéristique de *la forme moderne de l'autobiographie* (cf. p. 778). Après être passé par l'expérience surréaliste, il se convertit à l'ethnologie, part pour l'Afrique et en rapporte le journal de route de *L'Afrique fantôme* (1934). Mais ce ne sera là pour lui qu'un point de départ : le recours autobiographique intervient dès 1939 avec la première rédaction de *L'Âge d'homme* et s'affirmera avec les 4 volumes de *La Règle du jeu* (I. *Biffures,* 1948 ; II. *Fourbis,* 1955 ; III. *Fibrilles,* 1966 ; IV. *Frêle bruit,* 1976) et enfin *Le Ruban au cou d'Olympia* (1981). Quel est donc ce « jeu » ? Si LEIRIS a recours à l'autobiographie, s'il est fasciné par le pronom JE, comme il l'avance dans *Aurora* (« Il m'est toujours plus pénible qu'à quiconque de m'exprimer autrement que par le pronom JE »), c'est que ce mode d'expression est en lui déterminé par *une nécessité intérieure ;* mais ce n'est d'autre part qu'un moyen obligé d'accès à une réflexion sur le double jeu solidaire de la vie et de l'écriture, entreprise de déchiffrement de *l'*homme à travers l'exploration de la conscience et de l'inconscient *d'un* homme, et l'on songe inévitablement à un Montaigne moderne. Au centre de ce double jeu surgit, comme une intuition tragique, la conscience de l'énigme de la temporalité, née de la distance infranchissable, et que pourtant il faut bien tenter de franchir quand on écrit et quand on vit, entre *instantanéité* et *durée : « Poser des jalons, laisser venir, projeter une enquête à mener par paliers, et pour laquelle on prend sagement des notes, c'est remettre à plus tard l'atteinte de ce qui doit, si l'écriture est autre chose qu'un outil vulgaire, se réaliser à chaque instant et sans aucun sursis. Rien de commun entre l'échéance que préparent ces approches et le midi ou minuit éternel qu'édicte souverainement la création poétique ».* La fonction de l'écriture est alors de tenter de réduire cette distance tout en la traduisant : tel est *le paradoxe de l'écriture,* tels sont le risque et la chance de l'écrivain.

Georges Pérec

GEORGES PÉREC (1936-1982) a compté au nombre des collaborateurs de l'Ou.Li.Po. de QUENEAU (cf. p. 750) : c'est d'ailleurs à sa mémoire qu'il dédiera en 1978 *La Vie mode d'emploi* (prix Médicis) ; en 1965, pour *Les Choses,* il avait reçu le prix Renaudot. PÉREC va traiter et pratiquer l'écriture comme un *jeu mathématique,* mais ce parti est loin, très loin de le conduire à un formalisme qui réduirait le roman à un jeu de formes et de structures, dévalorisant ainsi la matière romanesque. Au contraire, on dirait que plus il calque son récit sur un schéma complexe de relations rigoureuses, plus il traite sa matière en réaliste et même en « hyper-réaliste », avec une minutie quasi acrobatique dans le détail même le plus infime de la narration et de la description. Telle est, semble-t-il, la signification principale de cette expérience presque unique : opérer la synthèse entre *une conception ludique* de la littérature, rigoureuse construction d'un ensemble complexe à partir d'éléments simples (« atomiques ») selon des règles déterminées, et *une conception hyper-réaliste* de la matière romanesque, constituée d'une masse apparemment inorganique de petits faits, parfois même infinitésimaux, cela dans un style d'une parfaite et délibérée *neutralité.* Synthèse qui peut relever, historiquement, d'une tradition qui remonte à Flaubert, et de l'assimilation des diverses expériences contemporaines, de Queneau au « nouveau roman ».

Aussi entre son premier roman expérimental, *Les Choses,* et celui où son propos s'affirme définitivement, *La Vie mode d'emploi,* PÉREC s'est consacré, comme son maître Queneau, à des *exercices* dont, après *La Disparition* (1969) et *L'Augmentation* (1970), les résultats sont réunis dans *Créations, Re-créations, Récréations* (1973). Il pourra alors donner comme épigraphe à *La Vie mode d'emploi* cette injonction du *Michel Strogoff* de Jules Verne : « Regarde de tous tes yeux, regarde ! », et dans le *Préambule* du roman se référer à l'art du puzzle : « Considérée isolément, une pièce d'un puzzle ne veut rien dire ; elle est seulement question impossible, défi opaque », et toute la difficulté du puzzle est dans « la subtilité de la découpe », d'où l'importance du « faiseur de puzzle » [1]. Le comble de l'art est de parvenir à conférer à la *nécessité* de chaque pièce par rapport à l'ensemble *l'apparence de l'aléatoire.* Tel sera le roman : morceaux juxtaposés selon les apparences du hasard, mais dont l'agencement obéit à une nécessité que fait apparaître cet agencement même.

— 1 Ainsi s'explique que Pérec condamne la découpe *mécanique* du puzzle.

DANS LA MÉMOIRE D'UN ESCALIER

La Vie mode d'emploi est l'histoire détaillée d'un immeuble et de ses habitants à travers le temps. A la fin du roman, Pérec fournit au lecteur, auprès d'un plan de l'immeuble et d'un index des noms et des œuvres, des repères chronologiques de 1833 à 1974. Le peintre VALÈNE est l'enregistreur privilégié de cette histoire. Le voici un jour dans l'escalier, et tout un monde révolu surgit en lui comme si l'escalier lui communiquait par osmose ses souvenirs accumulés. – THÈMES : *Souvenir. Temps.*

Il y avait bien sûr des gens dont il ne savait presque rien, qu'il n'était même pas sûr d'avoir vraiment identifiés, des gens qu'il croisait de temps à autre dans les escaliers et dont il ne savait pas très bien s'ils habitaient l'immeuble ou s'ils y avaient seulement des amis ; il y avait des gens dont il n'arrivait plus du tout à se souvenir, d'autres dont il lui restait une image unique et dérisoire : le face-à-main de Madame Appenzzell, les figurines en liège découpé que Monsieur Troquet faisait entrer dans les bouteilles et qu'il allait vendre le dimanche sur les Champs-Élysées, la cafetière émaillée bleue toujours tenue chaude sur un coin de la
10   cuisinière de Madame Fresnel.
Il essayait de ressusciter ces détails imperceptibles qui tout au long de ces cinquante-cinq ans avaient tissé la vie de cette maison et que les années avaient effacés un à un : les linoléums impeccablement cirés sur lesquels il fallait ne se déplacer qu'avec des patins de feutre, les nappes de toile cirée à rayures rouges et vertes sur lesquelles la mère et la fille écossaient des petits pois ; les dessous-de-plat en accordéon, les suspensions de porcelaine blanche qu'on remontait d'un doigt à la fin du dîner ; les soirées autour du poste de T.S.F. avec l'homme en veste de molleton, la femme en tablier à fleurs et le chat somnolent,
20   pelotonné près de la cheminée ; les enfants en galoches qui descendaient au lait avec des bidons bosselés ; les gros poêles à bois dont on recueillait les cendres dans de vieux journaux étalés...
Où étaient-elles les boîtes de cacao Van Houten, les boîtes de Banania avec leur tirailleur hilare, les boîtes de madeleines de Commercy en bois déroulé ? Où étaient-ils les garde-manger sous les fenêtres, les paquets de Saponite la bonne lessive avec sa fameuse Madame Sans-Gêne, les paquets de ouate thermogène avec son diable cracheur de feu dessiné par Cappiello, les sachets de lithinés du bon docteur Gustin ?
30   Les années s'étaient écoulées, les déménageurs avaient descendu les pianos et les bahuts, les tapis roulés, les cartons de vaisselle, les lampadaires, les aquariums, les cages à oiseaux, les horloges centenaires, les cuisinières noires de suie, les tables avec leurs rallonges, les six chaises, les glacières, les grands tableaux de famille.
Les escaliers pour lui, c'était, à chaque étage, un souvenir, une émotion, quelque chose de suranné et d'impalpable, quelque chose qui

palpitait quelque part, à la flamme vacillante de sa mémoire : un geste, un parfum, un bruit, un miroitement, une jeune femme qui chantait des airs d'opéra en s'accompagnant au piano, un cliquettement malhabile
40 de machine à écrire, une odeur tenace de crésyl, une clameur, un cri, un brouhaha, un froufroutement de soies et de fourrures, un miaulement plaintif derrière une porte, des coups frappés contre des cloisons, des tangos ressassés sur des phonographes chuintants ou, au sixième droite, le ronflement obstiné de la scie sauteuse de Gaspard Winckler auquel trois étages plus bas, au troisième gauche, ne continuait à répondre qu'un insupportable silence. *La Vie mode d'emploi. Dans l'escalier, 2.* (Hachette, éditeur).

Philippe Sollers

PHILIPPE SOLLERS (Philippe JOYAUX, né en 1936) s'est d'abord fait connaître comme animateur du groupe TEL QUEL, fondé en 1960, et dont faisaient partie de jeunes écrivains comme Marcelin Pleynet (né en 1935), Jean Thibaudeau (né en 1935), Jacqueline Risset (née en 1936), Denis Roche (né en 1937). TEL QUEL fut alors un laboratoire littéraire se proposant d'élaborer une « théorie d'ensemble » de la production des textes littéraires (en liaison avec la théorie de l'« écriture textuelle »). Une attention particulière est ainsi portée au *jeu de l'écriture* (Jacqueline Risset, *Jeu,* 1971 ; Jean Thibaudeau, *Une cérémonie royale,* 1966). Mais progressivement chacun évolue et traduit dans une œuvre son propre univers.

Évolution particulièrement sensible chez SOLLERS qui, dès ses débuts, avait manifesté un authentique talent de romancier avec *Une curieuse solitude* (1958), œuvre saluée à la fois par Mauriac et par Aragon. Tandis que le groupe TEL QUEL se dissocie peu à peu jusqu'à sa dissolution en 1982, l'œuvre de SOLLERS prend un premier tournant en 1972 avec *Lois,* où l'auteur tente de combiner dans une même « foulée » littéraire la narration et l'essai, la description de la réalité concrète et la réflexion métaphysique : il est ainsi conduit à se poser le problème de la « traversée de l'écriture ». Il lui faut désormais découvrir et *actualiser dans un texte* les au-delà de cette traversée. Il interroge alors des modèles : Proust et Joyce, mais aussi la Bible, et Dante (*Dante et la traversée de l'écriture,* 1981 [1]). Un premier résultat est proposé dans *Paradis* (1981), suivi de *Femmes* (1983), *Portrait du joueur* (1984), *Le Cœur absolu* (1987), *Le Lys d'or* et *Carnets de nuit* (1989), œuvres à beaucoup d'égards autobiographiques. L'abondance d'une matière empruntée à tous les horizons du monde et la diversité d'une démarche empruntée à tous les ordres de la littérature imposent un jeu complexe de relations entre les différentes « strates » de l'œuvre ainsi obtenue. Chacune de ces « strates » — narration, description, réflexion philosophique, regard humoristique, traduction parodique, etc. — fonctionne selon ses lois propres. En même temps, ce singulier « romancier » établit, entre ces différents fonctionnements, des relations d'harmonie et de discordance, produit des effets de suspens et d'inattendu, utilise la digression comme une loi nécessaire de son univers littéraire ; il unifie le tout par le recours à un style dont le principe est, dans la diversité de ses formes concrètes, *un principe de « lisibilité » :* désormais, le temps des expériences de laboratoire est révolu et il s'agit de rendre accessibles et plausibles leurs résultats. Plus récemment, il a publié *Le Secret* (1993).

Dans *Femmes,* le narrateur, un journaliste américain, est obsédé par l'expansion du pouvoir féminin dans le monde contemporain. Il promène son lecteur devant les portraits de femmes diverses, de toutes nationalités, une journaliste, une anarchiste, une féministe militante, une attachée d'ambassade, une musicienne... Il est ainsi conduit à aborder tous les thèmes qui lui viennent à l'esprit, de l'érotisme au sacré, de la politique à la philosophie, etc. — comme si chaque « sujet » apparu à propos d'une femme déclenchait une réaction en chaîne apparemment fortuite, mais en fait contrôlée par le romancier.

— 1 Dans le même temps Jacqueline Risset, elle aussi, s'attache à l'étude de Dante pour voir | comment *l'écriture* y produit un *univers* (*Dante écrivain,* 1982).

Avec Diderot à Saint-Pierre de Rome

Voici donc un jour le narrateur à Rome. Il visite Saint-Pierre, s'arrête dans la chapelle du Saint-Sacrement où son attention est fixée par un groupe de religieuses asiatiques en prière. – THÈMES : *Femme. Religion. Métaphysique. Providence. Temps. Science.*

Je me dirige vers la chapelle du Saint-Sacrement... Adoration perpétuelle... Une quinzaine de religieuses sont là en permanence... Moches, condamnées... Sauf deux, là, en extase... Vietnamiennes en bleu... Fragiles... Elles sont emportées dans leur contemplation de l'ostensoir d'argent... Devant des bouquets d'œillets rouges... Elles sont ravissantes... Je m'assois près d'elles... Je les regarde... J'ai l'impression qu'elles vont s'envoler... Vraiment, elles lévitent presque... Elles deviennent aussi minces, translucides que le cercle de pain là-bas, très loin, tout près, qu'elles adorent comme le vrai corps de dieu descendu ici-bas, remonté là-bas, incarné tout bas par ce signe poinçonné
10 mangeable... Oui, c'est ça, petit rond du ticket transcendant qui tombe... Flocon... Dans l'ivresse... Le corps sur le bout de la langue... Le silence, maintenant, est assourdissant... On dirait que l'incessante prière intérieure le fait éclater de partout... Je pense à Diderot, bien sûr... Aux *Pensées philosophiques*... À propos de la formule « Tu es Petrus, et super hanc petram aedificabo ecclesiam meam » [1], jeu de mots fondamental de l'Église, Diderot écrit : « Est-ce là le langage d'un Dieu, ou une *bigarrure*, digne du Seigneur des Accords ? »... Le Seigneur des Accords, c'est Étienne Tabourot, né à Dijon en 1549, mort en 1590... Auteur des *Bigarrures* (1572), recueil de rébus, d'équivoques, de calembours... La vérité se révèle dans l'équivoque... Le
20 lapsus... Le mot d'esprit... J'imagine Diderot à côté de moi, aujourd'hui, après la victoire de la science et de la philosophie sur les deux tiers de la planète... Victoire invivable pour deux milliards d'habitants... Je lui parle de Freud, à Diderot ; je lui demande d'observer les deux religieuses ravies asiatiques... Il se trouble... Comme les temps ont changé !... Et rechangé ! Et changé encore ! Nous retournons à la villa Borghèse en traversant le *Pincio*... Il regarde la statue de Byron... Celle de Goethe... Celle de Chateaubriand, devant laquelle il a un air vaguement confus... Nous revoici ensemble devant *La Vérité révélée par le Temps* [2]... « Mais le Temps n'est pas représenté, dit-il. — Bien sûr, dis-je, c'est son absence même qui est la réponse... C'est sa non-présence diffuse qui
30 dévoile la nudité renversée du monde. Et le comique insondable d'avoir pensé qu'il y en avait un. — Un quoi ? — Un monde ! — Vous voulez dire qu'il y en a une infinité ? — Même pas. Rien. Vraiment rien. — Comment ça, rien ? Ni terre, ni soleil, ni galaxies, ni cosmos, ni infiniment petit, ni infiniment grand, même pas le rêve de d'Alembert [3], ni la vie, ni les espèces, rien ! Simplement une femme qui rit face à rien ! Ah, vous êtes vraiment fou, mon cher ! »

Diderot s'éclipse... Je redescends vers la ville... Le jour clair d'hiver tombe, bleu et rouge, dans les lignes puissantes des arbres... Je suis toujours surpris par la vivacité de la végétation à Rome... Sève au milieu des pierres... Vert-noir véhément dressé...

Femmes, IV (Librairie Gallimard, éditeur).

— 1 Paroles du Christ à Pierre : « Tu es Pierre, | — 2 Peinture allégorique. — 3 Cf. *XVIIIᵉ Siècle,* et sur cette pierre je construirai mon Église. » | p. 212 et p. 216-218.

J.-M.-G. Le Clézio

Jean-Marie-Gustave LE CLÉZIO (né en 1940), originaire de Nice, a 7 ans lorsqu'il s'embarque pour rejoindre son père, médecin issu de l'île Maurice, à Onitsha, dans le Nigeria, pays anglophone d'Afrique. Son œuvre est d'abord une quête d'identité inscrite dans le contexte du goût de l'aventure et de la hantise de la solitude, surtout sensible dans ses premiers livres.

Lorsqu'en 1963 paraît *Le Procès-verbal*, histoire de ce solitaire absolu qu'est Adam Pollo, on aura tôt fait d'enrégimenter LE CLÉZIO parmi les adeptes du « nouveau roman ». Toutefois, si l'accent est mis sur la primauté de l'écriture pure par rapport à l'histoire du personnage, il y a tout de même dans ce roman une histoire et un personnage, et l'on voit déjà y poindre les deux thèmes de l'identité et de la solitude ; surtout il y a là, dans le détail, un « néo-réalisme » qui n'est pas sans parenté avec celui de PÉREC (cf. p. 756) : le monde entier, l'humanité entière sont comme englobés dans chaque fragment de réalité, et la juxtaposition de ces fragments constitue la matière du roman.

Le reste de son œuvre montrera que le propos essentiel du romancier est de pratiquer certes « l'écriture à l'état brut », mais cette pratique est surtout symbolique. En 1967, dans un essai explicatif, *L'Extase matérielle*, LE CLÉZIO écrit : « Le secret absolu de la pensée est sans doute le désir jamais oublié de se replonger dans la plus extatique fusion avec la matière, dans le concret tellement concret qu'il en devient abstrait. »

De là, dans son écriture, l'importance première des sensations dont il a le génie de traduire la richesse avec virtuosité, — sensations relevant de tous les sens et allant du microscopique à l'infiniment grand. Il a évoqué la ville de fer et de béton, la civilisation mécanique, avec son pouvoir de fascination et d'agression (*Les Géants*, 1973), et la « guerre » qu'elle livre aux aspirations de l'homme avide d'atteindre à « l'extase matérielle » (*La Guerre*, 1970). Après *Terra amata* (1967), *Le livre des fuites* (1969), il se réfugie auprès des êtres proches de la nature, tribus primitives (*Haï*, 1971 : « Je suis un Indien »), enfance (*Mondo et autres histoires*, 1978 ; *L'Inconnu sur la terre*, 1978 ; *Onitsha*, 1991 ; *Etoile errante*, 1992), île natale (*Sirandanes*, 1990 : « devinettes »), Mexique (*Diego et Frida*, 1993) ; Afrique du Nord, l'aventure de Laïla (*Poisson d'or*, 1997).

Pour lui, c'est dans le jeu entre le concret et l'abstrait que consiste tout l'art du romancier, comme sa « sagesse » réside dans la poursuite de toutes les occasions de « fusion » extatique avec la matière, la matière du monde et de l'univers, la matière des hommes dans leurs multiples variétés. Il en est ainsi dans *La Fièvre* (1965) et *Le Déluge* (1966) ; et surtout quand, pour enrichir sa substance romanesque et renouveler ses modes d'expression, il puise dans son expérience de l'aventure et du voyage (*Voyages de l'autre côté*, 1975 ; *Désert*, 1980 ; *Le Chercheur d'or*, 1985, *Voyage à Rodrigues*, 1986) — ou encore dans les souvenirs familiaux (*La Quarantaine*, 1996 ; *Hasard*, 1999).

Tout se passe comme si les personnages de LE CLÉZIO étaient en porte-à-faux entre deux univers, celui de leur vie actuelle et apparente, et celui de leur vie réelle et intérieure ; et il traduit ce porte-à-faux dans ses techniques de composition et dans son style.

Ainsi en est-il de l'héroïne de *Désert*, cette Lalla, descendante des « hommes bleus », transférée à Marseille, et qui n'en reste pas moins fidèle au monde légendaire du désert dont elle doit la révélation à celui qu'elle appelle « Le Secret ».

Et plus encore du narrateur du *Chercheur d'or*, où LE CLÉZIO a recours à la forme du journal à la première personne, tenu au long de trente années, de 1892 à 1922.

Enfants d'une famille de l'île Maurice, ALEXIS, *le narrateur, sa sœur* LAURE *et sa mère* « MAM » *connaissent la pauvreté et l'exil à la suite de la faillite du père qui, toutefois, avant de mourir, leur a révélé la présence dans une île d'un trésor caché, le « Trésor du Corsaire ».* ALEXIS *traverse les accidents de l'histoire et de la vie, il fait la guerre sur le front français, sans cesser de conserver en lui à la fois la nostalgie du paradis de son enfance et l'obsession du Trésor. Il rencontre l'amour en la personne de la jeune* OUMA, *mais celle-ci lui échappe. Le vrai trésor, il ne le découvre qu'une fois revenu sur les lieux de son enfance, dans une solitude qui, le rendant à lui-même, lui restitue aussi son âme face à une nature dont il comprend enfin les signes, — son âme jusque-là prisonnière des illusions du monde. Mais il lui aura fallu, pour cela, passer « de l'autre côté du monde ».*

« *DE L'AUTRE CÔTÉ DU MONDE* »

Dans cette page, on mesurera la maîtrise avec laquelle LE CLÉZIO réalise son projet de faire « de la musique avec des mots », afin de créer un langage capable de « rejoindre les autres langages du vent, des insectes, des oiseaux, de l'eau qui coule, du feu qui crisse, des rochers et des cailloux de la mer ».
THÈMES : *Souvenir. Nature. Mysticisme. Exotisme.*

Je pense à Mam. Il me semble qu'elle doit encore dormir quelque part, seule dans son grand lit de cuivre, sous le nuage de la moustiquaire. Avec elle je voudrais parler à voix basse de ces choses qui ne finissent pas, notre maison au toit d'azur, fragile, transparente comme un mirage, et le jardin plein d'oiseaux où vient la nuit, le ravin, et même l'arbre du bien et du mal qui est aux portes de Mananava.

Me voici de nouveau à l'endroit même où j'ai vu venir le grand ouragan [1], l'année de mes huit ans, lorsque nous avons été chassés de notre maison et jetés dans le monde, comme pour une seconde naissance.
10 Sur la colline de l'Étoile, je sens grandir en moi le bruit de la mer. Je voudrais parler à Laure de Nada the Lily, que j'ai trouvée au lieu du trésor, et qui est retournée dans son île. Je voudrais lui parler de voyages, et voir briller ses yeux, comme lorsque nous apercevions du haut d'une pyramide l'étendue de la mer où on est libre.

J'irai sur le port pour choisir mon navire. Voici le mien : il est fin et léger, il est pareil à une frégate aux ailes immenses. Son nom est *Argo* [2]. Il glisse lentement vers le large, sur la mer noire du crépuscule, entouré d'oiseaux. Et bientôt dans la nuit il vogue sous les étoiles, selon sa destinée dans le ciel. Je suis sur le pont, à la poupe, enveloppé de
20 vent, j'écoute les coups des vagues contre l'étrave et les détonations du vent dans les voiles. Le timonier chante pour lui seul, son chant monotone et sans fin, j'entends les voix des marins qui jouent aux dés dans la cale. Nous sommes seuls sur la mer, les seuls êtres vivants. Alors Ouma est avec moi de nouveau, je sens la chaleur de son corps, son souffle, j'entends battre son cœur. Jusqu'où irons-nous ensemble ? Agalega, Aldabra, Juan de Nova ? Les îles sont innombrables. Peut-être que nous braverons l'interdit, et nous irons jusqu'à Saint Brandon, là où le capitaine Bradmer [3] et son timonier ont trouvé leur refuge ? De l'autre côté du monde, dans un lieu où l'on ne craint plus les signes
30 du ciel, ni la guerre des hommes.

Il fait nuit à présent, j'entends jusqu'au fond de moi le bruit vivant de la mer qui arrive.

Le Chercheur d'or (Librairie Gallimard, éditeur).

— 1 Allusion au cyclone qui, en 1832, a ravagé et ruiné la propriété familiale. — 2 C'est le nom du navire légendaire sur lequel les héros grecs, les *Argonautes*, partirent à la recherche de la *Toison d'or*. — 3 Commandant du schooner le *Zeta*, messager, avec son timonier comorien, de « l'autre côté du monde ».

LE « NOUVEAU ROMAN »

Rangés, certains malgré eux, sous la bannière du « NOUVEAU ROMAN », Alain Robbe-Grillet, Michel Butor, Nathalie Sarraute, Claude Simon refusent des notions qu'ils estiment périmées : le personnage, l'histoire, l'engagement, la distinction entre forme et contenu. Cette position a été vivement attaquée par des critiques qui leur reprochent de tarir avec « terrorisme » la source de la création romanesque et de ne la remplacer par « rien » (cf. Kléber Haedens, *Paradoxe sur le roman,* 1964).

Le *nouveau roman* ne se présente pas comme un exposé ou une relation linéaire, mais comme une *recherche.* Un constant va-et-vient dans le temps, la juxtaposition d'instantanés, de versions divergentes de la même scène, la présence obsédante des objets, un « double mouvement de création et de gommage » peuvent déconcerter le lecteur ; mais celui-ci doit comprendre que l'auteur attend de lui une participation active. « Ce qu'il lui demande, écrit Robbe-Grillet, ce n'est plus de recevoir tout fait un monde achevé, plein, clos sur lui-même, c'est au contraire de participer à une création, d'inventer à son tour l'œuvre — et le monde — et d'apprendre ainsi à inventer sa propre vie » *(Pour un nouveau roman).*

Nathalie Sarraute   D'origine russe, lectrice fervente de Dostoïevsky et de Kafka, NATHALIE SARRAUTE (née en 1902) s'orientait dès 1938 vers des voies nouvelles avec un roman dont le titre est significatif : *Tropismes.* Après la guerre, elle a publié *Portrait d'un inconnu, Martereau, Le Planétarium* (1959), *Les Fruits d'or* (1963), *Entre la vie et la mort* (1968), *Tu ne m'aimes pas* (1990) ; — *L'Ère du soupçon* (1956, essai sur le roman) ; — des pièces de théâtre : *Le Silence* et *Le Mensonge* (1967), *Isma* (1970).

Son univers est un microcosme : cercle familial restreint, milieux littéraires fermés (ce qui lui permet une fine satire du snobisme esthétique ou intellectuel). Son domaine est celui des impulsions brusques et fugitives, incontrôlées, des *tropismes,* qui font passer un être, en un instant, de la tendresse à la haine, de l'abattement à l'allégresse. Pas de « héros » en chair et en os (les personnages du *Silence* sont même, pour la plupart, désignés par des numéros), mais de simples supports à l'investigation psychologique ; pas d'action dramatique, un dialogue situé entre conversation et « sous-conversation », au niveau (déjà exploré par la romancière anglaise Ivy Compton-Burnett) où nos paroles et nos silences trahissent nos pensées secrètes.

Sur l'« écran intérieur »

Tante Berthe a parlé imprudemment de céder son appartement, trop grand pour elle, à son neveu Alain Guimiez ; elle est pressée de mettre ce projet à exécution par son frère Pierre (père d'Alain, poussé par sa belle-fille Gisèle), puis par Alain qui est allé jusqu'aux menaces... Elle se plaint à Pierre d'un pareil procédé. La scène dont voici un fragment présente un double intérêt : d'abord nous allons la revoir, telle que Pierre l'a vécue (cf. les notes) ; ensuite elle illustre bien les inquiétudes, les revirements, les petites métamorphoses qui agitent en sourdine un être imaginatif et sensible dans ses rapports avec autrui et avec lui-même. « Tempêtes dans un verre d'eau », dira-t-on avec Pierre ? En fait, la *minutie psychologique* de NATHALIE SARRAUTE nous ouvre des horizons sur l'instabilité du moi et la difficulté de communication entre les consciences.

THÈMES : *Famille. Moi. Psychologie. Littérature (Monologue intérieur).*

« C'est grave.. Alain a été odieux... ».

Il se rengorge tout à coup. Il a l'air de contempler quelque chose en lui-même qui lui donne ce petit sourire plein d'attendrissement, de contentement... il se renverse en arrière... « Ah, sacré Alain va, qu'est-ce qu'il a encore fait ? » Elle sait, elle reconnaît aussitôt ce qu'il regarde en lui-même [1] avec ce sourire

---

— 1 Voici le « film » que Pierre refuse de voir : « Il ne verra pas, qu'elle n'y compte pas, son fils dans le banc des accusés parmi de jeunes délinquants, pâles visages de petits vieux vicieux, regards sournois, insensibilité, retard mental, troubles du caractère, signes de dégénérescence accusés... « Vous êtes le père ?... » [...]. Il n'a pas envie de s'amuser avec elle à ce nouveau petit jeu, si passionnant, si excitant que ce soit pour elle — il y a là de quoi faire trembler sa voix. »

fat, le film qu'il est en train de projeter pour lui tout seul sur son écran intérieur. Elle l'a vu souvent, autrefois, prenant l'enfant sur ses genoux ou serrant sa petite main tandis qu'ils le promenaient ensemble le dimanche, lui montrer ces images qu'il contemple en ce moment : lui devenu tout vieux, tout chétif
10 et pauvre, debout dans la foule, là, au bord de cette chaussée, serrant contre lui, car il fait froid, son pardessus râpé, et attendant pour voir le beau cavalier (elle sentait à ce moment quelle volupté il éprouvait à voir dans les yeux de l'enfant, sous les larmes de tendresse, de déchirante tristesse, briller des éclairs d'orgueil), le conquérant intrépide, dur et fort, traînant tous les cœurs après soi, qui passe sur son cheval alezan sans le reconnaître, il revient d'une croisade, de longues campagnes victorieuses, il croit avoir perdu, il a peut-être oublié son vieux papa, mais le pauvre cœur paternel est inondé de joie, de fierté... Voyez-le... Ah, c'est un gars, ça, au moins, ce n'est pas une poule mouillée. C'est un rude gaillard, hein, mon fils ?
20 Pauvre bougre. Il lui fait de la peine. C'est en s'amusant à prendre ce genre d'attitudes-là, déjà avec leur père autrefois, qu'il a fait de lui-même ce qu'il est : un pauvre homme qui s'est rétréci, qui s'est diminué, qui n'a pas exploité à fond ses possibilités... Elle sent ses forces lui revenir, un salutaire besoin de le secouer... en voilà des attitudes malsaines de faiblesse, d'abandon... il est ridicule... qu'est-ce que c'est que ces conduites de gâteux... un peu de tenue, voyons, un peu de respect de soi, d'autorité... qu'il se souvienne donc un peu de son rôle d'éducateur, de juge... le petit s'est conduit comme un voyou, il a probablement besoin d'être redressé, il n'y a vraiment pas de quoi se vanter... c'est un petit vaurien... « Il est venu me menacer. Il veut me dénoncer au propriétaire. Il va me faire expulser.
30 Mais enfin, est-ce que tu te rends compte ?... »
Son visage devient grave, il a l'air de revenir à lui enfin, il se cale dans son fauteuil, pose ses coudes sur les accoudoirs, joint le bout des doigts de ses deux mains grandes ouvertes, paumes écartées — un geste qu'il fait quand il réfléchit. Il tourne vers elle un regard ferme... « Qu'est-ce que tu racontes ? Qu'est-ce que c'est que cette histoire ? Mais c'est une plaisanterie, voyons... Ça ne tient pas debout... Alain te dénoncer... Alain te faire expulser... Tu connais Alain mieux que moi. Tu sais bien que c'est le garçon le plus franc, le plus délicat... Elle tend son visage vers lui... encore... c'est trop délicieux... Il est très affectueux, tu le sais bien... Et toi, il t'aime beaucoup. C'est sûr, tout le
40 monde le sait, il t'est très attaché... »
Elle n'en demandait pas tant, c'est trop... la vie revient, une vie plus intense, purifiée, une vie riche en biens précieux, en inestimables trésors [2]... les liens du sang, l'amour lentement fortifié par tant de sacrifices, d'abnégation... comment a-t-elle pu s'aveugler au point de ne plus voir — mais elle l'avait entrevu, senti confusément quelque part en elle-même, tout à fait en dessous, et cela dans les moments les plus terribles — que les scènes de ce genre entre eux révélaient, justement, la force indestructible de leurs sentiments, un trop-plein de richesses qu'ils s'amusaient à gaspiller... l'excès même de sécurité leur donnait ce besoin de s'exciter de temps en temps par ces joutes brutales, ces jeux cruels...

Le Planétarium (Librairie Gallimard, éditeur).

— 2 « Il lui semble qu'il se produit en elle comme une sorte de mue, elle se transforme entièrement, d'un seul coup, et apparaît, toute pudique, rougissante, avec un regard purifié d'enfant confiant, heureux. Il se sent touché. »

Claude Simon   Né en 1913, CLAUDE SIMON, cavalier en 1939, est fait prisonnier en mai 40 et s'évade (cf. *La Route des Flandres*). Écrivain et aussi viticulteur dans le Roussillon, il obtient le prix Nobel 1985 pour son œuvre romanesque : *Le Tricheur* (1946), *La Corde raide* (1947), *Gulliver* (1952), *Le Sacre du printemps* (1954), *Le Vent, tentative de restitution d'un retable baroque* (1957), *L'Herbe* (1958), *La Route des Flandres* (1960), *Le Palace* (1962), *Histoire* (1967), *La Bataille de Pharsale* (1969), *L'Acacia* (1989, roman de veine autobiographique).

Après Joyce et Faulkner, il s'efforce de rester au plus près du courant de conscience et de ce qu'il appelle lui-même *le foisonnant et rigoureux désordre de la mémoire ;* à cette fin, et pour mettre en valeur certaines images qui semblent l'obséder, il s'inspire de la technique cinématographique et doit inventer des moyens structuraux et stylistiques appropriés. *La Route des Flandres* apparaît sans doute comme son ouvrage le plus accompli, mais, sans craindre les risques, il a poussé plus avant son effort : dans *Histoire,* le récit ne commence ni ne s'achève, le style paraît se défaire, le « discours » constituant une sorte de phrase ininterrompue qui rebondit sur des reprises de mots, des participes présents et des *comme si.*

LA ROUTE DES FLANDRES

La Route des Flandres présente un petit groupe de cavaliers dans la défaite de mai 40. Une scène, entre autres, revient avec une insistance obsédante, celle de la mort du capitaine de Reixach (il faut prononcer « Reichac »). Un constant va-et-vient dans le temps peut dérouter le lecteur, ainsi que l'usage de procédés cinématographiques tels que le *flash back,* les brusques changements de séquence ou la surimpression (l'auteur évoque lui-même les *truquages de cinéma*). Contre la tradition du récit ordonné, il s'agit de traduire la libre montée des souvenirs qui ne se soucie pas de chronologie et procède par associations ou analogies. La présentation massive (peu d'alinéas), la ponctuation rare concourent au même effet : le flux mental est à la fois continu et apparemment chaotique. L'auteur renonce d'autre part à la fiction du narrateur omniscient : les points de vue se succèdent et parfois s'opposent ; rien n'est imposé au lecteur qui doit être sans cesse attentif, chercher des points de repère et se faire sa propre opinion.

Dans l'extrait que voici (c'est la fin du roman) on remarquera en particulier la soudaine remise en question (l. 39) et la surimpression majeure des deux Reixach, celui de la Révolution et celui de mai 40 : tous deux auraient été trompés par leur femme, l'aïeul se serait tué et la mort au combat du capitaine serait une sorte de suicide ; ainsi le récit cesse d'être anecdotique pour prendre la dimension tragique d'un *éternel retour.*

Sans doute aurait-il [1] préféré ne pas avoir à le faire lui-même [2] espérait-il que l'un d'eux [3] s'en chargerait pour lui, doutait-il encore qu'elle (c'est-à-dire la Raison c'est-à-dire la Vertu c'est-à-dire sa petite pigeonne [4]) lui fût infidèle peut-être fut-ce seulement en arrivant qu'il trouva quelque chose comme une preuve comme par exemple ce palefrenier caché dans le placard, quelque chose qui le décida, lui démontrant de façon irréfutable ce qu'il se refusait à croire ou peut-être ce que son honneur lui interdisait de voir, cela même qui s'étalait devant ses yeux puisque Iglésia lui-même disait qu'il [5] avait toujours fait
10 semblant de ne s'apercevoir de rien racontant la fois où il avait failli les [6] surprendre où frémissante de peur de désir inassouvi elle avait à peine eu le temps de se rajuster dans l'écurie et lui ne lui jetant même pas

---

— 1 L'aïeul de Reixach. — 2 Se tuer. — 3 Les Espagnols contre lesquels il se bat. — 4 A-t-il été cruellement déçu par l'idéologie révolutionnaire ou par sa femme ? — 5 Changement de séquence : *il* est maintenant le capitaine de Reixach. — 6 Sa femme et l'amant de celle-ci, le jockey Iglésia.

un coup d'œil allant tout droit vers cette pouliche se baissant pour tâter les jarrets disant seulement Est-ce que tu crois que ce révulsif suffira il me semble que le tendon est encore bien enflé Je pense qu'il faudrait quand même lui faire quelques pointes de feu, et feignant toujours de ne rien voir pensif et futile sur ce cheval [7] tandis qu'il s'avançait à la rencontre de sa mort dont le doigt était déjà posé dirigé sur lui sans doute tandis que je suivais son buste osseux et raide cambré sur sa selle
20 tache d'abord pas plus grosse qu'une mouche pour le tireur à l'affût mince silhouette verticale au-dessus du guidon de l'arme pointée grandissant au fur et à mesure qu'il se rapprochait l'œil immobile et attentif de son assassin patient l'index sur la détente voyant pour ainsi dire l'envers de ce que je pouvais voir ou moi l'envers et lui l'endroit c'est-à-dire qu'à nous deux moi le suivant et l'autre le regardant s'avancer nous possédions la totalité de l'énigme (l'assassin sachant ce qui allait lui arriver et moi sachant ce qui lui était arrivé, c'est-à-dire après et avant, c'est-à-dire comme les deux moitiés d'une orange partagée et qui se raccordent parfaitement) au centre de laquelle il se
30 tenait ignorant ou voulant ignorer ce qui s'était passé [8] comme ce qui allait se passer dans cette espèce de néant (comme on dit qu'au centre d'un typhon il existe une zone parfaitement calme) de la connaissance, du point zéro : il lui aurait fallu une glace à plusieurs faces, alors il aurait pu se voir lui-même, sa silhouette grandissant jusqu'à ce que le tireur distingue peu à peu les galons, les boutons de sa tunique les traits mêmes de son visage, le guidon choisissant maintenant l'endroit le plus favorable sur sa poitrine, le canon se déplaçant insensiblement, le suivant, l'éclat du soleil sur l'acier noir à travers l'odorante et printanière haie d'aubépines. Mais l'ai-je vraiment vu [9] ou cru le voir ou tout simplement
40 imaginé après coup ou encore rêvé, peut-être dormais-je n'avais-je jamais cessé de dormir les yeux grands ouverts en plein jour bercé par le martèlement monotone des sabots des cinq chevaux piétinant leurs ombres ne marchant pas exactement à la même cadence de sorte que c'était comme un crépitement alternant se rattrapant se superposant se confondant par moments comme s'il n'y avait plus qu'un seul cheval, puis se dissociant de nouveau se désagrégeant recommençant semblait-il à se courir après et cela ainsi de suite, la guerre pour ainsi dire étale, pour ainsi dire paisible autour de nous, le canon sporadique frappant dans les vergers déserts avec un bruit sourd monumental et creux comme
50 une porte en train de battre agitée par le vent dans une maison vide, le paysage tout entier inhabité vide sous le ciel immobile, le monde arrêté figé s'effritant se dépiautant s'écroulant peu à peu par morceaux comme une bâtisse abandonnée, inutilisable, livrée à l'incohérent, nonchalant, impersonnel et destructeur travail du temps.

La Route des Flandres (Éditions de Minuit).

— 7 Nouvelle séquence, celle de la mort du | le narrateur intermittent, Georges, cousin du capitaine. — 8 Cf. l. 9-10 et 16-17. — 9 Ici parle | capitaine et cavalier dans son escadron.

Alain Robbe-Grillet   Adepte de la phénoménologie, ALAIN ROBBE-GRILLET (né en 1922) se défie de la métaphore qui projette sur les objets notre affectivité (alors qu'ils *sont là*, tout simplement), des « au-delà » métaphysiques et de la « tragification » de l'univers. Pour lui, le roman, loin de transmettre un « message », a sa fin en soi ; l'écriture romanesque « est invention, invention du monde et de l'homme, invention constante et perpétuelle remise en question ».

Quoiqu'il se défende d'être un théoricien, il a contribué à tracer la voie au « roman futur » par ses essais critiques, groupés en 1963 sous le titre *Pour un nouveau roman ;* et ses propres œuvres, — des *Gommes* à *La Maison de rendez-vous* et au *Projet pour une révolution à New York* en passant par *Le Voyeur*, *La Jalousie* (1957), *Dans le labyrinthe* (1959) et les nouvelles d'*Instantanés* —, ressemblent à des exercices, presque à des démonstrations. Objets, « comptages », « mensurations », « repères géométriques » deviennent obsessionnels, tandis qu'un blanc occupe le centre de l'action *(Le Voyeur)* ou se substitue à la conscience du personnage *(La Jalousie)*. L'auteur explore cette zone indécise (hantise, somnambulisme) où l'on ne sait plus si la psychologie est normale ou pathologique ; il erre aussi dans ses souvenirs : *Le miroir qui revient* (1984), *Angélique ou l'enchantement* (1988).

Très marqué par la technique du cinéma (comme Claude Simon), auteur de « ciné-romans » *(L'Année dernière à Marienbad, L'Immortelle)*, Robbe-Grillet a paru chercher un moment dans le septième art son principal mode d'expression.

LA JALOUSIE

La scène se passe dans une plantation de bananiers, quelque part dans un pays tropical. Le titre, *La Jalousie,* comporte un double sens, significatif : un « système de jalousies », ouvertes ou fermées, laisse voir les personnages ou les dérobe à la vue et leur permet à eux-mêmes, ou leur interdit, de voir à l'extérieur ; mais il s'agit conjointement de la jalousie éprouvée par un être. En effet, le lecteur ne tarde pas à s'apercevoir que Franck et surtout A... sont épiés par un regard, celui du mari d'A... qui soupçonne sa femme de le tromper avec Franck ; une passion se dissimule donc sous « le débit mesuré, uniforme » qui « ressemble [...] à celui d'un témoignage en justice, ou de la récitation ». Mais, comme la caméra et l'opérateur n'apparaissent pas dans un film, le personnage central (ou le témoin) est ici « gommé », invisible mais intensément présent par ses angoisses, ses obsessions, son imagination. Le récit au présent, ponctué de *maintenant* qui ne constituent pas une chronologie, fait régner une actualité intemporelle, peut-être celle de la hantise, tout en soulignant la distance (cf. les jalousies) que l'auteur prend par rapport à ce qu'il met en scène.

Fort de ses trois ans d'expérience, Franck pense qu'il existe des conducteurs sérieux, même parmi les noirs [1]. A... est aussi de cet avis, bien entendu [2].

Elle s'est abstenue de parler pendant la discussion sur la résistance comparée des machines, mais la question des chauffeurs motive de sa part une intervention assez longue, et catégorique.

Il se peut d'ailleurs qu'elle ait raison. Dans ce cas, Franck devrait avoir raison aussi.

10 Tous les deux parlent maintenant du roman que A... est en train de lire, dont l'action se déroule en Afrique. L'héroïne ne supporte pas le climat tropical (comme Christiane [3]). La chaleur semble même produire chez elle de véritables crises :

« C'est mental, surtout, ces choses-là », dit Franck.

— 1 La conversation porte sur les camions | l. 18-22). — 3 La femme de Franck ; la précision et leurs chauffeurs. — 2 Noter l'insinuation (cf. | souligne la composition *en abyme* (cf. p. 311).

Il fait ensuite une allusion, peu claire pour celui qui n'a même pas feuilleté le livre, à la conduite du mari. Sa phrase se termine par « savoir la prendre » ou « savoir l'apprendre », sans qu'il soit possible de déterminer avec certitude de qui il s'agit, ou de quoi. Franck regarde A..., qui regarde Franck. Elle lui adresse un sourire rapide, vite absorbé par la pénombre. Elle a compris, puisqu'elle connaît l'histoire.

20 Non, ses traits n'ont pas bougé. Leur immobilité n'est pas si récente : les lèvres sont restées figées depuis ses dernières paroles. Le sourire fugitif ne devait être qu'un reflet de la lampe, ou l'ombre d'un papillon.

Du reste, elle n'était déjà plus tournée vers Franck, à ce moment-là. Elle venait de ramener la tête dans l'axe de la table et regardait droit devant soi, en direction du mur nu, où une tache noirâtre marque l'emplacement du mille-pattes écrasé la semaine dernière, au début du mois, le mois précédent peut-être, ou plus tard [4].

Le visage de Franck, presque à contre-jour, ne livre pas la moindre expression.

30 Le boy fait son entrée pour ôter les assiettes. A... lui demande, comme d'habitude, de servir le café sur la terrasse.

Là, l'obscurité est totale. Personne ne parle plus. Le bruit des criquets a cessé. *La Jalousie* (Éditions de Minuit).

Dans le labyrinthe

Sous la neige, dans une ville menacée par l'envahisseur après une défaite, un soldat cherche quelqu'un à qui il doit remettre une boîte (à la saison près, l'atmosphère est celle de la défaite de 40 et du début de l'Occupation). Cette séquence se répète avec des variantes et alterne avec d'autres scènes et des plans fixes ; dans ce *labyrinthe*, il est difficile de suivre le fil d'une « histoire ». Au début de notre extrait, le soldat, gravement blessé par une patrouille ennemie, s'entretient avec la femme qui l'a recueilli chez elle et le soigne ; il est question de la *boîte* qui depuis le début fascine le lecteur. Nous retiendrons cette indication, que le soldat « était déjà malade, avant sa blessure, qu'il avait de la fièvre et qu'il agissait parfois comme un somnambule ». On peut penser aussi à une nouvelle forme d'unanimisme (cf. p. 478) : le désarroi est en partie celui de la défaite, et le soldat est un soldat, entre tant d'autres, en quelque sorte interchangeables, notamment dans la débâcle. Les dernières pages, comme dans un roman policier, apporteront d'autres éclaircissements, mais hypothétiques et fragmentaires.

« Il [1] m'avait demandé, je suis arrivé, trop tard, quelques minutes. On m'a remis la boîte, de sa part. Ensuite, quelqu'un l'a appelé, au téléphone. C'est moi qui ai répondu. Son père, je crois, pas tout à fait. Ils n'avaient pas le même nom. Je voulais savoir, ce qu'il fallait faire, avec la boîte.

— Et il vous a donné rendez-vous. »

Oui ; l'homme qui téléphonait a fixé la rencontre dans sa propre ville, celle-ci, où le soldat pouvait essayer de se rendre, chacun agissant désormais à sa guise, dans cette armée en déroute. Le lieu du rendez-vous n'était pas le domicile de l'homme, pour des raisons de famille ou quelque chose de ce genre, mais

---

— 4 La trace et l'incident du mille-pattes écrasé (que rien ne permet de dater exactement) vont revenir sans cesse.

— 1 *Il* : Le blessé, mort depuis à l'hôpital, à qui appartenait la boîte.

10   dans la rue, car tous les cafés fermaient l'un après l'autre. Le soldat a trouvé
un camion militaire, transportant de vieux uniformes, qui allait de ce côté-là.
Il a dû [2] cependant faire une partie de la route à pied.

Il ne connaissait pas la ville. Il a pu se tromper d'endroit. C'était au
croisement de deux rues perpendiculaires, près d'un bec de gaz. Il avait mal
entendu, ou mal retenu, le nom des rues. Il s'est fié aux indications
topographiques, suivant de son mieux l'itinéraire prescrit. Lorsqu'il a cru être
arrivé, il a attendu. Le carrefour ressemblait à la description fournie, mais le
nom ne correspondait pas à la vague consonance gardée en mémoire. Il a
attendu longtemps. Il n'a vu personne.

20   Il était certain du jour, en tout cas. Quant à l'heure, il n'avait pas de montre.
Peut-être est-il arrivé trop tard. Il a cherché dans les environs. Il a encore
attendu à un autre croisement identique. Il a erré dans tout le quartier. Il est
retourné plusieurs fois à l'endroit primitif, autant du moins qu'il était capable
de le reconnaître, ce jour-là et les jours suivants. De toute manière il était
alors trop tard [3].

« Quelques minutes seulement. Il venait de mourir, sans qu'on s'en aperçoive.
J'étais resté dans un café, avec des sous-officiers, des inconnus. Je ne savais pas.
Ils m'ont dit d'attendre un ami, un autre, un conscrit. Il était à Reichenfels [4].

— Qui donc était à Reichenfels ? » demande la femme.

30   Elle se penche un peu plus vers le lit. Sa voix grave emplit toute la pièce,
tandis qu'elle insiste :

« Qui ? Dans quel régiment ?

— Je ne sais pas. Un autre. Il y avait, aussi, le médecin, avec sa bague grise,
appuyé au comptoir. Et la femme, celle de l'invalide, qui servait du vin [5].

— Mais de quoi parlez-vous ? »

Son visage est tout contre le sien. Ses yeux pâles sont cernés de noir, encore
agrandis par l'écarquillement des paupières.

« Il faut aller chercher la boîte, dit-il. Elle a dû rester à la caserne. Je l'avais
oubliée. Elle est sur le lit, derrière le traversin [6]...

40   — Calmez-vous. Reposez-vous. N'essayez plus de parler. »

                       Dans le labyrinthe (Éditions de Minuit).

Michel Butor

Pour MICHEL BUTOR (né en 1926), « le roman est le laboratoire du récit », « le domaine phénoménologique par excellence, le lieu par excellence où étudier de quelle façon la réalité nous apparaît ou peut nous apparaître ». On discerne en effet dans son œuvre une recherche toujours renouvelée et approfondie, avec des dominantes comme celle des *séries temporelles superposées*, dont notre extrait de la p. 770 donnera une idée : ces réflexions sur les *séries temporelles* à propos du roman policier éclairent la structure de *L'Emploi du temps* ; il s'y ajoute, dans *La Modification*, la dimension du rêve.

Michel Butor a écrit des romans : *Passage de Milan* (1954), *L'Emploi du temps* (1956), *La Modification* (1957), *Degrés* (1960) ; — des essais critiques, l'un consacré à Baudelaire (*Histoire extraordinaire*, 1961), les autres groupés dans les quatre séries de *Répertoire* (1960, 1964, 1968, 1974) ; — et des textes comme *Mobile* (1962), *Description de San Marco* (1964), *6.810.000 litres d'eau par seconde* (1965, il s'agit de la cataracte du Niagara) ou ceux de la série des *Illustrations* (1964, 1969, 1973, 1976), qui échappent, eux, à toute classification traditionnelle.

— 2 Noter l'ambiguïté : nécessité ou hypothèse ? (cf. l. 13 : « *Il a pu* »...). — 3 Ce *trop tard* obsédant tient du cauchemar. — 4 La bataille perdue. — 5 C'est sans doute la même femme qui est au chevet du soldat. — 6 Nous avons lu un peu plus haut que la boîte est entre les mains de la femme : c'est l'une des nombreuses « menues contradictions » dont parle l'auteur.

LA MODIFICATION

Le héros du récit (désigné par *vous* et non par le traditionnel *il*) se rend de Paris à Rome, par un train de nuit ; il a prétexté un voyage d'affaires mais va en fait rejoindre sa maîtresse et lui annoncer qu'il a trouvé pour elle un emploi à Paris et décidé de rompre son mariage. Tandis que les heures passent et que son train en croise d'autres, tout en observant êtres et choses, dans son compartiment, d'un regard fixe, distrait, il remonte par la pensée le cours du temps (souvenirs de Paris, de Rome, de voyages précédents de Paris à Rome ou de Rome à Paris) ou anticipe sur l'avenir, comme dans l'extrait qu'on va lire. Et voici qu'il sent progressivement s'opérer en lui la *modification* de son dessein : « *il n'est que cinq heures quatorze, et ce qui risque de vous perdre, soudain cette crainte s'impose à vous, ce qui risque de la perdre, cette si belle décision que vous aviez enfin prise, c'est que vous en avez encore pour plus de douze heures à demeurer [...] à cette place désormais hantée, à ce pilori de vous-même, douze heures de supplice intérieur avant votre arrivée à Rome.* »

Mardi prochain, lorsque vous trouverez Henriette en train de coudre à vous attendre, vous lui direz avant même qu'elle vous ait demandé quoi que ce soit : « Je t'ai menti, comme tu t'en es bien doutée ; ce n'est pas pour la maison Scabelli que je suis allé à Rome cette fois-ci, et c'est en effet pour cette raison que j'ai pris le train de huit heures dix et non l'autre, le plus rapide, le plus commode, qui n'a pas de troisième classe ; c'est uniquement pour Cécile que je suis allé à Rome cette fois-ci, pour lui prouver que je l'ai choisie définitivement contre toi, pour lui annoncer que j'ai enfin réussi à lui trouver une place à Paris, pour lui demander
10 de venir afin qu'elle soit toujours avec moi, afin qu'elle me donne cette vie extraordinaire que tu n'as pas été capable de m'apporter et que moi non plus je n'ai pas su t'offrir ; je le reconnais, je suis coupable à ton égard, c'est entendu, je suis prêt à accepter, à approuver tous tes reproches, à me charger de toutes les fautes que tu voudras si cela peut t'aider le moins du monde à te consoler, à atténuer le choc, mais il est trop tard maintenant, les jeux sont faits, je n'y puis rien changer, ce voyage a eu lieu, Cécile va venir ; tu sais bien que je ne suis pas une si grande perte, ce n'est pas la peine de fondre en larmes ainsi... »
Mais vous savez bien qu'elle ne pleurera nullement, qu'elle se contentera
20 de vous regarder sans proférer une parole, qu'elle vous laissera discourir sans vous interrompre, que c'est vous, tout seul, par lassitude, qui vous arrêterez, et qu'à ce moment-là vous vous apercevrez que vous êtes dans votre chambre, qu'elle est déjà couchée, qu'elle est en train de coudre, qu'il est tard, que vous êtes fatigué de ce voyage, qu'il pleut sur la place...
Mardi prochain, lorsque vous entrerez dans sa chambre, en effet vous lui raconterez tout ce voyage et vous lui direz : « J'étais allé à Rome pour prouver à Cécile que je la choisissais contre toi, j'y étais allé dans l'intention de lui demander de venir vivre avec moi définitivement à Paris... »
Alors terrorisée s'élève en vous votre propre voix qui se plaint : ah
30 non, cette décision que j'avais eu tant de mal à prendre, il ne faut pas la laisser se défaire ainsi ; ne suis-je donc pas dans ce train, en route vers Cécile merveilleuse ? Ma volonté et mon désir étaient si forts...

Il faut arrêter mes pensées pour me ressaisir et me reprendre, rejetant toutes ces images qui montent à l'assaut de moi-même.

Mais il n'est plus temps maintenant, leurs chaînes solidement affermies par ce voyage se déroulent avec le sûr mouvement même du train, et malgré tous vos efforts pour vous en dégager, pour tourner votre attention ailleurs, vers cette décision que vous sentez vous échapper, les voici qui vous entraînent dans leurs engrenages.

La Modification, VI (Éditions de Minuit).

« *Dans le roman policier...* »

Venu travailler en Angleterre, le Français Jacques Revel tient un journal après coup de son séjour à « Bleston ». Il se trouve impliqué dans une mystérieuse affaire : un écrivain connu, George Burton, leur a révélé, à son ami Lucien et à lui-même, qu'il était l'auteur, sous le pseudonyme de J.-C. Hamilton, d'un roman policier, *Le Meurtre de Bleston ;* or Burton est blessé peu après dans un accident suspect ; Revel craint d'avoir alerté, par ses confidences imprudentes, un criminel qui aurait tenté d'écraser Burton, estimant qu'il en savait trop sur son crime impuni. Revel évoque ici une conversation avec Burton, quand les deux amis n'osaient l'interroger ouvertement, tout en devinant en lui J.-C. Hamilton.

Ainsi nous nous taisions tous deux dans un massif silence que n'entamaient point nos quelques paroles, l'écoutant nous faire remarquer que, dans le roman policier, le récit est fait à contre-courant, puisqu'il commence par le crime, aboutissement de tous les drames que le détective doit retrouver peu à peu, ce qui est à bien des égards plus naturel que de raconter sans jamais revenir en arrière, d'abord le premier jour de l'histoire, puis le second, et seulement après les jours suivants dans l'ordre du calendrier comme je faisais moi-même en ce temps-là pour mes aventures d'octobre, dans le roman policier le récit explore peu à peu des événements antérieurs à celui par lequel il commence,
10   ce qui peut déconcerter certains, mais qui est tout à fait naturel, puisque, dans la réalité, c'est évidemment seulement après l'avoir rencontré que nous nous intéressons à ce qu'a fait quelqu'un, puisque dans la réalité, trop souvent, c'est seulement lorsque l'explosion du malheur est venue troubler notre vie que, réveillés, nous recherchons ses origines.

[« *Plus exactement* [le roman policier] *superpose deux séries temporelles : les jours de l'enquête qui commencent au crime, et les jours du drame qui mènent à lui* »].

Ainsi moi-même, c'est tout en notant ce qui m'apparaissait essentiel dans les semaines précédentes, et tout en continuant à raconter l'automne, que je suis parvenu jusqu'à ce deuxième dimanche du mois de mai où il nous faisait remarquer que les choses se compliquent bien souvent, le détective fréquemment étant appelé par la victime pour qu'il la protège de l'assassinat
20   qu'elle craint, les jours de l'enquête commençant ainsi avant même le crime, à partir de l'ombre et de l'angoisse qu'il répand au-devant de lui, l'ultime précipitation, les jours du drame pouvant se poursuivre après lui jusqu'à d'autres crimes qui en sont comme le monnayage, l'écho ou le soulignement, et qu'ainsi tout événement appartenant à la série de l'enquête peut apparaître dans la perspective inversée d'un moment ultérieur comme s'intégrant à l'autre série, toutes constatations qui préparaient ce qu'il désirait nous dire le dimanche suivant, et dont je n'ai pu comprendre la véritable portée qu'à travers cette autre conversation.

L'Emploi du temps (Éditions de Minuit).

NOUVELLE ET « ROMAN-NOUVELLE »

MODERNITÉ DE LA NOUVELLE. A côté du roman-fleuve ou cyclique, à partir de 1950 environ, la nouvelle connaît un regain de faveur avec la « seconde carrière » de PAUL MORAND qui fait figure de précurseur, et, parmi les auteurs les plus remarquables, avec DANIEL BOULANGER. Il est d'autres signes de cette renaissance : les recueils de nouvelles publiés par des romanciers comme SARTRE (*Le Mur*, 1939) ou MARCEL ARLAND (*La Grâce*, 1941), et ceux des écrivains influencés par le surréalisme ou séduits par l'aptitude du genre à traduire les instantanés oniriques et leurs enchaînements, par exemple PIEYRE DE MANDIARGUES (cf. p. 740), JULIEN GRACQ, qui couronnera son œuvre par les trois nouvelles de *La Presqu'île* (cf. p. 742), et MARGUERITE YOURCENAR, avec les *Nouvelles orientales* dont la première, *Comment Wang-Fô fut sauvé*, compte parmi les chefs-d'œuvre du genre. La nouvelle apparaît en effet comme un genre accordé à l'époque : ainsi que l'observait Gide, elle se limite « aux exigences de la revue ou du journal », et « elle est faite pour être lue d'un coup, en une fois ».

DE LA NOUVELLE AU ROMAN COURT. MORAND comme BOULANGER écrivent aussi des « romans », par exemple, pour le premier, *Lewis et Irène* (1924) ou *Flèche d'Orient* (1932), pour le second, *Le Téméraire* (1962) ou *L'Autre Rêve* (1967). Mais la technique est la même, avec les mêmes procédés et les mêmes effets : ce sont, pour ainsi dire, des « romans-nouvelles », ne se distinguant plus guère de la nouvelle que par leur longueur matérielle, et encore sont-ce des romans courts. Les techniques et les objectifs propres de la nouvelle ont exercé une influence sur le roman dans la seconde moitié du siècle. MORAND a d'ailleurs été reconnu comme un initiateur par les jeunes écrivains du groupe dit des « Hussards » : NIMIER (auteur du *Hussard bleu*), BLONDIN, DÉON, LAURENT.

Paul Morand   Dans l'entre-deux-guerres, le nom de PAUL MORAND (1888-1976) était devenu synonyme de « modernité ». Diplomate, grand voyageur, il ramenait de l'étranger la matière de livres au style nerveux et dynamique dont les titres invitent au rêve exotique. Ils ont été depuis répartis sous trois rubriques : CHRONIQUES DU XXᵉ SIÈCLE (*L'Europe galante*, 1926 ; *Bouddha vivant*, 1927 ; *Magie Noire*, 1928 ; *Champions du monde*, 1930) ; — PORTRAITS DE VILLES ET DE ROUTES (*New York*, 1929 ; *Londres*, 1933 ; *Bucarest*, 1935 ; *Air indien*, 1932 ; *La Route des Indes*, 1935) ; — VOYAGES (*Rien que la terre*, 1926 ; *Le Voyage*, 1927 ; *Paris-Tombouctou*, 1928 ; *Hiver caraïbe*, 1929 ; *Méditerranée*, 1938).

La nouvelle comme mode d'expression de la « modernité » sous le signe de la rapidité et de l'accélération valut à MORAND un large succès avec *Tendres stocks* (1921), *Ouvert la nuit* (1922), *Fermé la nuit* (1923), *Rococo* (1933), *Les Extravagants* (1936).

Il eut le tort d'accepter sous le régime de Vichy les ambassades de Bucarest et de Berne. En conséquence, il fut révoqué à la Libération et s'exila en Suisse ; bien que rétabli ensuite dans ses fonctions, il connut comme écrivain un long « purgatoire ». Pourtant, loin de s'interrompre, sa production littéraire s'est révélée, dans une « seconde carrière », extrêmement riche, d'une grande nouveauté d'invention et d'une maîtrise encore plus accomplie. On lui doit : une biographie (*Fouquet ou le Soleil offusqué*, 1961) ; des romans historiques (*Le Dernier Jour de l'Inquisition*, 1946 ; *Montociel*, 1947 ; *Le Flagellant de Séville*, 1951) ; un bref roman, étrange et inquiétant (*Hécate et ses chiens* (1954) ; des souvenirs : *Journal d'un attaché d'ambassade* (1948) et *Venises* (1971).

Mais c'est encore par son génie de la nouvelle qu'il s'est imposé à l'attention. Une de ses nouvelles d'avant-guerre, *Milady* (1936), a connu dans son adaptation télévisée un succès exceptionnel. Parmi ses principaux recueils : *Parfaite de Saligny* (1946) ; *La Clef du souterrain* (1956) ; *La Folle amoureuse* (1956) ; *Le Prisonnier de Cintra* (1958) ; *Nouvelles d'une vie* (1965 : *Nouvelles du cœur ; Nouvelles des yeux*) ; *Les Écarts amoureux* (1974). Dans ses nouvelles, MORAND pratique un style en harmonie avec les rythmes accélérés de la vie moderne (brièveté lapidaire, instantanés, raccourcis, ellipses et litotes), et il élabore les divers ingrédients d'un fantastique lui aussi éminemment « moderne ».

DÉFILÉ DANS PÉKIN

Le texte de cette nouvelle, *Fleur du Ciel*, VII, publiée dans *Fin de siècle* (1957), a été repris au tome II des *Nouvelles d'une vie* (1965), intitulé *Nouvelles des yeux*. Ce dernier titre fait peut-être allusion à une réflexion de Jacques Chardonne : selon lui, MORAND est « un œil de rapace qui perçoit de très haut un menu poisson dans la mer ». Une des caractéristiques de la nouvelle chez MORAND est en effet la traduction, par le style, d'une *acuité visuelle* dont témoignent particulièrement les nouvelles consacrées à l'enregistrement d'un événement spectaculaire. Nous voici à Pékin au temps de la guerre des Boxers [1] : les troupes européennes entreprennent une action commune pour protéger les missions et les légations étrangères. – THÈMES : *Histoire. Exotisme.*

Du ciel bleu, mangé déjà par un soleil très chaud, bien qu'il ne fût que huit heures du matin, descendaient des flammèches, dernières images des archives de l'État et d'une séculaire science administrative, tandis que, comme des brûle-parfums immenses, quelques-unes des Légations continuaient de se consumer, non loin des feux de bivouac alimentés par des mobiliers de laque.

Parmi les voiles bengalis, les turbans et les aigrettes, les casques coloniaux, les chapeaux de toile cirée des marins, les polos à jugulaire anglais, éclataient les pompons rouges des équipages de la flotte
10 française, seule note stridente, avec le jaune des tuiles du toit de pagodes, chevauchées de monstres vernissés vert. Les plumes de coq des bersaglieri jetaient là-dessus un luisant de grosses mouches.

Cette croisade qui faisait défiler côte à côte, en pleine fraternité d'armes, sous les ordres d'un maréchal allemand, le maréchal comte de Waldersee, des Français, ennemis héréditaires des Allemands, des Anglais détestés des Français, des Russes jaloux des Japonais, des Japonais envieux des Européens, ne devait rien aux chancelleries ni aux idéologies. C'était un rapide réflexe de défense des nations menacées dans leurs intérêts d'Extrême-Orient et dans la vie de leurs représen-
20 tants. Contre ce péril jaune dont tous les journaux parlaient et dont Guillaume II, le plus journaliste des empereurs, émaillait ses discours, l'Europe s'était unie, spontanément ; ici, au cœur de la Chine, elle était devenue une réalité.

Les tambours battaient à crever leur caisse, les clairons fanfaraient de tous leurs cuivres en s'engouffrant sous la Porte du Nord. Et puis c'étaient les fifres, si doux, si XVIIe siècle, au milieu des hachures des baïonnettes, sur le fond sang-de-bœuf des murs impériaux.

Dans les moments d'accalmie montait une stridulation pareille à celle des criquets que les Chinois promènent en cage : l'état-major japonais,
30 toujours en tête du progrès, avait seul pensé à tourner, du défilé, un film cinématographique.   *Nouvelles des yeux* (Librairie Gallimard, éditeur).

— 1 Les Boxers étaient une société secrète chinoise ; sous l'impulsion de l'impératrice Tseu-Hi, ils ameutèrent en juin 1900 la population de Pékin contre la présence en Chine des « concessions » européennes et s'attaquèrent aux missions catholiques et aux légations dans la capitale.

Daniel Boulanger   Poète, romancier, auteur de scénarios et de dialogues
cinématographiques, DANIEL BOULANGER (né en 1922) est
considéré comme un des *nouvellistes* modernes les plus représentatifs du genre. Comme
Mérimée, Barbey d'Aurevilly, Maupassant ou Morand, il utilise volontier une technique
réaliste ou même naturaliste pour conférer plus de présence à l'insolite ou au fantastique,
dans le cadre d'un récit où se conjuguent rigueur de la construction et rapidité du rythme.
Son activité de scénariste l'incite d'autre part à introduire dans la technique de la nouvelle
des procédés littéraires proches du montage cinématographique.

Ses personnages ordinaires, parfois même marginaux (clowns, clochards, forains), les
milieux, souvent provinciaux, où ils évoluent sont saisis dans le quotidien, observés avec
acuité et dessinés — ou plutôt suggérés — sobrement. C'est au sein de ces existences
banales que surgit l'incident, le « fait divers » à la source de découvertes étranges ou
d'un fantastique qui était, comme il dit, « à portée de la main ». Parmi ses nouvelles :
Les Noces du merle (1963), *Le Chemin des caracoles* (1966), *Le Jardin d'Armide* (1969),
Vessies et Lanternes (1971), *La Barque amirale* (1972), *Fouette cocher !* (1974), *Les Princes
du quartier bas* (1974), *L'Enfant de Bohême* (1978), *Un Arbre dans Babylone* (1979), *Table
d'hôte* (1982), *Les Jeux du tour de ville* (1984). Romans : *Mes Coquins* (1990), *Ursacq* (1993),
Le Retable Wasserfall (1994), *Caporal supérieur* (1995), *Le Miroitier* (1996), *Tombeau
d'Héraldine* (1997), *Talbard* (1998), *Le Ciel de Bargetal* (1999).

Passage du Cygne

Deux professeurs, ÉTIENNE GRAND et SOLANGE MOUVIEUX, sont amant et maîtresse
mais ne vivent pas ensemble. « Passage du Cygne » est le nom de la partie de boulevard
où habite ÉTIENNE. Un jour, on ne sait pourquoi, il se suicide en se jetant par la fenêtre.
SOLANGE découvre alors chez lui les carnets où il tentait de satisfaire ses « velléités d'œuvre
romanesque ». Mais, dans ces carnets, elle ne retrouve pas l'homme qu'elle a connu et
aimé. Elle en éprouve colère et déception. Un soir où elle revient chez ÉTIENNE pour
reprendre sa lecture, la concierge de l'immeuble lui confie : « Comme M. Grand a bien
fait de partir ! » L'immeuble en effet va être exproprié dans le cadre de la rénovation
du quartier. – THÈMES : *Psychologie. Moi. Littérature (L'auteur et l'œuvre).*

Solange aperçut alors, et qui se répétait sur les vieilles façades tout au long
de la rue, une pancarte annonçant le maître d'œuvre et les entrepreneurs du
quartier futur. On est toujours un peu la concierge de ceux qui fréquentent
notre cœur et Solange trouva que celle d'Étienne venait d'émettre sans doute
la vérité. Étienne qui n'aimait guère bouger par crainte d'être chassé avait-il
pris les devants ?

Le soir même Solange reprit la lecture des petits volumes, furieuse de ne
pas vibrer à ces souvenirs secrets, et même s'impatientant au point d'aller
allumer un feu dans la cheminée de la chambre. Toutes les pages insipides
10 allaient connaître quand même un unique et bref éclat. Solange, par une sorte
de vengeance qu'elle refusait d'admettre et qu'elle appelait clarification, jetait
une à une les feuilles sans intérêt qui devenaient de hautes flammes gémissantes.
Certaines pages résistaient plus longtemps que d'autres. Elles deviendraient
les flambées du lendemain. D'ailleurs plus Solange lisait, en espérant de voir
mieux Étienne, plus le disparu s'embrumait, se compliquait, devenait même
tout à fait incompréhensible, et même étranger. C'était sûrement cet inconnu
qui s'était jeté par la fenêtre. Mlle Mouvieux qui du vivant d'Étienne acceptait
des remarques qui ne lui seraient jamais venues à l'esprit refusait maintenant
les images, les soliloques, les maximes, les notes de hasard du disparu. Elle
20 ne retrouvait plus la voix, le charme amer des soudains silences de M. Grand.

Table d'hôte (Librairie Gallimard, éditeur).

Jacques Perret   JACQUES PERRET (1901-1992) a décrit avec humour dans *Le Caporal épinglé* (1947) la vie des prisonniers dans le camp d'où il s'était évadé en 1942 ; puis, dans *Bande à part* (1951), son aventure dans le maquis où il s'était réfugié. Il est l'auteur de nombreux romans où la navigation occupe souvent une place importante (*Roucou*, 1936 ; *Ernest le Rebelle*, 1937 ; *Le Vent dans les voiles*, 1948 ; *Rôle de plaisance*, 1957) ; de chroniques où se manifeste sa verve de pamphlétaire « de droite » (*Bâtons dans les roues*, 1953 ; *Cheveux sur la soupe*, 1954 ; *Salades de saison*, 1957 ; *Le Vilain Temps*, 1964) ; et aussi de souvenirs (*Grands Chevaux et dadas*, 1975 ; *Raisons de famille*, 1976 ; *Belle Lurette*, 1983).

Mais, en définitive, en dehors de ses souvenirs de guerre, c'est surtout par ses recueils de *nouvelles humoristiques* qu'il retient l'attention : *Objets perdus*, 1949 ; *La Bête Mahousse*, 1951 ; *Histoires sous le vent*, 1944-45, rééd. 1953 ; *Le Machin*, 1955 ; *L'Oiseau rare*, 1959.

« Tiens ! Le joli vistemboir ! »

MARCEL LEDIEU ramène à sa loge de concierge tout un lot d'objets hétéroclites, maigre héritage de sa tante. Il en est un que Mme LEDIEU refuse catégoriquement : un « *machin* » de forme bizarre et dont on ignore même l'usage. MARCEL se résigne donc à le vendre. Accompagné de son ami, M. GUESDON, il interroge de tous côtés sans parvenir à donner un nom à cet objet inconnu, jusqu'au moment où un aveugle, après l'avoir longuement palpé, déclare péremptoirement : « *C'est un vistemboir* », mais sans lui en dire davantage. Voici donc MARCEL chez M. BESTOUESSE, « antiquaire à la page », qui, par amour-propre, ne veut pas avouer qu'il ignore jusqu'à l'existence du mot *vistemboir*. Alors commence un marchandage désopilant où se déploie la verve humoristique de JACQUES PERRET.

Adressez-vous plutôt à la brocante, moi je ne peux faire que le très beau vistemboir.

— Et alors, celui-ci n'est pas beau ?

— Banal. Une pacotille de colporteur, sans vous froisser.

— Je vois que vous n'êtes pas très connaisseur en vistemboirs, dit froidement Marcel en faisant mine de remballer.

— J'avoue que personnellement, fit M. Bestouesse avec un sourire guindé, je m'intéresse plutôt aux cartels Régence, aux tabatières en or et aux Gobelins du XVIIe.

10   — Ça n'a aucun rapport. Je vous parle vistemboir et vous me répondez tabatière. Dans tous les objets il y a le bon et le mauvais. Cette pièce qui, tout de même, entre parenthèses, provient de la succession Bizouer, date de l'exposition de 89, la grande époque pour ce genre de chose.

— Oui, si on veut, admit M. Bestouesse en reprenant l'objet d'un geste dédaigneux. Ah ! bien sûr, je suis obligé parfois de me plier aux caprices de la mode, je fais un peu le bibelot Félix Faure, la boule sulfure et le vase de cimetière, il faut bien, et un vistemboir par-ci, par-là, mais je ne cours pas après.

— D'accord.

20   — Il y a deux ou trois ans, c'était encore le bon moment, mais je vous répète que les collectionneurs ne s'emballent plus tellement sur les vistemboirs.

— Hé ! hé ! Attention, ça revient. Ça revient même assez fort. On m'en a signalé trois l'autre jour au Faubourg Saint-Honoré et qui ne valaient pas celui-ci.

— Je ne dis pas. Adressez-vous donc là-bas, ils ont une clientèle pour.

— Ce n'est pas mon quartier. Alors ça ne vous intéresse pas ?

— Combien en voulez-vous ?

— Trois mille.

M. Bestouesse ricanait très fort quand M. Guesdon entra dans la boutique
30 pour s'enquérir d'une statuette Renaissance exposée en vitrine. Le patron
s'empressa auprès du client qui lâcha la statuette pour discuter fort
judicieusement d'un fauteuil Voltaire et d'une paire de chandeliers, puis, avisant
le machin que Marcel replaçait dans la petite valise, il s'approcha, l'air attendri :

— Tiens ! Le joli vistemboir ! Vous permettez ?

— Je vous en prie, fit Marcel.

— Oui, il est amusant, avoua M. Bestouesse aux yeux de qui ce client offrait
la silhouette possible d'un amateur de vistemboirs.

— Ça vous intéresse ? demanda Marcel.

— Oh ! plus maintenant ; je m'y suis laissé prendre un moment, et puis j'ai
40 abandonné. On ne peut pas collectionner tout. Il paraît que ça reprend un
peu, d'ailleurs. Je ne sais plus où j'en ai vu un pareil à deux mille cinq et
c'était une saleté, un de ces petits vistemboirs de ménage que nos grand'mères
payaient quinze sous à tout casser.

— Oui, je vois ce que c'est, dit Marcel. Eh bien, entre nous, si je vendais
celui-ci trois mille, est-ce que le client serait écorché ?

M. Guesdon reprit l'objet en main, fit une moue équivoque, déclara qu'il
n'était pas ici pour faire une estimation, mais qu'enfin la pièce était bonne
et, dans une certaine mesure, rare. Après quoi il retourna jeter un coup d'œil
à la statuette, discuta encore un moment et quitta la boutique pour aller, comme
50 convenu, au bistrot du coin où Marcel le rejoignit au bout de cinq minutes,
l'air mi-figue mi-raisin.

— Ça y est, dit-il tristement, je l'ai lâché pour un billet de mille.

De retour à la loge, les deux compères annoncent à Mme LEDIEU qu'ils l'ont débarrassée
définitivement de cet odieux souvenir d'une tante qu'elle ne portait pas dans son cœur, « un
vulgaire vistemboir » sans intérêt. Mais Marcel s'attire alors cette réplique cinglante : « Tu as
vendu le vistemboir de ta tante ! ».   Le Machin (Librairie Gallimard, éditeur).

Veine humoristique   Toujours présente dans la littérature française, la veine
humoristique, qui a connu son âge d'or au XVIIIe siècle,
s'accommode particulièrement du cadre réduit de la nouvelle, du conte, du roman court
et « à tiroirs ». Elle a été illustrée dans la première moitié du XXe siècle, notamment,
par ANATOLE FRANCE (cf. p. 93), ANDRÉ MAUROIS (cf. p. 606), MARCEL AYMÉ (cf. p. 608),
FRANCIS DE CROISSET (*Nous avons fait un beau voyage*, 1930), MAURICE BEDEL (*Jérôme,*
60° de latitude nord, 1927), GABRIEL CHEVALLIER (*Clochemerle*, 1934). — Depuis 1940,
citons encore, avec Perret, Daninos, Guth et Dutourd.

PIERRE DANINOS (né en 1913) est surtout connu par la série du *Major Thompson*
(1954-1973, 4 vol.), par *Un certain M. Blot* (1960 : le Français moyen) et, sur des thèmes
variés, par de nombreux ouvrages satiriques bien enlevés, du *Jacassin* (1962) à *La Galerie*
des Glaces (1983) de *La France dans tous ses états* (1985) à *Candidement vôtre* (1992).

PAUL GUTH (né en 1910) a trouvé sa voie avec la série du *Naïf* (7 vol., 1953-1959,
dont *Le Naïf aux 40 enfants*), puis celle de *Jeanne la Mince* (4 vol., 1960-1963).

JEAN DUTOURD (né en 1920) a évoqué avec une verve facile le climat parisien de
l'Occupation (*Au bon beurre*, 1952). Son humour parfois grinçant s'exerce dans *Les Taxis*
de la Marne (1956) et dans la satire de l'actualité : *L'École des Jocrisses* (1970), *Henri ou*
l'Éducation nationale (1983), *Le Socialisme à tête de linotte* (1984), *Le Septennat des vaches*
maigres (1984), *Le Séminaire de Bordeaux* (1987), *Portraits de femmes* (1991), *L'Assassin*
(1993), *Le Vieil Homme et la France* (1994, autoportrait), *Le Septième jour* (1995), *Le*
Feldmaréchal von Bonaparte (1996), *Journal des années de peste* (1997).

Roger Nimier   ROGER NIMIER (pseudonyme de Roger de La Perrière, 1925-1962) s'était engagé, à la Libération, dans les hussards. Les deux romans qu'il publie quelques années après (*Les Épées*, 1948 ; *Le Hussard bleu*, 1950) ont des aspects autobiographiques et traduisent une réaction littéraire des environs de 1950, hostile à la « tyrannie » de Sartre et de la « littérature engagée ». Avec un goût évident de la provocation, NIMIER présente — à contre-courant — dans *Les Épées* un personnage cynique, avide de vivre dangereusement, François Sanders, d'abord Résistant puis engagé dans la Milice qui collaborait avec les Allemands. Nous le retrouvons dans *Le Hussard bleu* au sein de l'armée française occupant l'Allemagne. Avec une désinvolture et une insolence qui le rendent parfois antipathique, ce personnage complexe et inquiétant exprime son mépris pour les officiers français qui l'entourent, juge impitoyablement la France avachie de la défaite et de l'Occupation, prône les valeurs de l'honneur et du patriotisme, et trouve dans l'action une fin héroïque. Comme l'auteur, il a la passion d'affirmer, face à la masse, son individualisme et sa différence.

Après cette œuvre étincelante par l'allégresse de l'écriture, les monologues rapides, la vivacité des dialogues, le style parlé à la Céline, celles qui suivirent (*Les Enfants tristes*, 1951 ; *Histoire d'un amour*, 1953) paraissent ternes. D'un accent très différent, *D'Artagnan amoureux* fut publié en 1962 peu après sa mort sur l'autoroute au volant d'une voiture rapide.

NIMIER était le porte-parole d'un nouveau « mal du siècle ». Son style qui compose l'influence de Morand et de Chardonne (cf. p. 500) avec celle de Stendhal est volontiers incisif et insolent, d'une désinvolture qui n'est que le masque d'un profond désespoir, comme si le tragique de la vie devait être exorcisé par la lucidité et l'indifférence.

LES ÉPÉES

Dans ce roman bref, à la première personne, le narrateur encore adolescent, FRANÇOIS SANDERS, est tourmenté par l'impatience de vivre, et de vivre selon les divers impératifs d'une « grâce » qui n'est pas sans parenté avec l'esprit du XVIIIe siècle. Ce pourquoi il passe son temps à pourfendre tout ce qui lui apparaît comme incarnant la lourdeur d'esprit et la laideur physique. Mais voici qu'un rêve lui révèle la signification symbolique de ces *épées* qu'il croit manier contre l'adversaire et qui l'atteignent lui-même.

J'ai toujours pensé que le monde recèle un grand nombre d'épées secrètes, dont chacune est tournée vers une poitrine. Bien entendu, avec un peu d'adresse et de prudence on évite très facilement ces périls. Aussi la vie est-elle heureuse à ceux qui possèdent une âme souple, un corps gracieux et, en général, à tous ceux qui ignorent le vertige, soit par manque de fermeté soit par manque d'imagination.

Mais il en est quelques autres, insoucieux des conséquences, qui ne peuvent détacher leurs yeux de ces épées frémissantes. Ils savent qu'il suffirait d'un rien pour intervenir utilement. Mettre la main sur la
10 bouche de celle qui va parler pour vous mentir. Empêcher les êtres qui vous sont chers d'aller dans cet endroit où l'on sait qu'ils vous trahiront. Retenir enfin les portes du malheur. Malgré cela, ils ne se défendront pas. Ils avancent avec une anxiété délicieuse. Toutes ces épées cherchent en effet un fourreau de chair. Et cette aventure se termine dans une grande nudité, sans embarras, sans cris, avec la poussière collée par la sueur qu'on voit sur les taureaux morts. De plus près on s'aperçoit que cette sueur est du sang. Mais il ne s'est presque rien passé quand même, sinon le visage du destin, apparu dans un éclair, pour frapper ses amants.   *Les Épées* (Librairie Gallimard, éditeur).

Antoine Blondin   L'écrivain le plus représentatif du « roman-nouvelle » est sans doute ANTOINE BLONDIN (1922-1991). Il fait ses débuts avec *L'Europe buissonnière* (1949), récit autobiographique inspiré par sa propre expérience : il avait été requis pour le Service du travail obligatoire, de 1943 à 1945, en Autriche. Il apparaît aussitôt comme un brillant porte-parole de la réaction contre la « littérature engagée » alors à la mode. Il emprunte à la nouvelle — qu'il lui est arrivé de pratiquer avec succès (*Quat'saisons,* 1975) — son rythme ainsi que sa prédisposition à l'ironie et à la légèreté du ton. Parmi ses autres romans : *Les Enfants du Bon Dieu* (1952 : un historien qui transforme les victoires en défaites, et réciproquement) ; *L'Humeur vagabonde* (1955) ; *Un singe en hiver* (1959 : alcoolisme et amitié) ; *Monsieur Jadis ou l'école du soir* (1970 : l'auteur vieillissant et le jeune homme qu'il a été). Citons encore : *Les joies de la bicyclette* (1977 : passionné de vélo, Blondin était reporter du Tour de France) ; *Ma vie entre les lignes* (1982 : 2 000 articles parus dans la presse) ; *Le Tour de France en quatre et vingt jours* (1984) ; *L'Ironie du sport* (1988). Son registre primesautier est celui de la désinvolture, de l'humour, de la grâce, des trouvailles verbales. Et pourtant, les thèmes « blondiniens » sont ceux de la solitude dans un monde hostile, avec un fond d'amertume, sinon de désespoir. Mais pour Blondin la fonction de la littérature est précisément de conjurer ce tragique, à la fois par la dérision de soi-même et par cette sorte de chiquenaude au destin décochée par la désinvolture du ton.

Le philosophe au « violon »

Le narrateur, qui habite avec sa mère un bourg rural, a épousé par hasard une « réfugiée » de juin 1940. Mais il a *« l'humeur vagabonde »* et se demande s'il doit se compter « au nombre des deux millions de prisonniers dont il était question ». Il va donc s'évader de la « prison » conjugale, abandonner femme et enfants, et partir à l'aventure. Le voici un jour à Paris, au Père-Lachaise, avec une azalée dans les bras ; il ne trouve pas la tombe qu'il cherche. Surpris par les gardes dans le cimetière fermé, il est suspecté d'avoir volé le pot de fleurs et conduit au commissariat. Il est mis au « violon » (chambre de sûreté), en compagnie d'autres prisonniers arrêtés avant lui.

Les individus à mines d'escarpes que j'avais repérés tout à l'heure se montraient à l'usage d'une sollicitude fraternelle et nous faisaient bénéficier de leur expérience. J'étais à vrai dire le plus désemparé, en compagnie d'un colosse blond taillé en bûcheron de bas-relief, qui nous était arrivé le visage en sang. Il vint s'asseoir à côté de moi, en lançant à la cantonade une allusion hermétique à la caverne [1] de Platon. J'appris de sa bouche jubilante qu'avant d'être maîtrisé il avait assommé deux sergents de ville qui prétendaient lui infliger une contravention pour défaut d'éclairage ; il possédait une bicyclette dépourvue de chaîne, dont il se servait comme d'une draisienne pour descendre
10 de ce haut plateau donner ses leçons dans le centre ; un disciple la lui remontait chaque soir sur son dos ; car il était professeur de philosophie dans un cours de vacances. Ayant remis un peu d'ordre dans ses vêtements, il proposa à la ronde un concours à qui cracherait le plus souvent dans un casque qu'un de nos gardiens au bivouac avait eu l'imprudence de laisser traîner. Les souteneurs l'en dissuadèrent. Pour les remercier, il leur raconta le paradoxe d'Achille et de la tortue [2].   *L'Humeur vagabonde* (La Table Ronde, éditeur).

La mère du narrateur en vient à tuer sa bru. Au cours de son procès, le procureur met en cause l'humeur vagabonde de son fils et le jury prononce une condamnation à trois ans de prison. Après la mort de sa mère en prison, le narrateur, faute de pouvoir rentrer chez lui, finit dans la figuration de cinéma, « art de l'esquive » dit-il.

— 1 Où l'homme, prisonnier, ne voit que des ombres du réel. — 2 Cf. p. 359, n. 53.

LITTÉRATURE AUTOBIOGRAPHIQUE

L'autobiographie a toujours tenu une grande place, liée à la création romanesque : voir Malraux (cf. p. 545), Mauriac (cf. p. 515-517), Aragon, Sartre (cf. p. 716) et Simone de Beauvoir (cf. p. 717). Beaucoup d'autres, et qui comptent, seraient à citer, de Joseph Kessel à Romain Gary (cf. p. 820), de Roger Nimier (cf. p. 776) à Pierre Gascar ou de Marcel Jouhandeau (cf. p. 527) à Paul Guth dans la série du *Naïf* (cf. p. 775).

À partir des années 50, on assiste à un développement particulièrement sensible de la *littérature autobiographique :* mémoires, journaux intimes, autobiographies directes ou transposées, romans autobiographiques.

Exemplaire à cet égard est l'œuvre autobiographique de JULIEN GREEN (cf. p. 530). Son *Journal* (12 vol. 1938-1983) résulte d'une élaboration littéraire dont témoignent des titres symboliques et « greeniens », par exemple : *L'Œil de l'ouragan* (1949) ou *Vers l'invisible* (1967). Green publie aussi, en marge de son *Journal,* des « récits autobiographiques » (*Mille Chemins ouverts,* 1964 ; *Jeunesse,* 1974 ; *Les Pays lointains,* 1987).

A cette sorte d'autobiographie *élaborée* on pourrait opposer une autobiographie *brute* nourrie de sincérité et de hardiesse, comme les *Écrits intimes* (1968) de ROGER VAILLAND qui traduit *directement* le reflet des « saisons » littéraires ou politiques, et toujours érotiques, de son existence, les « confessions » de JACQUES LAURENT dans son *Histoire égoïste* (1976 ; cf. p. 785) et de MICHEL DÉON dans *Mes arches de Noé* (1978 ; cf. p. 789) ou l'émouvant *Adios* de KLÉBER HAEDENS peu avant sa mort.

Enfin, souvent en liaison avec la psychanalyse et ses prolongements, l'autobiographie sert à la fois de point de départ et de forme littéraire à diverses expériences, telles celles de GEORGES BATAILLE (cf. p. 751) ou de MICHEL LEIRIS (cf. p. 756).

Mais la littérature autobiographique déborde largement le domaine propre de l'autobiographie : lui appartiennent aussi bien les *mémoires* que les *romans autobiographiques,* sous les différentes formes que peut revêtir ce genre en quelque sorte intermédiaire.

MÉMOIRES

Les *Mémoires* se distinguent de l'autobiographie proprement dite en ce que le mémorialiste veut être le chroniqueur des événements publics et historiques dont il a été le témoin ou l'acteur. Parmi les auteurs de *Mémoires,* la plupart écrivent en vue de justifier leurs actes, tandis que d'autres ont pour propos de communiquer au public leurs réflexions et opinions sur les événements. Cette dualité de propos apparaît déjà si l'on compare, par exemple, les *Mémoires* du cardinal de Retz et ceux de Saint-Simon (cf. *XVIIᵉ Siècle,* p. 372-375 et 390-394). Cette même dualité se retrouve au XXᵉ siècle entre, d'une part, CHARLES DE GAULLE, et, d'autre part, FRANÇOIS MAURIAC (cf. p. 515-517) ou RAYMOND ARON (cf. p. 779). Quant à ANDRÉ MALRAUX et à ses *Antimémoires* dont le titre est symbolique (cf. p. 545), il y transpose, dans l'ordre politique et historique, sa mythologie personnelle du héros qui inspire aussi ses romans et ses œuvres esthétiques.

Charles de Gaulle   Les années consécutives à la Seconde Guerre mondiale ont vu paraître un nombre considérable de *Mémoires* qui, pour la plupart, appartiennent au *domaine strictement historique* et leur éventuelle survie littéraire est encore problématique.

Un seul point demeure : un grand écrivain qui échappe à la littérature, le général DE GAULLE (1890-1970), domine cette immense production. Les *Mémoires de guerre* (3 vol., 1954-1959) et les *Mémoires d'espoir* (inachevés, 1970-1971), comme les *Discours et Messages* (1970) feront longtemps retentir une prose mémorable.

« UNE CERTAINE IDÉE DE LA FRANCE »

Les *Mémoires de guerre*, dont le troisième et dernier volume parut après le retour du général DE GAULLE au pouvoir et la fondation de la Vᵉ République, se trouvent encadrés entre un prélude (tome I) et un finale (tome III), également exemplaires par leur inspiration et par leur forme. – THÈMES : *Histoire. Psychologie. Autobiographie.*

Toute ma vie, je me suis fait une certaine idée de la France. Le sentiment me l'inspire aussi bien que la raison. Ce qu'il y a, en moi, d'affectif imagine naturellement la France, telle la princesse des contes ou la madone aux fresques des murs, comme vouée à une destinée éminente et exceptionnelle. J'ai, d'instinct, l'impression que la Providence l'a créée pour des succès achevés ou des malheurs exemplaires. S'il advient que la médiocrité marque, pourtant, ses faits et gestes, j'en éprouve la sensation d'une absurde anomalie, imputable aux fautes des Français, non au génie de la patrie. Mais aussi, le côté positif de mon esprit me convainc que la France n'est réellement elle-même qu'au premier rang ; que, seules, de vastes entreprises sont susceptibles de compenser les ferments de dispersion que son peuple porte en lui-même ; que notre pays, tel qu'il est, parmi les autres, tels qu'ils sont, doit, sous peine de danger mortel, viser haut et se tenir droit. Bref, à mon sens, la France ne peut être la France sans la grandeur.

Mémoires de guerre, I. *L'Appel* (Plon, éditeur).

Vieille Terre, rongée par les âges, rabotée de pluies et de tempêtes, épuisée de végétation, mais prête, indéfiniment, à produire ce qu'il faut pour que se succèdent les vivants !

Vieille France, accablée d'Histoire, meurtrie de guerres et de révolutions, allant et venant sans relâche de la grandeur au déclin, mais redressée, de siècle en siècle, par le génie du renouveau !

Vieil homme, recru d'épreuves, détaché des entreprises, sentant venir le froid éternel, mais jamais las de guetter dans l'ombre la lueur de l'espérance !

Mémoires de guerre, III. *Le Salut* (Plon, éditeur).

Raymond Aron   Normalien et philosophe, condisciple de Sartre, RAYMOND ARON (1905-1983), cédant à ce qu'il appelle la « tentation de la politique », a d'abord milité auprès du général de Gaulle au R.P.F. (« Rassemblement du Peuple Français », 1947-1952). Puis, dans ses articles de journaliste au *Figaro* et à *L'Express* et dans divers ouvrages issus de ses cours à la Sorbonne puis au Collège de France (*Dix-huit Leçons sur la société industrielle*, 1962 ; *Études politiques*, 1972), il s'est consacré à une analyse, qu'il a voulue aussi objective que possible, des événements majeurs de l'histoire contemporaine.

Les relations entre Aron et Sartre, d'abord amicales puis de plus en plus conflictuelles, ont, à certains égards, du fait de l'influence des deux hommes, profondément marqué la vie intellectuelle et la réflexion idéologique de l'après-guerre.

« *La décadence de l'Occident* »

Le sous-titre de ses *Mémoires* (1983) définit le propos de R. ARON : *Cinquante ans de réflexion politique*. C'est le type même de l'observateur-témoin qui veille à toujours maintenir entre lui-même et son objet la *distance* de la « réflexion ».– THÈME : *Civilisation*.

L'ensemble européen, limité aujourd'hui par l'empire soviétique, fut le foyer de la culture occidentale, l'agent de son expansion à travers le monde. Les empires maritimes fondés tour à tour par les Espagnols, les Portugais, les Hollandais, les Anglais, appartiennent au passé. Le reflux a été plus rapide encore que le flux. A l'Est, l'empire des Romanov [1], devenu l'Union soviétique, projette son ombre sur les conquérants d'hier, privés de leurs conquêtes ; à l'Ouest, les Européens ont laissé dans les deux Amériques des États comparables aux colonies que les cités grecques édifièrent à travers la Méditerranée. De ces colonies, les États-Unis, favorisés par un espace d'un seul tenant, sans voisin 10 hostile au nord et au sud, demeurent le représentant par excellence. Entre un empire militaire, superficiellement occidentalisé, et une colonie devenue héritière de sa métropole et de l'Europe tout entière, l'ensemble composé par des nations naguère grandes, plus conscientes encore de leur vocation singulière que de leur sort commun, traverse une phase difficile après les « trente glorieuses » [2], incapable de se défendre, dépendant de l'énergie et des matières premières transportées à travers des mers, dont la maîtrise ne lui appartient plus.

Mémoires, IV, 25 (Julliard, éditeur).

AUTOBIOGRAPHIE

Le « *pacte autobiographique* » implique, du côté de l'auteur-narrateur, une identité authentique entre lui-même et le *personnage littéraire* héros du récit autobiographique, et, du côté du lecteur, une adhésion sans réticence à cette identification. De ce même pacte relève aussi, au moins en partie, le *Journal intime*.

Claude Roy

CLAUDE ROY (1915-1997) est l'auteur d'une œuvre littéraire abondante et variée : poésie (*Le Bestiaire des amants*, 1945 ; *Élégies des lieux communs*, 1952) ; — roman (*La Famille quatre cents coups*, 1954 ; *Le Soleil sur la terre*, 1956 ; *L'Homme déguisé en homme*, 1960) ; — essai (*Aragon*, 1945 ; *Descriptions critiques*, I, 1949 ; II, 1953 ; III, 1956 ; IV, 1956 ; V, 1958 ; VI, 1960 ; *Arts premiers*, 1965 ; *Soleils du romantisme*, 1974) ; — autobiographie : *Moi, je* (1969) ; *Somme toute* (1976) ; *Permis de séjour, 1977-1982* (1983) ; *La Fleur du temps, 1983-1987* (1988).

Justification de l'autobiographie

Présentant *Moi, je* à ses lecteurs, CLAUDE ROY évoque sa reconnaissance à l'égard des auteurs d'autobiographies et justifie son propre recours à la formule « *Moi, je* ».

« Raconte pas ta vie », dit la sagesse populaire. Elle a raison de le dire à ceux qui écrivent pour démontrer qu'ils ont toujours eu raison, surtout quand ils avaient tort, et en général à ceux qui prennent la parole pour se justifier plutôt que pour se tirer au clair. Mais si ta vie est comme la vie de tous, c'est-à-dire pas tellement facile, ni claire, ni maligne, pas tellement une *réussite*,

---

— 1 La dynastie russe dont le dernier tsar régnant fut Nicolas II. — 2 Expression empruntée à l'économiste Fourastié pour désigner l'âge d'or du progrès économique européen (1945-1975).

somme toute, raconte-la. Ça pourra aider les autres. Et peut-être t'aider, toi.

On est toujours tenté de croire qu'on est le seul : le seul à se trouver seul, le seul à être bête, malhabile, malheureux et un peu trop mal à l'aise.

J'ai toujours demandé deux choses à la parole des vivants et aux livres : m'enchanter, et m'aider à déchanter. Enchantement et désenchantement, *Poésie et Vérité :* c'est le titre que notre bon vieil oncle Goethe donnait à son autobiographie.

Je garde une reconnaissance sans fin à ceux qui m'ont aidé à découvrir qu'on n'est jamais le seul : aux confessions de saint Augustin et de Michel Leiris, de Montaigne et de Stendhal, de Scott Fitzgerald et de Sartre. A tous ceux qui m'ont rappelé que dire *Moi je* n'est pas poli, mais parfois utile pour apprendre enfin à dire *Nous*.

Ils m'ont « fait passer » quelques vérités pratiques. Avant d'être trop vieux, et peut-être fatigué, j'essaie ici de « faire passer ».

Moi, je (Librairie Gallimard, éditeur).

J. de Bourbon-Busset Jacques de Bourbon-Busset (né en 1912) a d'abord pratiqué la transposition romanesque d'une matière autobiographique (*Fugue à deux voix,* 1958 ; *Les Aveux infidèles,* 1962). Après avoir, d'autre part, dans des essais rigoureux, rendu compte de son expérience politique d'historien et de diplomate, carrière abandonnée pour la littérature en 1956 (*Moi César,* 1958 ; *L'Olympien,* 1960 ; *La Grande Conférence,* 1963), il a été conduit, à partir de 1965, à préférer la forme du *Journal* comme mode d'expression d'une *autobiographie du couple* dominée par le thème de l'« *amour durable* » (10 vol. aux titres symboliques, comme *Bien plus qu'aux premiers jours,* X, 1985). Ensuite : *L'Audace d'aimer* (1990) ; *L'Esprit de la forêt* (1993) ; *La Tendresse attentive* (1996).

Le modèle conjugal

L'Amour durable, c'est l'affirmation de la pérennité et de la vitalité de l'amour conjugal, expérimenté, tout au long d'une vie, comme le modèle de toute relation humaine. On observera dans cet extrait que le *Journal* de J. de Bourbon-Busset est écrit dans un style du plus pur « classicisme ». – THÈMES : *Amour. Famille. Société. Psychologie.*

La relation la plus vraie avec un autre est la création, jour après jour, d'un couple authentique, qui engage à la fois l'esprit, le cœur et le corps. L'amour est l'école de la liberté créatrice. Celui qui aime n'a que faire, en face de lui, d'un personnage décoratif, d'une potiche de bureau ou de salon. Il exige un être vrai. Deux libertés qui décident de s'unir pour le meilleur et le pire sont capables de tout. Aucune force ne peut avoir raison d'elles. Construire une société sur le modèle du couple, de la dyade, n'est pas une utopie. Cela signifie que toute situation de conflit doit être résolue, non par la violence, mais par une explication entre deux partenaires égaux en droit et qui se réfèrent à un même bien commun. Cela paraît aller de soi. Croit-on que tous les patrons reconnaissent les représentants syndicaux comme leurs égaux ? S'il en était réellement ainsi, la plupart des difficultés sociales s'évanouiraient. Bien sûr, subsiste la question de savoir qui aura le dernier mot, mais il est aisé de s'entendre au préalable sur ce point. C'est précisément la raison d'être des contrats, chartes, constitutions et autres documents destinés à prévoir des procédures, en cas de désaccord. L'essentiel reste la volonté, de chaque côté, de respecter l'autre, ce qui est l'essence même du mariage.

L'Amour durable, Journal III, 1959 (Librairie Gallimard, éditeur).

ROMAN AUTOBIOGRAPHIQUE

Si chez certains, comme J. Cayrol et H. Bazin, le caractère autobiographique reste indiqué par le récit à la première personne, quitte, comme Paul Guth, à préciser : « Ce livre est un roman », d'autres trouvent dans les techniques romanesques, en particulier le récit à la troisième personne, un moyen d'objectiver l'autobiographie.

Jean Cayrol   Jean Cayrol (né en 1911), poète à ses débuts, n'a cessé, parallèlement à sa production romanesque, de publier encore des poèmes (*Poèmes de la nuit et du brouillard,* 1945 ; *Poésie-Journal :* I, 1969 ; II, 1977 ; III, 1980). Il compte au chapitre du « nouveau roman » par son souci de la « communication » (« *Me croira-t-on ? l'essentiel est de se dire* ») tout en animant des personnages souvent indécis. Roland Barthes a pu étudier chez lui « le roman de la voix pure et seule ». Mais son cas est également remarquable par l'utilisation, que l'on pourrait dire *indirecte,* de la biographie. En effet, la vie de Jean Cayrol a été dominée par l'expérience essentielle de la déportation *qu'il ne raconte pas.* Mais son œuvre (*Je vivrai l'amour des autres,* 1947 ; *Les Corps étrangers,* 1959 ; *Je l'entends encore,* 1968) en est marquée dans ses thèmes et son tréfonds psychologique. Dans *Lazare parmi nous* (1950) il a d'ailleurs défini un « romanesque concentrationnaire » dépourvu d'histoire, de ressort, d'intrigue, où les Lazare de la déportation, « sinistrés de corps et d'âme » et revenus à la vie, se sentiraient définitivement étrangers au monde retrouvé.

« *UNE NOUVELLE COMÉDIE INHUMAINE...* »

Solitude, errances, bénédiction de la nourriture, appel à la nuit, espoir irréalisable de « connaître quelqu'un » : c'est le lot de tous les héros anonymes auxquels Jean Cayrol délègue son expérience. – THÈMES : *Solitude. Moi. Psychologie.*

La nuit tombe vite, maintenant, sans rémission ; plus rien ne peut retenir le jour, même pas la feuille d'un arbre, même pas un bras sur un banc, même pas un filet d'eau ; je connais cette nuit qui sort d'un peu partout, des fonds de couloirs, de derrière les usines, cette nuit qui sait mon nom, ma nuit.

On se retourne et déjà toute la ville mijote dans les ténèbres ; les lumières ne sont pas encore allumées ; les passants hâtent le pas comme des rôdeurs ; tout prend un air mal ajusté ; on referme son veston, on repeigne ses cheveux, on s'aperçoit qu'on est en retard.

10   Moi j'aime le début de la nuit ; les repas sont encore loin comme des trésors imprévisibles ; le pain est beau dans le lointain, un pain d'espérance. La nuit n'est pas encore partout ; elle laisse filtrer de-ci de-là une lumière basse au ras de l'eau, au bout d'une rue ; on peut croire que le jour n'est pas encore loin, qu'un rien nous sépare de lui ; on sent derrière la nuit un jour qui se retourne, appuie encore sur elle ses mains faibles et hésitantes. C'est l'heure où la ville semble malade ; on peut encore lire le journal, les gros titres. Il y aura de la lune ce soir. C'est soudain frais comme une plaie sur les rives du fleuve ; c'est l'heure où il faut à tout prix connaître quelqu'un, ne pas marcher seul...

Je vivrai l'amour des autres (Le Seuil, éditeur).

Hervé Bazin HERVÉ BAZIN (1911-1996) descend d'une famille de bourgeoisie terrienne dominée par le prestige de son grand-oncle, le romancier René Bazin, académicien, « le plus grand défenseur de l'Église ». Il a d'abord scandalisé avec le premier volume du cycle de Folcoche, *Vipère au poing* (1948), où, sous un pseudonyme analogique (Rezeau pour Bazin), il raconte son enfance révoltée contre la tyrannie de sa mère. Il redouble dans *La Tête contre les murs* (1949), où l'enfant devenu homme tourne également sa fureur contre la société. Le succès du romancier l'a-t-il ensuite adouci ? En tout cas, il se montrera plus indulgent dans les autres livres de ce cycle, *La Mort du petit cheval* (1950), *Cri de la chouette* (1972). Entre-temps, s'affirmant comme un vigoureux romancier naturaliste qui deviendra président de l'Académie Goncourt et Prix Lénine, HERVÉ BAZIN a composé des romans où son sens de l'humain se manifeste à propos de divers « problèmes de société », la famille et l'enfant, le divorce, l'infirmité, l'inceste, l'écologie, la différence. Parmi ses romans : *Lève-toi et marche* (1952), *Qui j'ose aimer* (1956), *Au nom du fils* (1960), *Le Matrimoine* (1967), *Les Bienheureux de la Désolation* (1970), *Madame Ex* (1975), *L'Église verte* (1981), *Le Démon de minuit* (1988), *L'École des pères* (1991), *Le Grand Méchant Doux* (1992), *Le Neuvième Jour* (1994).

« TAIS-TOI FOLCOCHE ! »

Bien avant d'être désigné en 1955 comme le meilleur romancier des dix dernières années, HERVÉ BAZIN avait, d'emblée, frappé l'opinion par la violence contre nature de la haine du petit « Brasse-Bouillon » contre sa mère qu'il surnomme « Folcoche », haine étendue à l'entourage familial. Cette atroce réalité entre dans le domaine de l'art par les mérites imprescriptibles de la forme, ainsi qu'en témoignent cette proclamation et cette apostrophe, un de ces cris de révolte qui courent tout au long de *Vipère au poing*. THÈMES : *Enfance. Famille. Moi. Société. Justice. Autobiographie.*

Perché sur la plus haute branche d'un arbre, Brasse-Bouillon fait le point : « Tu n'es pas ce que tu veux, mais tu seras ce que tu voudras. [...] La haine est un levier plus puissant que l'amour ».

Je fais le point. Je ne suis pas modeste. C'est toujours cela que les Rezeau conserveront en moi. Je suis une force de la nature. Je suis le choix de la révolte. Je suis celui qui vit de tout ce qui les empêche de vivre. Je suis la négation de leurs oui plaintifs distribués à toutes les idées reçues, je suis leur contradiction, le saboteur de leur patiente renommée, un chasseur de chouettes, un charmeur de serpents, un futur abonné de *L'Humanité.*

« Les enfants ! C'est l'heure. »

Je suis votre scandale, la vengeance du siècle jeté dans votre intimité.

10 « Les enfants ! »

Tais-toi, Folcoche. J'arriverai volontairement en retard et tu ne diras rien, parce que tu as peur, parce que je veux que tu aies peur. Je suis plus fort que toi. Tu déclines et je monte. Je monte comme un épouvantail, dont l'ombre s'allonge immensément sur les champs au moment où le soleil se couche. Je suis la justice immanente de ton crime, unique dans l'histoire des mères. Je suis ton vivant châtiment, qui te promet, qui te fera une vieillesse unique dans l'histoire de la piété filiale.

« Les enfants ! »

Tais-toi, Folcoche ! Je ne suis pas ton enfant.

Vipère au poing (Grasset, éditeur).

Robert Sabatier   Robert Sabatier (né en 1923) est l'auteur d'une série autobiographique inspirée par son enfance et son adolescence : *Les Allumettes suédoises* (1969), *Trois Sucettes à la menthe* (1972), *Les Noisettes sauvages* (1974), *Les Fillettes chantantes* (1980), *David et Olivier* (1986), *Olivier et ses amis* (1993). Il se crée un sosie, Olivier, petit Auvergnat, né à Montmartre, dont la famille parisienne conserve de solides attaches avec son terroir d'origine, le village de Saugues, aux confins de la Haute-Loire et du Cantal. C'est un sosie dont le romancier raconte l'histoire comme si c'était celle d'un autre. Dans le « prélude » des *Noisettes sauvages,* il avoue son propos autobiographique, mais le récit sera à la troisième personne.

Pour évoquer cette histoire, Sabatier n'a qu'à se tourner vers ses souvenirs. C'est d'abord le Paris de l'entre-deux-guerres, la vie quotidienne telle qu'il l'a observée dans son enfance et à l'occasion des petits métiers qu'il a exercés avant de se consacrer à l'édition, à la poésie et au roman : Montmartre et ses rues en pente où l'on joue et où se nouent les amitiés enfantines ; puis les quartiers plus « cossus » avec leurs rues différentes, leurs mœurs, leurs personnages pittoresques. C'est d'autre part la « France profonde », à Saugues, où Olivier s'associe à la vie de la ferme, ce qui permet de faire revivre les activités rurales, les coutumes, les légendes du passé. C'est encore, au moment de l'adolescence, le séjour en Touraine, l'éveil des sentiments amoureux, et, à Paris, l'expérience de l'apprenti imprimeur avide de se cultiver. Dans *La Souris verte* (1990), un thème insolite, les amours d'un adolescent français et d'une aristocrate de l'armée allemande d'occupation ; dans *Le Cygne noir* (1995) : la laideur et l'intelligence, l'amour et l'illusion ; dans *Le Lit de la merveille* (1997), un hymne aux livres, au savoir, à l'amour.

Sabatier est un excellent conteur, comme en témoigne encore, dans un genre différent, un roman « écrit pour les enfants de 4 à 75 ans », *Les Enfants de l'été* (1978). Dans la série de « l'histoire d'Olivier », son récit est plein d'allant, tantôt drôle tantôt émouvant, teinté de nostalgie et de tendresse, et parfois relevé d'une touche de fraîcheur poétique.

Retour au pays

Voici donc Olivier dans les années 30 — il est déjà assez grand pour voyager seul —, embarqué pour une longue nuit dans le train, en troisième classe, à destination de Langeac, d'où un car le conduira à Saugues. À la gare de Langeac, il est accueilli par le plus jeune frère de son père, l'oncle Victor, qui le fait monter avec lui dans le car Langeac-Saugues : les émotions et les « phantasmes » d'Olivier semblent bien être ceux de Robert Sabatier au même âge. – THÈMES : *Enfance. Réel et irréel. Psychologie.*

Tout le rattachait à ce village qu'il ne connaissait pas et le nom de Saugues devenait magique.

Maintenant, son cœur battait plus fort. Il ressentait de l'appréhension et se crispait. Un instant, l'image lointaine de son père affleura son souvenir.

— Après ce tournant, tu l'apercevras, Saugues !

Olivier ne put répondre. Il avala difficilement sa salive. Saugues, Saugues, ce simple nom d'un village prenait une apparence de paradis perdu. Il se le répétait intérieurement, grave, élevé, grandiose comme une musique d'orgue. Saugues, l'endroit où il aurait dû naître, Saugues, Saugues. C'était comme s'il
10 allait retrouver tout ce qui avait marqué sa jeune existence. Il pressentait des moments d'un passé lointain et les souvenirs les plus proches revivaient eux aussi. Il voyait Virginie dans sa mercerie qui mesurait du ruban, Jean et Élodie chantant *Marilou* [1] dans leur cuisine, Mado la princesse tirant Ric et Rac, le beau Mac lui apprenant à boxer, la bonne mère Haque et ses tartines, Bougras le braconnier de Paris, l'Araignée dans son enfer, les copains, tous les autres [2].

— 1 Chanson populaire à la mode dans les | années 30. — 2 Olivier réunit dans son rêve les | personnages de son entourage montmartrois.

Il ferma les yeux et, absurdement, imagina qu'ils vivaient tous à Saugues et qu'ils l'attendaient au rendez-vous de lui-même.

Il secoua la tête sur ces phantasmes, et aux images des rues montmartroises succédèrent les premières maisons, bien réelles, le long de la côte menant au 20 cœur du village.

— Eh bien ! on arrive, dit joyeusement Victor, mais...

Il regarda Olivier et vit de l'humidité dans ses yeux. Gêné, il lui entoura l'épaule et le tint un peu serré contre lui. Il comprenait. Au retour du régiment, il avait ressenti la même émotion. Et tous les enfants du canton de Saugues éprouvaient cela quand ils revenaient au pays. Des années et des années plus tard, à chacune de ses arrivées au village des siens, Olivier se sentirait ainsi tout remué.

Les Noisettes sauvages (Albin Michel, éditeur).

Jacques Laurent

JACQUES LAURENT (né en 1919) a grandi dans une famille aisée ; il terminait une licence de philosophie quand il fut mobilisé en 1939. D'après son autobiographie, il a connu l'exode, hésité entre Vichy et la Résistance, puis s'est engagé dans un régiment de F.F.I. et a été réformé pour raison de santé. À partir de la Libération, il se donne entièrement à la littérature. « J'avais fait de moi, dit-il, deux écrivains dont l'un devenait le mécène de l'autre. » Le « mécène » a d'abord offert à l'autre écrivain, Jacques Laurent, la possibilité de travailler à son œuvre « littéraire », et cela en publiant des romans policiers ou sentimentaux, puis, sous le pseudonyme de CÉCIL SAINT-LAURENT, un roman populaire devenu un best-seller, *Caroline chérie* (1947), histoire d'amour sur fond historique, dans la veine d'Alexandre Dumas. Son œuvre « littéraire » comprend des romans : *Les Corps tranquilles* (1948), *Le Petit Canard* (1954), *Les Bêtises* (Goncourt 1971), *Les Sous-ensembles flous* (1981), *Le Dormeur debout* (1986), *Le Miroir aux tiroirs* (1990), *L'Inconnu du temps qui passe* (1994) ; — une autobiographie : *Histoire égoïste* (1976) ; — des essais littéraires témoignant de son intérêt pour Stendhal : *La Fin de Lamiel* (1966), *Stendhal comme Stendhal* (1984) ; — des essais polémiques : *Paul et Jean-Paul* (1951, contre le « terrorisme » intellectuel de Sartre), *Mauriac sous de Gaulle* (1964, Mauriac prosterné devant de Gaulle après avoir encensé Pétain), *Lettre ouverte aux étudiants* (1969), *Roman du roman* (1978, contre la littérature engagée, le nouveau roman, la nouvelle critique) ; — des anecdotes personnelles : *Moments particuliers* (1997).

Orienté à droite par son milieu et sa formation, J. Laurent n'a pas hésité à se singulariser par son ouverture d'esprit, critiquant les préjugés bourgeois et se piquant d'accueillir, dans les publications qu'il dirige, des écrivains de toutes opinions. Il fut classé un temps dans le groupe des « hussards » en compagnie de Nimier, Blondin et Déon (cf. p. 771). Son œuvre nous apporte d'abord — utile élément de confrontation — un témoignage selon l'optique « de droite » sur le climat social, politique et littéraire depuis les anées 30. Comme lui, ses héros sont souvent des littéraires, un écrivain *(Le Dormeur debout)*, un cinéaste *(Les Sous-ensembles flous)*. De là certaines constantes : les références culturelles, le penchant pour les questions littéraires ou philosophiques, les débats où il confronte les idées et affirme ses positions, l'obsession de la sexualité et de l'érotisme.

Une de ses dominantes est la *contestation du déterminisme* et *du matérialisme historique*. Il affirme l'infinie variété de la vie, le rôle du hasard, des impulsions, et par suite la vanité de ramener à des enchaînements simples, universels et systématiques l'explication des actes et des pensées. Comme Paul Valéry, il conteste la valeur scientifique de l'*histoire* et de la *critique*. Aussi s'élève-t-il contre la prétention de reconnaître un « sens de l'Histoire », et contre celle d'expliquer la genèse d'une œuvre littéraire, « un avatar de la vie dont rien ne peut rendre compte ». Il ne ménage pas ses attaques contre la « nouvelle » critique : « Le pur structuralisme, dit-il, n'offrait que la décomposition d'une œuvre en nœuds, jointures, circonstances, qui, si exacte qu'elle fût, ne permettait de prendre connaissance que d'une dimension de l'œuvre, celle de l'intrigue » *(Histoire égoïste)*.

Le sentiment de la complexité psychologique inspire, dans la veine de Gide, la structure des *Bêtises* où se combinent, à divers niveaux, le roman, l'autobiographie, le journal intime de l'auteur, la présentation de l'éditeur. De même, dans *Les Sous-ensembles flous* et *Le Dormeur debout*, le lecteur navigue lentement sur un flux continu où s'offrent pour son plaisir des remarques profondes, des analyses subtiles, mais mêlées à des réflexions plus banales, des reflets du quotidien, des conversations insipides : on se prend à regretter que de parti pris, semble-t-il, l'auteur se refuse à choisir dans le foisonnement de la vie, à établir un relief, de manière à soutenir l'intérêt romanesque.

UN MAGISTRAT AU DÉSESPOIR

Recherché pour collaboration avec les Allemands, le romancier FAYPOUL décide d'en finir et s'accuse d'un double crime. Mais il se contredit et, situation cocasse, le magistrat qui voudrait bien « l'enfoncer » selon la logique judiciaire est conduit à douter de sa culpabilité et à prononcer le non-lieu ! J. LAURENT prête à cet écrivain de génie certains traits de sa personnalité : sa tendance à métamorphoser sa vie en matière romanesque, sa culture, ses réflexions philosophiques et, comme ici, sa conviction de la souplesse et des fluctuations de la vie psychologique. Dans son *Histoire égoïste*, il évoque ainsi « l'abîme qui sépare un propos d'un acte ou même une exclamation d'une intention, la richesse en petits faits, en mouvements du cœur, en alternances du jugement et de l'humeur que peut supposer le déroulement d'un champ de conscience ».

THÈMES : *Justice. Psychologie. Déterminisme. Société. Littérature (Portrait).*

Si le premier juge d'instruction avait été irrité par la nonchalance de Faypoul, le second ne tarda pas à sentir monter en lui l'épouvante que l'insolite provoque chez certains esprits pour qui l'habitude constitue une règle philosophique. Ce vieil homme, dont la brève moustache jaune hérissée de touffes blanches, la maigreur, la haute taille auraient mieux convenu à un colonel de cavalerie, était un magistrat de l'autre siècle pour qui la logique de l'instruction se devait de rester rigoureusement euclidienne. La ligne droite était à ses yeux le plus court chemin pour relier deux faits dont l'un devenait *cause* et l'autre *effet*.
10 Pour lui, un homme qui, devant témoins, avait crié à sa femme « il y a des moments où tu es à tuer » puis, sept ans plus tard, au cours d'une querelle, l'avait jetée contre une cheminée où elle s'était fendu le crâne, avait prémédité pendant sept ans son crime. Or, pour la première fois de sa vie, il se trouvait en présence d'un individu qui voulait le persuader de sa culpabilité et non de son innocence. La moindre contradiction, il savait l'exploiter pour enfoncer davantage un inculpé, il continuait d'appliquer la même méthode mais s'apercevait avec un effroi qui lui nouait la gorge qu'elle produisait un résultat inverse dans le cas Faypoul. Des sueurs froides l'éveillaient en pleine nuit et,
20 assis sur son séant, il se surprenait à balbutier dans les ténèbres : « Je fais le travail de l'avocat, quelle horreur... » Il se voyait prisonnier d'une situation hermétiquement close. Pour prouver la culpabilité de Faypoul, il lui aurait fallu renoncer à l'analyse critique du dossier qu'il tenait pour un devoir sacré et la poursuite de cette analyse l'entraînait irrésistiblement vers un Faypoul pur comme de l'eau de roche.

Le Dormeur debout, VIII (Librairie Gallimard, éditeur).

François Nourissier Chez FRANÇOIS NOURISSIER (né en 1927), le rapport entre autobiographie et roman est quelque peu différent. Pour lui, le « recours autobiographique » apparaît comme une méthode destinée à authentifier les techniques littéraires de l'analyse romanesque. Ses personnages restent toujours des reflets de lui-même, « des images de moi hier ou de moi demain, dit-il, d'un moi réel ou d'un moi redouté » (*Le Maître de maison*, 1968). Pour lui, la fonction de la littérature narrative étant « de parvenir à en dire sur soi davantage », elle est bien une fonction autobiographique. Mais il est aussi pleinement romancier. Il a publié successivement : *L'Eau grise* (1951) ; *Bleu comme la nuit* (1958) ; *Un Petit Bourgeois* (1963) ; *Une Histoire française* (1965) ; *Le Maître de maison* (1968) ; *La Crève* (1970) ; *Allemande* (1973) ; *Lettre à mon chien* (1975) ; *Le Musée de l'homme* (1978) ; *L'Empire des nuages* (1981) ; *La Fête des pères* (1985) ; *En avant, calme et droit* (1987) ; *Bratislava* (1990) ; *Autos Graphie* (1990) ; *Le Gardien des ruines* (1992) ; *Roman volé* (1996) ; *Le Bar de l'escadrille* (1997).

L'auteur-narrateur retrace sans complaisance une enfance pauvre et austère, une adolescence modeste de petit bourgeois aspirant à se faire admettre dans la bourgeoisie aisée ; et sa propre histoire devient le microcosme où se reflète l'image cruelle de son entourage, des milieux qu'il fréquente, de son époque. Son regard critique est celui d'un historien plutôt que celui d'un pamphlétaire ; le ton est celui du constat plutôt que celui de la révolte. Dans *L'Empire des nuages* s'affirme plus nettement la création d'un univers romanesque : c'est l'expérience douloureuse d'un peintre à la mode dont on se détourne, d'un homme mûr devant une jeune maîtresse, d'un père en conflit avec sa fille.

En avant, calme et droit reconstitue la vie d'un cavalier passionné, aux principes rigides : NOURISSIER y parle de l'équitation en connaisseur et on croit reconnaître sa voix lorsque son héros décrit avec humour et férocité une société avachie depuis la défaite de 1940.

Mythologie de la banlieue

Après *Bleu comme la nuit* et *Un Petit Bourgeois,* *Une histoire française* est le troisième volet d'une trilogie intitulée *Un malaise général* et sous-titrée *Chroniques.* Ce titre d'ensemble et ce sous-titre disent assez la volonté d'insérer l'autobiographie dans son environnement. Ainsi le jeune PATRICE PICOLET habite Villemonble avec sa famille, et c'est dans le cadre de ce microcosme d'un petit Parisien, son double, que FRANÇOIS NOURISSIER évoque la « mythologie de la banlieue ». – THÈMES : *Société. Psychologie.*

Cette mythologie de la banlieue, qu'un jour Patrice exposera aux sceptiques afin de les éveiller à l'intelligence des choses en général et de l'histoire Picolet en particulier, et même il lui arrivera de penser : cette tare de la banlieue, cette maladie d'enfance, cette leçon de toc, cet apprentissage de tout ce qui est médiocre dans le paysage français, pour l'instant Patrice n'en est pas conscient. Il rapetisse, ce gosse, de toutes les façons, sans savoir qu'on lui apprend à vivre dans un monde minuscule. Villemomble est situé dans la banlieue de Paris et les Picolet dans la banlieue de la bourgeoisie. Nulle part : c'est de là qu'il vient.

10 Quand Patrice le comprendra — en d'autres termes : quand il se sera échappé — il sera tenté de prendre le sceptique par la main et de les mener, lui et la Mercédès de deux tonnes dans laquelle un homme de sagesse se sent comme fortifié, se promener dans les rues de Villemomble. Elles n'auront pas changé. Ils exploreront les allées de Gagny, du Réservoir, des Acacias, les boulevards de l'Ouest et Félix-Faure, le passage de la Poste, la place de l'Usine-des-Eaux, la Promenade des Sept-Iles, les avenues Louise et Gambetta. Le sceptique hochera la tête. C'est un de ses gestes. [...] Et Patrice se taira. Il se tassera sur la banquette, confort d'outre-Rhin, et même il se rengorgera un peu. Une enfance sordide, plus tard, quel capital ! *Une histoire française* (Grasset, éditeur).

Un conflit de générations

Au cours de son voyage vers une ville étrangère où il a été invité comme conférencier, le narrateur, l'écrivain N. (N comme Nourissier ?) médite sur son divorce avec Sabine et sur l'incompréhension qui se glisse peu à peu entre lui et leur fils adolescent, Lucas. « C'est classique, tout ça. Un conflit de générations, quoi ! » lui dira-t-on vers la fin du roman. Ce conflit de toujours, François Nourissier l'actualise en observant les nuances qu'il peut revêtir de nos jours. – THÈMES : *Famille. Adolescence. Psychologie.*

« Papa ? Il met les pouces... » Sabine m'avait rapporté ce propos de notre fils un jour où elle m'exhortait à la résistance. (« Si tu ne manifestes pas ton autorité, évidemment... ») Non, je ne la manifestais pas. D'abord parce que je n'en possède guère ; ensuite parce que j'aurais trop peur, en faisant un usage abusif, de pousser Lucas à ces paroles extrêmes, inexpiables, qu'il brûle de me jeter et que je me suis juré de ne pas entendre. Mais on ne peut pas se faire sourd à volonté. Mieux valent les comédies, le silence. Oui, je mets les pouces. Mais je ne réussis jamais à oublier. [...]

Toutes les fois que je cherche à exprimer les déceptions que m'impose Lucas,
10 leur violence me choque. En sommes-nous là ? Et comment y avons-nous glissé ? A quel moment ai-je cessé de manifester à Lucas mon affection ? Quels gestes ai-je cessé d'oser, ou s'est-il mis à repousser, qui durant son enfance scellaient notre entente et me comblaient de joie ? Pourquoi nos silences, que je rêvais vibrants de choses tues, de complicités banales et ineffables, se sont-ils mués en hostilité ? Je suis sûr que ni Lucas ni moi ne sommes coupables. Coupables de quoi ? Seule la nature l'est, qui altère les adolescents, les soumet à des tensions excessives, les rend perméables aux cochonneries de l'époque — chaque époque a les siennes — et dans le même temps vieillit leurs pères, les sclérose, les crispe dans les principes, les affronte à des détresses
20 imprévisibles. « Je suis un vieil homme », ai-je parfois envie de dire à Lucas. Il me semble que l'énormité de l'aveu provoquerait un choc et me faciliterait les explications ultérieures. Mais je me trompe : le mot paraîtrait juste à Lucas, et naturel. Il doit me trouver plutôt blet s'il me compare aux pères de ses copains. Notre tendresse a manqué de plongeons, de courses. « Savez-vous que mon fils me bat au tennis ! » proclament fièrement les messieurs. Ils ont tort de s'en réjouir. Leur défaite en présage d'autres, autrement douloureuses. « En somme, je suis un enfant de vieux », a constaté un jour Lucas en souriant. Ce jour-là il portait son visage d'ange malicieux, qui m'émerveille. « Oui, lui ai-je répondu, et cela se voit : tu es malingre, chafouin et pusillanime... »
30 — « Hou là là ! Passe-moi le dictionnaire ! »

C'était une de nos oasis de bonheur.

La Fête des pères (Grasset et Fasquelle, éditeurs).

Au terme de sa conférence, N. est reçu chez les Lapeyrat, *une famille française. Il a la surprise de retrouver en* Nicole Lapeyrat, *son hôtesse, une jeune femme dont il était l'amant au moment de la naissance de Lucas. Les Lapeyrat ont une fille,* Bérénice, *âgée de seize ans et demi. Peu à peu, N. acquiert la certitude que cette adolescente, très séduisante, est sa propre fille. Mais il s'avoue à lui-même qu'il aurait été « incapable de la réussir » ainsi, car — il en a conscience — cet « éphémère chef-d'œuvre » est « la somme d'une longue addition ». A la* déception *que lui cause son fils s'ajoute donc une douloureuse « sensation de dessaisissement ». C'est pour lui, dit-il ironiquement, « la fête des pères ».*

Michel Déon

MICHEL DÉON (né en 1919) a publié en 1978, sous le titre de *Mes arches de Noé,* une confession rétrospective où il retrace son itinéraire personnel, politique et littéraire : ses lectures d'enfant et d'adolescent, l'attachement à Maurras et la collaboration à l'*Action française,* les souvenirs de l'Occupation, les voyages, le coup de foudre pour l'île grecque de Spetsai et la fascination de l'Irlande, des rencontres d'hommes politiques, d'acteurs, d'écrivains (son ami Kléber Haedens, Paul Morand, Jean Cocteau), l'apparition de la mystérieuse B, dont il s'est souvenu dans *Un taxi mauve,* et la révélation de l'amour à dix-sept ans, qu'il a transposée, dit-il, dans *Les Poneys sauvages.* Dans *Un déjeuner de soleil* (1981) il a aussi présenté la biographie d'un écrivain imaginaire qui doit beaucoup à son créateur. Mêlant à ses aventures personnelles et à ses propres rêves le mystère des légendes locales, il ne se lasse pas d'évoquer ses voyages, ses séjours dans des lieux enchanteurs (*Tout l'amour du monde,* 1955 et 1960 ; *Le Balcon de Spetsai,* 1961 ; *Le Rendez-vous de Patmos,* 1971). Généralement, l'expérience personnelle devient, chez ce narrateur né, matière à transposition romanesque : ainsi dans *Les Poneys sauvages* (1970), *Un Taxi mauve* (1973), *Le Jeune Homme vert* (1975), *Les Vingt Ans du jeune homme vert* (1977), *Je vous écris d'Italie* (1984), *La Montée du soir* (1987), *Un souvenir* (1990), *Le Prix de l'amour* (1992), *La Cour des Grands* (1996), *Madame Rose* (1998).

La localisation de la plupart de ses romans — Spetsai, l'Irlande — revêt, du point de vue autobiographique, un caractère symbolique. DÉON est en effet un insulaire spirituel, soucieux avant tout d'échapper aux contagions du conformisme social et des pressions collectives. Ses personnages doivent à leur créateur cette même insularité spirituelle qui s'épanouit en marginalité volontaire. Mais ces matériaux d'origine autobiographique, DÉON les romance à plaisir, les métamorphose et les enrichit.

MICROCOSME IRLANDAIS

Le génie de MICHEL DÉON pour le développement narratif est stimulé par l'originalité, la marginalité de personnages que définit bien le titre d'un de ses romans, *Les Poneys sauvages,* image d'un monde libre et heureux, et qui symbolise tout aussi bien la couleur inattendue du taxi dans *Un taxi mauve.* La vie prend une saveur particulière dans l'univers pittoresque de cette Irlande où le narrateur et son vieil ami Seamus rencontrent au « pub » quatre conspirateurs de l'I.R.A., l'Armée Républicaine Irlandaise, organisation terroriste dont l'objet est la réunion de l'Ulster britannique à l'Eire indépendante.

J'admirais la façon dont ces quatre compagnons utilisaient le temps imparti par la vie. Ils l'emplissaient de mots, de rires, de plaisanteries douteuses, le bourraient d'alcool, comme si ce temps avait été indéfiniment extensible, ballon que l'on gonfle jusqu'à le faire éclater tous les soirs et dont on échange la peau flasque, amère et ridée le matin suivant pour un ballon neuf aux couleurs riantes. Nous étions beaucoup moins généreux Seamus et moi, lui en raison de son âge — il a près de soixante-dix ans — et moi pour les raisons que j'ai dites. En parlant avec les conspirateurs de l'I.R.A. qui ne faisaient devant moi aucun mystère de leurs projets, en découvrant au fond des campagnes dans les pubs de Galway, d'Athlone, de Limerick où nous nous arrêtions pour reprendre souffle, cet éventail de caractères absurdes, magnifiques, irrésistibles d'humour et de drôlerie, propres au peuple irlandais, j'explorais un microcosme qui me redonnait le goût de l'espace et de l'existence. Petit espace, petites existences, mais les passions d'alors déchaînées, le vieux rêve de l'union avec le Nord agité de nouveau après un court sommeil, tout me rendait une curiosité que j'avais bêtement crue éteinte. Si, par moments, la vie semblait s'enliser dans un morne ennui, nous savions qu'un rien, une étincelle pouvait déclencher le tonnerre.

Un taxi mauve (Librairie Gallimard, éditeur).

La montée du soir

Au soir d'une ascension solitaire, GILBERT AUDUBON a lâché sa canne dans le vide et n'a pu la retrouver. Il redescend « le cœur lourd d'une angoisse qui annonce des événements encore plus chagrinants. » Et en effet, à l'auberge du moulin d'ÉMILIA, au lieu d'ANGÈLE, sa maîtresse qui devait l'y attendre, il y trouve sa femme MARIE qui semble se plaire, pour l'angoisser, à retarder l'annonce d'une mauvaise nouvelle.

Revivant cette attente dans les heures qui suivront, il lui semblera qu'elle a duré des siècles, que Marie s'est jouée de lui et il essaiera de se rappeler les détails : Émilia remuant ses fortes fesses pour se diriger vers le fourneau où elle met deux œufs à frire dans une poêle, la voix d'un client qui cogne son pichet sur la table pour demander du vin, le joueur qui abat ses cartes, « belote et rebelote », un chat blanc avec des yeux d'or, nouveau venu qui traverse la salle pour sauter sur une chaise près du feu et se rouler en boule. Comme deux mondes antinomiques, son temps — dans lequel s'est glissé celui de Marie — est resté figé tandis que le temps d'Émilia et du cabaret continuent
10 de courir. Il n'est cependant pas tout à fait exact de dire que le temps dans lequel voguent Gilbert et Marie s'est arrêté : des images et même des mots l'ont traversé sans qu'ils échangent une parole, mais non sans que des frémissements parcourent Gilbert qui a imaginé Angèle sur un brancard — peut-être morte, disloquée — et imploré aussitôt le secours d'une vision heureuse pêchée dans le passé : Angèle plongeant nue d'un bateau en Méditerranée. Peut-être Marie a-t-elle également retrouvé une image ou deux de l'époque où Angèle, encore dans les limbes, ne s'interposait pas entre elle et Gilbert. Ainsi, alors que, pour ce couple maladroit, les secondes de silence remontaient dans le passé, la vie du moulin d'Émilia avançait, au contraire,
20 dans son médiocre futur : les œufs étaient frits, une nouvelle partie de belote commençait, le buveur remplissait son verre, le chat s'endormait. Dans un effort démesuré pour remettre à la même heure les deux temps qui se contredisent absurdement, Gilbert a eu envie de crier : « Je suis malade, je t'aime *aussi* Marie », aveu retenu au bord des lèvres par un doute atroce : ne faut-il pas inverser les propositions et dire : « Je t'aime *aussi* Marie, je suis malade » ou laisser passer une longue respiration entre les deux phrases afin qu'elles soient dissociées pour que sa femme n'y perçoive pas un appel de détresse, une relation de cause à effet, le commencement d'une longue histoire dont elle tirera vite parti avec sa redoutable logique. Finalement aucun de ces mots n'a franchi
30 ses lèvres et c'est tout autre chose qu'il s'est entendu dire et qui l'a tiré de sa propre distraction : — Ma canne m'a quitté !
[...] Pourquoi n'a-t-il pas dit : « J'ai perdu ma canne », fait insignifiant pour Marie et sans rapport avec l'inattendu de sa présence ? Les lapsus sont rarement dépourvus de sens mais, à peine nés, ils ont l'inquiétant pouvoir de nous faire douter autant de nous-mêmes que de l'ordre des choses. Pourtant, c'est bien ce qui s'est passé...   *La Montée du soir* (Librairie Gallimard, éditeur).

La perte de cette canne lui apparaît d'abord comme un signe, celui d' un monde qui ne veut plus de lui, puis comme un instrument du destin. Il se verra en effet abandonné par sa maîtresse et trahi par sa femme. Revenu sur la montagne, il retrouvera la canne, mais il meurt d'une crise cardiaque en contemplant une dernière fois « la montée du soir ».

Angelo Rinaldi   L'œuvre d'ANGELO RINALIDI (né en 1940) s'inspire d'une observation lucide des mœurs de son île natale, la Corse où il a passé son enfance et son adolescence. Par les jeux subtils de la mémoire qui l'ont fait situer parfois dans la veine proustienne, il a le don de ressusciter les paysages lumineux de l'île ainsi que ses personnages pittoresques qu'il évoque tantôt avec émotion tantôt avec humour. C'est aussi un critique littéraire incisif. Ses romans : *La Loge du gouverneur*, 1965 ; *La Maison des Atlantes*, 1971 ; *Les Dames de France*, 1977 ; *La Dernière Fête de l'Empire*, 1980 ; *L'Éducation de l'oubli*, *Les Jardins du consulat*, 1984 ; *Les Roses de Pline*, 1987 ; *La Confession dans les collines*, 1990 ; *Les jours ne s'en vont pas longtemps*, 1993 ; *Dernières nouvelles de la nuit*, 1997.

Les yeux de la mort

Le narrateur, Corse installé à Paris, vient d'apprendre la mort de la fille d'une de ses amics, et attend l'arrivée de sa cousine ROSE. Il retrouve des images de son passé en suivant les détours d'une mémoire hantée par l'idée de la mort et les souvenirs de son île natale. Il revoit la villa des Palmiers où il vivait heureux avec ses parents, la cousine ROSE qui l'a recueilli après leur mort, la princesse romaine Elena de Santarcangeli, M. SOLINAS, l'amant de Rose, qui, dans cet extrait, initie l'orphelin à la chasse.
THÈMES : *Enfance. Mort. Souvenir. Psychologie.*

Un soir après le dîner, ayant décroché un fusil au râtelier dans le vestibule — c'était donc un samedi, puisqu'il passait le week-end chez Rose, quoique sans partager sa chambre tant que je n'aurais pas regagné la villa des Palmiers —, il m'avait emmené braconner en compagnie du plus jeune de ses commis, cclui qui, une fois par mois, apportait les livres de comptabilité de la boutique, qui étaient examinés lc dimanche après la sieste, c'est-à-dire truqués à l'intention du fisc. Le jeune homme était, lui, armé d'unc torche électrique. Nous avions tous les trois marché longtemps en silence le long de la berge du torrent, et dépassé le plateau à partir duquel il y avait des étendues
10 de terrains qui figuraient encore sur les registres du cadastre au nom de la Princesse, quand le faisceau lumineux, balayant les buissons par intervalles, avait fait surgir d'un massif de lentisques, au-dessus de nous, les yeux d'unc bécasse qui en était éblouie. Des yeux d'un vert presque turquoise, les yeux d'un inconnu masqué, enveloppé de nuit, qui n'aurait montré de lui-même que son regard phosphorescent à travers les fentes d'un loup de velours. Presque aussitôt une détonation avait retenti, suivie de battements d'ailes qui attestaient la fuite de congénères, ou peut-être un envol de chouettes dans les arbres. Alors l'enfant que j'étais, qui n'avait ni bougé ni prononcé une parole, s'était retrouvé ruisselant de larmes, comme au réveil on se découvre en sueur des
20 pieds à la tête au cours d'un accès de paludisme qui a couvé pendant le sommeil : on aurait cru que même sa peau pleurait. Dans l'obscurité, personne n'allait remarquer son attitude ; en cet instant précis, la disparition de ses parents avait cessé d'être une chose abstraite, et, désormais, il se figurerait que la mort se présentait toujours avec ces yeux-là.   *Les Roses de Pline* (Librairie Gallimard, éditeur).

Lucien Bodard   LUCIEN BODARD (1914-1998) est fils d'un consul à Tchong-King. Le journalisme l'a ramené sans cesse vers l'Extrême-Orient, sa grande passion (*La Chine de la douceur*, 1958 ; *La Chine du cauchemar*, 1961 ; *La Guerre d'Indochine*, 1963-1967 ; *La Chine de Tseu-hi à Mao*, 1968 ; *La Vallée des roses*, 1977 ; *La Duchesse*, 1979). L'obsession de la Chine donne une saveur particulière à ses romans autobiographiques : *Monsieur le consul* (1973), *Le Fils du consul* (1975), *Anne-Marie* (Goncourt 1981 : l'amour d'un fils pour une mère oublieuse et distante) ; *Les Grandes Murailles* (1987 : retour en Chine) ; *Les dix mille marches* (1991).

ANALYSE PSYCHOLOGIQUE

MARGUERITE YOURCENAR

Humanisme et   MARGUERITE DE CRAYENCOUR, en littérature MARGUE-
indépendance   RITE YOURCENAR (1903-1987), est née à Bruxelles, d'un
père français et d'une mère belge. Issue d'une famille aisée, elle a grandi dans le Nord de la France, mais c'est surtout à l'étranger qu'elle séjournera par la suite : en Grèce, en Italie, en Amérique où elle fut professeur en 1939. À partir de 1949, elle s'est installée dans l'île de Mount-Desert, sur la côte nord-est des États-Unis. Lauréate de divers prix littéraires, elle a été en 1980 la première femme élue à l'Académie française.

UNE VASTE CULTURE. Elle a acquis dans sa jeunesse une solide culture antique qu'elle ne cessera d'enrichir. C'est une excellente helléniste. Poète elle-même (*Feux*, 1936 ; *Les Charités d'Alcippe*, 1956), elle a donné une traduction remarquable d'un choix de poèmes grecs anciens (*La Couronne et la lyre*, 1979) ; auteur dramatique, elle a, dans la veine de Giraudoux, puisé divers sujets dans les mythes antiques (*Électre ou la chute des masques*, 1954 ; *Le Mythe d'Alceste*, suivi de *Qui n'a pas son Minotaure ?* 1963). Les *Mémoires d'Hadrien* (1951), puis l'évocation des successeurs de cet empereur dans l'essai *Sous bénéfice d'inventaire* (1962) témoignent de son intérêt pour l'histoire romaine et révèlent l'ampleur de sa documentation.

Sa curiosité s'est étendue aux idées et aux mœurs de la Renaissance en Europe (*L'Œuvre au noir*, 1968) ainsi qu'aux cultures les plus diverses : *Nouvelles Orientales* (1938) ; traductions de Virginia Woolf (1937), de Henry James (1947), de poèmes de Cavafy (1958), de *negro spirituals* (1964) ; essai sur *Mishima ou la Vision du vide* (1980). Parmi ses romans modernes, *Denier du rêve* (1934) se passe à Rome en l'an XI du fascisme, et *Le Coup de grâce* (1939) a pour cadre les pays baltes où s'affrontent les blancs et les rouges au temps de la guerre civile russe.

UN ESPRIT INDÉPENDANT. Un des traits marquants de son caractère est l'indépendance à l'égard des tabous. Ses premiers romans, *Alexis ou le traité du vain combat* et *Le Coup de grâce*, nous présentent, dans la ligne des récits gidiens, des personnages qui capitulent devant leurs appétits homosexuels. L'empereur Hadrien assume sans mystère les mêmes tendances ; il porte sur toutes choses et sur lui-même un regard lucide et impitoyablement critique. Quant à Zénon, le héros de *L'Œuvre au noir*, lui aussi sodomite à l'occasion, c'est le type de l'intellectuel en recherche et perpétuellement en rupture avec les préjugés. Dans *Le Labyrinthe du Monde* (*I. Souvenirs pieux*, 1974 ; *II. Archives du Nord*, 1977 ; *III. Quoi ? L'Éternité*, 1988), parlant désormais en son propre nom, Marguerite Yourcenar, moraliste, manifeste un non-conformisme serein, son esprit satirique étant tempéré par une estimable volonté de demeurer objective. À cette tendance critique, tournée cette fois vers elle-même, se rattache le scrupule avec lequel, à l'occasion des rééditions, elle retouche son œuvre antérieure « sous toutes ses faces et à tous ses niveaux ».

Magie sympathique   La grande originalité de Marguerite Yourcenar réside
dans son pouvoir de « faire vivre ou revivre » des personnages, les uns imaginaires comme Zénon, les autres réels comme Hadrien ou les membres de sa propre famille. Les *Carnets de notes* des *Mémoires d'Hadrien* nous éclairent sur sa démarche. Il ne lui suffit pas de s'appuyer, comme tout bon historien, sur une information abondante et précise. Il s'agit pour elle de « refaire du dedans ce que les archéologues du XIXᵉ siècle ont fait du dehors ». Par « une participation constante, et la plus clairvoyante possible à ce qui fut », elle cherche à s'installer « dans l'intimité d'un autre temps ». Et, dans ce « temps retrouvé », c'est par la « prise de possession

d'un monde intérieur » qu'elle enfante ses personnages. « Un pied dans l'érudition, dit-elle, l'autre dans la magie, ou plus exactement, et sans métaphore dans cette *magie sympathique* qui consiste à se transporter en pensée à l'intérieur de quelqu'un. » Afin d'assurer la valeur humaine des personnages, elle prend seulement « ce qu'il y a de plus durable, de plus essentiel en nous, dans les émotions des sens et les opérations de l'esprit ».

MÉMOIRES D'HADRIEN

Ces *Mémoires* que l'empereur malade destine à son petit-fils, le futur Marc Aurèle, c'est MARGUERITE YOURCE- NAR qui les rédige, mais nous les lisons comme s'ils étaient authentiques. Au prix d'un immense effort de documentation, elle fait revivre HADRIEN de sa naissance à la veille de sa mort, elle ressuscite tout un monde : le cadre de vie, les individus, les mœurs, les croyances, les activités militaires et politiques. Mieux encore, elle le fait « avec des yeux, une âme, des sens du IIe siècle » ; elle recrée les pensées et les sentiments de l'empereur qui s'exprime à la première personne. C'est, dit-elle, le « *portrait d'une voix* ».

Nous découvrons les « *personnages divers* » qu'il fut tour à tour : le *soldat* courageux, habile tacticien, parfois cruel, mais rêvant de paix universelle ; le *politique* cynique, « multiple par calcul, ondoyant par jeu », et ses manœuvres pour accéder au trône, puis ses négociations avec ses adversaires ; l'*homme d'État* surtout, organisateur, soucieux du bonheur des peuples et aspirant à la perfection jusqu'à « se sentir dieu ». Fervent admirateur de la Grèce, il en vient à rendre justice à l'œuvre civilisatrice de Rome qu'il voudrait pérenniser en la transmettant aux peuples barbares. Son art de gouverner vise à assurer « une liberté sagement entendue », afin que les hommes « aient intérêt à voir durer Rome ».

C'est aussi un *être humain* que nous entendons : la longue confidence de sa passion pour ANTINOÜS, son intérêt pour les mathématiques, l'astronomie, l'astrologie, les religions orientales, les soins qu'il donne à sa Villa. Ajoutons-y les *méditations* d'un homme parvenu à la sagesse : sur la maladie, la mort, l'amour, le courage, la liberté, l'esclavage, la condition féminine, le christianisme, le suicide auquel il a fini par renoncer, les vicissitudes de l'avenir qu'il voit comme une alternance de civilisation et de barbarie. Ces réflexions morales d'un Montaigne du IIe siècle de notre ère sont d'un intérêt toujours actuel. L'auteur ne déclarait-il pas dans ses *Carnets de notes :* « Tout être qui a vécu l'aventure humaine est moi » ? Tout homme se reconnaîtrait en effet dans cette méditation de l'empereur vieillissant :

« Je m'efforce de reparcourir ma vie pour y trouver un plan, y suivre une veine de plomb ou d'or, l'écoulement d'une rivière souterraine, mais ce plan tout factice n'est qu'un trompe-l'œil du souvenir. De temps en temps, dans une rencontre, un présage, une suite définie d'événements, je crois reconnaître une fatalité, mais trop de routes ne mènent nulle part, trop de sommes ne s'additionnent pas. Je perçois bien, dans cette diversité, la présence d'une personne, mais sa forme semble presque toujours tracée par la pression des circonstances ; ses traits se brouillent comme une image reflétée sur l'eau. Je ne suis pas de ceux qui disent que leurs actions ne leur ressemblent pas. Il faut bien qu'elles le fassent, puisqu'elles sont ma seule mesure, et le seul moyen de me dessiner dans la mémoire des hommes, ou même dans la mienne propre ; puisque c'est peut-être l'impossibilité de continuer à s'exprimer et à se modifier par l'action qui constitue la différence entre l'état de mort et l'état de vivant. Mais il y a entre moi et ces actes dont je suis fait un hiatus indéfinissable. Et la preuve, c'est que j'éprouve sans cesse le besoin de les peser, de les expliquer, d'en rendre compte à moi-même. »

Dans ces *Mémoires d'Hadrien* où brillent ses qualités d'*historienne,* de *romancière,* de *moraliste,* MARGUERITE YOURCENAR manifeste aussi des dons de *poète,* avec un style d'une sobriété et d'une plénitude classiques [1].

— 1 Dans le même esprit, voir les résurrections historiques de FRANÇOIS FONTAINE : *Mourir* à *Sélinonte* (1984 : Trajan et sa succession) ; *D'or et de bronze* (1986) ; *Blandine de Lyon* (1987) ; *Le Sang des Césars* (1989) ; *Marc Aurèle* (1991).

LE MYSTÈRE D'UNE SUCCESSION

Reposant sur une *documentation rigoureuse,* ce passage égale les meilleures pages de Tacite. Nous n'ignorons rien des bruits qui courent, des réticences, des versions opposées, du climat « de violence et d'intrigue » qui entoure la succession. Mais — c'est ici l'originalité — dans ce récit à la première personne, *l'empereur se peint lui-même* en racontant l'événement. Nous découvrons la lucidité de son analyse, sa soif de vérité, la sincérité avec laquelle il assume des pensées cyniques : il les justifie par la raison d'État confondue avec ses propres ambitions et magnifiée par sa volonté d'assurer le bonheur des hommes. Noter aussi la mélancolie avec laquelle, mûri par l'expérience, il médite sur son destin et sur l'obscurité des événements qui lui importent le plus. Un sens poétique très sûr — celui de l'auteur — préside d'autre part à la description de cette « cérémonie très simple », l'incinération d'un empereur, qui ne va pas, elle non plus, sans mélancolie. THÈMES : *Histoire. Femme. Moi. Psychologie. Morale. Antiquité.*

L'empereur TRAJAN, malade, a dû faire escale en Cilicie et vient d'y mourir dans la maison d'un marchand. Sans tarder, l'impératrice PLOTINE en a informé HADRIEN, son protégé, gouverneur de Syrie, qui arrive précipitamment d'Antioche. Il est aussitôt salué du titre d'empereur : il est en effet désigné comme héritier dans le testament, « un message de deux lignes, tracé en grec d'une main ferme par une petite écriture de femme ».

C'est ici, dans cet intervalle entre le débarquement du malade et le moment de sa mort, que se place une de ces séries d'événements qu'il me sera toujours impossible de reconstituer, et sur lesquels pourtant s'est édifié mon destin. Ces quelques jours passés par Attianus [1] et les femmes dans cette maison de marchand ont à jamais décidé de ma vie, mais il en sera éternellement d'eux comme il en fut plus tard d'une certaine après-midi sur le Nil [2], dont je ne saurai non plus jamais rien, précisément parce qu'il m'importerait d'en tout savoir. Le dernier des badauds, à Rome, a son opinion sur ces épisodes de ma vie, mais je

10 suis à leur sujet le moins renseigné des hommes. Mes ennemis ont accusé Plotine d'avoir profité de l'agonie de l'empereur pour faire tracer à ce moribond les quelques mots qui me léguaient le pouvoir. Des calomniateurs plus grossiers encore ont décrit un lit à courtines, la lueur incertaine d'une lampe, le médecin Criton dictant les dernières volontés de Trajan d'une voix qui contrefaisait celle du mort. On a fait valoir que l'ordonnance Phœdime, qui me haïssait, et dont mes amis n'auraient pas pu acheter le silence, succomba fort opportunément d'une fièvre maligne le lendemain du décès de son maître. Il y a dans ces images de violence et d'intrigue je ne sais quoi qui frappe l'imagination

20 populaire, et même la mienne. Il ne me déplairait pas qu'un petit nombre d'honnêtes gens eussent été capables d'aller pour moi jusqu'au crime,

---

— 1 Vieil ami d'Hadrien que Plotine venait de faire élever « à la position toute-puissante de préfet du prétoire ». — 2 Hadrien restera inconsolable du suicide de son bien-aimé Antinoüs, trouvé noyé dans le Nil.

ni que le dévouement de l'impératrice l'eût entraînée si loin. Elle savait les dangers qu'une décision non prise [3] faisait courir à l'État ; je l'honore assez pour croire qu'elle eût accepté de commettre une fraude nécessaire, si la sagesse, le sens commun, l'intérêt public, et l'amitié l'y avaient poussée. J'ai tenu entre mes mains depuis lors ce document si violemment contesté par mes adversaires : je ne puis me prononcer pour ou contre l'authenticité de cette dernière dictée d'un malade. Certes, je préfère supposer que Trajan lui-même, faisant avant de mourir
30 le sacrifice de ses préjugés personnels, a de son plein gré laissé l'empire à celui qu'il jugeait somme toute le plus digne. Mais il faut bien avouer que la fin, ici, m'importait plus que les moyens : l'essentiel est que l'homme arrivé au pouvoir ait prouvé par la suite qu'il méritait de l'exercer.

Le corps fut brûlé sur le rivage, peu après mon arrivée, en attendant les funérailles triomphales qui seraient célébrées à Rome. Presque personne n'assista à la cérémonie très simple, qui eut lieu à l'aube, et ne fut qu'un dernier épisode des longs soins domestiques rendus par les femmes à la personne de Trajan. Matidie [4] pleurait à chaudes larmes ;
40 la vibration de l'air autour du bûcher brouillait les traits de Plotine. Calme, distante, un peu creusée par la fièvre, elle demeurait comme toujours clairement impénétrable [5]. Attianus et Criton veillaient à ce que tout fût convenablement consumé. La petite fumée se dissipa dans l'air pâle du matin sans ombres. Aucun de mes amis ne revint sur les incidents des quelques jours qui avaient précédé la mort de l'empereur. Leur mot d'ordre était évidemment de se taire ; le mien fut de ne pas poser de dangereuses questions.

Le jour même, l'impératrice veuve et ses familiers se rembarquèrent pour Rome. Je rentrai à Antioche, accompagné le long de la route par
50 les acclamations des légions. Un calme extraordinaire s'était emparé de moi : l'ambition, et la crainte, semblaient un cauchemar passé. Quoi qu'il fût arrivé, j'avais toujours été décidé à défendre jusqu'au bout mes chances impériales, mais l'acte d'adoption simplifiait tout. Ma propre vie ne me préoccupait plus : je pouvais de nouveau penser au reste des hommes [6].

Mémoires d'Hadrien (Librairie Gallimard, éditeur).

— 3 Hésitant entre Hadrien dont il reconnaissait la valeur, mais qu'il n'aimait guère, et d'autres prétendants, Trajan ne parvenait pas à choisir son successeur. — 4 Nièce de Trajan. — 5 « En vérité nous étions complices, a dit Hadrien, mais l'oreille la plus exercée eût pu à peine reconnaître en nous les signes d'un secret accord. » — 6 Hadrien écrit quelques pages plus haut : « Je voulais le pouvoir. Je le voulais pour imposer mes plans, essayer mes remèdes, restaurer la paix. Je le voulais surtout pour être moi-même avant ma mort. »

L'ŒUVRE AU NOIR   « *L'œuvre au noir* », c'est ainsi que les alchimistes appelaient la phase « *de dissolution et de calcination des formes qui est la part la plus difficile du Grand Œuvre* ». Symboliquement, la formule peut aussi désigner les opérations de l'esprit qui se libère en détruisant les routines et les préjugés. C'est ainsi qu'il faut l'entendre dans le cas de ZÉNON, héros du roman de Marguerite Yourcenar. Par ses audaces, par les épreuves qu'il endure, ce personnage imaginaire rappelle certains savants ou philosophes de la Renaissance. L'action se déroule en effet en Flandre et en Europe au XVIᵉ siècle, période de ruptures et de mutations dans la pensée, les croyances, les mœurs, que l'auteur ressuscite avec le même bonheur que l'époque d'Hadrien.

ZÉNON est l'intellectuel en proie à la « rage de savoir », toujours inquiet, remettant sans cesse en question sa quête de la vérité. Ingénieur, alchimiste, curieux de magie et d'astrologie, c'est surtout un *médecin* passionné par ses recherches sur les analogies du corps et de l'univers et sur les relations entre le cerveau et les sens. C'est aussi un *philosophe* qui en vient à douter de l'action de la Providence et dont les ouvrages sont suspects d'hérésie et d'athéisme. Pour échapper aux persécutions religieuses, il a beau se cacher sous un pseudonyme et feindre le conformisme, il sera pris, identifié et finalement condamné au bûcher, auquel il n'échappera que par le suicide.

Dans *L'Œuvre au noir* (1968), le registre est bien différent de celui des *Mémoires d'Hadrien* dont, à l'image de celui de l'empereur, le style était « soutenu, mi-narratif, mi-méditatif ». Ici au contraire, le récit à la troisième personne entrecoupé de dialogues nous présente une fresque colorée, vivante, chaotique, picaresque et souvent cruelle, en accord avec l'époque et le sujet.

L'ultime délibération d'un esprit libre

A l'issue d'un « procès aux charges multiples » dont on n'a retenu que les « crimes d'athéisme et d'impiété », ZÉNON vient d'être condamné au bûcher. Son vieux professeur, le chanoine Bartolommé Campanus, s'est efforcé d'obtenir de lui une rétractation qui permettrait de l'enfermer en lui laissant l'espoir d'être un jour libéré. Zénon a refusé, mais le chanoine lui a accordé la nuit pour réfléchir, et le voici dans sa prison, en proie à ses hésitations. Nous suivons pas à pas les étapes de ce *débat tragique* où l'écho du monologue intérieur vient se fondre dans la minutieuse analyse de la narration. Ayant pris sa décision, Zénon se suicidera à l'aide d'une lame dissimulée dans son écritoire. THÈMES : *Mort. Justice. Despotisme. Moi. Psychologie. Littérature : Monologue intérieur.*

S**on** entretien avec le chanoine avait mis fin à ce qui avait été pour lui depuis le verdict du matin la solennité de la mort. Son sort cru fixé oscillait de nouveau. L'offre qu'il avait rejetée restait valable quelques heures de plus : un Zénon capable de finir par dire oui se terrait peut-être dans un coin de sa conscience, et la nuit qui allait s'écouler pouvait donner à ce pleutre l'avantage sur soi-même. Il suffisait qu'une chance sur mille subsistât : l'avenir si court et pour lui si fatal en acquérait malgré tout un élément d'incertitude qui était la vie même, et, par une étrange dispensation qu'il avait constatée aussi au chevet de ses malades, la mort gardait ainsi une sorte de trompeuse irréalité.
10   Tout fluctuait : tout fluctuerait jusqu'au dernier souffle. Et cependant, sa décision était prise : il le reconnaissait moins aux signes sublimes du courage et du sacrifice qu'à on ne sait quelle obtuse forme de refus qui semblait le

fermer comme un bloc aux influences du dehors, et presque à la sensation elle-même. Installé dans sa propre fin, il était déjà Zénon *in aeternum* [1].

D'autre part, et placée pour ainsi dire en repli derrière la résolution de mourir, il en était une autre, plus secrète, et qu'il avait soigneusement cachée au chanoine, celle de mourir de sa propre main. Mais là aussi une immense et harassante liberté lui restait encore : il pouvait à son gré s'en tenir à cette décision ou y renoncer, faire le geste qui termine tout ou au contraire accepter
20 cette *mors ignea* [2] guère différente de l'agonie d'un alchimiste enflammant par mégarde sa longue robe aux braises de son athanor [3]. Ce choix entre l'exécution et la fin volontaire, suspendu jusqu'au bout dans une fibrille de sa substance pensante, n'oscillait plus entre la mort et une espèce de vie, comme celui d'accepter ou de refuser de se rétracter l'avait fait, mais concernait le moyen, le lieu, et l'exact moment. A lui de décider s'il finirait sur la Grand-Place parmi les huées ou tranquillement entre ces murs gris. A lui, ensuite, de retarder ou de hâter de quelques heures l'action suprême, de choisir, s'il le voulait, de voir se lever le soleil d'un certain dix-huit février 1569, ou de finir aujourd'hui avant la nuit close. Les coudes sur les genoux, immobile, presque paisible, il
30 regardait devant lui dans le vide. Comme au milieu d'un ouragan, quand s'établit redoutablement un calme, le temps ni l'esprit ne bougeaient plus.

La cloche de Notre-Dame sonna : il compta les coups. Brusquement, une révolution se fit : le calme cessa, emporté par l'angoisse comme par un vent tournant en cercle. Des bribes d'images se tordaient dans cette tempête, arrachées à l'autodafé d'Astorga trente-sept ans plut tôt, aux récents détails du supplice de Florian [4], aux rencontres fortuites avec les hideux résidus de la justice exécutive sur les carrefours de villes traversées. On eût dit que la nouvelle de ce qui allait être atteignait subitement en lui l'entendement du corps, fournissant chaque sens de leur quote-part d'horreur : il vit, sentit, flaira,
40 entendit ce que seraient demain sur la place du Marché les incidents de sa fin. L'âme charnelle, prudemment tenue à l'écart des délibérations de l'âme raisonnable, apprenait tout à coup et du dedans ce que Zénon lui avait caché. Quelque chose en lui cassa comme une corde ; sa salive sécha ; les poils des poignets et du dos de la main se dressèrent ; il claquait des dents. Ce désordre jamais expérimenté sur lui-même l'épouvanta plus que tout le reste de sa mésaventure : pressant des deux mains ses mâchoires, respirant longuement pour freiner son cœur, il réussit à réprimer cette espèce d'émeute du corps. C'en était trop : il s'agissait d'en finir avant qu'une débâcle de sa chair ou de sa volonté l'eût rendu incapable de remédier à ses propres maux. Des risques
50 non prévus jusque-là et qui menaçaient d'empêcher sa sortie rationnelle [5] se présentèrent en foule à son esprit redevenu lucide. Il jeta sur sa situation le coup d'œil du chirurgien qui cherche autour de soi ses instruments et suppute ses chances.

L'Œuvre au noir, III (Librairie Gallimard, éditeur).

— 1 « *Pour l'éternité* ». — 2 « *Mort par le feu* ». — 3 Fourneau à combustion lente. — 4 Jeune moine qui venait d'être brûlé comme adepte de la secte des « Anges » qui se livraient avec des filles aux « désordres de la chair ». — 5 La question du suicide est souvent abordée dans ce roman et ailleurs dans l'œuvre de M. Yourcenar.

LE LABYRINTHE   Sous ce titre évoquant l'enchevêtrement du « réseau »
DU MONDE   généalogique, MARGUERITE YOURCENAR a réuni deux
                      ouvrages consacrés l'un à la lignée maternelle (*Souvenirs
pieux*), l'autre à son ascendance paternelle (*Archives du Nord*). Le tome III du « tryptique
familial » s'intitule : *Quoi ? L'Éternité* (posthume, 1988).

Au début d'*Archives du Nord,* elle expose elle-même ses intentions : « Dans un volume
destiné à former avec celui-ci les deux panneaux d'un diptyque, j'ai essayé d'évoquer
un couple de la Belle Époque, mon père et ma mère, puis de remonter au-delà d'eux
vers des ascendants maternels installés dans la Belgique du XIX⁰ siècle, et ensuite, avec
plus de lacunes et des silhouettes de plus en plus linéaires, jusqu'au Liège rococo, voire
jusqu'au Moyen Age. [...] Je voudrais suivre ici la démarche contraire, partir directement
de lointains inexplorés pour arriver enfin, diminuant d'autant la largeur du champ de
vue, mais précisant, cernant davantage les personnalités humaines, jusqu'au Lille du
XIX⁰ siècle, jusqu'au ménage correct et assez désuni d'un grand bourgeois et d'une solide
bourgeoise du Second Empire, enfin, jusqu'à cet homme perpétuellement en rupture de
ban que fut mon père, jusqu'à une petite fille apprenant à vivre entre 1903 et 1912 sur
une colline de la Flandre française. »

Selon son expression, elle « alimente de sa substance » ceux qu'elle fait revivre en
puisant dans une multitude de documents intimes (souvenirs, témoignages, traditions,
archives, lettres, photographies) complétés par la connaissance des mœurs contemporaines
et l'estimation des probabilités et des vraisemblances. C'est un *travail d'historien qui
s'efforce d'être objectif :* parlant des siens, elle n'hésite pas à faire état des travers et des
tares aussi bien que des aspects plus estimables ; mais elle reconnaît qu'il s'agit d'une
« vérité multiple, instable, évasive ».

Les passages les plus intéressants sont ceux où elle s'engage personnellement à propos
de sa mère, qu'elle n'a pas connue, et surtout de son père dont elle admet les faiblesses
avec une souriante complicité.

Une destinée conjecturale

Exemple typique de la démarche permettant à MARGUERITE YOURCENAR de « faire vivre
ou revivre » ses personnages. À vrai dire, il s'agit ici d'un cas limite, puisqu'au lieu de
ressusciter le passé elle s'attache à *imaginer l'avenir* de sa mère morte en la mettant au
monde. Ne disposant pas d'archives pour « construire » cette existence, elle ne peut
qu'envisager des possibilités d'après ce qu'elle sait des mœurs du temps et des
comportements humains. C'est donc *à partir de rien* ou *presque rien* qu'elle parvient à
donner le jour, si l'on peut dire, à sa mère pour ces années qu'elle n'a pas vécues. Il
est plus surprenant qu'à propos de ses rapports avec sa mère elle oublie de recourir à
la connaissance réelle qu'elle a d'elle-même. Au risque de déplaire, elle s'efforce de rester
objective, et c'est ce qui rend plus émouvantes ses confidences sur les sentiments qu'elle
éprouve, *en vérité cette fois,* en écrivant ces lignes. – THÈMES : *Femme. Famille. Temps.*

Sans cet accident Fernande eût peut-être vécu trente ou quarante ans de
plus. J'ai parfois tenté de me représenter sa vie. Si la séparation prévue par
Michel [1] avait eu lieu, Fernande eût pris place dans le groupe un peu gris des
femmes délaissées, qui n'étaient pas rares dans ce milieu. Elle n'était pas de
celles qui se consolent avec un amant, ou ne l'eût fait qu'avec d'affreux remords.
Si au contraire ma naissance avait consolidé ce ménage, il est peu probable
que l'harmonie pour autant en fût redevenue délicieuse. Le temps, sans doute,
eût instruit Fernande, lui eût enlevé ses langueurs et ses mélancolies typiques
d'une dame de 1900, mais l'expérience nous prouve que la plupart des êtres

---

— 1 Le père de Marguerite, Michel Cleene- | werck de Crayencour, dont le mariage avec
                                            | Fernande était « déjà strié de petites fêlures ».

10 changent peu. Influencée par elle, ou irritée par elle, mon adolescence eût versé davantage dans la soumission ou dans la révolte, et la révolte eût presque inévitablement prévalu vers 1920 chez une fille de dix-sept ans. Au cas, peu commun chez les femmes de sa famille, où Fernande eût vécu fort vieille, je ne vois que trop bien ses dernières années de dame pensionnaire dans un couvent ou résidant dans un hôtel suisse, et les visites assez infréquentes que par devoir je lui aurais faites. L'eussé-je aimée ? C'est une question à laquelle il est impossible de hasarder une réponse quand il s'agit de personnes que nous n'avons pas connues. Tout porte à croire que je l'aurais d'abord aimée d'un amour égoïste et distrait, comme la plupart des enfants, puis d'une affection
20 faite surtout d'habitude, traversée de querelles, de plus en plus mitigée par l'indifférence, comme c'est le cas pour tant d'adultes qui aiment leur mère. Je n'écris pas ceci pour déplaire, mais pour regarder en face ce qui est.

Aujourd'hui, toutefois, mon présent effort pour ressaisir et raconter son histoire m'emplit à son égard d'une sympathie que jusqu'ici je n'avais pas. Il en est d'elle comme des personnages imaginaires ou réels que j'alimente de ma substance pour tenter de les faire vivre ou revivre. Le passage du temps invertit d'ailleurs nos rapports. J'ai plus de deux fois l'âge qu'elle avait ce 18 juin 1903, et me penche vers elle comme vers une fille que j'essayerais de mon mieux de comprendre sans y réussir tout à fait. Les mêmes effets du temps
30 expliquent que mon père, mort à soixante-quinze ans, me semble désormais moins un père qu'un frère aîné. Il est vrai que c'est un peu l'impression qu'il me faisait déjà quand j'avais vingt-cinq ans.

Souvenirs pieux, I (Librairie Gallimard, éditeur).

F. Mallet-Joris   D'origine anversoise, FRANÇOISE MALLET-JORIS (née en 1930) a passé son enfance en Belgique ; son père est avocat, sa mère, Suzanne LILAR, est un écrivain apprécié *(Journal de l'analogiste,* 1954 ; *La Confession anonyme,* 1960). Au terme de ses études supérieures en Amérique, puis à la Sorbonne, elle se fixe en France où le succès de son œuvre, consacré par plusieurs prix, a été couronné par son élection à l'Académie Goncourt (1970).

L'EXPÉRIENCE DE LA VIE. D'après un essai autobiographique, *Lettre à moi-même* (1963), pendant de nombreuses années elle a mené une « vie très libre » (« Je n'avais aucun principe ») : un premier amant pris en toute innocence, « par besoin naturel du corps et du cœur », un deuxième amour, des aventures sans lendemain, un troisième amour qui lui apporte enfin l'équilibre d'un couple heureux. Elle nous renseigne aussi sur la difficulté qu'elle a éprouvée à concilier son activité d'écrivain avec les tâches d'une maîtresse de maison assez bohème et d'une mère de quatre enfants. On en trouve l'écho dans un autre ouvrage autobiographique, *La Maison de papier* (1970), chef-d'œuvre d'humour mêlé de tendresse où, dialoguant avec ses enfants, elle touche sans en avoir l'air aux grands problèmes humains. Ce qui ressort de ces confidences, c'est que, dès l'adolescence, le « métier d'écrivain » a été la grande affaire de sa vie. Elle quittait son « trois pièces » et s'installait dans un café où elle pouvait à loisir élargir son champ d'observation, accumuler les documents, noter des projets de romans, des scènes, des portraits pris sur le vif. Elle avoue plaisamment que même ses aventures de cœur constituaient à ses yeux une mine de « matériaux » qu'elle pourrait exploiter à l'avenir ; et quand elle se sent appelée à écrire un nouveau roman, elle est, dit-elle, « une machine prête à fonctionner » !

UNE ŒUVRE AUX MULTIPLES FACETTES. Outre ses ouvrages autobiographiques, F. MALLET-JORIS a surtout publié des romans : *Le Rempart des Béguines* (1951) et sa suite, *La Chambre rouge* (1955) ; *Les Mensonges* (1956) ; *L'Empire Céleste* (1958) ; *Le Jeu du souterrain* (1973) ; *Allegra* (1976) ; *Dickie-Roi* (1979) ; *Le rire de Laura* (1985) ; *La tristesse du cerf-volant* (1988) ; *Adriana Sposa* (1990) ; *Divine* (1991). Elle a donné aussi d'intéressants recueils de nouvelles : *Cordélia* (1956) ; *Le Clin d'œil de l'ange* (1983).

Enfin, sa curiosité pour le passé lui a inspiré un roman historique, *Les Personnages* (1961 : Mlle de Lavallière et Louis XIV) ; des récits biographiques : *Marie Mancini* (1964), *Jeanne Guyon* (1978) ; des ouvrages touchant à la mystique religieuse : *Les Signes et les prodiges* (1966) ; *Trois Ages de la nuit* (1968, histoire de sorcellerie) ; un roman picaresque : *Les Larmes* (1994, sous la Régence). Plus récents, *La maison dont le chien est fou* (1997), *Sept démons dans la ville* (1998).

A la diversité des genres s'ajoute la variété des formules et de l'écriture. Quelques-uns de ses romans peuvent, comme le premier, être qualifiés de « classiques » : ordre, acuité de l'analyse, justesse de l'expression. D'autres s'attachent à peindre les mœurs, les « rouages de la vie de tous les jours », les personnages insolites : d'où par exemple, dans *L'Empire Céleste*, une accumulation touffue de détails descriptifs à la Balzac ou à la Zola, ou encore une tendance populiste au dialogue en langue parlée qui l'emporte dans *Dickie-Roi*, gros roman consacré aux milieux du « show business », tout un monde grouillant autour d'un « archange de la chanson d'amour ». On ne saurait pour autant distinguer dans sa création romanesque deux époques successives. Nous voyons les deux formules alterner soit dans le temps soit dans un même roman *(L'Empire Céleste)*.

UNE QUÊTE PASSIONNÉE DE L'AUTHENTICITÉ. Quel que soit le registre, l'unité de l'œuvre de F. MALLET-JORIS est liée à son don d'analyse et à sa soif d'authenticité. Une partie de cette œuvre a suscité le scandale : *Le Rempart des Béguines* et les confidences autobiographiques. Mais cet état de choses est assumé avec naturel, sans impudeur ni provocation, comme un effet de sa volonté de saisir « la part de vérité que chacun porte en soi », aussi bien dans son effort d'introspection lucide que dans sa réaction permanente contre les hypocrisies et les faux-semblants. C'est à ce besoin de sincérité que nous devons la tonalité particulière d'une œuvre assez rarement lyrique ou pathétique, plus souvent teintée d'humour et de satire, surtout quand elle exprime sa méfiance envers les conventions de la « littérature » et la déformation par les *media* de ce qui constitue l'authenticité d'un écrivain.

Une attirance effrayante

Sans le prévenir, HÉLÈNE a déjà rendu visite à la maîtresse de son père, TAMARA, qui habite — nous sommes en Belgique — une maison baroque dans une rue étroite : *le Rempart des Béguines*. Elle vient de la retrouver dans une réception et, subjuguée, elle n'a pu se retenir de lui baiser la main, à la dérobée. En sortant, les voici « seules sur le palier sombre, devant l'escalier silencieux ». Comment rendre mieux qu'ici le trouble vertige qui entraîne l'adolescente désarmée vers son aînée, l'impérieuse Tamara ? Acuité de l'analyse appliquée à une situation délicate, finesse de touche permettant de tout exprimer, deux aspects du talent de F. MALLET-JORIS. – THÈMES : *Femme. Psychologie.*

Je savais bien qu'il y avait quelque chose d'effrayant dans mon attirance pour Tamara, quelque chose de semblable à mon désir de vide en me penchant par la fenêtre, ou à celui de rencontrer en nageant dans le lac le tourbillon dangereux, « pour voir »...

Par une absurdité dont j'avais honte, mais qui s'imposait irrésistiblement à moi, une phrase tournait dans ma tête confuse comme une lueur fugitive, comme une petite luciole, et je me la répétais sans même la comprendre, sans la réaliser une seconde : « Et Phèdre au labyrinthe, avec toi descendue, se serait avec toi retrouvée ou perdue [1]... » C'était encore un de mes jeux, que de me répéter

10   un vers jusqu'à tout oublier hors ce rythme. Je m'étais amusée souvent à le faire, et parfois j'en arrivais à perdre entièrement conscience. Mais à présent que je voulais, de toutes mes forces, réfléchir, comprendre avant qu'il fût trop tard, à présent que j'étais là, moi, Hélène, sur ce palier obscur, me taisant,

— 1 Cf. *XVIIᵉ Siècle*, *L'aveu de Phèdre* (p. 292-293).

respirant avec peine et écoutant ma propre respiration, mon imagination, plus forte que ma volonté, m'emportait et il me semblait assister de très loin à une scène, incompréhensive et indifférente, pendant que ma propre voix chuchotait : « Et Phèdre au labyrinthe avec vous descendue, se serait avec vous... » Pourquoi avais-je pensé : avec toi, la première fois que ce vers s'était imposé à moi ? Je le connaissais, pourtant, je savais que Phèdre ne tutoyait pas Hippolyte.

20 Mais je ne tutoyais pas Tamara non plus. Et pourquoi cette phrase-là ? Ah ! oui, c'était à cause du mot : perdue. Le vertige, le balcon, le tourbillon dans le fleuve... Perdue. « Hélène au labyrinthe avec toi descendue se serait avec toi retrouvée ou perdue... » Comme elle aurait ri si je lui avais dit cela, tout à coup, en chuchotant, dans l'obscurité... Ou peut-être n'aurait-elle pas ri. Elle était capable de comprendre. De comprendre quoi ? Ce que je ne comprenais pas moi-même ? Je me sentais comme victime d'un dédoublement ; une partie de moi-même restait là, immobile, tenant fort une main dure et réconfortante (quand lui avais-je pris la main ? Ou avait-elle pris la mienne ?), et une autre partie de moi, très loin au-delà, s'efforçait de distinguer et de comprendre ce

30 qui se passait, distraite par cette voix intérieure qui, sans arrêt, recommençait : « Et Phèdre au labyrinthe... Et Phèdre au labyrinthe... » pour finir toujours sur le même soupir : « ...perdue... perdue... »

Enfin une sonnerie brutale me ramena à moi-même. Un moment, je regardai de tous côtés, effarée comme au sortir d'un rêve. Combien de temps étions-nous restées là sans rien dire ? Qu'avait pensé Tamara ? S'il était sorti quelqu'un du salon, je ne m'en serais même pas aperçue...

Le Rempart des Béguines (Julliard, éditeur).

Évoqué pudiquement, l'amour homosexuel qui asservit HÉLÈNE *à* TAMARA *la plonge dans l'enfer de la frustration, de la jalousie, de l'humiliation aussi, car revenant à d'anciennes habitudes son amie l'entraîne dans des milieux dégradants. Coup de grâce : pour assurer son avenir,* TAMARA *accepte d'épouser le père d'*HÉLÈNE *! Mais l'adolescente se reprend : ce lamentable amour « avait atteint sa limite ». Elle était « enfin libre ».*

Un rêve inoffensif ?

Pianiste dans un orchestre médiocre, STÉPHANE se croit bien supérieur à sa condition : il anime un petit cercle « intellectuel » qui se réunit au bar de *L'Empire Céleste*, dans un quartier populaire. Son ménage avec LOUISE, une ancienne prostituée, n'est plus qu'une terne cohabitation. En compensation, une étroite amitié lie Stéphane à MARTINE, une vendeuse de magasin dont l'unique défaut est d'être très laide, et qui en souffre. Ne pouvant lui offrir « que du vent, de la musique, des poèmes » — car elle n'est pas sa maîtresse —, il lui donne à lire son *Journal* où s'expriment les sentiments inspirés par cette « merveilleuse amie ». Pour MARTINE, c'est une sorte de miracle : « *La preuve était là qu'on pouvait l'aimer, qu'elle pouvait aimer* » ! Mais pensant que ce n'est peut-être que de la « littérature », elle soumet le *Journal* à la concierge, Mme PRÊTRE : sa stupéfaction est pour la jeune fille laide une nouvelle preuve qu'elle est aimée. Désormais, avide d'étendre son triomphe, elle va tout faire pour décider STÉPHANE à communiquer ce « témoignage humain » à leur cercle d'amis. — THÈMES : *Femme. Amour. Psychologie.*

Elle ne s'impatientait pas, ne se fâchait pas. Le regard de Mme Prêtre était en elle, la soutenait, et cet étonnement, ce « Comment est-ce possible ? » plus qu'à moitié convaincu qu'elle avait lu dans les yeux de la concierge. Ce moment avait été merveilleux. Elle avait été en un instant comblée. Elle avait été jusqu'à

penser que, jolie, elle n'aurait pas connu le même plaisir de victoire. Et elle était reconnaissante à Stéphane de le lui avoir procuré. Toutes ces phrases dans lesquelles elle ne croyait plus, ou du moins qui avaient perdu leur vie, étaient là mortes, ternes, froides et sans pouvoir, avaient tout à coup, sous le regard de Mme Prêtre, repris leur force, leur magie. Ce n'était plus seulement
10 Stéphane, qui pouvait la tromper, pour tant d'obscures raisons, mais c'était aussi Mme Prêtre qui la voyait à présent sous un jour flatteur et différent. Elle revenait toujours à ce moment où, avec une expression qu'il faut bien qualifier de chagrine et même d'envieuse, Mme Prêtre avait reporté ses yeux du cahier à Martine, de Martine au cahier, comme les comparant, les jugeant, et finalement, avec quel déplaisir, se voyant contrainte de les identifier. De les identifier ! Elle avait été cette « petite Antigone » dont parlait Stéphane, cette « merveilleuse amie » dont on ne pouvait imaginer les traits autrement que paisibles, qu'harmonieux, que beaux...

C'est alors qu'était né, qu'avait grandi, son désir, complaisamment bercé,
20 cent fois pris et repris aux moments de fatigue : être cela pour tous ceux de *L'Empire Céleste.*

C'était un rêve bien innocent, un rêve de petite fille, de conte de fées, Peau d'Ane apparaissant tout à coup étincelante et dépouillée de sa trompeuse enveloppe, Cendrillon débarbouillée. C'était un rêve d'enfant malheureuse, de petite fille aux allumettes, les dindes rôties apparaissant à l'affamée, la fée faisant tomber des diamants des lèvres de la pauvresse... C'était, eût-on pu dire, un rêve inoffensif. Mais l'ardeur de Martine, cette faim démesurée habitant ce corps maladif, et qui se promettait toujours d'être rassasiée demain, cet orgueil qui se déployait soudain dès qu'il trouvait le plus petit espace et qui réclamait
30 plus de place, plus de place encore, était-il inoffensif ? Et ce vouloir, raidi, tendu tout entier dans une seule direction, qui n'admettrait pas d'échappatoire, pas de divergences, qui prendrait toutes les formes, des plus douces aux plus cruelles, pour s'accomplir enfin, était-il inoffensif ?

— Comprenez bien que je ne vous conseille pas cela comme une exhibition qui serait déplaisante — bien que littérairement ce journal le mérite cent fois...

— C'est sans le vouloir, disait le pauvre homme, prenant tous les chemins qu'elle voulait lui voir prendre, donnant dans tous les pièges avec une innocence qui aurait dû la toucher. Car je vous le jure, Martine, que j'étais en écrivant cela, très loin de toute préoccupation littéraire.
40 — Je le sais bien, mon ami, c'est pourquoi je ne vous conseille pas d'en donner lecture, malgré ses qualités, comme d'une œuvre... Mais comme un témoignage, un témoignage humain. Cela aurait pour nos amis une valeur immense, j'en suis sûre...

Un rêve inoffensif, un rêve de petite fille laide et humiliée, de petite fille négligée, d'enfant lucide qui a été le tribunal de son père et de sa mère, le faible tricheur et la paresseuse, plaintive mère inutile, qui ne lui a même pas légué sa beauté. Mais ce vêtement de nobles paroles qu'elle revêt si aisément, avec une sorte de malin plaisir, est-il inoffensif ? Mais l'attention aiguë avec laquelle elle surveille la confusion, le plaisir puéril de Stéphane, est-elle inoffensive ?

L'Empire Céleste (Julliard, éditeur).

Voulant se faire épouser par STÉPHANE, MARTINE lui révèle que sa femme le trompe. Mais, repris d'une vieille tendresse pour LOUISE, Stéphane traite la pauvre fille d'intrigante et rompt avec elle en s'écriant : « Vous avez l'âme de votre visage ! » Pour lui aussi l'issue sera lamentable : il finira sa vie dans un sanatorium, tandis que pour le petit cercle de L'Empire Céleste la vie continue, sous la conduite d'un nouvel animateur riche et généreux...

Françoise Sagan   Originaire de Cajarc (Lot), FRANÇOISE SAGAN (pseudonyme de F. Quoirez, née en 1935) est devenue célèbre à dix-huit ans, avec *Bonjour Tristesse* (1954). De famille aisée, elle a préféré aux études traditionnelles la lecture des écrivains en vogue et les caves « existentialistes ».

Avec régularité elle a publié une série de romans dont certains sont des variations sur des thèmes devenus conventionnels : *Un certain sourire* (1956) ; *Dans un mois, dans un an* (1957) ; *Aimez-vous Brahms ?* (1959) ; *Les Merveilleux nuages* (1961) ; *La Chamade* (1965) ; *Le Garde du cœur* (1968) ; *Un peu de soleil dans l'eau froide* (1969) ; *Des bleus à l'âme* (1972) ; *Un profil perdu* (1974) ; *Des yeux de soie* (1976) ; *Le Lit défait* (1977) ; *Le Chien couchant* (1980) ; *La Femme fardée* (1981) ; *Un Orage immobile* (1983) ; *Avec mon meilleur souvenir* (1984) ; *De guerre lasse* (1985) ; *Un Sang d'aquarelle* (1987) ; *La Laisse* (1989) ; *Un chagrin de passage* (1994).

Le don du dialogue anime ses pièces de théâtre : *Château en Suède* (1960) ; *Les Violons parfois* (1961) ; *La Robe mauve de Valentine* (1963) ; *Le Cheval évanoui* (1966).

Si certains d'entre eux s'imposent par leur singularité, par exemple dans *Un Orage immobile*, en général les « héros » de F. SAGAN sont, surtout dans ses premiers romans, des oisifs menant une vie de luxe, au bord de la mer, et cherchant dans l'alcool, le jeu, le bal, la vitesse, un dérivatif à la grisaille d'une existence vide et sans illusion. Dans un désert d'ennui surgit l'amour, ou plutôt le plaisir sensuel, « moments parfaits » évoqués de façon sobre et suggestive. Mais cet amour condamné à se dégrader est senti d'avance comme un répit dans une vie terne et monotone. Ceux qui s'aiment ont le sentiment de « s'ennuyer passionnément » et aboutissent à la tristesse, au désespoir, au suicide.

L'unité de cette œuvre est assurée par ce que F. SAGAN y met d'elle-même : intelligence, lucidité de l'analyse, indifférence à la morale traditionnelle, volonté féministe de « vivre sa vie », réaction contre les valeurs bourgeoises d'ordre et de bon sens, satire des conventions sociales, « sagesse » d'une résignation désabusée. Sa petite musique se reconnaît aisément : brièveté, netteté et justesse du style, élégance et désinvolture du ton.

Bonjour Tristesse

Sur les bords de la Méditerranée, CÉCILE, dix-sept ans, passe des vacances heureuses auprès de son père RAYMOND, séduisant et volage, qui vit avec sa maîtresse ELSA, une jolie fille assez banale. Survient ANNE LARSEN, jeune femme distinguée et raisonnable que Raymond se propose d'épouser. Surprise, dépitée, Elsa quitte aussitôt les lieux. Cécile se sent attirée vers Anne, mais, très libre et amorale, elle ne peut supporter l'idée que cette belle-mère va régenter sa vie et celle de son père. Afin de la ramener vers Elsa, elle monte alors une machination. Elle décide son jeune amant CYRIL à feindre le parfait amour avec Elsa et s'arrange pour que son père les surprenne. Habilement, elle va stimuler la jalousie de RAYMOND, blessé dans son amour-propre, non sans découvrir qu'elle souffre elle-même autant que lui. – THÈMES : *Femme. Amour. Famille. Psychologie.*

Le lendemain matin, j'emmenai mon père se promener avec moi sur la route. Nous parlions de choses insignifiantes, avec gaieté. En revenant vers la villa, je lui proposai de rentrer par le bois de pins. Il était dix heures et demie exactement, j'étais à l'heure. Mon père marchait devant moi, car le chemin était étroit et plein de ronces qu'il écartait au fur et à mesure pour que je ne m'y griffe pas les jambes. Quand je le vis s'arrêter, je compris qu'il les avait vus. Je vins près de lui. Cyril et Elsa dormaient, allongés sur les aiguilles de pins, donnant tous les signes d'un bonheur champêtre ; je le leur avais bien recommandé, mais quand je les vis ainsi, je me sentis déchirée. L'amour d'Elsa pour mon père, l'amour de Cyril pour moi, pouvaient-ils empêcher qu'ils soient 10 également beaux, également jeunes et si près l'un de l'autre... Je jetai un coup d'œil à mon père, il les regardait sans bouger, avec une fixité, une pâleur anormale. Je lui pris le bras : — Ne les réveillons pas, partons.

Il jeta un dernier coup d'œil à Elsa. Elsa renversée en arrière dans sa jeune beauté, toute dorée et rousse, un léger sourire aux lèvres, celui de la jeune nymphe, enfin rattrapée... Il tourna les talons et se mit à marcher à grands pas.

— La garce, murmurait-il, la garce !

— Pourquoi dis-tu ça ? Elle est libre, non ?

— Ce n'est pas ça ! Tu as trouvé agréable de voir Cyril dans ses bras ?

20 — Je ne l'aime plus, dis-je.

— Moi non plus, je n'aime pas Elsa, cria-t-il furieux. Mais ça me fait quelque chose quand même. Il faut dire que j'avais, euh... vécu avec elle ! C'est bien pire...

Je le savais, que c'était pire ! Il avait dû ressentir la même envie que moi : se précipiter, les séparer, reprendre son bien, ce qui avait été son bien.

— Si Anne t'entendait !...

— Quoi ? Si Anne m'entendait ?... Évidemment, elle ne comprendrait pas, ou elle serait choquée, c'est normal. Mais toi ? Toi, tu es ma fille, non ? Tu ne me comprends plus, tu es choquée aussi ?

Qu'il était facile pour moi de diriger ses pensées. J'étais un peu effrayée
30 de le connaître si bien.

— Je ne suis pas choquée, dis-je. Mais enfin, il faut voir les choses en face : Elsa a la mémoire courte, Cyril lui plaît, elle est perdue pour toi. Surtout après ce que tu lui as fait, c'est le genre de choses qu'on ne pardonne pas...

— Si je voulais, commença mon père, et il s'arrêta, effrayé...

— Tu n'y arriverais pas, dis-je avec conviction, comme s'il était naturel de discuter de ses chances de reconquérir Elsa.

— Mais je n'y pense pas, dit-il, retrouvant le sens commun.

— Bien sûr, dis-je avec un haussement d'épaules.

Ce haussement signifiait : « Impossible, mon pauvre, tu es retiré de la course. »
40 [...] C'est drôle comme la fatalité se plaît à choisir pour la représenter des visages indignes ou médiocres. Cet été-là, elle avait pris celui d'Elsa. Un très beau visage, si l'on veut, attirant plutôt. Elle avait aussi un rire extraordinaire, communicatif et complet, comme seuls en ont les gens un peu bêtes.

Ce rire, j'en avais vite reconnu les effets sur mon père. Je le faisais utiliser au maximum par Elsa, quand nous devions la « surprendre » avec Cyril. Je lui disais : « Quand vous m'entendez arriver avec mon père, ne dites rien, mais riez. » Et alors, à entendre ce rire comblé, je découvrais sur le visage de mon père le passage de la fureur. Ce rôle de metteur en scène ne laissait pas de me passionner. Je ne manquais jamais mon coup ; car quand nous voyions Cyril
50 et Elsa ensemble, témoignant ouvertement de liens imaginaires, mais si parfaitement imaginables, mon père et moi pâlissions ensemble, le sang se retirait de mon visage comme du sien, attiré très loin par ce désir de possession pire que la douleur. Cyril, Cyril penché sur Elsa... Cette image me dévastait le cœur et je la mettais au point avec lui et Elsa sans en comprendre la force. Les mots sont faciles, liants ; et quand je voyais le contour du visage de Cyril, sa nuque brune et douce inclinée sur le visage offert d'Elsa, j'aurais donné n'importe quoi pour que cela ne fût pas. J'oubliais que c'était moi-même qui l'avais voulu.

Bonjour Tristesse, II, 6 et 10 (Julliard, éditeur).

Le piège ne réussit que trop bien. RAYMOND se laisse reprendre par ELSA, et ANNE les surprend enlacés. Elle s'enfuit, mais précipite sa voiture dans un ravin : un suicide maquillé en accident. À Paris, le soir quand elle reste seule, Cécile est hantée par le souvenir d'Anne : « Quelque chose monte alors en moi que j'accueille par son nom, les yeux fermés : Bonjour Tristesse. »

Dominique Fernandez DOMINIQUE FERNANDEZ (né en 1929), fils du critique littéraire Ramon Fernandez, est professeur d'italien à l'Université de Rennes. Sa vaste culture s'étend à tout ce qui touche l'Italie d'hier et d'aujourd'hui : histoire, légendes, mœurs, peinture, architecture, musique. C'est un remarquable essayiste. Il a publié :— des NOTES DE VOYAGES : *Mère Méditerranée* (1965), *Le Promeneur amoureux de Venise à Syracuse* (1980), *Le Banquet des anges* (1984 : à travers l'Europe baroque) ; — une ENQUÊTE LITTÉRAIRE : *Le Roman italien et la crise de la conscience moderne* (1958) ; — des études où il applique sa méthode de RECHERCHE « PSYCHO-BIOGRAPHIQUE », liée au thème freudien du refoulement sexuel : *L'Échec de Pavese* (1967) ; *L'Arbre jusqu'aux racines* (I, 1972 ; II, 1975) ; *Signor Giovanni* (1981) ; *Le Dernier des Médicis* (1994). Partout reparaît l'obsession d'affirmer sa différence, et de plaider, comme dans *L'Étoile rose* (1978) ou *La Gloire du paria* (1987), la cause de l'homosexualité.

C'est le climat de haute culture associé à la perfection du style qui assure à ses principaux romans l'audience d'une élite : *Porporino ou les mystères de Naples* (1974 : le monde des castrats et de l'opéra au XVIII⁰ siècle), *Dans la main de l'ange* (Prix Goncourt 1982 : vie et mort du cinéaste Pasolini), *L'Amour* (1986, roman historique) ; la Sicile et ses sortilèges : *Le Radeau de la Gorgone* (1988), *L'École du Sud* et *Porfirio et Constance* (1991) ; *Tribunal d'honneur* (1997). Dans *L'Amour*, le jeune peintre FRIEDRICH, obsédé par la quête de l'*Art pur*, voyage de Lübeck à Rome, en passant par Berlin, Vienne et Venise, et chaque ville marque une étape de son initiation, avec des chefs-d'œuvre qu'il commente à la lumière de son idéal. À partir de Vienne, il fait route avec six autres artistes : sa passion pour son ami FRANZ suscite entre eux un débat, toujours recommencé, sur l'*Amour pur*, débat qui leur inspire des interprétations divergentes des tableaux qu'ils admirent. L'appel des sens vient contrarier l'aspiration à la pureté, et seule la mort de Franz renverra Friedrich vers sa fiancée et vers une famille aux préjugés utilitaires.

« COMME LE DIEU DE LA GENÈSE... »

A Vienne, la rencontre de BEETHOVEN amène Friedrich à interpréter à sa façon la surdité, qu'il croit volontaire, du génial compositeur. « La surdité était le seul moyen de nier que la musique eût une autre vie que dans le cerveau qui la concevait ; le seul moyen de s'égaler à Dieu dans son pouvoir de créer *ex nihilo*. » – THÈMES : *Musique. Art.*

Qu'il le veuille ou non, un musicien travaille à la suite des musiciens qui l'ont précédé. Il peut les imiter ou entrer en rébellion contre eux, il ne peut pas les ignorer. Malgré lui, son œuvre prend sa place entre d'autres œuvres, et fait partie de l'histoire de la musique. Beethoven lui-même, avant d'être sourd, s'était mis à l'école de Mozart et de Haydn. Il avait pris graduellement ses distances, mais rien n'aurait fait qu'il ne continuât à se situer par rapport à ses devanciers, s'il était resté en mesure d'écouter ce qu'ils avaient écrit. En se faisant sourd, il rayait d'un coup toute la musique précédente, il devenait, non pas le successeur 10 de Mozart et de Haydn, mais le créateur en soi. Son importance cessait d'être relative, il niait qu'on eût jamais composé avant lui, il échappait à l'histoire de la musique pour occuper à lui seul, sans concurrent ni rival, l'essence de la musique. Comme le Dieu de la Genèse avait créé le monde à partir du zéro d'existence, il tirait son immense production du néant. Dans le vide des sons, dans le désert d'un espace sans durée, il engendrait une musique dont il était la cause unique et totale. Chacune des notes tombées de sa main était l'acte autonome et parfait d'une invention absolue. *L'Amour*, II, 2 (Grasset et Fasquelle, éditeurs).

Danièle Sallenave DANIÈLE SALLENAVE (née en 1940), agrégée des Lettres, s'essaie d'abord à une littérature expérimentale (*Paysage de ruines avec personnages,* 1975 ; *Le Voyage d'Amsterdam ou les Règles de la conversation,* 1978). Avec *Les Portes de Gubbio* (1980), elle s'oriente vers une littérature « romanesque » : analyse psychologique et méditation se conjuguent sur les thèmes du temps et de la mémoire, évolution confirmée dans *La Vie fantôme* (1986), *Le Don des morts* (1991), *Les Trois Minutes du diable* (1994), *Lettres mortes* (1995).

La musique « plage de temps pur »

« *Il y a deux portes aux maisons de Gubbio ; l'une est large, l'autre étroite, légèrement plus haute que le niveau de la rue : l'une sert de passage aux vivants, l'autre de passage aux morts* » : ainsi s'explique le titre, *Les Portes de Gubbio.* Ce roman est présenté comme la traduction du *Journal de S.* [1], personnage obsédé par l'œuvre du musicien Egon Kaerner. C'est un journal plein de souvenirs à travers lesquels S., qui est aussi pianiste, part à la recherche de la vérité de Kaerner en recourant à une mémoire qui, dit-il, « *est semblable aux maisons de Gubbio ; parfois cependant elle confond les deux portes* ». Mémoire aussi tout imprégnée de la magie de la musique et possédée de la nostalgie du « temps pur » : « *L'énormité de la tâche ne me rebute pas : un temps viendra, je le sais, où le présent, le passé et l'avenir seront confondus dans un même mouvement puissant dont je ne serai plus exclu.* » THÈMES : *Musique. Art. Psychologie. Moi.*

Quand il m'arrive encore de jouer, je suis parfois l'objet d'un curieux dédoublement : je me tiens derrière moi-même, en observateur détaché, et c'est comme si les touches mues d'elles-mêmes aspiraient mes doigts. Cela se produit généralement lorsque je suis parvenu à saisir le rythme rapide d'une page : mon corps entier est alors comme un grand pont qui vibre sous les pas d'une colonne en marche, dangereusement parfois. Et en effet quelque chose en moi pourrait se rompre, si la fusion s'opérait trop exactement entre les vibrations de la musique et celles de mon corps. Ce que j'éprouve alors ne peut pas se dire, et je ne l'échangerais pour rien : je sens dans la musique qui se déroule
10 une certitude, une infaillibilité qui ne sont pas miennes d'ordinaire. Cette froideur, cette sûreté impersonnelle, ôtent sans doute au jeu la part de risque dont ne peut se passer la véritable beauté. Mais j'en ressens un grand apaisement : comme si j'étais déchargé d'un poids de responsabilité, et devenu moi-même un grand instrument fidèle, sans passions et sans défaillances. Et soudain un vertige me prend, comme celui qui saisirait un homme en train d'accomplir sans presque s'en rendre compte une acrobatie périlleuse ; et je m'arrête brusquement, comme si je tombais, ou comme si je me réveillais. Il y a quelque chose de somnambulique dans les réussites de l'art, à quoi le réveil de la conscience est néfaste. Et je rêve de connaître un état de cette sorte, où,
20 débarrassé enfin de moi-même, je composerais une œuvre unique, sans interruption ni calcul comme une seule note modulée, éternelle comme le silence. Où, impassible, halluciné, devenu moi-même rythme (quel artiste n'a rêvé d'avoir la froideur de la forme qu'il poursuit des coups de son ciseau dans le marbre ?), j'aurais enfin accès à ce qu'il ne m'est donné d'éprouver que dans les plus hauts moments de l'écoute ou de l'interprétation musicales : *une plage de temps pur.*

Les Portes de Gubbio (Hachette, éditeur).

Au terme de son enquête, S. découvrira que pour Kaerner, si « le temps avait cessé de couler », « ce qui lui était donné maintenant, sous sa forme abominable, c'était le bonheur des pierres, une sorte d'éternité effroyable, sur laquelle le gel n'a pas de prise ».

— 1 Initiale du nom de la romancière, elle-même traductrice de l'italien (en particulier : Italo Calvino, *Si une nuit d'hiver un voyageur*).

RÉALISME ET PEINTURE DES MŒURS

S'il y eut peut-être dans les années 50 une « crise du roman », dont témoignent les diverses *expériences* visant à fonder un *roman nouveau* (cf. p. 698), il n'en est pas moins vrai que le roman « traditionnel » n'a rien perdu de sa vitalité dans sa fidélité à une *esthétique réaliste*, selon la théorie qui veut — célèbre formule de Stendhal — que le romancier promène son « miroir » au long des routes qu'il parcourt. Mais ces routes sont aussi variées que les romanciers eux-mêmes et que les paysages sociaux et psychologiques que reflète leur « miroir ». Aussi la caractéristique du roman réaliste est-elle *la diversité dans la continuité.* Le romancier se propose avant tout la peinture des milieux et des mœurs, la création de personnages typiques, la narration d'une histoire obéissant aux rythmes et aux lois du temps réel et vécu.

Ainsi en est-il du ROMAN D'ACTION qui, pour recueillir l'adhésion du lecteur, gagne à être en même temps un *roman de mœurs :* telle est l'œuvre de JOSEPH KESSEL (1898-1979), depuis *L'Équipage* (1923), journal romancé d'une escadrille pendant la Grande Guerre, puis *L'Armée des ombres* (1948) évoquant les luttes de la Résistance, et *Le Lion* (1958) qui se déroule au Kenya, jusqu'aux *Cavaliers* (1967) qui, tout en racontant les prouesses des cavaliers afghans, est aussi un reportage sur leur mode de vie et leurs coutumes.

Au réalisme appartiennent encore les ROMANS ISSUS DE L'EXPÉRIENCE, directe ou transposée, relative à la guerre, à la vie des prisonniers, à la Résistance ou à la période de l'occupation de la France par les Allemands (cf. p. 698-700).

Un réalisme lucide et teinté d'ironie caractérise aussi les « *romans d'apprentissage* » comme *Le Grand Dadais* (1958) de Bertrand Poirot-Delpech (né en 1929) ou *L'Âge ingrat* (1952 ; rééd. 1968) de José Cabanis (né en 1922).

Enfin le ROMAN POLICIER, sous l'influence de GEORGES SIMENON (cf. p. 572), tend de plus en plus à inscrire la structure de l'enquête criminelle dans un « tissu » fortement réaliste. L'accent est mis sur la peinture de milieux généralement marginaux, mais aussi sur l'accumulation et l'organisation de « petits faits » destinés à créer une atmosphère confinant souvent à un « fantastique social » qui rappelle la manière de Mac Orlan (cf. p. 569). Cette orientation du roman policier est celle que suivent Charles EXBRAYAT, BOILEAU-NARCEJAC et Albert SIMONIN (1905-1980 : *Touchez pas au grisbi,* 1953 ; *Du mouron pour les petits oiseaux,* 1960 ; *Le Savoir-vivre chez les truands,* 1980).

Le développement de cette littérature réaliste, dans ses divers registres, est dû, en partie, à la demande croissante du *cinéma* et de la *télévision,* gros consommateurs d'adaptations d'œuvres littéraires, pour lesquels le réalisme est une valeur sûre.

D'autre part, en un temps de forte promotion de la *littérature féminine,* les romancières jouent aussi leur partie dans ce concert réaliste. Parmi beaucoup d'autres : FRANÇOISE MALLET-JORIS (cf. p. 799) ; — BÉATRIX BECK (*Léon Morin prêtre,* prix Goncourt 1952) ; — CHRISTINE DE RIVOYRE, habile à décrire avec un égal bonheur les détails matériels de la vie américaine et les plantes, les animaux, les spécialités régionales de la campagne landaise ou berrichonne (*La Mandarine,* 1957 ; *Le Petit Matin,* 1968 ; *Boy,* 1973 ; *Belle Alliance,* 1982 ; *Crépuscule, taille unique,* 1989) ; — et CHRISTIANE ROCHEFORT.

Christiane Rochefort CHRISTIANE ROCHEFORT (née en 1917) causa quelque scandale avec *Le Repos du guerrier* (1958). Anticonformiste et militante, elle lutte pour la cause féministe, pour le respect de l'enfance qu'elle aurait tendance à idéaliser, et elle s'attaque à la « bourgeoisie », à ses préjugés et à ses tabous, à la société de consommation, à la ville moderne où l'on croupit dans les grands ensembles dont elle a fait la douloureuse expérience. Elle se rattache au *courant populiste* (cf. p. 569) tout en l'allégeant par un humour incisif (*Les Petits Enfants du siècle,* 1961 ; *Printemps au parking,* 1969 ; *Encore heureux qu'on va vers l'été,* 1975 ; *Quand tu vas chez les femmes,* 1982 ; *Le Monde est comme deux chevaux,* 1984 ; *La Porte du fond,* 1988).

Armand Lanoux   ARMAND LANOUX (1913-1983) appartient à ce même
                     courant populiste. Il fut précisément lauréat du « prix
populiste » pour *La Nef des fous* (1948), mais il se rattache aussi à la *tradition naturaliste*
qu'il tente de moderniser. De son attachement à cette tradition témoignent aussi bien
ses essais sur Zola (*Bonjour, monsieur Zola*, 1954) et sur Maupassant (*Maupassant, le
Bel-Ami*, 1967) que sa *Physiologie de Paris* (1955-1965) ou des romans comme *La Classe
du matin* (1949) où il transpose son expérience d'instituteur, *Le Rendez-vous de Bruges*
(1958) qui explore le monde de la folie, *Quand la mer se retire* (prix Goncourt 1963)
et *Le Coq rouge* (1972) qui fait revivre l'épisode dramatique de la Commune de 1871.

Roger Vailland   Pour ROGER VAILLAND (1907-1965) le réalisme, après
                      avoir été le moyen de traduire en littérature les *aventures
de l'engagement*, devient, à partir de 1956, à lui-même sa propre fin. A vingt ans, VAILLAND
avait pris part au combat littéraire et idéologique du *surréalisme*, puis, pendant dix ans,
de 1929 à 1939, il est journaliste-reporter à *Paris-Soir* (Balkans, Proche-Orient, Abyssinie).
Il s'engagera aussi dans la Résistance (*Drôle de jeu*, 1945). Mais cet écrivain, qui vécut
intensément dans son temps, était également *un homme du XVIIIᵉ siècle*, marqué par
Laclos (*Laclos par lui-même*, 1953), le libertinage et l'érotisme (*Esquisse pour le portrait
du vrai libertin*, 1946 ; *Écrits intimes*, 1968 ; cf. p. 778) : il utilise alors un style froid
et dépouillé à la manière de Stendhal. A la faveur de son *engagement marxiste* (il adhère
au Parti communiste en 1952), il se fait romancier et se convertit à un réalisme destiné
à dégager la figure d'un homme nouveau *« forgé dans les luttes ouvrières »* (*Les Mauvais
Coups*, 1948 ; *Bon pied, bon œil*, 1950 ; *Un Jeune Homme seul*, 1951 ; *325 000 francs*, 1955).
Mais l'insurrection hongroise de 1956 et sa répression l'amènent à rompre avec le Parti
Communiste, et ses trois derniers romans, *La Loi* (prix Goncourt 1957), *La Fête* (1960)
et *La Truite* (1964), relèvent d'un réalisme plus « traditionnel » que « révolutionnaire ».
VAILLAND a aussi écrit trois pièces pour le théâtre, dont *Monsieur Jean* (1959), version
moderne du mythe de Don Juan.

Prélude à la « fête » d'amour

Roman à beaucoup d'égards autobiographique, *La Fête* (1960) est l'histoire d'une des
« saisons » d'un écrivain : *« Duc, après un long voyage, venait de regagner sa maison de
campagne, non loin des rives de la Saône ; il commençait d'écrire un roman. »* Sa femme,
Léone, préserve la paix nécessaire à son travail. Mais, un soir, arrive un autre couple,
Jean-Marc et Lucie. C'est alors entre Duc et LUCIE une attirance réciproque de plus
en plus intense. L'influence de Lucie amène Duc à revenir sur son passé, à modifier
sa conception de la vie et enfin à renoncer à son roman. Avec l'accord de leurs conjoints
respectifs, Duc et Lucie décident de s'offrir une « fête » d'amour le temps d'un week-end.
Comme n'importe quel touriste ordinaire, Duc doit se mettre en quête du lieu propice
à cette « fête ». Cette page pourrait être signée d'un humoriste comme P. Daninos (cf.
p. 775) : elle illustre les mœurs du tourisme gastronomique à notre époque.
THÈMES : *Société. Littérature. Humour.*

Il étudia le guide Michelin. Il avait choisi Mâcon, ville reliée à Paris par
des trains directs, et à une heure du village par la route ; c'était également
commode pour Lucie et pour lui. Il chercha un hôtel plaisant dans les environs
de Mâcon. Il en nota deux, l'un à Pontanevaux, sur la route de Mâcon à Lyon,
trois pignons qui signifient *« très confortable »*, rouges les pignons, ce qui signifie
« agréable, tranquille, bien situé », et une étoile *« une bonne table dans sa catégorie ».*
Le guide mentionnait en outre : *« Spécialités : gratin de quenelles aux écrevisses,
écrevisses, poularde sans nom. Vins : mâcon, beaujolais. »* Il craignit que « la bonne
table » n'offensât Lucie ; ce n'était pas son style à elle ; le sien non plus ; il

La Loi

« *La Loi* », *film de
Jules Dassin (1958) d'après
le roman de Roger Vailland
(avec Marcello Mastroianni,
Yves Montand, Paolo Stoppa).*
(2 ph. © Coll. Cinémathèque française
– Photeb)

Mœurs de l'Italie méridionale

Dans *La Loi,* Roger Vailland décrit les mœurs de la bourgade de Porto Manacore, au sud de l'Italie. C'est une société hiérarchisée où chaque catégorie, jalouse de ses prérogatives, use impitoyablement de ses moyens de pression. Le titre du roman évoque le jeu de la *Loi* qui se pratique au café « dans toute l'Italie méridionale ». L'auteur en décrit les péripéties savoureuses et souvent cruelles. On désigne d'abord un *patron*. « Le patron, qui fait la loi, a le droit de dire et de ne pas dire, d'interroger et de répondre à la place de l'interrogé, de louer et de blâmer, d'injurier, d'insinuer, de médire, de calomnier et de porter atteinte à l'honneur ; les perdants, qui subissent la loi, ont le devoir de subir dans le silence et l'immobilité ». La question roule sur les succès féminins des uns, les infortunes des autres. De terribles rancœurs s'accumulent dans la tête, échauffée par le vin, de l'homme humilié, qui se réserve d'asséner à ses tortionnaires des vérités plus cruelles encore quand viendra son tour d'être *patron*. C'est à la faveur de ce jeu que R. Vailland nous révèle les secrets de la vie amoureuse et des affaires d'argent à Porto Manacore.

10 n'aime en somme que les viandes saignantes et les alcools bruts, en particulier le whisky ; il n'est pas sans mépris pour les Français, ses concitoyens qui, dès qu'ils ont de l'argent, se gavent de plats à la crème et de vins lourds. Lucie serait gênée par le regard sévère du maître d'hôtel et du sommelier, quand ils mangeront des grillades et boiront, elle des jus de fruit, lui du whisky. L'autre hôtel, à sept kilomètres au nord de Mâcon, trois pignons noirs. Duc eût préféré rouges, mais il lut à la seconde ligne : « *Beau parc* », entre guillemets rouges, c'est-à-dire un parc : « *agréable, plaisant, bien situé* ». Aucune mention de la table. Il faudra qu'avant de prendre Lucie à la gare il aille examiner les deux
20 hôtels ; si celui de Pontanevaux est aussi avenant que l'annonce le guide, ils pourront, pour éviter « la bonne table », se faire servir les repas dans la chambre. Ce serait peut-être une bonne idée, passer les trois jours, vendredi, samedi, dimanche, enfermés dans une chambre, comme dans un tombeau.

La Fête, IX (Librairie Gallimard, éditeur).

La « Fête » a lieu, du vendredi au dimanche, dans l'hôtel à trois pignons noirs, « avec beau parc ». Et Duc reprend son roman en le commençant par la première phrase de La Fête, *qui devient alors, entre guillemets, la dernière :* « Duc, après un long voyage... » *Mais c'est une tout autre histoire que celle qu'il avait imaginée, l'histoire de sa « saison » avec Lucie, dont la « Fête » est le point final et culminant.*

Albert Cohen

Né à Corfou, ALBERT COHEN (1895-1981) a toujours manifesté avec ferveur, avec orgueil, sa fidélité à son origine juive. Il fit ses études à Marseille et se lia d'amitié avec Marcel Pagnol. Il a mené de front sa carrière de fonctionnaire international à Genève (excellent poste d'observation) et son activité d'écrivain. Mis à part les écrits directement auto-biographiques (*Le Livre de ma mère*, 1954 ; *Ô vous, frères humains*, 1972), son œuvre est consacrée à la geste des SOLAL, histoire d'une famille juive aux multiples embranchements, originaire de Céphalonie : *Solal* (1930), *Mangeclous* (1938), *Belle du seigneur* (1968), *Les Valeureux* (1969).

Cette saga pittoresque d'un groupe appelé « les Valeureux » est riche en individus dont les caractères et les passions sont aussi divers qu'excessifs. A une époque marquée par les progrès de l'antisémitisme, ils font face courageusement aux coups d'un destin injuste — thème dominant de l'œuvre — et, à travers les péripéties de l'action et les aventures des personnages, ce sont les valeurs optimistes de l'humour, de l'espérance, de la confiance en la vie qui se trouvent exaltées.

Le récit exploite toutes les ressources d'un réalisme truculent et parfois épique, dans les registres infiniment divers d'un style foisonnant qui le situe dans la veine de Rabelais et de Céline. C'est un style riche en images familières et baroques, plein de savoureuses trouvailles, tour à tour ironique, emphatique, lyrique, tantôt grotesque tantôt sublime, avec une tendance à privilégier le langage oral ; et cet ensemble verbal hétéroclite est mis au service d'un romanesque aux innombrables facettes.

Belle du seigneur est un énorme roman qui se situe, vers 1936, dans les milieux internationaux de Genève dont l'auteur nous brosse une satire impitoyable. C'est la peinture de la naissance et de l'inéluctable dégradation de « l'amour fou » qui enchaîne le cynique Solal et la pathétique Ariane. Soumis dès sa naissance au regard froidement ironique du séducteur, cet amour atteint d'abord les extrêmes d'une passion romantique, puis se détruit à travers diverses péripéties observées avec une cruelle lucidité et aboutit au désastre d'un double suicide. « Jamais, me semble-t-il, on n'avait si bien décrit ses pièges, ses sortilèges. Jamais on n'avait si cruellement dénoncé sa part de farce, de mensonge, de tricherie. Et jamais (je veux dire : jamais, nulle part dans l'histoire de la littérature) on n'était allé si loin dans la démystification de « l'amour fou », de « l'amour-passion » et autres « éternels féminins » dont s'enchantent les élégiaques » (B.-H. LÉVY).

L'ART DE SÉDUIRE LES FEMMES

A Genève, haut fonctionnaire international, SOLAL convoite ARIANE, l'épouse d'un de ses subordonnés. Il a éloigné le mari pour s'isoler avec la jeune femme. « *Puisque nous sommes seuls, je vais vous séduire* », lui dit-il. Elle le repousse avec horreur, le traite de « sale juif », mais il lui propose un pari : « *Si dans trois heures vous n'êtes pas tombée en amour, je nomme votre mari directeur de section.* » A une seule condition : qu'elle l'écoute en silence. ARIANE accepte, *par défi.* Feignant alors de prodiguer des conseils à son cousin Nathan, SOLAL se lance devant elle dans le catalogue des « *manèges* » irrésistibles pour séduire les femmes. Voici le onzième et dernier « *manège* ». En renonçant ainsi aux mensonges habituels, qu'il qualifie de « *babouineries* », le séducteur parviendra-t-il à gagner son pari ? – THÈMES : *Amour. Femme. Psychologie. Littérature. Humour.*

« Et maintenant elle est mûre pour le dernier manège, la déclaration. Tous les clichés que tu voudras, mais veille à ta voix et à sa chaleur. Un timbre grave est utile. Naturellement lui faire sentir qu'elle gâche sa vie avec son araignon [1] officiel, que cette existence est indigne d'elle, et tu la verras alors faire le soupir du genre martyre. C'est un soupir spécial, par les narines, et qui signifie ah si vous saviez tout ce que j'ai enduré avec cet homme, mais je n'en dis rien car je suis distinguée et d'infinie discrétion. Tu lui diras naturellement qu'elle est la seule et l'unique, elles y tiennent aussi, que ses yeux sont ouvertures sur le
10 divin, elle n'y comprendra goutte mais trouvera si beau qu'elle fermera les dites ouvertures et sentira qu'avec toi ce sera une vie constamment déconjugalisée. Pour faire bon poids, dis-lui aussi qu'elle est odeur de lilas et douceur de la nuit et chant de la pluie dans le jardin. Du parfum fort et bon marché. Tu la verras plus émue que devant un vieux lui parlant avec sincérité. Toute la ferblanterie, elles avalent tout pourvu que voix violoncellante. Vas-y avec violence afin qu'elle sente qu'avec toi ce sera un paradis de charnelleries perpétuelles, ce qu'elles appellent vivre intensément. Et n'oublie pas de parler de départ ivre vers la mer, elles adorent ça. Départ ivre vers la mer, retiens bien ces cinq mots.
20 Leur effet est miraculeux. Tu verras alors frémir la pauvrette. Choisir pays chaud, luxuriances, soleil, bref association d'idées avec rapports physiques réussis et vie de luxe. Partir est le maître mot, partir est leur vice. Dès que tu lui parles de départ, elle ferme les yeux et elle ouvre la bouche. Elle est cuite et tu peux la manger à la sauce tristesse. C'est fini. Voici la nomination de votre mari. Aimez-le, donnez-lui de beaux enfants. Adieu, madame.

— Adieu, murmura-t-elle, et elle resta immobile. [...]

Et voici, elle s'inclina et ses lèvres se posèrent sur la main de son seigneur, et elle leva les yeux, le contempla, vierge devenue, saintement
30 contempla le visage d'or et de nuit, un tel soleil. Un sourire égaré aux lèvres tremblantes, il considéra sa main baisée, la porta à ses yeux. Que

---

— 1 Solal vient de décrire les « babouineries » | amoureuses des singes et la danse nuptiale de *l'araignon* devant sa femelle.

faire pour lui prouver ? Le poignard de Michaël, et s'en percer, et jurer par le sang qui coulerait ? Mais alors le smoking serait souillé, et c'était son plus beau, et il devrait la laisser pour aller se changer. Tant pis, pas de poignard, et avec elle toujours, toujours, et gloire à Dieu, gloire à Dieu.

Elle le contemplait, mais elle n'osait parler, craignait de ternir une majesté, et puis sa voix serait enrouée peut-être. Croyante et jeune, elle contemplait gravement son seigneur, éperdument le contemplait, 40 respirait avec peine, glacée, tremblante d'amoureuse frayeur, un mal de bonheur aux lèvres.

De la salle de bal montèrent des appels, guitares hawaïennes lâchant à regret leurs longs sanglots purs, sanglots venus du cœur, doux sanglots étirés, liquides tueurs d'âme, infinis sanglots des adieux. Alors, il la prit par la main et ils sortirent, lentement descendirent. O grave marche.

Belle du seigneur, XXXV (Librairie Gallimard, éditeur).

Henri Queffélec   Après Roger Vercel et Édouard Peisson qu'inspiraient surtout les paquebots et les grands voiliers, HENRI QUEFFÉLEC (1910-1992) a évoqué la Bretagne, ses chalutiers, la grande pêche.

Normalien et d'abord professeur comme Roger Ikor, il a abandonné l'Université en 1942. Pour ses débuts, en 1944, il a donné *Le Journal d'un salaud*, observation méticuleusement cruelle de certaines veuleries pendant la période de l'Occupation. Comme Ikor, il a décrit le désarroi de la jeunesse après la crise de 1968 (*Le sursis n'est pas pour les chiens*, 1972). En véritable créateur, il est donc apte à aborder tous les sujets.

Cependant, le monde des marins et des terriens bretons domine son imagination. Tantôt il évoque, dans le passé, les drames de la Bretagne religieuse (*Un recteur de l'île de Sein*, 1944, d'où J. Delannoy a tiré le film *Dieu a besoin des hommes* ; *La Mouette et la Croix*, 1969). Tantôt il peint la vie étrange des *îliens* (*Un homme d'Ouessant*, 1953), ou il compose *l'épopée ruisselante de la grande pêche*, par exemple dans *Un royaume sous la mer* (1956) et *Solitudes* (1963) ; la mer encore dans *Convoi pour Oslo* (1991, le Blücher coulé en 1940 par un capitaine norvégien). Romancier catholique, il a témoigné pour *Saint Antoine du Désert* (1950), *Ce petit curé d'Ars* (1959) et *François d'Assise, le jongleur de Dieu* (1982). En 1989 : *Le Cargo*.

PRIÈRE POUR LA BONNE PÊCHE

QUEFFÉLEC sait tirer des récits dramatiques de la vie des chalutiers perdus dans la brume. La mer et ses profondeurs poissonneuses, les tempêtes, la hantise d'une pêche perdue lui donnent partout l'occasion de pages saisissantes. Maître après Dieu du *Duc d'Aumale*, le capitaine Sirbin interrompra-t-il, au détriment de l'équipage, sa campagne ? La radio lui a annoncé la maladie de sa femme. Bientôt elle lui annoncera la mort, là-bas... Pour l'heure, un inépuisable banc de morues glisse sous la coque du *Duc d'Aumale*... THÈMES : *Société. Religion. Providence. Argent. Peuple. Nature.*

Océan plus plein de ressources que le plus fabuleux richissime, océan puissant, généreux, oublie le mal que dans ma sottise j'ai dit quelquefois de tes caprices et mets beaucoup de grosses pièces dans la profonde sébile en forme de chalut que nous te tendons. Pour les pauvres de Rennetot, s'il vous plaît. Pour ceux de Fécamp, d'Yport et de Saint-Valéry. Pour ceux des Grandes-Dalles et du Havre. Pour tous les hommes, les

femmes, les enfants qui attendent la chair ou l'argent de nos poissons, en France, en Asie, en Afrique, s'il vous plaît. Monsieur l'Océan, donnez-nous beaucoup de morues, cinq, six, sept palanquées et une
10 huitième pour les dots de nos filles, une neuvième pour la layette de nos enfants à naître ; et une dixième en souvenir du grand saint Pierre, champion de la pêche en lac, dont nous avons salué la mémoire d'une messe et d'une procession, à la veille du voyage.

Dix palanquées... Une brindille pour toi, forêt innombrable ! Une poussière, filon prodigieux ! Mais si c'est trop aujourd'hui parce que tu te reposes, revenons à sept, revenons à cinq. Donne au moins cinq palanquées, Crésus, Rothschild et Rockefeller de la faune marine ! Cinq comme les doigts de la main, Dieu aime le nombre ! Dans tous les cas, pas moins de trois, honneur à la Trinité, trois belles palanquées nettes
20 de crasse, pleines, joufflues, lumineuses, trois forts bataillons de morues épaisses qui, au terme d'une vie féconde, meurent sans rechigner, dans un grand massacre collectif, pour la santé des hommes.

Solitudes (Presses de la Cité, éditeur).

« *Un feu s'allume sur la mer* »

Un feu s'allume sur la mer (1959) est l'histoire de la construction, auprès de l'île de Sein, sur un rocher inaccessible ou supposé tel, d'un phare qui est une véritable provocation à l'égard de la mer. La peine et l'acharnement des hommes parviendront à vaincre tous les obstacles tandis que, dans le climat de tension ainsi créé, risque d'éclater un conflit entre les îliens et les techniciens venus du continent. Entre les îliens et la mer, c'est un combat « à l'usure » ; mais vient un jour où la mer elle-même et le rocher sont contraints d'accepter l'idée que le phare existera bel et bien et fera rayonner sa lumière. – THÈMES : *Nature. Société. Peuple. Progrès.*

Le phare, c'était toujours l'affaire de l'île. Aucun événement n'éclatait sur l'écueil ni sur la Basse-Froide sans que des poumons sénans, des poignes sénanes, des regards sénans, des obstinations sénanes, y fussent mêlés. Le cap Sizun, patrie du blond Guivarch, avait beau fournir les dix maçons qui posaient en titre le massif de base et les dix manœuvres leurs aides officiels, il n'était pas question, pour Sein l'indispensable, de devenir simple hôtellerie pour les Messieurs du Phare ! Deux de ses bateaux et dix de ses hommes (six marins, deux mousses, deux pilotes) participaient à toutes les sorties. Debout sur la cime d'un des pitons orientaux comme le veilleur d'une troupe de cormorans,
10 un pilote prenait et tenait dans ses yeux l'extrémité de la Basse-Froide où commençaient les insurrections de la mer, cependant que son camarade, les marins et les mousses, débarquaient les matériaux, gâchaient le mortier. Il ne fallait pas songer au moindre engin de levage. Les bras, toujours les bras, et aussi la poitrine, les genoux, les épaules. L'homme prenait à bras-le-corps dans la barque les sacs de ciment, les pierres de parement et les moellons de blocage, qui pesaient parfois cinquante kilos, et les présentait de son mieux à l'homme qui attendait sur la roche, éloigné sans cesse ou rapproché par le clapot. Et cet homme, doucement et durement, se mettait en route vers le piton occidental,

les mâchoires crispées, les pieds aux aguets, soucieux d'éviter trous et bosses
20 et de marcher correctement sur les planches jetées pour ceux de son espèce
par-dessus la fissure médiane.

Quant au mortier, quelle engeance ! Il fallait le préparer à toute vitesse et
les biceps roulaient comme des bajoues.

Des cailloux, des pierres, du ciment, des fers martelés — de la grosse fatigue
d'hommes, c'était cela d'abord que les travailleurs mettaient dans le phare, la
peau qui s'écorche, les veines qui gonflent à éclater, les reins qui demandent
grâce, la sueur qui ruisselle... C'était cela, le levain de l'ouvrage, le flot de force
qui, indéfiniment, allait au-delà de la dernière laisse, au-delà des tâches
accomplies... Centimètre cube par centimètre cube, les maçonneries du massif
30 de base gagnaient sur la roche. La plate-forme sauvage des patelles [1] et des
vagues semblait, petit à petit, accepter l'idée de se laisser modeler et vêtir pour
devenir la plate-forme d'une tour qui, elle-même, soulèverait une lumière.

Un feu s'allume sur la mer (Presses de la Cité, éditeur).

Roger Ikor

ROGER IKOR (1912-1986) fut à la fois universitaire et écrivain. Son œuvre compte deux ensembles cycliques : *Les Fils d'Avrom (La Greffe de Printemps ; Les Eaux mêlées,* prix Goncourt 1955) et la suite, en six volumes, de *Si le temps* (1960-1969). Dans *Le Tourniquet des Innocents* (1972), IKOR poursuit son panorama social en abordant la peinture et le problème de la jeunesse d'aujourd'hui. Il y confirme tout autant sa force dans une *discrétion* qu'il érige d'ailleurs en principe (*Pour une révolution de la discrétion,* 1957). Bon observateur, analyste sympathique de l'âme juive lorsqu'elle s'adapte au Paris d'avant 1914 en fuyant les pogroms russes, chroniqueur moraliste de la vie d'un *Oflag* durant la guerre 1939-45, évocateur de la vie d'un lycée parisien ou de la Faculté de Nanterre aux heures agitées (*L'université en proie aux bêtes,* 1972 ; *Lettre ouverte à de gentils terroristes,* 1976), dénonciateur des méfaits des sectes dont un de ses fils fut victime (*Je porte plainte,* 1981), peintre bouleversant de la vieillesse, « ce naufrage » (*L'Éternité dernière,* 1980), il affirme partout le don des notations justes mais mesurées, des dialogues révélateurs et des détails qui peignent. Beaucoup de personnages mémorables émergent de ses narrations abondantes. Le plus caractéristique demeurera peut-être l'émigrant Yankel, devenu petit casquetier à Paris, et qui élève si bien ses quatre enfants « *dont chacun possédait sa tirelire personnelle, pour s'entraîner à l'économie ; et les quatre tirelires, un cochon, un lapin, une poire et une maisonnette, s'offraient orgueilleusement aux regards sur le buffet Henri II.* » Yankel a couru s'engager comme volontaire dès la mobilisation de 1914. En revenant rue des Francs-Bourgeois, « *il faisait sonner ses talons sur le trottoir, arrogamment, militairement, crête au soleil, et il toisait les passants, tout prêt à engager le fer : « Qu'est-ce que vous dites, monsieur ? Qu'est-ce que vous me voulez ? Je vais risquer ma vie pour la France, moi ! Je suis engagé volontaire, moi !... »* (*Les Eaux mêlées*). Sa destinée domine l'histoire des *Fils d'Avrom.*

Épilogue des « Eaux mêlées »

L'épilogue des *Eaux mêlées* (second volume des *Fils d'Avrom*) fixe l'image de YANKEL, devenu vieillard, dans le décor d'une banlieue parisienne encore campagnarde mais en cours de transformation, symbole de son « intégration », dont un autre symbole est l'amitié qui l'unit à une vieille religieuse, Sœur Eugénie. Cette fin apaisée serait à confronter avec le témoignage noblement emporté de SCHWARTZ-BART sur la question juive (*Le Dernier des Justes,* Prix Goncourt 1959). – THÈMES : *Amitié. Nature. Religion. Temps.*

Yankel trottine sur la route de crête. Heureusement, il n'y a pas beaucoup d'autos qui passent par ici, sauf pour se promener. Je me demande ce qu'il

---

— 1 Mollusques marins gastéropodes, séjournant sur les rochers.

attend, Simon, pour nous conduire à la mer. Qu'il se mette à pleuvoir ? Tchch,
je ne sais pas ce qu'il a, ce garçon, depuis quelque temps. Il fait beau, alors
partons tout de suite ! Moi, j'aime bien la mer, c'est grandiose, immense, je
finirais bien mes jours au bord de la mer, quoique j'aime aussi Virelay,
naturellement, à cause du jardin...

Grands ciels dramatiques de l'automne, plafonds de nuages d'un gris si
furieux qu'il en devient bleu, traînées lie-de-vin et mauves au ras de l'horizon,
10 déchirures aux lèvres torturées, bouffées de vent chaudes ou glacées... Yankel
trotte à côté de Sœur Eugénie. Elle n'est pas encore morte, elle non plus, la
vieille religieuse, bien qu'elle soit l'aînée du pauvre Baptiste son frère. Yankel
l'aime bien, et elle l'aime bien aussi, et ils ont de longs entretiens sur Dieu
et les hommes. Yankel fanfaronne en défendant son panthéisme athée, et elle
lui promet qu'il aura le paradis, car Dieu sauve tous les honnêtes gens, quelle
que soit leur croyance, mais ce serait tellement bien s'il se convertissait ; alors
il essaie, lui, de la convertir au judaïsme. Quand ils en ont assez, ils évoquent
les pays lointains qu'ils connaissent, l'un Rakwomir [1], l'autre Madagascar [2], et
même le Virelay de jadis, qui est aussi lointain que Madagascar. Quel dommage
20 que Sœur Eugénie ne vienne pas plus souvent ! Elle est le seul être humain
avec qui Yankel puisse parler du fond du cœur...

Mais en général, il trottine solitaire. Ciels d'automne, ciels d'hiver, ciels de
printemps, la roue du temps tourne, tourne, et le vieillard suit son chemin,
le même chemin, le même vieillard. En bas, la Seine coule, toujours aussi
paisible en son arc parfait. Les collines de l'horizon dessinent leur ligne
immuable. Mais la forêt est blessée. En plein cœur, s'y dresse une fraîche
construction, rouge et blanche, qui ressemble à un temple antique, et qui est
une usine — oh ! une usine moderne, sans fumée ! Une usinc tout de même,
dont la présence suffit à révéler que juste derrière, une profonde tranchée de
30 chemin de fer partage en deux la forêt, sur toute sa longueur.

Les Eaux mêlées (Albin Michel, éditeur).

Bernard Clavel BERNARD CLAVEL (né en 1923), apprenti pâtissier à
quatorze ans, exerça divers petits métiers avant de devenir
journaliste et romancier, et d'obtenir le prix Goncourt avec *Les Fruits de l'hiver* (1968),
tome IV de la série de *La Grande Patience*. Proche à certains égards de celui de Queffélec,
le réalisme de Bernard Clavel est un réalisme en quelque sorte « primitif », qu'il s'agisse
de la nature ou des hommes, car sa peinture de l'humanité n'est pas dissociée d'une présence
vigoureuse de la nature (les fleuves, les forêts...). Réalisme « primitif » encore en ce que,
quels que soient ses thèmes, ses sujets ou ses décors, le romancier reste toujours fidèle
à sa volonté de décrire une humanité simple et vraie dans les actes de sa vie quotidienne
qui deviennent sous sa plume de véritables aventures et lui inspirent de vastes fresques :
Les Colonnes du ciel (5 vol., 1976-1981) dont le décor est le Jura natal de B. Clavel ;
— l'épopée rhodanienne avec *Pirates du Rhône* (1957), *Le Seigneur du fleuve* (1972), *Le
Rhône ou les métamorphoses d'un dieu* (1981) ; — la saga des chômeurs de Montréal partis
coloniser le Grand Nord : *Le Royaume du Nord* (I. *Harricana*, 1983 ; II. *L'Or de la terre*,
1984 ; III. *Miserere*, 1985 ; IV. *Amarok*, 1987 ; V. *L'Angélus du soir*, 1988 ; VI. *Maudits
sauvages*, 1989) ; — puis, en 1990, *Retour au pays* et *Quand j'étais capitaine* ; — en 1991,
de nouveau le Jura : *Meurtre sur le Grandvaux* ; — en 1992, *La Révolte à deux sous* (les
canuts de Lyon) ; en 1993, *Cargo pour l'Enfer* ; — en 1994, *Les Roses de Verdun* ; — en
1996, *Le Carcajou* ; — en 1997, *La Guinguette* ; — en 1998, *Le Soleil des morts*.

— 1 Lieu d'origine, en Pologne, de la famille | de Yankel. — 2 Où Sœur Eugénie a été | missionnaire.

L'œuvre de BERNARD CLAVEL est une œuvre tonique où, dans une robuste simplicité, s'affirment de nobles sentiments, la générosité, la droiture, la camaraderie, l'amour du travail bien fait.

« *UN MONDE NOUVEAU...* »

CYRILLE LABRÈCHE, à Montréal, était livreur de charbon ; puis, avec la crise, est venu le chômage. L'administration canadienne propose aux chômeurs d'aller coloniser le Grand Nord. CYRILLE fait partie d'un groupe de ces colons qui ignorent tout de ce qui les attend ; il a laissé à Montréal sa femme ÉLODIE et ses enfants qui le rejoindront lorsqu'il aura pu défricher un coin de terre et construire une maison. En attendant, c'est le logement sous la tente et le dur apprentissage de la « colonisation », dont CYRILLE partage l'expérience avec ses camarades. – THÈMES : *Nature. Société. Peuple.*

Avec le crépuscule, le vent avait pris de la gueule. Il miaulait aigre. Il sautait la colline, s'écorchait à la barrière de résineux, reprenait élan sur l'espace dénudé et la glace du ruisseau pour pousser la poussière blanche [1] contre les obstacles où elle s'accumulait. Par rafales, elle cinglait la tente où Cyrille Labrèche venait de se rouler dans ses couvertures et ses peaux de loup. L'obscurité était totale. La toile vibrait, mais elle saurait résister aux tempêtes. Pour elle, ce vent n'était qu'un amusement.

Après le départ de Faivre, Cyrille avait tout de suite abattu trois
10 petites épinettes [2], juste de quoi faire son feu. La hache avait réveillé les douleurs de ses membres et les brûlures de ses paumes, mais rien n'était plus aussi acéré que les premiers jours. A présent, il ouvrait et fermait ses mains pour le plaisir de les sentir dures et déjà aguerries. Il respirait à petits coups en déplaçant son visage contre les peaux de bête. Le coureur de bois [3] à qui appartenait tout ce couchage y avait laissé l'odeur de sa sueur et de son tabac. Pipe et tabac noir très fort.

Cyrille eut une pensée pour Élodie et les enfants, mais, ce qui l'occupait surtout, c'était l'idée du travail qu'il allait entreprendre. Au fond, c'était une bonne chose que d'avoir besogné avec Billon [4]. Il avait
20 au moins appris comment s'y prendre pour bâtir. Et il s'était habitué à la hache. Il continuait d'ouvrir et de refermer ses mains lentement. Avec son pouce, il palpait la corne à la pliure des doigts. Chaque mouvement faisait jouer les tendons qu'il sentait se gonfler à l'intérieur de leur gaine. La fatigue des sacs de charbon était loin. Il découvrait des travaux tout neufs. Un monde nouveau. Et l'excitation qui l'habitait l'empêcha un long moment de dormir. Il finit pourtant par sombrer dans un sommeil épais, étranger au vent qui continuait de mener la danse.

Miserere (Albin Michel, éditeur).

— 1 La neige. — 2 Sapin d'Amérique du | — 4 Compagnon de Cyrille et professionnel de Nord. — 3 Ancien nom du *trappeur* du Canada. | la construction.

Pascal Lainé   PASCAL LAINÉ (né en 1942), après de brillantes études, a connu, du métier d'enseignant, les expériences passionnantes, les servitudes, les déceptions ; et c'est à cet apprentissage que nous devons *B. comme Barrabas* (1967) et *L'Irrévolution* (1971). C'est *La Dentellière* (prix Goncourt 1974) qui l'a fait connaître du grand public. Depuis, son itinéraire assez sinueux est jalonné par un conte érotique aussitôt porté à l'écran (*Tendres Cousines,* 1979), des romans d'inspiration intimiste (*L'Eau du miroir,* 1979), politique (*Terre des ombres,* 1982), historique (*Jeanne du bon plaisir,* 1984), des romans policiers (*Plutôt deux fois qu'une,* 1985 ; *Trois petits meurtres et puis s'en va,* 1986 ; *L'Assassin est une légende,* 1987) ; des études de mœurs : *Les Petites égarées,* 1988 ; *Dîner d'adieu,* 1991 ; *Collision fatale,* 1994.

La Dentellière ne désigne pas par son titre la profession de l'héroïne (elle travaille dans un salon de coiffure) ; c'est le nom emblématique que lui donne le héros pour symboliser sa « transparence ». D'elle nous ne connaîtrons que le surnom qui lui fut donné, à la manière d'un destin, à sa naissance : Pomme. Le roman est construit sur un schéma classique : un prologue (enfance et adolescence de POMME*), deux actes (I. Échec d'une amitié ; — II. Échec d'un amour) et un épilogue où le romancier cède la parole au héros.*

Il ne s'était rien passé...

POMME est une « fille des plus communes », une de ces « pauvres filles [...], pauvres seulement de ce qu'on n'a pas voulu découvrir en elles ». Elle rencontre par hasard à Cabourg un jeune noble normand, de surcroît étudiant chartiste à Paris, AYMERI DE BÉLIGNÉ. Ils vivent ensemble quelque temps, puis Aymeri se lasse de POMME et l'abandonne. Il se dit que de cette histoire il fera de la littérature : « Sa faiblesse deviendrait *œuvre* ». Mais un appel de la mère de POMME l'oblige à se rendre à l'hôpital psychiatrique où la « pauvre fille » a fini par échouer. – THÈMES : *Femme. Amour. Morale. Psychologie.*

L'hôpital consistait en trois ou quatre pavillons au milieu des arbres, à trente kilomètres de la capitale sur la route de Chartres. On était au mois de juin ; les visiteurs et les malades étaient installés sur des bancs, dans le parc. Je me suis assis à mon tour, avec la Dentellière.

J'aurais pu me croire en vacances avec elle, dans une ville thermale, au milieu des autres curistes (certains en robe de chambre). Mais il y avait devant moi cette maigreur pathétique et ce regard fasciné. C'était d'un autre monde que les parterres de fleurs et l'ombre doucement balancée d'une branche, juste derrière le visage de la Dentellière. Je lui ai demandé depuis quand elle était

10 là. Depuis le printemps. Et avant ? Avant, rien. Seulement sa maladie. Elle ne pouvait plus rien manger, est-ce que je comprenais ? C'était plus fort qu'elle. Elle aurait bien voulu, mais rien ne passait. C'était une drôle de maladie. Alors on l'avait mise à l'hôpital, d'abord à Paris, puis ici. Tout allait bien à présent ; je ne devais pas m'inquiéter. Mais je ne m'inquiétais pas de cela, ou du moins pas seulement de cela. Et j'insistai : Et avant ? Que s'était-il passé ? Elle me répéta : « Rien. »

Mais c'était ce « rien » que j'avais besoin de comprendre : tout cet espace entre notre séparation et maintenant, où devait s'être fomentée l'immense solitude de ce corps qui n'était plus de cette vie.

Finalement, et malgré les apparences, c'est peut-être la Dentellière qui a gagné : « La Dentellière m'a considéré pendant quelques secondes, avec un sourire d'une tendresse presque maternelle. Il m'a semblé qu'elle avait deviné mon angoisse et qu'elle avait pitié de moi. »

La Dentellière (Librairie Gallimard, éditeur).

Réalisme et merveilleux :   Auteur d'un essai intitulé *Rhétorique fabuleuse* (1983),
André Dhôtel   ANDRÉ DHÔTEL (1900-1991) est d'abord un *conteur* soucieux d'inventer des « fables » : ainsi dans les nouvelles
de *La Chronique fabuleuse* (1955) et de *La Nouvelle Chronique fabuleuse* (1984) ou encore
dans *Les Voyages fantastiques de Julien Grainebès* (1958). Mais il reste fidèle aux techniques
de la narration réaliste, et les utilise pour faire éclore un merveilleux qui naît du *double
mystère des personnages et de la nature environnante*. Il donne d'ailleurs à ses romans des
titres révélateurs, souvent composés d'une alliance entre un mot « réaliste » et un mot
« merveilleux » : *Le Village pathétique* (1943), *Le Pays où l'on n'arrive jamais* (prix Fémina
1955), *La Route inconnue* (1980). DHÔTEL doit sans doute, au moins en partie, l'originalité
de son réalisme romanesque aux paysages et à l'atmosphère de son pays natal, les
Ardennes, qui joue dans son œuvre un rôle analogue à celui de la Sologne dans celle
d'Alain-Fournier (cf. p. 137). Ces romans sont, plus ou moins, l'histoire d'*une irruption
du merveilleux dans le quotidien* et, réciproquement, d'*une révélation d'un merveilleux
mystérieusement latent dans le quotidien*, d'où la place accordée à l'enfance (avec ses rêves,
avec la tentation de l'évasion et du vagabondage, sources de dépaysement) ainsi qu'aux
âmes innocentes en quête de bonheur. Dans son style, d'une rigoureuse simplicité, il
pratique volontiers *l'art de la litote* et a parfois recours à une sorte de *banalité délibérée*
qui rend plus saisissante la manifestation du merveilleux à l'intérieur du réel.

Qui, à lire les premières lignes du *Village pathétique,* se douterait que ce pays si ordinaire
va être bientôt investi de toutes parts par le « pathétique » ? « *Le nuage s'inclina vers
Rethel. La pluie cessa et la route se mit à briller. Des perspectives s'ouvrirent sur le plateau
couvert d'épis verdoyants.* »
Le Village pathétique *est, au départ, l'histoire de l'échec d'un jeune couple, celui d'*ODILE
et de JULIEN BOULEURS. *Ils comptent seulement quelques mois de mariage, mais d'incessantes
querelles les divisent. Aussi sont-ils convenus qu'au retour d'un voyage à bicyclette ils feraient
les démarches nécessaires pour divorcer. Mais ce voyage les amène au village de* VAUCELLES
*où, on ne sait trop pourquoi, ils s'installent sans se demander pour combien de temps. Tandis
que* JULIEN, *esprit positif, devient mécanicien, réparateur de vélos et même conseiller municipal,*
ODILE *trouble aussitôt la banale quotidienneté du village, à la manière d'un génie, bénéfique
et maléfique tour à tour, venu d'un autre monde.*

Instant magique

Un jour ODILE, condamnée à la solitude, s'éloigne du village, et voici qu'autour d'elle,
la nature, dans sa réalité la plus concrète — l'heure, les nuages, les champs, les fleurs —,
dégage une « aura » magique dont la source ne peut être que la présence de la jeune
femme. – THÈMES : *Nature. Réel et irréel.*

Le crépuscule était encore éloigné. Une solitude semblait s'être rapidement
composée autour d'Odile. Aucune haine en cela, mais une entente pour la
détourner des préoccupations essentielles du village, ou d'une connaissance
partagée par tous. C'est de la même façon qu'avec la plus extrême prudence
on isole un être qui ne se sait pas menacé d'un malheur impossible à éviter.
On lui adresse des paroles vides, afin de ne lui livrer jamais le soupçon d'une
cruelle réalité. Odile prit un chemin qui s'élevait vers le plateau en s'écartant
peu à peu des maisons. La poussière de ce chemin était presque au niveau
des gazons qui la bordaient et des champs prolongés en courbes progressives
10 vers les vallées ou les hauteurs. Les nuées avaient fini par se ranger dans le
ciel selon une disposition parallèle. Des lueurs en jaillissaient par endroits. Odile
s'assit et regarda une campanule trembler au vent. Tout le bleu s'était ainsi

réfugié sur la terre dans les condensations de quelques fleurs. Plus loin des chicorées pâles, des scabieuses, une scutellaire et les pieds-d'alouette répétaient à peu près cette couleur, soit parmi l'herbe, soit dans les chaumes. Odile croisa ses mains sur ses genoux. Sa robe était également bleue. Elle chercha aussi à situer autour d'elle les rouges et les jaunes absorbés dans la confusion des teintes neutres. Des perdreaux se levèrent un peu plus bas et passèrent avec un bruit d'avion. Odile vit Julien qui montait la côte.

Le Village pathétique (Librairie Gallimard, éditeur).

On dirait que, dès qu'ODILE s'occupe de quelque chose — et elle s'occupe de beaucoup de choses ! — aussitôt l'insolite apparaît, un insolite à la fois fascinant et inquiétant ; à tel point que, comme une sorcière, elle sera chassée du village à coups de pierres. Quant au dénouement, il reste en suspens : sera-ce le divorce prévu ? ou bien une forme quelconque d'intégration à ce village devenu, par la grâce ou la faute d'ODILE, « pathétique » ?

Une inspiration analogue à celle de Dhôtel caractérise aussi l'œuvre romanesque de MARCEL BRION (1895-1984), d'autre part spécialiste du romantisme allemand qui a pu l'influencer : *Les Escales de la haute nuit* (1944, rééd. 1971) ; *La Ville de sable* (1959) ; *De l'autre côté de la forêt* (1966) ; *L'Ombre d'un arbre mort* (1970) ; *La Fête de la tour des âmes* (1974) ; *Le Château de la princesse Ilse* (1981).

Réalisme et régionalisme

Chez Clavel, qu'il s'agisse du Jura, du Rhône ou du Canada, comme chez Queffélec pour la Bretagne, le réalisme s'appuie sur le RÉGIONALISME, selon une tradition qui remonte au début du siècle (cf. p. 576). Cette tradition est à nouveau présente à notre époque.

Régionalisme bourguignon (et ferroviaire) d'HENRI VINCENOT (1912-1985) : *La Princesse du rail,* 1967 ; *Le Pape des escargots,* 1972 ; *La Billebaude,* 1978 ; *Mémoires d'un enfant du rail,* 1980.

Régionalisme cévenol de JEAN-PIERRE CHABROL (né en 1925), dont l'œuvre continue, en un sens, celle d'André Chamson (cf. p. 571) : *Les Fous de Dieu,* 1961 ; *Le Bouc du désert,* 1975 : *Le Crève-Cévenne,* 1972 ; *La Cévenne au village,* 1984 ; et, d'autre part, de JEAN CARRIÈRE qui, après avoir reçu le prix Goncourt pour *L'Épervier de Maheux* (1971), a situé *Les Années sauvages* (1987), hymne à l'amour fou, dans le décor embaumé des Cévennes.

Régionalisme provençal de MARIE MAURON (née en 1896) : *La Transhumance,* 1955 ; *Berbiguier de Carpentras,* 1959 ; *Le Vieux de la montagne,* 1978.

Régionalisme breton représenté par l'œuvre forte de PER JAKEZ HÉLIAS (né en 1914) : *Le Cheval d'orgueil,* 1975 ; *Compère Jackou,* 1979 ; *L'Herbe d'or,* 1983, et *La Colline des solitudes,* 1984 ; ainsi que par celle de XAVIER GRALL (1930-1982), qui fait revivre une Bretagne où se fondent ensemble le réel et l'imaginaire : *Le Rituel breton,* 1963 ; *Barde imaginé,* 1968 ; *La Fête de nuit,* 1973 ; *Les Vents m'ont dit,* 1982.

Quant au RÉALISME SOCIAL qui, à travers la peinture des milieux, tend à révéler les sources et les causes des problèmes sociaux, il inspire nombre de romanciers, en particulier GILBERT CESBRON (1913-1979) : *Les Saints vont en enfer,* 1952 ; *Chiens perdus sans collier* 1954 ; *C'est Mozart qu'on assassine,* 1966 ; ou, dans un tout autre registre, GEORGES-EMMANUEL CLANCIER (né en 1914) : *Le Pain noir* (4 vol., 1956-1961 ; *L'Écolier des rêves,* 1986).

DIALOGUE DU RÉEL ET DU « LÉGENDAIRE »

Selon une théorie soutenue avec de solides arguments par l'ethnologue Lévi-Strauss (*Mythologiques,* IV, 1968) et le sociologue Dumézil (*Du mythe au roman,* 1971), la catégorie littéraire du « romanesque » apparaîtrait, dans l'histoire de la culture, comme substitut de la catégorie du « mythique ». Le roman serait donc conduit à exercer une fonction mythologique, en mettant en œuvre sous forme narrative, sous forme de « légende », les obsessions dominantes d'un imaginaire collectif en accord avec l'imaginaire personnel du romancier. Mais, dans sa forme moderne, ce « roman-légende » ne perd pas le contact avec le réel et le vécu ; il tend au contraire à confronter le réel et le légendaire et à manifester ainsi les diverses formes de leur dialogue, harmonie ou conflit ; il peut tout aussi bien tenter d'incarner dans le réel un légendaire tantôt hérité de la tradition tantôt inventé tout exprès.

ROMAIN GARY

ROMAIN KACEW. Né en Russie en 1914, ROMAIN KACEW, « cosaque un peu tartare mâtiné de juif » (l'expression est de lui), a passé son enfance à Wilno, en Lituanie, élevé avec une passion poussée jusqu'au sacrifice par une mère énergique et romanesque. Il a treize ans quand elle s'installe à Nice où l'adolescent fait ses études secondaires. En 1938, il termine son droit à Paris et, naturalisé depuis deux ans, il s'engage dans l'aviation. Il assiste à la débâcle de 1940 et rejoint la « France libre » : de 1940 à 1944, il participera à la bataille d'Angleterre, puis aux campagnes d'Afrique, d'Abyssinie, de Libye et de Normandie. A la fin de la guerre il est capitaine, Compagnon de la Libération et il sera commandeur de la Légion d'honneur.

ROMAIN GARY. Il venait d'entrer en 1945 au ministère des Affaires étrangères lorsque, sous le pseudonyme de ROMAIN GARY, parut avec un grand retentissement *Éducation européenne* (scènes héroïques de la résistance polonaise), son premier roman, écrit en Angleterre en 1943, alors qu'il était « en opérations avec le groupe Lorraine ».
    La carrière diplomatique le conduit à Sofia, à Berne, puis à New York comme porte-parole à l'O.N.U. (1952-1958), enfin à La Paz et Los Angeles. Il ne renonce pas pour autant à la littérature — sa passion depuis l'adolescence — et la consécration lui vient avec *Les Racines du ciel* (prix Goncourt 1956), puis avec *La Promesse de l'aube* (1960).
    Abandonnant la Carrière en 1961, il va parcourir le monde pendant dix ans, au cours desquels il collabore à des publications américaines, réalise deux films, compose des nouvelles (*Gloire à nos illustres pionniers,* 1962), un roman humoristique (*Lady L,* 1963), de vastes ensembles romanesques (*La Comédie américaine,* 2 vol. ; *Frère Océan,* 3 vol.), un reportage où l'autobiographie se mêle à la fiction (*Chien blanc,* 1970).

GARY-AJAR. Sous la signature d'ÉMILE AJAR paraît en 1974 *Gros-Câlin,* un curieux roman tant par la nouveauté du style que par l'originalité du sujet. L'année suivante, Ajar obtient un énorme succès avec *La Vie devant soi* (prix Goncourt 1975). Un nouvel écrivain était né : on découvre qu'Émile Ajar est le pseudonyme de Paul Pavlowitch, neveu de Romain Gary. On s'interroge sur les rôles respectifs de l'oncle et du neveu, et cette ambiguïté lui inspire une autobiographie (*Pseudo,* 1976) où Gary intervient sous les traits du « tonton-macoute ». Il publie ensuite *L'Angoisse du roi Salomon* (1979).
    Entre-temps, Romain Gary avait été très affecté par la mort tragique de l'actrice Jean Seberg, son épouse de 1962 à 1970 ; et d'autre part il souffrait d'assister, avec l'âge, au déclin de sa virilité (*Au-delà de cette limite, votre ticket n'est plus valable,* 1975 ; *Clair de femme,* 1977). Quand il mit fin à ses jours en 1980, on apprit avec surprise, par un écrit testamentaire rédigé en 1979, qu'Émile Ajar c'était Romain Gary (*Vie et mort d'Émile Ajar,* 1981), ce qui fut confirmé par son neveu lui-même dans *L'Homme que l'on croyait*

(1981). A la faveur de ce subterfuge, Gary s'offrait le luxe d'avoir, seul, obtenu deux fois le prix Goncourt, et de narguer les coteries intellectuelles qui sous des exigences « terroristes » (engagement, existentialisme, nouveau roman, purisme) l'avaient sous-estimé et avaient menacé son indépendance d'écrivain.

Les « racines du ciel »

Dans *Les Racines du ciel*, le naturaliste Peer Quist nous invite à sauvegarder ce que l'Islam appelle les *racines du ciel* « plantées dans la terre et aussi dans la profondeur des âmes humaines [...] comme un pressentiment, une aspiration, un besoin *de justice, de dignité et d'amour infinis* ». Ainsi se justifie — le roman se déroulant en Afrique équatoriale à l'époque de la colonisation — la folle entreprise de l'idéaliste Morel entré en dissidence armée pour attirer l'attention sur la nécessité « écologique » d'épargner les éléphants et avec eux les derniers animaux *libres*. Protéger les « racines du ciel », c'est aussi sauvegarder les valeurs menacées par l'évolution de notre civilisation : « C'est à croire, dit l'auteur, que les droits de l'homme deviennent eux aussi des survivants encombrants d'une époque géologique révolue, celle de l'humanisme. » Le livre exprimerait même le refus « de se soumettre à l'infirmité d'être un homme » : Morel se voit reprocher d'avoir « une idée trop noble de l'homme » et de vouloir « arracher au ciel même je ne sais quel respect de notre condition ».

Cette considération des « racines du ciel » assure l'unité de l'œuvre de ROMAIN GARY. *La Promesse de l'aube*, son autobiographie, c'est l'amour infini qui lie la mère et le fils, l'amour de la France jusqu'au sacrifice, le sentiment de l'honneur, l'aspiration à la grandeur et à la dignité. Dans *Chien blanc*, il exprime sa sollicitude pour les animaux et son horreur du racisme. Quant aux romans de GARY-AJAR, les dominantes y sont, plus nettement encore, celles de la chaleur humaine, de l'intérêt pour les humbles. *Gros-Câlin* est l'histoire cocasse d'un petit bureaucrate esseulé, réduit à vivre en compagnie d'un python (appelé Gros-Câlin !) pour « avoir quelqu'un à aimer ». Dans *La Vie devant soi*, dont l'action se situe dans un milieu déshérité mais fraternel d'immigrés de toutes provenances, l'affection réciproque de la vieille femme et de l'enfant abandonné est, sous une forme humoristique, profondément émouvante : « On ne peut pas vivre sans quelqu'un à aimer », déclare le petit Momo, et le mot de la fin est une profession de foi : « Il faut aimer ». Dans son dernier roman (*Les Cerfs-volants*, 1980), GARY avait fini par se demander si le nazisme, au fond, au lieu d'être une monstruosité, n'est pas dans la nature humaine. Mais cette note pessimiste est rare dans son œuvre qui, dans l'ensemble, est très tonique. Il avait foi dans la perfectibilité de l'homme et, à l'image du héros des *Racines du ciel*, « c'était un homme qui ne savait pas désespérer ».

L'humour et le réel

L'humanisme à la manière de Saint-Exupéry revêt chez GARY une tonalité personnelle, et cela grâce à l'humour. Dans *La Promesse de l'aube*, il note sa tendance à conjurer la dureté du réel en se réfugiant dans un monde imaginaire pour y vivre « une vie pleine de sens, de justice et de compassion ». « Instinctivement, dit-il, je découvris l'humour, cette façon habile et entièrement satisfaisante de désamorcer le réel au moment même où il va nous tomber dessus. [...] L'humour est une déclaration de dignité, une affirmation de la supériorité de l'homme sur ce qui lui arrive. » Déjà sensible dans *Les Racines du ciel*, le glissement humoristique du réel vers l'imaginaire qui finit par se substituer à lui, assez fréquent dans l'œuvre de Gary, est un des charmes de sa création littéraire.

Chez GARY-AJAR, l'humour tient aussi à cette écriture originale qui avait fait croire à la naissance d'un nouvel écrivain. Le héros dérisoire de *Gros-Câlin* pratique le calembour, l'impropriété voulue, la confusion linguistique ; il prête à son python un comportement humain et parle de lui-même comme s'il était un python. Quant au petit Momo, le narrateur de *La Vie devant soi*, il accumule les maladresses de style, mêle l'argot et la langue surveillée, déforme les mots, use d'expressions toutes faites détournées de leur sens. On aurait tort d'y voir une tentative réaliste pour transcrire fidèlement le langage populaire : c'est l'auteur qui s'amuse à faire parler ainsi l'enfant et qui nous invite à savourer cette forme d'humour attendri.

« LA PROMESSE DE L'AUBE »

Ce titre est *doublement évocateur :* promesse d'une vie pleine de grandeur, faite à son enfant par une mère passionnée ; et, en retour, chez l'enfant, promesse de ne pas la décevoir. La première moitié du livre est consacrée au couple pittoresque et souvent émouvant de la MÈRE, chimérique, indomptable, tyrannique, et de l'ENFANT de bonne volonté, parfois agacé et dépassé par les ambitions maternelles, mais répondant avec tendresse à cet amour sans égal. Les voici encore à Wilno. Après avoir testé en vain ses dispositions pour la littérature, la musique, la danse, la peinture, le chant, le jeune ROMAIN se voit destiné à la diplomatie ! Avec l'humour attendri qui caractérise cet hommage à sa mère, l'auteur, parvenu à l'âge mûr, saisit à ses origines mythiques *l'amour pour la France* qu'elle sut inspirer au petit enfant russe, un amour qui fera de lui un grand Français. – THÈMES : *Autobiographie. Famille. Enfance. Souvenir. Humour.*

Forcée ainsi à admettre que je ne manifestais aucune disposition spéciale, ni talent caché, ma mère finit par conclure, comme tant d'autres mères avant elle, qu'il ne me restait plus qu'une solution : la diplomatie. Une fois cette idée ancrée dans son esprit, elle se ragaillardit considérablement. Cependant, comme il me fallait toujours ce qu'il y avait de plus beau au monde, il fallait que je devinsse ambassadeur de France — elle n'était pas disposée à prendre moins.

L'amour, l'adoration, je devrais dire, de ma mère, pour la France, a toujours été pour moi une source considérable d'étonnement. Qu'on
10 me comprenne bien. J'ai toujours été moi-même un grand francophile. Mais je n'y suis pour rien : j'ai été élevé ainsi. Essayez donc d'écouter, enfant, dans les forêts lituaniennes, les légendes françaises ; regardez un pays que vous ne connaissez pas dans les yeux de votre mère, apprenez-le dans son sourire et dans sa voix émerveillée ; écoutez, le soir, au coin du feu où chantent les bûches, alors que la neige, dehors, fait le silence autour de vous, écoutez la France qui vous est contée comme *Le Chat botté ;* ouvrez de grands yeux devant chaque bergère et entendez des voix ; annoncez à vos soldats de plomb que du haut de ces pyramides quarante siècles les contemplent ; coiffez-vous d'un
20 bicorne en papier et prenez la Bastille, donnez la liberté au monde en abattant avec votre sabre de bois les chardons et les orties ; apprenez à lire dans les fables de La Fontaine — et essayez ensuite, à l'âge d'homme, de vous en débarrasser. Même un séjour prolongé en France ne vous y aidera pas.

Il va sans dire qu'un jour vint où cette image hautement théorique de la France vue de la forêt lituanienne, se heurta violemment à la réalité tumultueuse et contradictoire de mon pays : mais il était déjà trop tard, beaucoup trop tard : j'étais né.

Dans toute mon existence, je n'ai entendu que deux êtres parler de
30 la France avec le même accent : ma mère et le général de Gaulle. Ils étaient fort dissemblables, physiquement et autrement. Mais lorsque j'entendis l'appel du 18 juin, ce fut autant à la voix de la vieille dame

La Promesse de l'aube

*« La Promesse de l'aube », film de
Jules Dassin (1971),
avec Mélina Mercouri,
d'après le roman de Romain Gary.*
(2 ph. © Coll. Cinémathèque française
– Photeb)

« O l'amour d'une mère ! amour que nul n'oublie ! »

Ce vers autobiographique de Victor Hugo dans *Les Feuilles d'automne* pourrait servir d'épigraphe
à *La Promesse de l'aube*. La mère de Romain Gary était un être hors du commun et l'amour immense
qu'elle éprouvait pour son fils n'était pas de tout repos ! On sent ici la part de rêve et la volonté
de se réaliser et, d'autre part, quand elle voit partir son fils engagé dans l'aviation, le don total
d'elle-même qui se manifestera jusqu'à sa mort. Elle est de la race de la « mère lionne » appelée
en rêve par le petit Momo pour se rassurer, dans *La Vie devant soi* (cf. **p. 826**).

qui vendait des chapeaux au 16 de la rue de la Grande-Pohulanka à Wilno, qu'à celle du Général [1] que je répondis sans hésiter.

Dès l'âge de huit ans, surtout lorsque les choses allaient mal — et elles allèrent mal, très rapidement —, ma mère venait s'asseoir en face de moi, le visage fatigué, les yeux traqués, me regardait longuement, avec une admiration et une fierté sans limites, puis se levait, prenait ma tête entre ses mains, comme pour mieux voir chaque détail de mon
40 visage, et me disait :

— Tu seras ambassadeur de France, c'est ta mère qui te le dit.

Tout de même, il y a une chose qui m'intrigue un peu. Pourquoi ne m'avait-elle pas fait Président de la République, pendant qu'elle y était ? Peut-être y avait-il, malgré tout, chez elle, plus de réserve, plus de retenue, que je ne lui en accordais. Peut-être considérait-elle, aussi, que dans l'univers d'Anna Karenine [2] et des officiers de la Garde, un Président de la République, ce n'était pas tout à fait du « beau monde », et qu'un ambassadeur en grand uniforme, ça faisait plus distingué.

J'allais parfois me cacher dans mon refuge de bûches parfumées [3],
50 je songeais à tout ce que ma mère attendait de moi, et je me mettais à pleurer, longuement, silencieusement : je ne voyais pas du tout comment j'allais pouvoir me retourner.

Je revenais ensuite à la maison, le cœur gros, et j'apprenais encore une fable de La Fontaine : c'était tout ce que je pouvais faire pour elle.

[...] Elle ne se bornait pas à me lire les poèmes, mais, fidèle à son passé d'« artiste dramatique », elle me les déclamait, debout dans le salon, sous le lustre étincelant, avec geste et sentiment ; je me souviens notamment d'un certain *Waterloo, Waterloo, Waterloo, morne plaine* qui m'avait vraiment effrayé : assis sur le bord de ma chaise, j'écoutais ma mère déclamer, debout devant moi, le livre de poèmes à la main, un bras levé ; j'avais froid dans le dos devant un tel pouvoir d'évocation ; les yeux agrandis, les genoux serrés, je regardais la morne plaine et je suis sûr que Napoléon lui-même eût été vivement impressionné, s'il se fût trouvé là.

La Promesse de l'aube, XIII (Librairie Gallimard, éditeur).

Nous savons aujourd'hui que la promesse s'est réalisée. La seconde partie de l'œuvre est consacrée aux souvenirs de guerre de ROMAIN GARY, et la fin en est particulièrement émouvante. À son retour, après avoir reçu des lettres pendant toutes ses campagnes, il apprend que sa mère est morte depuis trois ans et demi : dans ses derniers jours, elle avait écrit près de deux cent cinquante lettres qu'une amie, de Suisse, avait envoyées régulièrement à son fils. « Je continuai donc à recevoir de ma mère la force et le courage qu'il me fallait pour persévérer, alors qu'elle était morte depuis plus de trois ans. Le cordon ombilical avait continué à fonctionner. »

— 1 Au moment de la débâcle de 1940, dans cet appel à la radio de Londres, le général de Gaulle invitait les Français à continuer la lutte. | — 2 L'univers d'*Anna Karenine*, roman de Tolstoï, est celui de l'aristocratie russe. — 3 Cachette favorite de l'enfant dans un dépôt de bois.

« *Racines du ciel* »

*« Les Racines du ciel »,
film de John Huston (1958),
d'après le roman de Gary
(avec Trevor Howard,
Juliette Gréco, Errol Flynn).*

*« La Vie devant soi », film
de Moshe Misrahi (1977),
d'après le roman de Gary
(avec Simone Signoret).*
(2 ph. © Coll. Cinémathèque française
– Photeb)

« Il faut aimer »

Aux yeux de Romain Gary, les « racines du ciel » sont les valeurs « correspondant à un besoin de justice, de dignité et d'amour infinis » (cf. **p. 821**). Pour les sauvegarder, nous devons mener une lutte inlassable, même si elle doit être, comme pour Camus la lutte contre la peste, « une interminable défaite » (cf. **p. 737**). Ainsi Morel, cet illuminé entré en rébellion pour sauver les éléphants, et que l'on voit ici affronter les forces de l'ordre ; ainsi, modestement et sans tapage, l'admirable Madame Rosa, qui a recueilli le petit orphelin Momo et lui tient lieu de mère (cf. **p. 826**).

Les deux lionnes

Dans *La Vie devant soi*, MADAME ROSA est une vieille juive, ancienne déportée, ancienne prostituée, qui, dans un quartier d'immigrés, élève des enfants de prostituées ; parmi eux le petit Arabe MOMO dont les parents ne donnent plus signe de vie. C'est une femme au corps énorme et disgracieux, mais au grand cœur. Elle s'est attachée au petit MOMO, si raisonnable, avec son argot et son vocabulaire approximatif, et elle lui tient lieu de mère. De son côté, même s'il la trouve laide et ridicule, l'enfant lui est viscéralement attaché : jusqu'au bout, il s'efforcera d'adoucir sa fin de vie difficile. Dans un autre environnement, dans un autre registre, nous retrouvons donc ici le couple de la MÈRE et de l'ENFANT, car pour Momo, MADAME ROSA est plus que sa vraie mère, et elle-même redoute qu'on ne vienne reprendre l'enfant. Les considérations de l'enfant sur le sentiment maternel sont l'écho des craintes de Madame Rosa ; à partir de là, l'imagination de Momo donne naissance à un *mythe rassurant* qui prend corps et finit par gagner Madame Rosa elle-même. – THÈMES : *Famille. Enfance. Mythes. Réel et irréel. Humour.*

Les mères dénaturées, il n'y a pas de pires. Madame Rosa disait que la loi est mieux faite chez les animaux et que chez nous, c'est même dangereux d'adopter un môme. Si la vraie mère veut venir l'emmerder après parce qu'il est heureux, elle a le droit pour elle. C'est pourquoi les faux-papiers sont les meilleurs au monde et s'il y a une salope qui s'aperçoit deux ans après que son môme est heureux chez les autres et qu'elle veut le récupérer pour le perturber, si on lui a fait des faux-papiers en règle elle ne le retrouvera jamais, et ça lui donne une chance à courir.

Madame Rosa disait que chez les animaux c'est beaucoup mieux que chez
10　nous, parce qu'ils ont la loi de la nature, surtout les lionnes. Elle était pleine d'éloges pour les lionnes. Lorsque j'étais couché, avant de m'endormir, je faisais parfois sonner à la porte, j'allais ouvrir et il y avait là une lionne qui voulait entrer pour défendre ses petits. Madame Rosa disait que les lionnes sont célèbres pour ça et elles se feraient tuer plutôt que de reculer. C'est la loi de la jungle et si la lionne ne défendait pas ses petits, personne ne lui ferait confiance.

Je faisais venir ma lionne presque toutes les nuits. Elle entrait, sautait sur le lit et elle nous léchait la figure, car les autres aussi en avaient besoin et c'était moi l'aîné, je devais m'occuper d'eux. Seulement, les lions ont mauvaise
20　réputation parce qu'il faut bien qu'ils se nourrissent comme tout le monde, et quand j'annonçais aux autres que ma lionne allait entrer, ça commençait à gueuler là-dedans et même Banania s'y mettait et pourtant Dieu sait qu'il se foutait de tout, celui-là, à cause de sa bonne humeur proverbiale. J'aimais bien Banania, qui a été pris par une famille de Français qui avaient de la place et un jour j'irai le voir.

Finalement Madame Rosa a appris que je faisais venir une lionne pendant qu'elle dormait. Elle savait que c'était pas vrai et que je rêvais seulement des lois de la nature mais elle avait un système de plus en plus nerveux et l'idée qu'il y avait des bêtes sauvages dans l'appartement lui donnait des terreurs
30　nocturnes. Elle se réveillait en hurlant parce que chez moi c'était un rêve mais chez elle ça devenait un cauchemar et elle disait toujours que les cauchemars, c'est ce que les rêves deviennent toujours en vieillissant. On se faisait deux lionnes complètement différentes, tous les deux, mais qu'est-ce que vous voulez.

La Vie devant soi (Mercure de France, éditeur).

JEAN D'ORMESSON

Il arrive que le *romanesque légendaire* puise ses sources dans un imaginaire complexe, à la fois personnel, historique et sociologique, dès lors confronté à l'épreuve du réel ; ou bien encore que le romancier transpose la réalité d'une évolution sociale dans un univers imaginaire et fictif.

Dans *La Gloire de l'Empire* (1971), JEAN D'ORMESSON (né en 1925) conte l'histoire fictive d'un Empire imaginaire qui devient le symbole de la grandeur et de la décadence d'une société : il le fait avec une lucidité nostalgique qui lui permet de construire, sur le thème de *l'illusion sociale* (cf. aussi *Les Illusions de la mer,* 1968), la légende d'une société en cours d'écroulement. On dirait que le propos du romancier est d'assurer *la survie littéraire* d'un monde qu'il sait voué à disparaître pour toujours : au service de cette entreprise, il emploie tout son talent de narrateur. Dans *Histoire du Juif errant* (1991), on voit reparaître à travers les siècles, mêlé à de grands événements, Ahasvérus qui fut condamné à marcher sans mourir pour avoir refusé de l'eau à Jésus allant au supplice.

Au Plaisir de Dieu (1974) se présente comme une *chronique* familiale, mais cette chronique se transforme en *légende,* car ce monde désormais illusoire est affronté aux réalités de la modernité. La structure du récit, l'entrecroisement des destins individuels, le style qui évoque le charme d'un temps révolu et réactualisé par son expression littéraire, et en même temps traduit sans concession la brutalité de la présence du monde moderne, tous ces éléments contribuent à faire de cette chronique la légende d'une lignée et, à travers elle, la légende d'un certain art de vivre. Plus irrévérencieux dans *Dieu, sa vie, son œuvre* (1980), l'auteur s'amusera à paraphraser la *Genèse :* « La Création mise en bandes dessinées ! » (P. de Boisdeffre). Selon Jean d'Ormesson, « *La Gloire de l'Empire et Au Plaisir de Dieu* sont des rêveries sur un passé menacé et fasciné par l'avenir » (*Le Vagabond qui passe sous une ombrelle trouée,* 1978).

Mort des « grands mythes de jadis »

C'est en hommage à son grand-père, « *beau vieillard très droit qui vivait dans le souvenir* », que le narrateur entreprend la chronique de sa famille, dont « *Au plaisir de Dieu* » est la devise. Au château familial se trouvent réunies les générations successives et, pour la première fois dans l'histoire de cette famille, le monde moderne, représenté par les plus jeunes, met en péril de mort la continuité jusque-là ininterrompue d'un art de vivre : « *L'âge d'or était derrière nous avec toute cette douceur de vivre dont nous traînions dans nos légendes les échos assourdis.* » – THÈMES : *Autobiographie. Famille. Enfance. Société. Mythes.*

A Plessis-lez-Vaudreuil [1], les enfants commençaient à mener une existence très différente de celle que nous avions connue quand nous avions leur âge. Ce qui nous frappait d'abord, jusqu'à nous indigner, c'était leur besoin de distractions, qui n'était peut-être lui-même rien d'autre qu'une forme déguisée de l'amour du changement. Je crois qu'un peu d'envie, et peut-être de jalousie, se mêlait à notre étonnement. Est-ce que nous avions eu des tennis, des piscines, des amis en week-end, le ski en hiver, des motocyclettes à dix-sept ans ? A mesure que les circonstances devenaient plus difficiles, les exigences des enfants semblaient devenir plus pressantes. La situation financière de la famille n'avait
10 cessé de s'aggraver depuis le début du siècle, depuis la guerre, depuis la crise.

— 1 Jean d'Ormesson s'inspire de l'histoire de sa propre famille et ce château de Plessis-lez-Vaudreuil ressemble fort au château de Saint-Fargeau (Yonne) dont la famille d'Ormesson a dû se défaire faute de pouvoir l'entretenir.

Il y avait deux catégories de personnes dont nous répétions pourtant, à longueur de journées, qu'ils en demandaient toujours davantage : c'étaient les enfants et les domestiques. On commençait déjà à avoir un peu de mal à trouver des cuisinières et des maîtres d'hôtel pour Plessis-lez-Vaudreuil où il n'y avait pas de cinéma et où le bal du samedi remplaçait avec peine les plaisirs de la ville. Et les enfants se plaignaient avec autant d'âpreté que les femmes de chambre exilées qui regrettaient Paris : la montagne, les voyages, la mer les faisaient déjà rêver. Nous avions parfois l'impression, à nos yeux monstrueuse, qu'ils s'ennuyaient dans la vieille maison. Nous parlions beaucoup de ces problèmes
20 familiaux qui avaient remplacé dans nos préoccupations les grands mythes de jadis, évanouis dans le néant. Les vacances des enfants et les gages des filles de cuisine s'étaient substitués au roi. C'était surtout pour plaire aux enfants, qu'il aimait profondément, que mon grand-père avait fait construire le tennis dans un coin du potager, qu'il avait fait aménager, en plein Front populaire, comme je l'ai déjà raconté, deux salles de bains dans le château. Malgré l'aide de Michel et de la tante Gabrielle, elles lui avaient coûté les yeux de la tête. Et il lui semblait que les enfants n'exprimaient jamais — et sans doute n'éprouvaient jamais — aucun sentiment qui ressemblât à de la gratitude.

Au Plaisir de Dieu, II, 4 (Librairie Gallimard, éditeur).

La transposition légendaire de la réalité vécue, JEAN D'ORMESSON l'opère aussi lorsqu'il aborde un tout autre genre que le roman, la biographie (*Mon dernier rêve sera pour vous, biographie sentimentale de Chateaubriand,* 1982). Elle s'élargit enfin aux dimensions géographiques, politiques, sociales de l'histoire du monde moderne et contemporain dans une trilogie : *Le Vent du soir* (1985), *Tous les hommes en sont fous* (1986), *Le Bonheur à San Miniato* (1987). Le romancier y imbrique dans la réalité historique la légende, « *depuis le milieu du XIXᵉ siècle, en Europe, en Asie, en Afrique, en Amérique du Nord et du Sud* », des familles O'Shaughnessy, Wronski, Finkelstein et Romero. Au centre de la trilogie, c'est, plus particulièrement, la légende de ces quatre sœurs O'Shaughnessy dont il nous est dit qu'elles sont proprement « *inouïes* », ce qui ne les empêche pas de se trouver mêlées à tous les événements de l'histoire la plus authentique. Diverses « notes biographiques » présentent, sans distinction autre que l'ordre alphabétique, aussi bien les personnages « réels » que les personnages « légendaires » ! Dans *La Douane de mer* (1993) et *Presque rien sur presque tout* (1996), le champ romanesque englobe tout l'univers de la connaissance. Puis, passage au burlesque avec *Casimir mène la grande vie* (1997).

MICHEL TOURNIER

MICHEL TOURNIER (né en 1924), philosophe de formation, est venu assez tard à la littérature. Son œuvre est représentative du courant du « roman-légende », et il en a conscience : « Le passage de la métaphysique au roman devait m'être fourni par les mythes » (*Le Vent Paraclet,* 1977). Dès son premier roman, *Vendredi ou les Limbes du Pacifique* (1967), il reprend la légende de Robinson Crusoë, mais il en modifie jusqu'à l'inverser le symbolisme moral et métaphysique, de manière à l'actualiser tout en respectant sa dimension mythologique. Il fait de même avec la légende germanique dans *Le Roi des aulnes* (1970). On ne s'étonnera pas qu'il ait resserré et modifié à l'usage des jeunes son premier roman, devenu *Vendredi ou la vie sauvage* (1977), et qu'il ait aussi écrit des contes pour enfants (*Pierrot ou les secrets de la nuit,* 1979 ; *Barbedor,* 1980). En effet, il n'est jamais autant lui-même que lorsqu'il élabore ses propres légendes, comme dans les contes et nouvelles du *Coq de bruyère* (1978) et du *Medianoche amoureux* (1989). Il lui arrive aussi de multiplier ces légendes inventées, de les entrelacer en un récit complexe et cependant rigoureusement agencé. Ainsi dans *Les Météores* (1974) où, autour du thème mythique de la gémellité, il combine la légende de l'enfance avec celle de la

Bretagne, la légende d'un tour du monde initiatique avec celle de l'oncle Alexandre, spécialiste de la collecte des ordures ménagères et « empereur des gadoues » !

Il semble que l'œuvre littéraire de TOURNIER obéisse, sous le signe de la permanence du propos légendaire, à une sorte d'alternance entre légende inventée et légende transposée. Après *Les Météores*, il reprend la légende des Rois mages — mais en y introduisant un quatrième roi ! — dans *Gaspard, Melchior et Balthazar* (1980). Dans *La Goutte d'or* (1985), c'est le retour au monde actuel, avec l'histoire du petit Saharien Idriss, attiré par le mirage parisien et qui finit par être manœuvre au marteau-piqueur place Vendôme. Nouvelle référence à la Bible (Moïse) dans *Éléazar ou la source et le buisson* (1996, « western biblique »). *Des clefs et des serrures* (1979), enfin, nous révèle un autre Tournier, passionné de photo, qui nous présente des chefs-d'œuvre de grands photographes.

Dans l'œuvre de TOURNIER, loin d'être le support de considérations philosophiques, le mythe nourrit la matière romanesque. Ainsi la lecture peut s'opérer à plusieurs niveaux selon que l'on s'en tient au sens littéral ou qu'on considère le roman comme une « théorie de la connaissance » ayant valeur d'initiation, puisque « tout est signe » *(Le Roi des aulnes)*. Il arrive que le sens apparent en cache un second, « lequel déchiffré trahit la présence d'une troisième signification et ainsi de suite » *(Gaspard...)*. C'est à nous d'assumer notre « déchiffrage » car, selon Tournier, « un roman peut certes contenir une thèse, mais il importe que ce soit le lecteur, non l'écrivain, qui l'y ait mise » *(Le Vol du vampire*, notes de lecture, 1981).

Depuis son coup d'essai, *Vendredi*, salué aussitôt par le Grand Prix du roman de l'Académie Française pour son originalité et pour la parfaite maîtrise « classique » de son écriture, MICHEL TOURNIER est considéré comme un des plus grands écrivains français de notre temps.

L'ASCENSION DE L'ARBRE

Dans *Vendredi ou les Limbes du Pacifique*, TOURNIER inverse en quelque sorte la légende de Robinson en retournant sa relation avec Vendredi : après l'échec de Robinson dans sa tentative pour asservir Vendredi, c'est Vendredi qui devient le meneur de jeu. La page qu'on va lire nous montre un autre aspect du roman. En grimpant au sommet d'un araucaria, ROBINSON, l'homme civilisé, prend un contact de plus en plus profond avec la nature. Progressivement, il participe à la vie et à la fonction de ce géant des forêts, fait corps avec ce « grand navire », assimile sa respiration à celle de l'arbre ; et, au lieu d'éprouver vertige et angoisse comme dans le clocher d'York, *il va se sentir rassuré et apaisé*. Extase suprême, le soleil vient le réchauffer, l'illuminer de ses rayons et lui apporter « une allégresse nouvelle ». – THÈMES : *Nature. Psychologie. Civilisation. Symboles.*

Il empoigna la branche la plus accessible et s'y hissa sur un genou, puis debout, songeant vaguement qu'il jouirait du lever du soleil quelques minutes plus tôt s'il grimpait au sommet de l'arbre. Il gravit sans difficulté les étages successifs de la charpente avec l'impression grandissante de se trouver prisonnier — et comme solidaire — d'une vaste structure, infiniment ramifiée, qui partait du tronc à l'écorce rougeâtre et se développait en branches, branchettes, tiges et tigelles, pour aboutir aux nervures des feuilles triangulaires, piquantes, squamiformes et enroulées en spirale autour des rameaux. Il participait
10 à l'évidente fonction de l'arbre qui est d'embrasser l'air de ses milliers de bras, de l'étreindre de ses millions de doigts. A mesure qu'il s'élevait, il devenait sensible à l'oscillation de l'architecturale membrure dans laquelle le vent passait avec un ronflement d'orgue. Il approchait de la cime quand il se trouva soudain environné de vide. Sous l'effet de

la foudre, peut-être, le tronc se trouvait écuissé [1] en cet endroit sur une hauteur de six pieds. Il baissa les yeux pour échapper au vertige. Sous ses pieds, un fouillis de branches disposées en plans superposés s'enfonçait en tournant dans une étourdissante perspective. Une terreur de son enfance lui revint en mémoire. Il avait voulu monter dans le
20 clocher de la cathédrale d'York. Ayant longtemps progressé dans l'escalier raide et étroit, vissé autour d'une colonnette de pierre sculptée, il avait brusquement quitté la rassurante pénombre des murs et avait émergé en plein ciel, au milieu d'un espace rendu plus vertigineux encore par la lointaine silhouette des toits de la ville. Il avait fallu le redescendre comme un paquet, la tête enveloppée dans sa capeline d'écolier...

Il ferma les yeux et appuya sa joue contre le tronc, seul point ferme dont il disposât. Dans cette vivante mâture, le travail du bois, surchargé de membres et cardant le vent, s'entendait comme une vibration sourde
30 que traversait parfois un long gémissement. Il écouta longuement cette apaisante rumeur. L'angoisse desserrait son étreinte. Il rêvait. L'arbre était un grand navire ancré dans l'humus et il luttait, toutes voiles dehors, pour prendre enfin son essor. Une chaude caresse enveloppa son visage. Ses paupières devinrent incandescentes. Il comprit que le soleil s'était levé, mais il retarda encore un peu le moment d'ouvrir les yeux. Il était attentif à la montée en lui d'une allégresse nouvelle. Une vague chaleureuse le recouvrait. Après la misère de l'aube, la lumière fauve fécondait souverainement toutes choses. Il ouvrit les yeux à demi. Entre ses cils, des poignées de paillettes luminescentes étincelèrent. Un
40 souffle tiède fit frémir les frondaisons. *La feuille poumon de l'arbre, l'arbre poumon lui-même, et donc le vent sa respiration,* pensa Robinson. Il rêva de ses propres poumons, déployés au-dehors, buisson de chair purpurine, polypier de corail vivant, avec des membranes roses, des éponges muqueuses... Il agiterait dans l'air cette exubérance délicate, ce bouquet de fleurs charnelles, et une joie pourpre le pénétrerait par le canal du tronc gonflé de sang vermeil...

Du côté du rivage, un grand oiseau de couleur vieil or, de forme losangée, se balançait fantasquement dans le ciel. Vendredi exécutant sa mystérieuse promesse faisait voler Andoar [2].

Vendredi ou les limbes du Pacifique, IX (Librairie Gallimard, éditeur).

A l'inverse du héros de Daniel Defoe qui retourne vers le monde civilisé, le Robinson *de* TOURNIER, *qui a découvert le bonheur de la « vie sauvage », décidera de rester dans son île. Il y goûtera « un présent perpétuel, sans passé, sans avenir », au lieu de « choir dans un monde d'usure, de poussière et de ruines ».*

— 1 *Écuisser :* « Faire éclater le tronc d'un arbre en l'abattant » (Littré). — 2 Nom d'un bouquetin dont Vendredi a tanné la peau et qu'il a promis de faire « voler et chanter » : il en a fait un cerf-volant et gagné ainsi son pari.

Une mythologie du XXe siècle

« La Planète des singes »,
film de F.J. Shaffner
(1968), avec
Charlton Heston,
d'après le roman de
Pierre Boulle. (2 ph. © Coll.
Cinémathèque française – Photeb)

La science-fiction

La Planète des singes a l'attrait de la science-fiction, mais présente, en plus, l'intérêt de certains contes philosophiques du XVIIIe siècle. Il y a matière à réflexion lorsqu'on voit comme ici un homme capturé, transporté et encagé selon les méthodes de nos chasseurs de fauves, ou examiné par une docte assemblée de singes qui voient en lui un cas intéressant. On appréciera le parti humoristique que P. Boulle a tiré des sentiments éprouvés par l'homme et le chimpanzé femelle (cf. **p. 840**). Par ce détour, la science-fiction, tout en nous transportant hors de la terre, nous ramène ici-bas.

L'image et le modèle

L'auteur de *Gaspard, Melchior et Balthazar* (1980) imagine qu'au cours de son long voyage vers Bethléem, chacun des rois mages revit divers épisodes de son existence tout en méditant sur son sort et sur la condition humaine. C'est ainsi que BALTHAZAR, amateur d'œuvres d'art, nous dit dans quelles circonstances étranges, invité par son père à se marier, il a été conduit à épouser MALVINA qu'il n'a jamais vraiment aimée. Comme il est fréquent chez TOURNIER, la légende peut se lire à d'autres niveaux : une révélation sur les aspirations de l'âme humaine, une prise de conscience des rapports entre l'art et le réel ou une résonance platonicienne. – THÈMES : *Amour. Art. Beaux-arts. Adolescence.*

J'étais alors un voyageur sédentaire auquel les choses exotiques tenaient lieu de chameaux, de navires, de tapis volants pour fuir là-bas, fuir de l'autre côté de l'horizon. C'est ainsi que j'ai trouvé ce jour-là un miroir — ou si l'on veut un ancien miroir — dont la plaque de métal poli avait été remplacée ou recouverte par un portrait peint en terres de couleurs. Il s'agissait d'une jeune fille, très pâle, aux yeux bleus, à l'abondante chevelure noire croulant en flots indisciplinés sur son front et ses épaules. Son air grave contrastait avec l'extrême jeunesse de ses traits, et leur donnait une expression de mélancolie boudeuse. Etait-ce parce que je tenais ce portrait face à moi par le manche du miroir ?
10 Je me plus à trouver un certain air de famille entre cette petite fille et moi-même. Nous devions avoir à peu près le même âge ; elle était comme moi brune et bleue ; à en juger par la provenance des caravanes, elle avait traversé les plateaux glacés d'Assyrie pour venir me rejoindre. J'acquis l'objet, et m'envolai sur les ailes de mon imagination. Où était actuellement cette fille ? Venait-elle de Ninive, d'Ecbatane, de Ragès ? Mais peut-être était-elle aussi loin dans le temps que dans l'espace ? Peut-être ce portrait avait-il été fait il y avait un siècle ou deux, et alors son gracieux modèle avait rejoint la poussière de ses ancêtres. Cette supposition, bien loin de m'accabler, m'attacha d'autant plus au portrait, lequel prenait ainsi une plus grande valeur, une valeur comme
20 absolue, dès lors qu'il avait perdu son terme de référence. Étrange réaction qui aurait dû m'éclairer sur mes sentiments véritables !
Mon père me rendait parfois de brèves visites dans mes appartements. Préoccupé sans doute par la question qu'il m'avait posée, il alla droit au portrait-miroir. Ses questions me rappelèrent naturellement le conseil qu'il m'avait donné d'avoir à chercher une fiancée. — C'est la femme que j'aime et que je veux comme future reine de Nippur, répondis-je.
Mais il fallut bien lui avouer ensuite que je n'avais aucune idée de son nom, de ses origines, ni même de son âge. Le roi haussa les épaules devant tant d'enfantillage, et se dirigea vers la porte. Puis il se ravisa et revint vers moi.
30 — Veux-tu me le confier trois jours ? me demanda-t-il.
Bien que l'idée de me séparer du portrait-miroir me répugnât, je ne pus faire autrement que de le laisser l'emporter. Mais je mesurai du même coup, au pincement que je ressentis, combien j'y étais attaché.
Mon père, sous les airs frivoles qu'il se plaisait à se donner, était un homme exact et scrupuleux. Trois jours plus tard, il reparaissait chez moi le miroir à la main. Il le posa sur la table en disant simplement : « Voilà. Elle s'appelle Malvina. Elle demeure à la cour du satrape d'Hyrcanie dont elle est une parente éloignée. Elle a dix-huit ans. Veux-tu que je la demande pour toi ? »[...] Sans la pression que mon père et mon entourage exerçaient sur moi, je n'aurais jamais
40 songé à une Malvina venue des confins de la mer Hyrcanienne. L'image me

suffisait. C'était elle que j'aimais, et la jeune fille réelle ne pouvait m'émouvoir que secondairement, dans la mesure où je trouvais sur ses traits un reflet de l'œuvre adulée.

Gaspard, Melchior et Balthazar (Librairie Gallimard, éditeur).

Fabulation météorologique

Les Météores sont l'histoire de deux jumeaux, JEAN et PAUL, si vraiment jumeaux qu'on les désigne par un unique prénom double, JEAN-PAUL. Pour échapper à la contrainte d'une gémellité perpétuelle, JEAN décide de rejoindre la réalité commune en se mariant et il prépare son voyage de noces ; mais c'est seulement pour vérifier sur le terrain l'imaginaire « météorologique » qui le hante depuis son enfance. C'est SOPHIE, la fiancée de JEAN, qui parle, selon une technique mise en œuvre tout au long du roman où l'auteur fait parler tour à tour différents personnages. – THÈMES : *Nature. Psychologie.*

J'admirais sa faculté de fabulation qui s'exprimait dans des monologues infinis, une sorte de ronron verbal assez puéril, très doux, berceur, plaintif, dont j'ai compris par la suite qu'il dérivait — comme sa version amoureuse, prénuptiale — de ce fameux éolien, la langue secrète qu'il parlait avec son frère. Car Jean qui ne connaissait que Paris et les Côtes-du-Nord évoquait tous les pays comme s'il y avait longtemps vécu. Il avait évidemment la tête farcie de rapports de navigateurs et de récits d'exploration, et citait à tout moment Bougainville, Kerguelen, La Pérouse, Cook, Dampier, Darwin, Dumont d'Urville. Mais il avait sa clé personnelle pour entrer dans cette
10 géographie imaginaire, et cette clé, je m'en aperçus bientôt, était de nature météorologique. Il me l'a dit plus d'une fois, ce qui l'intéressait dans les saisons, c'était moins le retour régulier des figures astrales que la frange de nuages, de pluies et d'embellies qui les entoure.

— J'ai de chaque pays une connaissance livresque, expliquait-il. Je n'attends pas de notre voyage de noces qu'il détruise mes préjugés sur l'Italie, l'Angleterre, le Japon. Au contraire. Il ne fera que les confirmer, les enrichir, les approfondir. Mais ce que j'attends de ce voyage, c'est qu'il apporte à mes pays imaginaires la touche concrète inimaginable, le je-ne-sais-quoi qui est comme le cachet inimitable du réel. Et cette touche, ce je-ne-sais-quoi, je le vois d'abord comme
20 une lumière, une couleur de ciel, une atmosphère, des météores [1].

Les Météores, XIV (Librairie Gallimard, éditeur).

PAUL brisera le projet de mariage de JEAN, qui partira seul pour Venise, et son jumeau se lancera à sa poursuite pour un long voyage autour du monde.

Infiniment diverses peuvent être les variantes de cette fonction mythologique et légendaire du roman, variantes dont quelques exemples caractéristiques se rencontrent dans les romans de NOËL DEVAULX (né en 1905 : *La Dame de Murcie*, 1961), auteur aussi de nouvelles fantastiques (*Sainte Barbegrise*, 1952, rééd. 1984 ; *Le Lézard d'immortalité*, 1977 ; *Le Visiteur insolite*, 1985), de BRUNO GAY-LUSSAC (né en 1918 : *Le Salon bleu*, 1964), de JOSÉ CABANIS (né en 1922 : *La Bataille de Toulouse*, 1966 ; cf. p. 807), de CLAUDE-MICHEL CLUNY (né en 1930 : *La Balle au bond*, 1961) ou de FRANTZ-ANDRÉ BURGUET (né en 1938 : *Le Reliquaire*, 1964).

— 1 Non pas « *une pierre tombée du ciel* — *ce qui s'appelle un météorite* — *mais tout phénomène* ayant lieu dans l'atmosphère, grêle, brouillard, neige, aurore boréale, et dont la météorologie est la science » (Tournier).

ENTRE LE RÉEL ET L'ÉNIGMATIQUE

Patrick Modiano   PATRICK MODIANO (né en 1945) est né trop tard pour avoir vécu les années sombres de l'Occupation, mais le climat de cette période est le thème obsessionnel de ses trois premiers romans, *La Place de l'Étoile* (1968), *La Ronde de nuit* (1969), *Les Boulevards de ceinture* (1972), et même de *Livret de famille* (1977) présenté comme une autobiographie ; on le retrouve encore dans *Lacombe Lucien* (1974, scénario d'un film réalisé par Louis Malle), *Remise de peine* (1988), *Voyage de noces* (1990). Cette atmosphère, il la reconstitue par une interpénétration subtile entre l'imaginaire et les souvenirs vécus, recueillis dans les milieux juifs auxquels il se flatte d'appartenir. Dans cette atmosphère « vénéneuse » de l'Occupation, il fait vivre des marginaux, des trafiquants de marché noir, des collaborateurs, des agents doubles, des résistants partagés entre la traîtrise et l'héroïsme.

Autre thème obsédant, celui de la quête de l'identité. Si certains de ses personnages ne savent pas au juste *ce qu'ils sont,* d'autres ne savent même pas *qui ils sont.* Le narrateur des *Boulevards de ceinture* est à la recherche de son père ; dans *Villa triste* (1975), le passé renaît avec précision, mais se brouille sous l'effet d'oublis et de lacunes ; dans *Rue des Boutiques obscures* (1978, prix Goncourt), un enquêteur amnésique est tenté de s'identifier avec un inconnu dont il trouve trace ; autre enquête : *Dora Bruder* (1997).

L'Occupation cesse, dans ce roman, de devenir le thème majeur, de même que dans la plupart de ceux qui ont suivi. Mais ce qui subsiste, ce qui fait que la « petite phrase musicale » de MODIANO se reconnaît entre toutes, c'est cette atmosphère poétique d'ambiguïté et d'indécision, due aux jeux de la mémoire tantôt précise tantôt évanescente, mêlant dans le flou le présent, le passé, et peut-être le souvenir d'une vie antérieure, un halo entre rêve et réalité qui, dans ses brefs romans, agit avec un charme très envoûtant. Ainsi dans *Une jeunesse* (1981) ; *Memory Lane* (1981) ; *De si braves garçons* (1982) ; *Quartier perdu* (1984) ; *Dimanches d'août* (1986) ; *Vestiaire de l'enfance* (1989) ; *Fleurs de ruine* (1991) ; *Un Cirque passe* (1992) ; *Chien de printemps* (1993) ; *Du plus loin de l'oubli* (1996) ; *Des inconnues* (1999).

Le style de Modiano est simple, pur, d'une transparence savamment ménagée et d'un grand pouvoir de suggestion.

IDENTIFICATION AVEC UN INCONNU

Dans *Rue des Boutiques obscures* le roman revêt les apparences d'une enquête policière. L'enquêteur, GUY ROLAND, est employé dans une agence de police privée ; il enquête sur un homme qui semble avoir de sérieuses raisons de se cacher. Tout ce que sait l'enquêteur est : « *Un homme dont le prénom était Pedro. Anjou 15-28. 10 bis rue Cambacérès, huitième arrondissement* ». Peu à peu, l'enquête révèle une suite de petits faits qui hantent l'imagination de l'enquêteur, et voici qu'émerge aussi peu à peu le vrai sujet du roman : la progressive identification imaginaire de GUY ROLAND avec ce PEDRO énigmatique. Et l'on songe au processus d'identification d'un lecteur de roman avec le héros romanesque. L'enquêteur en vient alors à évoquer le souvenir d'une de ses deux rencontres avec PEDRO.

« Pedro » restait allongé sur le lit et avait allumé une nouvelle cigarette. Cet homme se sentait en confiance puisqu'il a dit :

— J'ose de moins en moins sortir dans les rues...

Et il avait même ajouté :

— Il y a des jours où j'ai tellement peur que je reste au lit...

Après tout ce temps, il entendait encore les deux phrases, prononcées d'une voix sourde par « Pedro ». Il n'avait pas su quoi répondre. Il s'en était tiré par une remarque d'ordre général, quelque chose comme : « Nous vivons une drôle d'époque. »

10   Pedro, alors, lui avait dit brusquement :
— Je crois que j'ai trouvé un moyen pour quitter la France... Avec
de l'argent, tout est possible...
Il se souvenait que de très minces flocons de neige — presque des
gouttes de pluie — tourbillonnaient derrière les vitres de la fenêtre.
Et cette neige qui tombait, la nuit du dehors, l'exiguïté de la chambre,
lui causaient une impression d'étouffement. Est-ce qu'il était encore
possible de fuir quelque part, même avec de l'argent ?
— Oui, murmurait Pedro... J'ai un moyen de passer au Portugal...
Par la Suisse...
20   Le mot « Portugal » avait aussitôt évoqué pour lui l'océan vert, le
soleil, une boisson orangée que l'on boit à l'aide d'une paille, sous un
parasol. Et si un jour — s'était-il dit — nous nous retrouvions, ce
« Pedro » et moi, en été, dans un café de Lisbonne ou d'Estoril ? Ils
auraient un geste nonchalant pour presser le bec de la bouteille d'eau
de Seltz... Comme elle leur semblerait lointaine, cette petite chambre
de l'hôtel Castille, avec la neige, le noir, le Paris de cet hiver lugubre,
les trafics qu'il fallait faire pour s'en sortir... Il avait quitté la chambre
en disant à ce « Pedro » : « Bonne chance. »
Qu'était-il advenu de « Pedro » ? Il souhaitait que cet homme qu'il
30   n'avait rencontré que deux fois, il y a si longtemps, fût aussi paisible
et heureux que lui, par ce soir d'été, avec un enfant qui enjambe les
dernières flaques de soleil sur le trottoir.

> *Ce n'est qu'à la fin du roman qu'est révélée la raison d'être du titre, alors que l'enquêteur*
> *se trouve dans une île des Moluques :* « Il me fallait tenter une dernière démarche : me
> rendre à mon ancienne adresse à Rome, Rue des Boutiques obscures, 2. »

Rue des Boutiques obscures (Librairie Gallimard, éditeur).

Michel del Castillo   MICHEL DEL CASTILLO est né à Madrid, en 1933, d'une
mère espagnole et d'un père français. A l'âge de six ans,
il dut quitter l'Espagne pour la France, avec sa mère, à la fin de la guerre civile. Abandonné
par sa mère dans un camp d'internement nazi, il restera obsédé par cet acte
incompréhensible, la rigueur des camps, l'orphelinat en Espagne. Puis il entreprend à
Paris des études supérieures de lettres et de philosophie et publie, en 1957, *Tanguy*, histoire
d'un jeune garçon qui lui ressemble comme un frère. Avant d'obtenir un grand
succès avec *La Nuit du décret* (1981, prix Renaudot), il avait publié de nombreux romans,
parmi lesquels : *Le Manège espagnol* (1961), *Les Louves de l'Escurial* (1964, 1980), *Le Vent
de la nuit* (1972), *Le Silence des pierres* (1975), *Le Sortilège espagnol* (1977), *Les cyprès
meurent en Italie* (1979), *Messe du contraste* (1980). Ensuite *La Gloire de Dina* (1984),
Le Démon de l'oubli (1987), *Mort d'un poète* (1989), *Une femme en soi* (1991), *Le Crime
des pères* (1994), *Rue des Archives* (1994), *Mon frère l'Idiot* (1995), *La Tunique d'infamie*
(1997), *De père français* (1998).

Beaucoup de ces titres le révèlent, MICHEL DEL CASTILLO demeure hanté par le souvenir
d'une guerre civile atroce qui, dit-il, l'a marqué pour toute sa vie. Sous le masque d'une
apparente froideur, il dépeint avec une lucidité méticuleuse la tyrannie policière de l'État
franquiste, et il traduit avec pudeur sa réaction devant les souffrances et les injustices
infligées aux hommes par un Destin incompréhensible. Il écrit dans un style direct mais
suggestif grâce auquel atmosphère et action s'interpénètrent, et communiquent au lecteur
une impression d'oscillation entre angoisse et sérénité.

« *Une réalité redoutable...* »

Dans *La Nuit du décret*, MICHEL DEL CASTILLO utilise, comme Modiano, la structure de l'enquête. En Espagne, au temps du franquisme, le narrateur SANTIAGO LAREDO, jeune inspecteur de police, est nommé à Huesca pour s'y trouver le subordonné d'ALVAREDO PARED que tout le monde lui présente comme un tyran. Mais voici que ce personnage devient pour lui une *énigme* non plus policière, mais politique, psychologique et métaphysique. Le roman est alors l'histoire du double progrès, chez le narrateur, de la lucidité et de l'horreur, une véritable *descente aux Enfers*, descente qui s'achève lorsque, exilé en France, à Pau, il s'aperçoit que, sous le calme apparent de sa situation actuelle, subsiste toujours une menace à l'affût dans un passé encore présent.

Depuis des années, j'habite une petite ville assoupie, ceinte de remparts. J'enseigne l'espagnol dans une institution religieuse. On me dit bon professeur, d'une sévère exactitude. Je bois du pastis, je joue à la pétanque. Les gens me trouvent intelligent parce que j'acquiesce à tous leurs propos. D'ailleurs, je n'ai d'opinion tranchée sur rien. A la télévision, je ne regarde que les films, ceux qui passent à vingt heures trente exclusivement, avec une préférence pour le plus épais comique. Je m'habille de couleurs ternes. Je cultive mon jardinet, devant mon appartement du rez-de-chaussée, et je ne manque pas une occasion de demander des conseils aux voisins sur la meilleure façon de tailler les rosiers
10 ou de multiplier les delphiniums. Je possède un chien que j'ai adopté dans un refuge de la SPA. Je paie ponctuellement les traites sur mon appartement. Le dimanche, je joue au tiercé, et le mardi au loto, non dans l'espoir de m'enrichir, mais pour avoir un sujet de conversation quand je vais au bureau-tabac du coin. Le dimanche après-midi, nous nous promenons bras dessus, bras dessous, Marina et moi, en prenant bien soin de saluer tous ceux que nous croisons. Entendant un bruit de pas dans mon dos, il m'arrive pourtant de ralentir ma marche et de me retourner brusquement, le cœur battant. Sous l'apparence rassurante du quotidien, je distingue en effet une réalité redoutable, ignorée de la majorité. Dans un grenier poussiéreux, je vois un humble scribe,
20 courbé au-dessus d'une feuille de papier grisâtre. Avec application, il écrit des mots neutres, dévidant des phrases incolores qui sont autant de fils invisibles ; des milliards de phrases qui courent, voyagent d'un bureau à un autre, alimentent des machines étincelantes, tissant une toile serrée où chacun de nous finira par s'échouer, quand l'heure arrivera.

La Nuit du décret (Le Seuil, éditeur).

Jean-Marc Roberts   Romancier précoce, JEAN-MARC ROBERTS (né en 1954) débute avec *Samedi, dimanche et fêtes* (1972, prix Fénéon). Après *La Partie belle* (1974), *Le Sommeil agité* (1977) et *Les Enfants de fortune* (1978), il reçoit le prix Renaudot pour *Affaires étrangères* (1979) ; il publie ensuite *Mon père américain* (1988, autobiographique), *L'Angoisse du tigre* (1990), *Monsieur Pinocchio* (1991), *Les Seins de Blanche-Neige* (1994), *Affaires personnelles* (1996), *Une petite femme* (1998) — Il a participé à l'adaptation cinématographique de ses romans par P. Granier-Deferre (*Une étrange affaire*, prix Louis-Delluc, 1981).

Avec *L'Ami de Vincent* (1982), le romancier aborde le thème de *l'amitié*. Dans ce roman de structure classique — histoire d'une *crise*, de sa naissance, de son déroulement, de son dénouement —, J.-M. ROBERTS analyse la dégradation progressive d'une amitié d'abord exemplaire ; mais il multiplie aussi les retours en arrière, évocations d'un passé heureux et lumineux formant un contraste tragique avec l'angoisse qui investit de plus en plus le présent du héros. Le roman revêt, à la première personne, la forme d'une confession rétrospective de « l'ami de Vincent ».

L'imperméable vert

Au cours de leur adolescence en Italie, ALBERT GANGE et VINCENT LAMAR sont liés d'une amitié parfaite, partageant tout aussi bien les « petites amies » que leurs rêves, leurs projets et leurs pensées. Les voici maintenant membres d'un orchestre qui se produit dans un music-hall de Montmartre : ALBERT en est le chef, et VINCENT y est trompettiste. Un soir, arrive une inconnue (du moins l'est-elle d'Albert), avec *« un imperméable vert jeté sur les épaules »*, qui vient accuser VINCENT d'avoir tué sa sœur. Révélation dont rien ne prouve qu'elle soit vraie mais qui bouleverse ALBERT. Vraie ou non, elle lui apprend en effet au moins une chose : cette amitié exemplaire ne l'était pas réellement, puisque Vincent lui avait caché un aspect de sa vie et de sa personnalité. ALBERT s'engage alors dans une enquête secrète sur le passé de VINCENT : il s'apercevra qu'ainsi il s'oriente vers une sorte de suicide de son amitié, processus d'autant plus implacable que cette enquête ne débouche pratiquement sur rien. – THÈMES : *Amitié. Psychologie.*

Je ne relevai aucun indice, les jours qui suivirent, qui me permît de penser que la fille [1] avait parlé à Vincent. J'avais choisi de le voir beaucoup, passant exprès chez lui à l'improviste, m'invitant à déjeuner au dernier moment. Je ne constatai rien d'anormal. Vincent, égal à lui-même, m'accueillait bras ouverts, multipliant les « tu es ici chez toi » pour me mettre à mon aise. La fille, après tout, ne m'avait peut-être pas menti.

Je commençai à regretter que l'imperméable vert n'ait pas réapparu au théâtre. J'en voulais à Vincent de l'avoir oublié, de l'oublier devant moi. Je lui reprochais de ne pas soupçonner mon enquête. Comment n'avait-il pas
10 deviné ?

Milena [2] avait raison, je le désirais coupable, je découvrirais sans doute tôt ou tard une preuve accablante contre lui : m'en servirais-je alors ? Et comment ? Je refusais de trancher, songeant seulement à marquer un point supplémentaire sur mon inséparable.

J'allais me résoudre peu à peu à me détacher de lui pour en savoir davantage. Il faudrait m'en écarter, froisser, gâter enfin cette amitié exemplaire. N'avais-je pas décidé de partir pour Vienne à l'instant même où Vincent me fuyait ? Mes rencontres avaient rendu le jeu fascinant, je devais aussi me prouver certaines choses, montrer du courage.
20 Je fis appel à d'autres trompettistes pour les rares enregistrements auxquels je participais. J'omettais volontairement de signaler à Vincent que Janvion [3] l'avait réclamé au music-hall. Il manqua ainsi, par ma faute, plusieurs répétitions. Je l'excusais, le prétendant distrait ou capricieux. Je doutais devant les musiciens de sa conscience professionnelle, de son sens des responsabilités.

La facilité avec laquelle j'avais accepté de brûler Vincent à leurs yeux m'étonna moi-même. Soudain, j'eus le sentiment d'avoir mis en œuvre, enquête, recherches, pour me soulager du poids de cet ami, décidément trop encombrant. Ainsi, l'imperméable vert perdait provisoirement de son importance, je ne lui reconnaissais plus que valeur de symbole ou de prétexte. La course se disputait
30 bien entre Vincent et moi ; il n'aurait pas été sérieux d'espérer parvenir ensemble sur la ligne d'arrivée.

L'Ami de Vincent (Le Seuil, éditeur).

— 1 Une ancienne « passade » de Vincent retrouvée par Albert et dont il vient d'apprendre qu'ayant rencontré Vincent, elle ne lui a rien révélé. — 2 Seconde femme du père de Vincent, qui vit à Vienne où s'est récemment rendu Albert. — 3 Propriétaire du music-hall.

ALBERT *finira par retrouver la « fille à l'imperméable vert »,* ÉLEONORA LANA, *Italienne devenue en France* NORA, *et ouvreuse de cinéma à Paris. En accusant* VINCENT *d'avoir tué sa sœur — qui en fait est bien vivante sous le nom de Serena —, elle avait simplement voulu provoquer chez lui un choc, pensant pouvoir récupérer ainsi l'amant qu'il avait été pour elle et qu'elle aime toujours. Mais ce stratagème dérisoire a causé la mort définitive d'une amitié :* VINCENT *et sa femme* NATHALIE *quittent Paris à la sauvette sans qu'*ALBERT *cherche à savoir où ils sont allés ; lui-même reste chef d'orchestre au même music-hall et il a simplement recruté un autre trompettiste.*

UNE MYTHOLOGIE DU XXᵉ SIÈCLE

La science-fiction　　　Ce n'est sans doute pas un hasard si, à partir de 1950 environ, les œuvres de JULES VERNE (1828-1905 : *Voyages extraordinaires,* 1863-1897) cessent d'être considérées comme appartenant seulement à la « littérature pour la jeunesse » et apparaissent comme celles d'un précurseur : l'anticipation scientifique à la Jules Verne est en effet une des sources du genre moderne de la science-fiction. Une autre redécouverte de signification identique a lieu dans le même temps, celle de J.-H. ROSNY AÎNÉ (1856-1940), ancien disciple de Zola, qui, à partir de 1887, se fondant sur les découvertes de la préhistoire et de la paléontologie, réimagine une histoire mythique de l'humanité depuis ses origines jusqu'à ce terme catastrophique de l'histoire où l'homme est détrôné par une espèce nouvelle et supérieure, les Ferromagnétaux (*Les Xipéhuz,* 1887 ; *Un autre monde,* 1888 ; *La Mort de la Terre,* 1910 ; *La Guerre du feu,* 1911 ; *Les Navigateurs de l'Infini,* 1925).

Ainsi, avant même que la science-fiction ne devienne une spécialité anglo-saxonne, particulièrement américaine (cinéma, télévision, bande dessinée), la littérature française avait révélé, dès la fin du XIXᵉ siècle, les possibilités romanesques et mythologiques d'un nouvel imaginaire suscité par le progrès scientifique. Possibilités encore considérablement accrues en notre temps par le développement de la science atomique, de l'exploration spatiale et par la diffusion du mythe des « extra-terrestres ». Certains romanciers ont démontré sans conteste la dignité littéraire de la science-fiction. Sans remonter jusqu'à Rabelais, Cyrano de Bergerac ou Voltaire, citons André MAUROIS (*Les Mondes impossibles,* 1947), J.-L. CURTIS *(Un saint au néon)* et l'auteur célèbre du *Pont de la rivière Kwaï,* PIERRE BOULLE *(E = MC2,* 1957 ; *La Planète des singes,* 1963 ; cf. p. 840). Au-delà de la simple anticipation scientifique, elle propose une véritable *mythologie du monde moderne,* tantôt utopique, tantôt catastrophique, tantôt les deux ensemble, tandis qu'elle intègre aussi à cette mythologie l'accomplissement imaginaire de quelques-uns des rêves universels de l'humanité : l'utopie sociale, l'âge d'or, la conquête de l'immortalité.

La science-fiction est le plus souvent fascinée par un imaginaire catastrophique ou apocalyptique. C'était déjà le trait dominant de l'œuvre d'un romancier français de science-fiction, comme MAURICE RENARD (1875-1939 : *Le Docteur Lerna sous-dieu,* 1908 ; *La Gloire du Commachio,* 1913 ; *L'Homme truqué,* 1921), œuvre continuée par celles de RÉGIS MESSAC (1893-1943 : *Le Miroir flexible,* 1933 ; *Les Hypermondes,* 1935-1937) et de JACQUES SPITZ (1896-1963 : *L'Homme élastique,* 1938 ; *La Guerre des mouches,* 1938). C'est surtout après 1945 que s'épanouira la littérature française de science-fiction avec les Belges Jean RAY (1881-1964), qui fait figure de précurseur, et Jacques STERNBERG (né en 1923), et d'autre part, parmi les Français, Francis CARSAC (1919-1981), Daniel DRODE (né en 1932), Gérard KLEIN (né en 1937), Roger Blondel alias B.-R. BRUSS (1895-1980), et RENÉ BARJAVEL (cf. p. 839).

Dans la mesure où elle se rattache aussi à la littérature fantastique, la science-fiction a volontiers recours à la forme de la *nouvelle* : c'est le cas de Gérard KLEIN avec *L'Écume de Soleil* (1958), *Les Perles du temps* (1958) et *La Loi du talion* (1973), de Charles (1899-1959) et Nathalie (née en 1917) HENNEBERG avec *D'or et de nuit* (1951) ou de Daniel DRODE avec *La Rose des Énervents* (1960) et *Quatre-en-un* (1960).

René Barjavel   Le thème dominant de l'œuvre de RENÉ BARJAVEL (1911-1985) est celui de l'inversion du progrès en catastrophe, thème mis en œuvre à l'aide d'une méthode d'extrapolation du progrès technique. Aussi est-il, en même temps qu'un romancier, un moraliste qui, utilisant toutes les possibilités d'un imaginaire fondé sur la seule logique de la science et de la technique, suggère, à partir des catastrophes qu'il met en scène, une leçon de portée morale, sociale et métaphysique. Le moyen littéraire auquel il a recours est ce que, dans *Le Voyageur imprudent* (1944), il appelle « *le paradoxe temporel* » : « En gros, c'est un personnage qui réussit à voyager dans le temps. Dans chacune de mes histoires, le héros parvient à modifier le temps et à mettre en évidence les grandes contradictions de la vie humaine. »

Ainsi dans *Ravage* (1943), il suffit d'un accident qui éteint définitivement l'électricité pour que s'effondre une civilisation : nous sommes en 2052 sur une terre défigurée par l'excès technologique, et les rescapés de la catastrophe ne peuvent reconstruire une nouvelle humanité que par la restauration des valeurs humaines fondamentales. Autres thèmes : le 51e siècle *(Le Voyageur imprudent,* 1944) ; la quatrième guerre mondiale *(Le Diable l'emporte,* 1959) ; le naufrage d'une civilisation *(La Nuit des temps,* 1968).

Le Grand Secret (1975) insère la science-fiction dans le contexte politique réel des années 60-70. Ce « grand secret » concerne la réalisation par la science du rêve immémorial de l'éternelle jeunesse et de l'immortalité. Mais « *la vie sans la mort rend la vie impossible* », et seuls les savants et leurs familles enfermés secrètement dans une île, « *vase clos dont personne ne doit sortir pour ne pas mettre le monde en péril* », bénéficieront des essais du sérum JL 3, car « *il n'y a pas d'antidote à la contagion de l'immortalité* ».

Destruction de l'Île d'immortalité

L'Ile est encerclée par des forces navales afin d'empêcher toute évasion. Mais vient un moment où l'éventualité d'une sortie s'impose à l'esprit des jeunes comme DEN, qui est travaillé par le désir de rejoindre « le Monde ». Une tentative de fuite sur des canots échoue devant un cordon explosif déclenché depuis les croiseurs ; puis, dans l'île, les jeunes se battent contre les adultes qui voudraient les empêcher d'appeler le Monde à leur secours (texte ci-dessous). Ce sera alors le dénouement apocalyptique de l'impossible histoire de l'homme immortel : sur décision des grandes puissances, l'île et ses habitants seront détruits par l'explosion souterraine d'une bombe atomique.

L'enfer tomba du ciel. Traversant la brume, des fleuves de flammes coulèrent, jaillirent, explosèrent sur les barques, autour d'elles et au-dessous. Le plastique fondit et brûla avec des explosions vertes. Les hommes dans le ciel et sur les navires entendirent dans leurs écouteurs des hurlements de douleur et d'épouvante, puis plus rien. La caméra située en haut de l'antenne de la Citadelle envoya sur tous les écrans l'image de la nuit transformée en volcan d'apocalypse. Le dos multiple de la brume, éclairé par dessous, palpitait jusqu'à l'horizon. Dans le centre infernal où se concentraient les explosions, des pustules de feu crevaient le brouillard et montaient en arbres bourgeonnants vers les étoiles, composant une forêt mouvante de lumière et d'horreur. A la base du feu il n'y avait plus ni barques ni enfants. La mer brûlait.

Un silence terrible avait figé l'intérieur de l'Île. Les adultes immobiles, debout devant les écrans, raides, tendus, comme en catalepsie, regardaient palpiter les couleurs et les flammes de l'abominable. Dans l'entrepôt, les enfants avaient lâché les péniches qu'ils étaient en train de déplier, regardaient le grand écran du mur du fond et tremblaient. Une fille croisa ses deux avant-bras sur son ventre et se mit à gémir. Le brun aux cheveux tressés cria :

— Il faut les tuer ! Les tuer !

LES TUER !
20   Den sauta sur une caisse.

    — Il faut appeler au secours ! Appeler le Monde ! Qu'il vienne nous délivrer. Il suffit de lui dire la vérité ! Le trésor qu'on lui cache ! Ici ! La fin de la mort ! Il suffit qu'ils viennent et ils auront l'immortalité ! Toux ceux qui viendront seront délivrés de la mort ! Il suffit de le leur dire ! Ils vont venir de partout ! En avions ! En bateaux ! Tous les bateaux, tous les avions du Monde vont venir ! Pour être immortels. Le Monde entier va venir ! Il suffit qu'il sache ! Je vais l'appeler avec mon poste et tout lui dire ! Il va venir et nous serons délivrés !

    Il s'empara d'une barre de fer qui servait à ouvrir les caisses. Il la brandit
30 en direction de la porte.

    — Ils vont nous empêcher d'y arriver ! Il faut passer au travers !

    Il sauta à terre et courut vers la porte. Ce fut comme si l'entrepôt explosait. En hurlant, les garçons et les filles s'armèrent de tout ce qu'ils trouvèrent et coururent derrière Den. Le technicien de garde à la salle de radio, devant les écrans multiples, dès qu'il vit et entendit Den, coupa l'image de l'extérieur et envoya sur tous les circuits celle de l'entrepôt. Ainsi les adultes reçurent brutalement l'annonce de ce qui les attendait.

Le Grand Secret (Presses de la Cité, éditeur).

La planète des singes

    Dans *La Planète des singes,* Pierre Boulle nous donne avec humour une leçon de relativité à la manière de Voltaire. La fiction repose sur le renversement du rapport terrestre entre l'homme et le singe. En l'an 2500, au cours d'un voyage intersidéral, Ulysse Mérou, le narrateur, se pose sur une planète proche de Bételgeuse. Il y trouve des hommes et des femmes nus, vivant à l'état sauvage et incapables de penser et de parler. On découvrira que sur cette planète, les humains, atteints de « paresse cérébrale », ont été vaincus autrefois par des singes qu'ils avaient domestiqués. Elle est dominée par une société hiérarchisée de singes intelligents, doués de la parole, et dont la civilisation matérielle est presque aussi avancée que celle des Terriens. Pour leurs expériences scientifiques, ils capturent des hommes et des femmes qu'ils mettent en cage et traitent comme des animaux ; et parmi eux Ulysse Mérou. Examiné par les savants, il tente en vain de leur faire comprendre qu'il appartient, lui, à une humanité évoluée. Chez les savants, seule Zira, « chimpanzé femelle », admet qu'il est un être pensant. Elle se lie avec le prisonnier, lui enseigne le « langage simiesque » tout en apprenant elle-même le français, et semble éprouver pour ce Terrien une certaine attirance.

Il m'avait fallu du temps pour la convaincre définitivement de mon origine. Si elle admettait l'évidence quand elle était avec moi, ensuite, elle se reprenait à douter. Je me mettais à sa place. Elle ne pouvait qu'être profondément choquée par ma description des hommes et surtout des singes sur notre Terre. Elle m'avoua par la suite qu'elle avait préféré pendant longtemps me considérer comme un sorcier ou un charlatan plutôt que d'admettre mes affirmations. Cependant, devant les précisions et les preuves que j'accumulais, elle finit par avoir entière confiance en moi et même à former des plans pour me faire recouvrer la liberté, ce qui n'était pas facile, comme elle me l'expliqua ce même
10 jour. En attendant, elle vint me chercher au début de l'après-midi pour une promenade.

Je sentis mon cœur battre à la pensée de me retrouver à l'air libre. Mon enthousiasme fut un peu rabattu quand je m'aperçus qu'elle allait me tenir en laisse. Les gorilles me tirèrent de la cage, repoussèrent la porte au nez de Nova [1] et me passèrent au cou un collier de cuir, auquel était fixée une solide chaîne. Zira saisit l'autre bout et m'entraîna, tandis qu'un lamentable ululement de Nova me serrait le cœur. Mais quand je manifestai un peu de pitié à son égard, lui faisant un geste amical, la guenon parut mécontente et me tira par le cou sans ménagement. Depuis qu'elle s'était convaincue que j'avais un esprit
20 de singe, mon intimité avec cette fille la contrariait et la choquait.

Sa mauvaise humeur disparut quand nous fûmes seuls dans un couloir désert et obscur.

« Je suppose, dit-elle en riant, que les hommes de ta Terre n'ont pas l'habitude d'être tenus ainsi en laisse et conduits par un singe ? »

Je l'assurai qu'ils n'en étaient pas coutumiers. Elle s'excusa, m'expliquant que si certains hommes apprivoisés pouvaient être promenés dans les rues sans causer de scandale, il était normal que je fusse attaché. Par la suite, si je me montrais vraiment docile, il n'était pas impossible qu'elle pût me sortir sans entraves.
30 Et, oubliant en partie ma vraie condition, comme cela lui arrivait encore souvent, elle me fit mille recommandations qui m'humilièrent profondément.

« Surtout ne va pas t'aviser de te retourner vers les passants en leur montrant les dents ou de griffer un enfant sans méfiance qui s'approcherait pour te caresser. Je n'ai pas voulu te mettre de muselière mais... »

Elle s'arrêta et éclata de rire.

« Pardon ! pardon ! s'écria-t-elle, j'oublie toujours que tu as de l'esprit comme un singe. »

Elle me donna une petite tape d'amitié pour se faire pardonner. Sa gaieté dissipa mon humeur naissante. J'aimais l'entendre rire. L'impuissance de Nova
40 à manifester ainsi sa joie me faisait parfois soupirer. Je partageai l'hilarité de la guenon. Dans la pénombre du vestibule je ne distinguais presque plus ses traits, à peine le bout blanc du museau. Elle avait mis pour sortir un tailleur pimpant et un bonnet d'étudiante qui dissimulait ses oreilles. J'oubliai un instant sa condition simienne et lui pris le bras. Elle trouva mon geste naturel et se laissa faire. Nous fîmes quelques pas ainsi serrés l'un contre l'autre. A l'extrémité du couloir éclairée par une fenêtre latérale, elle retira vivement son bras et me repoussa. Redevenue sérieuse, elle tira sur la chaîne.

« Il ne faut pas te tenir ainsi, dit-elle, un peu oppressée. D'abord, je suis fiancée et...
50 — Tu es fiancée ! »

L'incohérence de cette remarque à propos de ma familiarité lui apparut en même temps qu'à moi. Elle se reprit en rougissant du museau.

« Je veux dire : personne ne doit encore soupçonner ta nature. C'est dans ton intérêt, je te l'assure. »

Je me résignai à me laisser entraîner avec docilité.

La Planète des singes, II, 3 (Julliard, éditeur).

Avec son fiancé Cornélius, ZIRA *parviendra, à l'aide d'une fusée expérimentale, à renvoyer sur la Terre* ULYSSE MÉROU *accompagné de* NOVA *et de leur enfant. Mais, en atterrissant, sept cents ans après son départ, il sera accueilli à l'aéroport par... un gorille !*

— 1 La plus belle des femmes à l'état animal, devenue dans la cage la « femelle » d'Ulysse Mérou.

HIER ET AUJOURD'HUI

Désormais le clivage du « *traditionnel* » et du « *nouveau* » qui marquait la crise du roman des années 50 est dépassé. Le romancier recourt aux techniques classiques (narration linéaire, analyse psychologique, portrait) aussi bien qu'à des audaces qu'on avait regardées, parfois à tort, comme des « nouveautés » (mélange des temps, ubiquité, retour en arrière ou anticipation, jeux de la simultanéité et de la succession). Il se sent libre d'adopter un vocabulaire familier, populaire ou argotique sans renoncer pour autant, selon le cas, au style soutenu. À cela s'ajoute l'influence du cinéma : ellipse temporelle, utilisation de la séquence ou de procédés de montage, techniques littéraires propres à accentuer les caractéristiques visuelles du style.

La plupart des romanciers se plaisent à raconter des histoires, et l'on assiste à la réhabilitation du personnage, avec une prédilection pour l'excentricité et la marginalité. L'influence de la laideur sur le comportement féminin, cette question déjà abordée par F. Mallet-Joris (cf. p. 801), est au point de départ de *La Disgrâce* (1981), roman très remarqué de NICOLE AVRIL, qui avait déjà attiré l'attention avec *Les Gens de Misar* (1972), *Les Remparts d'Adrien* (1979), *Le Jardin des absents* (1977) et *Monsieur de Lyon* (1979) ; depuis, elle a publié : *Jeanne* (1984), *Sur la peau du diable* (1988), *Dans les jardins de mon père* (1989, autobiographique).

Le roman peut refléter le besoin d'évasion vers un ailleurs fascinant (MURIEL CERF, née en 1951 : *L'Antivoyage,* 1975 ; *Les Seigneurs du ponant,* 1979) ; ou encore les bouleversements de la temporalité (FRANTZ-ANDRÉ BURGUET, né en 1938 : *Le Roman de Blaise,* 1962 ; *Les Meurtrières,* 1974). A la faveur d'un caprice chronologique délibéré, le roman anecdotique peut permettre de ressaisir, comme par magie, l'essence du passé (PASCAL JARDIN, 1934-1980 : *Le Nain jaune* 1978 ; *La Bête à Bon Dieu,* 1980).

Avec un humour féroce, d'autres, surtout des romancières, « dégonflent des baudruches », du féminisme au parisianisme mondain ou intellectuel, de la psychanalyse au sexe. Par exemple GENEVIÈVE DORMANN (née en 1933) avec *Le Chemin des Dames* (1964) et *Fleur de péché* (1980), ou CATHERINE RIHOIT (née en 1950) avec *Les Abîmes du cœur* (1980), *La Favorite* (1982), *Le Triomphe de l'amour* (1983), *Regards de femmes* (1984).

JEAN-EDERN HALLIER (1936-1997), a toujours rêvé d'immortalité. Après avoir cherché sa voie dans le « nouveau roman » et suivi celle de l'engagement contre la bourgeoisie dont il est issu (*La Cause des peuples,* 1972), il s'est lancé avec fougue et lyrisme dans la création romanesque (*Chagrin d'amour,* 1974 ; *Le premier qui dort réveille l'autre,* 1977) et l'essai (*Chaque matin qui se lève est une leçon de courage,* 1978). Dans *L'Évangile du fou* (1986), la biographie du P. de Foucauld sert de référence à une autobiographie transparente. Provocateur né, il n'est lui-même que dans la polémique ou le pamphlet (*Lettre ouverte au colin froid,* 1979), quand ce n'est pas le canular (*L'Enlèvement,* 1983) : l'essentiel était de faire parler de lui, même en étant injuste et cruel. Une mort prématurée a permis de mesurer la place qu'il occupait en cette « fin de siècle » (titre d'un de ses écrits, 1980) cet écrivain inégal et savoureux, au style parfois éblouissant.

RENÉ-VICTOR PILHES (né en 1934) démystifie le réel (surtout social) : *L'Imprécateur* (1974), *La Bête* (1976), *La Pompéi* (1985), *L'Hitlérien* (1988), *La Médiatrice* (1989).

L'actualité sociale, politique, économique devient parfois le signe du destin tragique du monde moderne, par exemple chez VLADIMIR VOLKOFF, d'origine russe (né en 1932) : *Le Retournement,* 1979 ; *Le Montage,* 1982 ; *L'Interrogatoire,* 1987 ; *Le Bouclage,* 1990. La civilisation nous apparaît comme rongée de l'intérieur dans les romans new-yorkais de DIDIER DECOIN (né en 1945), auteur de *John l'Enfer* (prix Goncourt 1977), en contraste avec *Abraham de Brooklyn* (1972) ; de *L'Enfant de la mer de Chine* (1981) ; d'*Autopsie d'une étoile* (1987).

Un des thèmes dominants de notre époque semble être celui de la frustration. De quoi manquent ces personnages ? Ils le cherchent sans le savoir, ce qui explique que tant de romans revêtent la forme d'une *quête,* et fréquemment d'une *enquête,* le plus souvent sans issue autre que la folie ou la mort, ou encore une sorte de néant nostalgique. De là aussi ces univers romanesques où tout devient *énigmatique,* comme on l'a vu chez PATRICK MODIANO et MICHEL DEL CASTILLO.

LITTÉRATURE ET HISTOIRE

Depuis qu'au XIXe siècle, d'Augustin Thierry à Michelet (cf. *XIXe Siècle* p. 355-380), l'Histoire a acquis droit de cité littéraire, cette tradition ne s'est guère interrompue. Outre les écrivains auteurs d'ouvrages historiques (A. MAUROIS : *Histoire d'Angleterre*, 1937 ; *Histoire des États-Unis*, 1943), des historiens comme JACQUES BAINVILLE (1879-1936 : *Histoire de France*, 1924) ou PIERRE GAXOTTE (1895-1982 : *Le Siècle de Louis XV*, 1933, 1958) appartiennent de plein droit à la littérature. Toutefois, depuis la Seconde Guerre mondiale, on a vu progressivement croître le goût du public pour des ouvrages historiques qui, comme les *Mémoires* (cf. p. 778), ne présentent souvent qu'un faible intérêt littéraire. Mais il est aussi des *historiens* qui ont le souci non seulement du style mais encore de la mise en œuvre de techniques narratives littérairement efficaces sans renoncer aux exigences de l'objectivité historique. Parallèlement, l'intérêt croissant du public et des écrivains eux-mêmes entraîne le développement d'une *littérature historique* qui se partage, pour l'essentiel, entre le *roman historique* et un genre relativement nouveau en France, la *biographie*.

HISTORIENS

PIERRE CHAUNU (né en 1923), tout d'abord spécialiste du Moyen Age et de la Renaissance (*L'Expansion européenne du XIIIe au XVe siècle*, 1969 ; *Histoire économique et sociale de la France de 1450 à 1650*, 1977), s'est progressivement orienté vers une réflexion sur les rapports entre l'Histoire et les grands problèmes de civilisation. Il est ainsi conduit jusqu'aux abords de la philosophie de l'Histoire ; c'est à ce titre surtout qu'il trouve sa place dans ce secteur particulier de la littérature des historiens, avec des ouvrages dont les principaux sont : *De l'Histoire à la prospective* (1975) ; *La Mémoire et le sacré* (1978) ; *Histoire et foi* (1980) ; *Histoire et imagination, la transition* (1980) ; *Histoire et décadence* (1981) ; *Pour l'Histoire* (1984) ; *L'Historien dans tous ses états* (1984) ; *L'Historien en cet instant* (1985).

FERNAND BRAUDEL (1902-1986), successeur de Lucien Febvre à la direction des *Annales*, s'est intéressé tout d'abord au monde méditerranéen : *La Méditerranée et le monde méditerranéen à l'époque de Philippe II* (1949-1985). Il a ensuite abordé les problèmes de civilisation en fonction d'une conception de l'Histoire exposée dans *Écrits sur l'Histoire* (1969) ; il a publié le résultat de cette réflexion dans les trois volumes de *Civilisation matérielle, économie et capitalisme, XVe-XVIIIe siècle* (1980). La même préoccupation, mais concernant cette fois la France et le sens de son histoire, inspire son dernier ouvrage, *L'Identité de la France, espace et histoire* (1986). En l'élisant en 1982, l'Académie française a voulu honorer en lui le personnage de l'*historien-écrivain* et sa place dans la littérature de la seconde moitié du siècle.

A l'appel du public répond une littérature de *vulgarisation historique*, illustrée en particulier par André Castelot et Alain Decaux.

ANDRÉ CASTELOT (né en 1911) pratique volontiers la *biographie historique* (*Louis XVIII*, 1948 ; *Marie-Antoinette*, 1953 ; *Henri IV le Passionné*, 1986) aussi bien que la *fresque historique* (*Le Grand Siècle de Paris*, 1955 ; *Drames et tragédies de l'Histoire*, 1967).

ALAIN DECAUX (né en 1925) est l'auteur, entre autres, de *La Belle Histoire de Versailles* (1954), des *Dossiers secrets de l'Histoire* (1966) et d'un *Victor Hugo* (1984).

Castelot et Decaux ont été les premiers à faire de la vulgarisation historique un des succès de la télévision (*La caméra explore le temps*), tâche poursuivie par Decaux seul.

Quant aux historiens universitaires, ils ont su eux aussi faire appel aux techniques littéraires de la narration pour conquérir un large public. A cet égard, notons le succès exceptionnel et symptomatique des ouvrages sur Paris et sur les Parisiens de Louis Chevalier (né en 1911 : *Les Parisiens,* 1970 ; *Histoire de la nuit parisienne,* 1982), et de monographies comme *Les Paysans du Languedoc* (1969), *Montaillou village occitan* (1975) et *Le Carnaval de Romans* (1979) d'Emmanuel Leroy-Ladurie (né en 1929), auteur également d'une synthèse sur l'état royal (1987). Il arrive aussi que des journalistes se fassent historiens rigoureux en mettant au service de l'Histoire les qualités positives d'un bon reportage de presse (Henri Amouroux, né en 1920 : *La Grande Histoire des Français sous l'Occupation,* 1976-1983).

Parmi les époques qui semblent avoir la faveur du public figure au premier rang le Moyen Age dont les spécialistes connaissent de beaux succès. Ainsi de Régine Pernoud (née en 1909) avec, en particulier, *Jeanne d'Arc par elle-même et par ses témoins* (reconstitution du procès de Jeanne, 1975), puis *Jeanne d'Arc* (en collaboration, 1986) et sa biographie d'*Aliénor d'Aquitaine* (1965). Ainsi de Georges Duby (né en 1919), auteur de livres sur la civilisation et la culture médiévales : *Le Dimanche de Bouvines* (1973), *Le Chevalier, la femme et le prêtre* (1982), *Guillaume Le Maréchal ou le meilleur chevalier du monde* (1984), d'une brillante étude sur *Le Temps des cathédrales. L'art et la société* (1976), puis d'une synthèse sur *Le Moyen Age* (1987).

La cathédrale, « art de France »

Du nom de la revue *Annales d'histoire économique et sociale,* l'École des Annales, fondée par Marc Bloch (1886-1944) et Lucien Febvre (1878-1956), valorise l'histoire économique et sociale par rapport à l'histoire « événementielle ». Dans *Le Temps des cathédrales,* de Georges Duby, la synthèse historique de l'évolution sociale et culturelle du Moyen Age, de 980 à 1420, est organisée en une suite d'épisodes et traduite dans un style narratif aussi varié qu'efficace. Ainsi l'historien retrace, à partir de la cathédrale, le mouvement d'urbanisation caractéristique des XIIe et XIIIe siècles : « Je situe mon observation, dit-il, au niveau de l'imaginaire collectif. » – THÈMES : *Histoire. Beaux-arts. Civilisation.*

Par définition, la cathédrale est l'église de l'évêque, donc l'église de la cité, et ce que l'art des cathédrales signifia d'abord en Europe, ce fut la renaissance des villes. Celles-ci, aux XIIe et XIIIe siècles, ne cessent de croître, de s'animer, d'étendre leurs faubourgs le long des routes. Elles captent la richesse. Après un très long effacement, elles redeviennent, au nord des Alpes, les foyers principaux de la plus haute culture. Mais la vitalité qui les pénètre vient, presque tout entière encore, des champs environnants. A la ville, la plupart des seigneurs ont à ce moment choisi de transférer leur résidence. Vers la ville ont désormais convergé les produits de leurs domaines. Dans la ville les
10 commerçants les plus actifs sont alors des marchands de froment, de vin, de laine. Art urbain, l'art des cathédrales a donc puisé dans les campagnes proches le principal aliment de sa croissance, et ce furent les efforts d'innombrables pionniers, défricheurs, planteurs de ceps, façonneurs de fossés et de digues qui, dans les succès d'une immense conquête agricole, le portèrent à son accomplissement. Sur un fond de moissons nouvelles et de jeunes vignobles se sont dressées les tours de Laon ; sculptée dans la pierre, la figure des bœufs de labours les couronne ; aux chapiteaux de toutes les cathédrales, des pampres fleurissent ; les façades d'Amiens et de Paris représentent le cycle des saisons par l'image des travaux paysans. Juste célébration : ce moissonneur qui aiguise
20 sa faux, ce vigneron qui taille, bêche ou provigne ont, par leur ouvrage, fait sortir de terre le monument. Il est le fruit de la seigneurie, c'est-à-dire de leur

labeur. Or, nulle part l'élan de prospérité rurale ne fut plus vif à cette époque que dans le nord-ouest de la Gaule. Les campagnes les plus plantureuses du monde s'aménagèrent au cœur de cette région, dans les plaines qui entourent Paris. Aussi l'art nouveau fut-il reconnu par tous les contemporains comme étant proprement l'« art de France ». Il s'épanouit dans la province qui portait alors ce nom, celle où Clovis était mort, entre Chartres et Soissons. Il fixa dans Paris le foyer de son rayonnement.

Le Temps des cathédrales (Skira, éditeur).

ROMAN HISTORIQUE ET BIOGRAPHIE

ROMAN HISTORIQUE Le roman historique avait acquis ses lettres de noblesse à l'époque romantique, avec Walter Scott et Alexandre Dumas. Mais, au XXe siècle, la fantaisie imaginative d'un Dumas n'est plus guère de saison. Désormais, le roman historique doit, sans cesser d'être un *roman,* se fonder sur une *documentation* sérieuse : le romancier a toujours le droit d'*organiser* l'Histoire en vue de satisfaire les exigences de son romanesque, mais il doit se garder de la *travestir.*

ZOÉ OLDENBOURG (née en 1916) bâtit sur une information sérieuse ses romans sur les croisades (*Argile et cendres* 1946 ; *La Pierre angulaire,* 1953) et ceux de la trilogie consacrée aux Cathares (*Le Bûcher de Montségur,* 1950 ; *Les Brûlés,* 1960 ; *Les Cités charnelles,* 1961). Lorsque JEANNE BOURIN (née en 1922) évoque l'histoire d'une famille de la bourgeoisie parisienne (*La Chambre des Dames,* 1979 ; *Le Jeu de la Tentation,* 1981) ou provinciale (*Le Grand feu,* 1985), ou le rôle des femmes à la Croisade (*Les Pérégrines,* 1989 ; *Les Compagnons d'éternité,* 1992), elle reste attentive aux données historiques. Et de même dans ses biographies romanesques : *Très Sage Héloïse* (1966), *La Dame de Beauté* (1970 : Agnès Sorel), *Les Amours blessées* (1987 : Ronsard et Cassandre).

Même souci de rigueur chez ROBERT MARGERIT qui, dans la série de *La Révolution* (4 vol., 1963-1964), associe le romanesque à la résurrection des grandes scènes historiques.

Moins minutieux peut-être, mais sachant animer les personnages en retraçant les événements, deux romanciers originaires d'Algérie se montrent particulièrement habiles à recréer avec pittoresque les atmosphères avec pittoresque. D'une part, ROBERT MERLE (né en 1908) avec *Fortune de France* (1977-1997), une série au style rabelaisien dont l'action évoque les luttes religieuses au temps de la Renaissance : *Fortune de France ; En nos vertes années ; Paris, ma bonne ville ; Le Prince que voilà ; La violente amour ; La Pique du jour ; La Volte des vertugadins ; L'Enfant-Roi ; Les Roses de la vie ; Le Lys et la Pourpre.* Il est aussi l'auteur de romans « zoologiques » pleins d'humour dont les héros sont des dauphins (*Un animal doué de raison,* 1967) ou un chimpanzé (*Le Propre de l'homme,* 1990).

D'autre part, JULES ROY (né en 1907) avec les *Chevaux du Soleil* (6 vol., 1968-1975) consacrés à l'histoire des pieds-noirs, de la conquête de l'Algérie au grand retour ; — et des œuvres intimes : *Mémoires barbares* (1989) ; *L'Étonnement du voyageur, 1987-1989* ; *Le Noir de l'aube* (1990) ; *Un après-guerre amoureux* (1995).

Tous deux étaient déjà célèbres par leurs évocations de la guerre 1939-1945 (cf. p. 698).

Maurice Druon MAURICE DRUON (né en 1918) est de ceux qui ont combattu jusqu'au bout en juin 1940 ; il continua le combat dans les rangs de la France libre. C'est à Londres qu'avec son oncle KESSEL il écrivit le célèbre *Chant des partisans.* Après la guerre, il se lance d'abord dans la peinture « naturaliste » des hautes couches de la société française en décomposition (*Les Grandes Familles,* 1948, prix Goncourt). Mais c'est surtout dans la littérature historique qu'il a trouvé sa voie. Avec une équipe de collaborateurs, il est l'auteur d'un cycle de sept volumes, *Les Rois maudits* (1955-1977), qui, porté à la télévision, obtint un vif succès. Il a composé une biographie historique : *Alexandre le Grand ou le roman d'un dieu* (1958), un récit mythique : *Les Mémoires de Zeus* (1963, 1967) et un conte pour enfants : *Tistou les pouces verts* (1968). Enfin, *Circonstances* (souvenirs classés, 1997).

Le banquet du Dauphin

Quand un roi perd la France (1977), dernier volume des *Rois maudits,* retrace le règne de Jean II dit le Bon et décrit la crise politique, ecclésiastique et sociale que traverse alors la France au milieu du XIVᵉ siècle. Le récit est placé à la première personne, dans la bouche d'un personnage-témoin, le cardinal de Talleyrand-Périgord, légat pontifical. Ce procédé permet au romancier de se situer lui-même, avec son lecteur, en dehors des événements, procédé romanesque mais aussi attitude proche de celle de l'historien. Dans cette page, le roi Jean et sa suite viennent d'arriver à Rouen où se trouve assemblée « la fleur de la chevalerie de Normandie [...] vêtue avec autant de richesse qu'il était possible ». Occasion pour le Dauphin d'offrir un somptueux banquet, « car la table du Dauphin avait grande réputation ; on savait qu'il s'y servait merveilles ». C'est le cardinal qui, après coup, fait ce récit à son compagnon Archambaud. – thème : *Histoire.*

Quel festin ! ce n'était pas en vain que Nicolas Braque avait aidé le Dauphin à l'apprêter. Ceux qui y furent, et qui en réchappèrent, n'en ont rien oublié. Six tables, réparties dans la grande salle ronde. Aux murs, des tapisseries de verdure, si vives de couleur qu'on aurait cru dîner au milieu de la forêt. Auprès des fenêtres, des buissons de cierges, pour renforcer le jour qui venait par les ébrasements, comme le soleil à travers les arbres. Derrière chaque convive, un écuyer tranchant, soit, pour les grands seigneurs, le leur propre, et pour les autres quelqu'un de la maison du Dauphin. On usait de couteaux à manche d'ébène, dorés et émaillés aux armes de France, tout spécialement réservés
10 pour le temps de carême. C'est la coutume de la cour de ne sortir les couteaux à manche d'ivoire qu'à partir des fêtes de Pâques.

Car on respectait le carême. Pâtés de poisson, ragoûts de poisson, carpes, brochets, tanches, brèmes, saumons et bars, plats d'œufs, volailles, gibiers de plume ; on avait vidé les viviers et les basses-cours, écumé les rivières. Les pages de cuisine, formant une chaîne continue dans l'escalier, montaient les plats d'argent et de vermeil où rôtisseurs, queux et sauciers avaient disposé, dressé, nappé les mets préparés sous les cheminées de la tour des cuisines. Six échansons versaient les vins de Beaune, de Meursault, d'Arbois et de Touraine. ...Ah ! vous aussi, cela vous met en appétit, Archambaud ! J'espère
20 qu'on nous fera bonne chère, tout à l'heure à Saint-Sauveur...

Le Dauphin, au milieu de la table d'honneur, avait Charles de Navarre à sa droite et Jean d'Harcourt à sa gauche. Il était vêtu d'un drap bleu marbré de Bruxelles et coiffé d'un chaperon de même étoffe, orné de broderies de perles disposées en forme de feuillage. Je ne vous ai jamais encore décrit Monseigneur le Dauphin... Le corps étiré, les épaules larges et maigres, il a le visage allongé, un grand nez un peu bossué en son milieu, un regard dont on ne sait s'il est attentif ou songeur, la lèvre supérieure mince, l'autre plus charnue, le menton effacé.

On dit qu'il ressemble assez, pour autant qu'on ait moyen de savoir, à son
30 ancêtre Saint Louis, qui était comme lui très long et un peu voûté. Cette tournure-là, à côté d'hommes très sanguins et redressés, apparaît de temps à autre dans la famille de France.

Quand un roi perd la France (Le Livre de Poche et éditions Plon).

BIOGRAPHIE   Dans la biographie, autour du *héros central* s'organisent la narration et la description des temps et des lieux, l'analyse psychologique jouant ici un rôle plus important que dans le roman historique. Au début du XXe siècle, ROMAIN ROLLAND (cf. p. 105) donne au genre ses lettres de noblesse avec ses biographies d'artistes : *Vie de Beethoven* (1903) ; *Vie de Michel-Ange* (1906) ; *Vie de Tolstoï* (1911). Mais c'est surtout à ANDRÉ MAUROIS (cf. p. 606), auteur d'un ouvrage théorique sur ce sujet (*Aspects de la biographie*, 1928), qu'on doit l'acclimatation dans la littérature française du genre de la biographie, sous l'influence de la littérature anglaise et d'abord avec *Ariel ou la vie de Shelley* (1923) ; c'est lui aussi qui privilégie le personnage littéraire sans négliger pour autant le personnage historique (*Vie de Disraëli*, 1927 ; *Édouard VII et son temps*, 1937 ; *Franklin*, 1946).

Ce genre a été développé et diversifié par JEAN ORIEUX (1907-1990 : *Voltaire ou la royauté de l'esprit*, 1966-1977 ; *La Fontaine ou la vie est un conte*, 1976 ; *Catherine de Médicis*, 1986) ;— JEAN LACOUTURE (né en 1921 : *André Malraux*, 1973 ; *François Mauriac*, 1980 ; *Charles de Gaulle*, 3 vol., 1984-1986 ; *Champollion*, 1989) ; — FRANÇOISE CHANDERNAGOR (née en 1945 ; *L'Allée du roi*, 1981) ; — et surtout HENRI TROYAT.

Henri Troyat   D'origine russe, HENRI TROYAT (pseudonyme de Lev Tarassov, né en 1911), prix Goncourt 1938 avec *L'Araigne*, est le copieux auteur de cycles romanesques contemporains : *Les Semailles et les moissons* (5 vol., 1953-1958), *Les Eygletière* (3 vol., 1965-1967), et surtout de grands cycles russes : *Tant que la terre durera* (3 vol., 1947-1950) où il raconte la fin de la Russie tsariste et les débuts de la Révolution ; *La Lumière des justes* (5 vol., 1959-1963), vaste fresque socio-historique de la Russie sous le règne de Nicolas Ier à partir de l'aventure des « décembristes » de 1825 ; *Les Héritiers de l'avenir* (3 vol., 1968-1970), sur le thème de l'abolition du servage ; *Le Moscovite* (3 vol., 1974-1977) ; *Maria Karpovna ; La Gouvernante française* (1989). En outre : *Le Bruit solitaire du cœur* ; *Le Troisième bonheur* (1987) ; *Toute ma vie sera mensonge* (1988) ; *Le Chant des insensés* (1993) ; *Le Défi d'Olga* (1995) ; *Votre très humble et très obéissant serviteur* (1996) ; *L'Affaire Cremonnière* (1997). — Souvenirs : *Aliocha* (1991) ; *Youri* (1992).

Il s'est spécialisé dans la BIOGRAPHIE de personnages historiques ou littéraires, surtout de son pays d'origine : *Dostoïevski* (1940) ; *Pouchkine* (1946) ; *L'Étrange destin de Lermontov* (1952) ; *Tolstoï* (1965) ; *Gogol* (1971) ; *Catherine la Grande* (1977) ; *Pierre le Grand* (1979) ; *Alexandre Ier* (1981) ; *Ivan le Terrible* (1982) ; *Tchékhov* (1984) ; *Tourgueniev* (1985) ; *Gorki* (1986) ; *Flaubert* (1988) ; *Maupassant* (1989) ; *Alexandre II* (1990) ; *La Femme de David* (1990) ; *Verlaine* (1993) ; *Baudelaire* (1994) ; *Le Marchand de masques* (1994) ; *Balzac* (1995) ; *Raspoutine* (1996).

Ses biographies d'écrivains sont particulièrement significatives, car il y traite le personnage littéraire selon les mêmes perspectives romanesques que le personnage historique. La biographie proprement dite, dans laquelle se fond l'histoire de l'œuvre, est organisée en épisodes conjuguant analyse psychologique et dramatisation des événements où se trouve mêlé le personnage. Ainsi il revêt tous les caractères d'un héros romanesque sans cesser de conserver son authenticité historique.

LE « CERCLE INFERNAL » DE LÉON TOLSTOÏ

Aux environs de la quarantaine, LÉON TOLSTOÏ (1828-1910) traverse une crise spirituelle dramatique, née de la contradiction entre sa foi religieuse et son rationalisme d'intellectuel, et le voici pris dans un « cercle infernal » que son biographe analyse et décrit comme il le ferait pour un héros de roman. – THÈMES : *Mort. Religion.*

Déçu par les grands maîtres de la pensée, Léon Tolstoï descendit quelques échelons et essaya de comprendre, en observant son entourage, comment le commun des mortels s'accommodait de la condition humaine. Si la mort était préférable à la vie, pourquoi la plupart des gens ne se suicidaient-ils pas ? Après réflexion, il conclut que ses

semblables adoptaient, en face de ce problème, l'une des quatre attitudes suivantes : les uns ignoraient de bonne foi la tragédie de la vie et de la mort, mais cela supposait une pesanteur d'esprit qui confinait à la sottise ; d'autres, apparentés aux épicuriens, avaient conscience de leur
10 situation désespérée, mais continuaient à lécher le miel sur les feuilles de l'arbuste en attendant de tomber dans la gueule du dragon ; d'autres encore, ayant compris l'absurdité de leur destin sur terre, mettaient un point d'honneur à se détruire ; d'autres enfin, trop faibles pour accomplir ce geste de délivrance, continuaient à manger, à boire, à se vêtir, à procréer, à acheter des terres, à gagner de l'argent avec une insurmontable répulsion. Léon Tolstoï appartenait à cette dernière catégorie. Et il se détestait pour sa lâcheté. Cependant, parfois, il doutait de son jugement.

« S'il n'y avait pas de vie, il n'y aurait pas de raison, se disait-il
20 soudain. Donc, la raison est fille de la vie. Étant fille de la vie, la raison ne peut nier la vie. »

Il tournait dans un cercle infernal. Ses carnets se couvraient de remarques sur les rapports de l'intelligence et de la foi, de l'homme et de l'espace, de la matière et du mouvement. Les notions les plus sûres lui semblaient maintenant contestables. Sa nouvelle ignorance était comparable à celle du moujik. Le moujik ! Comment n'y avait-il pas pensé plus tôt ? C'était de lui que viendrait la lumière.

« Je dirigeai mes regards vers les énormes masses de gens simples, ignorants et pauvres, et je vis tout autre chose », écrira-t-il.
30 Ces gens-là acceptaient la misère, la faim, les mauvais traitements, la maladie, la souffrance, la mort, avec une résignation tranquille. Certains avaient même, dans les plus graves circonstances, un regard heureux. En tout cas, rares étaient ceux qui songeaient à se pendre. Était-ce le raisonnement qui les aidait à supporter le poids de leur existence ? Certainement pas. Ils puisaient leur courage dans la foi la plus simple, la plus aveugle, celle qu'enseignait le pope dans la petite église de campagne à la coupole dédorée. Une pareille foi n'était acceptable qu'en dehors de toute discussion. Dieu, comme la vodka, s'avalait d'un trait, sans réfléchir. « Dès que l'homme applique son
40 intelligence, et uniquement son intelligence, à un objet quelconque, il annihile immanquablement ledit objet », notait Léon Tolstoï dans son carnet [1].

Un jour de printemps, comme il se promenait dans la forêt, il sentit que sa pensée s'allégeait et que tout son corps se mouvait à l'aise dans la pénombre trouée de lumière. Intrigué, il constata que son humeur était toujours triste lorsqu'il niait Dieu du haut de sa science et toujours gaie lorsqu'il l'acceptait à la manière d'un enfant.

Tolstoï, V, 3 (Librairie Arthème Fayard, éditeur).

— 1 « *Carnets* de Léon Tolstoï, notation du 12 mars 1870 » (note de l'auteur).

ESSAYISTES

La plupart des écrivains du XXᵉ siècle ont pratiqué le genre de l'essai. Par exemple — outre GIDE, VALÉRY, MAURIAC, MALRAUX, MAUROIS — JOUHANDEAU (cf. p. 527) : *De la grandeur* (1952) et *Réflexions sur la vieillesse et la mort* (1956) ; ARLAND : *La Grâce d'écrire* (1955) ; IKOR (cf. p. 814) ; QUEFFÉLEC : *La Technique contre la foi* (1962) ; BERNARD CLAVEL : *Le Massacre des innocents* (1970) ; MARGUERITE YOURCENAR (cf. p. 792) : *Sous bénéfice d'inventaire* (1965-1978) et *Le Temps, ce grand sculpteur* (1983).

La question se pose toutefois de savoir s'il s'agit vraiment d'un *genre,* du moins au sens traditionnel du terme : le propre de l'essai est de n'appeler aucun contenu spécifique, de ne se soumettre à aucune structure préétablie et d'admettre tous les tons et tous les styles ; à cet égard, est significatif le titre donné par VALÉRY à ses recueils d'essais : *Variété.*

L'essai relève d'une *littérature réflexive :* son domaine est immense, de la philosophie à la politique, de la critique à la morale, de l'esthétique à l'idéologie, tous *les objets de réflexion.*

ESSAI PHILOSOPHIQUE   Deux des initiateurs du développement de l'essai, ALAIN (cf. p. 864) et BENDA (cf. p. 862), sont philosophes, mais soucieux de « faire passer » dans le public, *par des moyens littéraires,* l'essentiel de leur message. De même, les existentialistes, en même temps qu'ils transposent leur philosophie dans les genres du théâtre ou du roman, ont eux aussi recours à l'essai (cf. p. 701). Un des principaux représentants de *l'essai philosophique,* après Alain et Benda, est Gabriel Marcel.

Gabriel Marcel   GABRIEL MARCEL (1889-1973) eut une enfance privilégiée. Les diverses activités de son père (conseiller d'État, ministre plénipotentiaire, directeur des Beaux-Arts) lui ont permis, de bonne heure, de lointains *voyages,* la visite des villes d'art, l'accès à d'intéressants *milieux* politiques et littéraires. Agrégé de philosophie à vingt ans, très ouvert aux cultures allemande et anglaise, il dirige chez Plon la collection de traductions *Feux Croisés.* En 1929, il s'engage dans la voie d'un catholicisme militant. Gabriel Marcel représente, parallèlement à l'existentialisme athée d'un Jean-Paul Sartre, l'existentialisme chrétien qui reconnaît la douloureuse ambiguïté de la condition humaine, mais refuse de l'enfermer dans l'absurde. Philosophe, auteur dramatique, il insiste sur la valeur de la *personne* et de son effort vers un dépassement : *Être et Avoir* (1935), *Du refus à l'invocation* (1940), *Les Hommes contre l'humain* (1951), *L'Homme problématique* (1955), *Présence et immortalité* (1959), *La Dignité humaine* (1964), *Essais de philosophie concrète* (1966). Ces ouvrages témoignent d'une pensée très présente aux grands problèmes du monde moderne, et d'une sensibilité accueillante à tout ce qui peut enrichir l'âme ou l'élever ; loin de se limiter aux abstractions, il est attiré par la *beauté* du monde et l'intègre à son domaine intérieur.

Cette recherche d'une philosophie chrétienne moderne (« philosophie concrète », selon G. Marcel) se retrouve dans l'œuvre de SIMONE WEIL (1909-1943 : *La Pesanteur et la grâce,* 1947 ; *L'Enracinement,* 1942-43, publ. 1949 ; *La Connaissance surnaturelle,* 1950 ; *Attente de Dieu,* 1949) et de PIERRE TEILHARD DE CHARDIN (1881-1955), dont beaucoup d'ouvrages sont posthumes : *Le Phénomène humain,* 1955 ; *L'Apparition de l'homme,* 1956 ; *Le Milieu divin,* 1926-27, publ. 1957 ; *L'Avenir de l'homme,* 1959 ; *Réflexions sur le bonheur,* 1960 ; *La Place de l'homme dans la nature,* 1963 ; *Le Christ évoluteur,* 1968).

La même recherche d'une « philosophie concrète », mais à partir d'une approche d'abord existentialiste et phénoménologique, puis de plus en plus attentive à la relation, particulièrement verbale, entre la personne et autrui, caractérise les essais que publie MAURICE MERLEAU-PONTY (cf. p. 701) : *Humanisme et terreur* (1947) ; *Signes* (1960) ; *L'Œil de l'Esprit* (1964) ; *Le Visible et l'invisible* (1964).

Quant à MICHEL FOUCAULT (1926-1984), il entreprend d'explorer la notion de nature humaine et aboutit à la mise en question de la relation entre l'homme et son langage, entre ce langage et le monde, et à la mise en question correspondante des fondements mêmes de la culture : *Les Mots et les choses* (1966) ; *L'Archéologie du savoir* (1969) ; *L'Ordre du discours* (1971) ; *Microphysique du pouvoir* (1977).

Emil M. Cioran

EMIL M. CIORAN (né en 1911), écrivain d'origine roumaine, inscrit, *dans la forme littéraire de l'essai*, une philosophie pessimiste et même nihiliste, qui voit dans l'homme une « erreur métaphysique » et qui, au bout du compte, ne trouve que dans le *verbe*, *« formulation du néant »*, le « résidu » qui puisse, fût-il même illusoire, *tenir lieu* de réalité. Aussi le langage de Cioran est-il celui d'un pur styliste, et c'est la raison de son recours à la forme de l'essai : « *Dans la vie de l'esprit, il arrive un moment où l'écriture, s'érigeant en principe autonome, devient destin. [...] C'est alors que le verbe, tant dans la spéculation philosophique que dans les productions littéraires, dévoile et sa vigueur et son néant »* (*Valéry face à ses idoles*, 1970). Les principaux essais de Cioran portent d'ailleurs des titres significatifs : *Précis de décomposition* (1949-1978) ; *La Tentation d'exister* (1956-1975) ; *Histoire et utopie* (1960-1977) ; *De l'inconvénient d'être né* (1973-1983) ; *Aveux et anathèmes* (1981).

ESSAI IDÉOLOGIQUE

L'entre-deux-guerres vit paraître nombre d'essais relevant de l'engagement politique ou idéologique. Du côté de l'idéologie maurrassienne (cf. p. 85), outre son œuvre de critique littéraire (cf. p. 866), HENRI MASSIS publie d'une part *Jugements* (1923-1924) et d'autre part *Défense de l'Occident* (1927). Après la guerre, il publiera encore dans la même ligne, mais quelque peu assouplie, *L'Occident et son destin* (1956). De son côté, THIERRY MAULNIER (cf. p. 666, 866) amorce son évolution dès 1937 avec *Au-delà du nationalisme* et s'orientera de plus en plus vers la recherche d'un universalisme culturel moderne (*La Révolution du XXᵉ siècle*, 1958 ; *Violence et conscience*, 1945 ; *Lettre aux Américains*, 1968).

Du côté des idéologies « de gauche », la « montée des périls » des années 30 favorise le développement d'un courant de pensée dont les interprètes principaux sont JEAN-RICHARD BLOCH (1884-1947 : *Destin du siècle*, 1931 ; *Offrande à la politique*, 1933) et EMMANUEL BERL (1892-1976 : *Mort de la pensée bourgeoise*, 1929 ; *Discours aux Français*, 1935).

Jean Guéhenno

Au même courant de pensée se rattache JEAN GUÉHENNO (1890-1978 : *L'Évangile éternel*, 1927 ; *Caliban parle*, 1928 ; *Conversion à l'humain*, 1931) ; mais il évolue de plus en plus nettement vers un dépassement de l'idéologie et vers la recherche, sous le signe de Rousseau et de Michelet, d'un message universel fondé sur la culture humaniste. A cet égard, *Changer la vie* (1961) n'est pas seulement une autobiographie mais aussi l'expression d'une rigoureuse exigence morale et intellectuelle qui s'exprime pleinement dans *Aventures de l'esprit* (1954) et *Caliban et Prospero* (1969). En 1971, les *Carnets du vieil écrivain* marquent l'aboutissement de cette évolution et sont comme le testament spirituel de GUÉHENNO : dans ces notes autobiographiques, il nous livre sa réflexion sur l'homme et ses idéologies, sur la société, la culture et la civilisation, sur la littérature et ses raisons d'être.

Enfin l'idéologie marxiste inspire non seulement un certain courant de la critique littéraire (cf. p. 871) mais aussi des essais théoriques souvent écrits par les mêmes auteurs, parmi lesquels : HENRI LEFEBVRE (né en 1901) : *Critique de la vie quotidienne* (1947) ; *La Révolution urbaine* (1970) ; *La Pensée marxiste et la ville* (1972) ; *La Présence et l'absence* (1980) ; *Diderot ou les affirmations fondamentales du matérialisme* (1983) ; — et d'autre part CLAUDE ROY (né en 1915, cf. p. 780 ; *L'homme en question*, 1960). La crise du marxisme ouverte dans les années 70 provoque une tentative de renouvellement, principalement représentée par l'œuvre de LOUIS ALTHUSSER (né en 1918) avec, en particulier, *Positions* (1976). Mais de plus jeunes esprits, d'abord tentés par l'idéologie marxiste, sont amenés à rompre avec elle ; c'est le cas en particulier de ceux qu'on a appelés les « nouveaux philosophes », ANDRÉ GLUCKSMANN (né en 1937 : *Les Maîtres penseurs*, 1977 ; *Cynisme et passion*, 1981 ; *La Force du vertige*, 1983 ; *La Bêtise*, 1985) et BERNARD-HENRI LÉVY (né en 1948 : *La Barbarie à visage humain*, 1977 ; *L'Idéologie française*, 1981 ; *Questions de principes*, 1983 ; *Éloge des intellectuels*, 1987).Ce philosophe est également romancier (*Le Diable en tête*, prix Médicis, 1984 ; *Les derniers jours de Charles Baudelaire*, 1988) et auteur dramatique (*Le Jugement dernier*, 1992).

ESSAI ET   A partir de 1950, le développement des sciences
SCIENCES HUMAINES humaines [1] et de la culture artistique favorise l'éclosion
                    d'une littérature réflexive dont l'objet principal est
l'exploration des *relations entre l'homme et les manifestations du mystère ou de l'irrationnel.*
Ainsi JEAN CAZENEUVE (né en 1915) a étudié les croyances et les rites (*Les Dieux dansent
à Cibola. Le Shalako des Indiens Zûnis,* 1957 ; *Les Rites et la condition humaine,* 1957)
avant de s'imposer comme sociologue de l'audio-visuel (*Les pouvoirs de la télévision,* 1970 ;
La Société de l'ubiquité, 1972 ; *L'Homme téléspectateur,* 1974). A cette littérature sur le
sacré, les mythes, l'art appartiennent GABRIEL AUDISIO (1900-1978 : *Les Augures,* 1946 ;
Feux vivants, 1958), RAYMOND ABELLIO (1907-1986 : *Vers un nouveau prophétisme,* 1950 ;
La Structure absolue, 1965 ; *Approches de la nouvelle gnose,* 1981) et surtout RENÉ HUYGHE,
MAURICE BLANCHOT, MIRCEA ELIADE et ROGER CAILLOIS.

René Huyghe   Historien d'art, conservateur des peintures au Louvre
                      (1937), professeur au Collège de France (1951 : chaire de
psychologie des arts plastiques), RENÉ HUYGHE (1906-1997) s'est progressivement engagé
dans une réflexion qui présente quelque analogie avec celle de Malraux (cf. p. 542) sur
la signification spirituelle de la création artistique. Les titres de ses œuvres sont révélateurs :
Dialogue avec le visible (1955), *L'Art et l'Âme* (1961-1980), *Sens et destin de l'art* (1967).

ART, VIE INTÉRIEURE ET INCONSCIENT

Par un regard surplombant sur l'évolution de la connaissance, RENÉ HUYGHE met en
lumière le bouleversement consécutif à la découverte de « l'immense domaine de la vie
inconsciente ». Comme Fontenelle ou Montesquieu, il évoque les effets d'une révolution
radicale dans les modes de pensée ; mais son originalité est dans un dépassement
dialectique qui tend à réduire les antinomies. – THÈMES : *Psychologie. Art. Beaux-arts.*

Depuis un siècle notre connaissance de l'homme a subi un
bouleversement comme il ne s'en était peut-être plus produit depuis
l'apparition du christianisme, peut-être depuis celle de la civilisation
grecque. Notre connaissance de l'art ne peut qu'en subir le contrecoup.
     Corps et âme, vie matérielle et vie intérieure, physiologie et
psychologie, cette division suffisait : la bâtisse, et, tout en haut, la cabine
éclairée du phare, seule visible dans la nuit. Et, un jour, on s'aperçoit
que la lumière qui, au sommet, attire le regard, est solidaire d'une
obscure machinerie qui la prépare et la conditionne, qui sans arrêt
tressaille et vrombit dans les entrailles de la tour ; l'activité mentale
10 cesse de se limiter à cette cellule vitrée et éclairée, où tout se voit et
se comprend ; elle se prolonge, elle descend sans fin dans le corps
ténébreux et caché ; elle y trouve ses sources : la vie intérieure n'est
plus seulement la vie de l'esprit, elle s'agrandit, elle s'alourdit de
l'étrange, de l'immense domaine de la vie inconsciente.
     Transformation incalculable ! Jusqu'alors, la pensée lucide et réfléchie
apparaissait la cause de toutes nos réflexions, de tous nos actes, de toutes
nos démarches ; brutalement elle devient un achèvement, une réaction
ou même un simple effet. L'étude de l'individu n'est pas seule à sortir

---

— 1 Cf. Claude LÉVI-STRAUSS (né en 1908) : | *Pensée sauvage,* 1962 ; *Mythologiques,* 1964-1971 ;
Race et Histoire, 1952 ; *Tristes Tropiques,* 1955 ; *La* | *Le Regard éloigné,* 1983.

transformée de cette épreuve, mais aussi celle de l'histoire de l'art. La
20 première avait été jusque-là constituée par des « hommes illustres », par
des cerveaux responsables agissant sur les éléments, et voici que soudain
elle se trouve un inconscient, elle aussi : les masses anonymes et les sourds
mobiles qui les mènent aveuglément. La seconde offrait une suite de
maîtres illustres, dont on écrivait « les Vies » et dont la recherche voulue
donnait ses visages à la Beauté et voici que tout, théories et styles, roule
passivement à la fatalité des faits et n'obéit plus qu'à des mobiles collectifs
et inavoués. Alors Taine explique l'art par ses conditions d'apparition,
comme Marx la société par le matérialisme dialectique. Une vague de
déterminisme emporte le XIXᵉ siècle finissant et la conscience, pour
30 beaucoup, prend rang d'épiphénomène enregistreur.

Depuis, un équilibre a tenté de s'établir : face à ce monde illimité de
l'inconscient qui lui est étranger par sa nature même, et dont elle dépend
pourtant si étroitement, la pensée a réagi. Rien ne lui étant irréductible
par définition, même ce qui lui est le plus opposé, elle a entrepris avec la
génération des Bergson et des Proust d'assouplir suffisamment ses méthodes pour analyser, au lieu de le nier, cela même qui lui est antinomique.

L'Art et l'âme (Flammarion, éditeur).

Maurice Blanchot

L'œuvre romanesque de MAURICE BLANCHOT (né en 1907) a connu une audience prolongée en raison de son influence discrète sur le « nouveau roman » et la « nouvelle critique ». Son évolution passe des « ROMANS » (*Thomas l'Obscur*, 1941 ; *Aminadab*, 1942 ; *Le Très-Haut*, 1948) à des « RÉCITS » dépouillés de personnages, de décors, d'événements (*L'Arrêt de mort*, 1948 ; *Au moment voulu*, 1951 ; *Celui qui ne m'accompagnait pas*, 1953 ; *L'Attente l'oubli*, 1962).

Dans ses ESSAIS, l'interrogation essentielle porte sur la possibilité et la signification de l'écriture : *Comment la littérature est-elle possible ?* (titre d'un essai, 1942) ; qui parle ? comment interpréter le « Je » du narrateur ? Quel est le lien entre l'absence ou la mort de l'objet, et l'écriture qui l'anéantit ?

L'interrogation incessante de ce « métaphysicien de la critique » (P. de Boisdeffre) se poursuit dans un grand nombre d'essais aux titres souvent évocateurs : *La Part du feu* (1943) ; *Lautréamont et Sade* (1949) ; *L'Espace littéraire* (1955) ; *Le Livre à venir* (1959) ; *L'Entretien infini* (1963) ; *Le Pas au-delà* (1973) ; *L'Écriture du désastre* (1980) ; *Après coup* (1983) ; *La Communauté inavouable* (1984) ; *Le Dernier à parler* (1985).

Dans *L'Espace littéraire*, Maurice Blanchot atteint vraiment aux grandes profondeurs : philosophes et poètes y sont essentiellement présents, au cœur même d'une sorte de solitude créatrice, dont témoignent ces lignes de Novalis : « *Nous rêvons de voyager à travers l'univers : l'univers n'est-il donc pas en nous ? [...] Vers l'intérieur va le chemin mystérieux ; l'éternité est en nous avec ses mondes.* » C'est aussi dans *L'Espace littéraire* qu'il a formulé de façon significative l'essence complexe de l'œuvre littéraire : « *L'œuvre n'est œuvre que si elle est l'unité déchirée toujours en lutte et jamais apaisée, et elle n'est cette intimité déchirée que si elle se fait lumière de par l'obscur, épanouissement de ce qui demeure refermé* ».

Dans *Le Livre à venir* (1959), il étudie (à la suite de R. Barthes) les problèmes du style et de l'écriture, et, dans *La Part du feu*, les rapports de l'auteur et du lecteur : « *L'écrivain, par exemple, voudrait protéger la perfection de la chose écrite en la tenant aussi éloignée que possible de la vie extérieure, [...] mais alors où commence, où finit l'œuvre ?* ». Autre solution, l'auteur n'a plus qu'un but, écrire pour le lecteur, et se confondre avec lui : « *Tentative sans espoir, car le lecteur ne veut pas d'une œuvre écrite pour lui : il veut justement une œuvre étrangère, où il découvre quelque chose d'inconnu, une réalité différente, un esprit séparé qui puisse le transformer et qu'il peut transformer en soi.* »

« *Par bonheur, le langage est une chose* »

« Le moment où ce qui se glorifie en l'œuvre, c'est l'œuvre, où celle-ci cesse en quelque sorte d'avoir été faite, de se rapporter à quelqu'un qui l'ait faite, mais rassemble toute l'essence de l'œuvre en ceci que maintenant il y a œuvre, commencement et décision initiale, ce moment qui annule l'auteur est aussi celui où, l'œuvre s'ouvrant à elle-même, en cette ouverture la lecture prend origine » (MAURICE BLANCHOT, *L'Espace littéraire*, VI).

Dans la parole meurt ce qui donne vie à la parole ; la parole est la vie de cette mort, elle est « la vie qui porte la mort et se maintient en elle ». Admirable puissance. Mais quelque chose était là, qui n'y est plus. Quelque chose a disparu. Comment le retrouver, comment me retourner vers ce qui est *avant*, si tout mon pouvoir consiste à en faire ce qui est *après* ? Le langage de la littérature est la recherche de ce moment qui la précède. Généralement, elle le nomme existence ; elle veut le chat tel qu'il existe, le galet dans son *parti pris de chose* [1], non pas l'homme, mais celui-ci et, dans celui-ci, ce que l'homme rejette pour le dire, ce qui est le fondement de la parole et que la
10 parole exclut pour parler, l'abîme, le Lazare du tombeau et non le Lazare rendu au jour, celui qui déjà sent mauvais [2], qui est le Mal, le Lazare perdu et non le Lazare sauvé et ressuscité. *Je dis une fleur !* [3] Mais, dans l'absence où je la cite, par l'oubli où je relègue l'image qu'elle me donne, au fond de ce mot lourd, surgissant lui-même comme une chose inconnue, je convoque passionnément l'obscurité de cette fleur, ce parfum qui me traverse et que je ne respire pas, cette poussière qui l'imprègne mais que je ne vois pas, cette couleur qui est trace et non lumière. Où réside donc mon espoir d'atteindre ce que je repousse ? Dans la matérialité du langage, dans ce fait que les mots aussi sont des choses, une nature, ce qui m'est donné et me donne plus que
20 je n'en comprends. Tout à l'heure, la réalité des mots était un obstacle. Maintenant, elle est ma seule chance. Le nom cesse d'être le passage éphémère de la non-existence pour devenir une boule concrète, un massif d'existence ; le langage, quittant ce sens qu'il voulait être uniquement, cherche à se faire insensé. Tout ce qui est physique joue le premier rôle : le rythme, le poids, la masse, la figure, et puis le papier sur lequel on écrit, la trace de l'encre, le livre. Oui, par bonheur, le langage est une chose : c'est la chose écrite, un morceau d'écorce, un éclat de roche, un fragment d'argile où subsiste la réalité de la terre. Le mot agit, non pas comme une force idéale, mais comme une puissance obscure, comme une incantation qui contraint les choses, les rend
30 *réellement* présentes hors d'elles-mêmes.
                                                    La Part du feu (Librairie Gallimard, éditeur).

Mircea Eliade   Le problème du *sacré*, dans ses manifestations religieuses, mythologiques et esthétiques, est avec le mystère du *besoin mythologique* reconnu comme loi fondamentale de la nature humaine, à l'origine des recherches d'ethnologues comme LÉVI-STRAUSS. A partir de ces données scientifiques s'élabore une réflexion qui, à son tour, inspire des *essais synthétiques* sur les principaux thèmes et expressions de *la pensée mythologique*.
D'origine roumaine, MIRCEA ELIADE (1907-1986) est, avec ROGER CAILLOIS, le principal représentant de cette réflexion, avec : *Le Mythe de l'éternel retour* (1949), *Mythes, rêves et mystères* (1957-1972), *Aspects du mythe* (1963), *L'Épreuve du labyrinthe* (1985).

— 1 Cf. Francis Ponge, p. 616. — 2 Allusion aux paroles de Marthe à Jésus avant qu'il ne ressuscite Lazare (Jean, XI, 39). — 3 « Je dis : une fleur !... et... musicalement se lève, idée même et suave, l'absente de tous bouquets ». (Mallarmé, Cf. *XIXᵉ Siècle*, p. 530).

« Sortie du Temps »

A propos de la relation entre *mythe* et *roman,* MIRCEA ELIADE analyse ici le phénomène de « sortie du temps » que déterminent également le récit mythique et le récit romanesque. THÈMES : *Mythes. Temps. Littérature. Art.*

Ce qui est à souligner, c'est que la prose narrative, le roman spécialement, a pris, dans les sociétés modernes, la place occupée par la récitation des mythes et des contes dans les sociétés traditionnelles et populaires. Mieux, il est possible de dégager la structure « mythique » de certains romans modernes, on peut démontrer la survivance littéraire des grands thèmes et des personnages mythologiques. (Ceci se vérifie surtout pour le thème initiatique, le thème des épreuves du Héros-Rédempteur et ses combats contre les monstres, les mythologies de la Femme et de la Richesse.) Dans cette perspective, on pourrait donc dire que la passion moderne pour les romans trahit le désir d'entendre
10 le plus grand nombre possible d'« histoires mythologiques » désacralisées ou simplement camouflées sous des formes « profanes ».

Autre fait significatif : le besoin de lire des « histoires » et des narrations qu'on pourrait appeler paradigmatiques, puisqu'elles se déroulent selon un modèle traditionnel. Quelle que soit la gravité de la crise actuelle du roman, il reste que le besoin de s'introduire dans des univers « étrangers » et de suivre les péripéties d'une « histoire » semble consubstantiel à la condition humaine et, par conséquent, irréductible. Il y a là une exigence difficile à définir, à la fois désir de communier avec les autres, les « inconnus », et de partager leurs drames et leurs espoirs, et besoin d'apprendre ce qui *a pu se passer.* On concevrait
20 difficilement un être humain qui ne soit pas fasciné par le « récit », par la narration des événements significatifs, par ce qui est arrivé à des hommes pourvus de la « double réalité » des personnages littéraires (qui, à la fois, reflètent la réalité historique et psychologique des membres d'une société moderne et disposent de la puissance magique d'une création imaginaire).

Mais la « sortie du Temps » opérée par la lecture — particulièrement la lecture des romans — est ce qui rapproche le plus la fonction de la littérature de celle des mythologies. Le temps qu'on « vit » en lisant un roman n'est sans doute pas celui qu'on réintègre, dans une société traditionnelle, en écoutant un mythe. Mais, dans un cas comme dans l'autre, on « sort » du temps historique
30 et personnel et on est plongé dans un temps fabuleux, trans-historique. Le lecteur est confronté à un temps étranger, imaginaire, dont les rythmes varient indéfiniment, car chaque récit a son propre temps, spécifique et exclusif. Le roman n'a pas accès au temps primordial des mythes, mais, dans la mesure où il raconte une histoire vraisemblable, le romancier utilise un temps *apparemment historique,* et pourtant condensé ou dilaté, un temps qui dispose donc de toutes les libertés des mondes imaginaires.

Aspects du mythe (Librairie Gallimard, éditeur).

Roger Caillois

Le point de départ de ROGER CAILLOIS (1913-1978) est plus sociologique que celui d'Eliade : il s'intéresse aux rapports entre l'imaginaire et le social (*Le Mythe et l'Homme,* 1938), puis aborde les problèmes du sacré dans *L'Homme et le Sacré* (1939-1970). A partir d'une interrogation sur la poésie (*Les Impostures de la poésie,* 1945), il concentre enfin sa réflexion sur les différents aspects de l'inscription du mythologique dans le littéraire, en particulier le fantastique (*Au cœur du fantastique,* 1968).

« *SAINTE ÉCRITURE !* »

CAILLOIS en vient à explorer la relation entre *l'imaginaire* et *le littéraire* sous le signe de *l'écrit* (*Approches de l'imaginaire,* 1974 ; *Approches de la poésie,* 1978). A cet égard, son *Discours de réception à l'Académie française,* où il fut reçu en 1972, est un texte exemplaire.

Un vers, un proverbe, une maxime, par un concours d'échos ou de symétries, se haussent naturellement à une enviable stabilité. Un texte plus étendu ou plus lâche, si l'écriture ne le fixait, si l'imprimerie ne le multipliait, n'aurait même pas le temps d'être crédité de la plus brève permanence. C'est pourquoi l'écriture constitue le gage, la chance de la survie, combien précaire du reste et infiniment aléatoire, pour laquelle il n'est pas d'écrivain qui ne risque son pari insensé.

Mais voici l'écriture mise en question à son tour. Des prophètes qui montrent, je l'espère, plus de malignité que de clairvoyance, annoncent
10 la fin, après cinq misérables siècles, de l'ère de Gutenberg. Ce n'est pas l'imprimerie seule qu'ils destinent ainsi à une prompte déshérence, c'est l'expression écrite dans son ensemble, en ses œuvres vives, en sa précellence encore neuve à l'échelle de l'histoire de l'espèce. Puissent les dieux écarter le présage ! Je suis persuadé pour ma part que les procédés d'enregistrement, de conservation, de multiplication et de relais du son ou de l'image constituent des acquisitions inappréciables, mais qui n'écartent nullement l'expression discursive, telle qu'un texte la fixe et la perpétue, invitant au déchiffrement et à la méditation, c'est-à-dire à l'indispensable déploiement d'un message où même l'in-formulé devient
20 lentement explicite. Jusqu'à l'image que la sensibilité ne s'approprie bien qu'au moment où les détails en sont nommés, énumérés, décrits et, pour ainsi dire, lus. Tout langage reçoit ainsi de l'écriture sa consécration et sa fécondité. L'écriture est, de vocation, support de savoir précis et vérifiable, d'argumentation rigoureuse, instrument quasi exclusif et dépôt des références durables. On n'a pas assez remarqué combien le son insistant et l'image en mouvement, au contraire de la lecture, favorisent l'hypnose de l'esprit et l'acheminent aisément à la sensation fruste et hébétée que suscite vite le vacarme ou l'éclat.

Sainte écriture ! il n'est endroit de la planète où des signes gravés
30 dans le marbre, coulés dans le bronze, creusés dans chaque matière résistante ou précieuse ne lui aient conféré une pérennité solennelle. Runes des pierres du Nord et stèles des déserts de l'Asie, cartouches des sanctuaires d'Égypte et calligraphies géantes des portiques et des coupoles bleues de Samarcande et d'Ispahan ; onciale des vélins et immuables dédicaces romaines des aqueducs, des palais et des tombeaux ; caractères éclaboussés sur la soie par le poignet exercé d'un maître en Chine ou à Nara : partout je constate le même hommage rendu à l'écriture et, à travers elle, au texte qu'elle a donné à voir et qu'elle perpétue. *Discours de réception à l'Académie française* (Librairie Gallimard, éditeur).

L'ÉVOLUTION DE LA CRITIQUE

LA CRITIQUE UNIVERSITAIRE

Comme cela s'était produit aux alentours de 1825 avec Villemain, Victor Cousin et le groupe du *Globe,* la critique universitaire, qui n'avait dès lors cessé d'affirmer son rôle, brilla d'un éclat particulier à la charnière du XIXe et du XXe siècle. Entre 1890 et 1914, en effet, les grands noms de la critique sont ceux de professeurs : BRUNETIÈRE, LEMAITRE, FAGUET, LANSON. Mais la place éminente que ceux-ci occupent ne doit pas faire oublier les travaux ou les *théories* d'une équipe beaucoup plus large où comptent, par exemple, Gustave Larroumet (1852-1903), Abel Lefranc (1863-1952), Victor Giraud (1868-1953) et surtout les *médiévistes* Gaston Paris (1839-1903) et Joseph Bédier (1864-1938).

Le *dogmatique* Désiré Nisard (1806-1888) ayant été le dernier des critiques universitaires à énoncer dans son *Histoire de la littérature française* (1844-1861) de simples jugements esthétiques ou moraux au nom d'un idéal classique intangible, on voit désormais triompher sans conteste le mode *d'investigation psychologique et documentaire* proposé par Sainte-Beuve, l'habitude des *vues généralisatrices* introduite par Taine et la leçon de *relativisme historique* donnée par Renan (cf. *XIXe Siècle,* p. 385-404).

Si la critique, « conscience de la littérature », continue par destination à *choisir, juger, classer* selon certains critères tantôt déterminés, tantôt instinctifs et gratuits (comme c'est le cas pour Jules Lemaitre), elle combine son magistère avec le soin *d'expliquer* ou *d'éclairer* la naissance des œuvres, ce qui suppose l'édification d'une *science* aussi rigoureuse que la science historique : *l'histoire littéraire.*

Elle n'en reste pas moins au contact de la vie intellectuelle de l'époque et son orientation est parfois commandée par certaines *conceptions scientifiques ou philosophiques ;* enfin, par le choix personnel de ceux qui la pratiquent, elle reflète en quelque mesure les options *morales, religieuses* et même *politiques* qui partagent la vie nationale.

Ferdinand Brunetière (1849-1907)

Esprit impérieux et plein de rigueur, âme progressivement inclinée aux aspirations spirituelles comme le prouve son adhésion tardive au christianisme, orateur et écrivain caractérisé par une *argumentation solide, liée et insistante,* BRUNETIÈRE eut autant d'action par ses cours à l'École Normale et à la Sorbonne (à partir de 1886) que par ses articles à la *Revue des Deux Mondes* dont il devint directeur en 1893. De son œuvre, il faut retenir surtout l'étude sur *Le Roman naturaliste* (1883) et des ensembles qui se présentent essentiellement sous forme de leçons : *Les Époques du théâtre français* (1892), *Évolution de la poésie lyrique au XIXe siècle* (1894), et les neuf séries d'*Études critiques* (1880-1925).

« LE NATURALISME DES CLASSIQUES ». Contre le naturalisme de Zola et de ses disciples auxquels il reproche leur prétention scientifique entachée de *matérialisme,* leur indifférence d'expérimentateurs pour les *valeurs morales* et leur négligence de la *« beauté » ;* contre toutes les conséquences de la poésie baudelairienne qu'il *méconnaît* ou *condamne ;* enfin contre la *gratuité* de ce qu'il englobe sous l'étiquette péjorative à ses yeux d'*art pour l'art,* il exalte constamment, même lorsqu'il parle des grands romantiques chez qui il en retrouve la permanence, le « naturalisme des classiques » soucieux de *vérité humaine générale et d'utilité morale.* C'est sur ce point surtout qu'il insiste : « *Il est une position, Messieurs, que je n'abandonnerai pas, et, sans jamais identifier ni confondre l'art avec la morale, je n'admettrai jamais, je parlerai toujours comme si je n'admettais pas qu'on les sépare entièrement l'un de l'autre* » (*Évolution de la poésie lyrique,* 1re Leçon). Telle est la position qu'il a soutenue dans *La Science et la religion* (1897) et dans *L'Art et la morale* (1898).

L'ÉVOLUTION DES GENRES. Mais Brunetière est surtout célèbre par sa théorie de l'évolution des genres, qu'il a successivement illustrée par l'exemple du théâtre français entre 1636 et 1850 et par celui de la poésie lyrique qui, d'après lui, ne survivrait au XVIIe siècle que dans le « lyrisme » de Bossuet avant de renaître au XIXe sous l'influence de la prose nombreuse et passionnée de J.-J. Rousseau, Bernardin de Saint-Pierre et Chateaubriand. Pour Brunetière, largement tributaire de la pensée de Darwin, Spencer, Haeckel, les genres littéraires sont en effet des « espèces » soumises à toutes les actions de la vie :

> *« Comment naissent les genres, à la faveur de quelles circonstances de temps ou de milieu ; comment ils se distinguent et comment ils se différencient ; comment ils se développent — à la façon d'un être vivant, — et comment ils s'organisent, éliminant, écartant tout ce qui peut leur nuire, et, au contraire, s'adaptant ou assimilant tout ce qui peut les servir, les nourrir, les aider à grandir ; comment ils meurent, par quel appauvrissement ou quelle désagrégation d'eux-mêmes, et de quelle transformation ou de quelle genèse d'un genre nouveau leurs débris deviennent les éléments, telles sont, Messieurs, les questions que se propose de traiter la méthode évolutive. »* (Évolution de la poésie lyrique, 1).

Jules Lemaitre   Universitaire de formation et de métier jusqu'en 1884,
(1853-1914)   auteur d'une thèse sur *La Comédie après Molière et le théâtre de Dancourt* (1882), JULES LEMAITRE, en dépit de ses larges connaissances et de sa profonde et sérieuse culture, forme une parfaite antithèse avec Brunetière : d'abord, poète, conteur, auteur de théâtre, il fut un « homme de lettres » fêté par le public ; ensuite, comme il avait pris activement parti lors de l'affaire Dreyfus, ses convictions nationalistes et anti-républicaines inclinèrent dès lors ses jugements vers la sévérité passionnée (*J.-J. Rousseau*, 1907) ou l'exaltation « sympathique » (*Jean Racine*, 1908) ; plus encore, enfin, sa conception de la critique est à l'opposé de toute *théorie*, de toute *généralisation*, et de tout *esprit didactique*.

Plus savant et mieux informé qu'Anatole France (cf. p. 87) qui présente la même attitude dans le camp des purs littérateurs, il se réclame comme lui de l'esprit de « dilettantisme » opposé, vers 1890, aux affirmations et aux prétentions de *l'esprit scientiste*. Il a peu fait de déclarations de principes mais s'est contenté de reprendre aux *Pensées de Joseph Delorme* (cf. *XIXe Siècle*, p. 258) une définition de l'esprit critique qui est « de sa nature, facile, insinuant, mobile, compréhensif ; c'est une grande et limpide rivière qui serpente et se déroule autour des œuvres ». Il a donc surtout retenu de Sainte-Beuve la curiosité infinie, le goût de l'anecdote, l'aptitude à tout pénétrer et à tout accepter, pourvu que « l'art de jouir des livres » y trouve son compte.

L'essentiel de son œuvre le prouve : recueils d'articles bien enlevés, les sept volumes des *Contemporains* (1885-1899) et les dix volumes d'*Impressions de théâtre* (1888-1898), qu'il a publiés de son vivant et qui ont été complétés après sa mort, n'offrent en effet que des « impressions sincères notées avec soin ». Jules Lemaitre y marque sans doute une préférence évidente pour l'ordre, la clarté, et le goût du « génie français » lorsqu'il juge des grandes œuvres de notre littérature ; mais partout ailleurs, *devant les ouvrages extrêmement divers de l'actualité*, il se borne à réagir tantôt avec plaisir tantôt avec humeur, non sans multiplier les *vues ingénieuses*, les *rapprochements utiles* et les *formules frappantes*. Quant aux deux célèbres séries *En marge des vieux livres* (1905 et 1907), elles représentent un véritable jeu de lettré plus occupé à *rêver* et à *imaginer* à propos de belles œuvres qu'à les juger en elles-mêmes.

En définitive, Jules Lemaitre offre l'exemple très significatif d'une *critique subjective* soutenue par *une science certaine*, même si celle-ci se dissimule ; il invite à lire et à relire « pour le plaisir » ; enfin, *du point de vue documentaire*, ses ouvrages constituent une très vaste « revue des livres » et une très abordable « chronique dramatique » de son temps.

Émile Faguet
(1847-1916)

Moins artiste et moins bon écrivain que Lemaitre, et resté fidèle à sa chaire de Sorbonne tout en collaborant au *Journal des débats* et à la *Revue des Deux Mondes,* ÉMILE FAGUET illustre bien la critique non seulement universitaire mais, mieux encore, *« professorale ».* Son œuvre, très abondante, déborde les cadres de la littérature française *(En lisant Nietzsche, Pour qu'on lise Platon)* et même la littérature tout court *(Problèmes politiques du temps présent,* 1901 ; *Le Libéralisme,* 1902 ; *L'Anticléricalisme,* 1906 ; *Le Pacifisme,* 1908). Sans être aussi militant que Jules Lemaitre, Faguet défend en effet, lui aussi, la tradition et les valeurs françaises. Voilà pourquoi, lorsqu'il étudie notre littérature, mis à part *Politiques et moralistes du XIXe siècle* (1891-1900), il partage son intérêt entre les auteurs du XVIIe siècle pour les exalter et ceux du XVIIIe pour les condamner, *parfois violemment :* ainsi, à propos de l'événement national et républicain que fut, en 1912, la célébration du deuxième centenaire de Rousseau, il n'écrit pas moins de cinq volumes sur cet auteur, tous sévères et parfois injustes.

Sa méthode est celle de *l'exposé,* sur un plan toujours identique, comme il apparaît dans les quatre volumes où il présente chacun des *Siècles* de la littérature française. A propos de chaque auteur, étudiant tour à tour sa vie, sa pensée, ses conceptions littéraires et l'art personnel qui les illustre, il se borne aux « caractères saillants » qui tiennent chez lui, avec moins de rigueur déductive, la place de la « faculté maîtresse » chère à Taine (cf. *XIXe Siècle,* p. 399). On en tire des vues claires et utiles à condition de se méfier *des jugements exagérés* que propose *Le Dix-huitième Siècle* (1890).

Gustave Lanson
(1857-1934)

Le rôle capital de LANSON est d'avoir défini avec précision et imposé par son exemple *les règles de l'histoire littéraire,* déjà pressenties par Brunetière mais non encore codifiées ; il n'en réserve pas moins *tous les droits de la critique.*

UN GRAND PROFESSEUR. Né à Orléans, entré à l'École Normale en 1876, Lanson enseigna d'abord comme agrégé dans les lycées, jusqu'en 1894. Son enseignement très dévoué s'accompagnait déjà de travaux personnels considérables : une thèse sur *Nivelle de La Chaussée et la comédie larmoyante* (1887), mais surtout la fameuse *Histoire de la littérature française* (1894) qui, à l'âge de trente-sept ans, l'avait amené à connaître et à juger l'ensemble de notre patrimoine littéraire. Suppléant de Brunetière à l'École Normale dès cette date, puis professeur en Sorbonne, il termina sa carrière, en 1927, comme directeur de l'École Normale. Entre-temps, plusieurs missions d'enseignement aux États-Unis avaient fait de lui un ambassadeur de l'Université française.

Ses goûts, mais aussi la spécialisation des deux grandes chaires qu'il occupa (Éloquence française et Histoire littéraire du XVIIIe siècle français) le conduisirent à étudier plus particulièrement les prosateurs et les philosophes et à faire une grande part au mouvement des idées ; il n'en aborda pas moins d'autres genres avec autant de sûreté *(Esquisse d'une histoire de la tragédie française,* 1920). Outre ses cours publiés et de nombreux articles de revues, il demeure de lui toute une série d'études ramassées et fortes sur *Bossuet* (1890), *Boileau* (1893), *Corneille* (1896), *Voltaire* (1906) et, plus tard, sur *Les Essais de Montaigne* (1930) et sur *Vauvenargues* (1930). Complétée par la délicate et très utile étude sur *L'Art de la prose* (1908), l'œuvre imprimée de Lanson le cède cependant en importance réelle à l'action exercée par son enseignement direct et par la direction d'innombrables travaux de recherche : c'est en effet par la pratique qu'il imposa sa fameuse méthode.

LA MÉTHODE LANSONIENNE. Cette méthode personnelle qui, avec le temps, allait devenir l'unique « méthode » des études littéraires, est inspirée par « le goût du vrai » que Lanson possédait avant tout. Elle vise essentiellement à faire reposer le jugement critique sur des « faits » aussi objectifs que ceux de l'histoire ; elle invite donc à rassembler au départ des éléments matériellement indiscutables (sous réserve de découvertes ultérieures) et constituant un acquis commun à tous les chercheurs.

Il l'a lui-même décrite dans ses étapes nécessaires en traçant un programme de travail à ses élèves : « *Constituer une bibliographie, chercher une date, confronter les éditions, tirer parti d'un chef-d'œuvre, trouver une source, débrouiller les origines d'un mouvement, séparer les éléments d'une forme hybride... »*. Dans cet ensemble de recherches il insista principalement 1°) sur la *bibliographie* destinée à rassembler tous les *textes connus* d'une œuvre ou d'un auteur donné et tous les *travaux antérieurs* les concernant ; 2°) sur l'étude des *sources* possibles qui seule permet d'éclairer complètement la genèse d'une œuvre et d'isoler sa part *d'originalité réelle ;* 3°) sur l'étude des *manuscrits* conservés puis des *états successifs* d'un texte selon les éditions, sûr moyen de découvrir le cheminement d'une pensée ou de pénétrer le secret d'un style. De là, dans l'œuvre de Lanson, le monumental et durable *Manuel bibliographique de la littérature française moderne* (1909-1914) qui, pour une période débutant au XVIᵉ siècle, rassemble 25 000 références ; de là aussi la présence *d'éditions historiques et critiques* (*Les Lettres philosophiques,* 1909 ; *Les Méditations,* 1919) dont il a établi les règles et donné l'exemple.

LE LANSONISME. Responsable d'un enseignement destiné à doter de bases solides les études littéraires, Lanson insistait en Sorbonne sur des questions de méthode et faisait participer ses élèves à ses travaux sévères. Il fut donc facile, à l'époque, de déformer ses intentions et de parler de « germanisation des études » au détriment de la tradition française reposant sur le goût et l'exercice du jugement : dès avant 1914 une campagne s'éleva contre le « lansonisme », menée fougueusement par Péguy (cf. p. 147) et ironiquement par Agathon-Massis (cf. p. 320, note 2 ; p. 850 et p. 866).

PROUST, dans son *Contre Sainte-Beuve,* objectera qu'un livre « est le produit d'un autre moi que celui que nous manifestons dans nos habitudes, dans la société, dans nos vices », et, sans nier l'intérêt humain des études sur « les sources, les influences, la psychologie, les milieux », VALÉRY déclare dans *Variété :* « Je dois constater que je n'y ai pas trouvé grand chose qui pût me servir positivement ». De fait, quand un esprit original aborde une œuvre littéraire en se limitant au texte, il apporte au lecteur un éclairage infiniment précieux.

A vrai dire, trop de travaux inspirés par la méthode désormais acquise eurent le tort de mettre l'accent sur l'appareil critique et de considérer comme une fin en soi la recherche érudite ; l'étude des *sources* et des *influences* surtout y prévalent sur la pénétration sensible de l'œuvre : armés de leurs « fiches », certains « lansoniens », méconnaissant l'esprit du maître et de sa méthode, semblèrent confirmer outrageusement la prévision hasardée de Renan : « *L'étude de l'histoire littéraire est destinée à remplacer en grande partie la lecture directe des œuvres de l'esprit humain.* » Or, Lanson s'était élevé dès 1894 contre une telle vue. Pour lui, l'histoire littéraire n'est destinée qu'à rendre solides et bien reconnues les bases du jugement critique : il donne, en définitive, le pas à « l'intuition personnelle » qui, en toute connaissance de cause, doit s'appliquer à l'œuvre elle-même.

« *La littérature n'est pas objet de savoir* »

Cette page, où LANSON définit clairement son idéal, est remarquable non seulement par la netteté du point de vue mais aussi par l'aisance du style qui, en dépit de sa simplicité et de sa discrétion, révèle une grande *ferveur.* La réaction que Lanson lui-même aurait manifestée contre ses disciples indiscrets se devine dans le dernier paragraphe.
THÈMES : *Art. Littérature. Science.*

On ne comprendrait pas que l'histoire de l'art dispensât de regarder les tableaux et les statues. Pour la littérature comme pour l'art, on ne peut éliminer l'œuvre, dépositaire et révélatrice de l'individualité. Si la lecture des textes originaux n'est pas l'illustration perpétuelle et le but dernier de l'histoire littéraire, celle-ci ne procure plus qu'une connaissance stérile et sans valeur.

Sous prétexte de progrès, l'on nous ramène aux pires insuffisances de la science du Moyen Âge, quand on ne connaissait plus que les sommes et les manuels. Aller au texte, rejeter la glose et le commentaire, voilà, ne l'oublions pas, par où la Renaissance fut excellente et efficace.

10 L'étude de la littérature ne saurait se passer aujourd'hui d'érudition : un certain nombre de connaissances exactes, positives, sont nécessaires pour asseoir et guider nos jugements. D'autre part, rien n'est plus légitime que toutes les tentatives qui ont pour objet, par l'application des méthodes scientifiques, de lier nos idées, nos impressions particulières, et de représenter synthétiquement la marche, les accroissements, les transformations de la littérature. Mais il ne faut pas perdre de vue deux choses : l'histoire littéraire a pour objet la description des individualités ; elle a pour base des intuitions individuelles. Il s'agit d'atteindre non pas une espèce, mais Corneille, mais Hugo : et on les atteint, non pas par des expériences ou des procédés que chacun peut répéter 20 et qui fournissent à tous des résultats invariables, mais par l'application de facultés qui, variables d'homme à homme, fournissent des résultats nécessairement relatifs et incertains. Ni l'objet, ni les moyens de la connaissance littéraire ne sont, dans la rigueur du mot, scientifiques.

En littérature, comme en art, on ne peut perdre de vue les œuvres, infiniment et indéfiniment réceptives et dont jamais personne ne peut affirmer avoir épuisé le contenu et fixé la formule. C'est dire que la littérature n'est pas objet de savoir : elle est exercice, goût, plaisir. On ne la *sait* pas, on ne l'*apprend* pas : on la pratique, on la cultive, on l'aime. Le mot le plus vrai qu'on ait dit sur elle, est celui de Descartes : la lecture des bons livres est comme une 30 conversation qu'on aurait avec les plus honnêtes gens des siècles passés, et une conversation où ils ne nous livreraient que le meilleur de leurs pensées.

Les mathématiciens comme j'en connais, que les lettres amusent, et qui vont au théâtre ou prennent un livre pour se récréer, sont plus dans le vrai que ces littérateurs comme j'en connais aussi, qui ne *lisent* pas mais *dépouillent*, et croient faire assez de convertir en *fiches* tout l'imprimé dont ils s'emparent. La littérature est destinée à nous fournir un plaisir, mais un plaisir intellectuel, attaché au jeu de nos facultés intellectuelles, et dont ces facultés sortent fortifiées, assouplies, enrichies. Et ainsi la littérature est un instrument de culture intérieure : voilà son véritable office.

Avant-propos de *L'Histoire de la littérature française* (Hachette, éditeur).

Contemporains ou presque de Lanson, comptent aussi des critiques universitaires comme André Le Breton, Fortunat Strowski, Gustave Michaut, Fernand Baldensperger. De même origine, René Doumic, successeur de Brunetière à la *Revue des Deux Mondes,* Louis Gillet, André Bellessort ont cependant produit l'essentiel de leur œuvre en marge de l'Université.

La lignée des vrais disciples de Lanson commence avec DANIEL MORNET (1879-1954), spécialiste du XVIIIᵉ siècle, et PAUL HAZARD (1868-1944) qui, ayant (après Baldensperger) contribué à établir la discipline distincte de la *littérature comparée*, a laissé deux ouvrages d'une rare ampleur : *La Crise de la conscience européenne, 1680-1715* (1935) et *La Pensée européenne au XVIIIᵉ siècle* (1946).

Parmi les critiques qui se sont attachés à éclairer la signification de *l'hellénisme* pour l'homme moderne, MARIO MEUNIER (1882-1960) occupe, avec Victor Bérard et Paul Mazon, le premier rang comme traducteur des grands classiques grecs ; il s'est fait aussi, dans ses essais, le fidèle interprète de la spiritualité hellénique. De son côté, un autre helléniste, FERNAND ROBERT, a consacré une belle étude à la défense de *l'humanisme*.

Continuité   Combinant la rigueur scientifique et les valeurs hu-
de cette critique   maines prônées par Lanson (cf. p. 859), la CRITIQUE UNI-
                          VERSITAIRE a suivi son cours sans polémique (sauf cas
exceptionnel, cf. p. 870), alors même qu'avec parfois quelque intolérance se manifestait
l'exigence des *nouvelles approches* dont il sera question plus bas. Cette critique universitaire
n'est pas fermée aux acquis des formules nouvelles lorsqu'ils permettent d'éclairer les
textes qui s'y prêtent : c'est chaque fois un cas d'espèce. Il serait injuste de ne pas citer,
parmi tant d'autres universitaires, PIERRE-GEORGES CASTEX, RENÉ POMEAU, JEAN FABRE,
PIERRE MOREAU, GEORGES BLIN, RAYMOND LEBÈGUE, VERDUN-L. SAULNIER... ; mais à
vrai dire, il faudrait mentionner ici les auteurs par dizaines et les ouvrages par centaines
dont la présence dans les fichiers des bibliothèques universitaires témoigne d'une
contribution irremplaçable au maintien et à la promotion de notre culture littéraire. Tout
au long du siècle, ces « guides » ont démontré que, *quelle que soit la méthode,* le critique
ne remplit son office que s'il met au service de l'œuvre étudiée son expérience humaine,
son intuition, sa sensibilité, en un mot son *génie personnel*, — ultime conclusion à laquelle
conduirait tout aussi bien la lecture de novateurs comme Gaston Bachelard, Jean-Pierre
Richard ou Jean Starobinski.

ÉLARGISSEMENT DE LA CRITIQUE

La N.R.F.   En février 1909 paraissait le premier numéro de la
au carrefour   *Nouvelle Revue française.* Plus qu'une revue, la N.R.F.
                          allait être le centre d'une prestigieuse *diffusion* d'œuvres
contemporaines à laquelle presque tous les grands écrivains apportèrent leur nom. Dirigée
d'abord par ANDRÉ GIDE, JACQUES COPEAU et JEAN SCHLUMBERGER, puis par JACQUES
RIVIÈRE et, après 1925, par JEAN PAULHAN, elle devait marquer aussi une *orientation
nouvelle* de la *critique* et même du *goût* français, qu'elle élargit et entraîna vers de vastes
horizons, en l'ouvrant aux *littératures étrangères* (Dostoïevsky, Rilke, Pirandello) comme
aux grands *problèmes* de la pensée, de l'art et de la psychologie. Dans le domaine de
la critique, des livres tels qu'*Incidences* d'André Gide, ou *Variété* de Paul Valéry
marqueront l'épanouissement de cet humanisme nouveau dont témoigneront aussi, à leur
date, JEAN PAULHAN *(Petite Préface à toute critique)* comme ÉMIL CIORAN, né Roumain
et devenu un brillant essayiste français *(Syllogismes de l'amertume,* 1952 ; *La Tentation
d'exister,* 1956). Créées en 1922, *Les Nouvelles littéraires* ont contribué, elles aussi, à
répandre la littérature vivante, grâce aux enquêtes de FRÉDÉRIC LEFÈVRE *(Une heure
avec...),* prélude aux entretiens radiophoniques d'aujourd'hui.

Albert Thibaudet   La personnalité d'ALBERT THIBAUDET (1874-1936) est
                          très significative de l'heureuse synthèse recherchée par la
N.R.F. où il tint rubrique durant vingt années. Une documentation riche, « omnisciente »,
disait Paul Valéry, ne brise pas chez lui l'élan d'une réaction vigoureuse et sensible ;
ainsi la critique d'Albert Thibaudet ne sépare jamais *l'information* de *l'intuition,* ni *l'histoire*
de *la vie.* Sans dogmatisme, dans un esprit de curiosité libérale et un peu gourmande,
ce Bourguignon sut parler de *Thucydide* (1922) comme de *Flaubert* (1922), de *Paul Valéry*
(1924) ou de *Stendhal* (1931) aussi bien que de Barrès, de Maurras ou de Bergson.
Des volumes tels que *Trente ans de vie française* (1920-1923), *Physiologie de la critique*
(1930) et ses *Réflexions* (sur la Critique, sur la Littérature, sur le Roman) ouvrent
d'intéressantes perspectives. Son *Histoire de la littérature française de 1789 à nos jours*
(posthume, 1936), abonde en vues pénétrantes : il y dégage les grands *courants,* les *thèmes*
caractéristiques d'une époque, et les générations d'écrivains qu'il appelle des « *volées* ».
Ainsi aux données de l'histoire littéraire Albert Thibaudet adjoint le goût d'une *critique
constructive;* en bon maître, il a beaucoup apporté et beaucoup suggéré ; entre autres
mérites, il a su voir de quelle importance pour l'avènement d'une critique nouvelle devait
être le *bergsonisme,* qui allait former les esprits « à substituer sur toute la ligne les valeurs
de mouvement aux valeurs statiques ».

POUR OU CONTRE BERGSON : BENDA ET DU BOS

Julien Benda   JULIEN BENDA (1867-1955) s'est surtout fait connaître par *La Trahison des clercs* (1927) où il prenait violemment à partie les intellectuels qui, selon lui, se commettent dans les débats de la vie politique. Romancier un peu oublié déjà, il a joué, comme *critique*, un rôle important en prenant position, jusqu'au pamphlet, contre Bergson (*Le Bergsonisme*, 1912) et Péguy, puis Gide, Proust et Claudel. A ses yeux, la critique fait fausse route en cherchant l'émotion, l'ineffable ; elle doit rester *rationnelle* et servir avec vigilance la cause de l'esprit.

De *Belphégor* (1918) à *La France byzantine* (1945) et malgré les bouleversements de tout ordre qui ont renouvelé l'exégèse des textes, il n'a pas changé d'attitude : très informé de la littérature du XVIIᵉ siècle, il reste réservé envers tout ce qui lui semble comporter des éléments de séduction irréductible aux seuls critères de l'*intelligence*. Voir aussi : *Du style d'idées. Réflexions sur la pensée, sa nature, ses réalisations, sa valeur morale* (1948). Notons que cet ostracisme condamnerait sans appel des essayistes comme ANDRÉ SUARÈS (1868-1948) qui laisse pourtant quelques pages émues et attachantes (*Le Voyage du Condottiere*, 1932).

Contre la critique pathétique

A une critique intuitive et subjective des œuvres littéraires, qu'il appelle la « *critique pathétique* », JULIEN BENDA oppose les droits d'une analyse et d'un jugement *objectifs*. Il affirme que l'impression ne doit pas se substituer à l'étude des éléments intrinsèques. Il insiste enfin sur l'examen des œuvres en elles-mêmes et pour elles-mêmes, par-delà les données biographiques ou sentimentales.

THÈMES : *Art. Littérature (L'auteur et son œuvre). Critique littéraire.*

On ne saurait trop dénoncer cette volonté de nos contemporains de considérer les œuvres *par rapport à la personne de leurs auteurs*, jamais en elles-mêmes. C'est une des meilleures preuves de leur application a éprouver de l'émoi par les produits de l'esprit, à éviter tout état intellectuel. Rencontrent-ils, par exemple, cette pensée : « Une femme oublie d'un homme qu'elle n'aime plus jusqu'aux faveurs qu'il a reçues d'elle » ? Croyez-vous qu'ils vont s'appliquer à goûter la valeur de la remarque, en discuter la portée, admirer le bien-venu de l'expression ? Nullement ; ils vont chercher quelles cir- constances de la vie de La Bruyère ont pu lui suggérer ce mot, s'il a aimé,
10   s'il a été quitté, s'il a souffert... Mais où cette volonté est le plus symbolique, c'est quand il s'agit d'ouvrages nettement porteurs d'idées et qui vivent en tant que tels, d'un Montesquieu, d'un Guizot, d'un Auguste Comte. N'allez pas leur parler de ces idées pour elles-mêmes, de leur action dans le monde en tant qu'idées et détachées de leur auteur, leur montrer par quelles transformations c'est encore elles qui nous nourrissent aujourd'hui. Tout cela leur semble oiseux. Mais contez-leur que Rousseau découvrit sa doctrine de la bonté naturelle de l'homme sur la route de Vincennes en allant voir Diderot, et dans un tel émoi qu'il n'en respirait plus, ou que telle vue d'Auguste Comte qui a bouleversé la philosophie est due à ses rapports avec Clotilde de Vaux,
20   voilà la vraie critique et qu'ils acclament.

Belphégor (Émile-Paul, éditeur).

Du Bos (1882-1939)   CHARLES DU BOS est né à Paris d'une mère anglaise. Dans son *Journal* entrepris en 1908, on peut suivre le cheminement de sa quête spirituelle. « L'invisible, écrivait-il, est à proprement parler mon élément ». Toute son attitude critique s'explique par là ; dans les sept volumes de ses *Approximations* (1922-1937), il a toujours considéré les données historiques ou biographiques comme une simple préparation à ce qui doit rester une « découverte » du texte, et a constamment tenté d'approcher le *mystère* de la création littéraire, par les moyens de l'*intuition* et de la *sympathie,* afin de coïncider, comme dit Bergson, avec ce que chacun « a d'unique et par conséquent d'inexprimable ».

Ainsi Charles du Bos ne saurait avoir aucun esprit de système, « la voie de la critique idéale étant la voie même de la production, mais parcourue en sens inverse, le critique ayant pour point de départ le point d'arrivée du créateur et pour point d'arrivée son point de départ » (*Journal,* novembre 1917).

LE GÉNIE DE STENDHAL

Ces réflexions sur Stendhal romancier sont très caractéristiques des « *approximations* » de CHARLES DU BOS. Il ne lui suffit pas d'examiner une œuvre en restant, pour ainsi dire, à sa périphérie ; c'est *au cœur de la création littéraire* qu'il tente de parvenir.

Les ressources de génie de Stendhal sont telles qu'il peut multiplier indéfiniment les scènes entre Julien et Mathilde sans que nous ayons jamais l'impression non seulement d'unc rcditc, mais même d'une monotonie. Chaque scène a une présence si impérieuse qu'il semble toujours qu'elle soit la première. Lorsque certains romanciers mcttcnt deux protagonistes l'un en face de l'autre, on devine que ce contact est le résultat d'intentions à très longue portée, que la rencontre doit se produire juste à ce moment-là et que peut-être elle ne se reproduira plus dans tout le cours du roman : la scène relève d'un art sévèrement
10 architectural, elle est une des clefs de voûte d'un monument littéraire accompli. Rien de semblable chez Stendhal. Il prend plaisir à confronter sans cesse ses héros comme on rapproche deux silex pour voir quelles étincelles en jailliront. Il y a chez Stendhal un abandon, une improvisation, une invention perpétuels. Si la plupart des lecteurs sentent moins cet abandon dans *Le Rouge et le Noir* que dans *La Chartreuse de Parme,* c'est qu'ils transportent au livre même la tension de son héros. Même si Stendhal a une idée, une ligne qu'il s'est tracée d'avance pour le caractère de ses personnages ou la portée générale de son roman, son génie qui éclate de toutes parts brise sa propre cosse
20 et rompt sur mille points toutes les digues qu'il aurait voulu s'imposer. C'est ainsi que le caractère de Julien déborde à tout instant non seulement l'idée qu'on s'en fait, mais l'idée que Stendhal lui-même voudrait s'en faire et voudrait qu'on s'cn fît. Les romans de Stendhal ne sont nullement quoi qu'on en pense, des livres dominés : ce qui fait naître cette impression, c'est son don exceptionnel du raccourci. L'emploi du raccourci en art éveille involontairement dans notre esprit l'idée d'un génie qui se domine : ce n'est pas toujours vrai, et Stendhal est le meilleur exemple du contraire.   *Approximations II* (Corrêa, éditeur).

Alain (1868-1951) Le philosophe ALAIN, maître de tant d'esprit brillants, est né à Mortagne sous le nom d'Émile CHARTIER. Lors de son entrée à l'École Normale Supérieure, « les dieux du jour, dit André Maurois qui fut son élève, étaient Taine, Renan, Sainte-Beuve. Alain tapait à tour de bras sur ceux qu'il appelait alors : ces trois bedeaux de littérature ». Il entendait faire lui-même ses choix sans se limiter à ceux de l'époque. Sa carrière de professeur à Rouen, puis en khâgne, à Paris, se doubla d'une activité de journaliste et d'essayiste qui prit, à partir de 1907, la forme de *Propos* quotidiens, réunis en de nombreux volumes (Propos sur le *Bonheur*, sur l'*Éducation,* la *Littérature,* etc.). Le conflit de 1914, où il s'engagea à quarante-six ans, lui inspira *Mars ou la guerre jugée* (1921).

Méfiante envers les pouvoirs et résolument ennemie des systèmes, la pensée d'Alain veut d'abord être claire, proche des réalités, des notions et des valeurs contrôlables. *Rationaliste,* il dégage du dogme et de la liturgie le *symbole* et en tire volontiers une leçon de *sagesse* pratique, parfois un peu limitée. Comme Descartes qui forma son intelligence, il accorde beaucoup à la recherche calme de la vérité, puis à l'examen attentif et au morcellement des difficultés qui peuvent nous en barrer la route. Non plus que les disciplines nécessaires, les cérémonies ne sont exclues de son univers idéal, mais considérées politiquement et *poétiquement.*

S'il fut un excellent « éveilleur » d'esprits, c'est que sa forme de pensée n'est jamais desséchante : soucieuse d'efficacité, elle l'est aussi de *vie* et de *beauté.* A ses yeux, ce que l'homme peut atteindre de plus haut, c'est la création d'une œuvre par laquelle, en quelque sorte, il se crée lui-même ; aussi a-t-il horreur des résumés, ces squelettes ; comme le rappelle André Maurois, pour Alain les idées en résumé ne sont même plus des idées et, dans l'étude d'un auteur, « elles ne peuvent jamais être séparées de cette forme heureuse qui traduit en même temps l'humeur, le caractère et enfin la nature de *l'homme* ».

C'est dans cet esprit que le critique philosophe a publié des commentaires sur *Charmes* et *La Jeune Parque,* de Paul Valéry (1929 et 1936), un *Stendhal* (1935) et, en 1935-1937, l'essai *Avec Balzac,* dont voici un extrait.

Balzac au travail

ALAIN saisit ici BALZAC dans le feu même d'une composition multiple dont il exalte l'aspect presque artisanal. Une de ses idées les plus chères, c'est en effet que, pour croître et pour produire, le talent artistique requiert non pas des projets bien arrêtés, mais un commencement d'action, fût-il imparfait. Selon Alain, il faut entreprendre courageusement une tâche *concrète* et « *méditer les brosses* (ou la plume) *à la main* ».
THÈMES : *Art. Inspiration. Critique. Littérature.*

L'erreur propre aux artistes est de croire qu'ils trouveront mieux en méditant qu'en essayant ; mais le métier et la nécessité les détournent d'une voie où il n'y a rien. Ce qu'on voulait faire, c'est en le faisant qu'on le découvre. Cette idée, que je n'ai pas comprise tout de suite, m'explique Balzac et les pensées que j'y trouve. Vous savez comme il procède ; il se donne, par ses premières épreuves, une sorte d'esquisse plastique empreinte dans la matière ; ainsi, dans un cas où l'art semble tenir tout entier dans l'esprit, il sait changer l'art en métier, et écrire comme on bâtit ou comme on peint. Je sais que la nécessité l'y pousse ; mais je le vois aussi heureux de ces contraintes, hors
10 desquelles il ne saurait ni commencer ni finir. L'inspiration se montre dans le travail même ; au lieu qu'à mesurer d'avance un sujet, une idée, une thèse, on n'aperçoit que le désert de la pensée universelle, cent fois parcouru en tous ses

maigres sentiers. Tel est l'état de Blondet [1], de Lousteau [2], et de tous ces penseurs à l'échine rompue. Ils savent trop bien d'avance ce qu'ils feront ; le papier blanc les glace ; aussi leur conversation vaut mieux que leurs œuvres ; c'est qu'alors ils parlent avant de penser ; mais écrire ainsi, ils n'osent. Il n'y a que les poètes qui font des vers sans bien savoir où ils vont. C'est méditer les brosses [3] à la main. Je soupçonne que Balzac a porté à une perfection incroyable l'art d'inventer en écrivant, toujours d'après ceci que, dans l'esquisse réelle et déjà imprimée, il se montre des promesses et d'immenses lacunes, mais non pas indéterminées, et qui exigent un travail de maçon. Je ne crois pas que ces remarques décident absolument sur la prose, car nous voyons que Stendhal travaillait tout à fait autrement. Toujours est-il que la prose de Balzac me semble bien sortir de matière, et se plaire même dans les entassements. C'est de là que je dirais qu'il n'a pu écrire ses œuvres que plusieurs ensemble, et au fond toutes ensemble.

Avec Balzac (Librairie Gallimard, éditeur).

A TOUS LES HORIZONS

Dans cette « littérature » particulière qui, selon le mot de Valéry, « a la littérature pour décor et les auteurs pour ses personnages », nous avons déjà signalé le rôle de grands écrivains dont les impressions demeurent précieuses pour nous, même si elles restent toujours discutables parce qu'elles sont relatives à la personnalité de chacun d'eux.

Qu'on lise à ce propos les extraits de PÉGUY dans *Victor Marie comte Hugo* et dans la *Note conjointe* (cf. p. 183-185) ; ceux de GIDE (cf. p. 318), en particulier sur Montaigne ou Dostoïevsky (cf. p. 320-322) et sur le classicisme (cf. p. 318) ; ceux de VALÉRY dans les études littéraires rassemblées dans *Variété* (cf. p. 364-365 et 365-367) ; sans oublier PROUST (*Contre Sainte-Beuve ; Chroniques* sur Flaubert et sur Baudelaire ; *Pastiches et mélanges*) et les réflexions stimulantes de CLAUDEL (cf. p. 229-232) dans ses *Positions et Propositions* et ses *Conversations dans le Loir-et-Cher*.

Malgré l'attirance des options philosophiques et politiques, la critique contemporaine de la Seconde Guerre mondiale et de l'après-guerre n'en est pas moins demeurée fidèle à la tradition des grandes monographies : *Molière,* de Ramon FERNANDEZ ; *Plaisir à Corneille,* de Jean SCHLUMBERGER ; *Jean-Jacques Rousseau (En marge des Confessions ; Histoire d'une conscience,* 2 vol.), de Jean GUÉHENNO ; *Stendhal,* d'Henri MARTINEAU ; *Vie de Mallarmé,* d'Henri MONDOR ; *Voltaire,* de Jean ORIEUX ; les *biographies* et les *études littéraires* d'André MAUROIS (cf. p. 606) ; le *Marivaux* et les *Essais critiques* de Marcel ARLAND (cf. p. 503) ; *Le Romancier et ses personnages,* de François MAURIAC (cf. p. 509) ; *Le Confort intellectuel,* de Marcel AYMÉ (cf. p. 609) ; la critique existentialiste de Jean-Paul SARTRE (cf. p. 703) ; *En lisant, en écrivant,* de Julien GRACQ (cf. p. 742).

De même, certains auteurs que, pour la commodité de l'exposé, nous avons rassemblés dans le chapitre des *Essayistes,* ont été parfois amenés à s'engager dans les voies de la réflexion sur la littérature. C'est, par exemple, le cas de G. Marcel, de J. Guéhenno, de M. Blanchot, de M. Eliade et de R. Caillois.

Les « feuilletonistes » ont aussi contribué à la diffusion des romans, surtout, et des œuvres théâtrales : Émile Henriot, Robert Kemp, André Billy, André Rousseaux, Jean-Jacques Gautier, Jean-Louis Bory, Matthieu Galey, Bernard Frank, François Nourissier, parmi beaucoup d'autres, ont ouvert le domaine critique à un public élargi. Citons encore PAUL LÉAUTAUD (1872-1956), dont les chroniques ont été publiées sous le titre de *Théâtre de Maurice Boissard,* et PIERRE-HENRI SIMON (1903-1972), auteur de *Théâtre et destin,* qui aura marqué d'un caractère plus soucieux des problèmes actuels ses courriers attentivement suivis.

— 1 Journaliste qui apparaît dans *Splendeurs et misères des courtisanes* et dans *La Peau de cha-* grin. — 2 Autre journaliste, arriviste et paresseux, dans *La Muse du département.* — 3 Ce sont les pinceaux du peintre.

D'autre part, si l'on tient compte du clivage des appartenances idéologiques, on peut distinguer une critique « de droite » qui eut longtemps pour porte-parole la *Revue universelle* dirigée jusqu'à 1944 par HENRI MASSIS (auteur de *Défense de l'Occident* et, plus tard en 1948, du livre *D'André Gide à Marcel Proust*). ROBERT BRASILLACH (1909-1945), qui fut aussi romancier *(Comme le temps passe, Les Sept Couleurs)*, a laissé plusieurs essais critiques : *Portraits* (1935), *Corneille* (1938), et, groupés dans le volume *Les Quatre Jeudis*, ses articles littéraires de l'*Action française*. De la même génération, THIERRY MAULNIER s'est acquis de bonne heure la célébrité par son *Racine* (1936) et son *Introduction à la poésie française* (1939). MAURICE BARDÈCHE a publié des études approfondies sur Balzac et Stendhal (*Balzac romancier*, 1941 ; *Stendhal romancier*, 1957 ; *Une lecture de Balzac*, 1970), puis, en 1971, deux volumes sur *Marcel Proust romancier*.

Dans l'orientation politique opposée, la critique marxiste fut illustrée par LOUIS ARAGON, HENRI LEFEBVRE *(Diderot)*, JEAN FRÉVILLE *(Descartes, Zola)* et CLAUDE ROY (cf. p 780), venu au parti communiste sous l'influence d'Aragon auquel il a consacré en 1945 un intéressant ouvrage. Les grands noms de cette critique « de gauche » sont JEAN-PAUL SARTRE (cf. p. 703), LUCIEN GOLDMANN (cf. p. 871) et ROLAND BARTHES (cf. p. 868).

Toutefois, durant cette période assombrie par la menace de la guerre puis par la guerre elle-même, certaines figures ne sauraient être inféodées à tel ou tel parti. C'est le cas d'un JEAN PRÉVOST (1901-1944) tombé dans les combats du Vercors, qui a laissé deux études riches et pénétrantes sur *Baudelaire* et *La Création chez Stendhal*. Henri Martineau, dans la Préface de ce dernier livre, rappelle certaines lignes frappantes de l'écrivain disparu, très révélatrices de sa méthode : « La critique classique, jugeant les œuvres de dehors ou d'après les lois communes d'un genre, néglige d'observer d'assez près l'artiste en train de créer, et ne note pas, à l'intérieur d'une œuvre, l'âge de telle page, de tel chapitre et de tel caractère par rapport à l'ensemble de l'œuvre. Ces nuances se distinguent mal tout d'abord ; une fois aperçues elles semblent souvent essentielles. [...] L'instant auquel les sources apparaissent à l'auteur a très souvent plus d'importance que les sources mêmes ».

PERSPECTIVES

« *Ce qu'on appelle " nouvelle critique " ne date pas d'aujourd'hui*, notait Roland Barthes en 1966. Dès la Libération, ce qui était normal, une certaine révision de notre littérature classique a été entreprise, au contact de philosophies nouvelles, par des critiques fort différents, et au gré de monographies diverses qui ont fini par couvrir l'ensemble de nos auteurs de Montaigne à Proust » *(Critique et vérité)*.

D'ailleurs, P. Valéry n'écrivait-il pas dès 1932 : « Il faut craindre toujours de définir quelqu'un. Est-ce bien dans ses productions, dans ses papiers, dans les reliques de ses amours, dans les événements éminents de sa vie que nous découvrirons ce qui nous importerait de connaître, et qui le distingue entièrement des autres hommes, c'est-à-dire la véritable opération de son esprit, et, en somme, ce qu'il est avec soi-même quand il est profondément et utilement seul ? Je vais jusqu'à rêver que ce qu'il y a de remarquable, et de plus sensible dans une existence, compte pour assez peu de chose dans ce qui fait le prix de sa production. La saveur des fruits d'un arbre ne dépend pas de la figure du paysage qui l'environne, mais de la richesse invisible du terrain. »

« *La notion d'homme a-t-elle un sens ?* » Telle est la question que discutent, dans la bibliothèque de l'*Altenburg*, Walter et ses amis, les héros d'André Malraux. Albert Camus affirme cependant : « Je continue à croire que le monde n'a pas de sens supérieur. Mais je sais que quelque chose en lui a du sens et c'est l'homme, parce qu'il est le seul être à exiger d'en avoir. » Cette enquête sur l'homme, un éminent spécialiste du XVIIIe siècle, RAYMOND NAVES, l'avait entreprise dès les sombres années 40, dans *L'Aventure de Prométhée*, ouvrage tragiquement interrompu par sa mort en déportation.

Depuis, sans renoncer pour autant à l'humanisme, divers critiques ont considéré comme indispensable de pousser toujours plus avant l'investigation si l'on veut donner à la notion d'homme toute sa signification. Citons, en particulier, GAËTAN PICON, JEAN PAULHAN, MARCEL RAYMOND et ALBERT BÉGUIN.

Gaëtan Picon   GAËTAN PICON (1915-1976) a publié diverses études
très marquantes, telles que *Panorama de la nouvelle littérature française* (1950), *L'Écrivain et son ombre* (1953), *Lecture de Proust* (1963), *Admirable Tremblement du Temps* (1970). C'est en 1960, dans *L'Usage de la lecture,* qu'il écrivait ces lignes fondamentales : « Nous savons maintenant que l'œuvre est une origine, non un terme : un événement, non un reflet. » Il célèbre alors « l'antihistoricité » d'André Gide : « Après nous avoir paru un mythe exaltant, l'histoire a pris les couleurs de l'Apocalypse » ; puis, après avoir évoqué André Malraux et son *Colloque de l'Altenburg,* GAËTAN PICON ajoute : « Dans ce souci de préserver l'homme de l'histoire communient des esprits aussi différents qu'Albert Camus et Roger Caillois. Sartre lui-même n'abandonne l'idée de nature humaine que pour retrouver dans celle de condition humaine une stabilité suffisante et n'accepte l'idée d'engagement et de révolution qu'après avoir réservé, du côté de la subjectivité, les droits et la place d'une *philosophia perennis.* Il est naturel que les générations qui ont découvert l'histoire aient maintenant à se mesurer avec elle au nom de l'homme. »

Plus tard, et dans le même esprit, Gaëtan Picon commentera ainsi les révélations de cette « patrie inconnue » d'un Elstir ou d'un Vinteuil : « L'essentiel n'existerait pas si les choses étaient prisonnières de leur succession temporelle et de leur dispersion spatiale [...]. L'essentiel est la métaphore du temps et de l'espace, la métaphore du réel » *(Lecture de Proust).*

Jean Paulhan   JEAN PAULHAN (1884-1968) dirigea longtemps la
Nouvelle Revue Française qui lui a consacré, en mai 1969, un numéro spécial. Dans tous ses ouvrages : *La Clef de la Poésie, Les Fleurs de Tarbes, Entretien sur des faits divers, Le Don des langues* (1967), il a rendu sensibles les interrogations que lui posait la littérature et les « malentendus » qu'elle peut provoquer : « A coup sûr nous confions tous parfois notre secret », mais ajoute-t-il, « en même temps nous sentons très bien qu'il y a en nous un autre secret qui se reforme, un secret plus profond, qui part de plus loin, qui va plus loin » *(Les Incertitudes du langage).*

Marcel Raymond   D'origine suisse, MARCEL RAYMOND (1897-1981) publia,
dès 1933, un ouvrage demeuré célèbre : *De Baudelaire au Surréalisme,* qui allait inspirer nombre d'études parues depuis. Il y a multiplié les explorations pénétrantes dans la « patrie intérieure » des grands poètes, en réalisant ce qu'il donnait comme son projet : « voir les données essentielles d'une aventure ou d'un drame auquel ont participé et participent un certain nombre d'êtres privilégiés ». On doit aussi à Marcel Raymond : *Paul Valéry et la tentation de l'esprit ; Baroque et Renaissance poétique ; J.-J. Rousseau, la quête de soi et la rêverie* (1962). *Être et dire* (1970) s'achève sur ces lignes : « Sans doute, aujourd'hui, un humanisme purement littéraire ou philosophique est-il incomplet, [...] mais si l'humanité veut avoir un avenir, qu'elle consente à avoir un passé, [...] qu'elle reste fidèle à ce pacte d'alliance de l'homme avec l'homme à travers les siècles et les civilisations. » — Autres titres : *Vérité et poésie* (1964), *Romantisme et rêverie* (1969).

Albert Béguin   Un autre écrivain suisse, ALBERT BÉGUIN (1901-1957),
publia en 1937 *L'Âme romantique et le rêve,* synthèse très intuitive de la littérature allemande et française. L'édition de 1939 y justifiait l'absence du nom de Balzac, mais l'auteur devait publier en 1946 son *Balzac visionnaire,* si révélateur sur la création balzacienne. « L'impression singulière que l'on y ressent [...] tient précisément à ce que tout est à la fois conforme à notre image habituelle du monde et de ses rassurantes normes, et environné d'une étrangeté dans laquelle il entre du divin et du démoniaque : la réalité est là, solide, concrète, inébranlablement établie dans son équilibre de matière connue ; les hommes ont leur visage de plein jour, leurs gestes, leurs désirs sont maintenus dans ces mesures moyennes qui donnent au quotidien sa rassérénante banalité. Et, pourtant, ces blocs du réel, tout semblables à ce qu'ils sont quand nous rêvons le moins, semblent ici émerger d'une grande ombre, d'une immense mer d'eau nocturne, dont les flots mouvants entourent de toutes parts les apparences inchangées des choses. » — Autres titres : *Pascal* (1952), *Bernanos* (1954).

NOUVELLES APPROCHES CRITIQUES

STRUCTURALISME ET CRITIQUE THÉMATIQUE

CRITIQUE STRUCTURALE Issue des sciences physiques et mathématiques, la notion de structure s'est imposée aujourd'hui dans le domaine littéraire. Essentiellement marquée par son unité, une structure se suffit à elle-même et ne requiert pas, pour être saisie, le recours à toutes sortes d'éléments étrangers à sa nature. Dans son *Cours de linguistique générale* (1906-1911), sans employer encore le terme en question, FERDINAND DE SAUSSURE substitua à l'étude évolutive des langues *(diachronie)* celle de leur fonctionnement qui constitue, dans un temps donné, un système *(synchronie)* dont toutes les parties réagissent les unes sur les autres sans intrusion d'aucun élément extérieur. Dès lors, la linguistique aura pour seul objet « la langue envisagée en elle-même et pour elle-même ». Une étape importante fut marquée par les travaux de l'ethnologue LÉVI-STRAUSS qui, à travers le langage, « signifiant » essentiel, sonde les structures sous-jacentes aux croyances et aux mœurs des peuplades dites « primitives » (cf. p. 851, n. 1).

La méthode dite universitaire, lansonienne, ou traditionnelle, s'applique, avant de présenter une œuvre, aux divers éléments qui lui sont *extérieurs* (Péguy la nommait critique « de grande ceinture »). L'attitude structuraliste se refuse à être ainsi « informatrice et judicatrice » (Georges Poulet) : l'œuvre apparaît comme un « système », clos, dont il s'agit de découvrir le principe organisateur ; à « l'explication » érudite se substitue la « lecture » qui, grâce aux approches proposées par d'autres disciplines — psychologie, psychanalyse, linguistique, sociologie —, permet de déceler les structures psychiques ou « thématiques », dont l'auteur même aurait pu ne pas être conscient.

Ainsi, dans le premier des trois volumes de *Figures* (1966-1972), GÉRARD GENETTE (né en 1930) écrit : « *Toute analyse qui s'enferme dans une œuvre sans en considérer les sources ou les motifs serait donc implicitement structuraliste et la méthode structurale devrait intervenir pour donner à cette étude immanente une sorte de rationalité de* compréhension *qui remplacerait la rationalité d'*explication *abandonnée avec la recherche des causes : un déterminisme, en quelque sorte spatial, de la structure viendrait ainsi relayer, dans un esprit tout moderne, le déterminisme temporel de la genèse, chaque unité étant définie en termes de relations, et non plus de filiation. L'analyse « thématique » tendrait donc spontanément à s'achever et à s'éprouver en une synthèse structurale où les différents thèmes se groupent en réseaux pour tirer leur plein sens de leur place et de leur fonction dans le système de l'œuvre.* »

Roland Barthes ROLAND BARTHES (1915-1980) a publié *Le Degré zéro de l'écriture* (1953), *Michelet par lui-même* (1954), *Mythologies* (1957), *Sur Racine* (1963), *Essais critiques* (1964), *Éléments de sémiologie* (1964), *Critique et vérité* (1966), *Système de la mode* (1967), *L'Empire des signes* (1970), *S/Z* (1970), *Sade, Fourrier, Loyola* (1971), *Le Plaisir du texte* (1973), *Roland Barthes par Roland Barthes* (1975), *Fragments d'un discours amoureux* (1977), *La Chambre claire* (1980).

« Au commencement donc était Barthes », dit Serge Doubrovsky, qui précise l'orientation de celui-ci vers une lecture nouvelle. « Toute analyse implique un certain point de vue, un certain langage et c'est l'impardonnable naïveté de la critique traditionnelle de croire qu'elle domine l'histoire littéraire en une sorte de survol absolu. [...] Barthes a donc décidé d'étudier la dramaturgie racinienne *structuralement*, au sens que ce mot prend dans l'anthropologie de Lévi-Strauss, c'est-à-dire comme un "jeu de figures purement rationnelles" dont il s'agit de comprendre le fonctionnement. »

BARTHES oppose à la critique *universitaire* héritée de Lanson une « *critique d'interprétation* » dont les représentants, fort différents les uns des autres, « *ont ceci de commun que leur approche de l'œuvre littéraire peut être rattachée, plus ou moins, mais en tout cas d'une façon consciente, à l'une des grandes idéologies du moment, existentialisme, marxisme, psychanalyse, phénoménologie, ce pourquoi on pourrait aussi appeler cette critique-là* idéologique, *par opposition à la première, qui, elle, refuse toute idéologie et ne se réclame que d'une méthode objective » (Essais critiques).* Pour Doubrovsky, le « foisonnement » des remarques doit faire apparaître l'*unité* de l'œuvre : « Les sens multiples que toute lecture fait surgir [...] s'articulent entre eux autour d'une arête centrale ; ils convergent vers un foyer. En d'autres termes, les *significations* diverses renvoient à un sens ultime qui en fait l'unité intime » *(Les Chemins actuels de la critique).*

BARTHES a marqué de son rayonnement l'analyse structurale, la sémiologie (« science des signes dans la vie sociale »), la « lecture plurielle » dont il a donné un exemple sur une nouvelle de Balzac *(Sarrasine).* Il faudrait rapprocher de ses travaux ceux de Genette (cf. p. 868) et de Todorov qui ont appliqué l'analyse structurale aux récits, ainsi que les études de Greimas et de Brémond sur les mythes et la fiction en général.

LA BRUYÈRE ET LA « CLÔTURE »

La critique moderne, qui a renouvelé l'étude des textes par la recherche de leurs structures profondes, n'en est pas pour autant insensible à leur insertion sociale, à l'image qu'ils donnent de leur auteur, aux *affinités* qu'ils révèlent avec d'autres écrivains et à leur *résonance* sur les lecteurs d'aujourd'hui. Voici, de ROLAND BARTHES, une page particulièrement significative, où se découvrent chez La Bruyère, au-delà de l'aspect extérieur des *Caractères,* l'intérêt et la complexité qui avaient retenu l'attention de Marcel Proust. *Le lecteur moderne s'étonne du cloisonnement des classes sociales au XVIIe siècle, mais précisément l'originalité de La Bruyère ne réside-t-elle pas en cette étude d'une forme sociale bien définie, la* clôture ?

La Bruyère s'occupe des mondes, du monde, pour autant qu'ils sont fermés. On touche ici, poétiquement, à ce que l'on pourrait appeler une imagination du partage qui consiste à épuiser par l'esprit toutes les situations que la simple clôture d'un espace engendre de proche en proche dans le champ général où elle a lieu : choix (c'est-à-dire arbitraire) du partage, substances différentes du *dedans* et du *dehors,* règles d'admission, de sortie, d'échange, il suffit que dans le monde une ligne se ferme pour que de nouveaux sens naissent à profusion, et c'est ce qu'a bien vu La Bruyère. Appliquée à la matière sociale, l'imagination
10 de la clôture, qu'elle soit vécue ou analysée, produit un objet à la fois réel (car il pourrait relever de la sociologie) et poétique (car les écrivains l'ont traité avec prédilection) : c'est la *mondanité.* [...]

La mondanité est en effet une forme ambiguë du réel : engagée et inengagée ; renvoyant à la disparité des conditions, mais restant malgré tout une forme pure, la *clôture* permettant de toucher au psychologique et aux mœurs sans passer par la politique ; c'est pourquoi, peut-être, nous avons eu en France une grande littérature de la mondanité, de Molière à Proust : et c'est dans cette tradition d'un imaginaire tout entier dirigé vers les phénomènes de *clôture* sociale que s'inscrit évidemment La Bruyère.
20 Il peut exister un grand nombre de petites sociétés mondaines, puisqu'il leur suffit de se fermer pour exister ; mais il va de soi que la clôture, qui est la forme originelle de toute mondanité, et que l'on peut par conséquent décrire au niveau de groupes infimes (la coterie du fragment 4 de *La Ville* ou le salon Verdurin), prend un sens historique précis lorsqu'elle s'applique au monde dans son ensemble ; car ce qui est alors dans la clôture et hors d'elle correspond fatalement au partage économique de la société.

Essais critiques (Le Seuil, éditeur).

RACINE : SIGNIFIANT ET SIGNIFIÉ

Comme le dit ROLAND BARTHES dans son Avant-Propos, « l'œuvre de Racine a été mêlée à toutes les tentatives critiques de quelque importance, entreprises en France depuis une dizaine d'années : critique sociologique avec Lucien Goldmann, psychanalytique avec Charles Mauron, biographique avec Jean Pommier et Raymond Picard, de psychologie profonde avec Georges Poulet et Jean Starobinski ; au point que, par un paradoxe remarquable, l'auteur français qui est sans doute le plus lié à l'idée d'une *transparence* classique est le seul qui ait réussi à faire converger sur lui tous les langages nouveaux du siècle ».

Il est possible de saisir objectivement dans Racine le fonctionnement de l'institution littéraire ; il est impossible de prétendre à la même objectivité lorsqu'on veut surprendre en lui le fonctionnement de la création. C'est une autre logique, ce sont d'autres exigences, une autre responsabilité ; il s'agit d'interpréter le rapport d'une œuvre et d'un individu : comment le faire sans se référer à une psychologie ? Et comment cette psychologie pourrait-elle être autre chose que *choisie* par le critique ? Bref, toute critique de la création littéraire, si objective, si partielle qu'elle se prétende, ne peut être que systématique. Il n'y
10 a pas à s'en plaindre mais seulement à demander la franchise du système.

Il est à peu près impossible de toucher à la création littéraire sans postuler l'existence d'un rapport entre l'œuvre et autre chose que l'œuvre. Pendant longtemps on a cru que ce rapport était causal, que l'œuvre était un *produit :* d'où les notions critiques de *source,* de *genèse,* de *reflet,* etc. Cette représentation du rapport créateur apparaît de moins en moins soutenable. [...] L'idée de produit a donc fait place peu à peu à l'idée de signe : l'œuvre serait le signe d'un au-delà d'elle-même ; la critique consiste alors à déchiffrer la signification, à en découvrir les termes et principalement le terme caché, le signifié. C'est actuellement
20 Lucien Goldmann qui a donné la théorie la plus poussée de ce qu'on pourrait appeler la critique de signification, du moins lorsqu'elle s'applique à un signifié historique ; car si l'on s'en tient au signifié psychique, la critique psychanalytique et la critique sartrienne étaient déjà des critiques de signification. Il s'agit donc d'un mouvement général qui consiste à *ouvrir* l'œuvre non comme l'effet d'une cause mais comme le signifiant d'un signifié. *Sur Racine* (Le Seuil, éditeur).

Mise en question Héritier d'une érudite et objective méthode universitaire, RAYMOND PICARD a publié une thèse, minutieusement documentée, sur *La Carrière de Jean Racine* (1961) ; et c'est justement à propos du livre *Sur Racine* de Roland Barthes (1963) qu'il prendra vivement à partie (1965) les orientations nouvelles. « *Nouvelle Critique ou nouvelle imposture* », tel est le titre de ce pamphlet, véhément et parfois percutant. L'auteur voit, dans le transfert de l'historique vers le psychologique et le structural, « une entreprise de destruction de la littérature comme réalité originale ». En outre, selon lui, « l'un des caractères de cette nouvelle critique est qu'il est malaisé de la critiquer car elle se meut volontiers dans l'invérifiable ». Mais voici son plus sérieux grief : paradoxalement, cette méthode, qui se réclame du *structuralisme,* « ne se préoccupe pas plus de dramaturgie, s'il s'agit d'une tragédie, que de technique romanesque, s'il s'agit d'un roman ». Son indifférence pour les structures littéraires est si grande qu'elle met sur le même plan, pour l'étude d'un écrivain, les textes qu'elle tire d'une lettre intime, d'une œuvre publiée, d'une note griffonnée à la hâte. Et pour cause, puisque l'œuvre est considérée comme étant en grande partie un produit de l'inconscient.

Or, objecte R. Picard, « la profondeur d'une expression est dans ce qu'elle *dit*, dans les implications de ce qu'elle dit, et non pas nécessairement dans ce qu'elle dissimulerait et révélerait à la fois. [...] Un des paradoxes de la Nouvelle Critique consiste précisément à dévaloriser la pensée consciente ».

Lucien Goldmann   Après divers travaux de sociologie marxiste, L. Goldmann (1901-1970) publia, en 1955, *Le Dieu caché*, « étude qui, dit-il, s'insère dans un travail philosophique d'ensemble ». En effet, il doit beaucoup à l'écrivain hongrois Georg von Lukacs, à qui il rend d'ailleurs hommage, pour ses suggestions sur la création littéraire, et notamment pour son essai sur *L'Âme et les formes* (1911), dont le dernier chapitre est intitulé *Métaphysique de la tragédie*.

Visions du monde

Selon la socio-critique de GOLDMANN, l'écrivain exprime, consciemment ou non, la « *vision du monde* » de son groupe social, c'est-à-dire « cet ensemble d'aspirations, de sentiments et d'idées qui réunit les membres d'un groupe (le plus souvent d'une classe sociale) et les oppose aux autres groupes ». Ainsi la vision de Pascal et de Racine correspondrait au « refus du monde et de la vie » dans le milieu janséniste, exclu du pouvoir, auquel ils étaient liés. Toutefois, les spécialistes du XVIIe siècle ont dénoncé l'insuffisance de son information sociologique et religieuse ; et d'autre part la socio-critique n'échappe pas à l'objection de Sainte-Beuve dans sa réponse à Taine : elle néglige trop ce qui relève de « l'individualité du talent, du génie » (cf. *XIXe Siècle*, p. 388).

Pour nous, la littérature, comme d'ailleurs l'art, la philosophie et, en grande mesure, la pratique religieuse, sont avant tout des *langages*, des moyens de l'homme de communiquer avec d'autres êtres qui peuvent être ses contemporains, les générations à venir, Dieu ou des lecteurs imaginaires. Cependant, ces langages ne constituent qu'un groupe précis et limité de moyens d'expression parmi les multiples formes de communication et d'expression humaines. Une des premières questions qui se pose sera donc de savoir en quoi consiste le caractère *spécifique* de ces langages. Or, bien qu'il réside sans doute en premier lieu dans leur forme même, il faut encore ajouter qu'on ne peut exprimer
10 n'importe quoi dans le langage de la littérature, de l'art ou de la philosophie.

Ces « langages » sont réservés à l'expression et à la communication de certains contenus particuliers et nous partons de l'hypothèse (qui peut se justifier seulement par des analyses concrètes) que ces contenus sont précisément des *visions du monde*. [...]

Les tragédies raciniennes, d'*Andromaque* à *Phèdre*, se jouent *en un seul instant :* celui où *l'homme* devient réellement tragique par le *refus* du monde et de la vie. Un vers revient au moment décisif dans la bouche de tous les héros tragiques de Racine, un vers qui indique le « temps » de la tragédie, l'instant où la relation du héros avec ce qu'il aime encore dans le monde s'établit « pour
20 la dernière fois » [Cf. *Andromaque*, IV, 1 ; *Britannicus*, V, 1 ; *Bérénice*, II, 2 et V, 7 ; *Phèdre*, I, 3]. Comme le dit Lukacs, lorsque le rideau se lève sur une tragédie, l'avenir est déjà présent depuis l'éternité.

Le Dieu caché, chap. XVII (Librairie Gallimard, éditeur).

CRITIQUE
THÉMATIQUE

Le terme de *thème* avait depuis longtemps figuré dans les études critiques traditionnelles, mais, ainsi qu'il a été précisé aux entretiens de Cerisy-la-Salle en 1969 : « il ne s'agit plus de repérer dans les textes d'un écrivain un "sujet" qu'il aurait traité ou une préoccupation qui reviendrait sous sa plume *en pleine conscience* mais de mettre à jour "un réseau organisé d'obsessions" (Barthes) qui ne relève pas de l'inconscient de l'écrivain, mais des zones "préréflexives" ou "extra-réflexives" de sa conscience. »

Dans la ligne de GASTON BACHELARD, un certain nombre de critiques considèrent que les chemins de la recherche structurale se trouvent singulièrement éclairés par l'étude des *thèmes essentiels* de l'œuvre.

Gaston Bachelard

GASTON BACHELARD (1884-1962) a publié notamment *La Psychanalyse du feu* (1937), *L'Eau et les rêves* (1942), *L'Air et les songes* (1943), *La Terre et les rêveries de la volonté, La Terre et les rêveries du repos* (1948), *La Poétique de l'espace* (1957), *La Poétique de la rêverie* (1961). Mathématicien et philosophe, il a renouvelé la notion même de création poétique. « Il semble bien, dit Georges Poulet, que la pensée de Bachelard débute par l'inverse d'un *cogito ;* elle refuse de prendre appui, antérieurement à ce qu'elle pense, dans l'*être* même de celui qui pense. »

Les quatre éléments

BACHELARD n'a cessé de confronter l'imagination, qui, pour lui, est première, aux forces et aux éléments de l'univers. Parmi les *forces imaginantes,* il en est, dit-il, qui « creusent le fond de l'être » : « Elles veulent y trouver à la fois le *primitif* et l'*éternel ;* elles dominent la saison et l'histoire ; dans la nature, *en nous et hors de nous,* elles produisent des germes, des germes où la forme est enfoncée dans une substance. »

Nous croyons possible de fixer, dans le règne de l'imagination, une loi des quatre éléments qui classe les diverses imaginations matérielles suivant qu'elles s'attachent au *feu,* à l'*air,* à l'*eau* ou à la *terre.* Et s'il est vrai, comme nous le prétendons, que toute poétique doive recevoir des composantes, — si faibles qu'elles soient — d'essence matérielle, c'est encore cette classification par les éléments matériels fondamentaux qui doit apparenter le plus fortement les âmes poétiques. Pour qu'une rêverie se poursuive avec assez de constance pour donner une œuvre écrite, pour qu'elle ne soit pas simplement la vacance d'une heure fugitive, il faut qu'elle trouve sa matière, il faut qu'un élément matériel
10 lui donne sa *propre substance,* sa *propre règle,* sa *poétique* spécifique. Et ce n'est pas pour rien que les philosophies primitives faisaient souvent, dans cette voie, un choix décisif. Elles ont associé à leurs principes formels un des quatre éléments fondamentaux qui sont ainsi devenus des marques de tempéraments philosophiques.   *L'Eau et les rêves* (José Corti, éditeur).

Toutefois, ces règles, cette « poétique spécifique » ne sauraient restreindre aux yeux de G. Bachelard les découvertes de la création, et sa pensée rejoint ici celle de Pierre Reverdy qui, dès 1927, écrivait dans le *Gant de crin :* « Le propre de l'image forte est d'être issue du rapprochement spontané de deux réalités très distantes, dont l'esprit seul a saisi les rapports ». Ainsi, dans *L'Eau et les rêves,* on peut lire : « Où est le réel ? Au ciel ou au fond des eaux ? On ne donnera jamais trop d'attention à ces doubles images, comme celle d'*île-étoile* dans une psychologie de l'imagination. Elles sont comme des *charnières du rêve* qui, par elles, change de registre, change de matière. Ici, à cette charnière, l'eau prend le ciel ; le rêve donne à l'eau le sens de la plus lointaine patrie, d'une patrie céleste. »

Pour Bachelard, c'est l'*image* qui est essentiellement *structurale*, mais aussi toujours *projetée*. « Il faut, dit-il, ajouter systématiquement à l'étude d'une image particulière l'étude de sa *mobilité*, de sa *fécondité*, de sa *vie* », car il veut avant tout que l'image se fasse *ouverture* afin que la lecture de l'œuvre devienne attentive et *participante*.

Alcool : métaphores du feu et de l'eau

Dès 1942, BACHELARD écrivait : « Critiquer c'est lire, et lire, c'est *sympathiser* avec la rêverie créatrice et la volonté du poète. » Dans la conclusion de *La Psychanalyse du feu*, il déclare : « Mon travail devrait préparer les instruments pour une critique littéraire objective dans le sens le plus précis du terme. Il devrait montrer que les métaphores ne sont pas de simples idéalisations qui partent, comme des fusées, pour éclater au ciel en étalant leur insignifiance, mais qu'au contraire les *métaphores s'appellent et se coordonnent* plus que les sensations, au point qu'un esprit poétique est purement et simplement *une syntaxe de métaphores*. [...] Psychiquement, nous sommes créés par notre rêverie. » THÈMES : *Art. Critique. Psychologie. Symboles.*

Ce qui oriente les tendances psychologiques, ce sont les images primitives ; ce sont les spectacles et les impressions qui ont, subitement, donné un intérêt à ce qui n'en a pas, un *intérêt à l'objet*. Sur cette image valorisée, toute l'imagination a convergé ; et c'est ainsi que, par une porte étroite, l'imagination comme dit Armand Petitjean « nous transcende et nous met face au monde ». La *conversion* totale de l'imagination qu'Armand Petitjean a analysée avec une lucidité étonnante est comme préparée par cette traduction préliminaire du bloc des images dans le langage d'une image préférée. Si nous avions raison à propos de cette polarisation imaginative, on comprendrait mieux pourquoi
10 deux esprits en apparence congénères, comme Hoffmann et Edgar Poe, se révèlent finalement comme profondément différents. Tous deux ont été puissamment aidés, dans leur tâche surhumaine, inhumaine, géniale par le puissant alcool. Mais l'alcoolisme de Hoffmann apparaît cependant comme bien différent de l'alcoolisme d'Edgar Poe. L'alcool de Hoffmann, c'est l'alcool qui flambe ; il est marqué du signe tout qualitatif, tout masculin du feu. L'alcool de Poe, c'est l'alcool qui submerge et qui donne l'oubli et la mort ; il est marqué du signe tout quantitatif, tout féminin, de l'eau. Le génie d'Edgar Poe est associé aux eaux dormantes, aux eaux mortes, à l'étang où se reflète la *Maison Usher*. Il entend « la rumeur par le flot tourmenté » suivant « la vapeur opiacée, obscure,
20 humide qui doucement se distille goutte à goutte... parmi l'universelle vallée » tandis que « le lac semble goûter un sommeil conscient » (*La Dormeuse*, trad. Mallarmé). Pour lui, les montagnes et les villes « tombent à jamais dans les mers sans nul rivage ». C'est près des marécages, des flaques et des étangs lugubres « où habitent les goules — en chaque lieu le plus décrié — dans chaque coin le plus mélancolique — qu'il retrouve « les réminiscences drapées du passé — formes ensevelies qui reculent et soupirent quand elles passent près du promeneur » *(Terre de Songe)*. S'il pense à un volcan, c'est pour le voir couler comme l'eau des fleuves : « mon cœur était volcanique comme les rivières scoriaques ». Ainsi l'élément où se polarise son imagination, c'est l'eau ou la
30 terre morte et sans fleur ; ce n'est pas le feu.[...] Aucun des complexes qui se forment dans l'amour du feu n'est venu le soutenir et l'inspirer. L'eau seule lui a donné son horizon, son infini, la profondeur insondable de sa peine.

La Psychanalyse du feu, VI (Librairie Gallimard, éditeur).

Georges Poulet   GEORGES POULET (né en 1902), professeur à l'Université de Zurich, auteur des *Études sur le temps humain* (4 vol., 1950-1964), poursuit ses investigations sur le rôle du temps et de l'espace dans plusieurs ouvrages dont l'orientation, très précise, se refuse à tout ce qu'il considère comme excentrique et dispersé : *La Distance intérieure* (1952) ; *Les Métamorphoses du cercle* (1961) ; *L'Espace proustien* (1963) ; *Trois Essais de mythologie romantique* (1966) ; *La Conscience critique* (1971). Il s'attache également à mettre en évidence les effets de « distance intérieure » entre *soi* et *soi*. Il salue dans l'acte littéraire « cette étrange activité créatrice se poursuivant dans son propre royaume et à laquelle, sous peine de s'en voir retirer aussitôt la compréhension et la jouissance, le critique ne doit pas un instant cesser de participer ». Lors des Entretiens de Cerisy-la-Salle (cf. *Les Chemins actuels de la critique*), il parlait d'une critique de participation, mieux encore d'identification : « Il n'y a pas de véritable critique sans la coïncidence de deux consciences. »

Dans *Les Métamorphoses du cercle*, GEORGES POULET s'est attaché à la thématique expressive des figures circulaires. « Il est une fameuse définition de Dieu qui, pendant des siècles, a joué un rôle considérable. [...] "Dieu est une sphère dont le centre est partout et la circonférence nulle part". En traversant les âges le grand emblème [...] ne s'applique plus à Dieu exclusivement mais aussi à l'homme. [...] C'est l'homme qui, à l'égal de Dieu, se découvre centre et sphère infinie. Bien plus, c'est chaque moment, chaque lieu où l'homme se trouve qui se constitue comme le centre toujours renouvelé de cette infinie sphéricité, car chaque lieu et chaque moment offrent à l'homme un nouveau point de vue, [...] si bien que, le monde étant composé d'une infinité de lieux et de moments, c'est une infinité de mondes, tous infinis, que la conscience humaine appréhende partout et toujours. »

Dans les *Études sur le temps humain*, examinant le rôle du temps et de l'espace, il montre, par exemple, comment le refus et le renoncement de Mme de Clèves (cf. *XVIIe Siècle*, p. 365-368) se préparaient depuis le début du roman.

De même, à propos de *Sylvie* (chap. VI, cf. *XIXe Siècle*, p. 278), il étudie comment, par la superposition de plusieurs images féminines à travers le temps et l'espace, Nerval rend compte de la métamorphose de la petite paysanne en une « fée des légendes » *(Trois Essais de mythologie romantique)*.

TEMPS ET « DISTANCE INTÉRIEURE »

Dans *Les Fenêtres*, de Mallarmé (cf. *XIXe Siècle*, p. 532), c'est la vitre qui symbolise la « distance » entre le *moi* réel et le *moi* rêvé. Mais d'autre part une légère modification du texte qui change profondément la signification du poème permet à G. POULET de nous faire mesurer à quel point, en peu d'années, s'est réduit — pour un instant du moins — le sentiment de cette séparation entre deux mondes, entre deux *moi*.
THÈMES : *Art. Critique. Psychologie. Littérature. Temps.*

Ce petit poème, un des plus admirables de la jeunesse de Mallarmé, est souvent négligé par les mallarméistes parce qu'ils trouvent que Mallarmé ne s'y est pas encore assez dégagé de l'influence de Baudelaire. C'est là une erreur. En réalité ce poème est bien le premier où Mallarmé dépasse nettement le baudelairisme, mais pour le dépasser il fallait *passer outre*, pousser le baudelairisme au-delà de Baudelaire, et c'est dans ce sens qu'on peut dire des *Fenêtres* que c'est un poème authentiquement mallarméen parce qu'ultra-baudelairien.

L'opposition radicale entre deux mondes dont l'un, triste hôpital, est
10 *le lieu où on est*, et dont l'autre, l'Azur, est *le lieu où l'on n'est pas*, fait

le sujet de ce poème. Aucun mouvement de l'un à l'autre, sinon celui qui s'arrête tout de suite devant l'obstacle transparent d'une vitre. D'un côté de cette vitre, le poète ; de l'autre son image magiquement transformée en celle d'un habitant de l'azur : « Je me mire et me vois ange... » Ne méconnaissons pas le caractère tragique de cette hypostase. C'est ainsi qu'un damné pourrait se voir en rêve au Paradis.

Tel que nous le lisons aujourd'hui dans sa version définitive, par suite du changement d'un seul mot, la signification du poème est profondément changée : « Je me mire et me vois ange ! et *je meurs.* » Mais en 20 1863 le poème se lisait : « et *je songe* ». Or [...] la mort constituera plus tard, aux yeux de Mallarmé, un *acte* par excellence, celui par lequel on passe réellement d'un monde dans l'autre. En remplaçant *je songe* par *je meurs*, Mallarmé donnera en 1866 une signification absolument nouvelle à son poème. Il y aura donc un acte par lequel on renaît réellement de l'autre côté de la vitre, dans « le ciel antérieur ». Mais en 1863, dans la première version et pour le premier Mallarmé, il en allait tout autrement ; le songe n'était pas un acte, mais précisément un songe et un mensonge, mensonge reconnu pour tel. Le poète ne cessait d'être du mauvais côté de la glace ; de l'autre côté, séparé de 30 lui, était son rêve. Et le poème consistait tout entier dans cette opposition de deux mondes et de deux *moi* entre lesquels la transparence de la vitre mettait une distance métaphysique absolue.

La Distance intérieure (Plon, éditeur).

Jean-Pierre Richard   La critique de J.-P. RICHARD (né en 1922) se situe au cœur d'une œuvre pour en retrouver l'unité organique dans son paysage essentiel, dans ce qu'il appelle « l'univers imaginaire » de son auteur. Telle la « géographie magique de Nerval » dans *Poésie et profondeur* (1955). Il a publié en outre : *Littérature et sensation* (1954), *L'Univers imaginaire de Mallarmé* (1962), *Onze Études sur la poésie moderne* (1964), *Paysage de Chateaubriand* (1967), *Stendhal-Flaubert* (1970), *Études sur le romantisme* (1971), *Proust et le monde sensible* (1974), *Microlectures I* (1979), *Pages paysages. Microlectures II* (1984).

« La critique, dit-il, peut être à la fois une herméneutique et un art combinatoire. *Elle déchiffre alors en réunissant.* Ce faisant, elle n'agit pas par préjugé, mais tout au plus par hypothèse ; loin de poser sur l'œuvre une grille immuable, elle se laisse très librement aller dans l'objet qu'elle prétend comprendre [...]. Bref, elle rêvera d'instituer, entre toutes les œuvres particulières, et tous les *registres* — sérieux, tragique, métaphysique, précieux, amoureux, esthétique, idéologique, frivole — de cette œuvre, une relation d'ensemble qui les oblige mutuellement à s'éclairer. »

Il a résumé sa méthode dans une *Fiche* pour les Dossiers pédagogiques de la Radio-télévision scolaire (1971-1972). Pour définir « l'univers imaginaire » de l'écrivain, « deux gestes simultanés : *recensement* et *structuration* ».

Pour le *recensement,* voici le type de questions à se poser « au départ, selon l'appel même de l'œuvre » : « Comment cet univers personnel se fabrique-t-il ? Selon quelles modalités particulières de la *perception* ou du *désir* ? A partir de quelles *dimensions* particulièrement signifiantes ? En interrogeant quelles *matières* ? En se fascinant sur quelles *chairs* ? En s'animant selon quels *mouvements* ? ou s'établissant dans quelles *formes* favorites ? Comment s'y structure la *temporalité* ? De quelle façon s'y instaure la *relation* ? Comment s'y définit imaginairement la *substance* ? Comment, en somme, s'y construit le *paysage* original de l'avenir ? »

Pour la *structuration,* « on repérera, dans la totalité écrite de l'œuvre, les éléments qui *s'y répètent* de façon significative [...]. Ces séries elles-mêmes seront *mises en relation* les unes avec les autres en un geste d'organisation globale ».

L'UNIVERS IMAGINAIRE DE MALLARMÉ

Dans sa définition méticuleuse, la méthode de J.-P. RICHARD semble présenter une sorte d'objectivité scientifique qui la mettrait à la portée de tous. En fait, nous sentons bien qu'appuyée sur ces démarches *la critique littéraire demeure un art,* lié à la liberté de l'investigation scrutant le caractère irréductible d'une écriture, à la sensibilité subjective du critique, à son don personnel de l'expression. On en jugera par cette analyse d'une œuvre difficile de MALLARMÉ, *Don du poème* (cf. *XIXᵉ Siècle,* p. 535) : toutes les ressources du critique sont mises en œuvre au service de l'auteur, pour « rejoindre en lui l'esprit et la lettre, le "fond" et la "forme" », et atteindre, au plus profond, son « *univers imaginaire* ». – THÈMES : *Art. Critique. Psychologie. Littérature. Symboles.*

Marie sert ainsi de prêtresse à tout un décor épuisé qui vit par elle et qui converge en elle. [...] Foncièrement hivernale, la femme fanée s'affecte donc d'un coefficient de froideur : dans sa chair même on la rêve frigide. Devenue mère, elle reste encore vierge. Elle berce sa fille de « sa voix » d'autrefois, « rappelant viole et clavecin », l'apaise « de l'innocence de ses pieds froids ». Son image peut même se lier à des évocations stériles plus décisives encore : « clarté déserte de la lampe », « vide papier que la blancheur défend ». Et pourtant cette froideur, cette visible appartenance à un monde d'obstacle et de raréfaction
10 n'empêchent pas le fané de réaliser en elle son habituel miracle. La jeune femme rit, elle chante, surtout « avec le doigt fané » elle presse le sein

> *Par qui coule en blancheur sibylline la femme*
> *Pour les lèvres que l'air du vierge azur affame...*

Coulée merveilleusement « sibylline » en effet : d'où vient ce lait ? et comment arrive-t-il jusqu'à nous ? D'où tire-t-il sa force nutritive ? Il semble en tous cas issu d'une profondeur aussi vierge que celle de l'azur lui-même ; vital et nourricier, il n'en est pas moins, jusque dans sa substance, marqué des signes d'une frigidité. La même nuance de blancheur réunit le lait et la chair de la femme qui allaite, l'un ne faisant d'ailleurs que continuer liquidement l'autre. Dans le lait une froideur
20 s'active tout en demeurant froide, une chasteté s'écoule sans se prostituer, un négatif se mue en une positivité bénéfique, l'azur se dégèle et nous abreuve de sa neige. Le lait représente bien ainsi pour Mallarmé le mode fécond de la blancheur, il est l'aveu parfait d'une femme fanée. Comme le fera plus tard cette autre humeur, le sang, dans le monde immédiat et rouge de l'amour, il nous signale dans son domaine propre, celui de la raréfaction, de la traversée lointaine et difficile, une arrivée de vie, un affleurement d'être. *L'Univers imaginaire de Mallarmé* (Le Seuil, éditeur).

Charles Mauron   Dans *L'Être et le Néant* (1943) Jean-Paul Sartre avait exposé une théorie de la « psychanalyse essentielle », dont il a rappelé les données lors de la publication de sa vaste étude sur Flaubert : *L'Idiot de la famille*. C'est CHARLES MAURON (1893-1966) qui devait, en 1949, proposer le terme nouveau de *psychocritique* dans son étude : *Nerval et la psychocritique*. Déjà, dans *Mallarmé l'obscur* (1941), il analysait le caractère « obsédant » de certaines images, en envisageant le texte non comme un document, mais comme « la structuration d'un conflit ». Plusieurs ouvrages allaient dès lors affirmer son attitude : *Introduction à la psychanalyse de Mallarmé* (1950), *L'Inconscient dans l'œuvre et la vie de Racine* (1954, rééd. 1969), *Psychocritique du genre comique* (1964), *Le Dernier Baudelaire* (1966). Par la technique de la « superposition des textes », Mauron recherche, chez les poètes, les « réseaux » des métaphores révélatrices, « résultats de processus mentaux complexes et largement involontaires ». Dans les œuvres théâtrales, il s'attache à dégager les figures mythiques. En comparant, à propos de Racine, sa méthode à celle de Lucien Goldmann, on a pu voir en elle une « psychogenèse », convergeant avec la « sociogenèse » apparue dans *Le Dieu caché*. Mais c'est de 1963 que date l'œuvre majeure de Charles Mauron : *Des métaphores obsédantes au mythe personnel, introduction à la psychocritique*.

Sur la structure du *mythe personnel*, « expression de la personnalité inconsciente de l'écrivain », Mauron écrit : « Il nous offre l'image classique du conflit opposant le moi conscient à des phantasmes imparfaitement refoulés. » Dans le chapitre consacré à Mallarmé, sondages et superpositions dégagent de sa poétique des aspects nouveaux, tel celui du « double sombre, déchu et souillé par un contact avec la réalité » (chapitre XVIII). Pour Mauron, ce n'est pas la biographie qui explique l'œuvre, c'est l'œuvre qui, en dévoilant la personnalité profonde de l'écrivain, explique sa biographie.

L'inconscient dans l'œuvre et la vie de Racine

Dans son livre *Des métaphores obsédantes au mythe personnel*, MAURON déclare : « La psychocritique [...] est d'accord avec la critique thématique pour penser que des choses très intéressantes se passent chez un écrivain sur la ligne où s'ajustent les processus conscients et inconscients. *Mais pour les comprendre, elle croit indispensable d'explorer une certaine profondeur de l'hinterland inconscient.* » Quelques lignes avant notre extrait, il précise : « Fatalité, répétitions obsédantes, présences ou absences trop marquées, étrangetés, bizarreries, doubles sens, ambivalences, mécanismes primitifs, pensée magique, symboles oniriques, etc. [...] Par un mélange d'intuition et de science, l'analyste repère ces traits significatifs comme un médecin repère les signes cliniques. Leur ordonnance, peu à peu, révélera la structure cherchée. » Il convient d'ajouter que, dans sa pensée, cette analyse « scientifique » n'est qu'une étape préalable : elle doit préparer à l'étude *proprement littéraire* de l'œuvre. – THÈMES : *Art. Critique littéraire. Psychologie.*

Dans l'œuvre de Racine, nous allons voir que les obsessions les plus apparentes sont, comme il est assez naturel, des situations dramatiques, par exemple : « un homme oscille entre une femme virile et une tendre amante » ou « une menace de mort pèse sur l'enfant ». Bien d'autres thèmes attirent l'attention de l'analyste, mais ceux-là sont parmi les plus gros. Or, déjà leur étude musicale, et avant toute interprétation psychanalytique, bouleverse les méthodes de la critique littéraire. Considérez en effet le premier des thèmes cités plus haut : « un homme oscille entre une femme virile et une tendre amante ». C'est Néron entre Agrippine et Junie, c'est Bajazet entre Roxane 10 et Atalide, c'est encore Hippolyte entre Phèdre et Aricie. Les situations sont fort différentes, mais le thème structurel apparaît clairement. Cela nous invite à superposer les trois tragédies et à étudier leurs correspondances terme à terme.

Des questions neuves se posent ainsi. Quelles sont les composantes communes aux trois autres femmes repoussées ? Quelle source affective commune alimente leurs trois images dans la structure inconsciente de l'auteur ? Comment, pourquoi a-t-il glissé de l'une à l'autre ? [...] (Les résultats) se présenteront sous la forme d'un mythe fondamental ou d'un groupe de mythes, expression imagée de la structure affective propre à l'auteur. Et c'est ici qu'il faut prendre garde. Si nous ne « collons » pas au matériel, si, oubliant l'originalité de l'œuvre
20 entière, nous interprétons trop vite et trop symboliquement, nous aboutirons fatalement à des mythes collectifs, archétypes, inutiles pour nous parce que trop simples et trop universels.

L'Inconscient dans l'œuvre et la vie de Racine (Slatkine, éditeur).

Weber et Rousset

Dans la *Genèse de l'œuvre poétique* (1960) et les *Domaines thématiques* (1963), JEAN-PAUL WEBER a mis l'accent sur le caractère obsessionnel de certains thèmes remontant à la petite enfance de l'écrivain — ce qui n'est pas sans intérêt —, mais en privilégiant abusivement ce principe explicatif : l'horloge chez Vigny ; la tour, la basse fosse et le ciel embrasé chez Hugo ; la statue écaillée au fond du jardin chez Verlaine ; l'arbre chez Claudel ; le sein et le cygne chez Valéry.

JEAN ROUSSET (né en 1910) a attaché son nom — en recourant aux rapprochements thématiques — au *baroque* en littérature, en publiant *La Littérature française de l'âge baroque* (1953), thèse illustrée par une *Anthologie de la poésie baroque française* (2 vol., 1961). Il a écrit en outre divers essais où l'on trouve des aperçus critiques très stimulants : *Forme et signification, essai sur les structures littéraires de Corneille à Claudel* (1962) ; *L'Intérieur et l'extérieur, essai sur la poésie et le théâtre au XVIIe siècle* (1968) ; *Narcisse romancier, essai sur la première personne dans le roman* (1973) ; *Le Mythe de Don Juan* (1978) ; *Leurs yeux se rencontrèrent. La scène de première vue dans le roman* (1981).

Jean Starobinski

Né en 1920, JEAN STAROBINSKI allait, après Marcel Raymond et Albert Béguin, apporter la contribution genevoise à la critique française, où il détient une place exceptionnelle. Dès 1953 son étude sur *Montesquieu par lui-même* révélait nettement qu'il centrait les perspectives structuralistes autour de l'*Idée d'organisme* (titre d'un essai, 1955). Sa thèse sur *J.-J. Rousseau, la transparence et l'obstacle* (1958), puis *L'Œil vivant* (1961, essai sur le regard : Corneille, Racine, Rousseau, Stendhal) présentent des vues originales et renouvellent l'étude de Rousseau. Ses ouvrages plus récents s'intitulent : *Portrait de l'artiste en saltimbanque* (1970) ; *Trois Fureurs* (1974) ; *Montaigne et le mouvement* (1982).

Dans *La Relation critique* (1971), il démontre l'intérêt de recourir tour à tour, sans esprit de système, aux approches diverses de la critique moderne, qu'on aurait tort de cloisonner abusivement. C'est dans l'Introduction à *L'Œil vivant* qu'il a exposé sa conception du *regard critique* : il doit combiner l'*intuition identifiante* et le *regard surplombant* qui, prenant une distance, considère, « dans une perspective panoramique, les *alentours* avec lesquels l'œuvre est organiquement liée ».

« *Or, voici l'écueil : [...] dès l'instant où l'on s'oblige à situer une œuvre dans ses coordonnées historiques, seule une décision arbitraire nous autorise à limiter l'enquête. [...] La critique complète n'est peut-être ni celle qui vise à la totalité (comme fait le regard surplombant), ni celle qui vise à l'intimité (comme fait l'intuition identifiante), c'est un regard qui sait exiger tour à tour le surplomb et l'intimité, sachant par avance que la vérité n'est ni dans l'une ni dans l'autre tentative, mais dans le mouvement qui va inlassablement de l'une à l'autre. [...] Mais peut-être aussi la critique a-t-elle tort de vouloir à ce point régler l'exercice de son propre regard. Mieux vaut, en mainte circonstance, s'oublier soi-même, et se laisser surprendre. En récompense je sentirai dans l'œuvre naître un regard qui se dirigera vers moi. [...] L'œuvre m'interroge.* »

Le miroir oblique

« Le critique, dit J. STAROBINSKI, est celui qui, tout en consentant à la fascination que le texte lui impose, entend pourtant conserver *droit de regard*. Il désire pénétrer plus loin encore : par-delà le sens manifeste qui se découvre à lui, il pressent une signification latente. Une vigilance supplémentaire lui devient nécessaire, à partir de la première lecture à vue, pour s'avancer à la rencontre d'un sens second. » Dans cette étude sur l'épisode célèbre de Mme Basile au livre II des *Confessions* de Rousseau, J. STAROBINSKI, aidé par son expérience de médecin psychologue, analyse dans leur succession les états d'âme de l'adolescent ; puis, poussant plus avant, il tire de cet épisode, considéré comme symbolique, une explication de la démarche de l'écrivain.
THÈMES : *Adolescence. Amour. Femme. Psychologie. Critique. Symboles.*

Jean-Jacques s'est avancé à pas de loup vers la chambre de Mme Basile. Il désire l'apercevoir, pour une fois, ailleurs que dans la boutique où tous les passants la voient. Il pénètre dans le lieu défendu, où elle est seule avec elle-même, tout abandonnée à son repos et à sa beauté. Il veut demeurer inaperçu, l'adorer en secret et à distance : son bonheur consiste à voler, de loin, des images d'intimité et d'innocence. Il parvient à ses fins, puisque le temps lui est laissé d'attacher sur le visage aimé un long regard clandestin. « Il régnait dans toute sa figure un charme que j'eus le temps de considérer, et qui me mit hors de moi. » Extase solitaire, sans réciprocité, où, à la condition
10 de se faire tout regard et de rester invisible, Jean-Jacques dispose de chaque trait, de chaque geste, de chaque soupir de la jeune femme. Il ne lui en faut pas plus. Il ne songe pas à la possession charnelle : la possession visuelle lui suffit. Il est venu chercher sa propre fascination et il l'a obtenue. Jean-Jacques est « hors de lui » : Mme Basile ignore sa présence. Deux absents. Qui reste-t-il ? Un regard vertigineux :

« Je me jetai à genoux à l'entrée de la chambre, en tendant les bras vers elle d'un mouvement passionné, bien sûr qu'elle ne pouvait m'entendre, et ne pensant pas qu'elle pût me voir : mais il y avait à la cheminée une glace qui me trahit. »

20 Le voilà pris : voleur volé. La glace capture son reflet et dénonce sa présence. [...] Par la faute du miroir oblique, le guetteur est débusqué. Il devient proie. Du coup, le voici précipité dans la situation la plus embarrassante. Spectateur, il était tout à son plaisir ; sitôt vu, il lui faut justifier sa présence, et cette présence est coupable : la honte le paralyse. Que faire ? Que dire ? Comment s'expliquer ? Comment faire comprendre l'innocence de son entreprise (innocence qui prend les apparences de la faute sous les yeux de l'autre) ? En l'occurrence, Jean-Jacques ne sait ni parler, ni agir, ni s'enfuir : il se comporte comme un animal fasciné, cloué sur place par son émoi, abîmé dans l'obéissance absolue. Heureuse faute, puisque l'émoi immobile de Mme Basile répond à celui
30 de Jean-Jacques. Le miroir, qui a compromis le plaisir de l'adoration solitaire, devient l'intercesseur d'une rencontre miraculeuse. Pour cette unique fois, en effet, les paroles et les explications n'auront pas été nécessaires, la seule effusion du sentiment aura suffi. Sans savoir même si son amour est accepté ou refusé, Jean-Jacques accède à la plénitude amoureuse de la pure présence. Aux genoux

de Mme Basile, il s'abandonne au sentiment de sujétion coupable et de repentir adorant qui est son idéal de l'amour. Sa joie s'arrête aux « prémices de la possession » ; mais une telle possession, si elle ne s'achève pas, ne connaît pas la mort du désir, qui est la loi de toute possession. C'est un amour qui ne sort pas de son commencement et qui, ne s'accomplissant pas, n'affrontant pas sa fin, se croit inépuisable et immortel. Il faut relire, parce qu'on ne s'en lasse jamais, ces quelques lignes :

« Je ne sais quel effet ce transport fit sur elle ; elle ne me regarda point, ne me parla point : mais, tournant à demi la tête, d'un simple mouvement de doigt elle me montra la natte à ses pieds. »

Le miroir n'est donc pas, en cet instant, l'instrument du regard sur soi-même : il se situe sur le trajet qui relie Jean-Jacques à la personne aimée. Rousseau se présente obliquement, par son reflet. Il nous assure que cela s'est produit à son insu, et nous devons le croire. On imagine volontiers, cependant, que cette approche indirecte lui convenait mieux que toute autre, et qu'il aurait pu l'avoir délibérément choisie : elle lui permettait de se montrer « en effigie », sans toutefois se laisser atteindre, dans sa personne réelle, par le regard de Mme Basile. [...]

Placé là par un fatal et heureux hasard, le miroir permettait à Jean-Jacques de se montrer tout en demeurant dissimulé. Il est permis de voir, dans cet événement accidentel, un très curieux symbole.

La façon dont Jean-Jacques aborde Mme Basile — se cachant tout en se laissant trahir par un reflet oblique — reparaît dans un très grand nombre de circonstances et se retrouve à l'origine même de la vocation esthétique. Rousseau est timide ; trop près des autres, dans l'étourdissant bavardage des salons, il se trouve sot et embarrassé, il a honte de lui-même. Pourtant il a le sentiment de sa valeur. Comment la faire reconnaître par les autres ? « Le parti que j'ai pris d'écrire et de me cacher est précisément celui qui me convenait. » Ceci équivaut à s'offrir au public dans un reflet, dans une image oblique, comme dans la glace de Mme Basile, mais en créant désormais ce reflet, en consultant son cœur pour construire cette image. Il sera connu, il sera admiré, sans avoir à s'exposer en personne ; son œuvre le dissimulera tout en imposant son nom au public.

ROUSSEAU découvrira avec douleur que le public se fait de lui une image opposée à celle qu'il lui présente dans son œuvre littéraire, celle d'un Jean-Jacques « vertueux, héroïque, attaché aux plus nobles principes : une grande âme qui souffre devant la corruption et l'iniquité ».

« Il faudra chasser la fausse image (celle que se font les autres, induits en erreur par les méchants) et cela ne sera pas chose facile. Cette rectification — combat de l'imagination innocente contre l'imagination maléfique — constituera la tâche inépuisable des dernières années de Rousseau : *Confessions, Dialogues, Rêveries, Billets circulaires* n'y suffiront pas. »

L'Œil vivant (Librairie Gallimard, éditeur).

1. Alain-Fournier   2. Jean Anouilh   3. Guillaume Apollinaire   4. Louis Aragon

5. Marcel Aymé   6. Samuel Beckett   7. Georges Bernanos   8. Henri Bosco

9. André Breton   10. Louis-Ferdinand Céline   11. Blaise Cendrars   12. René Char

13. Paul Claudel   14. Bernard Clavel   15. Jean Cocteau   16. Michel Déon

Autres portraits : **Maurice Barrès** (p. 125), **Albert Camus** (p. 721), **Colette** (p. 603).

17. Robert Desnos

18. Georges Duhamel

19. Marguerite Duras

20. Paul Éluard

21. Pierre Emmanuel

22. Anatole France

23. Romain Gary

24. Jean Genet

25. Maurice Genevoix

26. Jean Giono

27. Jean Giraudoux

28. Julien Gracq

29. Julien Green

30. Eugène Ionesco

31. Jean-Marie-Gustave Le Clézio

32. Françoise Mallet-Joris

Autres portraits : **Charles de Gaulle** (p. 543), **André Gide** (p. 295), **André Malraux** (p. 543 et 551).

. Roger Martin du Gard   34. François Mauriac   35. André Maurois   36. Henri Michaux

. Henry de Montherlant   38. François Nourissier   39. Jean D'Ormesson   40. Marcel Pagnol

. Georges Pérec   42. A. Pieyre de Mandiargues   43. Francis Ponge   44. Jacques Prévert

. Marcel Proust   46. Henri Queffélec   47. Raymond Queneau   48. Raymond Radiguet

utre portrait : **Charles Péguy** (p. 144).

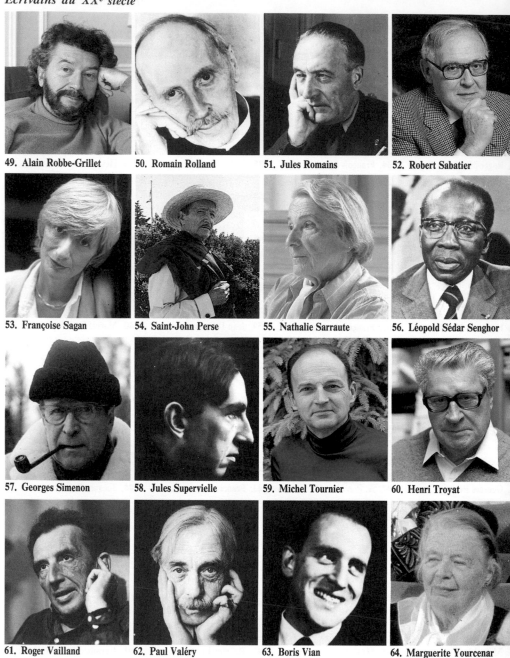

49. Alain Robbe-Grillet   50. Romain Rolland   51. Jules Romains   52. Robert Sabatier

53. Françoise Sagan   54. Saint-John Perse   55. Nathalie Sarraute   56. Léopold Sédar Senghor

57. Georges Simenon   58. Jules Supervielle   59. Michel Tournier   60. Henri Troyat

61. Roger Vailland   62. Paul Valéry   63. Boris Vian   64. Marguerite Yourcenar

Autres portraits : **Antoine de Saint-Exupéry** (p. 551), **Jean-Paul Sartre** (p. 713).

INDEX THÉMATIQUE

Les chiffres renvoient aux pages où figurent les titres des textes à considérer.

TABLE DES MATIÈRES

Dépôt légal 1ʳᵉ édition : août 1962, D.L. : juillet 1997
N° de projet : 10068854-IX-8-CSBGP 80-06/99
Achevé d'imprimer en France par IFC en juin 1999 N° d'impression 99/467